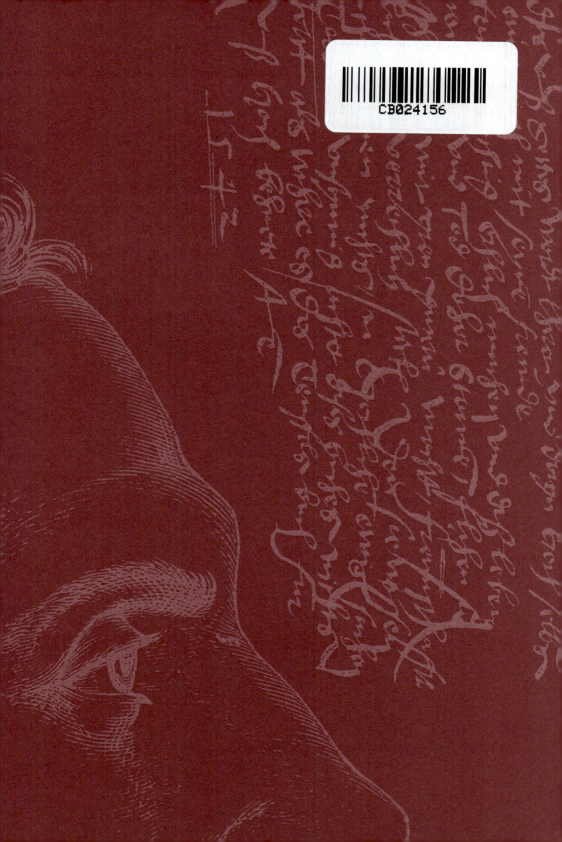

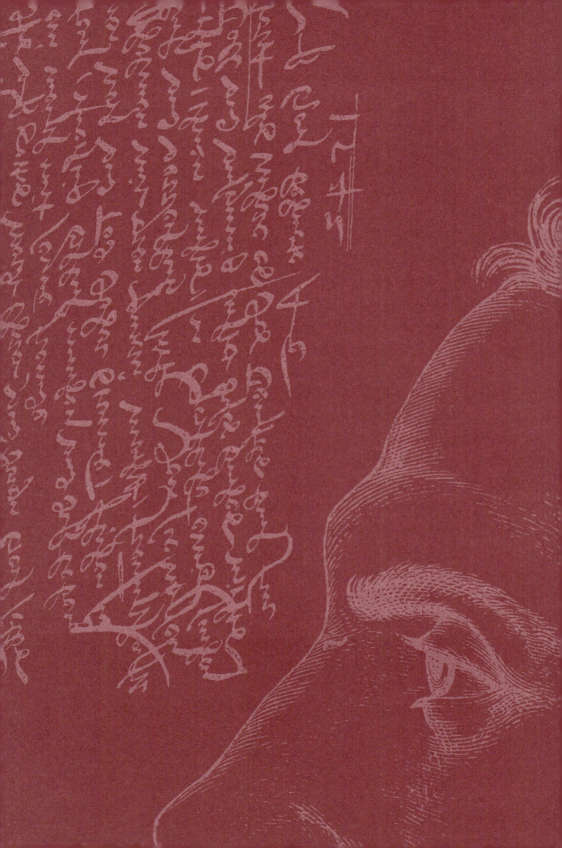

TEOLOGIA DA REFORMA

TEOLOGIA DA REFORMA

EDITADO POR
MATTHEW BARRETT

PREFÁCIO DE
MICHAEL HORTON

Tradução: Francisco Nunes

Rio de Janeiro, 2023

Título original: *Reformation Theology: A Systematic Summary*
Copyright © 2017 Matthew Barrett
Edição original por Crossway. Todos os direitos reservados.

Copyright da tradução © Vida Melhor Editora, S.A., 2017.

As citações bíblicas são da Nova Versão Intrenacional (NVI), da Biblica, Inc., a menos que seja especificada outra versão da Bíblia Sagrada.

Todos os direitos desta publicação são reservados por Vida Melhor Editora, S.A.

Publisher	*Omar de Souza*
Gerente editorial	*Samuel Coto*
Editor	*André Lodos Tangerino*
Assistente editorial	*Marina Castro*
Copidesque	*Jean Carlos Xavier*
Revisão	*Davi Freitas e*
	Gustav F. Schmid
Diagramação	*Aldair Dutra de Assis*
Capa	*Maquinaria*

Os pontos de vista desta obra são de responsabilidade de seus autores, não refletindo necessariamente a posição da Thomas Nelson Brasil, da HarperCollins Christian Publishing ou de sua equipe editorial.

CIP-BRASIL. CATALOGAÇÃO NA PUBLICAÇÃO
SINDICATO NACIONAL DOS EDITORES DE LIVROS, RJ

B264t

Barrett, Matthew
  Teologia da Reforma / Matthew Barrett; tradução Francisco Nunes. - 1. ed. - Rio de Janeiro: Thomas Nelson Brasil, 2017.
  704 p.

  Tradução de: Reformation theology: a systematic summary
  ISBN 978-85-7860-937-5

  1. Reforma protestante. 2. Teologia. 3. Protestantismo - História - Século XVI. I. Nunes, Francisco. II. Título.

17-42297
CDD: 270.6
CDU: 274

Thomas Nelson Brasil é uma marca licenciada à Vida Melhor Editora S.A.
Todos os direitos reservados à Vida Melhor Editora S.A.
Rua da Quitanda, 86, sala 218 – Centro
Rio de Janeiro, RJ – CEP 20091-005
Tel.: (21) 3175-1030
www.thomasnelson.com.br

Esse livro é dedicado a meu pai, Michael Barrett. Você sempre se orgulhou muito por eu ter-me tornado teólogo. Espero que esse livro faça você ainda mais orgulhoso. Obrigado por seu amor e encorajamento constantes.

SUMÁRIO

Prólogo: o que estamos celebrando?..................................9
    Um inventário de cinco séculos
    Michael Horton

Abreviaturas..29

Colaboradores...33

Introdução
   1. O cerne da verdadeira Reforma.............................41
     Matthew Barrett

PARTE 1: Contexto histórico da Reforma.............................61
   2. Teologia Medieval.......................................63
     Gerald Bray

   3. Os Reformadores e suas Reformas........................101
     Carl Trueman e Eunjin Kim

PARTE 2: Teologia da Reforma......................................127
   4. Sola Scriptura..129
     Mark D. Thompson

   5. A Santa Trindade.......................................165
     Michael Reeves

   6. O ser e os atributos de Deus.............................189
     Scott R. Swain

   7. Predestinação e eleição.................................209
     Cornelis P. Venema

   8. A criação, a humanidade e a imagem de Deus..............245
     Douglas F. Kelly

   9. A pessoa de Cristo......................................271
     Robert Letham

10. A obra de Cristo 301
    Donald Macleod

11. O Espírito Santo 341
    Graham A. Cole

12. União com Cristo 367
    J. V. Fesko

13. A escravidão e a libertação da vontade 391
    Matthew Barrett

14. Justificação somente pela fé 445
    Korey D. Maas

15. Santificação, perseverança e segurança 479
    Michael Allen

16. A igreja 503
    Robert Kolb

17. Batismo 531
    Aaron Clay Denlinger

18. A Ceia do Senhor 561
    Keith A. Mathison

19. A Relação entre Igreja e Estado 587
    Peter A. Lillback

20. Escatologia 627
    Kim Riddlebarger

Índice onomástico 657
Índice remissivo 671
Índice de citações 693

Prólogo
O QUE ESTAMOS CELEBRANDO?

Um inventário de cinco séculos

Dando início às festividades que celebram o quinto centenário da Reforma, está prevista a realização de um culto no dia 31 de outubro de 2016, na cidade de Lund, Suécia, sob a liderança do papa Francisco e do presidente da Federação Luterana Mundial, o bispo Munib Younan. Na preparação para uma comemoração oficial em Wittenberg exatamente um ano depois, uma convenção internacional e ecumênica de igrejas está agendada para maio, de acordo com um relatório do Conselho Mundial de Igrejas, sendo aguardadas em Berlim cerca de cem mil pessoas para o evento.

"Reforma significa buscar corajosamente o que é novo e afastar-se de hábitos antigos e familiares", de acordo com a presidente da convenção, Christina Aus der Au, da Suíça.[1] Comentários como esse são comuns entre os principais representantes do mundo protestante, e ilustram as grandes variações na interpretação da Reforma e de seu significado hoje. Muitos desses antigos herdeiros da Reforma há muito que moveram os credos e as confissões para a seção "Documentos históricos" do hinário. Como o poderoso rio se tornou um leito de rio praticamente seco, é questionável se essas multidões podem ser reunidas para celebrar um movimento cujos ensinamentos são hoje menos significativos para os habitantes de Wittenberg e de Genebra do que são para muitos na Indonésia, na Nigéria e em Seul.

Mas, e quanto ao testemunho evangélico histórico? Decorrentes de vários movimentos protestantes de avivamento no século XVIII, sociedades missionárias evangélicas foram formadas nos antigos capitólios da Reforma e, por algum tempo, deram nova vida a igrejas e instituições que, em grande medida, tinham sucumbido ao racionalismo iluminista e à indiferença doutrinária. Em muitos casos, as

---

[1] Citado por Stephen Brown em "Reformation celebrations will be ecumenical and international, says German Protestant leader". Conselho Mundial de Igrejas, 12 de maio de 2016. Disponível em: <www.oikoumene.org/en/press-centre/news/reformation-celebrations-will-be-ecumenical-and-international-says-german-protestant-leader>.

teologias luterana e reformada, combinadas com o pietismo, formaram uma mistura criativa e, às vezes, inflamável. Embora um grupo evangélico relativamente pequeno, mas vigoroso, viva hoje na Igreja da Inglaterra (e outros menores nas igrejas episcopais dos Estados Unidos e do Canadá), a força do anglicanismo evangélico mudou-se para o hemisfério Sul do globo.

Para confirmar isso, nos Estados Unidos há uma presença substancial de igrejas que seguem a Reforma, incluindo, por exemplo, mais de 2 milhões de luteranos do Sínodo de Missouri, 350 mil membros da Igreja Evangélica Luterana de Wisconsin e aproximadamente o mesmo número de pessoas que pertencem à Igreja Presbiteriana na América. No entanto, esses totais são superados por seus parceiros do hemisfério Sul. Para dar uns poucos exemplos: a Igreja Presbiteriana na Nigéria registra 4 milhões de membros, e as Igrejas de Cristo Evangélicas Reformadas, no Estado de Plateau, região central da Nigéria, contabilizam cerca de 1,5 milhão de membros comungantes. A Igreja Presbiteriana Nacional do México divulga a cifra de 2,8 milhões de membros, e há 10 milhões de presbiterianos na Coreia do Sul, a maioria dos quais muito mais conservadores do que na principal Igreja Presbiteriana (EUA). História semelhante ocorre praticamente no mundo todo. Em muitos casos, se não na maioria deles, o crescimento ocorreu devido à mistura de confessionalismo e pietismo que foi trazida por missionários e agora floresce nos seminários e nas igrejas.

DOUTRINA: DO MINIMALISMO À INDIFERENÇA[2]

O evangelicalismo, tanto em sua vertente britânica como na norte-americana, tem sido sempre uma túnica de muitas cores em termos de doutrina e prática. Em adição às tradições mais antigas da Reforma e do pietismo, esse evangelicalismo foi moldado por reavivamento e pela intensa agitação nas principais linhas do protestantismo, o que, com o tempo, dividiu-o em dois campos: os modernistas e os fundamentalistas. Luteranos confessionais, bem como presbiterianos, reformados e igrejas anglicanas viram-se divididos entre si. Por um lado, encontraram aliados entre aqueles que estavam dispostos a assumir posições inequívocas sobre a autoridade das Escrituras e da salvação pela graça somente em Cristo mediante a fé. Eles ficaram ombro a ombro em sua defesa e proclamação da divindade de Cristo, da morte vicária pelos pecadores, da ressurreição e do retorno corporais. Por outro lado, as igrejas confessionais viram-se um pouco alienadas pelo obscurantismo fundamentalista, pelo legalismo e pelas interpretações escatológicas. Quando

---

[2] Esta seção e a seguinte foram extraídas e adaptadas de meu artigo "To Be or Not to Be: The Uneasy Relationship between Reformed Christianity and American Evangelicalism". *Modern Reformation* 17, n. 6, 2008, p. 18–21. Usados com permissão de *Modern Reformation*.

uma posição evangélica única precisava ser tomada, sempre parecia que as igrejas confessionais, e não as de orientação mais avivada, é que tinham de reprimir distintivos confessionais considerados por elas assuntos não periféricos.

No entanto, parece ser nesses círculos evangélicos mais amplos que um interesse renovado pela Reforma irrompe periodicamente. O exemplo mais recente, pelo menos nos Estados Unidos, é o muito bem-sucedido esforço da *Gospel Coalition*, fundada por Tim Keller e D. A. Carson. Embora longe de estar sozinha, a *Gospel Coalition* tem despertado grande interesse em todo o mundo por defender a autoridade das Escrituras, pela proclamação centrada em Cristo e na graça de Deus ao justificar e santificar os pecadores. No entanto, mesmo esse movimento promissor expõe tanto alguns dos pontos fracos quanto dos pontos fortes do evangelicalismo americano. Ao ler-se do princípio ao fim o Livro de Concórdia, as Três Formas de Unidade, os Padrões de Westminster e os Trinta e Nove Artigos, aprecia-se a preocupação em confessar a plenitude da fé ecumênica, católica e evangélica, em vez de reduzir o essencial a algumas proposições.

A *força* do evangelicalismo é seu minimalismo. Embora por vezes ele mova assuntos periféricos para o centro e convicções mais centrais para a esfera das não essenciais, o foco na Escritura, a pessoa e a obra de Cristo, a necessidade do novo nascimento e a volta de Cristo têm proporcionado não só um amplo espaço para a cooperação, mas um foco preciso sobre pontos contestados. A *fraqueza* do evangelicalismo também é seu minimalismo. O minimalismo doutrinário pode, para uma geração, ser uma maneira de focar a luta; para outra, o caminho para a indiferença doutrinária.

Em 1920, foi apresentado pelo teólogo de Princeton, B. B. Warfield, um "plano de união para as igrejas evangélicas." Ele avaliou o "credo" desse plano enquanto estava sendo estudado pelos presbiterianos e observou que a nova confissão proposta "não contém nada que não seja crido pelos evangélicos", e ainda "nada que não seja crido [...] pelos adeptos da Igreja de Roma, por exemplo." Como ele resumiu,

> Não há nada sobre a justificação pela fé nesse credo, e isso significa que todos os ganhos obtidos naquele grande movimento religioso que chamamos de Reforma são jogados pela janela. [...] Não há nada sobre a expiação pelo sangue de Cristo nesse credo, e isso significa que todo o ganho da longa busca medieval pela verdade é sumariamente deixado de lado. [...] Não há nada sobre o pecado e a graça nesse credo. [...] Não precisamos mais confessar nossos pecados, nem precisamos reconhecer a sua existência. Precisamos somente crer no Espírito Santo "como guia e consolador" – os racionalistas não fazem o mesmo? E isso significa que todo o ganho que o mundo tem obtido do grande conflito agostiniano é jogado pela janela com o restante. [...] Os ganhos daqueles primeiros debates que ocuparam a primeira era da vida da Igreja, pelos quais alcançamos a compreensão das verdades fundamentais da Trindade e da divindade de Cristo, são tão verdadeiros quanto o fato de que

eles são descartados por esse credo. Não há Trindade nesse credo; nenhuma divindade de Cristo ou do Espírito Santo.³

Se a justificação pela fé é o coração do evangelho, como podem os "evangélicos" omiti-la de sua confissão comum? "Esse é o tipo de credo", Warfield continuou, "que o presbiterianismo do século XX vai considerar suficiente para embasar a cooperação em atividades evangelísticas? Então, ele pode se dar bem em suas atividades evangelísticas sem o evangelho, pois é justamente o evangelho que esse credo negligencia completamente." Warfield concluiu: "Comunhão é uma boa palavra e também uma grande responsabilidade, mas nossa comunhão, de acordo com Paulo, deve ser para o 'progresso do evangelho' [Filipenses 1:12]".⁴

A declaração doutrinária atual da National Association of Evangelicals [Associação Nacional de Evangélicos] (NAE) pelo menos melhora o "credo" que Warfield criticou. No entanto, como aquela declaração de 1921, a base da NAE não incluiu nenhum ponto com o qual um católico romano não pudesse assentir de boa consciência:

> Cremos que a Bíblia é a Palavra de Deus inspirada, autoritativa e infalível.
> Cremos que há um só Deus, eternamente existente em três pessoas: Pai, Filho e Espírito Santo.
> Cremos na divindade de nosso Senhor Jesus Cristo, em seu nascimento virginal, em sua vida sem pecado, em seus milagres, em sua morte vicária e expiatória por meio de seu sangue derramado, em sua ressurreição corporal, em sua ascensão à destra do Pai e em seu retorno pessoal em poder e glória.
> Cremos que, para a salvação dos perdidos e pecadores, a regeneração pelo Espírito Santo é absolutamente essencial.
> Cremos no presente ministério do Espírito Santo, por cuja habitação o cristão é capacitado a viver uma vida piedosa.
> Cremos na ressurreição tanto dos salvos quanto dos perdidos; os que são salvos, ressuscitarão para a vida; já os que estão perdidos ressuscitarão para a condenação.
> Cremos na unidade espiritual dos cristãos em nosso Senhor Jesus Cristo.⁵

Não há nada sobre os sacramentos, é claro. Podemos lamentar o fracasso dos Reformadores em encontrar unidade na doutrina bíblica, mas, como observou J. Gresham Machen, pelo menos todos os grupos entenderam que a eucaristia era central o suficiente para provocar debates. Mas a tendência no evangelicalismo tem

---

³ B. B. Warfield. "In Behalf of Evangelical Religion", em: *Selected Shorter Writings of Benjamin B. Warfield*. Nutley: Presbyterian and Reformed, 1970, 1:386.
⁴ Ibid., 1:387.
⁵ "Statement of Faith". National Association of Evangelicals. Disponível em: <nae.net/statement-of-faith>. Acesso em: 23.set. 2016.

sido deduzir que a não inclusão de algo em suas "declarações de fé" é de importância secundária e "não é uma questão do evangelho".

Contrariando confissões e catecismos produzidos pela Reforma magistral, essa declaração da NAE não só deixa de fora todo o artigo central da justificação (embora inclua o novo nascimento), como também falha inclusive em expressar a essência *católica* [a partir do grego, 'universal'] da fé evangélica. Ela carrega as marcas de um minimalismo doutrinário que tem cada vez mais acomodado a indiferença doutrinária nos círculos evangélicos.

Por alguma razão, passamos a entender que, se abandonássemos a confissão, poderíamos manter o credo; então, se abandonássemos o credo, poderíamos manter uns poucos fundamentos. Ao final desse processo, surge uma geração que não sabe o suficiente de seu legado para ter ciência de quando se desvia dele ou o está rejeitando. O fundamentalismo se transformou em um espírito de controvérsia sem coordenadas adequadas, e quando o evangelicalismo procurou corrigir o desequilíbrio, minimizou ainda mais a riqueza das confissões da Reforma – mesmo em suas diferenças.

"PROTESTANTISMO SEM A REFORMA"

Ao concluir sua turnê de palestras pelos Estados Unidos antes de retornar ao campo de concentração nazista onde morreu, Dietrich Bonhoeffer (1906–1945) descreveu a nação norte-americana como "Protestantismo sem a Reforma".[6] Embora a influência da Reforma na história religiosa dos Estados Unidos tenha sido profunda (especialmente antes do início do século XIV) e continue a ser um contrapeso ao domínio da herança reavivalista, o diagnóstico de Bonhoeffer parece justificado:

> Deus não deu a Reforma ao cristianismo norte-americano. Ele tem fornecido fortes pregadores, clérigos e teólogos reavivalistas, mas nenhuma Reforma da igreja de Jesus Cristo pela Palavra de Deus. […] A teologia e a igreja norte-americanas como um todo nunca foram capazes de compreender o significado de "crítica" pela Palavra de Deus e tudo o que isso significa. Eles realmente não entendem que a "crítica" de Deus toca até mesmo a religião, o cristianismo da igreja e a santificação dos cristãos, e que Deus fundou sua igreja além da religião e além da ética. […] Na teologia norte-americana, o cristianismo ainda é essencialmente religião e ética. […] Por causa disso, a pessoa e a obra de Cristo devem, para a teologia, desaparecer no segundo plano e, no longo prazo, permanecerem mal compreendidas, porque não são reconhecidas como o único fundamento do julgamento e do perdão radicais.[7]

---

[6] Dietrich Bonhoeffer. "Protestantism without the Reformation", em: ROBERTSON, Edwin H. (ed.). *The Collected Works of Dietrich Bonhoeffer*, v. 1/ *No Rusty Swords: Letters, Lectures and Notes, 1928–1936*, ed. Londres: Collins, 1965, 92–118.

[7] Ibid., 117–18.

A carreira de Charles G. Finney (1792–1875) ilustra até que ponto o reavivalismo evangélico pode desviar-se das convicções evangélicas da Reforma. Deixando de lado a suficiência das Escrituras em prol da mensagem e dos métodos de divulgação, Finney inventou novos métodos com base em sua convicção de que o novo nascimento era tão natural quanto qualquer mudança de comportamento. Rejeitando as doutrinas da expiação substitutiva de Cristo como contrárias à razão e à moral, ele chamou a doutrina da justificação pela justiça imputada por Cristo de "outro evangelho". Referindo-se às afirmações da Confissão de Westminster sobre justificação, Finney declarou: "Se isso não é antinomianismo, eu não sei o que é". Justificação pela justiça imputada por Cristo não só é "absurda", mas também prejudica toda a motivação para a santidade pessoal e social. Na verdade, "a obediência completa atual é uma condição da justificação". Ninguém pode ser justificado "enquanto o pecado, qualquer grau de pecado, permanece nele". O ensinamento de que os crentes são "simultaneamente justificados e pecadores tem matado mais almas, temo eu, do que todo o universalismo que já amaldiçoou o mundo", afirmava. Segundo ele, "apresentar a expiação como base da justificação do pecador tem sido um triste momento de tropeço para muitos."[8] O sistema de Finney, com suas tendências pelagianas, foi bem além de qualquer coisa que os reformadores tenham enfrentado no Concílio de Trento. Se o pelagianismo é a religião natural do coração caído, isso fica bastante evidente na história religiosa de uma nação dedicada ao indivíduo que se faz por si mesmo.

O cristianismo norte-americano não existiria sem seus heroicos defensores da fé. Na verdade, na era moderna, evangélicos britânicos e norte-americanos fizeram grandes esforços tanto a favor do *evangelho* quanto para a sua difamação. Na maior parte do mundo, a tocha é carregada pelo arcebispo Henry Luke Orombi, de Uganda; por Stephen Tong, na Indonésia; por Nam-Joon Kim, em Seul; por Paul Swarup, em Delhi, e por inúmeros outros que, sem alarde e prestígio, proclamam Cristo às nações como a única esperança para os pecadores. Nem todos os "credos evangélicos" são minimalistas como o que foi avaliado por Warfield.

No entanto, ao verificarmos o cenário do cristianismo global, temos a impressão de que diversas e até contraditórias correntes fluem sob o nome de *evangélico*. Não me esqueço do alerta que recebi de John Stott anos atrás, de que o evangelicalismo está "crescendo, mas superficialmente". Tudo o que tenho dito a favor do crescimento do cristianismo evangélico no hemisfério Sul deve ser qualificado pela observação de Stott, sustentada por um longo ministério que contribuiu em grande parte para esse sucesso. Como destacou o evento Lausanne 2010, na Cidade do Cabo, uma das maiores ameaças para o cristianismo, especialmente (mas não

---

[8] Todas as citações extraídas de Charles G. Finney. *Systematic Theology* (1846; reimpresso. Minneapolis: Bethany Fellowship, 1976), 46, 57, 321–22 [*Teologia sistemática de Finney*. Rio de Janeiro: CPAD, 2001].

exclusivamente) na África, é o evangelho da prosperidade. Além disso, onde quer que as academias do hemisfério Norte (incluindo alguns seminários evangélicos) continuem a exercer influência, o hemisfério Sul será infectado cada vez mais pelas tendências que têm corrompido nossas escolas e igrejas.

SOLA: DEVEMOS AINDA PROTESTAR?

Incitador de dissensões, um falso mestre "mostra um interesse doentio por controvérsias e contendas acerca de palavras", adverte Paulo (1 Timóteo 6:4). Mas, às vezes, uma palavra faz toda a diferença; de fato, como o cardeal Newman observou, o Rubicão entre heresia e ortodoxia em relação ao debate sobre *homoousion* (gr. 'consubstancialidade') era tão estreito quanto uma única vogal. Da mesma forma, toda a controvérsia da Reforma se liga ao qualificador *sola*: "somente".

Isso também seria apenas mais uma forma de minimalismo se a Reforma tivesse reduzido sua confissão aos "cinco *solas*", mas ela não o fez. Afinal, ela não era apenas um movimento, mas sim uma tradição cristã contínua: uma igreja católica [universal] reformada, apesar de suas próprias brigas e dissensões. As confissões e os catecismos evangélicos que surgiram naquela época incorporaram todas as grandes conquistas do consenso patrístico. Incluíram, com cuidado e discernimento, as percepções salutares da teologia medieval e abrangeram as verdades essenciais da Escritura, da criação à consumação. Assim, as igrejas da Reforma foram definidas não apenas por aquilo que as distinguia de outras igrejas professas, mas pelo que compartilhavam como um tesouro comum.

Dito isso, *sola* foi, e permanece sendo, uma palavra importante. De fato, todos os grupos na época concordavam que a Escritura era a revelação infalível de Deus, no entanto, além da letra das Escrituras, havia a "voz viva" do magistério que poderia estabelecer novos artigos de fé e prática. Sem dúvida, todos criam na necessidade da graça, da fé e de Cristo, mas o livre-arbítrio deveria cooperar com a graça e a fé deveria tornar-se amor expresso por boas obras, a fim de ser justificadora, e aos méritos de Cristo era preciso acrescentar os méritos pessoais, bem como os de Maria e dos santos. Por certo, Deus recebe a glória por tornar tudo isso possível, mas não recebe *toda* a glória, porque a salvação vem "para aqueles que fazem o que está dentro deles", como a Contrarreforma ensinou.

SOLUS CHRISTUS, SOLA FIDE[9]

Embora tenha sido dito de várias outras formas pelos reformadores, foi o teólogo reformado Johann Heinrich Alsted (1588–1638), do início do século XVII, que

---

[9] Alguns trechos desta seção foram extraídos e adaptados de meu artigo "Does Justification Still Matter?". *Modern Reformation* 16, n. 5, 2007, p. 11–17. Usado com permissão de Modern Reformation.

identificou a doutrina da justificação como o artigo pelo qual uma igreja permanece ou cai.[10] Muitos respondem hoje, como o fizeram na época da Reforma, dizendo que uma doutrina que é debatida de modo tão amplo dentro da cristandade dificilmente pode manter essa posição. No entanto, o problema só pode ser resolvido com base nas Escrituras, afinal, a doutrina já era contestada nas igrejas plantadas pelos apóstolos, incluindo Paulo.

Desde o Concílio Vaticano II, o diálogo entre católicos romanos e protestantes sobre a justificação abriu a porta para uma compreensão maior, e esse processo em si permanece vital. Afirma-se repetidas vezes que a Declaração Conjunta sobre a Doutrina da Justificação (1999) resolveu o debate central da Reforma.[11] Assinada por representantes do Vaticano e da Federação Luterana Mundial, a Declaração Conjunta anunciou que os anátemas de Trento já não são vinculativos, porque não se referem aos pontos de vista sustentados hoje pela linha principal dos parceiros luteranos.

Outras iniciativas, incluindo (nos Estados Unidos) a declaração "Evangelicals and Catholics Together" [Evangélicos e católicos juntos] (ECT), seguida por "The Gift of Salvation" [O dom da salvação], têm sido consideradas por muitos como avanços significativos não só no entendimento, mas em acordo sobre a mensagem básica do evangelho.[12] Nessas declarações comuns, diz-se que a aceitação divina é pela graça de Deus, não por mérito humano,[13] embora a declaração intitulada "Evangélicos e Católicos Juntos" coloque essa questão na lista dos desacordos que permanecem, mesmo expressando acordo sobre o evangelho.

Talvez a declaração mais evidente de cautela contra precoces anúncios de sucesso nesse ponto tenha sido dada pelo principal teólogo do lado católico romano da ECT, o cardeal Avery Dulles. Ele começa reconhecendo a importância da doutrina da justificação como "uma questão de vida eterna ou morte". "Se isso não é importante", diz ele, "nada é".[14] No entanto, existem diferenças ainda a serem resolvidas:

> 1) A justificação é a ação somente de Deus ou nós que a recebemos cooperamos por meio de nossa resposta à oferta da graça de Deus? 2) Será que Deus, quando nos justifica, simplesmente imputa a nós os méritos de Cristo ou ele nos transforma e nos faz intrinsecamente

---

[10] Johann Heinrich Alsted. *Theologia scholastica didactica*. Hanover: Conradi Eifridi, 1618, 711. Citado em: Alister E. McGrath *Iustitia Dei: A History of the Christian Doctrine of Justification*. Cambridge: Cambridge University Press, 1986, 2:193n3.
[11] Federação Luterana Mundial e Igreja Católica. *Declaração Conjunta sobre a Doutrina da Justificação*. Disponível em: <www.luteranos.com.br/conteudo/declaracao-conjunta-sobre-a-doutrina-da-justificacao-1999>. Acesso em 23. set. 2016.
[12] Essas duas declarações apareceram em *First Things*.
[13] *Declaração Conjunta*, par. 15.
[14] Avery Cardinal Dulles,. "Two Languages of Salvation: The Lutheran-Catholic Joint Declaration". *First Things* 98, dez. 1999, p. 25.

justos? 3) Nós recebemos justificação somente pela fé ou simplesmente por uma fé animada pelo amor e frutífera em boas obras? 4) A recompensa da vida celestial é um dom gratuito de Deus para os cristãos, ou eles a merecem por sua fidelidade e por suas boas obras?[15]

Apesar de todo o progresso na compreensão mútua representado pela Declaração Conjunta, diz Dulles, pelo menos por seu lado, Roma continua a afirmar, contra os reformadores, a segunda resposta para cada uma das questões apresentadas anteriormente. Dulles observa, em primeiro lugar, que, de acordo com o "Decreto sobre a justificação" (1547) do Concílio de Trento, a "cooperação humana está envolvida" na justificação. "Em segundo lugar, ele ensina que a justificação consiste em uma renovação interior operada pela graça divina; em terceiro lugar, que a justificação não se realiza pela fé sem esperança, caridade e boas obras; e, por fim, que o justificado, mediante a realização de boas obras, merece a recompensa da vida eterna".[16]

Nada na Declaração Conjunta pode ser interpretado como contradizendo Trento ou qualquer ensinamento magisterial subsequente. Além disso, Dulles continua: "Como a Santa Sé esteve fortemente envolvida na composição" da Declaração Conjunta em 1994, "sua aceitação foi dada como certa. Mas, para a surpresa de muitos observadores", ele relata, "o Conselho para a Promoção da Unidade dos Cristãos lançou, em 25 de junho de 1998, uma 'Resposta Oficial', expressando uma série de críticas graves e aparentemente questionando o consenso expresso pela Declaração Conjunta".[17]

Depois de confirmar as declarações mais defensáveis do consenso, Dulles aponta para o motivo da reprovação inicial do Vaticano. Entre outras coisas, a "Resposta Oficial" desafiado "sua falta de atenção ao sacramento da penitência, no qual a justificação é restaurada àqueles que a perderam". Dulles continua:

> Além do mais, isso contesta o ponto de vista luterano de que a doutrina da justificação é o critério supremo da doutrina correta. [...] E o mais importante para nossos propósitos é que a resposta católica levanta a questão sobre se as posições luteranas, como explicadas na Declaração Conjunta, realmente escapam dos anátemas do Concílio de Trento.

Dulles observa que Trento nega claramente que somos justificados unicamente com base na justiça imputada por Cristo. Os católicos romanos são, portanto, obrigados a afirmar que os cristãos realmente merecem a vida eterna. Dulles conclui que, sobre essa e outras questões relacionadas, "nenhum acordo foi alcançado".[18]

---

[15] Ibid.
[16] Ibid.
[17] Ibid., p. 26.
[18] Ibid., p. 27–28.

Sendo assim, é difícil resistir à conclusão de que os diálogos ecumênicos que atingiram seu apogeu na Declaração Conjunta não são nada mais do que conselho piedoso do ponto de vista católico romano. Para os principais luteranos (e os outros grupos protestantes que o endossaram), a situação era totalmente outra. Eles tinham de fato modificado seu ponto de vista sobre a justificação. De acordo com a Declaração Conjunta, a fé, em sua recepção da justificação, é o mesmo que amor.[19] No entanto, esse foi o ponto central das diferenças entre os reformadores e Roma. É difícil entender como uma doutrina evangélica da justificação possa ser resgatada a partir de tal concessão. Embora *a fé que justifica* seja ativa em amor, a insistência de que a fé *no ato da justificação* é meramente uma receptora passiva tem sido crucial para o argumento evangélico. Uma vez que o amor é o cumprimento da lei, a justificação pelo amor é equivalente à justificação pela lei.

Para muitos, em todos os espectros eclesiásticos (católicos ou protestantes, liberais ou evangélicos), há uma tendência a querer conservar a influência cultural que o cristianismo tem exercido, pelo menos nominalmente, no Ocidente. Como cônjuges abandonados, as igrejas muitas vezes esforçam-se ao extremo para demonstrar que o cristianismo ainda é relevante para nossas crises morais, sociais, econômicas e políticas. Assim, a divisão real, dizem-nos, é entre secularismo e fé, imanência e transcendência. Pelo menos na perspectiva da Reforma clássica, no entanto, não está claro em que tipo de transcendência valeria a pena crer se Deus não justifica o ímpio somente pela livre graça. Mesmo aqui, nós reconhecemos a separação entre as teologias sinergista e monergista, independentemente de o primeiro grupo ser católico ou protestante em caráter. A verdadeira divisão não é, portanto, entre o secularismo e a espiritualidade, tampouco entre os de dentro e os de fora da igreja, mas entre o evangelho de Cristo e outros evangelhos. Embora as diferenças substanciais permaneçam em nossa definição desse primeiro evangelho, questões apresentadas continuam tragicamente dividindo a igreja.

Justificação não é apenas uma doutrina entre muitas, tampouco é um *sola* isolado, um dos "cinco pontos" dos protestantes. O juízo do teólogo católico romano Paul Molnar é preciso: "Apesar de todo suposto acordo da Declaração Conjunta, a verdade é que as teologias católica romana e reformada ainda estão separadas na prática por essa forma mais básica de pensar sobre nosso relacionamento com Deus".[20] O que está em jogo é a *solus Christus*: somos salvos exclusivamente pelos méritos de Cristo ou, por nossa cooperação capacitada pela graça, podemos realmente merecer a vida eterna? Essa é uma pergunta sobre se Deus é justo e misericordioso, se os seres humanos caídos estão espiritualmente mortos ou apenas

---

[19] *Declaração Conjunta*, par. 25.
[20] Paul Molnar. "The Theology of Justification in Dogmatic Context", em: Mark A. Husbands; Daniel J. Treier (eds.). *Justification: What's at Stake in the Current Debates*. Downers Grove: InterVarsity Press, 2004, p. 238.

moralmente fracos, se a obediente vida de Cristo, sua morte sacrificial e sua ressurreição vitoriosa são suficientes para a redenção dos pecadores e se o Deus trino deve, portanto, receber todo louvor e ação de graças por toda a salvação. Por conseguinte, é também uma questão sobre se a igreja é a mãe das Escrituras, se é capaz de promulgar novas doutrinas e formas de culto, ou se é a filha da Palavra, resgatada e governada por esta e que, por isso, não fala e não pode falar por si mesma.

No entanto, como propus anteriormente, as questões também não estão assim tão resolvidas no protestantismo. George Lindbeck, teólogo de Yale, argumentou de modo persuasivo que a desconexão na mente de muitas pessoas no que diz respeito à justificação é mais fundamentalmente uma incapacidade de compreender o significado da própria expiação. Referindo-se ao debate do século XI entre Abelardo e Anselmo, Lindbeck diz que, pelo menos na prática, a visão de Abelardo da salvação por seguir o exemplo de Cristo (e a cruz como a demonstração do amor de Deus que motiva nosso arrependimento) agora parece ter uma clara vantagem sobre a teoria de Anselmo da satisfação com a expiação. "A expiação não é muito importante hoje em dia, para católicos ou protestantes", supõe Lindbeck. "De modo mais específico, as versões (e distorções) penais-substitutivas da teoria da satisfação de Anselmo que foram popularmente dominantes por centenas de anos estão desaparecendo".[21]

Lindbeck observa que essa situação é tão verdadeira para os evangélicos quanto para os protestantes liberais, e isso ocorre porque a justificação somente pela fé (*sola fide*) faz pouco sentido em um sistema que torna central nossa conversão subjetiva (entendida em termos sinergistas como a cooperação com a graça) em lugar da obra objetiva de Cristo:[22]

> Não importa o quanto aqueles que continuaram a usar a linguagem do *sola fide* admitem concordar com os reformadores, sob a influência do pietismo conversionista e do reavivalismo, eles tornaram a fé que salva em uma meritória boa obra do livre-arbítrio, uma decisão voluntarista de crer que Cristo suportou o castigo dos pecados na cruz *pro me*, para cada pessoa individualmente. Por mais improvável que possa parecer, dada a metáfora (e a passagem de João a partir da qual isso deriva), todos são, portanto, capazes de serem "nascidos de novo" caso se esforcem o suficiente. Assim, com a perda da compreensão reformada da fé que justifica como dom de Deus, a teoria anselmica da expiação tornou-se culturalmente associada a uma justiça própria que era ao mesmo tempo moral e religiosa, e, portanto, mais desagradável – pensavam os críticos – do que a moral justiça própria dos abelardianos liberais. Com o tempo, para seguir em frente em nossa história, os liberais cada vez mais deixaram de ser mesmo abelardianos.[23]

---

[21] George Lindbeck. "Justification and Atonement: An Ecumenical Trajectory", em: Joseph A. Burgess; Marc Kolden (eds.). *By Faith Alone: Essays on Justification in Honor of Gerhard O. Forde*. Grand Rapids: Eerdmans, 2004, p. 205.
[22] Ibid., p. 205-6.
[23] Ibid., p. 207.

"Em nossa cultura, que é cada vez mais do tipo terapia do bem-estar, é antitético falar da cruz", e nossa "sociedade de consumo" transformou a doutrina em um pária.[24] Lindbeck acrescenta: "A característica mais intrigante desse desenvolvimento, considerando que tem afetado igrejas declaradamente confessionais, é o silêncio que o cercou. Houve uns poucos protestos audíveis"[25] O autor ainda sugere que, conquanto as teologias da cruz mais contemporâneas se encaixem no padrão Jesus-como-modelo, a própria justificação raramente é descrita de acordo com o padrão da Reforma, mesmo por evangélicos conservadores. A maioria deles, como já indicado, são conversionistas sustentando versões arminianas da *ordo salutis*, que estão mais longe da teologia da Reforma do que estava o Concílio de Trento.[26] "O lugar uma vez ocupado pela cruz está agora vazio".[27]

Tudo isso é importante para as discussões ecumênicas, diz Lindbeck, que tem sido um líder no movimento ecumênico entre o luteranismo e o Vaticano. Afinal de contas, ele conclui, mesmo se pudermos chegar a alguma concordância sobre a justificação, parece ser uma falsa vitória se a expiação tiver sido tirada de vista na divisão eclesial. "Parece que a retirada das condenações nessas circunstâncias não é algo errado, mas sem sentido".[28]

Se os argumentos anteriores estiverem próximos da verdade, seria prematuro concluir que a Reforma acabou. Pelo contrário, suas verdades ricas e libertadoras são desesperadamente necessárias hoje tanto nos círculos protestantes como em relação aos católicos romanos e aos ortodoxos. Pode ser que o protestantismo esteja em agonia como uma tradição identificável dentro do cristianismo, e seria grosseiro preservar um nome que significa nada mais do que "buscar corajosamente o que é novo e afastar-se de hábitos antigos e familiares". Se "protestante" não se refere a um conjunto específico de convicções fundamentadas na revelação de Deus, então ele é meramente uma atitude — e uma não particularmente saudável — de busca por ocasiões para protestar. E se esse é o atual significado do protestantismo, então ele não é mais que outra seita cismática, um ponto de encontro cultural, um grupo de autoajuda ou um comitê de ação política.

Sola Scriptura[29]

João Calvino queixou-se de ser atacado por "duas seitas": "o papa e os anabatistas". Embora bastante diferentes entre si, ambos "gabam-se de maneira extravagante do

---

[24] Ibid.
[25] Ibid., p. 208.
[26] Ibid., p. 209.
[27] Ibid., p. 211.
[28] Ibid., p. 216.
[29] Esta seção é adaptada de meu artigo "The Gospel and the Sufficiency of Scripture: Church of the Word or Word of the Church?". *Modern Reformation* 19, n. 6, 2010, p. 25–32. Usado com permissão de Modern Reformation.

Espírito", e, ao fazê-lo, "enterram a Palavra de Deus sob suas próprias falsidades".[30] Ambos separam o Espírito da Palavra por defender que a voz viva de Deus é o discurso interno da igreja ou do indivíduo piedoso. Sem dúvida, a Bíblia tem seu lugar importante, mas é a "letra" que deve ser feita relevante e eficaz no mundo de hoje por papas e profetas guiados pelo Espírito.

Thomas Müntzer, líder anabatista radical, insultou Martinho Lutero com sua pretensão de superioridade por meio de uma palavra mais elevada do que a daquele que "meramente socava o ar". Os reformadores chamavam isso de "entusiasmo" (literalmente, "ter um Deus dentro de si"), porque fazia a palavra externa da Escritura subserviente à palavra interna supostamente falada pelo Espírito dentro do indivíduo ou da igreja hoje. Em 2Coríntios 3, o contraste que Paulo faz entre letra e Espírito se refere à lei separada do evangelho como um "ministério da morte" e ao evangelho como instrumento do Espírito para justificar e regenerar pecadores. No entanto, ao longo do tempo, gnósticos, entusiastas e místicos têm interpretado as palavras do apóstolo como um contraste entre o texto da Escritura ("letra") e o conhecimento espiritual interior ("espírito").

"Entusiasmo" moderno

Ah, se fosse assim tão fácil identificar essas "duas seitas" em nossos dias! Tragicamente, o "entusiasmo" se tornou uma das principais formas de minar a suficiência das Escrituras, e isso é evidente em todo o espectro religioso. Roma tem insistido que a letra das Escrituras exige a presença viva do Espírito falando por intermédio do magistério. Os protestantes radicais têm enfatizado uma obra supostamente imediata, direta e espontânea do Espírito em nosso coração independente dos meios para esse fim criados. Os filósofos do Iluminismo e os teólogos liberais – quase todos eles educados no pietismo — ressuscitaram a interpretação anabatista radical de "letra" *versus* "espírito". "Letra" passou a significar a Bíblia (ou qualquer autoridade externa), ao passo que "espírito" era equivalente não ao Espírito Santo, mas ao nosso eu interior, à razão ou experiência.

Em meados do século XX, os sínodos e as assembleias gerais, mesmo de denominações historicamente vinculadas à Reforma, começaram a falar das Escrituras como um registro indispensável de piedosas experiências, reflexões, rituais e crenças de santos no passado, ao passo que a necessidade atual é "seguir o Espírito" para onde quer que ele, ou ela, nos leve. E agora sabemos para onde esse espírito levou as igrejas antigas, embora tenha sido o espírito da época, e não o Espírito de Cristo, que as levou para lá.

---

[30] João Calvino. *Reply by Calvin to Cardinal Sadolet's Letter*. In: Thomas F Torrance (ed.). *Tracts and Treatises*, v. 1, *On the Reformation of the Church*, 1844; reimpresso. Grand Rapids, MI: Eerdmans, 1958, p. 36.

Essa ampla tendência na fé e na prática modernas foi precisamente descrita por William Placher como a "domesticação da transcendência".[31] Em outras palavras, não é que revelação, inspiração e autoridade sejam negadas, mas que a surpreendente, desorientadora e externa voz de Deus é, por fim, transformada na "relevante", enaltecedora e capacitadora voz interior da razão, moralidade e experiência que nos acompanham.

Tal domesticação da transcendência significa que o ego – ou a "comunidade" (seja lá o nome que isso tenha) – fica sob a proteção do surpreendente, desorientador e julgador falar de nosso Criador. No entanto, isso também significa que não podemos ser salvos, visto que a fé vem pelo ouvir Deus falar sua palavra de salvação em seu Filho (Romanos 10:17). Isso não é algo que borbulha espontaneamente dentro de nós, seja como indivíduos piedosos ou como a santa igreja, mas é uma Palavra que vem a nós. Não é uma Palavra familiar, mas um discurso estranho e inquietante que nos tira de nossas pretensões morais, subverte nossas suposições mais intuitivas e perturba nossos programas ativistas. Basicamente, nos dizem que devemos parar de falar a nós mesmos como se estivéssemos ouvindo a voz de Deus. Pelos lábios de outros mensageiros pecadores, somos colocados na extremidade receptora de nossa identidade. Nós não descobrimos nosso "eu superior", mas nos dizem o que realmente somos: traiçoeiros portadores da imagem de Deus. Nossa conduta "em Adão" não nos direcionará a um sentido mais pleno de paz e segurança interiores, mas somos tirados de nós mesmos em direção a Cristo, que nos veste de sua justiça.

"Entusiasmo" – a tendência de associar a Palavra de Deus exterior à palavra interior – é inseparável da tendência pelagiana de associar o evangelho salvador de Deus a nossos próprios esforços. Por outro lado, o *sola Scriptura* (a suficiência das Escrituras como a autoridade final de fé e prática) está inseparavelmente ligado a *solus Christus*, *sola gratia* e *sola fide* (o evangelho de Cristo somente pela graça recebido somente pela fé).

Há um modo "fundamentalista" de tratar o *sola Scriptura* que pode ser reduzido ao um adesivo de carro: "Deus disse isso. Eu creio nisso. Isso resolve tudo". Nessa expressão, não é ressaltado que o *conteúdo* do que Deus disse constitui a autoridade da Escritura. Um muçulmano poderia usar a mesma frase para falar do Alcorão, ou um mórmon, do Livro de Mórmon.

No entanto, uma abordagem genuinamente evangélica há de afirmar que a Escritura é suficiente não apenas porque somente ela é divinamente inspirada (apesar de isso ser verdade), mas também porque esses 66 livros que formam o cânone

---

[31] William C. Placher. *The Domestication of Transcendence: How Modern Thinking about God Went Wrong*. Louisville: Westminster John Knox, 1996.

cristão fornecem tudo o que Deus considerou suficiente para revelar sua lei e seu evangelho. A especulação não vai nos ajudar a encontrar Deus, mas apenas nos levará a algum ídolo que criamos à nossa própria imagem. Podemos nos sentir mais seguros em nossa autonomia quando pretendemos que a voz interior da nossa razão, espiritualidade ou experiência seja a voz do Espírito. Podemos ficar empolgados com um novo programa para atualizar nossa igreja e transformar nossa nação, nossa família e nossa vida, mas não há poder de Deus para a salvação em nossos próprios esforços ou em nossas decisões. Podemos encontrar todo tipo de conselho prático para a vida diária fora da Bíblia.

Tal como acontece com a justificação, a igreja de nossos dias nunca necessitou tanto resgatar a percepção dos reformadores de estarem sujeitos a uma Palavra exterior "acima de todos os poderes terrenos". E, como acontece no caso da justificação, o protestantismo geralmente exibe uma confiança mais fraca na autoridade da Escritura do que enfrentada pelos reformadores na igreja medieval.

No best-seller *Habits of the Heart* [Hábitos do coração], Robert Bellah e seus colegas sociólogos pesquisaram a religião nos Estados Unidos e concluíram que a melhor descrição para ela é "sheilaismo", nome dado em homenagem a uma pessoa entrevistada que disse que segue a própria voz suave. Cada norte-americano é o fundador de sua própria religião, seguindo os ditames do próprio coração.[32]

Mas, há dois séculos, Immanuel Kant já tinha nos dito que a doutrina mais certa por ele conhecida era "a lei moral interior". Religiões exteriores podem ser expressas de diferentes maneiras, cada qual com seus próprios textos sagrados e suas reivindicações milagrosas para vindicar sua autoridade, sua forma própria de culto e suas próprias crenças. Às exteriores, ele chamou de "credos eclesiásticos", em contraste com a "religião pura" da moralidade prática, a qual não precisa de nenhuma autoridade ou confirmação externa. Olhamos para dentro de nós mesmos, não apenas para a lei inscrita em nossa consciência, mas também para o poder de salvar a nós mesmos e a nosso mundo de qualquer mal que disputa nossa lealdade. Kant insistia no fato de não precisarmos de um evangelho exterior, pois não nascemos no pecado original e, portanto, não somos impotentes para salvar a nós mesmos. Não precisamos ouvir as boas-novas da operação do resgate realizado por Deus, pois já temos tudo de que precisamos dentro de nós para lidar muito bem com a situação.[33]

Esse legado "entusiasta" encontrou solo fértil na experiência religiosa norte-americana, particularmente na história do reavivalismo. Escrevendo no século XIX, Alexis de Tocqueville observou que os norte-americanos desejavam "escapar

---

[32] Robert Bellah; Richard Madsen; William M. Sullivan; Ann Swidler; Steven M. Tipton. *Habits of the Heart: Individualism and Commitment in American Life*. ed. atualizada. Berkley: University of California Press, 2008.
[33] Para citações de Kant e interações com ele nesses tópicos, ver Michael Horton. *The Christian Faith: A Systematic Theology for Pilgrims on the Way*. Grand Rapids: Zondervan, 2011, p. 62–67.

de sistemas impostos" de quaisquer espécies, "para buscar por si e em si mesmos pela razão única para as coisas, procurando resultados sem se emaranhar nos meios que levassem a eles". Eles não precisavam de orientação externa para descobrir a verdade, "pois a encontraram em si mesmos".[34]

Colocar a experiência humana no foco central foi uma tendência mais geral no romantismo europeu, observa Bernard Reardon, com seu "egoísmo e emocionalismo intensos".[35] O efeito do pietismo (culminando especialmente no Grande Despertamento), como William McLoughlin observa, foi mudar a ênfase de "crença coletiva, de adesão a padrões de credo e a devida observância das formas tradicionais para a ênfase na experiência religiosa individual".[36] Ao mesmo tempo, o efeito do Iluminismo foi mudar "a autoridade final sobre religião" da igreja para "a mente do indivíduo".[37] O romantismo, então, simplesmente mudou a faculdade (da mente para o coração), mantendo o sujeito (o ego, não uma autoridade externa). Mesmo a hinódia evangélica foi arrastada por essa maré romântica, como visto no conhecido verso da canção de Páscoa: "Sim, sei que vivo está porque / Vive em meu coração". No entanto, é justamente o ego autônomo, essa centelha interior, luz interior, experiência interior e razão interior que norteia o misticismo, o racionalismo, o idealismo e o pragmatismo em todas as épocas, e que, de acordo com o Novo Testamento, deve ser crucificado e sepultado com Cristo no batismo, para que possa ser ressuscitado com Cristo como cidadãos de uma nova era.

O evangelho não é algo que brota de dentro de nós, tampouco é um ditame da consciência moral ou uma doutrina universal da razão. Como um anúncio surpreendente de que, em Cristo, já passamos da morte para a vida e da ira para graça, o evangelho é contraintuitivo. Assim, se permitirmos que a razão e a experiência – o que é inerente, familiar e interiormente correto – não só guiem nosso acesso à realidade, mas a determinem, vamos ficar com a "lei moral interior" de Kant. As boas novas têm de ser *proclamadas*, e, à medida que essa mensagem for assimilada pelo que pensamos, já sabemos e experimentamos, ela não será totalmente uma boa nova: talvez um conselho piedoso, uma boa instrução e sugestões práticas, mas não boas novas.

---

[34] Alexis de Tocqueville. *Democracy in America*. J. P. Mayer e Max Lerner (ed.). Nova York: Harper and Row, 1966, p. 429.

[35] Bernard M. G. Reardon. *Religion in the Age of Romanticism: Studies in Early Nineteenth-Century Thought*. Cambridge: Cambridge University Press, 1985, p. 9.

[36] William McLoughlin. *Revivals, Awakenings, and Reform: An Essay on Religion and Social Change in America, 1607–1977*, Chicago History of American Religion. Chicago: University of Chicago Press, 1980, p. 25.

[37] Ned Landsman. *From Colonials to Provincials: American Thought and Culture, 1680–1760*. Ithaca: Cornell University Press, 2000, p. 66.

Será que a salvação vem a nós do exterior, de cima, do céu, à medida que o Deus trino age na história em nosso favor? Ou será que ela vem de nossos próprios recursos, de nossa iluminação e de nossa experiência interior? A Palavra de Deus declara de que modo o ser se torna uma nova criação ou nos dá princípios e motivações para nossas próprias atividades autotransformadoras e transformadoras do mundo? Nossas respostas a essas perguntas determinarão nosso ponto de vista não somente acerca da suficiência das Escrituras, mas da natureza do próprio evangelho.

A raiz de todo "entusiasmo" é a hostilidade a um Deus fora de nós, em cujas mãos colocamos o juízo e a redenção de nossa vida. Para nos proteger desse ataque, tentamos fazer do ser "divino" um eco de nós mesmos e de nossas comunidades. A ideia de ser moldado por outra pessoa tem sido tratada na modernidade como o legado de uma era primitiva. Viemos a pensar que aquilo que experimentamos diretamente dentro de nós é mais confiável do que aquilo que nos é dito por alguém. Assim, estamos sempre prontos para uma nova consciência ou para novos conselhos, mas não para novas notícias que podem vir a nós apenas como um registro que não só é contado por outra pessoa, como também é totalmente voltado à realização de outra pessoa a nosso favor.

Novas perspectivas para a teologia evangélica

Nos círculos evangélicos de hoje, essas "duas seitas" convergem. Isso é explícito, por exemplo, na obra de Stanley Grenz, que combinou sua herança anabatista-pietista com argumentos da "alta igreja". Essencialmente, a espiritualidade tem precedência sobre a doutrina, a experiência pessoal e comunitária sobre a autoridade exterior, e a inspiração vai além das Escrituras para incluir o falar do Espírito mediante os cristãos e a comunidade – na verdade, até mesmo pelo viés cultural. Razão, tradição e experiência são, ao lado da Escritura, como as quatro pernas da cadeira. Em nenhum lugar de seu registro Grenz coloca a origem da fé em um evangelho exterior; em vez disso, para ele a fé surge de uma experiência interior. "Porque a espiritualidade é gerada a partir de dentro do indivíduo, a motivação interna é crucial" e, na verdade, mais importante do que "grandes afirmações teológicas".[38] A vida cristã não é definida pela ação de Deus por meio da Palavra e dos sacramentos. Na verdade, "a vida espiritual é, sobretudo, a imitação de Cristo".[39] Vamos à igreja, diz ele, não a fim de receber "meios de graça", mas apenas para comunhão e "instrução e encorajamento".[40] Grenz reconhece que sua interpretação põe em discussão

---

[38] Stanley J. Grenz, *Revisioning Evangelical Theology: A Fresh Agenda for the 21st Century*. Downers Grove: InterVarsity Press, 1993, p. 46.
[39] Ibid., p. 48.
[40] Ibid., p. 54.

a ênfase protestante confessional sobre "um princípio material e formal" – em outras palavras, o *solus Christus* e o *sola Scriptura*.[41]

Essa convergência de pietismo e de romantismo-comunidade já podia ser vista na obra de Friedrich Schleiermacher (1768–1834), pai da teologia liberal moderna. O indivíduo e a comunidade parecem convergir no registro de Grenz (semelhante ao de Schleiermacher) em nível da experiência comum. Consequentemente, uma revisão da teologia evangélica implica ver a "teologia como a fé da comunidade refletindo sobre a experiência de fé daqueles que encontraram Deus mediante a atividade divina na história e, portanto, buscam agora viver como o povo de Deus no mundo contemporâneo".[42] A Escritura é essencialmente o registro feito pela igreja de sua experiência religiosa.[43] Grenz surpreendentemente afirma que "a fé é, por natureza, imediata", e a Escritura é o registro do encontro da fé da comunidade com Deus.[44]

Portanto, Grenz inverte a relação entre Palavra e fé. Em lugar de a fé ser criada pela Palavra de Deus, a própria Palavra é criada pelas experiências da comunidade, o que obviamente requer "uma compreensão renovada da *natureza* da autoridade da Bíblia".[45] O *sola Scriptura* tem uma história venerável no evangelicalismo, ele reconhece. "O compromisso com a contextualização, no entanto, envolve uma rejeição implícita da concepção evangélica mais antiga de teologia como a construção da verdade com base somente na Bíblia."[46] Além do "método de correlação" de Paul Tillich, Grenz aprecia a crescente popularidade do "quadrilátero wesleyano" dentro dos círculos evangélicos – Escritura, razão, experiência e tradição – como normas compartilhadas.[47] A Bíblia, nossa herança e o contexto cultural contemporâneo devem ser relacionados reciprocamente, não hierarquicamente – e, aqui, ele acrescenta: "A Bíblia *como canonizada pela igreja*", como se a igreja houvesse autorizado, e não recebido, o cânon.[48] "Em contraste com a compreensão a que os evangélicos frequentemente aderem, nossa Bíblia é o produto da comunidade de fé que a embalou. [...] Isso significa que nossa confissão do mover do Espírito no processo de formação da Escritura, vulgarmente conhecido como inspiração, deve ser ampliada."[49]

Não surpreende a sugestão de Grenz de que isso produzirá maior convergência de protestantes e católicos romanos sobre a relação entre Escritura e tradição.[50]

---

[41] Ibid., p. 62.
[42] Ibid., p. 76.
[43] Ibid., p. 77.
[44] Ibid., p. 80.
[45] Ibid., p. 88.
[46] Ibid., p. 90.
[47] Ibid., p. 91.
[48] Ibid., p. 93 (grifos meus).
[49] Ibid., p. 121–22.
[50] Ibid., p. 123.

No entanto, ele também incorpora uma perspectiva carismática e pentecostal importante acerca da revelação contínua: "Desta forma, os eventos paradigmáticos tornam-se uma fonte contínua de revelação, conforme cada nova geração se vê em termos dos eventos da história passada da comunidade". Essas conclusões "traçam o caminho para além da tendência evangélica de equacionar de forma simples a revelação de Deus com a Bíblia, isto é: fazer uma correspondência de igualdade entre as palavras da Bíblia e a própria Palavra de Deus".[51]

Tenho focado nos princípios formal (*sola Scriptura*) e material (*solus Christus*) da Reforma, porque ambos são mutuamente interdependentes e ambos estão sob uma enorme tensão hoje, como sempre estiveram. A Escritura e o evangelho permanecem ou caem juntos.

O QUE VEM A SEGUIR?

Francamente, estou um pouco dividido sobre esse aniversário. Se for apenas outra ocasião para liberais saudarem o "Aqui estou!" de Lutero como o prenúncio da autonomia moderna, ou para conservadores celebrarem valores protestantes, ou, ainda, para confessionalistas assistirem novamente ao filme *Lutero* e desenterrarem ressentimentos polêmicos, então, ele vai ser, no máximo, um colossal desperdício de tempo. Se, por outro lado, for uma ocasião para permitir que a Palavra de Deus, mais uma vez, quebre nossos círculos fechados com uma palavra de julgamento e de graça radicais, será um feliz aniversário, sem dúvida.

O momento atual não é nem para uma celebração vaga nem para ansiedades, mas para o exame sóbrio numa perspectiva crítica e para perceber novas maneiras de envolver nosso próprio tempo e lugar com a estranha fala de Deus. Há muitos sinais da fidelidade de Deus a sua Igreja, e, com o interesse renovado nas verdades da Reforma entre as gerações mais jovens, não só no hemisfério Norte, mas no mundo todo, há muito a comemorar. Mas a verdadeira reforma de nossos dias vai acontecer, como sempre, nas *igrejas*. E, em algum momento, os "jovens, inquietos e reformados" vão ter de estudar por si mesmos para ver a grande sabedoria das confissões e dos catecismos das igrejas que têm lutado contra todas as poderosas adversidades não só para se "manterem vivas", mas para que elas cheguem a seus vizinhos que estão cada vez mais alheios à história, às crenças e às práticas mais básicas do cristianismo. Podemos estar entrando em uma nova idade das trevas no Ocidente, porém, Jesus disse o seguinte aos discípulos na véspera da perseguição: "Não tenham medo, pequeno rebanho, pois foi do agrado do Pai dar-lhes o Reino" (Lucas 12:32). Ele ainda nos entregará o reino como um presente, não por causa de nosso ativismo ansioso, mas por meio de sua Palavra e de seu Espírito:

---

[51] Ibid., p. 130.

"Eu lhes disse essas coisas para que em mim vocês tenham paz. Neste mundo vocês terão aflições; contudo, tenham ânimo! Eu venci o mundo" (João 16:33). Apenas a confiança no que ele tem feito por nós pode nos animar para a nossa tarefa assustadora: "[...] [Eu] edificarei a minha igreja, e as portas do Hades não poderão vencê-la" (Mateus 16:18b).

Com todas essas esperanças e esses sonhos em mente, convido o leitor a explorar a riqueza dos capítulos que formam essa fantástica coleção de ensaios verdadeiramente importantes. Muitos deles estão em uma posição única como manifestos apaixonados a favor do caminho a seguir. Qualquer que seja sua própria tradição ou experiência de igreja, leia-os com atenção, pois eles são, no melhor sentido, católicos e evangélicos. Aprofunde-se em uma tradição que definitivamente "não acabou", como alguns sugerem, mesmo que o movimento evangélico em si possa ter avanços e retrocessos. Independentemente disso, qualquer igreja que busque prosperar e tornar-se parte do reino que Cristo está construindo mediante sua Palavra e seu Espírito cantará com Martinho Lutero:

> O Verbo eterno ficará,
> sabemos com certeza,
> e nada nos perturbará
> com Cristo por defesa.
> Se vierem roubar
> os bens, vida e o lar —
> que tudo se vá!
> Proveito não lhes dá.
> O céu é nossa herança.

Domingo de Pentecostes, 2016
Michael Horton

Abreviaturas

AHR   *American Historical Review*

APSR   *American Political Science Review*

BSELK   *Die Bekenntnisschriften der Evangelisch-Lutherischen Kirche* [As confissões da igreja evangélica luterana]. Editado por Irene Dingel. Gottingen: Vandenhoeck & Ruprecht, 2014.

BSHPF   *Bulletin de la Société de l'histoire du Protestantisme français*

BSRK   *Die Bekenntnisschriften der reformierten Kirche* [As confissões da igreja reformada]. Editado por E. F. K. Muller Leipzig: Deichert, 1903.

CCFCT   *Creeds and Confessions of Faith in the Christian Tradition* [Credos e confissões de fé na tradição cristã]. Editado por Jaroslav Pelikan e Valerie Hotchkiss. 4 vols. New Haven: Yale University Press, 2003.

CH   *Church History*

CHR   *Catholic Historical Review*

CNTC   *Calvin's New Testament Commentaries* [Comentário calvinista do Novo Testamento]. Editado por David W. Torrance e Thomas F. Torrance. 12 vols. Grand Rapids: Eerdmans, 1959–1972.

CO   *Joannis Calvini Opera Quae Supersunt Omnia*. Editado por Guilielmus Baum, Eduardus Cunitz e Eduardus Reuss. 59 vols. *Corpus Reformatorum* 29–88. Brunswich e Berlin: Schwetschke, 1863–1900.

CR   *Corpus Reformatorum*. Editado por C. G. Brettschneider. Halle: Schwetschke, 1834–1860.

CSEL   *Corpus Scriptorum Ecclesiasticorum Latinorum*. Editado por Johannes Vahlen et al. Atualmente disponível na Universidade de Salzburg e publicado por De Gruyter, Berlin. 1864–.

CTJ   *Calvin Theological Journal*

CTM   *Concordia Theological Monthly*

CTQ   *Concordia Theological Quarterly*

DH   Denzinger, Heinrich. *Compendium of Creeds, Definitions, and Declarations on Matters of Faith and Morals* [Compêndio de credos, definições e declarações sobre questões de fé e morais]. Revisado e ampliado por Helmut Hoping. Editado por Peter Hunermann (original bilíngue) e por Robert Fastiggi Anne Englund Nash (edição americana). 43. ed. San Francisco: Ignatius, 2012.

EILR	*Emory International Law Review*
EvQ	*Evangelical Quarterly*
HTR	*Harvard Theological Review*
Institutos	Calvino, João. *Institutes of the Christian Religion* [Institutos da religião cristã]. Editado por John T. McNeill. 2 vols. Library of Christian Classics 20–21. Edição de 1959, Philadelphia: Westminster, 1960. *Referências a Instituto referem-se a esta edição; nos demais casos, serão devidamente informados.
Int	*Interpretation*
JChSt	*Journal of Church and State*
JEH	*Journal of Ecclesiastical History*
JETS	*Journal of the Evangelical Theological Society*
JR	*Journal of Religion*
LCC	Library of Christian Classics [Biblioteca de clássicos cristãos]. Editado por John Baillie, John T. Mc-Neill e Henry P. Van Dusen. 26 vols. Philadelphia: Westminster, 1953–1966.
LQ	*Lutheran Quarterly*
LW	*Luther's Works* [As obras de Lutero]. Editado por Jaroslav Pelikan e Helmut T. Lehmann. Edição americana. 82 vols. Philadelphia: Fortress; St. Louis: Concordia, 1955–
MAJT	*Mid-America Journal of Theology*
MQR	*Mennonite Quarterly Review*
MS	*Mediaeval Studies*
NPNF	Nicene and Post-Nicene Fathers [Patriarcas nicênicos e pós-nicênicos]
OER	*Oxford Encyclopedia of the Reformation* [Enciclopédia Oxford da Reforma]. Editado por Hans J. Hillerbrand. 4 vols. Nova York: Oxford University Press, 1996.
PG J-P	Migne (ed.). *Patrologiae cursus completus: Series Graeca*. 161 vols. Paris: Migne, 1857–1886.
PL J-P	Migne (ed.). *Patrologiae cursus completus: Series Latina*. 221 vols. Paris: Migne, 1841–1864.
ProEccl	*Pro Ecclesia*
R&R	*Reformation and Revival*
RRR	*Reformation & Renaissance Review*
SBET	*Scottish Bulletin of Evangelical Theology SCJ The Sixteenth Century Journal*
SJT	*Scottish Journal of Theology*
WA D.	*Martin Luthers Werke, Kritische Gesamtausgabe* [Obras de Martinho Lutero: edição crítica]. 73 vols. Weimar: Hermann Böhlaus Nachfolger, 1883–2009.
WABr	*D. Martin Luthers Werke, Kritische Gesamtausgabe: Briefwechsel* [Obras de Martinho Lutero: edição crítica – a correspondência]. 18 vols. Weimar: Hermann Böhlaus Nachfolger, 1930–1983.
WADB D.	*Martin Luthers Werke, Kritische Gesamtausgabe: Deutsches Bibel* [Obras de Martinho Lutero: edição crítica – a Bíblia alemã]. 12 vols. Weimar: Hermann Böhlaus Nachfolger, 1906–1961.
WATr D.	*Martin Luthers Werke, Kritische Gesamtausgabe: Tischreden.* [Obras de Martinho Lutero: edição crítica – mesa de discussões]. 6 vols. Weimar: Hermann Böhlaus Nachfolger, 1912–1921.

WCR   Westminster Confession of Faith
WTJ   *Westminster Theological Journal*
ZSW   *Huldreich Zwinglis Sämtliche Werke* [Obras completas de Ulrico Zuínglio]. Editado por Emil Egli, George Finsler et al. Corpus Reformatorum 88–101. Berlin-Leipzig-Zurich, 1905–1956.

Colaboradores

ALLEN, R. Michael (Ph.D., Faculdade Wheaton). Professor de Teologia Sistemática e Histórica no Seminário Teológico Reformado, em Orlando, Flórida (EUA). É autor de *Justification and the Gospel: Understanding the Contexts and Controversies* [A justificação e o evangelho: compreendendo os contextos e as controvérsias]; *Reformed Theology* [Teologia reformada]; *Christ's Faith: A Dogmatic Account* [A fé de Cristo: uma consideração dogmática]; com Scott Swain: *Reformed Catholicity: The Promise of Retrieval for Theology and Biblical Interpretation* [Catolicidade reformada: a promessa de recuperação da teologia e da interpretação bíblicas]. É o editor de *Theological Commentary: Evangelical Perspectives* [Comentário teológico: perspectivas evangélicas]; com Jonathan A. Linebaugh: *Reformation Readings of Paul: Explorations in History and Exegesis* [Leituras reformadas de Paulo: Explorações na história e na exegese]; com Scott Swain: *Christian Dogmatics: Reformed Theology for the Church Catholic* [Dogmáticas cristãs: Teologia reformada para a Igreja católica].

BARRETT, Matthew M. (Ph.D., Seminário Teológico Batista do Sul). Tutor da disciplina de Teologia Sistemática e História da Igreja na Faculdade Teológica Oak Hill, em Londres. Editor-executivo da *Credo Magazine* [Revista Credo], é também autor de *God's Word Alone: The Authority of Scripture* [Apenas a Palavra de Deus: A autoridade da Escritura]; *Salvation by Grace: The Case for Effectual Calling and Regeneration* [Salvação pela graça: A questão do chamamento e da regeneração eficazes]; *The Grace of Godliness: An Introduction to Doctrine and Piety in the Canons of Dort* [A graça da piedade: Uma introdução à doutrina e à piedade nos Cânones de Dort]; com Michael A. G. Hayken: *Owen on the Christian Life: Living for the Glory of God in Christ* [Owen sobre a vida cristã: Vivendo para a glória de Deus em Cristo]. É o editor de *The 5 Solas Series* [Séries Os 5 Solas].

BRAY, Gerald L. (D. Litt., Universidade de Paris-Sorbonne). Professor de Pesquisa em Divindade na *Beeson Divinity School*, Universidade Samford, em Birmingham, Alabama (EUA). Editou *Gálatas* e *Efésios* no Comentário Bíblico da Reforma, e é o autor de *Biblical Interpretation: Past & Present* [Interpretação bíblica: Passado e presente]; *The Doctrine of God* [A doutrina de Deus]; *God is Love: A Biblical and Systematic Theology* [Deus é amor: Uma teologia sistemática e bíblica]; *God Has Spoken: A History of Christian Theology* [Deus tem falado: Uma história da teologia cristã]; *Augustine on the Christian Life: Transformed by the Power of God* [Agostinho sobre a vida cristã: Transformados pelo poder de Deus], e *The Church: A Theological and Historical Account* [A Igreja: Uma consideração teológica e histórica].

COLE, Graham A. (Th.D., *Australian College of Theology*). Deão da Escola de Teologia na *Trinity Evangelical Divinity School*, em Deerfield, Illinois (EUA). É autor de *He Who Gives Life: The Doctrine of the Holy Spirit* [O vivificador: A doutrina do Espírito Santo]; *Engaging With the Holy Spirit: Real Questions, Practical Answers* [Envolvimento com o Espírito Santo: Perguntas reais, respostas práticas]; *God the Peacemaker: How Atonement Brings Shalom* [Deus, o Pacificador: Como a expiação trouxe *paz*]; *The God Who Became Human: A Biblical Theology of Incarnation* [O Deus que se tornou humano: Uma teologia bíblica da encarnação].

DENLINGER, Aaron C. (PhD., Universidade de Aberdeen). Professor de História da Igreja e Teologia Histórica na *Reformation Bible College* em Sanford, Flórida (EUA). É o editor de *Reformed Orthodoxy in Scotland: Essays on Scottish Theology 1560–1775* [Ortodoxia reformada na Escócia: Ensaios sobre teologia escocesa 1560–1775] e de *Omnes in Adam ex pacto Dei: Ambrogio Catarino's Doctrine of Covenantal Solidarity and Its Influence on Post-Reformation Reformed Theologians* [Todos os homens no pacto de Deus: Doutrina da solidariedade pactual de Ambrogio Catarino e sua influência nos teólogos reformados pós-Reforma].

FESKO, J. V. (Ph.D., *King's College*, Universidade de Aberdeen, Escócia). Deão acadêmico, professor de Teologia Sistemática e Teologia Histórica no Seminário Westminster, Califórnia (EUA). É autor de *Justification: Understanding the Classic Reformed Doctrine* [Justificação: Compreendendo a doutrina reformada clássica]; *Beyond Calvin: Union with Christ and Justification in Early Modern Reformed Theology (1517–1700)* [Além de Calvino: União com Cristo e justificação no início da teologia reformada moderna (1517–1700)] e *The Theology of the Westminster Standards: Historical Context and Theological Insights* [A teologia dos padrões de Westminster: Contexto histórico e percepções teológicas].

KELLY, Douglas F. (Ph.D., Universidade de Edimburgo). Professor emérito de Teologia no Seminário Teológico Reformado, ocupando a cátedra que era de Richard Jordan. É autor da *Systematic Theology* [Teologia sistemática], obra em diversos volumes; *Creation and Change: Genesis 1:1–2:4 in the Light of Changing Scientific Paradigms* [Criação e mudança: Gênesis 1:1–2:4 à luz dos mutáveis paradigmas científicos]; *Emergence of Liberty in the Modern World: Five Calvinist Governments from the 16th to 18th Centuries* [Aparecimento da liberdade no mundo moderno: Cinco governos calvinistas dos séculos XVI a XVIII]; *If God Already Knows, Why Pray?* [Se Deus já sabe, por que orar?] e *Revelation: A Mentor Expository Commentary* [Apocalipse: Um comentário expositivo mentor].

KIM, Eunjin. Candidata a Ph.D. em História da Igreja no Seminário Teológico Wesminster em Glenside, Pensilvânia (EUA). Ela tem um M.Div. do Seminário Teológico Hapdong, na Coreia do Sul, e um Th.M. da *Duke Divinity School*. Dentre seus interesses, incluem-se a teologia reformada dos séculos XVI e XVII e a história da interpretação bíblica na era da Reforma.

KOLB, Robert (Ph.D., Universidade de Wisconsin-Madison). Professor emérito de Teologia Sistemática no Seminário Concordia, em St. Louis, Missouri (EUA). É autor de *Comunicando o evangelho hoje*; *The Genius of Luther's Theology: A Wittenberg Way of Thinking for the Contemporary Church* [A genialidade da teologia de Lutero: Uma maneira Wittenberg de pensar para a igreja contemporânea]; *Luther and the Stories of God: Biblical Narratives as a Foundation for Christian Living* [Lutero e as histórias sobre Deus: As narrativas bíblicas como base para a vida cristã]; *Martin Luther: Confessor of the Faith* [Martinho Lutero: Confessor da fé]; *Bound Choice,*

Election, and Wittenberg Theological Method: From Martin Luther to the Formula of Concord [Escolha limitada, eleição e o método teológico de Wittenberg: De Martinho Lutero à Fórmula de Concórdia]; *Martin Luther as Prophet, Teacher, and Hero: Images of the Reformer, 1520–1620* [Martinho Lutero como profeta, professor e herói: Imagens do reformador, 1520–1620] e *Martin Luther and the Enduring Word of God: The Wittenberg School and Its Scripture-Centered Proclamation* [Martinho Lutero e a perpétua Palavra de Deus: A escola de Wittenberg e sua proclamação centrada na Escritura].

LETHAM, Robert (Ph.D., Universidade de Aberdeen). Professor de Teologia Sistemática e Histórica e supervisiona pesquisa para graduações na *Union School of Theology* em Oxford, Inglaterra. É autor de *Union with Christ: In Scripture, History, and Theology* [União com Cristo: Na Escritura, na história e na teologia]; *The Westminster Assembly: Reading Its Theology em Historical Context* [A Assembleia de Westminster: lendo sua teologia no contexto histórico]; *The Trinity: In Scripture, History, Theology, and Worship* [A Trindade: Na Escritura, na história, na teologia e na adoração] e *The Work of Christ* [A obra de Cristo].

LILLBACK, Peter (Ph.D., Seminário Teológico de Westminster). Presidente e professor de Teologia Histórica e História da Igreja no Seminário Teológico Westminster em Glenside, Pensilvânia (EUA). É autor de *George Washington's Sacred Fire* [O fogo sagrado de George Washington]; *The Binding of God: Calvin's Role in the Development of Covenant Theology* [A vinculação de Deus: O papel de Calvino no desenvolvimento da teologia do pacto]. É coeditor com Richard B. Gaffin, de *Thy Word Still Truth: Essential Writings on the Doctrine of Scripture from the Reformation to Today* [Tua Palavra ainda é a verdade: Escritos essenciais sobre a doutrina da Escritura da Reforma até hoje] e, com David W. Hall, de *A Theological Guide to Calvin's Institutes: Essays and Analysis* [Um guia teológico para as Institutas de Calvino: Ensaios e análises].

MAAS, Korey D. (D.Phil., Universidade de Oxford). Professor-assistente de História na Faculdade Hillsdale, em Hillsdale, Michigan (EUA). É autor de *The Reformation and Robert Barnes: History, Theology, and Polemic in Early Modern England* [A Reforma e Robert Barnes: História, teologia e polêmica no início da Inglaterra moderna], e colaborador do volume 60 de *Luther's Works* [Obras de Lutero].

MACLEOD, Donald (D.D., Seminário Teológico de Westminster). Foi professor de Teologia Sistemática na *Free Church of Scotland College*, em Edimburgo, e também diretor de escola de 1999 a 2011. É autor de *Christ Crucified: Understanding the Atonement* [Cristo crucificado: Entendendo a expiação]; *The Person of Christ* [A pessoa de Cristo]; *A Faith to Live By: Understanding Christian Doctrine* [Uma fé pela qual viver: Entendendo a doutrina cristã]; *From Glory to Golgotha: Controversial Issues in the Life of Christ* [Da glória ao Gólgota: Questões controversas na vida de Cristo]; *Jesus is Lord: Christology Yesterday and Today* [Jesus é Senhor: Cristologia ontem e hoje].

MATHISON, Keith (Ph.D., Seminário Teológico Whitefield). Professor de Teologia Sistemática na *Reformation Bible College*, em Sanford, Flórida (EUA). É autor de *Given For You: Reclaiming Calvin's Doctrine of the Lord's Supper* [Dado por vós: Resgatando a doutrina de Calvino sobre a Ceia do Senhor]; *From Age to Age: The Unfolding of Biblical Eschatology* [De uma era para outra: Desvelando a escatologia bíblica]; *The Shape of Sola Scriptura* [A forma do *Sola Scriptura*]. Atuou como editor-associado da *The Reformation Study Bible* [Bíblia de estudo da Reforma].

REEVES, Michael (Ph.D., *King's College*, Londres). Presidente da *Union School of Theology*. Anteriormente, atuou como diretor de teologia para a Comunhão de Universidades e Faculdades Cristãs. É autor de *The Unquenchable Flame: Discovering the Heart of the Reformation* [A chama inextinguível: Descobrindo o coração da Reforma]; *Delighting in the Trinity: An Introduction to the Christian Faith* [Deleitando-se na Trindade: Uma introdução à fé cristã]; com Tim Chester, *Rejoicing in Christ* [Regozijando-se em Cristo] e, com Hans Madueme, *Adam, the Fall, and Original Sin: Theological, Biblical, and Scientific Perspectives* [Adão, a Queda e o pecado original: Perspectivas teológicas, bíblicas e científicas].

RIDDLEBARGER, Kim (Ph.D., Seminário Teológico Fuller). Pastor sênior da Igreja de Cristo Reformada e coapresentador do programa de rádio White Horse Inn. É autor de *A Case for Amillennialism: Understanding the End of Times* [Um estudo de caso sobre o amilenismo: para entender o final dos tempos]; *The Man of Sin: Uncovering the Truth about the Antichrist* [O homem do pecado: Descobrindo a verdade sobre o anticristo]; *First Corinthians* [1Coríntios] e *The Lion Princeton: B. B. Warfield as Apologist and Theologian* [O Leão de Princeton: B. B. Warfield como apologista e teólogo].

SWAIN, Scott (Ph.D., *Trinity Evangelical Divinity School*). Professor de Teologia Sistemática e deão acadêmico no Seminário Teológico Reformado em Orlando, Flórida (EUA). É coeditor (com Michael Allen) de *Christian Dogmatics: Reformed Theology for the Church Catholic* [Dogmáticas cristãs: Teologia reformada para a Igreja católica]; autor, com Michael Allen, de *Reformed Catholicity: The Promise of Retrieval for Theology and Biblical Interpretation* [Catolicidade reformada: A promessa de recuperação da teologia e da interpretação bíblicas]; *The God of the Gospel: Robert Jenson's Trinitarian Theology* [O Deus do evangelho: A teologia trinitariana de Robert Jenson]; *Trinity, Revelation, and Reading: A Theological Introduction to the Bible and Its Interpretation* [Trindade, Apocalipse e leitura: Uma introdução teológica à Bíblia e sua interpretação], e, com Andreas Köstenberger, de *Father, Son and Spirit: The Trinity and John's Gospel* [Pai, Filho e Espírito: A Trindade e o Evangelho de João].

THOMPSON, Mark (D.Phil., Universidade de Oxford). Diretor da Faculdade Teológica Moore, em Sydney, Austrália. É autor de *A Clear and Present Word: The Clarity of Scripture* [Uma Palavra clara e presente: A clareza da Escritura] e de *A Sure Ground on Which to Stand: The Relation of Authority and Interpretive Method of Luther's Approach to Scripture* [Um terreno firme sobre o qual permanecer: A relação entre a autoridade e o método interpretativo do trato de Lutero com a Escritura].

TRUEMAN, Carl (Ph.D., Universidade de Aberdeen). Professor de História da Igreja no Seminário Teológico Westminster, ocupando a cátedra que era de Paul Woolley. É autor de *Reforma ontem, hoje e amanhã*; *Luther on the Christian Life: Cross and Freedom* [Lutero sobre a vida cristã: Cruz e liberdade]; *The Creedal Imperative* [O imperativo dos credos]; *Histories and Fallacies: Problems Faced in the Writing of History* [Histórias e falácias: Problemas enfrentados ao se escrever a história]; *John Owen: Reformed Catholic, Renaissance Man* [John Owen: Católico reformado, homem da Renascença]; *Luther's Legacy: Salvation and English Reformers, 1525–1556* [Legado de Lutero: Salvação e reformadores ingleses, 1525–1556].

VENEMA, Cornelis P. (Ph.D., Seminário Teológico Princeton). Presidente e professor de Estudos Doutrinários no *Mid-America Reformed Seminary*, em Dyer, Indiana (EUA). É autor de

The Promise of the Future [A promessa do futuro]; *Heinrich Bullinger's Doctrine of Predestination* [A doutrina da predestinação de Heinrich Bullinger]; *The Gospel of Free Acceptance in Christ: An Assessment of the Reformation and New Perspectives on Paul* [O evangelho da livre aceitação em Cristo: Uma análise da Reforma e novas perspectivas nos escritos paulinos]; *Accepted and Renewed in Christ: The "Twofold Grace of God" and the Interpretation of Calvin's Theology* [Aceito e renovado em Cristo: A "dúplice graça de Deus" e a interpretação da teologia de Calvino], e de *Christ and the Future* [Cristo e o futuro].

Introdução

Capítulo 1
O CERNE DA VERDADEIRA REFORMA

Matthew Barrett

> *Eis, então, o soberano poder com o qual convém que sejam investidos os pastores da Igreja, sem importar por qual nome sejam eles chamados. Isso é para que ousem fazer tudo confiantemente pela Palavra de Deus; para que obriguem a todo poder, glória, sabedoria e exaltação do mundo a sujeitar-se a sua majestade e a ela obedecer; sustentados por seu poder, imperem sobre todos, do mais alto ao derradeiro; para que edifiquem a casa de Cristo e subjuguem a de Satanás; para que apascentem as ovelhas e espantem os lobos; para que instruam e exortem os ensináveis; para que censurem, repreendam e submetam os rebeldes e obstinados; para que liguem e desliguem; enfim, se necessário for, para que lancem raios e trovões; mas façam tudo na Palavra de Deus.*
>
> (João Calvino)[1]

> *Nenhum outro movimento de protesto religioso ou de reforma religiosa desde a antiguidade foi tão generalizado ou duradouro em seus efeitos, tão profundo e perscrutador em sua crítica da sabedoria recebida, tão destrutivo naquilo que aboliu ou tão fértil no que criou.*
>
> (Euan Cameron)[2]

REFORMA COMO REDESCOBERTA DO EVANGELHO

Inúmeros historiadores têm feito grandes esforços para explicar a Reforma por meio de causas sociais, políticas e econômicas.[3] Sem dúvida, cada uma delas desempenhou

---

[1] Calvino, *Institutas*, 4.8.9
[2] Euan Cameron. *The European Reformation*. Oxford: Oxford University Press, 1991, p. 1.
[3] Escolhi utilizar o termo no singular, Reforma. No entanto, outros autores (inclusive neste livro) têm utilizado o plural, Reformas, para se referir à diversidade e à pluralidade existentes durante o século XVI e às várias reformas que ocorreram em toda a Europa. Por exemplo, Carter Lindberg. *The European Reformations*. Oxford: Blackwell, 1996. Estou de acordo com essa observação; podemos falar de uma pluralidade de reformas, cada uma das

um papel durante a Reforma – em alguns casos, um papel significativo.⁴ No entanto, mais fundamentalmente, a Reforma foi um movimento teológico, causada por preocupações doutrinárias.⁵ Embora fatores políticos, sociais e econômicos sejam importantes, observa Timothy George, "é preciso reconhecer que a Reforma foi essencialmente um evento religioso; suas preocupações mais profundas, teológicas."⁶ Isso significa, então, que devemos estar "preocupados com a autocompreensão teológica" dos reformadores.⁷

No entanto, há mais a ser dito. Sim, a Reforma foi um "evento religioso" e sua preocupação ulterior foi "teológica". Mas a história está cheia de movimentos

---

quais diferente das outras, todavia, fico com a linguagem tradicional, preferindo o singular, porque, como esta Introdução revela, existe um centro teológico que caracteriza todos os reformadores. Não é sem justificativa que se fala *da* Reforma geral como um todo. Embora haja diversidade entre os reformadores, há também unidade quando se trata de sua causa comum de restaurar o evangelho da graça, que é por demais evidente em seu ataque unido contra Roma. Além disso, algumas vezes o motivo por trás da ênfase em uma pluralidade de reformas é a inclusão da reforma católica. Entretanto, de um ponto de vista protestante da história, é mais adequado rotular Trento de um movimento de Contrarreforma. Não é nenhuma surpresa que alguns estudiosos católicos querem até mesmo se livrar do termo Reforma, uma vez que "segue com ele, com muita facilidade, a noção de que uma forma má de cristianismo estava sendo substituída por uma boa" (John Bossy. *Christianity in the West 1400–1700*. Oxford: Oxford University Press, 1985, p. 91). Mas é exatamente isso que os reformadores acreditavam que estava acontecendo, e, portanto, a necessidade de reforma que viram! McGrath ressalta esse ponto por meio da observação da interpretação de Lutero de alguns precursores da Reforma: "Para Lutero, a reforma da moral e a renovação espiritualidade, embora sejam importantes, possuem relevância secundária em relação à *reforma da doutrina cristã*. Bem ciente da fragilidade da natureza humana, Lutero criticou tanto Wycliffe quando Huss por restringir seus ataques às deficiências morais do papado, quando, na verdade, deveriam atacar a teologia na qual o papado então se fundamentava. Para Lutero, a moral deveria ser posterior à reforma doutrinária". Alister E. McGrath. *Luther's Theology of the Cross: Martin Luther's Theological Breakthrough*. 2. Ed. Oxford: Wiley-Blackwell, 2011, p. 26.

⁴ Por exemplo, a leitura de algumas das biografias mais recentes e a forma como algumas figuras da Reforma são tratadas dão uma noção de como esses fatores coincidiram com o sucesso ou o fracasso da Reforma. Veja, por exemplo: Scott H. Hendrix *Martin Luther: Visionary Reformer*. New Haven and London: Yale University Press, 2015; Jane Dawson. *John Knox*. New Haven and London: Yale University Press, 2015; Scott M. Manetsch. *Calvin's Company of Pastors: Pastoral Care and the Emerging Reformed Church, 1536–1609*. Oxford Studies in Historical Theology. Oxford: Oxford University Press, 2013.

⁵ Devemos ter cuidado também para não puxar o pêndulo muito para o outro lado. Whitford nos lembra de que, no século XVI, crenças teológicas influenciavam fortemente crenças sociais e políticas. "Porque o mundo do início da era moderna não era um mundo secular, o teológico afetava o social e a política, tanto quanto, e às vezes mais, do que o eclesiástico estritamente definido". Ao mesmo tempo, Whitford reconhece que a Reforma europeia "foi um evento essencialmente religioso impulsionado por preocupações teológicas" (David M. Whitford, "Studying and Writing about the Reformation." In: David M. Whitford (ed.). *T & T Clark Companion to Reformation Theology*. Londres: T & T Clark, 2012, p. 3). Além disso, McGrath observa como a nova tendência em história social é definir e interpretar a Reforma em categorias econômicas e sociais. Ele observa como tal tratamento tem levado alguns a interpretar mal a Reforma, resultando em conclusões "embaraçosas". No entanto, ele argumenta, "embora tal absurdo possa agora ser desconsiderado com segurança, é agora incontestável que qualquer tentativa de dar sentido às origens, ao apelo popular e à transmissão do protestantismo exige um estudo cuidadoso das estruturas e instituições da sociedade contemporânea" (Alister McGrath. *Christianity's Dangerous Ideas*. Nova York: HarperCollins, 2007, p. 8).

⁶ Timothy George. *Theology of the Reformers*. Nashville: Broadman & Holman, 1998, p. 18. McGrath também alerta contra a tentação de tratar as ideias da Reforma como um "fenômeno puramente social" (Alister E. McGrath, *Reformation Thought: An Introduction*, 4ᵗʰ. ed. Oxford: Wiley-Blackwell, 2012, p. xv, xvi, 1).

⁷ George, *Theology of the Reformers*, v. 18.

reformadores de viés religioso e ético que se consideravam teológicos na orientação. O distintivo da Reforma, porém, é que sua profunda preocupação teológica foi o próprio evangelho. Em outras palavras, a Reforma foi uma ênfase renovada na doutrina correta, e a doutrina que estava no centro das atenções era uma boa compreensão da graça de Deus no evangelho de seu Filho, Jesus Cristo. Em parte, isso é o que distingue Lutero dos precursores da Reforma. Como Lindberg observa, o "cerne da reforma genuína [...] é a proclamação do evangelho da graça apenas. Isso requer a reforma da teologia e da pregação, mas é, em última análise, a obra de Deus somente".[8] Para Lutero, explica McGrath, a "reforma dos padrões morais era secundária em relação à reforma doutrinária".[9] Enquanto os precursores ressaltavam a necessidade de uma reforma ética no papado, Lutero reconhecia que o real problema era apenas dogmático. A grande necessidade era teológica; o "cerne da reforma genuína" estava relacionado à restauração do próprio evangelho.

Os reformadores acreditavam que esse evangelho havia se perdido (ou pelo menos sido corrompido). Lutero estava convencido de que o pelagianismo e o semipelagianismo haviam se espalhado como uma praga, pelo menos na esfera popular, graças à influência de certas vertentes do catolicismo medieval.[10] À medida que o conflito de Lutero com Roma esquentava, eventualmente entrando em erupção como um vulcão, ficou incrivelmente claro para Lutero que a corrupção do evangelho em seus dias resultou do abandono da justificação *solo gratia* e *solo fide* e vice-versa. As consequências foram graves. Lutero advertiu no início de seus 1535 comentários aos Gálatas que "se a doutrina de justificação se perdeu, toda a doutrina do cristianismo se perdeu".[11] E novamente: "se essa doutrina está perdida e arruinada, todo o conhecimento da verdade, da vida e da salvação está perdido e arruinado ao mesmo tempo".[12] Nada mais estava em jogo. Entretanto, além da redescoberta de doutrinas como a *sola fide* e a imputação da justiça de Cristo,

---

[8] Lindberg, *The European Reformations*, 10. Veja também Trueman, *Reformation*, p. 20.

[9] McGrath, *Luther's Theology of the Cross*, p. 27.

[10] O "fator principal que conduziu a esse cisma em primeiro lugar" foi " a convicção fundamental de Lutero de que a igreja de seus dias tinha se transformado em um tipo de pelagianismo, comprometendo, assim, o evangelho, e a igreja em si não estava preparada para sair da situação". Ibid. Hoje em dia, alguns contestam essa visão tradicional, acreditando que Lutero e Calvino estavam seriamente enganados ao entenderem que tanto o final do período medieval quanto o Estado de Roma do século XVII eram teológica e moralmente corruptos. Além disso – continua o argumento –, a reforma católica não foi uma resposta aos reformadores protestantes, mas sim às críticas dos pré-reformadores internos da igreja católica. Nesse sentido, rotular como errônea a visão de que a igreja do final da Era Medieval estava teologicamente confusa é por si só uma avaliação teológica, a qual vai de encontro à avaliação dos reformadores. Além disso, tendo em vista que não queremos ignorar a importância das vozes dissidentes dentro da própria igreja católica mesmo antes de Lutero, afirmar que Roma não estava respondendo aos ataques dos reformadores protestantes está fora de cogitação, como demonstram o Concílio de Trento e os anátemas diretos.

[11] Martinho Lutero. *Lectures on Galactions (1535)*, LW 26:9.

[12] Por outro lado, ele diz: "se essa doutrina florescer, tudo de bom floresce – a religião, a adoração verdadeira, a glória de Deus e o correto conhecimento de todas as coisas e de todas as condições sociais". Ibid, LW 26:3.

a reforma duradoura nunca criaria raízes. Assim sendo, era inegável para Lutero que seus ensinamentos, sua oração e seus escritos tinham de circular pelo evangelho, especificamente em suas ramificações de justificação e da fé em si. Como Lutero escreveu a Staupitz, "eu ensino que as pessoas devem depositar sua fé em Jesus apenas, não em suas orações, em seus méritos ou em suas boas ações".[13] Essa única frase, diz Scott Hendrix, resume "a essência" da "pauta de reforma" de Lutero".[14]

O evangelho por Lutero redescoberto – que denominou "tesouro da Igreja" – não foi uma experiência que ele desconhecia. Recontando seu *Durchbruch* pessoal, ou sua ruptura, o testemunho de Lutero é poderoso:

> Embora eu vivesse como um monge irrepreensível, sentia que cometia pecados contra Deus e que tinha a consciência extremamente perturbada. Não podia acreditar que ele seria subornado pela minha satisfação. Eu não amava; na verdade, odiava o Deus justo que punia os pecadores, e, em segredo – se não com blasfêmia –, eu certamente murmurava muito. Estava irado com Deus e me questionava se já não era suficiente que os pecadores miseráveis, eternamente perdidos no pecado original, fossem esmagados por todo tipo de adversidade pela lei do Decálogo, sem que Deus intensificasse a dor do evangelho e, também, que sofressem com a ameaça da justiça e da ira divinas que emanam deste evangelho! Então, fiquei com a consciência fervilhando e bastante confusa. Não obstante, bati impunemente sobre Paulo enquanto estava naquela condição, desejando com todas as forças saber o que São Paulo queria.
>
> Por fim, pela misericórdia de Deus, meditando dia e noite, prestei atenção ao contexto das palavras, a saber, "Porque no evangelho é revelada a justiça de Deus [...] como está escrito: 'O justo viverá pela fé'". Então, comecei a entender que a justiça de Deus é aquela por meio da qual o justo vive por um dom de Deus, a saber, a fé. E este é o significado: a justiça de Deus é revelada por meio do evangelho, isto é, a justiça passiva com a qual o Deus misericordioso nos justifica pela fé, como está escrito, "o justo viverá pela fé". Nesse momento, senti que havia completamente nascido de novo e entrado no paraíso pelas portas.[15]

À luz do *Durchbruch* de Lutero, se tivéssemos de escolher apenas uma palavra para caracterizar a Reforma, essa palavra seria *redescoberta*, ou seja, a redescoberta da *boa-nova*, o evangelho. É apropriado concluir, portanto, que a Reforma foi essencialmente *evangélica*.

Apesar disso, a palavra *redescoberta* supunha que os reformadores não pensavam que estavam inventando algo novo (o que ia contra a acusação de novidade feita por Roma). Na verdade, eles estavam renovando, recuperando e revivendo aquilo que acreditavam ter se perdido. Esse evangelho perdido havia sido ensinado pelos

---

[13] Martinho Lutero. "Letter to Johann von Staupitz". *WABr*, 31 mar. 1518, 1:160.
[14] Hendrix, *Martin Luther*, p. 68.
[15] Martinho Lutero. "Preface to the Complete Edition of Luther's Latin Writings". *LW* 34, p. 336–337.

autores bíblicos, bem como pelos apóstolos e pelos pais da igreja.[16] E, uma vez que insistiam na reforma não apenas dos fatores externos, mas também da doutrina, os reformadores passaram a ser caracterizados pela teologia por meio do slogan *Ecclesia reformata, semper reformanda* – "a igreja reformada, sempre reformando", mesmo sendo esse slogan um movimento muito posterior.[17]

A VIDA DA BÍBLIA NA ALMA DA IGREJA

O lema da Reforma *Ecclesia Reformata et Semper Reformanda Est* não se referia apenas às questões soteriológicas (*sola fide, sola gratia, solus Christus*), mas, sob ele estava o próprio alicerce, o princípio formal da Reforma: *sola Scriptura*, a crença de que *somente a Escritura, por ser a Palavra inspirada de Deus, é a autoridade inerrante, suficiente e final para a igreja*.[18] Em nenhum lugar esse princípio formal estava mais visível para as pessoas comuns do que na reorientação da igreja em torno da Palavra pregada e proclamada.

Uma das declarações mais chocantes que os reformadores fizeram em resposta a Roma envolveu a reorganização do mobiliário na igreja. Ao caminhar para o santuário de um templo, qualquer pessoa pode imediatamente dizer a diferença entre uma igreja ainda nas garras de Roma e uma igreja sob a influência do programa da Reforma. Para Roma, o culto acontecia em torno do altar, mas os reformadores deram ao púlpito a posição de prioridade.[19] Para Roma, a missa em latim era o evento central, mas, para os reformadores, era a Palavra do Deus vivo pregada e proclamada na língua do povo para a salvação e a edificação dos santos.[20] Scott Manetsch nos dá um vislumbre:

> A mensagem de Martinho Lutero de que os pecadores eram justos diante de Deus somente mediante a fé em Cristo (*sola fide*) não só minou o sistema penitencial católico, como também cortou na raiz o papel sacral do sacerdote medieval como um despenseiro da graça salvífica por meio dos sacramentos da igreja. Em vez disso, os reformadores

---

[16] Tal princípio também se aplica a outras doutrinas reformadoras, como a *sola Scriptura*. Lindberg nos apresenta um excelente exemplo de Lutero: "Portanto, no debate de Leipzig (1519) acerca da autoridade papal, Lutero declarou que as reivindicações papais de superioridade são relativamente recentes. 'Contra elas, temos a história de mil e cem anos, o texto da divina Escritura e o decreto do Concílio de Nicéia [325 d.C.], o mais sagrado dos concílios' (*LW* 31, p. 318)". Lindberg, *The European Reformations*, p. 5.

[17] Do ponto de vista humanista, pode-se ver a ênfase no lema da Renascença, *ad fontes*, ou seja, "às fontes". Muitos reformadores foram influenciados pelo humanismo e, portanto, aplicaram esse lema às Escrituras, bem como aos pais da igreja primitiva. Por exemplo, Melanchthon acreditava que Deus, no período da Reforma, "convidava a igreja a voltar às suas origens". Veja Lindberg, *The European Reformations*, p. 6.

[18] Para uma defesa do princípio formal, veja: Matthew Barrett. *God's Word Alone: The Authority of Scripture*. Grand Rapids: Zondervan, 2016.

[19] Para ver este ponto demonstrado no ministério de pregação de Calvino, veja T. H. L. Parker. *The Oracles of God: An Introduction to the Preaching of John Calvin*. Cambridge: Lutterworth, 1947.

[20] Manetsch, *Calvin's Company of Pastors*, p. 5.

protestantes elevaram o ofício bíblico do ministro ou pastor cristão, cuja principal responsabilidade era pregar a Palavra de Deus e supervisionar o comportamento da comunidade espiritual. [...] Isso não quer dizer que os católicos do final do período medieval ignoravam o ministério da pregação, tampouco que a vida e a adoração protestantes estavam vazias de ritual religioso. Os historiadores agora reconhecem um significativo renascimento da pregação no século anterior à Reforma, mais evidente no trabalho de frades mendicantes e na criação de congregações municipais de pregadores. Ao mesmo tempo, apesar das críticas protestantes às "cerimônias" e "superstições" católicas, e apesar dos atos explosivos de iconoclastia contra imagens católicas, os reformadores evangélicos preservaram, de forma modificada, ritos tradicionais em torno da Eucaristia, do batismo e da reconciliação. No entanto, o padrão geral ainda é válido: *para os católicos, o papel principal do clero permanece sacramental e litúrgico; para os reformadores protestantes, o papel principal era pregar a Palavra de Deus*.[21]

Duas teologias muito diferentes estavam visivelmente representadas e eram tão evidentes que fiéis não mais perguntavam uns aos outros se tinham ido à missa, mas se tinham ido ao *prêche* ("à pregação").[22]

No final do período medieval, o sermão não era tipicamente a parte central do culto de adoração, embora isso não signifique negar por completo que a pregação ocorria na igreja medieval.[23] Em vez disso, sermões eram proferidos quando havia um evento singular, como Páscoa ou Natal, ou em locais específicos, como em campos de peregrinação dedicados a Maria e aos santos.[24] Mas, normalmente, as pessoas iriam à igreja esperando ouvir a missa sendo dita, não a Escritura sendo proclamada. Ouvir um sermão no final do período medieval significava deixar as paredes da igreja e, em seu lugar, viajar para o campo aberto, onde se poderia ouvir (talvez em segredo) um pregador. Foi o que ocorreu com o pregador franciscano Bernardino de Siena (1380–1444) e com o frade dominicano Girolamo Savonarola (1452–1498) – este último foi excomungado e depois executado em 1498, exatamente às vésperas da Reforma.[25] O terrível destino de precursores e mártires como Savonarola estavam vívidos na mente de Lutero quando ele viajou para Worms, sem saber se voltaria vivo.[26]

---

[21] Ibid.
[22] Aqui temos em mente especificamente os huguenotes franceses. Veja: Timothy George. *Reading Scripture with the Reformers*. Downers Grove: InterVarsity Press, 2011, p. 238.
[23] Para saber mais sobre as pregações no fim do período medieval, veja: Hugues Oliphant Old. *The Reading and the Preaching of the Scripture in the Worship of the Christian Church*, v. 3, *The Medieval Church*. Grand Rapids: Eerdmans, 1999.
[24] Nos tópicos a seguir, utilizarei George e Manetsch como parceiros de diálogo. Estou em dívida com as ideias deles. Veja George, *Reading Scripture with the Reformers*, p. 229–259; Manetsch, *Calvin's Company of Pastors*, p. 5–10.
[25] George, *Reading Scripture with the Reformers*, p. 230.
[26] Inclusive, Lutero levava consigo uma gravura de Savanarola em sua viagem para Worms. Veja Martin Brecht. *Martin Luther: His Road to Reformation, 1483–1521*. Filadélfia: Fortress, 1985, p. 448.

Tal decadência, no entanto, não se limitou à Alemanha de Lutero: a Inglaterra também sofreu com a seca expositiva. Ao descrever a vida na igreja que precedeu a Reforma, o historiador inglês da Reforma Philip Hughes explica como "a pregação havia sido de tal maneira negligenciada que tinha praticamente deixado de ser função da igreja".[27] Hughes continua sua explicação sobre o quão terrível a situação havia se tornado. Os clérigos não apareciam em suas paróquias, tampouco admitiam que um bispo se envolvesse pessoalmente em sua diocese. Títulos e ofícios podiam simplesmente ser comprados. Era desnecessário estar presente para alimentar os membros da igreja famintos espiritualmente do evangelho. Sendo assim, concorda que não é nenhuma surpresa o fato de que, quando as bases da verdadeira Reforma foram estabelecidas, a Palavra autoritativa e o sermão expositivo tornaram-se inseparáveis? Era inevitável que "a redescoberta da Palavra de Deus envolvesse a redescoberta na necessidade da pregação".[28] Dada a "decadência da pregação" na Inglaterra, Thomas Cranmer abriu o caminho ao publicar os Livros de Homilias", os quais eram "lidos regularmente nas igrejas pelos clérigos incapazes de pregar sermões".[29] Não tendo sido projetadas para substituir sermões, essas homilias – explica Hughes – eram uma preleção para conduzir a igreja até o momento em que deveria haver um ministério instruído e espiritual".[30]

O radical, então, na Reforma foi a maneira como os reformadores resgataram o sermão, levando-o da obscuridade e do sigilo dos campos de volta para o culto e a liturgia da igreja. Esse movimento não foi feito em segredo, mas foi notável, visivelmente manifestado na elevação literal de um púlpito no ar, acima do povo.

Por exemplo, considere a famosa pintura de uma igreja protestante francesa em Lyon chamada de Templo de Paradis.[31] O que chama a atenção nessa pintura é o púlpito, que está na frente e ao centro, erguido para que o pregador seja visto e ouvido por todos. As pessoas não só estão sentadas abaixo, mas sentadas na forma de um círculo (ou pelo menos um semicírculo). Ao redor do pregador, tendo o púlpito como peça central. As crianças também são retratadas sentadas

---

[27] "Isso se deveu à difusão da ignorância, da indolência e da dissolução geral do clero, incentivada pela grande falência dos bispos em exercer a devida supervisão das dioceses que estavam sob suas responsabilidades". Philip E. Hughes. *Theology of the English Reformers*. Grand Rapids: Eerdmans, 1965, p. 121. Sobre a ausência de sermões na vida local da paróquia, veja: Kevin Madigan. *Medieval Christianity: A New History*. New Haven, Yale University Press, 2015, p. 87–88, 308–309.
[28] Ibid.
[29] Ibid, p. 122.
[30] Ibid, p. 122–123.
[31] A Igreja Protestante em Lyon, chamada "The Paradise", na Bibliotheque Publique et Universitaire, Genebra, Suíça. Erich Lessing/Art Resource, Nova York. Disponível em: <www.artres.com/C.aspx?VP3=ViewBox_VPage&VBID=2UN365C1DI1XO&IT=ZoomImageTemplate01_VForm&IID=2UNTWAEU1CNQ&PN=1&CT=Search&SF=0>. Acesso em 27.set.2016.

e ouvindo, acompanhando a pregação e prontas para aprender com o livro de catecismo aberto. O artista também coloca um cão(!) no culto, sentado como se também estivesse ouvindo, com a cabeça voltada para o pregador. Em frente ao púlpito está um casal preparado para se casar e, à esquerda, preparativos para o batismo de uma criança. O importante nesses detalhes é que todas as pessoas e todas as atividades estão centradas na e giram em torno da proclamação da Palavra de Deus.[32] As pessoas criam que a Bíblia era a mensagem de Deus para elas, suficiente não só para salvar, mas também para uma vida de piedade. Sendo ela a Palavra de Deus deve, portanto, ser proclamada, ouvida e obedecida. Na verdade, ela deve ter a palavra final.

Outra igreja a considerar é St. Pierre, em Genebra, onde Calvino pregou e ministrou, bem como às demais igrejas naquela área. Calvino iniciou um programa que limpou o prédio da igreja da distração e da idolatria romanas, buscando purificar esse espaço e templo sagrado. Estátuas de santos, relíquias consideradas sagradas, crucifixos, o tabernáculo (sacrário) que abrigava a hóstia consagrada e o altar, onde a missa era realizada, foram lançados fora e destruídos.[33] A limpeza de tudo o que poderia levar à idolatria era tão profunda que até mesmo paredes e colunas foram caiadas, escondendo a iconografia que retratava a teologia antibíblica de Roma.[34] Com a igreja despojada, o espaço sagrado poderia agora dar prioridade à pregação da Palavra de Deus. Um púlpito de madeira foi confeccionado e, quando concluído, colocado contra uma coluna, à frente do espaço sagrado. Os assentos – para homens, mulheres e crianças – foram colocados em torno dele, na frente dele, e até mesmo por trás dele.

Embora a posição central do púlpito fosse, com certeza, prática, permitindo que grandes multidões ouvissem, sua localização era descaradamente teológica. "A proclamação da Escritura no meio da congregação", diz Manetsch, "era um

---

[32] Essa pintura também é descrita por George, *Reading Scripture with the Reformers*, p. 231.
[33] Manetsch, *Calvin's Company of Pastors*, 33. Um dos crucifixos permaneceu: a cruz no topo da St. Pierre. No entanto, quando foi atingido por um raio, a igreja não fez nada para substituí-lo. Manetsch observa que os vitrais não foram destruídos, mas foram deixados em condições precárias. Além disso, o órgão foi derretido em 1562 e usado para fazer pratos de estanho para o hospital da cidade e vasos de comunhão para os templos. Em outras palavras, nada foi deixado intocado. Poderíamos ser tentados a pensar que Calvino tinha aversão ao que era físico. No entanto, Manetsch corrige esse equívoco, chamando a atenção para a centralidade da Palavra na pregação e para a preocupação de Calvino com a adoração pura: "A insistência de Calvino para que o conteúdo litúrgico e o espaço físico da verdadeira adoração fossem 'despojados e simples' não era essencialmente o resultado de sua austeridade pessoal ou de uma aversão ao mundo material. Pelo contrário, ela refletia sua convicção de que somente por meio da adoração pura e simples a beleza do evangelho poderia brilhar em todo o seu esplendor". E ainda: "Em sua estética de culto, Calvino e seus colegas de pastorado em Genebra deram prioridade às virtudes da simplicidade, da modéstia e da gravidade para que a Palavra de Deus e a mensagem da salvação em Jesus Cristo pudessem ser proclamadas em toda a sua clareza e beleza. Essa era uma estética discernida pelo sentido da audição e não da visão". Para um quadro mais completo de como essas "limpezas" ocorreram em toda a Reforma, veja: Carlos M. N. Eire. *War Against the Idols: The Reformation of Worship from Erasmus to Calvin*. Nova York: Cambridge University Press, 1986.
[34] Manetsch, *Calvin's Company of Pastors*, 33.

símbolo poderoso de que Cristo, a Palavra viva, continuava a falar e a habitar no meio de seu povo".³⁵ Para Roma, o culto era fundamentalmente uma experiência visual. Em contrapartida, conquanto os reformadores acreditassem que a eucaristia desempenhava um papel essencial no culto como um meio de graça (ao mesmo tempo afirmando uma teologia sacramental muito diferente de Roma), a frente e o centro eram, contudo, a descrição do evangelho, e suas páginas eram lidas, oradas, cantadas e expostas. A Palavra não era apenas cantada pela congregação por meio dos Salmos, mas proclamada para todos ouvirem, normalmente pelo método de *lectio continua* – uma pregação sequenciada verso após verso, com comentários explicativos. Quando a congregação se reunia em St. Pierre, Calvino estava convencido de que era por intermédio da Palavra que o Espírito criava adoração – em espírito e em verdade – no coração dos ouvintes (João 4:23,24). "Por meio do ministério da Palavra escrita e proclamada, o Espírito solidifica a fé do povo de Deus, evoca suas orações e seu louvor, purifica-lhe a consciência, intensifica sua gratidão – em uma palavra: orienta-o ao culto espiritual."³⁶ Como disse Calvino, "Deus só é adorado corretamente na certeza da fé, que necessariamente nasce da Palavra de Deus; e, portanto, segue-se que todos os que abandonam a Palavra caem na idolatria."³⁷ Para Calvino, pregar a Palavra de Deus era um meio para a verdadeira adoração e uma salvaguarda contra a idolatria, em especial a idolatria anteriormente praticada sob Roma.³⁸

Em tudo isso não se pode perder o ponto crítico: a pregação era considerada um meio de graça, um sacramento, de fato.³⁹ Para a igreja medieval, como George explica, a pregação "estava associada ao sacramento da penitência, [...] [e,] embora não fosse considerada um sacramento, dava acesso, podemos dizer, ao ato penitencial".⁴⁰ O trabalho do pregador era levar seus ouvintes à contrição, à confissão, à absolvição, e, então, às obras de satisfação.⁴¹ Como Lutero viu nos sermões inflamados de Tetzel sobre o purgatório, a palavra oral era concebida para criar no povo uma enorme ansiedade de modo que o conduzisse à penitência.⁴² "Por que

---

³⁵ Ibid, p. 33.
³⁶ Ibid., p. 34–35.
³⁷ João Calvino, Comentário sobre João 4:23, em *CNTC* 4:99.
³⁸ "A condição *sine qua non* da verdadeira adoração cristã é a pregação da Palavra de Deus e a resposta sincera da congregação à mensagem divina. Consequentemente, o principal adorno do culto público deve ser sempre a preciosa Palavra de Deus e a bela mensagem do evangelho de Jesus Cristo, proclamada tanto no sermão quanto nos sacramentos". Manetsch, *Calvin's Company of Pastors*, p. 36.
³⁹ Sobre a Escritura como um meio de graça, veja: J. Todd Billings. *The Word of God for the People of God*. Grand Rapids: Eerdmans, 2010; George, *Reading Scripture with the Reformers*, p. 28.
⁴⁰ George, *Reading Scripture with the Reformers*, p. 231.
⁴¹ Ibid.
⁴² Steven E. Ozment. *The Reformation in the Cities: The Appeal of Protestantism through Sixteenth-Century Germany and Switzerland*. New Haven: Yale University Press, 1975, p. 24.

vocês estão parados aí?", perguntou Tetzel. "Corram para a salvação de suas almas" [...] Vocês não ouvem a voz de lamento de seus falecidos pais e de outras pessoas que dizem 'tenham misericórdia de mim, tenha misericórdia de mim, porque somos punidos duramente e sentimos dor. Vocês poderiam nos redimir desta condição com pequenas esmolas, contudo, vocês não desejam fazer isso'".[43] Ouvir sermões como esse impelia os ouvintes a, rapidamente e com medo, dar ofertas.

Esse era o tipo de ansiedade que Lutero conhecia demasiadamente bem antes de seus olhos serem abertos para um Deus gracioso. A principal diferença nos sermões dos reformadores não era que a ansiedade no ouvinte estivesse ausente – os reformadores criam na ira e no julgamento de Deus e na necessidade de o pecador arrepender-se. Em vez disso, o que havia de tão diferente era como os reformadores proclamavam do púlpito um Deus *gracioso*, que justifica o ímpio unicamente pela graça (*sola gratia*) somente mediante a fé (*sola fide*). Pregavam não apenas a justiça que existe em Deus, mas a justiça que dele procede. Os reformadores não deixavam almas ansiosas por seus próprios méritos (ou com sacolas de dinheiro), mas faziam-nas voltar os olhos de si mesmos para a cruz e o túmulo vazios. Penitência não era a resposta, mas sim um Salvador crucificado e ressuscitado – um Salvador, devemos lembrar, cuja justiça foi imputada a quem confia nele para a salvação (*solus Christus*). Em contraposição à teologia da glória, os reformadores anunciaram a teologia da cruz.

A posição de Lutero foi perspicaz em seu "Sermão sobre o Sacramento da Penitência", de 1519: ele se opôs àqueles que "tentam assustar as pessoas para que se confessem com frequência" e advertiu contra debater, como ele costumava fazer, se a contrição era suficiente. "Em vez disso, você deve ter certeza de que, depois de todos os seus esforços, sua contrição não é suficiente. É por isso que você deve lançar-se sobre a graça de Deus, ouvir sua suficientemente segura Palavra no sacramento, acolhida com fé livre e alegria, e nunca duvidar de que veio à graça."[44] Essa é a mensagem que o pregador proclamava, e era uma mensagem que vinha dos próprios lábios de Deus, registrada nas Escrituras. Com essa mensagem de boas-novas do próprio Deus, como poderia o sermão não estar no centro do culto? Colocar o sermão no centro era colocar a Escritura no centro, e colocar a Escritura no centro era colocar Deus no centro com seu evangelho da graça gratuita para todos os que vêm a seu Filho pela fé. Os reformadores pregaram milhares de sermões porque estavam convencidos de que a Palavra proclamada era indispensável como meio de graça.[45]

---

[43] "John Tetzel: A Sermon [1517]". In: HILLERBRAND, Hans J. (ed.). The Protestant Reformation. Edição revista. Nova York: Harper Perennial, 2009, p. 20–21.

[44] Martinho Lutero. "Sermão sobre o Sacramento da Penitência", em *LW* 35:9–22.

[45] George, *Reading Scripture with the Reformers*, p. 234.

As Escrituras eram, como Calvino as chamou, os "óculos" que o Espírito usou para abrir os olhos dos cegos ao evangelho.[46] Bullinger pôde até dizer, na Segunda Confissão Helvética, de 1566, que a "pregação da Palavra de Deus *é* a Palavra de Deus".[47] Mas ele não quis dizer que as palavras e os pensamentos do pregador foram revelação, como se o cânon estivesse aberto e em curso. Por essa expressão, Bullinger quis comunicar que, quando o pregador proclama o verdadeiro sentido da Escritura, o povo de Deus é alimentado com a Palavra de Deus. Deus está presente, falando a seu povo, e, embora o pregador seja falível, fraco e indigno, a Palavra de Deus não é; ela é verdadeira, objetiva, poderosa e suficiente. Transcendendo o pregador, a Palavra traz o próprio Deus para a sala com as boas-novas de seu Filho para almas atribuladas, presas ao inferno, cativas da Lei.[48] Calvino afirmava que o Espírito utiliza a Palavra pregada (juntamente com a Ceia do Senhor) para elevar a igreja ao céu, onde Cristo está assentado, para que ela possa desfrutar de todos os benefícios de sua salvação.[49] A união dos crentes com Cristo, portanto, não é de todo sem relação com a proclamação da Palavra de Deus.[50]

UM DEVER SAGRADO

Lutero ficaria perturbado (para dizer o mínimo) ao ver pastores assomarem ao púlpito hoje de modo displicente. Para ele, o cargo de pregador era um "dever sagrado".[51] "Quem não prega a Palavra", Lutero enfaticamente adverte em *O cativeiro babilônico da Igreja*, "não é de fato sacerdote".[52] Havia um grande significado na pregação; na verdade, uma autoridade. Pregar a Escritura era pregar a própria Palavra de Deus. A autoridade do pregador era derivada, brotando da autoridade suprema sobre a Igreja: as Escrituras sopradas por Deus. *Sola Scriptura*, em outras

---

[46] Veja: Randall Zachman, *Image and Word in the Theology of John Calvin*. Notre Dame: University of Notre Dame Press, 2007; J. Todd Billings, *Calvin, Participation and the Gift: The Activity of Believers in Union with Christ*. Oxford: Oxford University Press, 2007; Heiko A. Oberman. "Preaching the Word in Reformation". *Theology Today* 18, 1961, p. 19–24.

[47] "The Second Helvetic Confession", cap. 1. In: DENNISON JR., James T. (ed.). *Reformed Confessions of the 16th and 17th Centuries in English Translation*, v. 2, 1552–1566. Grand Rapids, MI: Reformation Heritage Books, 2010, p. 811.

[48] "O evento da pregação, não muito diferente da Eucaristia na teologia católica medieval, tem um caráter totalmente objetivo que transcende até mesmo o estado fraco e pecador do pregador. Deus realmente fala e está realmente presente em julgamento e graça sempre que sua Palavra é proclamada. Apesar das diferenças profundas e divisivas entre as teologias luterana e reformada no século XVI com respeito à Ceia do Senhor, elas encontraram um terreno comum na presença '*ex opere operato* da Palavra de Deus na Palavra pregada'". George, *Reading Scripture with the Reformers*, p. 252.

[49] João Calvino, *Tracts and Treatises*, v. 1, *On the Reformation of the Church*, editado por Thomas F Torrance, 1884. Reimpressão, Grand Rapids: Eerdmans, 1958, p. 186.

[50] Por exemplo, Martinho Lutero, "Sermões sobre João 4, 1537", em *LW* 22:526; Lutero, "Sermões em João 15", 1537, em *LW* 24:218.

[51] Martinho Lutero. *Comentário sobre o sermão do monte*, em *LW* 21:9.

[52] Martinho Lutero, *O cativeiro babilônico da Igreja*, em *LW* 36:113.

palavras, foi o motor que impulsionou a teologia dos reformadores sobre a pregação. Como Manetsch observa,

> A doutrina protestante do *sola Scriptura* – a convicção de que a Sagrada Escritura era a autoridade única e final para a comunidade cristã – tinha consequências importantes para o ministério pastoral. *O princípio da Escritura deu gravidade ao cargo de pregador* e também fez da formação educacional do clero protestante uma prioridade urgente, especialmente nas disciplinas acadêmicas mais necessárias à exposição bíblica, como retórica clássica, teologia e exegese bíblica. Ao transferir o *lócus* de autoridade do magistério católico para a Palavra escrita de Deus, os reformadores reforçaram a autoridade pessoal do ministro, a quem era agora confiada a responsabilidade especial de interpretar e proclamar o texto sagrado.[53]

A Palavra de autoridade, que exigia proclamação, trouxe consigo não só a Lei, mas também o evangelho. O *sola Scriptura* presenteou o povo com *sola gratia*, *sola fide* e *solus Christus*. Uma vez que a Palavra de Deus estava no centro, suprema em sua autoridade e infalibilidade, ela deu à luz o evangelho. Na Palavra, as pessoas recebiam *a* Palavra, Jesus Cristo (João 1:1). Como Lutero memoravelmente disse, as Escrituras são os "panos em que Cristo está envolto"[54].

Não era suficiente, portanto, a Escritura ser meramente lida; ela tinha de ser proclamada. "Os ouvidos sozinhos", Lutero disse, "são os órgãos do cristão".[55] E os "lábios são os reservatórios públicos da igreja":

> Neles é que a Palavra de Deus é mantida. Veja: a menos que a Palavra seja pregada publicamente, ela escapole. Quanto mais ela é pregada, mais firmemente é retida. A leitura não é tão proveitosa quanto ouvi-la, pois a voz ao vivo ensina, exorta, defende e resiste ao espírito do erro.[56]

Lutero, então, conclui com uma declaração surpreendente: "Satanás não se importa nem um pouco com a Palavra de Deus escrita, mas foge da pregação da Palavra".[57] Satanás não se preocupa com Bíblias descansando nas prateleiras, mas começa a se preocupar quando essas Bíblias são tomadas e levadas para o púlpito. Ele sabe que, quando a Palavra é proclamada, o Espírito Santo vem com ela e penetra "corações, trazendo de volta aqueles que se desviam". "A Palavra", disse Lutero, "é o canal pelo qual o Espírito Santo é dado".[58] E quando o

---

[53] Manetsch, *Calvin's Company of Pastors*, p. 6.
[54] Martinho Lutero, "Prefácio ao Antigo Testamento", *LW* 35:236.
[55] Martinho Lutero, "Preleções sobre a Epístola aos Hebreus" (1517–18), em *LW* 29:224.
[56] Martinho Lutero, *Lectures on Malachi*, *LW* 18:401.
[57] Ibid, *LW* 18:401.
[58] Ibid, *LW* 18:401.

Espírito Santo é dado, as almas são vivificadas, justificadas e colocadas no caminho para a glorificação.

Vemos esse princípio bíblico vivamente exemplificado no retorno dos exilados marianos.[59] No período Elisabetano, a Palavra de Deus – e, com ela, o verdadeiro evangelho – tomaram os púlpitos mais uma vez, deixando muitos cristãos radiantes. Thomas Lever, por exemplo, escreveu a Henry Bullinger em 8 de agosto de 1559 e relatou que "pregava o Evangelho em algumas igrejas paroquiais para um grande público que se arrebanhava ansiosamente". Quando eles "solenemente tratavam da conversão a Cristo por meio do arrependimento verdadeiro, as lágrimas de muitas pessoas testemunhavam que a pregação do Evangelho era mais eficaz para promover o arrependimento e a transformação completa do que qualquer coisa que o mundo inteiro pudesse imaginar e demonstrar.[60] Hugh Latimer, um dos mártires no período de "Maria, a sanguinária" (isto é, a Rainha Maria I da Inglaterra), referia-se adequadamente à pregação como "o instrumento de Deus para a salvação".[61] Dada a autoridade da Palavra, bem como o poder salvador do evangelho, os reformadores não só fizeram do púlpito o centro, como prescreveram e exemplificaram determinado método: a pregação expositiva. Os reformadores expunham o significado do texto bíblico, explicando a intenção do autor para, então, aplicar o texto a seus ouvintes. O ponto central da passagem tornava-se o ponto central do sermão. No entanto, os reformadores não escolhiam necessariamente textos de forma aleatória; eles pregavam ao longo dos livros da Bíblia, muitas vezes capítulo por capítulo, versículo por versículo.

Calvino, por exemplo, expunha a seu modo livros inteiros da Bíblia. Normalmente, os domingos eram ocupados pelo Novo Testamento (embora ele pregasse uma série de sermões sobre Salmos nas tardes de domingo) e os dias de semana eram dedicados ao Antigo Testamento.[62] Observe o padrão:

1554–1555: 159 sermões sobre Jó
1555–1556: 200 sermões sobre Deuteronômio
1558–1559: 48 sermões sobre Efésios
1560: 65 sermões sobre os Evangelhos Sinóticos
1561–1563: 194 sermões sobre 1 e 2Samuel[63]

---

[59] Os marianos eram cristãos ingleses que haviam fugido da Inglaterra durante o reinado da rainha católica Maria, "a Sanguinária" (1553–1558). Eles só retornaram à Inglaterra depois da morte da rainha e ali estabeleceram os fundamentos do puritanismo (N.E.).
[60] *The Zurich Letters*, 2. Series, 30; como citado in Hughes, *Theology of the English Reformers*, p. 141.
[61] Hugh Latimer. *Works*, 1:178, 155. Como citado em Hughes, *Theology of the English Reformers*, p. 130.
[62] Calvino pregava sem anotações, tendo apenas o texto grego ou hebraico consigo. Ele passava incontáveis horas em preparação a cada semana, estudando o texto da Escritura.
[63] George, *Reading Scripture with the Reformers*, p. 241.

Tão importante foi o método *lectio continua* que Calvino retornou ao púlpito em 1541, depois de anos de exílio, e começou a pregar sobre o versículo exato que tinha deixado de fora antes de ser expulso de Genebra! Por que exatamente? Porque a Reforma dizia respeito, antes e acima de tudo, à Palavra de Deus, da qual o povo de Deus precisava mais do que de qualquer outra coisa. Como George astuciosamente observa,

> A Reforma não dizia respeito a Calvino ou a qualquer outra personalidade. Muito menos tinha ligação aos altos e baixos das políticas da igreja, pelas quais esta vivia perturbada. Não! A Reforma dizia respeito à Palavra de Deus, que deveria ser proclamada fiel e conscientemente ao povo de Deus. Calvino manteve-se em um nível elevado e não exigia menos de outras pessoas chamadas para o ofício da pregação. O verdadeiro pastor, disse ele, deve ser marcado por "persistência implacável" (*importunitas*). Aos pastores não é concedido o luxo de escolher seu próprio tempo de serviço ou de adequar o ministério à sua própria conveniência ou de pregar sermões "água com açúcar" fora de seu contexto bíblico.[64]

Sermões água com açúcar, disse Calvino, eram aqueles que tomavam passagens "ao acaso", sem prestar atenção ao contexto; em alguns casos, "não é de admirar que erros surjam por todo lado".[65] Em vez disso, disse Calvino, "tenho procurado, tanto em meus sermões quanto em meus escritos e comentários, pregar a Palavra pura e castamente, e fielmente interpretar suas Sagradas Escrituras".[66]

A prática da *lectio continua* assumiu o *sola Scriptura* em todos os aspectos. Porque a Bíblia foi inspirada por Deus e é inerrante, clara e suficiente, cada livro, cada capítulo e cada versículo tinha sua importância. Isso, afinal, Deus está falando. E, já que o povo deve ser alimentado, então, a ele devem ser dadas as autoritativas palavras da vida, pois nenhuma outra realidade o faria.[67]

Mas não foi apenas o púlpito que colocou a Escritura no centro da adoração; todo o culto protestante estava imerso nas Escrituras, do começo ao fim. A Bíblia, em outras palavras, tornou-se o DNA do tempo de adoração, infiltrando-se em tudo, da convocação inicial à adoração com o cantar de salmos à bênção de encerramento. Como exemplo, considere esta liturgia de culto dominical matutino que Calvino seguia:

---

[64] Ibid., p. 243.
[65] CO 36:277; João Calvino. *Calvin's Commentaries*. Gran Rapids: Baker, 2003, 7:442.
[66] João Calvino. "Calvin's Will and Addresses to the Magistrates and Ministers" (1564). In: *John Calvin: Selections from His Writings*. Editado por John Dillenbergas. American Academy of Religion Aids for the Study of Religion 2. Atlanta: Scholars Press, 1975, p. 35. Zuínglio sentia o mesmo, tendo pouca paciência com os pregadores que usavam "tagarelice piedosa", a qual deixava as pessoas confusas e vazias. Palmer Wandel, "Switzerland". In: Larissa Taylor (ed.). *Preachers and People in the Reformations and Early Modern Period*. Leiden: Brill, 2001, p. 229.
[67] Hughes Oliphint Old. *The Reading and Preaching of the Scriptures in the Worship of the Christian Church*, v. 4: *The Age of the Reformation*. Grand Rapids: Eerdmans, 2002), 4:130. Cf. George, *Reading Scripture in the Reformers*, p. 238.

Liturgia da Palavra
Chamada à adoração: Salmos 124:8
Confissão de pecados
Oração por perdão
Canto de um salmo
Oração por iluminação
Leitura das Escrituras
Sermão

Liturgia do Cenáculo
Coleta de ofertas
Orações de intercessão e uma longa paráfrase da Oração do Senhor
Canto do Credo Apostólico (enquanto os elementos da Ceia do Senhor são preparados)
Palavras da Instituição
Instrução e exortação
Comunhão (enquanto um salmo é cantado ou uma Escritura é lida)
Oração de ação de graças
Bênção (Números 6:24–26)[68]

Para Calvino, era crucial que a Palavra fosse o princípio controlador, pois é nela que Deus encontra seu povo e seu povo o encontra. Como disse Calvino, "onde quer que os fiéis, que adoram de forma pura e adequada, de acordo com a indicação de sua Palavra, se reúnam para celebrar os atos solenes do culto religioso, [Deus] está graciosamente presente e presidirá em meio a eles".[69] Naquilo que se tornaria conhecido como o "princípio regulador do culto", Calvino ensinou que a Palavra de Deus deve regular o culto, de modo que tudo o que

---

[68] William D. Maxwell, *An Outline of Christian Worship*. Londres: Oxford University Press, 1958, p. 114. Cf. W. Robert Godfrey. *Calvin: Pilgrim and Pastor*. Wheaton: Crossway, 2009, p. 71. Calvino fala sobre a intenção desta ordem em suas *Institutas* (4.17.43). Lutero e seus seguidores também viram a Palavra como central para a liturgia ao seguirem as práticas dos primitivos cultos nas sinagogas judaicas, os quais colocavam a leitura da Escritura no centro das reuniões. Veja: Robert Kolb e Charles P. Arand, *The Genius of Luther's Theology: A Wittenberg Way of Thinking for the Contemporary Church*. Grand Rapids: Baker Academic, 2008, p. 172. George acrescenta: "Como parte de seu protesto contra o domínio clerical da igreja, os reformadores visavam à plena participação no culto. Sua reintrodução da língua vernácula foi chocante para alguns, uma vez que exigia que o culto divino fosse oferecido a Deus no mesmo idioma usado por homens de negócio no mercado e por maridos e esposas na privacidade de seus dormitórios. No entanto, a intenção dos reformadores não era tanto secularizar o culto, mas santificar a vida comum. Para eles, a Bíblia não era meramente um objeto para o escrutínio acadêmico no estudo ou na biblioteca; ela foi concebida para ser praticada, promulgada e corporificada quando o povo de Deus se reunisse para a oração, o louvor e a proclamação". George, *Theology of the Reformers*, p. 387.

[69] João Calvino. *Commentaries on the Book of Psalms*. Grand Rapids: Baker, 1979, 1:122.

não é explicitamente ordenado pela Palavra não deve ser incorporado ao culto de adoração.[70]

Calvino teria ficado horrorizado com a obsessão da igreja de hoje com "fazer um espetáculo", dirigida em primeiro lugar por motivações pragmáticas e consumistas. "Para Calvino", diz W. Robert Godfrey,

> ...o culto não era um meio para um fim. O culto não era um meio de evangelizar ou entreter, ou mesmo educar. O culto era um fim em si mesmo e não devia ser organizado por considerações pragmáticas, mas devia ser determinado por princípios teológicos derivados das Escrituras. As realidades mais básicas da vida cristã estavam envolvidas. No culto, Deus se reúne com seu povo.[71]

A Palavra, para Calvino, não estava apenas no centro do culto; ela era o próprio conteúdo de culto, como visto na liturgia apresentada anteriormente, pois nela o próprio Cristo se inclina para ouvir os louvores de sua noiva, a fim de, em seguida, trazê-la de volta ao céu na Ceia do Senhor.[72] Ao contrário de tantos cultos hoje, o de Calvino era caracterizado por uma simplicidade perceptível: não havia símbolos, cerimônias e rituais, apenas a pregação, canto e a presença da Palavra e do sacramento. Por meio da Palavra, as pessoas tinham comunhão com Deus.

A REFORMA HOJE

Esta longa introdução pretendeu destacar um único ponto crucial: no centro da Reforma estava um retorno a uma igreja centrada na Palavra e no evangelho. Não há nenhuma dúvida de que essa era a grande necessidade da Igreja no século XVI.

No século XXI, a necessidade da Igreja não mudou. As palavras de James Montgomery Boice ainda soam verdadeiras: enquanto os puritanos tentaram continuar a Reforma, hoje "mal temos uma para continuar, e muitos até mesmo esqueceram-se do que se tratava a grande revolução espiritual". Nós "precisamos voltar e começar de novo, do início. Precisamos de outra Reforma".[73]

Se Boice está certo, e acreditamos que esteja, então, a Reforma está longe de terminar. No século XXI, não só permanecem diferenças importantes e significativas entre protestantes e católicos, mas uma série de questões doutrinárias e

---

[70] O princípio regulador, portanto, não é invenção dos puritanos, mas sua semente pode ser encontrada no próprio Calvino. Isso não quer dizer, contudo, que haja total continuidade entre os dois. Veja: Calvino, "On the Necessity of Reforming the Church". In:, Henry Beveridge e J. Bonnet (eds.). *Selected Works of John Calvin* Grand Rapids: Baker, 1983, 1:128–129; Godfrey, *John Calvin*, 78, n. 24.
[71] Godfrey, *John Calvin*, p. 80.
[72] Ibid, p. 82–83.
[73] James Montgomery Boice, "Preface". In: James Montgomery Boice (ed.). *Here We Stand: A Call from Confessing Evangelicals*. Grand Rapids: Baker, 1996, p. 12.

eclesiológicas desafia-nos a uma reforma moderna. Em outras palavras, ao contrário do que ocorreu no século XVI, as questões com que os evangélicos protestantes devem lidar não estão limitadas ao diálogo entre protestantes e católicos, mas também incluem desafios internos do próprio evangelicalismo.[74] Como resultado, não só a Reforma não acabou, mas seu escopo e sua amplitude hoje podem ser muito mais extensos, já que não procuramos apenas responder a objeções de pessoas de fora do protestantismo, mas também àquelas de dentro. Infelizmente, muitos que frequentam nossas igrejas, universidades e seminários nunca foram ensinados sobre a teologia da Reforma, nem têm uma compreensão correta de quem foram os reformadores, qual era seu contexto histórico, muito menos conhecem o legado duradouro que deixaram. Esta é a razão de ser deste livro. Ele reúne ilustres teólogos e historiadores evangélicos, a fim de apresentar aos leitores um resumo sistemático da teologia da Reforma. Nossa esperança é que os leitores aplicarão essa herança teológica às questões de nossos dias.

SOBRE ESTE LIVRO

Ao iniciar qualquer livro, é sempre útil saber algo sobre o(s) autor(es), o objetivo por trás do livro, seu escopo e sua intenção.

O grupo de autores de *Teologia da Reforma* é formado por teólogos e historiadores comprometidos com a teologia reformada, o que, por si só, já é bastante singular.[75] Naturalmente, isso não significa que os autores concordam com cada letra do que os reformadores ensinaram. Na realidade, há diversidade entre os próprios reformadores (basta pensar em seus debates acalorados sobre a Ceia do Senhor!). Mas isso significa que, como um todo coeso, os autores deste livro estão comprometidos com o cerne e a essência da teologia da Reforma como sendo fiel ao testemunho bíblico.

A vantagem disso é que cada autor escreve com convicção. Em vez de estudar e observar essas antigas verdades como se fossem um artefato antigo em um museu, os autores as conhecem pessoalmente, tendo não só estudado a teologia dos reformadores, como também a aplicado a seu próprio ensino e ao seu trabalho pastoral. Enquanto muitos livros são escritos por historiadores que não professam as verdades que analisam, este livro é escrito por historiadores e teólogos que realmente

---

[74] Com relação ao que podem ser alguns desses desafios, veja minha crítica de Andrew David Naselli e Collin Hansen (eds.). *Four Views on the Spectrum of Evangelicalism*. The Gospel Coalition, 30 nov. 2011. Disponível em: <https://www.thegospelcoalition.org/article/four_views_on_the_spectrum_of_evangelicalism>.

[75] Escrever a história nunca é um esforço neutro – e acreditar assim seria comprar um pensamento iluminista. Como muitos têm apontado, mesmo que se pretenda uma ação puramente descritiva, escrever a história é uma tarefa interpretativa. Para várias excelentes histórias da Reforma, veja: Euan Cameron *The European Reformation*. 2. ed. Oxford: Oxford University Press, 2012; Lindberg, *The European Reformation*; Diarmaid MacCulloch, *Reformation: Europe's House Divided, 1490–1700*. Londres: Allen and Lane, 2003.

creem nas grandes doutrinas apresentadas e consideram-se herdeiros dos reformadores. Como os reformadores, os autores que você vai ler estão rearticulando a teologia da Reforma, pois desejam ver uma reforma em nossos dias.

Além disso, *Teologia da Reforma* fornece um resumo sistemático do pensamento reformado. Embora nem todos os assuntos possam ter sido tratados nesta obra, nem todos os reformadores em grande profundidade, este livro abrange o maior *loci* de teologia sistemática.[76] Em suma, este livro serve como uma introdução à teologia dos reformadores. Além disso, embora haja muitas vantagens em escolher um tratamento biográfico, a abordagem sistemática permite ao leitor ver o que os principais reformadores ensinaram sobre qualquer doutrina específica.[77] Essa abordagem ao assunto é vantajosa, já que permite que o leitor veja áreas de continuidade e de descontinuidade entre os reformadores sobre qualquer doutrina em particular.

E mais, este livro é escrito de tal forma que tanto o especialista quanto o não especialista vai apreciá-lo. Especialistas acadêmicos vão considerar o livro útil, pois se aproxima do pensamento da Reforma utilizando a estrutura da teologia sistemática, proporcionando uma nova perspectiva, e também trata de áreas do pensamento da Reforma que receberam pouca atenção no passado (por exemplo, a Trindade, os atributos de Deus, a imagem de Deus, a escatologia). Os maiores beneficiados, no entanto, serão os que não são especialistas. Cada capítulo serve como introdução à doutrina em pauta, explicando em que os grandes reformadores criam, por que criam e qual impacto suas crenças tiveram. Ao mesmo tempo, os capítulos não se limitam ao básico, mas também se aprofundam nos detalhes doutrinários, nas controvérsias e nas distinções teológicas que caracterizaram os reformadores. Naturalmente, o livro tem um gosto de livro-texto, embora gostemos de pensar, especialmente considerando o tema, que ele não tem a aridez muitas vezes característica de tais livros.

---

[76] Deve-se reconhecer, é claro, que os reformadores não escreveram teologias sistemáticas como fazemos hoje. O *Loci Comunas*, de Melanchton, e *Institutas da Religião Cristã*, de Calvino, são, talvez, a coisa mais próxima que se pode encontrar de uma teologia sistemática, e mesmo essas obras não são realmente teologias sistemáticas no sentido moderno. Muitos dos escritos dos reformadores foram ocasionais, motivados pelas polêmicas de sua época, ou surgiram de seus sermões, uma vez que o púlpito esteve, muitas vezes, no centro do movimento da Reforma.

[77] Para obras que tratam do ponto de vista biográfico, em maior ou menor grau, veja: George, *Theology of the Reformers*; David Bagchi e David C. Steinmetz (eds.). *The Cambridge Companion to Reformation Theology* Cambridge: Cambridge University Press, 2004; Carter Lindberg (ed.). *The Reformation Theologians: An Introduction to Theology in the Early Modern Period*. Oxford: Blackwell, 2002. Estas são obras que optam por um ponto de vista teológico, como ocorre no presente livro. No entanto, por mais extensas que sejam, elas não cobrem necessariamente todo o escopo de tópicos teológicos – por exemplo, Jaroslav Pelikan, *Reformation of Church and Dogma (1300–1700)*, vol. 4 de *The Christian Tradition: A History of the Development of Doctrine*. Chicago e Londres: The University of Chicago Press, 1984; McGrath, *Reformation Thought*. O presente livro não pretende substituir os mencionados excelentes estudos, mas dar a quem estuda a Reforma uma perspectiva adicional.

Uma palavra rápida de qualificação também é necessária. Um livro sobre a teologia da Reforma poderia facilmente ter, pelo menos, cinco vezes o tamanho deste. Mas sentimos que um livro enorme impediria seu acesso a não especialistas e a estudantes. Assim, cada capítulo tenta ser o mais conciso possível. Infelizmente, isso significa que nem todo reformador ou movimento de reforma poderá ser exaustivamente discutido. A fim de priorizar a acessibilidade, a maioria dos capítulos vai limitar-se aos principais reformadores conhecidos por nós hoje e aos principais focos de crise de reforma do século XVI, embora isso não signifique que outros reformadores menos conhecidos não tenham igualmente interagido com eles. No entanto, o autor de cada capítulo recomenda alguns dos recursos-chave, primários e secundários, que os estudantes da Reforma podem usar para estudos adicionais. Nossa esperança é que os leitores encontrem em cada capítulo uma porta de entrada para o mundo da teologia da Reforma.

Que este livro sirva para destacar a importância, a relevância e a indispensabilidade da teologia da Reforma, tanto para compreensão do século XVI como para refletir sobre sua importância para o século XXI.

Parte 1
Contexto histórico da Reforma

Capítulo 2
TEOLOGIA MEDIEVAL

Gerald Bray

RESUMO

A teologia do final da era medieval foi caracterizada por duas grandes áreas de discussão, as quais influenciaram a Reforma Protestante. A primeira delas foi o debate sobre a natureza e a recepção da graça divina. Pedro Lombardo desenvolveu o esquema de sete sacramentos, pelos quais a graça salvadora era mediada pela igreja para seus membros. Destes, dois (a penitência e a eucaristia) deviam ser repetidos com frequência, mas, mesmo assim, muitas pessoas morriam com um fardo de pecados não perdoados, dos quais teriam de se livrar no purgatório. Era possível diminuir essa punição com a compra de indulgências, colocadas à venda pela igreja. Os cristãos poderiam obter graça por seus próprios méritos e receber os sacramentos que a conferiam – isso era o mais próximo que um cristão poderia chegar da segurança de sua salvação. Por trás desse esquema sacramental, havia uma hierarquia de autoridade, o segundo maior debate do final da era medieval. A igreja alegava que essa autoridade era derivada de Deus e que tinha sido dada à igreja. Na prática, essa autoridade era exercida pelo papa e pelos bispos, mas havia um debate sobre se o papa poderia agir por conta própria ou se tinha de seguir os ditames dos concílios da igreja. Governantes seculares também desempenharam um papel nisso, porque realmente entraram em vigor apenas os pronunciamentos da igreja com os quais eles concordavam em implementar. A Bíblia era uma fonte de autoridade, mas era interpretada pela hierarquia da igreja e complementada por cânones e decretos adicionais que formaram uma "tradição" extrabíblica. Alguns comentaristas notaram como a igreja tinha sido corrompida pelo uso e abuso desse sistema, e defenderam o princípio da *sola Scriptura* (somente a Escritura) como o fundamento da autoridade da Igreja. Os reformadores protestantes apegaram-se a isso, muitas vezes inconscientemente, e, rejeitando as alegações da tradição não bíblica, procuraram estabelecer a Igreja sobre o fundamento que consideravam como sua base: apenas a Escritura.

A VISÃO MEDIEVAL DE SALVAÇÃO[1]

A Reforma Protestante começou como uma disputa teológica a respeito da natureza e da recepção da graça divina. A fim de entender como isso ocorreu e por que

---

[1] Adaptado de *God Has Spoken: A History of Christian Thought*, de Gerald Bray, 2014, p. 469–470, 476–508, 513–523. Utilizado com permissão da Crossway, um ministério editorial da Good News Publishers, Wheaton, IL 60187. Disponível em: <www.crossway.org>.

seus efeitos foram tão impactantes, temos de voltar às origens da prática sacramental da igreja do fim do período medieval, que tirou sua inspiração primária da obra *Sentenças*, de Pedro Lombardo (c. 1090–1160).[2]

PEDRO LOMBARDO E OS SETE SACRAMENTOS

De acordo com a visão de Lombardo, havia sete sacramentos, dos quais cinco eram para todos os cristãos: batismo, confirmação, santa comunhão [eucaristia], penitência e unção dos enfermos. Ao lado desses, havia dois que não eram para todos e passaram a ser vistos como mutuamente exclusivos: ordenação e matrimônio. Tanto quanto se sabe, Lombardo inventou esse número. O número sete era frequentemente utilizado para coisas santas e representava a perfeição dos dons de Deus, assim como a semana de sete dias representava a perfeição de sua criação.

O batismo não precisava de justificação especial, uma vez que foi claramente ordenado no Novo Testamento. Na época de Pedro Lombardo, a confirmação tornou-se um rito em que aqueles que tinham sido batizados na infância faziam uma profissão pessoal de fé para, então, serem admitidos à santa comunhão [da Igreja]. A comunhão dos santos, para Lombardo, era a peça central do sistema sacramental, o rito que dava sentido a todos os outros e que unia a igreja de uma maneira como nada mais poderia. Como ele disse:

> O batismo apaga o fogo de [nossos] vícios, mas a eucaristia [nos] restaura espiritualmente. É por isso que é tão bem chamada de Eucaristia, que significa "boa graça", porque nesse sacramento não só há um aumento de virtude e de graça, mas é a fonte e a origem de toda a graça que é recebida inteiramente.[3]

Não sabemos quem foi o primeiro a descrever a eucaristia em termos de substância e a inventar o termo "transubstanciação" para descrever o que acontecia com os elementos do pão e do vinho. Inúmeros livros afirmam que foi Hildeberto de Tours (c. 1055–1133), mas sem citar qualquer texto de apoio. Um candidato mais provável poderia ser Hugo de São Vítor (c. 1096–1141), que acreditamos ter escrito o *Tractatus theologicus* tradicionalmente atribuído a Hildeberto. Embora seja

---

[2] Pedro Lombardo, *Sententiae in IV libris distinctae*, editado por Ignatius Brady, 2 vols. Grottaferrata: Editiones Collegii Sancti Bonaventurae ad Claras Aquas, 1971–1981. Lombard, *The Sentences*, 4 vols., Mediaeval Sources in Translation, p. 42–43,45,48. Toronto: Pontifical Institute of Mediaeval Studies, 2007–2010). Para uma análise e introdução, veja Philipp W. Rosemann, *Peter Lombard*. Oxford: Oxford University Press, 2004; e Marcia L. Colish, *Peter Lombard*, 2 vols., Brill's Studies in Intellectual History 41. Leiden: Brill, 1994. Veja também: G. R. Evans (ed.). *Medieval Commentaries on the Sentences of Peter Lombard*, vol. 1, *Current Research*. Leiden: Brill, 2002, e Philipp W. Rosemann, *Medieval Commentaries on the Sentences of Peter Lombard*, vol. 2. Leiden: Brill, 2009.

[3] Lombardo, *Sententiae* 4.8.1.1.

certo que Hugo sustentava a doutrina, em seu grande tratado *Sobre os sacramentos* ele evitou usar a palavra. Pedro Lombardo, por sua vez, rejeitou a ideia rude de que os elementos eucarísticos se transformavam no corpo e sangue de Cristo, mas foi forçado a admitir que suas fontes disseram coisas diferentes.[4] Na geração seguinte, Balduíno de Ford (c. 1125–1190) escreveu que, "embora haja uma considerável variedade de expressão nessa confissão de fé, só há uma crença devota e uma unidade indivisível de confissão".[5] A isso, ele acrescentou:

> Portanto, sustentamos, cremos e confessamos de forma simples e confiante, firme e constantemente, que a substância do pão é transformada na substância da carne de Cristo – embora a aparência de pão permaneça – e que isso ocorre de forma milagrosa e além de qualquer descrição ou compreensão.[6]

A transubstanciação tornou-se doutrina oficial da igreja no Quarto Concílio de Latrão, em 1215, na declaração seguinte do primeiro cânone:

> Há apenas uma igreja universal dos fiéis, fora da qual absolutamente ninguém é salvo e na qual o próprio Cristo é tanto sacerdote quanto sacrifício. No sacramento do altar, seu corpo e seu sangue estão verdadeiramente contidos nas espécies do pão e do vinho, o pão sendo transubstanciado no corpo e o vinho, no sangue, por um poder divino, de modo que, a fim de aperfeiçoar o mistério da unidade, recebemos dele o que ele recebeu de nós. Além disso, ninguém pode confeccionar esse sacramento, exceto um sacerdote que tenha sido legitimamente ordenado de acordo com as chaves da igreja, as quais o próprio Jesus Cristo deu a seus apóstolos e a seus sucessores.[7]

A extrema unção era originalmente a unção dos enfermos mencionada em Tiago 5:14,15, que passou a ser vista como uma preparação para a morte, talvez porque relativamente poucas pessoas se recuperavam de doenças, mas Pedro Lombardo pouco falou sobre ela. Ele estava mais interessado na penitência, à qual dedicou mais espaço do que ao batismo, à confirmação e à comunhão *juntos*. Considere o seguinte:

> Penitência é necessária para aqueles que estão longe [de Deus], a fim de capacitá-los a se aproximarem dele. Como Jerônimo diz: "É a segunda prancha após o naufrágio", porque, se alguém manchou o manto de inocência que recebeu no batismo por pecar de novo, pode limpá-lo pelo recurso da penitência [...] Aqueles que caíram após o batismo podem ser

---

[4] Em particular, ele justapôs Ambrósio e Agostinho, apontando como diferiam um do outro.
[5] Balduíno de Ford, *Liber de sacramento altaris*, em PL 204:662.
[6] Ibid, PL204:679–80
[7] Giuseppe Alberigo (ed.). Conciliorum oecumenicorum decreta. Bologna: Istituto per le scienze religiose, 1973, p. 230; Essa edição tem os textos no original (normalmente em latim) com uma tradução em inglês na página oposta.

restaurados pela penitência, mas não pelo batismo, porque é correto fazer penitência frequentemente, ao passo que o rebatismo é proibido. O batismo é um sacramento único, mas penitência é tanto um sacramento quanto uma virtude da mente. Há uma penitência exterior, que é um sacramento, e uma penitência interior, que é uma virtude da mente, mas ambas produzem justificação e salvação.[8]

Penitência exterior era requerida porque testificava a mudança interior de coração, que, por sua vez, é a base da nossa justificação diante de Deus. Mas o que ocorreria se uma pessoa estivesse interiormente contrita, mas não tivesse demonstrado isso exteriormente? Lombardo aceitou essa possibilidade, mas muito relutantemente:

> Assim como a penitência interior é imposta a nós, assim também o são tanto a confissão de boca quanto a satisfação exterior, se oportunidade para elas existir. Alguém que não tem qualquer desejo de confessar-se não é verdadeiramente penitente. Assim como o perdão dos pecados é um dom de Deus, a penitência [exterior] e a confissão pela qual o pecado é apagado também devem proceder de Deus. [...] O penitente deve confessar se tiver tempo para fazê-lo, mas o perdão é concedido a ele antes de sua confissão oral se o desejo está presente em seu coração.[9]

Pedro Lombardo preferia a confissão oral, usando como pretexto a autoridade do apóstolo Tiago, que disse: "Confessem os seus pecados uns aos outros" (Tiago 5:16). Ele pressupôs como verdadeiro que a confissão deveria ser feita a um sacerdote: "É necessário fazer confissão a Deus primeiro e, depois, a um sacerdote. Não é possível chegar ao céu de outra forma, se a oportunidade [para fazer tal confissão] existir".[10] Mas ele admitiu que "se um sacerdote não estiver disponível, a confissão deve ser feita a um vizinho ou a um amigo".[11]

Lombardo estava ciente, porém, de que o perdão é um dom de Deus. Jesus tinha dado ao apóstolo Pedro as chaves do reino dos céus (Mateus 16:19), mas Lombardo explicou esse poder da seguinte maneira:

> Podemos corretamente dizer e ensinar que só Deus perdoa ou não perdoa pecados, mesmo que ele tenha concedido à igreja o poder de ligar e desligar. Ele liga e desliga de uma forma, e a igreja, de outra. Ele perdoa o pecado de uma maneira que limpa a alma de sua mancha interior e a liberta da pena de morte eterna. Mas ele não concedeu esse poder aos sacerdotes. Pelo contrário, ele lhes deu o poder de ligar e desligar, o que significa o poder de dizer às pessoas que elas foram ligadas ou desligadas.[12]

---

[8] Lombardo, *Sententiae*, 4.14.1.1–2. A citação é de Jerônimo, *Epistula* 130.9.
[9] Lombardo, *Sententiae*, 4.17.1.13.
[10] Ibid., 4.17.3.1, 4.17.3.8
[11] Ibid., 4.17.4.2.
[12] Ibid., 4.18.5.5–6.1.

A teoria da penitência era uma coisa, mas Lombardo sabia que ela era dificultada, não somente por certa indisposição (ou incapacidade) por parte dos membros da igreja para confessar seus pecados, mas pela falta das habilidades pastorais necessárias por parte daqueles cujo dever era administrar o sacramento.[13] O que deveria ser um ato de transbordante amor com demasiada frequência se transformou em um ritual de confessar pecados a um sacerdote que tinha pouca ou nenhuma ideia de como responder, e essa falha acumulava problemas para o futuro.

Paralelamente a esses cinco sacramentos, havia a ordenação e o matrimônio. À época em que Lombardo estava escrevendo, apenas celibatários podiam ser ordenados para o ministério da igreja, e aqueles que já eram casados não podiam entrar em ordens religiosas. Ele não disse nada sobre o celibato obrigatório, possivelmente porque não concordava com ele, mas apenas aqueles que entraram no sacerdócio foram obrigados a ser celibatários. Lombardo viu o ofício do bispo como sacramentalmente parte da ordem sacerdotal. Assim, sobre o papa, ele disse o seguinte: "O papa é o príncipe dos sacerdotes [...] ele é chamado o mais alto sacerdote, porque é o único que faz padres e diáconos; ele distribui todas as ordens eclesiásticas."[14]

Lombardo, então, voltou-se para a instituição do matrimônio. Ao contrário dos outros sacramentos, o matrimônio não era de origem cristã, mas vinha do início da criação (Gênesis 1:28). Ele teve de enfrentar a dificuldade de o apóstolo Paulo falar do casamento como a opção para aqueles que não poderiam permanecer celibatários (1Coríntios 7:1–2:6), mas conseguiu demonstrar que, adequadamente entendido, isso era, na verdade, um sacramento e que Paulo tinha dito isso em outro lugar (Efésios 5:31)![15]

Penitência e eucaristia

Dos sete sacramentos, apenas a penitência e a eucaristia deveriam ser repetidos regularmente, e os dois se tornaram estritamente interligados. Uma pessoa que queria receber a sagrada comunhão deveria estar em um "estado de graça", o que implicava que tinha se arrependido dos pecados e feito as pazes com Deus e com o próximo, realizando a penitência apropriada. Com o tempo, isso levou a uma completa indústria do pecado, com teólogos compilando listas de pecados "mortais" e "veniais" (perdoáveis), cada um dos quais estava ligado a um ato específico de penitência. A coisa toda se tornou um vasto cálculo, com penitências específicas sendo assinaladas para cada pecado, assim como crimes com os respectivos castigos. O pecador

---

[13] Ibid., 4.19.1.3.
[14] Ibid., 4.24.16.1.
[15] Note que Lombardo interpreta a palavra *mystērion* nessa passagem não como "mistério", mas como "sacramento".

que havia realizado sua penitência satisfatoriamente retornava, então, ao sacerdote para buscar a absolvição dele e prosseguir a fim de receber a sagrada comunhão.

O sistema sacramental foi desenvolvido segundo o princípio de que os sete sacramentos eram os meios pelos quais o Espírito aplicava a obra de Cristo à vida do cristão, de quem se esperava que crescesse na graça e fosse progressivamente transformado em um verdadeiro filho de Deus. Os sacramentos eram uma progressão ao longo da vida, desde o batismo, no início, à extrema unção, no final, com a opção de ordens sacras ou do matrimônio em algum ponto no meio. Mesmo a devoção eucarística, que era essencialmente corporativa, foi cada vez mais particularizada com o passar do tempo. Missas privadas tornaram-se cada vez mais comuns, e alguns sacerdotes fizeram delas seu modo de vida, por rezá-las com "intenções" específicas por cura, por um morto ou por qualquer coisa que satisfizesse o desejo daqueles que estavam dispostos a pagar.[16] Um estudo recente desse fenômeno coloca assim a questão:

> Os "frutos" da missa – os benefícios que ela trazia – eram comumente entendidos em sentido quantitativo, de modo que se acreditava que duas missas trariam o dobro de benefícios que uma só, e isso resultou num aumento dramático no número de celebrações. Pagar um estipêndio a um padre para celebrar uma ou mais missas em favor de alguém se tornou uma das formas aceitas pela qual um pecador podia procuram expiar sua culpa, e, também, difundiu-se fazê-lo em favor de uma pessoa falecida, a fim de purgar seus pecados e assegurar sua salvação. Os muito ricos iriam deixar o dinheiro no testamento para que isso fosse feito por eles após sua morte. Oferta do sacrifício para propósitos particulares – a missa votiva – foi pelo que a eucaristia passou a ser considerada.[17]

[Pode-se] fazer isso em nome de uma pessoa morta, a fim de purgar seus pecados? Uma coisa era os vivos pedirem que missas fossem rezadas em seu favor, mas elas poderiam alcançar os mortos e rezar por eles? A crença de que os mortos ainda precisavam das orações dos vivos foi o catalisador para o próximo desenvolvimento teológico importante, que transformaria o sistema sacramental em um caminho de salvação com seu próprio mérito.

O que acontece às pessoas ao morrer sempre foi uma grande preocupação da Igreja. O evangelho cristão prometeu uma recompensa celestial para todos os crentes, sem distinção de qualquer mérito da parte deles, mas essa mensagem se mostrou extremamente difícil de aceitar. Havia uma sensação de que apenas os bons iam para o céu e que o propósito da Igreja era dar às pessoas a condição suficiente

---

[16] Veja Gary Macy, *The Banquet's Wisdom. A Short History of the Theologies of the Lord's Supper*, 2. ed. Akron: OSL Publications, 2005, p. 144–151.
[17] Paul F. Bradshaw e Maxwell E. Johnson. *The Eucharistic Liturgies: Their Evolution and Interpretation*. Londres: SPCK, 2012, p. 219. Veja também Macy, *Banquet's wisdom*, 114–120; David N. Power, *The Eucharistic Mystery. Revitalizing the Tradition*: Nova York: Crossroad, 1994, p. 226–230, 248–249.

de bondade para chegar lá. O batismo removia a mancha do pecado original, o que resolveu a questão dos bebês que morriam antes de atingir a idade de responsabilidade. Os que pecavam depois do batismo recorriam aos sacramentos, e foi por isso que a penitência adquiriu sua importância. Somente o verdadeiro penitente poderia ser admitido à comunhão, que era a antecipação do banquete celeste. Por conseguinte, poder-se-ia presumir que aqueles que não realizavam a penitência o suficiente também não entravam no céu; mas qual era, então, o seu destino? Um grande número de pessoas morria antes de ter a oportunidade de se arrepender e de cumprir a penitência necessária. Poderiam elas, então, ser excluídas da presença de Deus apenas por causa disso? Certamente uma segunda chance se fazia necessária, uma opção para aqueles que tinham boas intenções, mas, por uma razão ou outra, não estavam preparados para o noivo quando este veio a eles (Mateus 25:1–13).

Uns poucos indivíduos realmente dedicados puderam ter sucesso em se tornarem perfeitos, e geralmente aceitava-se que os que foram martirizados por sua fé tinham passado pelo batismo de sofrimento mencionado por Jesus e, consequentemente, tinham sido limpos de sua pecaminosidade remanescente (Marcos 10:38–40). Esses eram os santos, os que estavam aptos a ir para o céu ao morrer. A prova de tal santidade nem sempre era fácil de obter, mas, se fosse possível demonstrar que as orações a um deles, ou os ossos (ou outras relíquias) que deixaram para trás na terra, tinham produzido um milagre ou dois, a probabilidade de que eles tivessem cumprido as exigências era muito maior. A Igreja, então, colocaria seu selo de aprovação sobre eles por meio da "canonização" e permitiria que as pessoas rezassem a eles a fim de obter ajuda. Com o tempo, passou-se a considerar que alguns desses santos tinham interesses particulares: Cristóvão era o santo padroeiro dos viajantes, por exemplo, e Judas Tadeu, o das causas perdidas.

AS CHAMAS DO PURGATÓRIO

Infelizmente, a maioria das pessoas não era tão bem-sucedida nesta vida como o pequeno grupo de "santos" – reais ou imaginários. Qual o destino desses ao morrer, se não foram bons o suficiente para ir direto para o céu? No início, a Igreja foi tentada a dizer que todos iriam para o inferno. Ela tinha uma visão muito pessimista da natureza humana, e não considerou isso particularmente chocante, mas logo sentiu que essa conclusão era muito radical. Muitas pessoas fizeram seu melhor e não foram particularmente más, e parecia injusto excluí-las do céu apenas por causa de alguns pecados que poderiam ter sido pagos nesta vida, mas, por uma razão qualquer, não haviam sido. A Bíblia não podia dar pelo menos alguma esperança com relação à eventual salvação dessas pessoas? Com o tempo, teólogos surgiram com a ideia de que havia um lugar dos mortos, onde aqueles que não tinham se confessado ou pago por seus pecados nesta vida poderiam fazer isso e, assim, prepararem-se para a entrada final no céu. Esse lugar seria chamado purgatório, uma invenção medieval que ampliava a interpretação bíblica a seus limites ao mesmo tempo em que trazia um novo sentido de ordem e propósito a noções anteriormente vagas sobre como de fato decorria a vida após a morte.

Encontrar bases bíblicas para a existência do purgatório não foi fácil. A passagem mais citada era de 1Coríntios, em que o apóstolo Paulo fala sobre os cristãos construírem sua vida espiritual sobre o fundamento estabelecido por Cristo. Ele diz que, se o edifício resultante mostrar-se inadequado, ele será destruído pelo fogo, mas o próprio crente será salvo (3:11–15). Agostinho (354–430) expôs essa ideia de uma forma que iria soar familiar para as gerações posteriores:

> Quanto ao intervalo entre a morte deste presente corpo e a vinda do dia do juízo e da recompensa na ressurreição geral, pode-se afirmar, então, que o espírito dos mortos sofrerá esse tipo de fogo [...] Não estou preocupado em refutar essa sugestão, pois ela pode muito bem ser verdade. É mesmo possível que a morte do corpo seja parte dessa tribulação.[18]

Agostinho foi a primeira pessoa a chamar esse fogo de "purgatório", embora não esteja claro o que ele quis dizer com isso. Que ele acreditava haver dois tipos de fogo – um que atormenta e um que purifica – parece estar bastante claro, mas é quase certo que, em sua mente, o fogo purificador era parte do último julgamento, e não um processo que conduzia àquele. Mesmo assim, ele ensinou que não havia razão para rezar pelos que partiram, especialmente se o modo como viveram na terra justificasse isso:

> Entre a morte e a ressurreição final, a alma dos homens é mantida em depósitos secretos, onde está em repouso ou em sofrimento, de acordo com seus méritos [...] [As almas] obtêm alívio pelo serviço obediente de amigos que ainda estão vivos, quando o sacrifício do Mediador é oferecido em seu nome ou esmolas são dadas à igreja. Mas esses atos servem apenas para aqueles que, durante a vida, tenham se mostrado merecedores deles. Algumas pessoas vivem de uma forma que não é boa o suficiente para que possam dispensar essa assistência após a morte, mas não são ruins o suficiente para torná-la inútil naquela ocasião [...] a vantagem desses atos é obter [para os mortos] o perdão completo de seu pecado ou, pelo menos, uma atenuação de sua punição.[19]

Sem um precedente claro a partir de qualquer Escritura ou da tradição, os teólogos medievais ficaram à deriva da incerteza, por vezes tomando ideias emprestadas

---

[18] Agostinho de Hipona, *De civitate Dei*, 21.26.
[19] Agostinho de Hipona, *Enchiridion*, 109–110. O texto adquiriu grande autoridade na Idade Média por ter sido incluído no *Decretum* de Graciano (C. 13, q. 2, c. 23).

de cultos pré-cristãos aos mortos praticados em países celtas ou germânicos do norte da Europa recém-convertidos, mas principalmente apenas repetindo o que eles podiam pinçar de Agostinho e de outros grandes homens do passado.[20] Somente no século XII o espinhoso tema do estado intermediário foi finalmente enfrentado, e algumas tentativas foram feitas para trazer ordem conceitual ao caos que prevalecia até então. Graciano citou Agostinho como sua autoridade e acrescentou uma carta enviada pelo Papa Gregório II (669–731) a São Bonifácio (672–754) por volta de 730, na qual explicou que a alma dos mortos é libertada da punição de quatro maneiras diferentes: pelos sacrifícios dos sacerdotes, pelas orações dos santos, pelas esmolas dos amigos próximos e pelo jejum de parentes.[21]

Assim como suas fontes, Graciano nada disse sobre o purgatório como um lugar, mas uma clareza maior sobre esse assunto pode ser encontrada nos escritos de seu contemporâneo, Hugo de São Vitor. Hugo explicou da seguinte forma:

> Há um castigo depois da morte que é chamado purgatório. Aqueles que partem desta vida com certos pecados podem ser justos e destinados à vida eterna, mas são torturados lá por um tempo, a fim de serem purificados. O lugar onde isso acontece não é definitivamente fixado, embora muitos casos em que almas aflitas têm aparecido [como fantasmas] sugerem que a dor é suportada neste mundo, e, provavelmente, onde o pecado foi cometido [...] É difícil saber se tais dores são infligidas em qualquer outro lugar.[22]

Bernardo de Clairvaux (1090–1153) concordava com essa visão, mas acrescentou uma nota mais pessoal e pastoral:

> Estamos solidários com os mortos e rezamos por eles, desejando-lhes a alegria da esperança. Temos de sentir pesar por seu sofrimento em locais purgadores, mas também devemos regozijar-nos com a aproximação do momento em que Deus "enxugará dos seus olhos toda lágrima. Não haverá mais morte, nem tristeza, nem choro, nem dor, pois a antiga ordem já passou".[23]

Seguindo e entendimento de seus contemporâneos, Pedro Lombardo não via o purgatório como um lugar particular, embora admitisse que não havia espaço para a penitência depois desta vida, e tratou disso nas *Sentenças*.[24] A importância disso não está tanto no que ele mesmo disse, o que foi muito pouco, mas na maneira como os comentaristas posteriores usaram suas observações como a base sobre a qual construíram suas próprias teorias, muito mais elaboradas.

---

[20] Veja Jacques Le Goff, *The Birth of Purgatory*. Chicago: University of Chicago Press, 1984, p. 96–127.
[21] Graciano, *Decretum*, C. 13, q. 2, c. 22.
[22] Hugo de São Vitor, *De sacramentis*, 2.16.4.
[23] Bernardo de Clairvaux, *Sermo de diversis 16*. A citação bíblica é Apocalipse 21:4.
[24] Lombardo, *Sententiae*, 4.21 e 4.45.

De acordo com Jacques Le Goff, o purgatório foi identificado como um lugar pela primeira vez por Pedro Comestor (c. 1100–1178), escrevendo em algum momento em ou logo após 1170.²⁵ A transição de *ignis purgatorius* (fogo purgador) ou *locus purgatorius* (lugar purgador) para *purgatorium* (purgatório) foi tão fácil e natural que é difícil dizer se isso ocorreu de modo deliberado ou não da primeira vez. Nos casos oblíquos do Latim, o substantivo masculino *purgatorius* e o neutro *purgatorium* estão juntos, e não há evidência de que copistas posteriores tenham omitido as formas acusativas *ignem* e *locum*, que lhes pareciam desnecessárias quando acompanhadas pelo qualificador adjetivo-com-substantivo *purgatorium*. Essa omissão, então, deu a falsa impressão de que o purgatório tinha sido identificado como um lugar particular alguns anos antes.²⁶ Seja como for, não há dúvida de que por volta do ano 1200 o purgatório foi estabelecido na mente das pessoas como um lugar definido, embora fosse incerto se ele estava mais próximo do céu ou do inferno. Aqueles que enfatizavam o fato de que era uma preparação para a entrada no céu eram naturalmente inclinados ao primeiro ponto de vista, ao passo que aqueles que pensavam nele em termos de punição de fogo preferiam o último.

Na época do Quarto Concílio de Latrão, em 1215, o purgatório se tornou parte estabelecida do universo espiritual da Igreja, como pode ser visto no importante manual para os sacerdotes que eram chamados a ouvir as confissões de pecadores penitentes, escrito, como resultado do Concílio, por Thomas de Chobham (c. 1160–1236). Thomas explicou que a "missa é celebrada pelos vivos e pelos mortos, mas duplamente pelos mortos, pois os sacramentos do altar são petições pela vida, ações de graças pelos santos [no céu] e propiciações pelos que estão no purgatório, que resulta na remissão da punição deles".²⁷ Tanto quanto lhe dizia respeito, nada havia a ser feito pelos que estavam no inferno; desse modo, a missa como propiciação só poderia se aplicar a almas no purgatório, que, portanto, tinha de existir!

Mais ou menos na mesma época, Guilherme de Auvergne (c. 1180–1249) também apresentava argumentos a favor da necessidade do purgatório, com base na necessidade de penitência.²⁸ Para ele, era óbvio que a maioria das pessoas morria com pecados não confessados, os quais tinham de ser tratados antes que a alma que partira pudesse entrar no céu. Era igualmente óbvio para Guilherme que alguns pecados eram mais graves do que outros – assassinato, por exemplo, tinha de ser punido, mas gula ou frivolidade poderia ser expiada pela penitência. Essa era

---

²⁵ Le Goff, *Birth of Purgatory*, p. 155–158; 362–366. Pedro recebeu o nome de Comestor, ou Manducator, que significam "devorador", por ser um devorador de livros!
²⁶ Ibid., p. 364–365.
²⁷ Thomas de Chobham, *Summa Confessorum*, F. Broomfield (ed.). Louvain: Editions Nauwelaerts, 1968, p. 125–126.
²⁸ Para detalhes, veja Le Goff, *Birth of Purgatory*, p. 241–245.

a prática penitencial da Igreja neste mundo, e parecia a Guilherme não haver nenhuma razão para que isso não fosse feito na vida vindoura. No entanto, ele não acreditava que isso poderia ser usado como desculpa para adiar a penitência nesta vida. Pelo contrário, quanto mais pecados expiados agora, menos haveria com que se ocupar após a morte, e o tempo da alma no purgatório seria proporcionalmente diminuído. Como extensão da justiça na terra, o purgatório, para Guilherme, era o exemplo supremo da justiça de Deus, mas era também uma garantia de que esta vida estava intimamente ligada à próxima. Na verdade, ele parece ter definido o local do purgatório como sendo a terra, em vez de em algum lugar mais próximo do céu ou do inferno, o que, naturalmente, aumentou seu sentimento de que ele era pouco mais que uma extensão do ministério da igreja com respeito aos vivos.

Alexandre de Hales (c. 1185–1245) deu um passo à frente, sendo o primeiro homem a escrever um comentário sobre as *Sentenças* de Pedro Lombardo e o primeiro professor a usá-las como seu principal texto teológico. Em sua interpretação de *Sentenças* 4.21, expôs a teoria penitencial de Lombardo no contexto do purgatório, apresentando os pontos seguintes:

1. O purgatório é um fogo que queima os pecados veniais.
2. O purgatório limpa as punições dos pecados mortais que não foram suficientemente pagos.
3. O purgatório é mais severo do que qualquer punição terrena.
4. O purgatório não é um castigo injusto ou desproporcional.
5. O purgatório é um lugar de fé e esperança, mas sem a visão celestial de Deus.
6. Quase ninguém é bom o suficiente para escapar da necessidade de passar pelo purgatório.

Tendo estabelecido esses seis pontos, Alexandre passou a examinar com mais detalhes a relação entre o purgatório e a Igreja. Até aquele momento, normalmente se aceitava que a Igreja poderia perdoar pecados nesta vida, mas que sua jurisdição terminava com a morte. Todavia, se a penitência purgadora era apenas a continuação do que já havia começado na terra, parecia lógico supor que a jurisdição da Igreja sobre ela se estenderia além da sepultura. Alexandre não tinha a intenção de excluir Deus da cena por completo, uma vez que sua graça ainda era considerada essencial para a garantia de que a penitência era eficaz, contudo, era evidente para ele que a Igreja tinha um papel importante a desempenhar no purgatório:

> Assim como um sofrimento específico traz satisfação por um pecado particular, a dor comum da Igreja universal, que clama a favor dos pecados dos fiéis mortos [...] é uma ajuda para a satisfação. Ela não cria a satisfação em si, mas contribui para isso, juntamente com a dor

sofrida pelo penitente. É disso que trata a intercessão. A intercessão é o mérito da Igreja, que é capaz de diminuir a dor de um de seus membros.[29]

Indulgências e sofrimento no purgatório

Até aqui captamos um vislumbre inicial do sistema de "indulgências", pelo qual a igreja teria a pretensão de remeter os pecados dos mortos e diminuir-lhes o sofrimento no purgatório. No final do século XI, Ivo de Chartres (c. 1040–1115) elaborou uma teoria da dispensação (ou não aplicação) das regras da lei eclesiástica em determinadas circunstâncias.[30] De acordo com ele, uma distinção teve de ser feita entre diferentes tipos de princípios jurídicos, como a seguir:

Praecepta (preceitos): eram regras absolutas, vinculativas.
Consilia (conselhos): eram sugestões sobre a forma de aplicar as regras.
Indulgentiae (indulgências): eram permitidas exceções às regras.

A justiça exigia obediência às regras, embora, naturalmente, essas regras devessem ser aplicadas de modo correto. Os *praecepta* e os *consilia* eram, portanto, essenciais e interdependentes, mas a vida humana raramente é tão simples como as regras gostariam que fosse. Todavia, a vida humana não é tão simples como as regras gostariam que fosse, portanto, é preciso reconhecer que a variedade de experiências de vida gera certa tolerância à fraqueza e ao fracasso. Não era fácil determinar quanta margem para a ação devia ser concedida, mas isso só poderia ser decidido caso a caso, que é o que os elaboradores do cânon foram contratados para fazer. Indulgências não seriam concedidas sem uma boa razão, porém, como as regras tinham de ser mantidas de alguma forma para que a justiça fosse cumprida. A resposta foi encontrada na penitência, que oferecia pagamento e restituição para os crimes cometidos. Nos primeiros dias, uma indulgência plena era concedida apenas àqueles que partiram para as Cruzadas, como recompensa por seu sacrifício, mas, com o tempo, essa prática seria estendida e indulgências se tornaram prontamente disponíveis para quase qualquer um que estivesse preparado para pagar por elas. Em circunstâncias especiais, elas podiam até ser concedidas *sem* esse pagamento, embora, por razões óbvias, essa generosidade fosse rara.

Para controlar tudo isso, era necessário estabelecer uma forma de penitência que fosse justa para todos e universalmente aplicável. Em 1215, o Quarto Concílio de Latrão emitiu um cânon que obrigava todos os cristãos, homens e mulheres, a confessar seus pecados a um padre pelo menos uma vez por ano e receber

---

[29] Alexandre de Hales, *Glossa in Magistri Petri Lombardi Sententias*, 4.21.
[30] Ivo de Chartres, *Prologus in Decretum*, em *PL* 161:47–60.

dele uma penitência adequada.³¹ Esse cânon tornou necessário definir que pecados podem ser perdoados e quais não podiam – a distinção mencionada anteriormente entre pecados "veniais" e "mortais". A esse respeito, Thomas de Chobham era o homem certo no momento certo, e seu pequeno manual sobre o assunto se tornou uma das fontes mais populares para orientação clerical nessa área. O potencial para a loucura intelectual, no entanto, era enorme, como Jacques Le Goff assinalou:

> O purgatório foi arrastado para um redemoinho de raciocínio escolástico delirante, que levantou as questões mais inúteis, refinou as distinções mais sofisticadas e sentiu prazer nas soluções mais elaboradas. Um pecado venial pode se tornar mortal? Será que um acúmulo de vários pecados veniais se iguala a um pecado mortal? Qual é o destino de uma pessoa que morre tanto com um pecado mortal quanto com um pecado venial na mente (supondo que é possível que isso ocorra, o que algumas autoridades duvidavam)? E assim por diante.³²

Por volta de 1250, as linhas gerais do purgatório eram claras, e faltava apenas definir alguns dos detalhes mais obscuros. Houve contínua discussão sobre onde ficava exatamente o purgatório, como era o fogo purgador (ou seja, é puramente espiritual ou parcialmente material também?) e se uma alma estava livre a fim de ir para o céu tão logo sua penitência fosse completada ou se ela teria de esperar até o juízo final pela absolvição definitiva. O eminente professor e frade franciscano Boaventura (1221–1274) lidou com cada uma dessas questões, concluindo, por exemplo, que o purgatório só tinha se tornado um lugar distinto depois da encarnação de Cristo. Antes disso, as almas iam para um lugar chamado "limbo" ou "seio de Abraão", onde não havia oportunidade para penitência ativa, mas era apenas um lugar de espera pelo julgamento.³³ Ele definiu que o fogo do purgatório era tanto espiritual quanto material: o fogo espiritual era redentor, ao passo que o material era meramente punitivo!³⁴ Ele também foi veementemente contrário a qualquer sugestão de que uma alma purificada teria de adiar sua felicidade celestial até o juízo final: uma vez que seu tempo no purgatório terminasse, ela estava livre para ir para longe!³⁵

Pontos de vista muito semelhantes foram expressos por Alberto, o Grande (c. 1206–1280), contemporâneo de Boaventura, um alemão que ingressou na ordem dominicana e lecionou em Paris (1242–1248), onde exerceu grande influência sobre o jovem Tomás de Aquino (1225–1274). Tomás, apesar de sua imensa produção teológica, tinha relativamente pouco a dizer sobre o purgatório, e não parece ter-se

---

³¹ Cânon 21. *Conciliorum oecumenicorum decreta*, p. 245.
³² Le Goff, *Birth of Purgatory*, p. 217.
³³ Boaventura, *Commentarium in IV libros Sententiarum*, 4.20.
³⁴ Boaventura, *Breviloquium*, 7.2.
³⁵ Boaventura, *Commentarium in IV libros Sententiarum*, 4.21.3.

interessado pelo assunto.[36] Ele morreu antes de chegar a abordar o tema ao longo de sua *Suma teológica*, e muito do que temos dele foi posteriormente reunido por seus alunos e anexado à *Suma* como um suplemento. Em essência, ele repetiu o que os mestres anteriores (e especialmente Alberto, o Grande) tinham dito, fazendo adaptações às necessidades das controvérsias sobre o assunto com as quais ele periodicamente estava envolvido.

Tomás de Aquino nos lembra de que o purgatório estava não apenas longe de ser universalmente popular; de fato, ele foi rejeitado por um grande número de pessoas – na verdade, por praticamente todos os que tinham motivo para brigar com a autoridade do papado. Isso era algo novo na história da doutrina. As disputas anteriores haviam sido muito mais "objetivas" no sentido de que ninguém, independentemente da posição que ocupava, opusera-se a uma doutrina somente por ela ter sido sustentada por Roma ou por alguma outra sé episcopal. Mas o purgatório estava tão intimamente ligado ao poder reivindicado pelo papado que era muito difícil, se não impossível, manter as duas coisas separadas. Se o papa não tinha o poder de perdoar pecados na terra, ele não poderia fazê-lo após a morte de um pecador, e, se isso era verdade, a questão do envolvimento da Igreja com o purgatório não teria surgido. Se, por outro lado, o papa tinha o poder de perdoar pecados, rejeitar sua autoridade seria uma jogada perigosa nesta vida – não importando o que poderia acontecer após a morte. Então, de uma forma ou de outra, o purgatório e o papado estavam ligados, e rejeitar um significava também rejeitar o outro.

Não deve, portanto, ser surpresa descobrir que, em geral, seitas heréticas que se opunham ao papado, como os valdensianos, também negassem o purgatório.[37] Contudo, é difícil saber o que fazer com a evidência disso, uma vez que quase toda ela vem de fontes hostis que podem ter sido mal informadas.[38] No entanto, a ligação estava lá e pode ser vista nas *95 teses* de Martinho Lutero (1517), as quais repetidamente insinuam que o papa não tem jurisdição sobre o purgatório, embora Lutero tenha tido o cuidado de não dizer isso explicitamente.[39]

O purgatório teve a acolhida da Igreja medieval porque forneceu às pessoas esperança com relação à eternidade, mesmo que elas não fossem perfeitas nesta

---

[36] Veja Le Goff, *Birth of Purgatory*, p. 266–278.
[37] Ibid., 278–280.
[38] Veja W. P. Wakefield e A. P. Evans, *Heresies of the High Middle Ages*. Nova York: Columbia University Press, 1969, p. 346–351; 371–373, onde encontramos indícios de crenças valdenses iniciais desse tipo. Veja também Gabriel Audisio, *The Waldensian Dissent: Persecution and Survival c. 1170 – c. 1570*. Cambridge: Cambridge University Press, 1999; e para um grupo diferente, veja R. Lerner, *The Heresy of the Free Spirit in the Later Middle Ages*. Notre Dame: University of Notre Dame Press, 2007.
[39] Veja os números 5, 6, 8, 10, 13, 15, 20–22, 25–27, 82. Uma tradução para o inglês dos textos originais de Lutero em latim pode ser encontrada em Timothy F. Lull (ed.). *Martin Luther's Basic Theological Writings*, 2. ed. Minneapolis: Fortress, 2005, p. 40–46.

vida.⁴⁰ Ele proveu um meio pelo qual as pessoas poderiam continuar orando por seus entes queridos depois de eles terem morrido e assim ajudá-los em sua jornada para o céu. Isso também possibilitava às pessoas realizarem atos adicionais de penitência nesta vida, ou obras de supererrogação, como eram chamadas, e, assim, reduzir o tempo que teriam de passar no purgatório.

Com o tempo, essa estrutura de penitência e obras de supererrogação se tornou um fardo tanto para a Igreja quanto para os penitentes. Dizer às pessoas para ficarem descalças na neve segurando uma vela acesa por horas a fio, por exemplo, logo passou a ser visto como um exercício inútil. Isso não resultava em nada positivo para a Igreja, além de sobrecarregarem as pessoas pela realização de atos humilhantes, algo quase intolerável no caso de serem membros proeminentes de sua comunidade local. O problema era que, ao perderem o respeito dos demais, corriam o risco de perder também sua autoridade, e a ordem social poderia ruir. Por essas e outras razões semelhantes, buscou-se avidamente uma saída, e com o tempo foi difícil resistir a essa busca, apesar dos protestos angustiados de reformadores que pensavam que a penitência pública era boa para a alma e devia ser continuada.

Talvez a melhor maneira de entender tal circunstância é compará-la com o procedimento das autoridades de hoje em relação a pessoas que cometem pequenas infrações à lei. Em tese, os infratores devem ser colocados na prisão, mas as prisões estão frequentemente cheias e parecem não fazer bem para os internos. Prender alguém simplesmente por excesso de velocidade, por exemplo, parece um exagero. Então, o Estado criou outros meios de punir esse tipo de infração: em vez de ficar um tempo atrás das grades, os culpados são multados. O Estado recolhe receitas adicionais, o culpado não tem de sofrer maiores inconvenientes ou receber publicidade indesejada, e todos estão mais ou menos felizes com o resultado. Foi essa maneira de pensar que levou a Igreja a comutar a penitência em uma multa. Aqueles que pagavam até recebiam um certificado de "indulgência", que efetivamente eliminava sua necessidade de fazer penitência. Uma vez que ficou claro que as pessoas poderiam comprar indulgências, tanto para seus entes queridos quanto para si mesmos, por que elas iriam escolher a dificuldade de fazer obras de supererrogação quando poderiam pagar por um certificado que as substituía? E assim, gradualmente a venda de indulgências se tornou uma prática estabelecida da Igreja. Os cofres eclesiásticos estavam cheios de doações, e os indivíduos que as compravam tinham a satisfação de saber que seu tempo no purgatório tinha sido reduzido.

O que esse sistema não dizia era se, como resultado, as pessoas que foram assim perdoadas se tornavam mais santas ou não. Pagar uma dívida era uma coisa, mas

---

⁴⁰ Esse aspecto dele ainda chama a atenção de muitas pessoas, incluindo aquelas que deveriam conhecê-lo melhor. Como exemplo, veja Jerry L. Walls, *Purgatory. The Logic of Total Transformation*. Oxford: Oxford University Press, 2012, escrito por alguém que se declara evangélico protestante!

isso tornava esse indivíduo melhor? Como os seres humanos pecadores recebiam a justiça de Deus, e que diferença isso fazia para eles? Para descrever isso, Agostinho escolheu a palavra *iustificare* e seus derivados, e seu uso passou à tradição ocidental. Ele próprio cria que a palavra significava "fazer [tornar] justo", uma vez que era composta de duas palavras latinas: *iustum* (justo) e *facere* (fazer). No entanto, não ficou claro o que isso implicava na prática, uma vez que *iustificare* era uma tradução do verbo grego *dikaioō*, que significava "julgar", tomado geralmente em sentido negativo, mas, nesse caso, entendido de forma positiva, no sentido de "absolver". No entanto, Agostinho também usou *iustificare* para transmitir a ideia de "transformar alguém em uma pessoa justa", o que *dikaioō* não significa e não pode significar. Isso é importante porque tal implicação adicional causou problemas e mal-entendidos mais tarde.

Tornado justo pela graça infundida

Agostinho acreditava que uma pessoa era tornada justa por um processo de transformação interior que governava não só suas ações, mas também a motivação por trás delas.[41] Na prática, isso fazia a motivação mais importante do que a ação, porque, se determinada ação não conseguia atingir seu objetivo, ainda contaria como justa aos olhos de Deus se tivesse sido feito com a intenção correta. Como Agostinho a entendeu, a justiça era um atributo divino do qual os cristãos participavam diretamente, e não apenas uma palavra usada para expressar o relacionamento de um crente pecador com (e em dependência total de) um Deus justo. Ela só poderia ser obtida por meio de um dom gratuito de Deus (graça), mas era obtida e a pessoa que foi feita justa por Cristo tornava-se um ser humano melhor do que tinha sido antes. Isso era possível porque, para Agostinho, "graça" não era um dom abstrato da justiça, mas a presença do Espírito Santo na vida de uma pessoa. O Espírito é o amor de Deus que torna possível àqueles que recebem esse dom amar a Deus de todo o coração e ao próximo como a si mesmos, que é o que Deus exige de nós.[42]

A fé era o fruto do amor, e assim, para Agostinho, "justificação pela fé" realmente significava "justificação pelo amor", que se expressa em fé e por sua instrumentalidade (Gálatas 5:6). Operando na vida de uma pessoa pelo poder de Deus, a fé vence gradualmente os desejos da carne (*concupiscentia*) da mesma forma que um medicamento vence a doença. Para ser eficaz, a graça da fé em amor tem de ser renovada e fortalecida periodicamente de modo a ser capaz de prosseguir e, por fim, completar seu trabalho. Como isso deveria ocorrer Agostinho não especificou,

---

[41] Agostinho de Hipona, *De spiritu et littera*, 26.45.
[42] Agostinho de Hipona, *De Trinitate*, 15.17.31.

mas qualquer dúvida a esse respeito foi enterrada por Haimo de Auxerre (c. 855): "Somos redimidos e justificados pela paixão de Cristo, a qual justifica a humanidade no batismo mediante a fé e, em seguida, pela penitência. Os dois estão tão estreitamente ligados que é impossível ser justificado por um sem o outro".[43]

A mesma coisa foi dita mais de dois séculos depois por Bruno de Colônia (c. 1030–1101), que fez questão de acrescentar que a penitência foi o meio designado por Deus para limpar a alma dos pecados cometidos após o batismo.[44] A explicação deste processo dada por um monge francês chamado Hervé de Bourg-Dieu (c. 1080–1150) pode ser considerada como a síntese do pensamento:

> Por meio da lei vem um reconhecimento do pecado; por meio da fé vem a infusão da graça em oposição ao pecado; por meio da graça a alma é limpa da culpa do pecado; por meio da limpeza da alma vem a liberdade da vontade (*libertas arbitrii*); por meio da liberdade da vontade (*liberum arbitrium*) vem o amor da justiça e, por meio do amor da justiça, vem o cumprimento da lei.[45]

Observe a forma como o processo se desenrola: a lei aponta para a necessidade de fé, e a fé leva à graça, que inicia o processo: purificação, liberdade, amor e justiça seguem-se em rápida sucessão, levando, por fim, ao cumprimento da lei, o que nos leva de volta ao ponto em que começamos, mas agora de uma forma que realmente funciona. Pedro Comestor condensou isso com pequenas variações em um esquema elegante que descrevia as etapas da justificação. Esse esquema foi repetido pela maioria dos escritores medievais:

1. A infusão da graça, dada aos que começam.
2. A cooperação do livre-arbítrio (*liberum arbitrium*), dada àqueles que estão progredindo.
3. A consumação [isto é, a remissão dos pecados], dada aos que concluem.[46]

Isso foi posteriormente modificado para um padrão de quatro etapas, tendo o segundo elemento sido dividido em dois. A declaração clássica foi produzida por Guilherme de Auxerre (c. 1160–1231), que a expressou do seguinte modo:[47]

---

[43] Haimo de Auxerre, *Expositio in epistulas Sancti Pauli*, em Migne, *PL* 117:391C. O texto que está sendo comentado é Romanos 3:24: "Justificados gratuitamente por sua graça".
[44] Bruno de Colônia, *Expositio in omnes epistulas Pauli*, em *PL* 153:55B-C. O texto que está sendo comentado é Romanos 5:20: "A Lei foi instituída para que a transgressão fosse ressaltada".
[45] Hervé de Bourg-Dieu, *Expositio in epistulas Pauli*, em *PL* 181:642D. Esse comentário é relativo a Romanos 3:31. Note que Hervé não distingue *libertas* de *liberum arbitrium*.
[46] Pedro Comestor, *Sermo*, 17.
[47] Guilherme de Auxerre, *Summa aurea*, 3.2.1 (fol. 121v).

1. A infusão da graça
2. O movimento do livre-arbítrio (*arbitrium liberum*)
3. Contrição
4. Remissão dos pecados

O acréscimo da contrição tornou fácil amarrar esse esquema de quatro passos ao sacramento da penitência, incentivando assim a integração da justificação com o sistema sacramental que teve lugar no século XIII. Mas aqueles que se inclinaram nessa direção insistiam que a penitência por si só não tinha poder para justificar ninguém. Do início ao fim, a justificação era uma obra da graça divina em que a penitência era apenas a condição necessária para que a graça fosse dada.[48] Esse foi o padrão adotado por Alexandre de Hales, Alberto, o Grande, Boaventura e Tomás de Aquino, como se pode perceber a partir de seus respectivos comentários sobre as *Sentenças*, de Pedro Lombardo.[49] Tomás modificou um pouco o esquema, fazendo uma distinção mais clara entre a segunda e a terceira etapas:[50]

1. A infusão da graça
2. O movimento do livre-arbítrio dirigido a Deus mediante da fé (ou seja, o amor)
3. O movimento do livre-arbítrio dirigido contra o pecado (isto é, a contrição)
4. A remissão de pecados

A fim de entender o efeito dessa modificação, devemos reconhecer que, para Tomás e seus contemporâneos, cujo treinamento em física aristotélica refletia em seu tratamento do assunto, o progresso do primeiro para o último item na lista foi um processo iniciado pela infusão inicial de graça, o qual levou inexoravelmente para a remissão dos pecados. Voltar-se para Deus em amor e contra o pecado em contrição eram partes integrantes desse processo, que pode ser distinguido em termos teóricos dentro de uma cadeia de causa e efeito, que ocorre normalmente de modo mais ou menos simultâneo.

Para Tomás, a justificação diante de Deus se identificava com o segundo estágio. A infusão da graça envolvia uma mudança real no receptor, que era libertado dos constrangimentos de sua natureza pecaminosa e recebia a capacidade de subordinar mente e vontade a Deus. Ao agir assim, seria justificado aos olhos de Deus

---

[48] Alan de Lille, *Contra haereticos*, 1.51.
[49] Alexander de Hales, *Glossa in quatuor libros Sententiarum Petri Lombardi* 4.17.7; Albert, o Grande, *Commentary on the Sentences of the Lombard* 4.17a.10; Bonaventura, *Commentarium in IV libros Sententiarum* 2.16.1.3; Tomás de Aquino, *Super Primo Libro Sententiarum* 4.17.1.4; Tomás de Aquino, *Summa Theologiae* 1a2ae.113.6.
[50] *Suma teológica*, 1.2, 113.8.

por ter demonstrado seu desejo de fazer o que era certo. A graça infundida que tornou isso possível não era uma extensão da natureza de Deus, mas um equivalente criado a partir dela que foi implantado na alma do cristão por Deus, dando-lhe uma disposição embutida (*habitus*) em direção à justiça. Isso tornou possível evitar o pecado mortal, mas, como ele ainda não estava perfeito, ainda cairia em pecado venial e permanecia necessitando de penitência. Foi com esse ponto que o sistema penitencial descrito anteriormente contribuiu. Mesmo cristãos justificados tinham necessidade de purificação adicional, porque continuavam a lutar contra os efeitos de sua "velha natureza" – aquilo a que a Bíblia chama de guerra do espírito contra a carne. Muito poucas pessoas conseguiriam vencer tal batalha nesta vida, mas a chance de continuá-la no purgatório garantiu que elas triunfariam no final.

Recebimento meritório da graça da justificação

De modo geral, houve concordância de que Deus respondeu ao movimento do livre-arbítrio do homem em direção a ele porque considerou tal movimento meritório – era algo bom para o homem fazer isso e merecia uma resposta adequada da parte de Deus. Surgiu, então, a questão: quão meritório isso realmente era? Poderia um ser humano fazer alguma coisa que realmente agradasse a Deus? Em sentido estrito, a resposta a isso tinha de ser *não*, porque os seres humanos são finitos e pecaminosos, e, portanto, incapazes de lidar com Deus no nível em que ele se encontra. Mas, como crianças pequenas que desejam fazer algo de bom sem, entretanto, conseguir, porque não têm a força e os conhecimentos necessários, os pecadores que fazem seu melhor e têm as intenções certas deveriam ser aplaudidos por tentar, e não rejeitados como fracassados por não conseguirem fazer algo de que não são capazes. Isso, disseram os teólogos da época, é o que acontece quando almas infundidas com a graça criada voltam-se para Deus. Elas foram justificadas, não por terem conseguido se tornar justas por seus próprios esforços, mas porque era a resposta certa da parte de Deus para os que estavam fazendo o melhor que podiam. O que Deus honrou neles foi o mérito *de congruo* (adequado): eles queriam a coisa certa, e, por isso, Deus a deu a eles, mesmo que não a tivessem realmente merecido.

Se as almas pecadoras fossem capazes de ter sucesso por conta própria, Deus teria reconhecido o mérito delas como *de condigno* (merecido), mas isso era impossível. Em vez disso, Deus prometeu que, se os pecadores agissem de certa forma, ele lhes responderia de acordo, dando a eles a infusão da graça. Um pecador que recebeu a graça infundida poderia alcançar o que Deus tinha afirmado em sua aliança com a humanidade.[51] Isso fez do mérito *de condigno* uma possibilidade real, porque a recompensa prometida era proporcional aos esforços. Uma recompensa

---

[51] Veja Guilherme de Auvergne, *Opera omnia* 1.310 aF, onde ele define esse princípio.

divina para a realização humana era, portanto, esperada como a justa aplicação da justiça de Deus.⁵²

Atrição e contrição

A crítica a esse esquema de coisas começou com João Duns Scotus (c. 1266–1308) na geração após Aquino e Boaventura. Scotus indicou que, se a contrição era necessária antes que um pecador pudesse receber o sacramento da penitência, o sacramento não seria eficaz em si mesmo (*ex opere operato*), mas somente se a pessoa que o recebe estivesse na disposição espiritual correta (*ex opere operantis*). Nesse caso, dificilmente a penitência seria necessária, uma vez que o penitente já teria chegado ao ponto ao qual o sacramento, feito para isso, deveria levá-lo.⁵³ Scotus tentou resolver esse problema dizendo que a contrição não era uma condição prévia necessária para receber o sacramento. Tudo de que se precisava era arrependimento baseado no medo da punição. Se ele fosse sincero, poderia merecer a graça da justificação *de congruo*, mas, se não, ainda poderia ser suficiente para permitir que o pecador fizesse penitência. Scotus chamou isso de "atrição" [arrependimento imperfeito]. Para ele, um pecador que começou no nível mais baixo de atrição seria gradualmente fortalecido pela graça sacramental até o ponto onde estaria verdadeiramente contrito.

Scotus até mesmo admitiu a possibilidade de que um pecador pudesse ser justificado sem ter de realmente fazer penitência, mas isso foi mais teórico do que real. Ninguém poderia saber com certeza se tinha feito o suficiente para merecer alguma coisa, e, por isso, na prática, o sacramento se tornou mais necessário do que nunca, porque dava aos penitentes a *garantia* de que estavam em um estado de graça.⁵⁴

Os pontos de vista de Scotus foram tomados por Guilherme de Ockham (c. 1287–1347), que elevou a discussão para o nível da análise filosófica. Ele acreditava que era a aceitação dos atos morais por parte de Deus que lhes dava seu valor meritório, e que essa aceitação era uma questão de progresso, no caso dos cristãos.⁵⁵ Os seguidores de Ockham foram mais longe e negaram que poderia haver algo como mérito *de condigno*; qualquer mérito deve, por definição, ser *de congruo*, mesmo que dependa inteiramente de graça.⁵⁶ No entanto, a tendência geral de seu pensamento estava por completo longe da ideia de mérito, fazendo com que tudo

---

⁵² Aquino, *Suma teológica*, 1.2.114.1.
⁵³ John Duns Scotus, *Opus Oxoniense*, 4.1.6.10–11.
⁵⁴ Ibid., 4.14.4.14.
⁵⁵ Veja Gordon Leff, *William of Ockham: The Metamorphosis of Scholastic Discourse*. Manchester: Manchester University Press, 1975.
⁵⁶ Veja, por exemplo, Manuel Santos-Noya, *Die Sünden- und Gnadenlehre des Gregor von Rimini*. Frankfurt-am--Main: Peter Lang, 1990.

dependesse inteiramente da graça de Deus, que foi, em essência, a posição tomada por John Wycliffe (1328–1384) e João Huss (c. 1369–1415).[57]

O pleno efeito das ideias de Ockham pode ser visto na obra de Gabriel Biel (1420–1495), que, em muitos aspectos, representa o ápice dos desenvolvimentos teológicos medievais.[58] Ao contrário de Ockham, Biel não era um admirador acrítico de Duns Scotus e rejeitava firmemente qualquer noção de atrição como um prelúdio para a penitência. Para Biel, apenas a contrição o faria, e ele acreditava, assim como (ele supunha) Pedro Lombardo, que no sacramento da penitência tudo que o sacerdote podia fazer era declarar que o pecador já tinha sido justificado com base nela.[59] Biel não descartou a possibilidade de justificação pré-sacramental, mas, mesmo se isso acontecesse em alguns casos, não deveria ser entendido à parte do sacramento, pois este estava sempre implícito. A razão para isso era que a contrição, com ou sem o sacramento, oferecia apenas a remissão da *culpa* pelo pecado. A *punição* para ele era, portanto, rebaixada do reino eterno para o temporal, o qual, sem dúvida, era a esfera da penitência, que, desse modo, ainda tinha um importante papel a desempenhar.

Biel acreditava que os seres humanos podiam amar a Deus com suas próprias forças, sem a infusão da graça divina, mas também reconhecia que era a intenção de Deus que eles cumprissem sua vontade nesse estado de graça, algo que, obviamente, estava além de suas capacidades naturais.[60] Ele também estava profundamente preocupado com a necessidade de demonstrar integridade moral. O mérito sacramental não deveria ser um substituto para isso, e Biel com frequência avisava seus ouvintes para que não pensassem ser possível remir seus pecados mediante boas obras sem estarem interiormente arrependidos (isto é, contritos).[61] De acordo com o modo como ele viu o assunto, sua proposta era uma maneira de evitar o padrão indolente de atrição, que muitas pessoas, além dele mesmo, pensavam ser uma forma preguiçosa de sincero arrependimento, sem exigir o tipo de autossacrifício sobre-humano que apenas um atleta espiritual poderia alcançar.

No que diz respeito à disposição (*habitus*) necessária para a justificação sacramental, Biel insistiu em que um cristão deve amar a Deus pelo que ele é, não por algo que possa obter dele.[62] A penitência exterior realizada no sacramento tinha de ser acompanhada por um arrependimento interior correspondente, sem o qual ela não teria nenhum efeito. Biel não negava o poder da graça divina na vida de uma

---

[57] John Wycliffe, *De scientia Dei*, fol. 61 volumes; João Huss, *Super IV. Sententiarum* 2.27.5.
[58] Veja Heiko Oberman, *The Harvest of Medieval Theology. Gabriel Biel and Late Medieval Nominalism*. 3 ed. Durham: Labyrinth Press, 1983). O processo de justificação é tratado nas páginas 146–184.
[59] Gabriel Biel, *Collectorium*, 4.14.2.1, nota 2D.
[60] Ibid., 4.14.2.2.
[61] Ibid, 4.4.1.2., concl. 5O.
[62] Gabriel Biel, *Sermones*, 1.102E.

pessoa, mas não considerava que ela fosse essencial em todos os casos. Para ele, os seres humanos muitas vezes poderiam agir corretamente, de acordo com a luz da razão dada a eles, quer fossem ajudados nisso pela graça divina, quer não. Era a ignorância, não a falta de graça, que impedia as pessoas de fazerem o que era certo.[63] O dever primário da Igreja, portanto, não era infundir a graça aos pecadores, mas iluminá-los com a compreensão correta a fim de que pudessem agir adequadamente por vontade própria. Aparentemente, Biel pensava que, se as pessoas soubessem o que era certo, elas o fariam de forma automática![64]

Nada disso sugeria a Biel que a disposição interior (*habitus*) da graça criada era supérflua. Pelo contrário, era essencial, não por causa de qualquer necessidade metafísica para que fosse assim, mas porque Deus assim havia ordenado seu plano de salvação. Essa era a aliança (*pactum*) que estabeleceu as exigências de Deus para nós e a resposta divina a nossas tentativas de atender a essas exigências. Por si só, a graça criada nunca poderia determinar as ações de Deus pela simples razão de que era uma coisa criada, e não parte de sua natureza.[65] Mas, dentro da ordem das coisas segundo a aliança, Deus aceitou pecadores e deu-lhes a graça de que necessitavam para realizar atos de valor meritório, e é por essa razão que são justificados. Nas palavras de Heiko Oberman:

> O caráter gratuito da retribuição de Deus não é, portanto, baseado na *atividade* do hábito da graça nem na *presença* do hábito da graça, mas no decreto eterno de Deus segundo o qual ele decidiu aceitar todo ato que é realizado em um estado de graça como um *meritum de condigno*.[66]

No que dizia respeito ao mérito *de congruo*, Biel pensava nele como a realização suprema de um homem desamparado pela infusão da graça. Deus pode aceitar esse ato como meritório e conceder sua graça ao pecador arrependido, mas não é obrigado a fazê-lo, e, se o faz, é um ato de generosidade de sua parte, não de justiça.[67] A aceitação do pecador arrependido por parte de Deus segue-se à sua promessa de aliança e se faz necessária devido a ela, e o mesmo deve ser dito da graça infundida, porque nenhum poder exterior pode forçar Deus a fazer qualquer coisa.[68] De fato, é precisamente por Deus ser livre (*liber*) e não agir sob qualquer forma de restrição exterior que ele pode mostrar sua generosidade (*liberalitas*), ignorando

---

[63] Ibid., 1.101D.
[64] Oberman, *Harvest*, p. 165.
[65] Biel, *Collectorium*, 1.17.3.3., dub. 2G.
[66] Oberman, *Harvest*, p 170.
[67] Biel, *Collectorium*, 2.27.1.1., nota 3.
[68] Ibid., 2.27.1.3., dub. 4O.

qualquer sentido de necessária proporção entre um ato e sua recompensa, revelando, em lugar disso, sua superabundante misericórdia.[69]

O resultado da doutrina de Biel foi a ideia de o pecador estar involuntariamente colocado sob um extraordinário fardo de realizar boas obras merecedoras de graça. A justiça de Deus só trouxera consigo julgamento e punição, mas, por fazer boas obras, o pecador podia esperar que a ira divina fosse desviada. Como Biel disse: "O homem não sabe se é digno do ódio ou do amor [de Deus]".[70] Sem essa certeza, o pecador pode somente enfrentar a perspectiva de ouvir sobre a aliança de Deus e a justificação que ela promete, porque não tem como saber se algum dia vai ser digno o suficiente para recebê-la.

A CRISE DE SEGURANÇA

O sistema descrito por Guilherme de Ockham e seus seguidores quase não foi questionado seriamente em seus fundamentos. Como o jovem Martinho Lutero colocou:

> Os mestres estão certos ao dizer que, quando as pessoas fazem o melhor que podem, Deus, inevitavelmente, lhes dá a graça. Isso não pode significar que essa preparação para a graça é [baseada no mérito] *de condigno*, porque eles são incompatíveis, mas pode ser considerada como *de congruo* por causa da promessa de Deus e da aliança (*pactum*) de misericórdia.[71]

Foi preciso ocorrer uma crise espiritual na vida pessoal de Lutero para tirá-lo desse modo de pensar. Ele fez o melhor que podia, mas descobriu que não era bom o suficiente. Qualquer que fosse a graça que pudesse ter recebido *de congruo*, ela não lhe trouxe paz com Deus. Depois de muito procurar, encontrou a resposta nas palavras do profeta Habacuque, citadas pelo apóstolo Paulo na carta aos Romanos: "O justo viverá pela fé" (Romanos 1:17; cf. Habacuque 2:4). As escamas caíram de seus olhos quando ele percebeu que é pela graça que somos salvos, mediante a fé, e não por nossas obras, por mais meritórias que elas fossem. Os fundamentos do sistema antigo foram abalados até as suas raízes, e o resultado foi a Reforma Protestante.

A VISÃO MEDIEVAL SOBRE AUTORIDADE

A IGREJA PRIMITIVA

Quase tão importante para os reformadores quanto a doutrina da salvação foi a questão da autoridade na Igreja, que havia se tornado uma questão fundamental

---

[69] Ibid., 2.27.1.2., concl. 4K.
[70] Biel, *Sermones*, 1.70F.
[71] Martinho Lutero, *Dictata super Psalterium*, 114:1 (Vulgata: 113:1), *LW* 4:257.

de debate nos séculos XIV e XV. Em alguns aspectos, esse debate voltou aos primeiros dias do cristianismo e relacionava-se ao testemunho do Novo Testamento, que era o foco cada vez maior dos argumentos. Em tempos pré-modernos, a maioria das pessoas pensava em "autoridade" como algo essencialmente pessoal. A Palavra de Deus está ligada ao "autor", e o autor final era o próprio Deus, de quem toda a autoridade deriva. Deus Pai deu sua autoridade ao Filho, e o Filho enviou o Espírito Santo para trazer a Igreja à existência e para preservá-la até ele retornar em julgamento (1Coríntios 15:25–28).

A questão teológica era: como o Espírito Santo executava a tarefa atribuída a ele? Na Igreja do Novo Testamento, a resposta foi bastante clara. Jesus escolheu os discípulos que se tornaram os apóstolos, e estes governaram a Igreja primitiva e deram-lhe as Escrituras do Novo Testamento que continham os ensinamentos que haviam recebido do próprio Jesus. A transição de discípulos para apóstolos não foi automática – Judas foi excluído do apostolado e Paulo foi adicionado por uma intervenção divina especial –, mas o princípio era bastante claro. Um apóstolo tinha de ser testemunha ocular do Cristo ressuscitado e ter sido especialmente comissionado por ele para a tarefa. Inicialmente, os apóstolos trabalharam juntos a partir de sua base em Jerusalém, mas, aos poucos, espalharam-se e desenvolveram ministério próprio. Pedro tornou-se o apóstolo dos judeus, ao passo que Paulo foi reconhecido como o apóstolo dos gentios. Desentendimentos entre judeus e gentios foram resolvidos por consenso, o qual foi estabelecido por um debate aberto em um concílio da igreja (Atos 15).

Ainda hoje não se sabe com clareza o que aconteceu depois da morte dos apóstolos. Alguns deles podem ter designado sucessores, como Paulo, que confiou seu ministério a Timóteo e a Tito, ou talvez as igrejas locais tenham escolhido alguém entre seus membros para se tornar seu supervisor, ou bispo, com o entendimento de que este seria responsável por manter o depósito apostólico da verdade. O certo é que cem anos após a ascensão de Cristo, suas igrejas eram quase todas lideradas por bispos eleitos e que as congregações fundadas pelos apóstolos tinham uma responsabilidade especial de preservar e defender o legado destes. Isso foi necessário por causa do crescimento de movimentos heréticos que essas igrejas não tinham poder para suprimir e só os poderiam combater apelando para suas próprias tradições, que alegavam terem vindo dos apóstolos. O fato de diferentes igrejas enraizadas nos apóstolos terem concordado com outras era uma evidência da verdade de suas reivindicações, e foi dessa forma que o Novo Testamento veio a ser aceito como Escritura em pé de igualdade com a Bíblia hebraica.

É um fato notável que, quando a Igreja foi legalizada, no início do quarto século, ela emergiu como um corpo único em todo o mundo. Havia certamente disputas e divisões incipientes – o donatismo no norte da África, por exemplo, e o arianismo em grande parte do Oriente –, mas também havia um consenso generalizado, revelado em concílios da Igreja que o imperador passara a convocar. Os concílios combateram esses movimentos dissidentes e estabeleceram uma ortodoxia comum que cada igreja local era obrigada a aceitar. O coroamento da era conciliar foi um credo que veio a ser aceito como a pedra de toque da fé cristã em praticamente todos os lugares.[72]

Os concílios da Igreja nem sempre foram convocados pela autoridade imperial, mas, a menos que suas decisões fossem ratificadas pelo imperador, não se tornavam lei e não poderiam ser executadas. A maioria dos concílios se reuniu no âmbito de províncias e legislou somente para as necessidades de sua própria província, embora, em alguns casos (norte da África e Espanha, em particular), tenham exercido uma influência muito maior. Concílios imperiais se reuniram com menos frequência, mas eram mais importantes e suas decisões tinham aplicação universal.[73] Apenas bispos podiam ir aos concílios e votar em nome de suas congregações, mas, apesar de o número de bispos que compareciam ser por vezes bastante elevado, nunca foi universal. Os bispos de Roma, em particular, nunca convocaram ou participaram de qualquer um deles, embora geralmente enviassem representantes e, mais tarde, ratificassem suas decisões.

O sistema de concílios provinciais e imperiais não era perfeito, mas funcionou razoavelmente bem por um tempo. Ele começou a decair quando muitas das igrejas orientais se recusaram a aceitar as decisões do Concílio de Calcedônia (451), o que levou a cismas no Egito e na Síria que o governo imperial foi incapaz de suprimir, apesar de muitas tentativas com esse objetivo. No decorrer do sexto século, os cismas se agravaram, e, com a invasão dos árabes muçulmanos na década após a morte de Maomé, em 632, o império romano perdeu essas regiões. Essa ruptura geopolítica impossibilitou que o imperador obrigasse os dissidentes a retornar ao aprisco imperial, bem como que pudesse tratar das questões teológicas relacionadas e fora do reino da política prática no que restava do mundo cristão.

O SURGIMENTO DO PAPADO

Assim como o surgimento do Islã foi significativo para o futuro da Igreja, igualmente o foi o colapso do império romano no Ocidente. Em 476, a insígnia imperial foi enviada de Roma para Constantinopla, sinalizando que o Ocidente passaria

---

[72] Esse credo foi provavelmente escrito no primeiro concílio de Constantinopla, em 381, ou logo após, embora seja conhecido hoje como o Credo Niceno, por causa de uma crença equivocada de que ele foi produzido pelo primeiro Concílio de Niceia, em 325. Ele rapidamente se tornou, e se manteve, a mais difundida declaração de fé no mundo cristão.

[73] Esses concílios são chamados de *ecumênicos*, da palavra grega *oikoumenē*, termo usado para descrever o império romano (ver Lucas 2:1).

a reconhecer a autoridade do imperador oriental (bizantino), mas, na realidade, os reinos bárbaros que se fixaram na Europa Ocidental seguiram seu próprio caminho. O Império do Oriente tentou recuperar as províncias perdidas e conseguiu manter Roma por mais de dois séculos (536–751), mas a reconquista foi apenas parcial. Para reforçar sua autoridade sobre o Ocidente, os imperadores precisavam do apoio do bispo de Roma, a quem reconheceram como seu principal representante ali. Podemos descobrir as origens dessa posição no primeiro Concílio de Constantinopla, em 381, quando o mundo foi dividido em cinco regiões, cada uma sob um "patriarca" que era o bispo da cidade mais importante na área. A hierarquia dos patriarcados foi: Roma, Constantinopla, Alexandria, Antioquia e Jerusalém, nessa ordem. Por volta de 700, os últimos três haviam caído sob o domínio muçulmano e, portanto, já não contavam muito. Para fins práticos, Roma competia com Constantinopla pela supremacia e tinha uma vantagem, porque sua igreja era de origem apostólica, pelo menos era o que pensavam. A alegação de que Pedro tinha sido seu primeiro bispo e que foi martirizado lá (juntamente com Paulo) foi aceita de modo geral, mas, na verdade, a autoridade espiritual de Roma repousava mais em sua posição de antiga capital imperial do que em qualquer outra coisa. Por essa razão, Constantinopla era um rival genuíno, porque, embora não tivesse o *pedigree* apostólico de Roma, era onde o imperador vivia e onde concílios da igreja convocados pelo império continuavam a acontecer.[74]

Enquanto permaneceram sujeitos ao imperador em Constantinopla, os bispos de Roma não puderam estabelecer uma autoridade espiritual independente, nem desejavam isso. No entanto, a situação mudou quando, em 751, os lombardos pagãos extinguiram a província imperial (ou exarcado, como era conhecida) na Itália central e ameaçaram Roma. Em desespero, seu bispo apelou para o rei dos francos, que cruzou os Alpes, aniquilou os lombardos e estabeleceu o bispo de Roma como o governante secular do antigo exarcado em 754. Esse foi o início dos Estados Pontifícios [ou Papais], uma entidade política que sobreviveria até 1870. Ele também marcou a ascensão do poder franco, que, em 800, levou à criação do Sacro Império Romano na Europa Ocidental. O rei franco Carlos Magno tornou-se o novo imperador ocidental, e o resto de lealdade de Roma a Constantinopla foi repudiada. O Sacro Império Romano duraria até 1806, e seus governantes frequentemente viviam em conflito com o bispo de Roma, a quem podemos agora chamar apropriadamente de papa, apesar de ter sido ele quem coroou os governantes e legitimou seu domínio.

---

[74] Concílios foram realizados lá em 553, 680–681, 692, 870 e 880. A única exceção foi o Segundo Concílio de Niceia (787), mas Niceia estava a apenas um dia de viagem de Constantinopla e, por isso, o acesso a partir da capital era muito fácil.

Em teoria, as duas metades do antigo império romano tinham sido restauradas, mas eram muito diferentes uma da outra. No Oriente, o imperador e o patriarca viviam na mesma cidade e trabalhavam juntos, mas isso nunca ocorreu no Ocidente. O papa permaneceu em Roma, mas o imperador quase nunca esteve lá, e, quando ia, não ficava muito tempo. Além disso, o império ocidental nunca abrangeu toda a cristandade ocidental, e, em 843, foi subdividido entre os netos de Carlos Magno. Um imperador foi ainda eleito entre eles, mas tinha poderes limitados, e o Sacro Império Romano nunca se tornou um poderoso Estado europeu. Ao mesmo tempo, o papado declinou conforme foi se tornando um brinquedo da aristocracia romana, cujas famílias competiam entre si para nomear seus membros para o ofício papal. Durante 200 anos, não houve realmente nenhuma autoridade na Europa Ocidental, uma situação que muitas pessoas consideraram cada vez mais insuportável com o passar do tempo.

A Reforma começou sob o impulso dos monges de Cluny, na Borgonha (agora parte da França); eles acreditavam que apenas um papado forte poderia resgatar do caos a Igreja e a sociedade ocidental. Para conseguir isso, eles fizeram manobras a fim de apresentar seu próprio candidato ao santo ofício. Leão IX (1049–1054) reafirmou as reivindicações antigas de Roma de ter a jurisdição suprema sobre a Igreja como um todo, embora o único efeito imediato disso tenha sido aliená-la do Oriente, que se recusou a estar sob sua autoridade. Isso levou a um cisma em 1054, que, mais tarde, veio a ser reconhecido como o momento em que o Oriente e o Ocidente seguiram caminhos distintos.[75] Em 1059, os reformadores de Cluny conseguiram estabelecer o Colégio dos Cardeais, em Roma, um grupo de clérigos seniores cuja responsabilidade seria eleger o papa. Isso foi de suma importância, porque tirou as eleições papais das mãos da aristocracia leiga em Roma e possibilitou escolher homens que poderiam atender aos interesses da Igreja, e não aos das próprias famílias. O mais famoso dos papas reformadores foi Gregório VII (1073–1085), também conhecido por Hildebrando, seu nome secular. Ele interpelou o imperador sobre a nomeação dos bispos e conseguiu forçá-lo a aderir às exigências da Igreja. A ousadia de Gregório VII foi um tanto prematura, e o imperador, mais tarde, conseguiu recuperar-se ao invadir Roma e expulsar o papa (1084), mas a tendência de longo prazo estava agora definida. Em 1095, o papa Urbano II (1088–1099) foi forte o suficiente para persuadir os reis da Europa Ocidental a saírem em cruzada a fim de recuperar a Terra Santa dos muçulmanos, e o poder papal foi revelado para todos verem.

---

[75] Em 1054, o papa e o patriarca excomungaram-se um ao outro, mas, se isso se aplicou às suas igrejas (e não apenas a eles pessoalmente) era uma questão de debate. No entanto, isto é indicativo da natureza fortemente pessoal da autoridade: a divisão pessoal entre os líderes se tornou um cisma das igrejas, e permanece assim desde então.

No decorrer do século XII, o papado foi ficando cada vez mais forte, com uma série de papas capazes de convocar concílios para estabelecer regras novas e mais rígidas de disciplina da Igreja.[76] Em particular, o celibato foi imposto tanto para padres quanto para bispos, principalmente como forma de prevenir a alienação de bens da igreja na forma de dotes e heranças dadas aos membros de famílias clericais. Essa foi a era de Graciano, cujo objetivo inicial era pôr em ordem a legislação antiga da Igreja a fim de torná-la coerente com as necessidades de seu próprio tempo e aplicável a elas. Foi também a época de Pedro Lombardo, que fez a mesma coisa pela teologia. O resultado foi a criação de universidades em que se podia estudar direito e teologia e onde um quadro de funcionários eclesiásticos foi estabelecido para organizar a administração da igreja florescente. Os papas adicionaram a essa herança legislativa mais decretos pessoais, os quais, com as decisões dos concílios posteriores da Igreja, formaram o direito canônico da igreja medieval. Foi esse direito canônico que se tornou a "tradição" na mente dos teólogos medievais e ao qual Martinho Lutero atacou nos primeiros dias da Reforma.

Hoje, estamos acostumados a ouvir que essa tradição canônica foi uma influência corruptora na igreja medieval, mas as pessoas da época não viam dessa forma. Quando Ottobono, o legado papal para as Ilhas Britânicas, dirigiu um concílio de arcebispos e bispos britânicos reunidos em Londres, em 22 de abril de 1268, descreveu a relação da Bíblia com os decretos papais e concílios da seguinte forma:

> Os mandamentos de Deus e a lei do Altíssimo foram dados em tempos antigos, de modo que a criatura que tenha quebrado o jugo e se afastado da paz de seu Deus, por viver em obediência à lei e ao mandamento como sua lâmpada e luz, com a esperança dada [a ele] como uma sombra, nas promessas feitas aos pais, pode esperar pela vinda do Rei da Paz, os meios de reconciliação e o pontífice que restaurará todas as coisas. É da dignidade dos filhos adotivos da noiva e da glória dos filhos da Santa Madre Igreja que eles deveriam ouvir a partir dela [isto é, da Bíblia], os mandamentos da vida e neles manter seu coração na beleza da paz, na pureza da decência e na prática da modéstia, sujeitando seus maus desejos ao controle da razão. Para o melhor desempenho dessa tarefa, os decretos dos santos padres, divinamente promulgados pela própria boca deles e contendo as regras da justiça e as doutrinas de equidade, fluem como rios largos. As sagradas constituições dos sumos pontífices, assim como os legados da sé apostólica e os outros prelados da Santa Igreja, surgiram como riachos da amplitude desse rio, de acordo com a necessidade de diferentes épocas, para que novas curas surjam para as novas doenças geradas pela fragilidade humana.[77]

---

[76] Esses foram os primeiros concílios "ecumênicos" a serem convocados pelo papa e não pelo imperador. Eles também foram os primeiros a que o papa compareceu pessoalmente.

[77] O texto latino foi impresso em F. M. Powicke e C. R. Cheney (ed.). *Councils and Synods, with other Documents relating to the English Church*. Oxford: Oxford University Press, 1964, 2:747. Note que Ottobono usou a mesma palavra "pontífice" (*pontifex*) tanto para Cristo quanto para os papas. Em 1276, ele foi papa por um curto período, assumindo o nome de Adriano V.

Em outras palavras, o Deus que tinha dado a seu povo, nas Escrituras inspiradas, a esperança da vinda do Redentor também inspirou os líderes da Igreja a dar remédios para os males dos tempos posteriores, um estado de coisas que se destinava a preservar o povo de Deus até que o próprio Cristo retornasse para julgar. A tradição canônica foi considerada um suplemento à Bíblia necessário pelo aparecimento de problemas que os textos antigos não tinham previsto. Assim, ela deveria ser recebida como uma bênção que confirmava e ampliava o depósito inicial de fé e não ser rejeitada como uma corrupção que o havia distorcido. Na mente de Ottobono, a Bíblia, a Igreja e o direito canônico desfrutavam de igual autoridade, porque todos vieram de Deus, apesar de terem sido dados ao mundo por meio de diferentes pessoas, de maneiras diferentes e para fins ligeiramente diferentes.

Desafios à autoridade papal

O poder papal atingiu o apogeu na época de Inocêncio III (reinou de 1198 a 1216), mas, no decorrer do século XIII, as coisas começaram a dar errado. Uma série de mortes prematuras levou a uma alta rotatividade dos papas e a um consequente enfraquecimento da política papal. O ressurgimento do poder muçulmano tirou os cruzados da Palestina, e a Igreja já não podia persuadir os reis da Europa a se aventurarem em uma causa perdida. Financiar um papado mais extenso foi outro problema, e os governantes seculares se viram obrigados a resistir às reivindicações do papa de tributar seu povo e isentar o clero dos impostos seculares.[78]

Por volta de 1296, o conflito entre o rei da França e o papa Bonifácio VIII (reinou de 1294 a 1303) a respeito desse assunto tinha se tornado tão sério que o papa emitiu uma bula (*Clericis laicos*) proibindo a tributação secular sobre propriedades da Igreja. Em 1302, publicou outra bula (*Unam sanctam*), que afirmava que o poder espiritual era superior ao temporal e que apenas os que estivessem em comunhão com a sé romana seriam salvos. Isso gerou uma crise. Quando o arcebispo de Bordeaux foi eleito papa Clemente V (reinou de 1305 a 1314), o rei francês se recusou a deixá-lo ir para Roma. Por fim, Clemente V estabeleceu-se em Avignon, onde era teoricamente soberano, mas, na prática, era um refém da França. O papado permaneceu em Avignon até 1377, e foi durante esse período de seu "cativeiro babilônico" que os primeiros grandes desafios a sua autoridade surgiram.

O mais importante ataque às vindicações da Igreja veio de Marsílio (Marsiglio) de Pádua (c. 1270–1342), que escreveu um longo tratado sobre o governo (*Defensor pacis*) no qual desenvolveu suas próprias teorias a respeito do governo secular, deixando claro que papas e bispos da Igreja tinham ultrapassado em muito os limites

---

[78] Para detalhes sobre essa história, veja W. Ullmann. *A Short History of the Papacy in the Middle Ages*. Londres: Methuen, 1972, 251–278.

de sua autoridade ao buscar dominar tanto assuntos temporais quanto espirituais. Sobre esses, Marsílio afirmou:

> Seu apetite insaciável por coisas temporais os deixou descontentes com as coisas que os governantes lhes tinham concedido [...] e, o que é o pior de todos os males civis, os bispos se estabeleceram como governantes e legisladores, a fim de reduzir reis e povos à intolerável e vergonhosa escravidão a eles mesmos. Pois, uma vez que a maioria desses bispos é de origem humilde, eles não sabem o que a liderança secular se torna quando atingem o *status* de pontífice [...] e, consequentemente, tornam-se insuportáveis para todos os fiéis.[79]

Marsílio colocou-se ao lado dos governantes temporais na luta deles contra o papado no que dizia respeito à tributação, e, simultaneamente, investigou a história das reivindicações papais. Ele foi capaz de salientar que, durante muitos séculos, papas e bispos da Igreja tinham vivido sob o domínio secular e não tinham nenhuma das pretensões que se propunham como verdadeiras no século XIV.[80] Seu livro causou sensação, e os papas fizeram o possível para impedir sua divulgação, mas havia muita verdade no que Marsílio dizia, e a grande simpatia por seus pontos de vista impedia que a oposição dos papas fosse bem-sucedida. Mais tarde, quando vários reformadores começaram a desafiar o papado, a audácia deles foi inevitavelmente considerada culpa de Marsílio, que sem querer se tornou o principal porta-voz de um conceito alternativo de autoridade na Igreja e sobre ela.

Marsílio estava mais preocupado com política do que com teologia, mas alguns de seus contemporâneos já estavam questionando os princípios doutrinários em que se fundamentava o conceito de autoridade da Igreja. Guilherme de Ockham afirmou que a Igreja reconhecia duas fontes distintas de autoridade: a Escritura e uma tradição extrabíblica que a complementava e poderia ser ligada aos apóstolos.[81] Teologia era a interpretação da Escritura, e os bispos, em particular o papa, foram nomeados para aplicá-la em qualquer circunstância. Era a isso que os teólogos se referiam quando falavam da "autoridade da Igreja", de modo que, por definição, ela era dependente da Escritura, mesmo que nem sempre isso fosse visível. Na mente de Ockham, a Escritura e a tradição da igreja se reforçavam mutuamente, apesar de serem distintas uma da outra em um grau que não tinha sido reconhecido na Igreja primitiva.[82]

---

[79] Marsílio de Pádua, *Defensor pacis*. Toronto: University of Toronto Press, 1980, p. 340. Veja também Marsílio de Pádua, *The Defender of the Peace*. Cambridge Texts in the History of Political Thought. Cambridge: Cambridge University Press, 2005, p. 443.

[80] Esse foi o tema de seu livro *De translatione imperii*, escrito algum tempo depois de ter concluído *Defensor pacis* em 1324.

[81] Ele desenvolveu essa ideia em *Dialogus inter magistrum et discipulum*, edItado por M. Goldast, *Monarchiae Sancti Romani Imperii sive Tractatum de iurisdictione imperiali, regia, et pontificia seu sacerdotali*, 3 vols. Frankfurt am Main: J. D. Zunner, 1668, II, 394–957.

[82] Veja Oberman, *Harvest*, 361–422 para uma discussão completa sobre o assunto.

Foi na geração seguinte que a tensão potencial entre esses dois princípios foi exposta por John Wycliffe (c. 1326–1384), que a resolveu afirmando que *somente* a Bíblia era a autoridade para as leis da igreja. Se algo não pudesse ser encontrado nas Escrituras (como o celibato clerical, por exemplo, ou a supremacia papal), então, não poderia ser exigido dos fiéis como necessário à salvação. Wycliffe também apoiou Marsílio, usando o Novo Testamento como sua principal testemunha:

> Por que é necessário que os sacerdotes de Cristo deem uma atenção tão execrável para leis estrangeiras [ou seja, seculares]? Isso não teria utilidade nenhuma para eles a menos que tivessem a intenção de garantir seus bens eclesiásticos que foram adicionados ao Evangelho [...] assim como o povo nos dias de Cristo foi destruído pelas tradições dos fariseus, é condizente afirmar que a orientação da lei de Cristo e a mediação de líderes espirituais serão removidas se as tradições seculares continuarem a se multiplicar muito e o modo de viver dos sacerdotes se corromper mais e mais por causa do mundanismo.[83]

As restrições de Marsílio e de Wycliffe contra a corrupção na igreja encontraram eco, por outro lado, em uma preocupação crescente com respeito à propagação de heresias. Novas ideias foram se infiltrando na Europa Ocidental desde as Cruzadas, quando o conhecimento árabe, muito do qual vertido em grego antigo, foi descoberto e traduzido para o latim. As pessoas de espírito tradicional foram abaladas, e a suspeita de que o novo conhecimento era subversivo nunca mais foi abandonada. Os papas queriam que hereges fossem queimados na fogueira, uma forma de punição considerada particularmente apropriada,[84] mas essa era uma questão delicada, pois transpunha a linha entre assuntos espirituais e temporais. Heresia era um crime espiritual que só poderia ser julgado pela igreja, mas queimar na fogueira era um castigo temporal que só poderia ser administrado pelo Estado. Portanto, o objetivo da igreja era tornar a heresia um crime previsto em lei, o que lhe daria poder sobre a administração da justiça secular. Muitos governantes seculares se opuseram a isso o quanto puderam, mas os governos medievais eram muitas vezes fracos e incapazes de resistir por muito tempo à pressão da Igreja. Na Inglaterra, por exemplo, o rei Ricardo II (reinou de 1377 a 1399) se recusou a promulgar uma lei sobre heresia – poupando a vida de Wycliffe –, mas seu sucessor, Henrique IV (reinou de 1399 a 1413), ao usurpar o trono, precisava de aliados. A Igreja concordou em apoiá-lo com a condição de que promulgasse uma lei sobre heresia, o que

---

[83] John Wycliffe, *De veritate Sacrae Scripturae*, 2.20.150–1. Cf., *John Wyclif: On the Truth of Holy Scripture*. Kalamazoo: Medieval Institute Publications, 2001, p. 280–1.

[84] Isso se deu aparentemente porque nobres eram decapitados e plebeus eram enforcados, mas heresia não era um crime de uma só classe social. Assim, era preciso encontrar uma punição que pudesse ser aplicada igualmente a todos. Havia também a crença de que as chamas podiam purgar os pecados de um pecador e tornar-lhe possível entrar no purgatório (e, por fim, no céu) em vez de ir para a condenação eterna no inferno.

fez em 1401. Como resultado, a Igreja foi capaz de erradicar os seguidores de John Wycliffe levando-os à morte, uma prerrogativa que ela não demorou em exercer.

O GRANDE CISMA E SUAS CONSEQUÊNCIAS

Essas questões se tornaram ainda mais complicadas depois de 1378, quando o retorno dos papas a Roma levou a um cisma que durou até 1415. Durante a maior parte desse tempo, houve dois papas – um em Roma e outro em Avignon – e, por um tempo, houve três! Como poderia a autoridade papal sobre a Igreja ser implementada quando ninguém sabia ao certo quem era o verdadeiro papa? Foi durante esse tempo conturbado que João Huss (c. 1369–1415) começou a pregar na Boêmia. Huss foi influenciado por Wycliffe e também por um movimento boêmio nativo que se opunha à prática recentemente introduzida de impedir que os leigos tomassem do cálice na sagrada comunhão. Não havia base bíblica para essa prática, mas os teólogos romanos argumentavam que, como um corpo deve conter sangue, a pessoa que consumiu o pão consagrado partilhou do sangue de Cristo, tornando, assim, o cálice desnecessário.[85] Que autoridade a Igreja tinha para introduzir (e tornar obrigatória) uma prática que era tão claramente incompatível tanto com o testemunho do Novo Testamento quanto com a antiga tradição da Igreja?

A crise veio à tona no Concílio de Constança (1414–1418), que foi convocado pelo imperador para acabar com o cisma e restaurar a unidade da Igreja. Os papas existentes foram depostos, um novo foi eleito como Martinho V (reinou de 1417 a 1431), e a escolha foi ratificada pelo conjunto da cristandade ocidental. No entanto, o concílio também condenou o ensinamento de John Wycliffe e convocou João Huss a comparecer e explicar sua própria doutrina. Tranquilizado por um salvo-conduto do imperador, Huss compareceu ao local e logo foi condenado e queimado na fogueira. A Igreja simplesmente ignorou o imperador, invocando sua própria superioridade espiritual, e saiu impune disso.

O restante do século XV é uma narrativa de como os papas se empenharam ao máximo para recuperar o terreno que seus antecessores tinham perdido desde 1302. Um dos compromissos em Constança tinha sido uma decisão de realizar concílios a cada cinco anos que legislariam sobre a Igreja como um todo. Essa solução foi apoiada por homens como Pierre d'Ailly (1351–1420) e Jean Gerson (1363–1429), que rejeitaram o princípio do *sola Scriptura* de Wycliffe e afirmaram que o Espírito Santo ainda estava revelando a verdade à Igreja por meio de bispos que estavam na sucessão apostólica. A principal diferença entre eles e os partidários da autoridade

---

[85] É possível que a proibição original tenha sido motivada por questões de higiene, mas não se pode afirmar isso com certeza.

papal era que os primeiros concebiam essa tradição como uma herança coletiva, a ser determinada e definida por um concílio representante de todo o episcopado, e não unicamente pelo papa. Os papas, compreensivelmente, sentiram-se ameaçados por isso e fizeram o que podiam para neutralizar esses concílios. Uma tática, empregada com grande sucesso por Eugênio IV (reinou de 1431 a 1447), foi forçar o Concílio de Basileia, convocado em 1431, a se transferir para a Itália, a fim de tornar mais fáceis a vinda e a apresentação dos representantes da Igreja Oriental à reunião com a Ocidental, o que fizeram (pelo menos no papel) em 1439. O concílio, por fim, foi para Roma, mas o movimento conciliar esgotou-se. Quando foi dissolvido, em 1445, todo o experimento foi abandonado e a supremacia papal foi reafirmada mais uma vez.

Ironicamente, foi nesse momento que um novo desafio às reivindicações papais emergiu. Eruditos da Igreja Oriental apontaram que nunca haviam aceitado o controle papal e que as alegações feitas por Roma eram exageradas, se não explicitamente falsas. Um mestre humanista italiano chamado Lorenzo Valla (c. 1407–1457) também demonstrou que as afirmações feitas pelo papado com respeito à jurisdição sobre o Ocidente foram baseadas em uma série de documentos falsos. Compostos em algum momento do nono século, provavelmente em oposição aos herdeiros de Carlos Magno, esses documentos afirmavam que, quando Constantino transferiu a capital do império para Constantinopla, em 330, deixou o papa no comando da cidade e da metade ocidental do império![86]

As descobertas de Valla não fizeram nenhuma diferença prática na época, mas seu efeito em longo prazo foi considerável. Alguns anos depois de ele escrever, a máquina de impressão em tipos móveis foi inventada, tornando possível, pela primeira vez, divulgar informações de forma barata e confiável. Estudiosos aproveitaram a nova tecnologia para procurar manuscritos e publicá-los, fazendo as pessoas conscientes da importância de tentar recuperar os documentos originais. Em pouco tempo, era do conhecimento comum que muitos manuscritos estavam corrompidos, que as obras antigas foram, por vezes, divulgadas com nome errado e que a falsificação tinha sido, em muitos casos, quase um modo de vida. A constatação de que durante séculos o papado tinha baseado suas alegações em uma fraude inevitavelmente serviu para desacreditá-lo nos círculos acadêmicos e fez as pessoas desejarem saber a verdade. Na época de Erasmo (1466–1536), a importância da pesquisa acadêmica em fontes originais foi universalmente reconhecida, e seu potencial para destruir os mitos acumulados por séculos se tornou uma arma importante nas mãos dos reformadores protestantes menos de um século após a morte de Valla.

---

[86] Lorenzo Valla, *On the Donation of Constantine*. Cambridge: Harvard University Press, 2007.

Às vésperas da Reforma

Os dilemas enfrentados pelos teólogos estão mais claramente ilustrados nos escritos de Gabriel Biel (c. 1420–1495) do que, talvez, em qualquer outro lugar. Por um lado, Biel seguiu a afirmação de Guilherme de Ockham de que a Igreja não recebe novas verdades, mas apenas esclarece o que herdara nas Escrituras, as quais contêm tudo o que é necessário para a salvação, quer esteja claramente expresso como tal ou não. Ao mesmo tempo, Biel afirmava que a Bíblia não contém toda a verdade revelada, pois, sob a orientação do infalível Espírito Santo, a Igreja recebe continuamente nova inspiração que transmite para seus fiéis sob a forma de tradição.[87] Biel tinha uma opinião superior sobre o direito canônico e insistiu em que todos os cristãos deveriam obedecer a ele, pois era a maneira pela qual a Igreja tinha promulgado as leis divinas discernidas por sua reflexão sobre as Escrituras.

A doutrina do purgatório nos dá um exemplo da extensão desse ponto de vista. Biel acreditava não só na existência do purgatório, mas também no poder do papa de tirar almas dele. No começo, ele argumentou que a jurisdição do papado foi limitada a esta vida e negou que o papa tivesse qualquer autoridade para libertar os mortos de seu sofrimento, mas, depois de refletir mais profundamente sobre a questão, concluiu que, pelo fato de as almas do purgatório ainda fazerem parte da igreja militante (uma vez que ainda não tinham entrado na glória eterna), o papa poderia reivindicar jurisdição sobre elas. Biel baseou essa reviravolta extraordinária em uma declaração papal feita em 1476, embora só tenha chegado a seu conhecimento doze anos mais tarde![88] Para um homem como Biel, a autoridade espiritual dos papas não diminuiu apesar das revelações de Valla – na verdade, a cada nova declaração emanada de Roma, ela se tornava mais clara e mais poderosa. Na hierarquia da cristandade, o papa ficava acima dos concílios, pois seu ofício era mais elevado que o dos bispos que o haviam constituído. Seria desnecessário dizer que ambos, papas e concílios, estavam acima do imperador, que era apenas um governante secular encarregado de aplicar a doutrina da igreja, mas não de formulá-la. A Bíblia mantinha seu antigo prestígio, mas era apenas uma fonte de autoridade entre muitas, cujo verdadeiro significado só poderia ser conhecido pela interpretação aprovada pela chancela papal. De uma forma ou de outra, na teologia de Biel o papa tinha recuperado sua autoridade sobre a Igreja, e, para todos os efeitos práticos, sobre as Escrituras também.

Neste ponto, algo completamente inesperado aconteceu. Pouco antes da morte de Biel, Cristóvão Colombo descobriu as Américas e, em pouco tempo, a Espanha

---

[87] Para detalhes sobre esse argumento, veja Oberman, *Harvest*, p. 397–408.
[88] Oberman, *Harvest*, p. 404–406.

estava reivindicando um império continental. Graças a uma política inteligente de casamento, os governantes Habsburgos, da Áustria, conseguiram unir Holanda e Espanha sob seu domínio, e a combinação de seus recursos financeiros tornou possível assumirem também o Sacro Império Romano. Isso não era o que os príncipes alemães (que haviam desfrutado de considerável autonomia naquele império) queriam, e eles começaram a buscar meios de limitar o aumento do poder dos Habsburgos. Quando Carlos V (1519–1556) foi eleito imperador, muitos deles ficaram felizes em apoiar a revolta espiritual de Martinho Lutero, vendo nele um meio de manter sua independência. Para complicar ainda mais, o novo imperador não tinha nenhum desejo de ver a autoridade do papa rivalizar com a dele, e, embora não concordasse com Lutero, compartilhava a visão do reformador de que o papado necessitava de uma reforma séria. Carlos V foi incapaz de silenciar Lutero, mas conseguiu conquistar Roma e prender o papa Clemente VII (reinou de 1523 a 1534), a quem não libertou até que extraísse dele a promessa de convocar um concílio que promulgaria amplas mudanças nas estruturas da igreja.[89]

Quando afixou suas 95 teses na porta da igreja de Wittenberg, Lutero não estava atacando a doutrina oficial da Igreja ou até mesmo a instituição do papado. O que ele afirmava era que os papas tinham ultrapassado sua jurisdição por pretender determinar o destino das almas que haviam deixado esta vida. Quem eram eles para dizer quem estava no céu, no purgatório ou no inferno? Que direito eles tinham de transferir alguém de um desses lugares para outro, o que era, em última instância, o que as indulgências alegavam estar fazendo? Como eles justificavam doutrinas e práticas que não apenas careciam de apoio bíblico, mas, na verdade, contradiziam o texto bíblico? Conforme as implicações dessas questões eram debatidas, a realidade era compreendida: a Igreja estava confiando em uma autoridade humana que ia além de qualquer coisa que Deus tinha ordenado e até mesmo contradizia, por vezes, sua Palavra. Lutero chegou ao entendimento de que a "tradição" não podia ser usada para subverter o claro ensino das Escrituras, e, sem perceber totalmente, aproximou-se da posição de Wycliffe e Huss. A Reforma Protestante era uma coisa nova: Lutero nunca se tornou wyclifita ou hussita, nem os outros reformadores do século XVI. Mas foi suficiente o que eles disseram de semelhante ao que Lutero estava proclamando, e as gerações posteriores viram as ligações subjacentes entre eles. Os debates da teologia do final da era medieval não eram uma reforma em si, mas criaram o clima intelectual para que a verdadeira mudança pudesse ocorrer e, ao longo do tempo, isso produziu uma igreja que reconhecia somente a Bíblia como sua autoridade suprema em matéria de fé e de doutrina.

---

[89] O concílio só se reuniu em 1545, em Trento, no norte da Itália, mas era tarde demais para curar o cisma protestante, embora tenha feito muito para corrigir os abusos mais flagrantes no que restava da Igreja católica.

Quanto ao imperador, Lutero provavelmente teria aceito sua autoridade sobre a Igreja se ele se tornasse um protestante, mas isso nunca foi uma possibilidade realista. Em vez disso, ele tomou o partido dos príncipes alemães, concedendo-lhes voz nos assuntos da Igreja, que era maior do que qualquer coisa conhecida nos tempos anteriores à Reforma. Esse padrão foi repetido na Escandinávia e na Inglaterra, cujos monarcas assumiam a chefia da Igreja nacional, que tinha de se curvar à autoridade deles em tudo, não só nas questões puramente espirituais.[90]

CONCLUSÃO

Lutero e seus companheiros protestantes seguiram uma linha que pode ser traçada de Huss e Wycliffe a Ockham e Marsílio de Pádua, mas as circunstâncias os obrigaram a reformular sua herança de uma maneira mais sistemática. Eles rejeitaram o conciliarismo, afirmando que concílios poderiam errar (e o faziam), e, claro, todos eles renunciaram à jurisdição do papa. Embora a infalibilidade papal só tenha sido declarada dogma oficial em 1870, os reformadores se opunham a seus adversários sempre que estes elevavam o papa acima das Escrituras.

Mas logo ficou evidente que certos indivíduos corriam o risco de jogar fora o bebê junto com a água da bacia. Alguns dos seguidores mais radicais queriam negar a Trindade e a divindade de Cristo com base no fato de estas serem parte da tradição corrupta das doutrinas da Igreja, e não de doutrinas diretamente reveladas por Deus nas Escrituras, mas os principais reformadores recusaram tal extremo. Eles perceberam que a tradição extrabíblica da Igreja era uma mistura: algumas coisas eram resultado de ignorância e corrupção, mas muitas delas extraíam fielmente o significado da Escritura revelada.

Infelizmente, a dicotomia acadêmica entre a Bíblia e a tradição concebida pela teologia medieval tinha crescido a tal ponto que era quase impossível exaltar uma sem desconsiderar a outra. Os protestantes erraram quanto à Bíblia, e os católicos, quanto à tradição, com pouquíssimas tentativas para alcançar o meio-termo. O resultado foi que o catolicismo pós-Reforma afastou-se ainda mais das Escrituras e os protestantes se dividiram em campos hostis, porque não concordavam entre si sobre o que fazer com a(s) tradição(ões) pré-Reforma. Assim, o legado medieval criou uma série de divisões que continuam até os dias de hoje, com poucas perspectivas de serem superadas no futuro.

---

[90] Este ainda é o caso, em diferentes graus, nas igrejas estatais da Inglaterra, da Dinamarca, da Noruega e da Finlândia, em que até questões de fé e doutrina são, em última análise, sujeitas à autoridade dos respectivos parlamentos nacionais, que podem, teoricamente, anular tudo o que a Bíblia ou a tradição da igreja possa exigir. Deve-se, contudo, acrescentar que, se isso viesse a acontecer, o resultado mais provável seria a separação entre Igreja e Estado, como ocorreu na Suécia em 2000.

FONTES PARA ESTUDO ADICIONAL

Fontes primárias

Graciano. *The Treatise on Laws with the Ordinary Gloss*. [O tratado sobre leis com o glossário comum]. Traduzido por A. Thompson e J. Gordley. Washington, DC: Catholic University of America Press, 1993.

LOMBARDO, Pedro. *Sentences* [Sentenças]. 4 vols. Traduzido por G. Silano. Toronto: Pontifical Institute of Mediaeval Studies Press, 2007–2010.

PÁDUA, Marsílio de. *Defensor minor* [Defensor menor] e *De translatione imperii* [Tratado Sobre a Translação do Império. Traduzidos por C. J. Nederman. Cambridge: Cambridsge University Press, 1993.

_____. *Defensor Pacis*. Traduzido por A. Gewirth. Toronto: University of Toronto Press, 1980.

_____. *The Defender of the Peace* [O defensor da paz]. Traduzido por A. Brett (Cambridge: Cambridge University Press, 2005).

OBERMAN, Heiko. *The Harvest of Medieval Theology: Gabriel Biel and Late Medieval Nominalism* [A colheita da teologia medieval: Gabriel Biel e o nominalismo do final da Era Medieval]. 3. ed. Durham: Labyrinth, 1983. Editado e traduzido por Annabel S. Brett. Cambridge: Cambridge University Press, 2005.

VALLA, Lorenzo. *On the Donation of Constantine* [Sobre o donativo de Constantino]. Traduzido por G. W. Bowersock. Cambridge, MA: Harvard University Press, 2007.

WYCLIFFE, John. *On the Truth of Holy Scripture* [Sobre a verdade da Santa Escritura]. Traduzido por I. C. Levy. Kalamazoo, MI: Medieval Institute Publications, 2001.

Fontes secundárias

BRUNDAGE, James A. *Medieval Canon Law* [Lei canônica medieval]. Londres: Longman, 1995.

HELMHOLZ, R. H. *The Spirit of Classical Canon Law* [O espírito da lei canônica clássica]. Athens, University of Georgia Press, 1996.

LAHEY, Stephen E. *John Wyclif*. Oxford: Oxford University Press, 2009.

LEFF, Gordon. *Heresy in the Later Middle Ages: The relation of Heterodoxy to Dissent, 1250–1450* [Heresia no final da Idade Média: a relação da heterodoxia com a dissidência]. 2 vols. Manchester: Manchester University Press, 1967.

LE GOFF, Jacques. *The Birth of Purgatory* [O nascimento do purgatório]. Chicago: University of Chicago Press, 1984.

OBERMAN, Heiko A. *The Harvest of Medieval Theology: Gabriel Biel and Late Medieval Nominalism* [A colheita da teologia medieval: Gabriel Biel e o nominalismo do final da Era Medieval]. 3. ed. Durham: Labyrinth Press, 1980.

OZMENT, Steven. *The Age of Reform 1250–1550. An Intellectual and Religious History of Late Medieval and Reformation Europe* [A era da Reforma – 1250–1550. Uma história intelectual e religiosa do final da Europa medieval e da Europa da Reforma]. New Haven: Yale University Press, 1980.

PRODI, Paolo. *The Papal Prince. One Body and Two Souls: the Papal Monarchy in Early Modern Europe* [O príncipe papal – um corpo e duas almas: a monarquia papal no início da Europa moderna]. Traduzido por Susan Haskins. Cambridge: Cambridge University Press, 1987.

SPADE, Paul V., ed. *The Cambridge Companion to Ockham* [O companheiro de Cambridge para Ockham]. Cambridge Companions to Philosophy. Cambridge: Cambridge University Press, 1999.

ULLMANN, Walter. *A Short History of the Papacy in the Middle Ages* [Uma história resumida do papado na Idade Média]. Londres: Methuen, 1972.

VAN NIEUWENHOVE, Rik. *An Introduction to Medieval Theology* [Uma introdução à teologia medieval]. Cambridge: Cambridge University Press, 2012.

Capítulo 3
OS REFORMADORES E SUAS REFORMAS

Carl Trueman e Eunjin Kim

RESUMO

A Reforma do século XVI tomou várias formas e exibiu inúmeras ênfases diferentes nos lugares em que criou raízes. Embora o trabalho de Lutero na Alemanha tenha sido fundamental para tudo o veio a ocorrer, as reformas na Suíça, em Genebra, na Inglaterra e na Escócia tiveram forma peculiar conforme o protestantismo se estabelecia em diferentes circunstâncias sociais, econômicas e políticas. Certos temas permaneciam constantes – como a necessidade de a igreja ser regulada pela Escritura –, mas emergia uma considerável diversidade no que dizia respeito a sacramentos, organização da igreja e ao relacionamento entre a igreja e o magistrado civil.

INTRODUÇÃO

A teologia da Reforma continua a ser uma fonte vital de pensamento para o protestantismo evangélico; no entanto, o conhecimento da história que deu à teologia sua forma não é tão significativo como deveria ser. Figuras como Lutero e Calvino se destacam na imaginação evangélica popular, mas normalmente muito mais como símbolos heroicos do que como guias teológicos diretos. Além disso, os estudos atuais sustentam que o termo *Reforma*, no singular, é um tanto equivocado, uma vez que a turbulência política e eclesiástica do século XVI apresentava cenários diversificados. É verdade que as várias tradições do protestantismo magisterial produziram o que pode ser descrito como uma série de consensos confessionais: luteranos, reformados e anglicanos. Além disso, a Reforma católica produziu uma série notavelmente completa e coerente de cânones e decretos doutrinários no Concílio de Trento.[1] Contudo, panos de fundo educacionais, contextos políticos e até

---

[1] Nós usamos o termo "Reforma católica" preferencialmente ao mais tradicional "Contrarreforma católica", porque a Igreja Católica Romana não estava simplesmente reagindo ao protestantismo, mas também tentando produzir uma visão positiva de reforma da Igreja.

mesmo condições geográficas serviram para dar às diversas instâncias de reforma uma aparência multifacetada e relativamente diversificada. Assim, é realmente mais adequado falar de *Reformas* europeias, como no título do bem conhecido livro de Carter Lindberg sobre este período histórico.[2]

À luz disso, o presente ensaio oferecerá um levantamento dos principais movimentos na Reforma magisterial: a Reforma Luterana; a Reforma suíça, incluindo Genebra; as Reformas inglesa e escocesa, e a Reforma católica que culminou no Concílio de Trento.[3]

A REFORMA LUTERANA

Não há figura mais dominante no imaginário popular sobre a Reforma do que Lutero, e há uma boa razão para isso. Sua vida desenhou o futuro da Igreja cristã de modo único. Não só seu protesto inicial contra as indulgências ajudou a trazer à luz o desencanto generalizado com a Igreja, mas o modo pessoal com que tratou de vários assuntos – autoridade, justificação, Ceia do Senhor – moldou a forma como os debates teológicos da época eram concebidos e realizados.

Nascido em 1483, em Eisleben, filho de um gerente de mina, Lutero tornou-se monge agostiniano em 1505, após sobreviver a uma tempestade terrível. Foi também ordenado padre, o que significava que sempre teria deveres pastorais regulares além dos ligados à vocação monástica. Em 1509, ele se transferiu para a nova Universidade de Wittenberg, onde ensinou por grande parte da vida. Um ano mais tarde, uma viagem a Roma, a negócios de sua Ordem, fez com que ele se deparasse não só com o auge da piedade medieval, focada nas relíquias, mas também com a corrupção da sé romana.

Lutero ganhou destaque quando, em outubro de 1517, afixou suas famosas *95 teses contra as indulgências* na porta da igreja do castelo de Wittenberg. Ao fazer isso, ele estava apenas pedindo um debate sobre a prática de permitir que os cristãos comprassem a ocasião de sair do purgatório para si ou para seus entes queridos. Isso havia se tornado um problema pastoral urgente para Lutero quando Johan Tetztel (1465–1519) chegou aos arredores para vender indulgências. Para Lutero, a prática transformava efetivamente a graça de Deus em uma mercadoria a ser comprada ou vendida no mercado sem qualquer referência ao arrependimento ou à fé.

Os detalhes dos eventos que se seguiram à ocorrência desse ato inicialmente desconhecido já foram bem enumerados em muitas ocasiões. As *95 teses* se tornaram um tratado bem popular e um ponto de mobilização contra Roma. Em abril

---

[2] Veja a bibliografia para detalhes.
[3] As seções a seguir baseiam-se nas fontes citadas nas respectivas seções da bibliografia disponível no final do capítulo.

de 1518, Lutero presidiu um debate em Heidelberg, onde fez sua exposição mais memorável: a distinção entre o teólogo da glória e o teólogo da cruz. De modo sucinto, o *teólogo da glória* assume que Deus é feito à imagem do homem e, portanto, está em conformidade com as expectativas humanas. Assim, por exemplo, para agradar a Deus, deve fazer boas obras para ganhar seu favor, como poderia fazer com outro ser humano. O *teólogo da cruz*, no entanto, olha para a revelação que Deus faz de si mesmo na cruz a fim de entender como ele escolheu ser com relação a nós. Ali, Deus mostra que é forte por meio da fraqueza e vence a morte, não ao evitá-la, mas ao passar por ela. Esse Deus contraintuitivo se posiciona como uma contradição a todas as expectativas humanas.

Depois [do debate] de Heidelberg, o movimento de Lutero em direção a uma ruptura definitiva com a Igreja medieval, tanto teológica quanto eclesiasticamente, continuou em ritmo acelerado. A Igreja não conseguiu levá-lo sob custódia à Dieta Imperial de Augsburg, no final de 1518. Ele debateu com Johann Eck na Universidade de Leipzig em 1519, momento em que a questão da autoridade (ou seja, *sola Scriptura*) emergia como preocupação central da Reforma. Ele escreveu os três grandes Manifestos de seu projeto de reforma em 1520, ano em que também foi excomungado. Então, em 1521, Lutero foi julgado na Dieta de Worms e sobreviveu a ela.

O que brotou nos quatro anos após a publicação das *95 teses* foram os princípios centrais da teologia de Lutero. Os seres humanos estão mortos no pecado, incapazes de moverem-se em direção a Deus por sua própria força. O próprio Deus se tornou humano em Cristo, morreu e ressuscitou. A justiça de Cristo pode ser alcançada pelo cristão por meio da confiança na Palavra de Deus, que o une a Cristo e o leva a uma troca alegre (termo de Lutero) dos pecados do cristão pela justiça de Cristo.

Na prática, isso significa que a Palavra pregada tornou-se central na compreensão de Lutero sobre a vida cristã. O pregador tinha de, primeiramente, pregar a lei, para recordar seus ouvintes de quão longe da santidade de Deus estavam, e depois o evangelho, para lhes apontar a promessa de salvação em Cristo, que tinha feito tudo por eles. Essa dialética lei-evangelho, mandamento-promessa estava no coração da compreensão que Lutero tinha da fé cristã.

A década de 1520 começou de forma muito positiva para Lutero. Herdeiros da expectativa escatológica medieval, seus escritos estavam cheios de confiança de que a Reforma anunciava o iminente retorno de Cristo. No entanto, com o avançar da década, a Reforma Luterana sofreu reveses externos e internos. Os motins iconoclásticos em Wittenberg, em 1521–1522, indicavam haver forças mais radicais dentro da Reforma, e elas se tornaram muito mais perigosas na série de rebeliões conhecida como Guerra dos Camponeses, de 1525. Esse conflito destruiu a frágil coalizão anticlerical entre ministros, cavaleiros e camponeses sobre a qual o movimento luterano tinha sido construído. A própria rejeição violenta de Lutero à causa dos camponeses também manchou sua reputação.

Dois outros acontecimentos importantes também ocorreram em 1525. Lutero se casou com a ex-freira Katharina von Bora (1499–1552), e, assim, se tornou o mais célebre ex-padre a violar seu voto de celibato. Do ponto de vista teológico, foi mais significativo ter publicado uma refutação à obra de Erasmo intitulada *Uma diatribe sobre o livre-arbítrio*, de 1524. Erasmo, pressionado pelas autoridades da Igreja a posicionar-se em relação a Lutero, tinha publicado o trabalho para mostrar sua oposição à reforma luterana. Ele tinha em mente (e defendia) dois pontos centrais à teologia de Lutero: o cativeiro da vontade humana e a clareza ou perspicuidade da Escritura.

A resposta de Lutero, *Da vontade cativa*, foi uma das principais explicações tanto sobre o fundamento antipelagiano de sua soteriologia como de sua compreensão da clareza fundamental da Escritura. Na verdade, essas duas coisas estavam no coração de sua disputa com Roma. A primeira embasava a justificação pela graça mediante a instrumentalidade da fé, minando, assim, a noção de graça dispensada por meio dos sacramentos. Isso efetivamente destruiu a autoridade da igreja medieval, construída sobre a ideia do sacerdócio sacramental. A segunda era a resposta de Lutero à crise de autoridade na Igreja: se o papado e os concílios tinham errado, onde poderia ser encontrada a verdade? A resposta de Lutero essencialmente alegava que a resposta não era difícil: a própria Escritura era suficientemente clara sobre os pontos vitais da doutrina que nenhum magistério de ensino, tal como o papado, era necessário.

Outro grande desenvolvimento teológico da década de 1520 foi a controvérsia eucarística com Ulrico Zuínglio (1484–1531). Zuínglio, o reformador de Zurique, defendia uma compreensão fortemente simbólica da Ceia do Senhor. Para Lutero, era vital que a carne e o sangue de Cristo estivessem presentes no pão e no vinho, porque somente na carne Deus podia revelar-se como Deus gracioso. Se o Espírito, mas não a carne, é que estava presente, então a Ceia do Senhor era lei, não Evangelho, e nada traria além de condenação e desespero.

A controvérsia entre Lutero e Zuínglio veio à tona no castelo de Marburgo, em 1529, quando Filipe I, de Hesse, reuniu líderes luteranos e teólogos reformados em um esforço para criar uma aliança pan-protestante contra as forças do Sacro Império Romano. As partes concordaram em quatorze e meio de quinze pontos teológicos. O meio ponto estava relacionado à presença real de Cristo no sacramento. Para Lutero, isso era inegociável e qualquer comprometimento do assunto era um comprometimento do Evangelho. Assim, a impossibilidade de chegarem a um acordo em Marburgo foi a origem da ruptura formal entre luteranos e igrejas reformadas.

Lutero viveu por mais 17 anos após Marburgo. Talvez o acontecimento mais importante daquela época tenha sido a produção da Confissão de Augsburgo, escrita por Melanchthon (1497–1560), em 1530.[4] Ela foi subscrita pelos príncipes luteranos e por cidades do Império Romano-Germânico, e formou a base da Liga de Esmalcalda, uma aliança defensiva luterana com o propósito de proteger territórios e interesses dos Estados luteranos no império. Em 1540, Melanchthon revisou a Confissão de Augsburgo de modo a amenizar o ensinamento sobre a presença real e, assim, tornou-a mais aceitável para os reformados. Aliás, foi a essa versão, a *variata* (alterada), que Calvino aderiu. No entanto, a *invariata* (inalterada) continua sendo o padrão para luteranos em todo o mundo.

Os últimos anos de Lutero foram notoriamente marcados pela crescente raiva e amargura contra os judeus. Em 1523, ele tinha escrito um notável tratado para a época, *Que Jesus Cristo nasceu judeu*, no qual encorajava os cristãos a tratar os judeus com amor e respeito, a fim de ganhar uma audiência para o evangelho. Vinte anos depois, em 1543, ele escreveu o violento *Acerca dos judeus e de suas mentiras*, que defendia extrema perseguição aos judeus.

A morte de Lutero, em 1546, teve dois efeitos significativos. Em primeiro lugar, o imperador foi encorajado a atacar e drasticamente enfraquecer a Liga de Esmalcalda. Essa luta entre o império e a Liga continuou até a Paz de Augsburgo, em 1555, que dividiu de fato o império legalmente de acordo com linhas confessionais. O princípio da paz era que cada região deveria ter sua religião determinada pela posição confessional de seu príncipe, e assim nasceu o Estado confessional.

O segundo efeito da morte de Lutero foi uma guerra civil teológica dentro da própria Igreja luterana pela posse de seu legado. A Igreja se dividiu entre os filipistas, ou seguidores de Philipp Melanchthon, e os gnésio-luteranos (luteranos autênticos), sob a liderança de homens como Matias Flácio Ilírico (1520–1575). O primeiro grupo tendia a fazer mais concessões ao catolicismo romano em matéria de estética e também a ser menos insistente sobre a centralidade da presença real nas discussões ecumênicas. Os do segundo grupo eram muito mais militantes sobre a não negociabilidade da teologia eucarística de Lutero. A disputa foi efetivamente concluída com a produção da Fórmula de Concórdia, em 1577, que, embora não endossasse todas as posições de Ilírico, foi, de modo geral, uma vitória para os gnésio-luteranos.

A REFORMA SUÍÇA

A Reforma suíça seguiu um caminho diferente daquela feita a partir de Wittenberg. Uma distinção procede dos diferentes contextos políticos das duas regiões. Enquanto as cidades imperiais alemãs eram dependentes do governo do

---

[4] Os acadêmicos da Reforma soletram o primeiro nome de Melachthon tanto como Philip quanto como Philipp; para ter uma coerência, utilizamos Philipp neste volume.

imperador, a Confederação Suíça consistia em cidades autogovernadas precariamente ligadas por alianças militares, o que as tornava sujeitas à população local. Assim, para o sucesso da Reforma, Lutero dependia de as autoridades lhe fornecerem proteção, ao passo que Zuínglio envolveu-se diretamente com o poder político de Zurique. Além disso, os dois homens tinham diferentes origens intelectuais. Ao contrário de Lutero, que foi treinado no mosteiro como um homem medieval, Zuínglio era um homem moderno treinado como um humanista nas cidades. O grau de influência dos dois homens também diferia, pois Zuínglio, embora influente, nunca teve exatamente um papel tão dominante como o teve Lutero na Reforma Luterana.

Ulrico Zuínglio nasceu em 1º de janeiro de 1484 – cerca de dois meses após Lutero –, em Wildhaus, Toggenburg, no seio de uma próspera família camponesa. Aos dez anos, mudou-se para Basileia; em 1498, foi estudar na Universidade de Viena e, mais tarde, retornou a Basileia, onde recebeu seu bacharelado em 1504 e seu mestrado em 1506. Os pensamentos de Zuínglio foram moldados por esforços humanistas de leitura de textos clássicos e autores patrísticos, e também pelo estudo das línguas originais, tudo com grande influência das obras de Erasmo. Em 1506, após a conclusão de seus estudos, foi ordenado e chamado para ser pároco de Glarus, onde serviu nos dez anos seguintes.

Nem todas as experiências em Glarus foram agradáveis para Zuínglio. O comércio mercenário tinha sido um negócio economicamente bem-sucedido de exportação para a Confederação Suíça. Em 1510, no entanto, Zuínglio escreveu seu poema alegórico *O boi*, atacando o uso do exército suíço para guerras estrangeiras. Além disso, quando participava das campanhas de guerra como capelão, testemunhou pessoalmente os efeitos devastadores da ação de mercenários e ficou chocado com a morte de milhares de soldados suíços. Sua oposição a essa prática o colocou em tensão com os magistrados de Glarus, no entanto, ele aprovou o uso de mercenários quando se tratava de defender o papa, de quem recebia uma pensão papal. Em 1516, Zuínglio foi transferido para uma paróquia em Einsiedeln, famosa pelo santuário da Virgem Negra. Passou grande parte de seu tempo dominando as línguas bíblicas e lendo o Novo Testamento grego de Erasmo. Pregador poderoso, Zuínglio considerava seu ministério de pregação um ofício profético, e, por ganhar destaque pela pregação bíblica, foi chamado a Zurique, em 1518, como sacerdote do povo da Grande Minster. Antes de sua nomeação, houve rumores de que ele era culpado de ter tido um caso sexual com a filha de um próspero cidadão, o que ele admitiu, mas isso não foi suficiente como impedimento para o trabalho, uma vez que esse caso foi apenas um de muitos. Em Zurique, ele começou a pregar sobre o livro de Mateus, fertilizando gradualmente o solo para a reforma que iria, em breve, irromper ali e na Confederação.

Se muito do modo de pensar de Lutero foi moldado por sua crise existencial em busca de certezas, os pensamentos de Zuínglio foram sobremaneira lapidados pela praga que varreu Zurique em 1519-1520, a qual tinha dizimado um quarto da população da cidade, incluindo seu irmão. Tendo perdido um quarto da congregação e quase morrido por cuidar dos enfermos, ele passou a se preocupar com a providência de Deus. A experiência traumática fez com que ele se apegasse à doutrina da soberania de Deus, tendo a esperança de que, ao final do dia, Deus fará com que toda a tragédia resulte em bem.

A Reforma pública em Zurique começou realmente, de forma peculiar, com o consumo de salsichas durante a Quaresma, em 9 de março de 1522. Zuínglio estava na casa do impressor Cristóvão Froschauer (1490-1564) com alguns trabalhadores quando lhes foram servidas salsichas. Aqueles homens reunidos conscientemente quebraram o jejum quaresmal comendo carne, embora Zuínglio não tenha se juntado a eles no ato. No entanto, quando a notícia dessa escandalosa rebelião se espalhou, Zuínglio, que já era um pregador influente da Grande Minster, enfrentou o assunto por meio da pregação sobre o tema da liberdade cristã. Ele enfatizou que os cristãos eram livres para tomar as próprias decisões sobre o jejum, porque a Bíblia não requeria isso e que não era a comida, mas a fé do cristão, que realmente importava. Um mês depois, seu sermão foi publicado em um panfleto. Além disso, ao argumentar em favor da liberdade cristã, ele apontou que o celibato clerical não tinha base nas Escrituras e confrontou o bispo de Constança com uma petição. Em abril de 1524, ele se casou com uma viúva, Anna Reinhart (1484-1538), tornando pública sua posição sobre o assunto.

No centro dessas duas questões – o "caso das salsichas" e o celibato clerical – estava a questão do peso da autoridade da Igreja e das Escrituras. Zuínglio afirmava que tudo devia ser julgado pela Escritura (o conceito de *sola Scriptura*), enquanto o bispo argumentava que somente a Igreja deve ter o poder de interpretar a Escritura, priorizando a autoridade da Igreja. A Dieta Confederada em Baden acusou Zuínglio de herege e considerou Zurique culpada por permitir que ele pregasse um disparate. Para resolver o conflito, o conselho de Zurique decidiu realizar um debate público. Zurique não tinha uma universidade sofisticada como Wittenberg, no entanto, o propósito dessa reunião não era ser uma disputa acadêmica, mas sim um debate público na língua do povo aberto aos comerciantes locais, aos artesãos e às pessoas comuns. Representantes de outras cidades suíças, como Berna e Basileia, compareceram. Em 29 de janeiro de 1523, seiscentas pessoas se reuniram, e Zuínglio preparou seus *67 artigos*. Apenas com Bíblias em hebraico, grego e latim sobre a mesa, ele defendeu magnificamente sua opinião sobre a autoridade primária da Escritura, capturando a mente das pessoas e dos magistrados para uma posição favorável sobre a Reforma. Como resultado, o conselho ordenou que todos os pregadores de Zurique pregassem apenas a partir das Escrituras. No entanto, não foram apenas os pontos de vista teológicos que moveram os magistrados a apoiar Zuínglio, mas também os grandes interesses políticos de cercear a influência de clérigos na cidade e na autonomia local.

A segunda disputa ocorreu em outubro do mesmo ano. A pregação bíblica levou as pessoas a questionar seriamente o lugar de imagens, santos e relíquias na igreja, e até mesmo a legitimidade da missa. Elas praticaram atos de iconoclastia, destruindo ornamentos das igrejas e derrubando os crucifixos das ruas. Em reação a essa violência, os magistrados convocaram um segundo debate. Com respeito ao ritmo e ao método de reforma, Zuínglio argumentou que a mudança deveria ocorrer de cima para baixo, de forma ordenada, implementada pelos magistrados para o povo, e não o contrário. Alguns homens que estavam presentes à reunião, como Konrad Grebel (1498–1526) e Balthasar Hubmaier (1480–1528), consideraram o método de reforma de Zuínglio muito moderado e resolveram buscar sua própria reforma de uma maneira muito mais radical. Isso, por fim, deu origem ao movimento anabatista. Sobre o uso das imagens, e na companhia de seu amigo Leo Jud (1482–1542), Zuínglio afirmou que todas as imagens deviam ser totalmente banidas das igrejas. Mesmo a música era proibida, estabelecendo uma forma muito simples de culto e de estética eclesiástica em Zurique. Em 1525, a missa foi finalmente abolida e substituída pelo texto litúrgico de Zuínglio.

O surgimento dos anabatistas gerou sérios problemas para Zurique. Tendo começado como insatisfação com o ritmo da reforma de Zuínglio, o movimento anabatista ganhou impulso graças a alguns de seus líderes carismáticos que alegavam ter a verdadeira igreja, rebatizando as pessoas em sua comunidade. Eles rejeitaram o batismo infantil e separaram a história da salvação realizada por Deus no Antigo Testamento da registrada no Novo no que diz respeito aos sacramentos. Os anabatistas foram considerados extremamente perigosos por não se encaixarem socialmente, e muitos deles foram afogados em Zurique. Essas polêmicas exigiram que Zuínglio desenvolvesse seu pensamento sobre a aliança, e seu sucessor, Bullinger (1504–1575), mais tarde formulou o conceito em uma doutrina mais elaborada, argumentando pela continuidade na história da salvação operada por Deus.

Juntamente com os debates em curso, a doutrina da Ceia do Senhor veio à tona como o próximo grande ponto controverso. Zuínglio interpretou o "é" de "este é o meu corpo" de forma simbólica, insistindo que o pão e o vinho *significavam* o corpo e o sangue de Cristo. Para ele, o argumento de Lutero sobre a presença real de Cristo parecia ser muito próximo à transubstanciação. Além disso, Zuínglio afirmou que, uma vez que o Cristo corporal está sentado à direita do Pai, Cristo não poderia estar presente em carne no pão e no vinho. Se Cristo estava corporalmente presente nos elementos, então, a Ceia do Senhor se tornaria um ato de idolatria. Para Zuínglio, Cristo não estava realmente presente na Ceia do Senhor, mas estava presente no coração dos cristãos mediante a fé deles. Após uma série de diálogos amargos entre Lutero e Zuínglio, o confronto culminou no Colóquio de Marburgo, em 1529.

Enquanto isso, os esforços a favor da Reforma espalhavam-se rapidamente por toda a Confederação. Textos impressos e a pregação foram os dois mais importantes instrumentos que contribuíram com esse movimento. Outras cidades como St. Gall e Appenzell adotaram a pregação bíblica, o que resultou em resistência contra os Estados católicos. As igrejas removeram ornamentos e procuraram alcançar uma forma simples de culto, seguindo o exemplo de Zurique. Politicamente, as conversões de Berna, em 1528, e de Basileia, em 1529, foram particularmente importantes para o avanço da Reforma. O principal líder em Basileia foi Johannes Oecolampadius (1482–1531), um perito nos escritos dos pais da Igreja e em exegese bíblica. Basileia tinha uma universidade onde Erasmo ensinou até a morte, em 1536, e uma imprensa que disseminava escritos protestantes e tornava as ideias acessíveis a um público mais amplo em sua própria língua. Berna possuía um forte poder militar, que se tornaria crucial para levar a Reforma às terras de língua francesa, embora os moradores de Berna estivessem dispostos a negociar com os católicos quando seus desejos políticos foram atendidos. No entanto, apesar das diferentes intenções políticas para adotarem a causa zuingliana, os laços religiosos entre as cidades protestantes se consolidavam. A aliança dos Estados católicos, no entanto, também se reforçou em oposição à nova ordem, e isso aprofundou as tensões entre protestantes e católicos a tal ponto que a guerra era inevitável. Sendo um forte defensor da guerra religiosa, Zuínglio pegou a espada para lutar contra os inimigos católicos na Segunda Guerra de Kappel, em 1531, mas teve um fim brutal, com seu corpo tendo sido esquartejado e queimado. A guerra terminou em desastre e deixou uma profunda divisão religiosa na Confederação Suíça, a qual voltou ao domínio do poder católico.

A Reforma suíça entrou em um tempo de confusão. Havia alguma esperança de sucesso para ela? A Confederação foi dividida, muitas das cidades reformadas voltaram ao catolicismo, as que permaneceram reformadas culparam Zurique pela guerra, e os anabatistas só agravavam ainda mais os problemas. Aparentemente, a Reforma suíça havia chegado a um impasse. Os esforços para a reconciliação com os luteranos emergiram de Berna e de Basileia com a mediação de Estrasburgo, mas terminaram com sucesso limitado. A principal mudança veio das principais cidades reformadas suíças ao começarem a se envolver em discussões teológicas entre si. O resultado do primeiro Concílio de Igrejas Reformadas, realizado em Basileia, foi a *Primeira Confissão Helvética*, de 1536, que lançou as bases para a direção futura das igrejas reformadas suíças.

Após a morte de Zuínglio, Zurique nomeou, em 1532, Heinrich Bullinger como seu sucessor da Grande Minster. Tendo o legado controverso de Zuínglio como pano de fundo, a difícil tarefa de Bullinger foi levar a Reforma adiante, sustentando as autoridades de Zurique e mantendo a Confederação unida. Seu dom para escrever, sua ênfase na interpretação da Escritura, suas profundas preocupações pastorais e sua competência política provaram que ele era o homem certo para a tarefa. Logo, ele ganhou o controle das igrejas de Zurique e se tornou uma pessoa de grande importância, cuja influência se estendeu a toda a Europa Ocidental, incluindo a Inglaterra. Seu livro *As décadas* (1549–1552) alcançou grande popularidade como o recurso teológico mais importante para pastores no século XVI, mais ainda do que as *Institutas*, de Calvino.

Com Bullinger na linha de frente, a Reforma suíça entrou numa fase de desenvolvimento teológico sob nova liderança, apesar de não alcançar uniformidade. Em Basileia, após a morte de Oecolampadius, em 1531, Oswald Myconius (1488–1552) dominou a cena até que Simon Sulzer, um simpatizante dos luteranos, chegou, em 1548, para se tornar o cabeça da igreja. Ele conduziu a igreja de Basileia em direção a posições luteranas e em oposição à teologia de Calvino, especialmente com respeito à doutrina sobre a predestinação. A Universidade de Basileia, reaberta após a guerra, atraiu estudantes reformados e luteranos de toda a Europa. Em 1549, Wolfgang Musculus (1497–1563) chegou a Berna, onde escreveu sua obra mais significativa, *Loci Communes*. Em 1556, Peter Martyr Vermigli (1499–1562), um refugiado italiano, foi nomeado professor de Antigo Testamento em Zurique. Seu apoio à visão de Calvino sobre a dupla predestinação levou à demissão de Theodor Bibliander (1506–1564), que havia ensinado em Zurique durante trinta anos. A predestinação foi um dos temas mais fervorosamente debatidos na Reforma suíça. Bullinger divergia dos pontos de vista de Vermigli e de Calvino, recusando-se a falar que Deus elegia o condenado, mas enfatizava a eleição em relação a Cristo como parte da vontade salvífica de Deus para seu povo. Apesar de Genebra não fazer parte da Confederação, Calvino passou a ter um papel significativo também na Reforma suíça. Em 1549, ele e Bullinger escreveram *Consensus Tigurinus*, ou *Consenso de Zurique*, para chegar a um acordo sobre a Ceia do Senhor, no qual seus pontos de divergência foram propositadamente deixados de fora.

O desenvolvimento teológico da Reforma suíça avançou para sua plena maturidade com a *Segunda Confissão Helvética*, de 1566. Originalmente escrita como uma pequena confissão de fé por Bullinger para Frederico III, ela foi revista como uma confissão para toda a Igreja suíça. Os reformados confederados, incluindo Genebra, aceitaram o documento, mas as simpatias de Basileia pelos luteranos a impediram de assinar a confissão até 1644. A confissão ganhou grande popularidade internacional como confissão ortodoxa reformada em oposição aos cânones de Trento e ao Livro de Concórdia. Na época da morte de Bullinger, em 1575, o centro da Reforma tinha se deslocado para Genebra e os Países Baixos. O legado da Reforma suíça, no entanto, sobreviveu. De acordo com Bruce Gordon, o que distinguiu os teólogos suíços foi "uma ênfase na dimensão histórica da salvação de Deus, o planejamento e a execução da aliança eterna de Deus".[5] Os interesses teológicos da Reforma suíça centraram-se principalmente em doutrinas como cristologia e predestinação à luz da soberania de Deus. A geração seguinte de reformadores suíços edificou com maior precisão sobre essas doutrinas de seus antecessores com o surgimento de instituições acadêmicas, que teve lugar ao lado da mudança do contexto de polêmicas com seus oponentes luteranos e católicos.

A REFORMA EM GENEBRA

Se houve um lugar na Europa, na segunda metade do século XVI, que foi reconhecido como o melhor modelo para uma igreja reformada, esse lugar foi Genebra. Jovens intelectuais da Inglaterra, da França e dos Países Baixos, muitas vezes fugindo de perseguição, viajaram a Genebra para aprender teologia reformada e serem treinados como pastores. Eles voltavam para sua terra de origem com a imaginação tomada pelas novas visões teológicas que haviam recebido e experimentado naquela cidade santa.

O francês João Calvino (1509–1564) foi central para o desenvolvimento da Reforma em Genebra. Nascido em 10 de julho de 1509, em Noyon, Picardia, Calvino era 26 anos mais jovem que Lutero. Seu pai, um homem ambicioso, obteve benefícios da igreja local para apoiar a educação do jovem Calvino. Em agosto de 1523, então com 14 anos, Calvino foi para Paris estudar visando ao sacerdócio no *Collège de la Marche*, onde recebeu formação em latim e em retórica por um dos maiores estudiosos da época, Mathurin Cordier (c. 1480–1564). No ano seguinte, matriculou-se no *Collège de Montaigu* como aluno de Noel Beda (c. 1480–1537). Em 1528, no entanto, o pai de Calvino repentinamente o instruiu a mudar para uma carreira jurídica, em busca de uma profissão mais lucrativa. Ele mudou-se para Orléans, depois para Bourges, para estudar direito, mas, quando seu pai morreu, em 1531, voltou imediatamente para os estudos humanistas. Na verdade, sua primeira publicação, em 1532, um comentário sobre *De Clementia*, de Sêneca, era uma obra puramente humanista, representando Calvino como homem de letras.

Dois incidentes desencadearam a partida de Calvino da França. Primeiro, em 1533, quando seu amigo Nicholas Cop (c. 1501–1540) pregou um sermão atacando os teólogos de Paris, Calvino foi acusado de ser coautor e teve que fugir para escapar da prisão. O segundo incidente aconteceu em outubro de 1534, o Caso dos

---

[5] Bruce Gordon, *The Swiss Reformation* (Manchester: Manchester University Press, 2002), p. 185.

Cartazes. Cartazes atacando a missa católica apareceram repentinamente nas principais cidades da França, incluindo a recâmara do rei. Em resposta, o rei Francisco I (reinou de 1515 a 1547) prendeu centenas de suspeitos protestantes e executou nove deles, alterando sua política de tolerância para a de perseguição. Calvino fugiu para Basileia a fim de salvar a vida, e foi ali, em 1536, que ele produziu a primeira edição de suas *Institutas da religião cristã*, uma introdução catequética que estabeleceu seis princípios basilares teológicos da fé. O fato de Calvino ser um exilado francês impactou grandemente seus pensamentos, e um exemplo disso é a carta introdutória dirigida a Francis I, que ele incluiria nas *Institutas*, fazendo um apelo à tolerância aos protestantes franceses.

A primeira ida de Calvino a Genebra aconteceu de forma inesperada: ele estava fazendo um desvio para chegar a Estrasburgo, vindo de Paris. O que havia sido originalmente planejado como estadia de uma noite em Genebra transformou-se em anos de árduo trabalho pastoral para ele. Ao ouvir a notícia de que Calvino estava em Genebra, Guilherme Farel (1489–1565) admoestou-o a ficar, ameaçando-o de que estaria sob a grave ira de Deus se não o fizesse. Relutantemente, Calvino aceitou o convite de Farel e começou sua nova carreira pastoral.

Quando Calvino chegou, Genebra era uma cidade na fase inicial da fé reformada. Originalmente, estivera tanto sob o governo do príncipe-bispo quanto do governo do Duque de Saboia. Com o apoio militar de Berna, no entanto, Genebra tornou-se independente da Casa de Saboia em 1526, e o Conselho dos duzentos de Genebra foi estabelecido no ano seguinte. Berna já havia se convertido à causa reformada em 1528, e parecia natural que Genebra seguisse a religião de sua protetora. Farel liderou debates públicos e pregou com o objetivo de expulsar o catolicismo de Genebra. Em 25 de maio de 1536, genebrinos aceitam, em eleição, a fé reformada.

Calvino, tendo sido nomeado pastor em Genebra, trabalhou para estabelecer uma cidade reformada. O fato de os habitantes terem ratificado aceitar a causa reformada, no entanto, não significava que todos os cidadãos estavam prontos para desistir completamente de suas velhas crenças. Diante da pressão de Berna, o pequeno Conselho de Genebra adotou a confissão, mas recusou a assinar o juramento obrigatório para os cidadãos. Para Calvino, era essencial que a liderança da igreja executasse a disciplina, mas o Conselho considerou que isso era um desafio à sua autoridade. Além disso, para piorar as tensões, Pierre Caroli (c. 1480–1545) atacou Calvino, rotulando-o de ariano. Calvino tomou uma postura inflexível contra as oposições, e as discussões finalmente explodiram no domingo de Páscoa de 1538, quando Calvino e Farel se recusaram a administrar a Ceia do Senhor, indicando um desafio direto aos magistrados. O Conselho expulsou os dois homens de Genebra, e eles foram para Basileia pensando terem falhado.

Não muito tempo depois, outra oportunidade de pastoreio foi oferecida a Calvino, desta vez por meio de Martin Bucer (1491–1551), em Estrasburgo. Ele convidou Calvino para pastorear uma igreja de refugiados franceses, e o reformador aceitou a oferta. Durante seus anos em Estrasburgo, Calvino viu, por meio de Bucer, um modelo da igreja com liberdade de nomear seus próprios ministros, executar sua própria disciplina e conduzir sua própria liturgia, um modelo que ele iria tentar trazer para Genebra. Além disso, os comentários prolixos de Bucer fizeram Calvino consciente dos retrocessos que isso significava e levou-o a descobrir uma maneira de buscar a "concisão lúcida" para seus próprios comentários. Ele resolveu o problema colocando as discussões teológicas em um trabalho à parte, em suas *Institutas*, lidando apenas com a exegese do texto nos comentários. Em 1539, a segunda edição das *Institutas* foi publicada e, em 1540, o mesmo aconteceu com seu comentário sobre Romanos. Em Estrasburgo, ele também se casou com a viúva de um refugiado, Idelette de Bure (que faleceu em 1549)[6].

Enquanto isso, os genebrinos enfrentavam um problema, mas não tinham as habilidades para resolvê-lo. O cardeal Jacopo Sadoleto (1477–1547) escreveu uma carta a Genebra, em março de 1539, desafiando-a a retornar à fé católica e acusando os protestantes de serem inovadores e desviados da tradição da Igreja. As autoridades de Genebra não conheciam ninguém mais competente do que Calvino para dar uma resposta convincente a Sadoleto. Atendendo ao pedido das autoridades, Calvino produziu um brilhante trabalho, *Resposta a Sadoleto*, afirmando que os protestantes mantiveram a tradição histórica e que, de fato, fora o catolicismo a abandonar a verdade. Impressionado com seu desempenho, os genebrinos decidiram chamá-lo de volta. Para ele, Genebra era um "lugar de tortura" (expressão de Calvino) para o qual temia voltar.[7] Em 13 de setembro de 1541, no entanto, ele voltou para Genebra, onde ficaria até o fim da vida.

A Reforma em Genebra avançou. Calvino preparou as *Ordenanças eclesiásticas* seis semanas após seu retorno, que foi aprovada em lei com apenas algumas modificações pelo Conselho em 20 de novembro de 1541. Esse ajuste referia-se à frequência à Ceia do Senhor. O Conselho, de acordo com a liturgia de Berna, defendia a administração trimestral, ao passo que Calvino desejava ter uma comunhão semanal. O documento estabeleceu uma forma de ordem da igreja e da sociedade que Calvino tinha divisado em Estrasburgo. Ele defendeu o ministério quádruplo de pastores, mestres, anciãos e diáconos, no qual os diáconos cuidavam dos pobres e supervisionavam a caridade, os mestres eram os que estudavam

---

[6] Não se sabe o ano de nascimento de Idelette, que ficou casada com Calvino por 9 anos, falecendo em meados de 1549 (N.E.).

[7] Calvino a Pierre Viret, 19 de maio de 1540, em *Letters of John Calvin*, editado por Jules Bonnet. Filadélfia: Presbyterian Board of Publication, 1858, 1:187.

e ensinavam as Escrituras, refutando falsas doutrinas, os doze anciãos leigos deveriam ser eleitos pelos conselhos e os pastores pregavam a Palavra, administravam os sacramentos e desempenhavam seu papel na disciplina da igreja. No coração da reforma social de Calvino estava o Consistório, uma instituição composta pelos anciãos e pelos pastores para reforçar a disciplina e as leis morais. Xingamento, adultério, jogos de azar e dança foram alguns dos poucos casos tratados pelo Consistório. Outra forma de instituição característica de Genebra foi a Companhia de Pastores, em que os mestres e os pastores se reuniam para discutir textos bíblicos e questões da igreja. A tentativa de Calvino com a criação dessas diferentes instituições servia ao propósito de construir uma sociedade baseada na Palavra de Deus em todos os aspectos da vida.

Genebra, no entanto, não deixava de ter seus próprios problemas. Com o fortalecimento do catolicismo na França, os protestantes franceses buscaram refúgio em Genebra. Uma vez que eles eram principalmente intelectuais, forneceram força de trabalho especializada em Genebra e menos apoio político para Calvino. Na verdade, o próprio Calvino também fora um exilado francês, e só em 1559 ele finalmente recebeu sua cidadania. O elevado número de imigrantes franceses e sua forte presença criaram tensões políticas e culturais com os tradicionais nobres de Genebra, que ensaiaram ameaças contínuas contra a autoridade de Calvino.

Além das tensões políticas internas, Genebra estava continuamente envolvida em controvérsias teológicas. Em outubro de 1551, um homem chamado Jerome Bolsec (falecido provavelmente em 1584) atacou a doutrina da predestinação elaborada por Calvino. Ele foi julgado e banido de Genebra, mas fugiu para Berna, onde continuou a se queixar dos ensinamentos de Calvino. Isso levou Berna a proibir a pregação no púlpito sobre a predestinação, que depois se tornou uma questão ministerial para os pastores de Genebra. De todas as controvérsias, no entanto, a mais famosa foi o caso Serveto. Miguel Serveto (c. 1511–1553) negou a doutrina ortodoxa da Trindade de forma tão inovadora que fez inimigos tanto católicos quanto protestantes. Ele conseguiu escapar da custódia da Inquisição Católica, mas, a caminho de Nápoles, entre tantas opções, parou em Genebra para pernoitar. Ele foi capturado e, sem surpresa, foi acusado de heresia. Em 27 de outubro de 1553, foi queimado na fogueira. Após o incidente, Sebastian Castellio (1515–1563), que tinha sentimentos amargos com relação a Calvino e queria expulsá-lo de Genebra, exacerbou o problema escrevendo um tratado contra a pena de morte para hereges. Os conflitos entre Bolsec e Castellio continuaram mesmo após a morte de Calvino por meio dos escritos de seu braço-direito e sucessor, Teodoro de Beza (1519–1605), que respondeu em defesa de Calvino.

A oposição deu a Calvino maior embasamento para exercer ainda mais influência em Genebra. A educação teológica era vital para a ideia que ele tinha de reforma, e ele recrutou Beza, professor de grego na Academia de Lausanne e também um exilado francês, para ajudá-lo a estabelecer a Academia de Genebra em 1559. Calvino nomeou-o como o primeiro reitor da universidade e, sob sua liderança, a Academia tornou-se um proeminente centro de treinamento para pastores e missionários protestantes, a maioria dos quais eram refugiados franceses. Nesse mesmo ano, foi publicada a edição final das *Institutas* de Calvino em latim.

Embora a Reforma genebrina tenha seus aspectos distintivos, ela não deve ser vista isoladamente do resto do movimento reformado em várias partes da Europa. Além de ser o centro de educação reformada que enviava missionários, uma conexão com o contexto europeu mais amplo foi demonstrada pelos esforços de Calvino em conciliar os luteranos e os zuinglianos, especialmente no que dizia respeito à doutrina da Ceia do Senhor. Calvino manteve uma amizade com Melanchthon ao longo da vida e assinou a versão alterada da Confissão de Augsburgo, a *Variata*, em 1540, com o desejo de aproximar os partidos luteranos e suíços. O mesmo esforço foi feito com os zuinglianos quando pessoalmente viajou a Zurique e foi o coautor do *Consensus Tigurinus* juntamente com Bullinger, em 1549.

De todas as realizações de Calvino, a maior influência derivou de sua capacidade de interpretar a Escritura, uma vez que pregação e exegese eram centrais para sua teologia. Ele pregava duas vezes aos domingos, sobre o Novo Testamento pelas manhãs e ocasionalmente sobre os Salmos à tarde. Durante os dias de semana, pregava sobre o Antigo Testamento. Além da pregação, também escreveu comentários sobre quase todos os livros da Bíblia e lecionou na Academia de Genebra. Calvino acreditava que seu papel como pregador era declarar somente o que fora revelado na Escritura e expor isso mediante um estudo cuidadoso de cada texto. De acordo com Calvino, a Escritura como a Palavra de Deus despertava no coração das pessoas o desejo de dedicarem a vida inteiramente a Deus e de estarem em conformidade com a vontade dele.

Depois de sofrer de doenças físicas crônicas, Calvino faleceu em 27 de maio de 1564. O pesado fardo de manter a estrutura e os ensinamentos reformados em Genebra caiu sobre os ombros de Teodoro de Beza. Treinado como habilidoso humanista e advogado, Beza e Calvino eram bons amigos que compartilhavam interesses profundos na luta pela causa protestante não só em Genebra, mas também na França. Ele defendeu Calvino contra os adversários enquanto produzia suas próprias obras teológicas. Seu trabalho mais significativo foi *A Brief and Pithy Sum of the Christian Faith* [Uma breve e concisa suma da fé cristã], originalmente publicado em francês, em 1559, como um resumo das principais doutrinas reformadas, que acompanhou de perto a estrutura e a teologia das *Institutas* de Calvino.

De 1564 a 1603, Genebra enfrentou um momento de insegurança política. Ao sul, os duques de Saboia buscavam recapturar Genebra; ao oeste, a França tinha se tornado uma nação católica maciça. As ameaças dos jesuítas aumentaram o medo. No verão de 1586, o duque de Saboia, Carlos Emanuel I (1562–1630), lançou um ataque contra Genebra e impôs um bloqueio. Em pouco tempo, a cidade estava financeiramente quebrada e o Conselho decidiu fechar a Academia. Beza protestou, afirmando que o fechamento da Academia só beneficiaria os inimigos católicos, e isso manteve a Academia viva por mais três meses, mas a degeneração chegou a tal ponto que todos os professores, exceto Beza, foram forçados a abandoná-la. Sendo o único professor restante, Beza palestrou sobre o livro de Jó aos poucos estudantes que ficaram, até que o surto de peste no verão de 1587 fez com que os exércitos de Saboia batessem em retirada.

As ameaças de Saboia não cessaram durante todo o século XVI e foram agravadas quando os jesuítas começaram a tentar trazer o catolicismo de volta às áreas rurais de Genebra. Saboia atacou essas regiões, queimando muitas igrejas protestantes e raptando pastores. Em meio ao medo e à insegurança, a missa católica foi restabelecida. Além disso, os jesuítas tinham espalhado um falso rumor de que Beza havia morrido e se convertido ao catolicismo no leito de morte, bem como toda a cidade de Genebra. A notícia alarmou muitos protestantes em toda a Europa que estavam sustentando a fé reformada, apesar das perseguições, e o estratagema dos jesuítas, juntamente com a pressão intensa de Saboia, fez com que milhares de pessoas no interior de Genebra renunciassem à fé protestante e abraçassem o catolicismo.

O clima teológico durante a época de Beza também tinha mudado desde os tempos de Calvino. Como reitor da Academia de Genebra, Beza tinha de ser profundamente sensível aos debates polêmicos e às línguas do contexto acadêmico europeu mais amplo. Isso significava que novas perguntas estavam sendo feitas, as quais tinham de ser respondidas em defesa da teologia reformada. Assim, Beza formulava seus argumentos com mais precisão do que aquela encontrada nos escritos de Calvino. A diferença não era tanto resultado de Beza ter se desviado da teologia de Calvino, mas sim de sua tentativa de defender a teologia reformada em seu próprio contexto polêmico e pastoral.

Beza trabalhou fielmente para preservar a teologia reformada até sua morte, em 1605. Como resultado, Genebra manteve-se firme como centro de renome internacional da fé reformada, atraindo estudantes de toda a Europa. Teólogos e pastores consultavam Genebra para esclarecimentos na área teológica. Beza serviu à igreja de Genebra até 1600, treinou futuros pastores até 1599 e foi o moderador da Companhia de Pastores até 1580, mantendo-se como a figura mais influente na Companhia como mediador entre a igreja e o Conselho até sua morte. À semelhança do que fez Calvino, Beza enfatizou o ensino e a pregação da Escritura, as bases fundamentais para o sucesso da Reforma genebrina.

A REFORMA INGLESA

O caminho para a Reforma na Inglaterra começou mais cedo, mas desenvolveu-se mais lentamente do que na Alemanha ou na Suíça. No século XIV, John Wycliffe havia inspirado a tradução da Bíblia para o vernáculo e um movimento de pregação e protesto de leigos conhecido como lollardismo. Além disso, a situação da Inglaterra como uma ilha sempre permitiu certa independência política tanto de Roma quanto do império romano. No século XV, isso permitiu uma série de restrições legais sobre a atividade de clérigos na Inglaterra, essencialmente inibindo o poder da Igreja de impor a vontade do papa. Durante o reinado de Henrique VII (14851509), o primeiro rei da dinastia Tudor, os benefícios legais para quem fosse do clero foram reduzidos. Assim, antes mesmo de o luteranismo sacudir o continente, a coroa inglesa tinha sido cada vez mais assertiva no tocante a seu relacionamento com a Igreja.

A ruptura formal com Roma, entretanto, ocorreu sob Henrique VIII (reinou de 1509 a 1547), mas não primariamente por razões teológicas. Na verdade, ele permanecia em concordância doutrinária com a igreja medieval sobre questões-chave, como a justificação e os sacramentos, mesmo ao repudiar as reivindicações do papado. A origem dessa ruptura foi teológica apenas de forma tangencial. Henry obteve uma concessão especial do papa ao se casar com a viúva de seu irmão, Catarina de Aragão (1485–1536). Mas, como ela não gerou nenhum herdeiro do sexo masculino, Henrique viu isso como um sinal do desagrado de Deus com a união. Assim, a partir do final da década de 1520, ele buscou várias estratégias para obter o divórcio. Em última análise, o papa não concordaria: Catarina era membro da realeza espanhola, e o papado não podia se dar ao luxo de insultar os Habsburgos. Como resultado, Henrique usou o Parlamento para aprovar uma série de atos que removeram a Inglaterra da jurisdição papal e estabeleceram uma igreja autônoma.

A partir do ano de 1530, sob a liderança de Thomas Cranmer, arcebispo de Cantuária, a Igreja inclinou-se em uma direção timidamente protestante, mas, de 1540 em diante, qualquer tendência de reforma cessou, e Henrique implementou algo semelhante a uma reação católica (sem o papado). Foi apenas com sua morte, em 1547, que a Reforma inglesa realmente começou a avançar: seu filho, Eduardo VI tornou-se rei (duração de 1547 a 1553), e os nobres encarregados de protegê-lo seguiram uma política autoconscientemente protestante.

Os principais eventos do reinado de Eduardo foram os dois *Livros de oração comum*, de 1549 e de 1552 – ambos eram basicamente trabalho de Thomas Cranmer (1489–1556). Com efeito, embora seja discutível se tenha surgido algum teólogo protestante de estatura internacional até William Perkins (1558–1602), na Inglaterra, sem dúvida, no final do século XVI, ali vimos surgir um dos maiores liturgistas protestantes, Thomas Cranmer. Ambos os livros estavam naturalmente sujeitos ao controle parlamentar, e, como o Parlamento continuava a ter muitos membros católicos romanos, a primeira edição, em particular, manteve certa quantidade de teologia tradicional romana, como juramentos pela intermediação dos santos. A segunda edição foi mais reformada, embora tenha mantido determinados elementos considerados desagradáveis para aqueles que olhavam para modelos mais estritamente reformados de Reforma, como os de Zurique e de Genebra, por sua inspiração eclesiástica.

Com a morte de Eduardo em 1553, sua irmã mais velha, Maria (que reinou de 1553 a 1558), tornou-se rainha pelo menos inicialmente com grande aceitação popular. O protestantismo sob Eduardo tinha ganhado reputação de ser um movimento político corrupto. Maria agiu para restaurar o papado na Inglaterra e também deu início à perseguição de muitos dos aliados do regime de seu irmão. Várias centenas de protestantes – incluindo membros do alto clero, como John Hooper (1495–1555), Hugh Latimer (c. 1487–1555), Nicholas Ridley (c. 1500–1555) e o próprio Thomas Cranmer – pereceram na fogueira. Essas mortes foram imortalizadas por John Foxe (1516–1587) em seu enorme martirológio, *Acts and Monuments* [Atos e monumentos, posteriormente conhecido como *O livro dos mártires*], que desempenhou papel fundamental na reabilitação da Reforma inglesa na mente popular por causa das implicações de corrupção.

A reforma católica de Maria, a Sanguinária, teve vida curta. Sua tentativa de restabelecer o monasticismo foi um fracasso e representou uma má interpretação de sua época. Não só a nobreza católica romana tinha feito muito pela dissolução dos mosteiros sob Henrique e, portanto, não tinha incentivo para vê-los restabelecidos, como a ordem religiosa em ascensão na Igreja romana era a jesuíta. A piedade e a prática jesuítas foram construídas em torno do individual e mais em sintonia com sua época do que as antigas formas comunais das ordens medievais. Maria também se casou com Filipe II, de Espanha (1527–1598), que provou ser politicamente muito impopular. E, acima de tudo, havia as fogueiras, que serviram mais do que qualquer outra coisa para ganhar a simpatia do povo pela causa protestante.

O golpe final para a reforma católica romana inglesa veio com a morte de Maria e seu colega próximo, o cardeal Reginald Pole (1500–1558), com diferença de poucas horas, em 1558. A morte de Maria deixou a protestante Elizabeth I, sua irmã mais nova, como herdeira do trono. A extensa duração do reinado de Elizabeth (reinou de 1558 a 1603), combinada com sua notável capacidade de governar, garantiu o estabelecimento do protestantismo inglês e também lhe forneceu algo de seu carácter distintivo. Um *Livro de oração comum* ligeiramente revisado, combinado com dois livros de homilias e os 39 artigos da religião, produziu o coração da visão elisabetana de Reforma.

Isso significa que o protestantismo inglês exibia certas características únicas. Embora reformada na doutrina, a Igreja manteve muitos ornamentos estéticos e litúrgicos, o que indivíduos reformados mais radicais (em particular, aqueles que haviam passado algum tempo no exílio em lugares como Zurique e Genebra por causa de Maria) não consideravam satisfatórios. Assim, os grandes conflitos da última parte do século XVI na Reforma inglesa foram menos sobre a teologia adequada e mais sobre a natureza do culto. Especialmente na década de 1560, houve disputas sérias dentro da Igreja sobre a questão das vestes clericais, encaradas como vestígios da pré-reforma romanista por muitos. Embora Elizabeth tenha, por fim, triunfado e imposto a conformidade ao *Livro de oração da Igreja da Inglaterra*, um número significativo de clérigos estava insatisfeito com isso. Foi nesse contexto que emergiu o movimento mais tarde conhecido como puritanismo.

O puritanismo, como a maioria dos *ismos*, revelou-se difícil de ser definido pelos estudiosos. O problema dos paramentos e da estética parece ter sido um fator importante em seu surgimento. Outro foi o sabatismo, que apareceu como uma questão teológica altamente controversa nos círculos ingleses no final do século XVI, alimentada em parte pela publicação de *The Doctrine of the Sabbath, playnely layde forth...* [A doutrina do sábado, claramente apresentada...], escrito por Nicholas Bownde, clérigo inglês, em 1595. No entanto, o problema de definição do puritanismo é complicado pelo fato de que não havia nenhum ponto distinto a respeito do qual todos aqueles conhecidos como puritanos concordaram. Pelo contrário, o termo talvez sirva mais como um meio de reunir personagens que apresentaram certas semelhanças nas questões teológicas e eclesiásticas.

Subjacentes ao tema dos paramentos, por certo, estavam questões perenes sobre o governo da igreja e, particularmente, sobre a relação dela com o magistrado civil. Quem tem o poder de definir as normas para o culto público? Os ministros deviam ser escolhidos pela Igreja, pelo Estado ou por uma combinação dos dois? A disciplina da igreja era um assunto puramente dos tribunais da igreja ou o magistrado tinha um papel significativo? A religião era fundamental para a atividade política da época e, também, para o controle social. Logo, essas questões sempre seriam altamente controversas e promotoras de divisão. Elas também atingiam aspectos doutrinários. Assim, homens como o arcebispo John Whitgift (c. 1530–1604) e Thomas Cartwright (1535–1603), embora fossem ambos fortemente calvinistas no que diz respeito à graça, estavam em lados opostos nos debates eclesiológicos. Whitgift era um oponente brutal de qualquer coisa que cheirasse a puritanismo ou a presbiterianismo, ao passo que Cartwright era presbiteriano.

Teologicamente, os *39 artigos* forneciam um padrão doutrinário relativamente consensual para a Igreja até a última década do século XVI. Então, certo número de clérigos começou a pressionar por uma compreensão um pouco menos engessada da predestinação e da perseverança. Embora seja anacrônico chamar de "arminianismo" o trabalho de homens como Peter Baro (1534–1599), ele certamente foi um exemplo das tendências no protestantismo pós-Reforma de afastar-se dos padrões mais estritamente agostinianos de soteriologia que marcaram o desenvolvimento anterior do protestantismo. Whitgift respondeu a Baro e seus seguidores com os *Artigos de Lambeth* (1595), uma declaração doutrinária que reafirmou um vigoroso antipelagianismo. Compostos sem a permissão da rainha, no entanto, eles nunca alcançaram uma posição de credo oficial. Assim, as fraquezas potenciais nas posições doutrinárias da Igreja Anglicana adentraram o século XVII.

A REFORMA ESCOCESA

Se a Reforma inglesa foi impulsionada e, depois, controlada pela Coroa, a Reforma escocesa foi mais o resultado de ações da nobreza. Em meados do século XVI, a Escócia estava intimamente ligada à França e era governada por Maria de Guise (1513–1542), princesa francesa, viúva de James V (reinou de 1513 a 1542). A nobreza via o protestantismo como um elemento-chave para afastar-se da França e aproximar-se da Inglaterra em termos de aliança política.

A teologia protestante chegou à Escócia em 1520, com o advento dos livros luteranos. Patrick Hamilton (c. 1504–1528), um luterano, escreveu *Patrick's Places* [Lugares de Patrick], com base no *Loci Communes*, de Melanchthon. Então, na década de 1540, George Wishart (c. 1513–1546), um zuingliano que havia traduzido para o inglês a *Primeira Confissão Helvética*, emergiu como ardoroso pregador a favor de reforma. Ele foi executado em 1546, e, como resultado de seu martírio, um grupo de protestantes invadiu o castelo de St. Andrew e assassinou o cardeal David Beaton (c. 1494–1546), o clérigo tido como responsável pela morte de Wishart.

John Knox (c. 1513–1572), um apoiador de Wishart, chegou ao castelo em abril de 1547 e tornou-se capelão dos rebeldes. Quando o castelo caiu sob o poder dos franceses, ele e os outros foram levados cativos e serviu como escravos nas galés antes de ser libertado sob custódia inglesa em 1549. Passou, então, a atuar como uma das vozes protestantes mais radicais da Reforma eduardiana.

Depois de passar grande parte do reinado de Maria em exílio no continente, onde pastoreou em ambas as cidades de Frankfurt e Genebra, a visão de Knox a respeito da Reforma foi moldada tanto pela teologia reformada de Calvino e companhia como também pelo problema da relação da Igreja com um chefe de Estado hostil. Assim, na década de 1550, ele começou a formular sua teoria da rebelião justa, que foi baseada na ideia de que um monarca idólatra trazia juízo divino sobre a nação e devia, portanto, ser derrubado pelos piedosos. Uma infeliz expressão literária dessa teoria foi seu *First Blast of the Trumpet Against the Monstrous Regiment of Women* [O primeiro ressoar da trombeta contra o monstruoso governo de mulheres], escrito enquanto Maria estava no trono da Inglaterra, mas só publicado depois que Elizabeth a havia sucedido. O argumento central do livro, as mulheres não devem governar, não foi bem recebido pela nova monarca inglesa, e ela baniu Knox definitivamente da Inglaterra.

Knox retornou à Escócia em 1559 e, em aliança com a nobreza protestante e com o apoio dos ingleses, ajudou a conduzir a rainha regente e seus aliados franceses para fora da Escócia. Então, em 1560, o Parlamento escocês instruiu Knox e outros cinco ministros (todos com o nome de John) a produzir uma confissão de fé. O resultado foi a *Confissão escocesa* de 1560, que foi o padrão doutrinário da Igreja da Escócia até ser suplantado pela Confissão de Fé de Westminster no século XVII.

Um elemento central da visão de Knox acerca da Reforma era a distinção entre idolatria e verdadeira adoração. Ele focou na ideia do princípio regulador do culto, em que qualquer coisa que não estivesse especificamente prevista na Bíblia (por exemplo, ajoelhar-se para a comunhão) deveria ser, portanto, considerada idólatra e, por isso, proibida. Assim, o presbiterianismo escocês em sua forma knoxiana tornou-se conhecido por sua simplicidade de culto e, posteriormente, por sua oposição ao *Livro de Oração Comum* dos anglicanos. Aquilo com que muitos puritanos ingleses sonhavam estava praticamente realizado na decisão escocesa.

Isso foi incorporado tanto ao ensino da Confissão Escocesa quanto aos Primeiro e Segundo Livros de Disciplina (1560, 1578), que procuravam estabelecer a estrutura básica do governo da igreja e expor a ambição social da igreja, com um desejo declarado de estabelecer escolas paroquiais. Ambos mostravam a influência de Genebra e refletiam a necessidade cada vez maior na Reforma de que os protestantes refletissem sobre questões não só de confissão, mas também de organização e de política, a fim de garantir o estabelecimento duradouro da fé.

A declaração escocesa era, de modo geral, mais presbiteriana do que na Inglaterra, não apenas por razões teológicas, mas também porque foi desenvolvida em face da oposição da coroa, primeiro de Maria de Guise e depois de sua filha, Maria, rainha da Escócia (reinou de 1542 a 1567). A última abdicou em 1567 e fugiu para a Inglaterra em 1568, deixando seu filho Jaime, que ainda era uma criança, para ser coroado como Jaime VI da Escócia (reinou de 1567 a 1625). Knox pregou o sermão da coroação, o que significava que a ideia do soberano como Supremo Governador da Igreja (como na declaração inglesa) era altamente impraticável, bem como teologicamente detestável. O presbiterianismo, com seu reconhecimento da estreita ligação entre Igreja e Estado, e também por sua ênfase na autoridade espiritual da Igreja e de seus tribunais, se deu bem com a dinâmica política da Reforma escocesa.

Embora tenha sido orientado pelo temível intelectual presbiteriano George Buchanan (1506–1582) e tenha sido muito bem guardado pela nobreza, Jaime desenvolveu fortes pontos de vista erastianos e uma firme crença no direito divino dos reis. Assim, quando atingiu a idade adulta, ele próprio se envolveu em várias tentativas de levar a Escócia a um modelo mais episcopal, desencadeadas como reação ao surgimento, no início do século XVII, do radicalismo presbiteriano, que estava frutificando na década de 1640 na atuação dos delegados da Escócia à Assembleia de Westminster.

OUTRAS REFORMAS

Como observado no início, as reformas da Europa eram tão variadas quanto as terras onde surgiam. A França, com uma monarquia forte, uma cultura intelectual vibrante na Universidade de Paris e com um interesse real em ter independência da Igreja romana, parecia, no início do século XVII, um solo fértil para a Reforma protestante. Uma minoria protestante considerável, os huguenotes, levantou-se para desafiar a monarquia católica, mas seu poder foi decisivamente quebrado no massacre do dia de São Bartolomeu, em 1572. A França, depois disso, permaneceu firme nos domínios do catolicismo.

Dentro do Sacro Império Romano, a Paz de Augsburgo (1555) fez da transferência de uma circunscrição confessional para outra algo relativamente fácil para as províncias individuais. O exemplo mais dramaticamente frutífero disso foi a conversão de Frederico III, eleitor palatino, do luteranismo à fé reformada, no início da década de 1560. O resultado foi a produção do Catecismo de Heidelberg, concebido como um documento que tanto reformados quanto filipistas da Universidade de Heidelberg poderiam subscrever. Assim, ele tem um tom geralmente conciliador (exceto quando combate aspectos distintivos católicos romanos) e evita questões que dividiam reformados e filipistas, como a predestinação.

No entanto, talvez a mais significativa das outras "reformas" tenha sido a da Igreja Católica Romana. É fácil para os protestantes esquecerem que nem todos os movimentos para resolver os problemas teológicos e morais da Igreja no século XVI levaram a grupos eclesiásticos separados. Em particular, dois aspectos da reforma católica romana merecem destaque.

O primeiro deles foi a fundação dos jesuítas por Inácio de Loyola (1491–1556) – oficialmente reconhecidos em 1540 –, cuja ascensão foi fundamental para a reforma católica. Ao contrário do monasticismo medieval, edificado sobre comunidades estabelecidas, tanto rurais como urbanas, a Companhia de Jesus foi modelada em termos militares (Loyola havia sido soldado) e tinha uma piedade pensada para indivíduos, permitindo assim que seus membros fossem altamente móveis e operassem disfarçados em território hostil. A ordem também exigia que seus membros fizessem um voto de viajar e, portanto, tinha uma forte dinâmica missionária. Mais tarde, isso foi combinado a um interesse na educação, tornando os jesuítas a mais bem-sucedida iniciativa educativa e missionária da era da Reforma. Em 1600, eles eram 8.500 em 26 países, da América do Sul ao Japão.

O segundo foi o Concílio de Trento. Convocado pela primeira vez pelo papa Paulo III em 1545 (reinou de 1543 a 1549), o concílio teve três sessões (1545–1547, 1551–1552, 1562–1563) na catedral da cidade de Trento, no norte da atual Itália. Trento definitivamente estabeleceu a posição da Igreja sobre uma série de doutrinas que tinham ficado, até então, um pouco vagas, principalmente a justificação. Sessões posteriores, dominadas pelos jesuítas, também estabeleceram reformas educacionais importantes dentro da Igreja. Assim, nos anos que se seguiram a 1560, a Igreja Católica Romana tinha se tornado um corpo muito mais bem definido e, como resultado, os protestantes também puderam definir-se contra ela. Por isso, aquela época viu o início da grande era do confessionalismo protestante.

CONCLUSÃO

A diversidade de reformas europeias foi muito mais ampla do que se pode cobrir razoavelmente em um breve capítulo. Outros movimentos significativos para as reformas protestante e católica surgiram em todo o continente em países como Holanda, Escandinávia, Polônia, Hungria, Espanha e Itália. Embora cada um deles tenha exibido características próprias distintivas, todos lidaram com questões teológicas, morais, políticas e eclesiásticas subjacentes comuns, permitindo certa unidade dentro da diversidade.

Isso fica claro mesmo considerando apenas a seleção de narrativas de Reforma oferecidas neste capítulo. Alemanha, Suíça, Inglaterra e Escócia difeririam nas estruturas sociais e políticas e em seu caminho específico para a Reforma. Disso, vemos diferentes modos pelos quais os vários movimentos reformadores se relacionaram ao magistrado civil e uns aos outros. O erastianismo inglês explicitamente subordinava a política da igreja às necessidades do Estado. Em Wittenberg, Lutero tentou separar o máximo possível o reino espiritual da Igreja da esfera secular do magistrado. Calvino lutou durante todo o tempo em que esteve em Genebra pela independência espiritual da Igreja, algo que ele nunca foi capaz de alcançar. Todos eles enfrentaram problemas semelhantes, mas responderam de formas diferentes.

Para isso, devemos acrescentar um nível de diversidade teológica. A mais óbvia diferença foi a divisão entre católicos e protestantes com respeito à autoridade, mas diferenças sobre a Ceia do Senhor, política e liturgia também impactaram o modo como os protestantes se relacionavam entre si. Disso originou-se a divisão amarga entre Lutero e Zuínglio com respeito à eucaristia e os debates furiosos entre Knox e sistema anglicano sobre as disposições do *Livro de oração comum*. A própria Reforma protestante foi um fenômeno teológica e liturgicamente diversificado.

Apesar de tudo isso, protestantes magistrais também exibiram certa unanimidade em questões-chave. A justificação pela graça mediante a fé pela justiça imputada por Cristo foi uma doutrina central não apenas para os luteranos, mas também para os reformados. Um consenso ecumênico formal foi alcançado em alguns pontos, embora de forma muitas vezes controversa, como visto na Confissão de Augsburg *Variata* e no Catecismo de Heidelberg. Além disso, quando se olha para o grande número de confissões reformadas produzidas por igrejas europeias nos séculos XVI e XVII, há claramente um consenso subjacente e bastante elaborado no que diz respeito ao que constitui a Fé Reformada, de Edimburgo a Budapeste e da Holanda à Polônia.

Os pontos de consenso confessional e a divisão da Reforma moldaram profundamente as igrejas da época e continuam a fazê-lo, para católicos romanos e protestantes que vivem no mundo que é, eclesiasticamente falando, produto dos conflitos religiosos e teológicos do século XVI. Assim, o conhecimento da história e da teologia das reformas europeias continua a ser vital para a compreensão que a Igreja tem de sua própria identidade e missão no início do século XXI.

FONTES PARA ESTUDO ADICIONAL

GERAIS

CAMERON, Euan. *The European Reformation* [A Reforma europeia]. 2. ed. Oxford: Oxford University Press, 2012.

GREENGRASS, Mark, *Christendom Destroyed: Europe 1517–1648* [Cristianismo destruído: Europa 1517–1648]. Nova York: Viking, 2014.

LINDBERG, Carter. *The European Reformations* [As reformas europeias]. 2. ed. Malden: Wiley-Blackwell, 2010.

MACCULLOCH, Diarmaid. *The Reformation: a history* [A Reforma: uma história]. Nova York: Penguin Books, 2005.

REFORMA LUTERANA

BRECHT, Martin. *Martin Luther* [Martinho Lutero]. 3 vols. Minneapolis: Fortress Press, 1985–1993.

KOLB, Robert. *Luther's Heirs Define His Legacy: Studies on Lutheran Confessionalization* [Os herdeiros de Lutero definem seu legado: estudos na confessionalização luterana]. Brookfield: Variorum, 1996.

_____. *Martin Luther: Confessor of the Faith* [Martinho Lutero: confessor da fé] Oxford: Oxford University Press, 2009.

KOLB, Robert; DINGEL, Irene; BATKA, L'ubomir. (eds.). *The Oxford Handbook of Martin Luther's Theology* [O manual Oxford sobre a teologia de Martinho Lutero]. Oxford: Oxford University Press, 2014.

LOHSE, Bernhard. *The Theology of Martin Luther : Its Historical and Systematic Development* [A teologia de Martinho Lutero: desenvolvimento histórico e sistemático]. Edinburgo: T. and T. Clark, 1999.

OBERMAN, Heiko. *Luther: Man Between God and Devil* [Lutero: homem entre Deus e o diabo]. Yale: Yale University Press, 2006.

PREUS, Robert D. *The Theology of Post-Reformation Lutheranism* [A teologia do luteranismo pós-Reforma]. 2 vols. St. Louis: Concordia, 1970–1972.

STEINMETZ, David C. *Luther in Context* [Lutero em contexto]. Grand Rapids: Baker Academic, 2002.

WENGERT, Timothy J. (ed.). *The Pastoral Luther: Essays on Martin Luther's Practical Theology* [O Lutero pastoral: ensaios sobre a teologia prática de Lutero]. Grand Rapids: Eerdmans, 2009.

Reforma Suíça

GÄBLER, Ulrich. *Huldrych Zwingli: His Life and Work* [Ulrico Zuínglio: sua vida e obra]. Filadélfia: Fortress Press, 1986.

GORDON, Bruce. *The Swiss Reformation* [A Reforma suíça]. Manchester: Manchester University Press, 2002.

GORDON, Bruce; CAMPI, Emidio. (eds.). *Architect of Reformation: An Introduction to Heinrich Bullinger, 1504–1575* [Arquiteto da Reforma: uma introdução a Heinrich Bullinger, 1504–1575]. Textos e estudos sobre o pensamento da Reforma e da pós-Reforma. Grand Rapids: Baker Academic, 2004.

POYTHRESS, Diane. *Reformer of Basel: the Life, Thought, and Influence of Johannes Oecolampadius* [Reformador de Basileia: a vida, o pensamento e a influência de Johannes Oecolampadius]. Grand Rapids: Reformation Heritage Books, 2011.

STEPHENS, W. Peter. *The Theology of Huldrych Zwingli* [A teologia de Ulrico Zuínglio]. Oxford: Clarendon, 1986.

_____. *Zwingli: An Introduction to his Thought* [Zuínglio: uma introdução a seu pensamento]. Oxford: Clarendon, 1992.

Reforma Genebrina

GORDON, Bruce. *Calvin* [Calvino]. New Haven: Yale University Press, 2009.

GREEF, Wulfert de. *The Writings of John Calvin: An Introductory Guide* [Os escritos de João Calvino: um guia introdutório]. Louisville: Westminster John Knox Press, 2008.

KINGDON, Robert M. *Adultery and Divorce in Calvin's Geneva* [Adultério e divórcio na Genebra de Calvino]. Cambridge: Harvard University Press, 1995.

MANETSCH, Scott M. *Calvin's Company of Pastors: Pastoral Care and the Emerging Reformed Church, 1536–1609* [A Companhia de Pastores de Calvino: cuidado pastoral e a igreja reformada emergente, 1536–1609]. Nova York: Oxford University Press, 2013.

_____. *Theodore Beza and the Quest for Peace in France, 1572–1598* [Teodoro de Beza e a busca por paz na França, 1572–1598]. Leiden: Brill, 2000.

MULLER, Richard A. *The Unaccommodated Calvin: Studies in the Foundation of a Theological Tradition* [O desacomodado Calvino: estudos na fundação de uma tradição teológica]. Nova York: Oxford University Press, 2000.
NAPHY, William G. *Calvin and the Consolidation of the Genevan Reformation* [Calvino e a consolidação da reforma genebrina]. Manchester: Manchester University Press, 1994.
SELDERHUIS, Herman. *John Calvin: A Pilgrim's Life* [João Calvino: uma vida de peregrino]. Downers Grove: IVP Academic, 2009.
STEINMETZ, David C. *Calvin in Context* [Calvino em contexto]. Nova York: Oxford University Press, 1995.

Reformas Britânicas

BRIGDEN, Susan. *New Worlds, Lost Worlds: The Rule of the Tudors, 1485–1603* [Novos mundos, mundos perdidos: o governo dos Tudors, 1485–1603]. Londres: Penguin, 2002.
COLLINSON, Patrick. *The Elizabethan Puritan Movement* [O movimento puritano elizabetano]. Oxford: Clarendon Press, 1990.
_____. *The Religion of Protestants: The Church in English Society, 1559–1625* [A religião dos protestantes: a igreja na sociedade inglesa, 1559–1625]. Oxford: Oxford University Press, 1994.
DAWSON, Jane. *John Knox.* Yale: Yale University Press, 2015.
DUFFY, Eammon. *The Stripping of the Altars: Traditional Religion in England, 1400–1580* [O despojar dos altares: religião tradicional na Inglaterra, 1400–1580]. 2. ed. New Heaven: Yale University Press, 2005.
MACCULLOCH, Diarmaid. *The Later Reformation in England, 1547–1603* [A reforma tardia na Inglaterra, 1547–1603]. Londres: Plagrave Macmillan, 2001.
_____. *Thomas Cranmer: A Life* [Thomas Cranmer: uma vida]. New Heaven: Yale University Press, 1998.
MARSHALL, Peter. *Reformation England, 1480–1642* [Reforma na Inglaterra, 1480–1642]. Londres: Bloomsbury Academic, 2012.

Parte 2
Teologia da Reforma

Capítulo 4
SOLA SCRIPTURA

Mark D. Thompson

RESUMO

Sola Scriptura é por vezes descrito como o princípio formal da Reforma. Certamente, um apelo à autoridade final das Escrituras é um traço comum a todos os escritos das principais vozes teológicas da Reforma, apesar de suas ênfases distintas e de seus interesses específicos. Este capítulo examina o pensamento de Lutero, Melanchthon, Zuínglio, Bullinger, Calvino e Cranmer sobre a autoridade das Escrituras em uma tentativa de destacar tanto sua perspectiva comum quanto suas contribuições singulares. Além disso, argumentamos que, apesar do caráter verdadeiramente revolucionário do apelo dos reformadores à Escritura, isso, de fato, baseou-se em convicções anteriormente sustentadas sobre a natureza da Escritura e seu direito de determinar a fé e a prática cristãs.

INTRODUÇÃO

A teologia da Reforma nem sempre foi estudada em seus próprios termos, o que é surpreendente, visto que o movimento reformado é um dos pontos cruciais na história da teologia cristã. Autores posteriores naturalmente têm seu próprio modo de lidar com a Reforma. Seja um entusiasta, alguém convicto de que ela foi um ato de Deus que salvou as igrejas cristãs de rotas perigosas, ou seja um revisionista, alguém convencido de que a verdadeira mensagem da Reforma é algo totalmente diferente, ainda há um reconhecido valor em apelar para os reformadores. Relatos contemporâneos muitas vezes parecem motivados pelo desejo de mostrar que a própria teologia do comentarista, ou a de sua tradição cristã particular, é uma representação contemporânea fiel da teologia adotada por Lutero, Calvino ou qualquer dentre os demais reformadores. Mas Lutero era realmente um antigo crítico da Bíblia? Será que Calvino realmente excluiu outras vozes e nos deixou apenas com a Bíblia? Será que Cranmer ou mesmo Hooker realmente colocaram a autoridade das Escrituras ao lado da autoridade da razão e da tradição para formar um "tripé"? O que os reformadores do século XVI queriam dizer com a expressão *sola*

Scriptura? Se não podemos escapar de nossos próprios pressupostos, podemos, pelo menos, fazer as perguntas que os podem expor.

Não pode haver nenhuma dúvida, no entanto, de que a questão da autoridade e da função das Escrituras nas igrejas e na vida de cada cristão foi a preocupação particular de todas as principais figuras da Reforma. Desde a Disputa de Leipzig, em 1519 – em que Martinho Lutero (1483–1546) manteve-se firme em sua posição e insistiu na autoridade das Escrituras sobre a autoridade da igreja, da tradição ou da razão —, até a realização do Sínodo de Dort, exatamente cem anos mais tarde – que, no prefácio de seu juramento, contém a declaração solene de seus membros de "tomar as Sagradas Escrituras como a única regra de fé" –, os reformadores e seus herdeiros imediatos sempre voltaram a esse assunto.[1] Por conseguinte, qualquer tentativa de apresentar um registro completo do ensino da Reforma a respeito da revelação e da autoridade das Escrituras revela-se inadequada, porque simplesmente há muito terreno a cobrir. Em vez disso, depois de um breve olhar sobre o contexto da discussão da Reforma, este capítulo vai se concentrar nas contribuições deixadas por Lutero, Melanchthon, Zuínglio, Bullinger, Calvino e Cranmer – as principais vozes da Reforma. Ao examinar os pensamentos desses homens sobre o assunto *in seriatim*, veremos em que essencialmente eles concordam e em que suas ênfases diferem.

AUTORIDADE BÍBLICA NO PERÍODO FINAL DA IDADE MÉDIA

O apelo de Lutero à autoridade das Escrituras, juntamente com o de outros reformadores, não teria ganhado qualquer impulso se não tivesse encontrado eco em um sentimento existente. Confessar a autoridade das Escrituras era comum não somente entre os reformadores, mas também entre os teólogos romanos. *Sacra pagina*, o estudo dos textos sagrados, era um aspecto muito importante do esforço teológico no período medieval. Tomás de Aquino (1225–1274) é considerado o expoente da teologia escolástica medieval, tendo escrito comentários sobre quase todos os livros da Bíblia. Estudos realizados por Beryl Smalley e seu aluno Gillian Evans demonstraram a extensão e a profundidade do envolvimento medieval com a Escritura e levantaram questões acerca das desgastadas caricaturas da exegese pré--Reforma.[2] Aquino não estava só. Muitos dos grandes teólogos escolásticos refletiram profundamente sobre a natureza e a função da Escritura, bem como sobre a forma mais adequada de sua exposição.

---

[1] Em Leipzig, Lutero citou Agostinho e Nicolò de' Tudeschi (Panormitanus) ao argumentar pela autoridade da "Escritura divina, que é a palavra infalível de Deus", em contraposição com "a autoridade da palavra de concílios, que são de criaturas e passíveis de erro". Martinho Lutero, *Disputatio I. Eccii et M. Lutheri Lipsiae habita* (1519), WA. 2:30–35; *The Articles of the Synod of Dort*, trad. Thomas Scott. Harrisonburg: Sprinkle, 1993, p. 246.

[2] Beryl Smalley, *The Study of the Bible in the Middle Ages*, 3. ed. Oxford: Blackwell, 1983; G. R. Evans, *The Language and Logic of the Bible:* The Earlier Middle Ages. Cambridge: Cambridge University Press, 1984.

Os teólogos medievais muitas vezes tomam como ponto de partida as declarações clássicas de Agostinho sobre a autoridade das Escrituras, três das quais em particular seriam citadas regularmente tanto no período medieval quanto no da Reforma. Em 397, Agostinho escreveu *Carta contra os maniqueístas*, na qual explicou: "Na verdade, eu não teria crido no Evangelho se a autoridade da Igreja Católica não me despertasse para a ação".[3] A partir do contexto dessa citação, fica evidente que Agostinho não estava insistindo em uma autoridade contingente da Escritura, que dependia da autorização prévia da Igreja. Em vez disso, ele estava insistindo que a igreja que promove o evangelho rejeita a doutrina dos maniqueístas. À luz disso, a alegação de que Manes foi um verdadeiro apóstolo de Jesus Cristo tinha de ser vista como espúria. O princípio permanente para o qual ele estava apelando era que a Igreja Católica produz o contexto adequado para a leitura, a compreensão e o apelo das Escrituras. Aliás, foi nesse contexto que o próprio Agostinho declarou sua fé em Cristo, quando a igreja direcionou-o às Escrituras. No entanto, essa mesma igreja posicionou-se sob a autoridade do ensino apostólico nas Escrituras, e não acima dele. Ela apontou para o texto autorizado que cumpria seu papel como guardião e testemunha, mas isso não dava a esse texto autoridade. As outras observações de Agostinho geralmente citadas esclarecem esse ponto.

Três anos após essa Carta, dando sequência aos contínuos questionamentos sobre os donatistas, Agostinho escreveu um tratado sobre o batismo em que esclareceu a relação da Escritura com outros escritos posteriores, até mesmo aqueles que a Igreja considerava autoritativos:

> No entanto, quem não sabe que o cânon sagrado das Escrituras, tanto do Antigo quanto do Novo Testamento, está contido dentro de seus próprios limites estabelecidos, e que ele deve ser preferido a todas as cartas episcopais posteriores a tal ponto que não deveria ser possível duvidar ou colocar em discussão se algo estabelecido por escrito nele é verdade ou não é? Mas, por outro lado, as cartas de bispos que foram escritas ou estão sendo escritas, desde o fechamento do cânon, podem ser refutadas se houver qualquer coisa nelas que, por acaso, se desvia da verdade.[4]

Agostinho claramente compreendeu que o cânon das Escrituras era único e possuidor de autoridade superior a todos os demais escritos. Em uma carta a Jerônimo em 405, ele traçou uma firme e explícita conexão entre esse entendimento e um compromisso com a veracidade completa e absoluta da Escritura:

> Eu aprendi a atribuir àqueles livros que são de classificação canônica, e somente a eles tal reverência e honra, a firme crença de que em nenhum deles ocorre um único erro devido

---

[3] Agostinho, *Contra Epistolam Manichaei Quam Vocant Fundamenti* 1.5 (6), em PL 42:176.
[4] Agostinho, *De Baptismo contra Donatistas Libri Septem*, em CSEL 51:178, p. 11–21.

ao autor. E, quando sou confrontado nestes livros com qualquer coisa que pareça estar em desacordo com a verdade, não hesito em atribuir isso quer ao resultado da utilização de um texto incorreto, quer ao fracasso de um comentarista em explicar as palavras ou à minha própria compreensão equivocada da passagem.[5]

Esses três comentários de Agostinho – e outras declarações semelhantes, tais como seus comentários de abertura em *De Genesi ad litteram* (393/4) – reaparecem regularmente nos escritos de teólogos medievais influentes, bem como no trabalho dos reformadores magistrais. No entanto, era necessário dizer mais, em particular sobre a autoridade exclusiva das Escrituras e de que modo isso se relacionava com a autoridade da igreja. A Abadia de São Vítor, em Paris, foi um centro importante para a continuidade dessa discussão. Hugo de São Vítor (c. 1096–1141) escreveu extensivamente sobre a finalidade e a função dessa Escritura autorizada, afirmando, por exemplo:

> A única Escritura que é corretamente chamada de divina é aquela inspirada pelo Espírito de Deus e proferida por aqueles que falam pelo Espírito de Deus; ela torna divina a humanidade, reformando-a à imagem de Deus mediante a instrução no conhecimento e a exortação ao amor. Tudo o que é ensinado nela é verdade; tudo quanto é ordenado é bondade; tudo o que é prometido é felicidade.[6]

Sem surpresas, Hugo acentuava a origem divina da Escritura, o que, em seu entendimento, era o que sustentava sua autoridade. Ricardo de São Vítor (m. 1173), à época aluno de Hugo, ressaltou também a autoridade das Escrituras em uma interpretação intrigante da narrativa da transfiguração em Mateus 17:

> Se agora você crê que viu o Cristo transfigurado, não creia facilmente no que você vê nele ou ouve dele, a menos que Moisés e Elias concordem. Sabemos que qualquer testemunho se confirma pela boca de dois ou três. Qualquer verdade que a autoridade das Escrituras não confirma é suspeita a meus olhos; eu não recebo Cristo em seu esplendor, a menos que Moisés e Elias estejam presentes. [...] Eu não recebo Cristo sem uma testemunha. Nenhuma aparente revelação é ratificada sem o testemunho de Moisés e Elias, sem a autoridade das Escrituras.[7]

Esse parágrafo intrigante é certamente digno de uma análise cuidadosa, uma vez que levanta questões sobre a natureza e o significado da encarnação. No entanto,

---

[5] Agostinho, *Epistulae* 82.3, em CSEL 33:354.
[6] Hugo de São Vítor, *De scripturis et scriptoribus sacris* 1, em *PL* 175:10–11A. Traduzido para o inglês por Hugh Feiss.
[7] Ricardo de São Vítor, *Book of the Twelve Patriarchs* 81, em *PL* 196:57BD. Traduzido para o inglês por Hugh Feiss, *On Love: A Selection of Works of Hugh, Adam, Achard, Richard, and Godfrey of St Victor*, Victorine Texts in Translation 2. Nova York: New City, 2012, p. 48–49.

Ricardo defende claramente a prática, mesmo no Novo Testamento, de citar as Escrituras a fim de estabelecer a verdade e o significado do evangelho.

Os cônegos regulares da abadia de São Vitor tiveram considerável influência em séculos posteriores, e a obra *Sententiae in IV libris*, de Pedro Lombardo (c. 1090–1160) foi, sem dúvida, o livro medieval mais influente na teologia, como evidenciado pelo grau universitário amplamente utilizado de *baccalaureus sententarius*, ou "Bacharel das Sentenças" (utilizado inclusive por Lutero!). Entretanto, Tomás de Aquino continua a ser o gigante da época. Ele ficou famoso por aplicar conceitos aristotélicos de causalidade para explicar tanto a origem divina das Escrituras quanto o genuíno envolvimento humano na sua produção. Em seu *Quaestiones de quolibet*, Aquino reconheceu que Deus era o principal autor da Sagrada Escritura, mas passou a insistir em que "não há nada repugnante sobre a noção de que [um] homem, que é a causa instrumental da Escritura, possa, em uma expressão, significar várias coisas".[8] Isso passaria a ser uma forma bastante insatisfatória de interpretar a relação entre o envolvimento de Deus e o dos seres humanos na produção da Escritura, pois deixava em aberto a possibilidade de que Moisés, Davi, os profetas e os apóstolos fossem todos inteiramente passivos, sem fazer conscientemente qualquer contribuição própria aos textos que lhes são atribuídos.

No entanto, Aquino foi inteiramente inequívoco acerca do caráter autoritativo do corpus canônico, ancorando essa autoridade na realidade da revelação divina aos profetas e aos apóstolos:

> Argumento vindo da autoridade é o método mais apropriado para esse ensino em que suas premissas são sustentadas por meio da revelação; por conseguinte, tem de ser aceita a autoridade daqueles a quem a revelação foi feita. [...]
>
> Ainda assim, o santo ensino também usa o raciocínio humano, não certamente para provar a fé, porque isso tiraria o mérito de crer, mas para manifestar algumas implicações de sua mensagem. [...]
>
> No entanto, o santo ensino emprega tais autoridades apenas para apresentar argumentos externos de probabilidade. Suas próprias autoridades competentes são as da Escritura canônica, e estas são aplicadas com força convincente. Há outras autoridades competentes, os doutores da Igreja, e essas parecem estar por si mesmas, a não ser por argumentos que não carregam mais do que probabilidade.
>
> Pois nossa fé repousa sobre a revelação feita aos profetas e aos apóstolos que escreveram os livros canônicos, não na revelação, caso ela exista nessa forma, feita a qualquer outro mestre.[9]

---

[8] Tomás de Aquino, *Quodlibet VII*, 6.1, ad 5, Corpus Thomisticum, Textum Taurini, edição de 1956. Disponível em: <www.corpusthomisticum.org/q07.html>. Acesso em: 3.out. 2016.

[9] Tomás de Aquino, *Summa Theologiae* 1a.1.8 [*Suma teológica*. São Paulo: Edições Loyola, 2006].

Mais adiante na *Summa*, ao lidar com o pecado da mentira, Aquino foi mais sucinto em relacionar a autoridade das Escrituras com a veracidade inerente a ela.

> É inadmissível que se possa afirmar a ocorrência de falsidade nos Evangelhos ou em qualquer outro lugar nas Escrituras canônicas, ou que os autores sagrados tenham mentido; isso poria fim à certeza da fé que repousa sobre a autoridade da Sagrada Escritura.[10]

Uma geração depois de Aquino, Henrique de Gand (c. 1217–1293) resolveu pelo menos uma das questões que envolviam o tratamento dado pelo eminente príncipe da Escolástica ao assunto. Henrique foi tido como o primeiro a falar da dupla autoria das Escrituras.[11] Os autores humanos não eram apenas "técnicos e tomadores de notas", mas "autores secundários". No entanto, as frases das Escrituras, bem como a qualidade e a forma das palavras que usaram, foram derivadas de Deus. Assim como Aquino e quase todos os seus contemporâneos, Henrique estabeleceu a inferência necessária:

> [Por essa razão,] temos de crer nas Sagradas Escrituras de forma simples e absoluta mais do que na Igreja, porque a própria verdade na Escritura é sempre mantida constante e imutável, e ninguém tem permissão para adicionar algo a ela, subtrair algo dela ou alterá-la.[12]

Sem dúvida, os julgamentos teológicos de seus principais pensadores foram apenas um dos fatores na complexa massa que foi o catolicismo medieval. O panorama geral fora conturbado pelo desenvolvimento da tradição exegética em duas direções distintas, ainda que surgidas a partir de pressupostos comuns sobre a autoridade e a relevância das Escrituras: (1) em direção a uma exegese quádrupla (o *Quadriga*, identificando os sentidos literal, alegórico, tropológico e analógico no texto) e (2) em direção a uma ênfase maior sobre a interpretação "literal" do texto (por exemplo, maior atenção aos acontecimentos históricos a que o Antigo Testamento se refere). Por fim, não houve uma tradição exegética única no período medieval, mas sim uma variedade de ênfases.[13]

Mais premente, porém, foi a forma como os pronunciamentos oficiais da Igreja poderiam estar em extremo contraste com as declarações de seus doutores. Na luta entre a Igreja e o império, o papado fez reivindicações cada vez mais amplas

---

[10] Ibid., 2a2ae.110.3.
[11] Rein Fernhout, *Canonical Texts: Bearers of Absolute Authority: Bible, Koran, Veda, Tipitaka: A Phenomenological Study*. Leiden: Brill, 1994, p. 104.
[12] Cited in Hermann Schüssler, *Der Primat der Heiligen Schrift als theologisches und kanonistisches Problem im Spätmittelalter*. Wiesbaden: Franz Steiner, 1977, 57n53.
[13] Richard A. Muller, "Biblical Interpretation in the Era of the Reformation: The View from the Middle Ages". In: Richard A. Muller e John L. Thompson (eds.). *Biblical Interpretation in the Era of the Reformation: Essays Presented to David C. Steinmetz in Honor of His Sixtieth Birthday*. Grand Rapids: Eerdmans, 1996, p. 11–12.

de supremacia sobre todas as outras autoridades. A extensão do alcance dessas reivindicações se tornou evidente na primeira resposta oficialmente endossada às *95 Teses* de Lutero, *On the Power of the Papacy* [Sobre o poder do papado], de Sylvestro Prierias (c. 1456-1523), em que a terceira tese ou *fundamentum* descaradamente declarou: "Quem não se apega aos ensinamentos da Igreja Romana e do papa como regra infalível de fé, a partir dos quais até mesmo a Sagrada Escritura deriva sua força e autoridade, é um herege".[14]

Prierias pode ter sido extremo, mas ele não foi singular. Afinal, a noção de que a tradição era uma segunda fonte distinta do ensinamento autorizado ao lado da Escritura não surgiu como novidade no Concílio de Trento. Na verdade, Gabriel Biel (c. 1420-1495), professor de teologia na Universidade de Tübingen, justificou esse ponto de vista ao citar os escritos de Basílio de Cesareia (c. 330-379).[15] Num contexto em que as pessoas cada vez recorriam não apenas às Escrituras, mas também a uma tradição apostólica oral incorporada aos pronunciamentos da Igreja, o apelo de Lutero à Escritura por si só era algo genuinamente revolucionário, uma vez que ele desafiou de modo significativo o consenso teológico na virada do século XVI, assim como a teoria e a prática da Igreja romana. Desse modo, as linhas de continuidade não devem ser exageradas.

No entanto, essas linhas estiveram com certeza presentes, especialmente quando se chegou a um entendimento comum sobre a origem fundamental da Escritura na atividade reveladora de Deus, na inspiração divina e na veracidade e na autoridade inerentes ao texto bíblico resultante. A teologia dos reformadores não surgiu num vácuo, nem na falta de conexão substancial com o que tinha vindo antes, e foi isso que tornou o argumento com base na Escritura possível. É por isso que Lutero esperou, como certamente o fez nos primeiros anos da Reforma (embora, em última análise, em vão), que o papa e a Igreja de Roma fossem aceitar seus argumentos e reformarem-se. Mas a dura realidade de interesses constituídos e um compromisso com a autoridade institucional exerceriam forte pressão contra Lutero e todos os reformadores, pois, na prática, rivalizavam e, por fim, minaram esse compromisso comum com a autoridade das Escrituras.

CUNHAR O TERMO: LUTERO E A AUTORIDADE BÍBLICA

O compromisso da Martinho Lutero com a autoridade final das Escrituras, aquela pela qual todas as outras autoridades devem ser julgadas, é evidente desde os

---

[14] Sylvestro Prierias, *De potestate papae dialogus*, citado em latim e em inglês em Heiko A. Oberman, *The Reformation: Roots and Ramifications*. Edinburgh: T&T Clark, 1994, p. 124.

[15] Gabriel Biel, *Expositio* (1488; repr., Basel, 1515), citado em: Heiko A. Oberman, "Quo Vadis, Petre? Tradition from Irenaeus to *Humani Generis*", em *The Dawn of the Reformation: Essays in Late Medieval and Early Reformation Thought*. Edinburgo: T&T Clark, 1986, 281n50.

primeiros anos de seu ministério de ensino e produção literária. Um ano após publicar sua *Disputa contra a teologia escolástica* (setembro de 1517) e suas *95 teses contra o poder das indulgências* (outubro de 1517), Lutero foi convocado para uma entrevista com Tommaso de Vio, ou cardeal Caetano (1469–1534), seguindo-se a Dieta de Augsburg, em outubro de 1518. Quando Caetano desafiou-o com base no ensinamento da igreja, Lutero insistiu: "A verdade da Escritura vem em primeiro lugar. Depois que ela é aceita, pode-se determinar se as palavras dos homens podem ser aceitas como verdadeiras".[16] É evidente que Lutero não estava descartando a autoridade das "palavras dos homens", mas, em vez disso, ele as submetia ao que considerava uma autoridade superior, "a verdade das Escrituras". Ao longo de seu ministério, Lutero citaria os pais apostólicos e os credos, e até mesmo algumas decisões dos concílios da igreja primitiva em apoio a seu ensinamento, mas ele não os considerava decisivos. No entanto, eles também foram mais do que meramente ilustrativos quando, na medida do possível, expressavam fielmente o ensino da Escritura e, por isso, podiam ser considerados autoritativos. A Escritura não era a única autoridade, mas sim a autoridade final.

Ficou ainda mais claro, poucos anos depois, que era esse o significado pretendido por Lutero à divisa *sola Scriptura* quando, após as ameaças de excomunhão feitas por Leão X (papado 1513–1521), ele escreveu *Uma afirmação de todos os artigos* (1520):

> Não quero jogar fora todos aqueles que são mais instruídos [do que eu sou], mas *somente a Escritura* deve reinar, e não a interpreto por meu próprio espírito ou pelo espírito de qualquer homem, mas quero entendê-la por si mesma e mediante seu espírito.[17]

Essa é uma das primeiras ocorrências da frase *sola Scriptura* pela pena de um reformador. Lutero escreveu novamente nesses termos em seu prefácio às notas de Melanchthon sobre Romanos em 1522, embora dessa vez ele tenha colocado a frase na boca de Melanchthon:

> Você diz: "*Somente a Escritura* deve ser lida sem comentários". Você diz isso corretamente sobre os comentários de Orígenes, Jerônimo e Tomás. Eles escreveram comentários em que transmitiram suas próprias ideias em lugar das ideias de Paulo ou dos cristãos. Que ninguém chame suas [de Melanchthon] anotações de um comentário [nesse sentido], mas apenas de um índice para ler a Escritura e conhecer a Cristo, em razão de, até esse momento, ninguém ter oferecido um comentário que a supere.[18]

---

[16] Martinho Lutero, *Acta Augustana* (1518), WA 2:21.5–6; LW 31:282.
[17] Martinho Lutero, *Assertio omnium articulorum M. Lutheri per bullam Leonis X. novissimam damnatorum* (1520), WA 7:98.40–99.2.
[18] Martinho Lutero, *Vorwort zu den Annotationes Philippi Melanchthonis in epistolas Pauli ad Romanos et Corinthios* (1522), WA, v. 10, bk. 2, 310.12–17.

É nítido que Lutero estava familiarizado com essa expressão e a convicção que lhe era subjacente desde os primeiros anos da Reforma. Todavia, mais uma vez, é importante não importar uma abordagem bíblica moderna baseada na seleção de textos-prova para entender o modo pelo qual Lutero vai afirmar o lugar vital da Escritura na teologia e na prática da igreja. Ele não se limitou a apoiar suas afirmações com uma série de referências bíblicas. Na verdade, como teólogos em todos os séculos, Lutero não era avesso a citar *dicta probantia* (ou seja, provas escriturísticas). As palavras expressas da Escritura eram decisivas, e ele estava mais do que disposto a discutir o significado preciso de um texto em particular – seu debate com Zuínglio em Marburgo, em 1529, sobre a declaração de Jesus: "Isto é o meu corpo" (Mateus 26:26) é prova suficiente disso.[19] Anteriormente, em 1525, ele havia escrito sobre o mesmo assunto e insistiu que as claras palavras da Escritura deveriam sustentar-se:

> Esta, então, é a nossa base. Onde a Sagrada Escritura é o fundamento da fé, não nos desviamos das palavras como são nem da ordem em que elas estão, a menos que um expresso artigo de fé obrigue uma interpretação ou ordem diferente. Pois, do contrário, o que aconteceria com a Bíblia?[20]

Mas Lutero também faz emergir o significado de um texto usando os argumentos de seus antecessores e seu próprio raciocínio para testemunhar a importância e as consequências dos ensinos bíblicos. Ele reconhecia outras autoridades subsidiárias e contingentes, não ao lado, mas sob a regra da Escritura, a qual mantinha sua autoridade final. Essas outras autoridades incluíam não apenas os pais da Igreja, mas também uma série de teólogos medievais importantes. Ele também reconheceu que raciocinar a partir do texto da Escritura e sobre ele era um elemento crítico em todo o processo. Inferências adequadas a partir do que é dito nas Escrituras, sempre sujeitas ao teste de confronto com o próprio texto bíblico, aparecem ao longo dos escritos de Lutero. Sua disposição de raciocinar a partir das Escrituras (seguindo o exemplo de Paulo em Atos 17:2) é evidente tão precocemente como a famosa declaração feita na Dieta de Worms, em maio de 1521:[21]

> A menos que eu seja convencido pelo testemunho das Escrituras ou pela razão pura – pois não posso crer apenas no papa ou nos concílios, uma vez que é evidente que eles erraram

---

[19] Para um registro útil, veja Martin Brecht, *Martin Luther*, v. 2, *Shaping and Defining the Reformation, 1521–1532* Minneapolis: Fortress, 1990, p. 325–334.
[20] Martinho Lutero, *Wider die himmlischen Propheten von den Bildern und Sakrament* (1525), WA 18:147.23–26; LW 40:157.
[21] Para Lutero, isso frequentemente significava, de modo muito específico, "provar o Novo Testamento a partir do Antigo". Martinho Lutero, *Epistel S. Petri gepredigt und außgelegt* (1523), WA 12:274.24–32; LW 30:18–19.

repetidamente e contradizem-se entre si –, considero-me preso às *Escrituras* que citei, e minha consciência é cativa da Palavra de Deus.[22]

Assim, para Lutero, a própria Escritura permanecia como a autoridade final, mas isso não excluía a possibilidade de recorrer aos pais da Igreja, aos credos e às decisões da igreja. A leitura da Escritura é uma atividade de comunhão em que a voz de quem leu antes de nós precisa ser ouvida com atenção. O individualismo dos séculos posteriores só será lido no apelo de Lutero ao *sola Scriptura* anacronicamente. Do mesmo modo, nem a autoridade final das Escrituras acabou com a necessidade de aplicar a razão humana ao significado do texto. Lutero certamente poderia fazer uso da lógica na construção de um argumento teológico de vez em quando (especialmente quando discutia com os suíços), e seu apelo em Worms incluiu, por fim, a frase "ou pela razão pura".[23] Mas, de forma crítica, tanto um apelo aos pais quanto a aplicação da razão poderiam ser questionados com base na leitura simples do texto da Escritura – apenas a Escritura deve reinar –, pois nossa consciência não é cativa de qualquer outra autoridade a não ser a Palavra de Deus.

A razão humana teve seus próprios desafios, por certo. Sim, ela pode e deve servir a uma função ministerial no sentido de ajudar o crente a entender a Palavra de Deus. No entanto, Lutero estava convencido de que fora o exercício indisciplinado da razão que levara a muitos dos erros que ele percebia em seu tempo, e ele se recusou a permitir que a razão fosse um teste isolado ou final da verdade. Em 1532, muito depois do calor inicial do confronto com Roma ter amenizado um pouco, Lutero dissertou sobre Salmos 45, insistindo que

> esta deve ser a primeira preocupação de um teólogo: ser um bom textualista, como é chamado, e apegar-se ao primeiro princípio: não contestar ou filosofar sobre assuntos sagrados. Porque, se fosse para operar com argumentos racionais e plausíveis nesta área, seria fácil para mim distorcer cada artigo de fé, como fizeram Ário, os sacramentários e os anabatistas. Mas, na teologia, só devemos ouvir e crer e ser convencidos em nosso coração de que "Deus é verdadeiro, não importando o quanto aquilo que Deus diz em sua palavra possa parecer absurdo para a razão".[24]

Como é evidente nas citações apresentadas anteriormente, tudo isso foi edificado, no que diz respeito a Lutero, sobre a convicção primária de que a Escritura

---

[22] Martinho Lutero, *Verhandlungen mit D. Martin Luther auf dem Reichstage zu Worms* (1521), WA 7:838.4–7; LW 32:112 [publicado em português como "Discurso do Dr. Martinho Lutero perante o Imperador Carlos e os príncipes na assembleia de Worms", em *Martinho Lutero – Obras Selecionadas, Volume 6: Ética política*, pp. 121–126. Porto Alegre: Comissão Interluterana de Literatura, s/d].

[23] Veja, por exemplo, Martinho Lutero, *Vom Abendmahl Christi, Bekenntnis* (1528), WA 26:275.33-34, 323.13–327.4, 437.30–445.17; LW 37:134, 211–214, 294–303.

[24] Martinho Lutero, *Praelectio in Psalmum 45* (1532), WA, vol. 40, bk. 2, 593.30–36; LW 12:288.

era de fato a Palavra de Deus escrita. Mesmo tendo em conta a insistência de Lutero de que a Palavra deve ser *pregada* e não apenas *lida*,[25] ele não duvidava que o texto da Escritura era a própria Palavra de Deus. A noção do século XX de que a Escritura contém a Palavra de Deus não deve ser creditada a Lutero, como Karl Barth fez em uma leitura errada da expressão de Lutero em sua *Adventspostille* – "contém a Palavra de Deus"; na verdade, esse comentário referia-se à "alma em toda a sua angústia", não à "Sagrada Escritura".[26] O testemunho repetido pelo próprio Lutero é claro. Em 1522, ele escreveu: "Eu acho que o próprio papa, com todos os seus demônios, mesmo que suprima toda a Palavra de Deus, não pode negar que a palavra de Paulo é a Palavra de Deus e que sua ordem é a ordem do Espírito Santo".[27] Vinte anos depois, em 1542, ao comentar o livro de Gênesis, Lutero falou de como cria firmemente, mesmo sem muitos argumentos, que "o próprio Espírito Santo e Deus, o Criador de todas as coisas, é o autor deste livro".[28]

Ele usava intercambiavelmente "Escritura" e "Palavra de Deus", como fez com frequência em seu debate com Erasmos, em 1525: "Eu digo com respeito a *toda a Escritura*: não terei *qualquer parte dela* chamada obscura. [...] Cristo não nos tem iluminado para deliberadamente deixar *qualquer parte de sua palavra* obscura".[29] Ele também poderia colocar as duas expressões lado a lado, não para significar duas entidades diferentes, mas a fim de impressionar seus leitores sobre a identidade da Escritura como a Palavra de Deus. Então, em 1521, na quarta de suas respostas à bula papal que o ameaçava de excomunhão, ele escreveu:

> "Não faça de suas próprias ideias artigos de fé, como a abominação em Roma faz. Pois, se o fizer, sua fé pode se tornar um pesadelo. Agarre-se à Escritura e à Palavra de Deus. Lá você vai encontrar verdade e segurança – confiança e uma fé que é completa, pura, suficiente e permanente."[30]

---

[25] A expressão mais aguda dessa ênfase de Lutero na oralidade da Palavra é encontrada em sua palestra de 1526 sobre Malaquias 2:7. Martinho Lutero, *Praelectiones in Malachiam* (1526), WA 13:686.6–12; LW 18:401.

[26] Martinho Lutero, *Adventspostille* (1522), WA, v. 10, bk. 1, pt. 2, 75.1-10; Karl Barth, *Kirchliche Dogmatik*, v. 1, pt. 2, 544 (para uma tradução para o inglês, veja Karl Barth, *Church Dogmatics*, editado por G. W. Bromiley e T. F. Torrance, v. 1, pt. 2. Londres: T&T Clark, 2004, p. 492). Veja o debate em Mark D. Thompson, *A Sure Ground on Which to Stand: The Relation of Authority and Interpretive Method in Luther's Approach to Scripture*, Studies in Christian History and Thought. Carlisle: Paternoster, 2004, p. 88–89.

[27] Martinho Lutero, *Wider den falsch genannten geistlichen Stand des Papsts und der Bischöfe* (1522), WA, v. 10, bk. 2, 139.15–18; LW 39:277.

[28] Martinho Lutero, *Genesisvorlesung* (1535–1545), WA 43:618.31–33; LW 5:275.

[29] Martinho Lutero, *De servo arbitrio* (1525), WA 18:656.15–16, 18–20; LW 33:94, 95 [publicado em português como "Da vontade cativa", em *Martinho Lutero – Obras Selecionadas, Volume 4: Debates e controvérsias II*, p. 11–216. Porto Alegre: Comissão Interluterana de Literatura, s/d].

[30] Martinho Lutero, *Grund und Ursach aller Artikel D. Martin Luthers* (1521), WA 7:455.21–24; LW 32:98.

Dezoito anos mais tarde, no meio de uma palestra sobre Gênesis 19, ele alertou para o perigo de "fugir da Sagrada Escritura" e concluiu exortando: "Não vamos mudar a Palavra de Deus".[31]

A preleção de Lutero sobre as três formas da Palavra de Deus ficou famosa, mas não da mesma forma como Karl Barth o faria quatro séculos mais tarde. Lutero disse:

> Assim, devemos saber que a Palavra de Deus é falada e revelada de forma tríplice. Em primeiro lugar, por Deus, o Pai, nos santos em glória e em si mesmo. Em segundo lugar, nos santos que aqui vivem no Espírito. Em terceiro lugar, por meio da palavra externa e da língua dirigida aos ouvidos humanos.[32]

Essa não é uma progressão rígida de Palavra encarnada, Palavra escrita, Palavra proclamada. Lutero avançou da voz direta, sem mediação, do Pai em glória, à Palavra mediada pelo Espírito para o cristão na história humana e à Palavra mediada pelo texto público e pela proclamação ao mundo. No entanto, em outros pontos, Lutero aproximou-se da fórmula tríplice de Barth. Ele insistiu que Cristo, o Verbo encarnado de Deus, deve ser distinguido da Escritura e da pregação pelo fato de que somente Cristo é, "em substância, Deus".[33] Mesmo assim, Lutero permaneceu devoto à Bíblia. Sua vitalícia e séria atenção às Escrituras como sendo a Palavra de Deus, a exigir fé e obediência por advirem dos lábios do próprio Deus, nunca se deteriorou em bibliolatria.

O foco de Lutero permaneceu naquilo que ele cria ser o foco das Escrituras: o testemunho e a palavra de Cristo tanto na Lei quanto no Evangelho. Notoriamente para Lutero, o princípio interpretativo central quando falava tanto do Antigo como do Novo Testamento era "o que promove Cristo" (*was Christum treibet*).[34] Esse é um princípio, Lutero insistia, que surgiu da própria Escritura e, particularmente, deriva-se das palavras e do exemplo de Cristo em registros como João 5:39 e Lucas 24:27:

> Note, os Evangelhos e as Epístolas dos apóstolos foram escritos para esse mesmo fim. Eles querem ser nossos guias, a fim de nos dirigir aos escritos dos profetas e de Moisés no Antigo Testamento para que possamos ali ler e ver por nós mesmos como Cristo está envolvido em panos e colocado na manjedoura, isto é, como ele é compreendido nos escritos dos

---

[31] Martinho Lutero, *Genesisvorlesung* (1535–1545), WA 43:87.37–40; LW 3:297.
[32] Martinho Lutero, *Dictata super Psalterium* (1513–1515), WA 3:262.6–9; LW 10:220.
[33] Martinho Lutero, "Substantialiter Deus", *Tischreden* #5177 (agosto de 1540), WATr 4:695.16–696.2; LW 54:395.
[34] "Todos os livros sagrados genuínos concordam que todos eles pregam e promovem Cristo, e que esse é o verdadeiro teste pelo qual julgar todos os livros: quando não vemos que eles promovem Cristo ou não o promovem". *Vorrede auf die Episteln S. Jacobi und Judas* (1522), WADB 7:384.25–27; LW 35:396 [publicado em português como "Prefácio às Epístolas de S. Tiago e Judas", em *Martinho Lutero – Obras Selecionadas, Volume 8: Interpretação bíblica – Princípios*, p. 153–155. Comissão Interluterana de Literatura: Porto Alegre, s/d].

profetas. É lá que pessoas como nós devem ler e estudar, aprofundar-nos e ver o que Cristo é, para que propósito ele foi dado, como foi prometido e como toda a Escritura se volta para ele. Pois ele mesmo diz em João 5:46: "Se vocês cressem em Moisés, creriam em mim, pois ele escreveu a meu respeito". E diz também: "Vocês estudam cuidadosamente as Escrituras [...] E são as Escrituras que testemunham a meu respeito [v. 39]."[35]

Esse princípio foi também uma aplicação particular do modo ainda mais fundamental de Lutero interpretar a Bíblia: "A Escritura é sua própria intérprete" (*Scriptura sui ipsius interpres*).[36] A própria Escritura deve dirigir nossa atenção para seu ponto central e nos dar a chave para compreendermos cada uma das partes e como elas se encaixam formando um todo coerente — e, na visão de Lutero, Cristo era essa chave. Em 1525, ele perguntou: "Se tirar Cristo das Escrituras, o que sobrará nelas?"[37] Dez anos mais tarde, ele insistiu: "A Sagrada Escritura, especialmente o Novo Testamento, sempre promove a fé em Cristo e magnificamente o proclama".[38]

Focalizando Cristo e firmemente comprometido com a "analogia da Escritura" (a comparação de Escritura com Escritura), Lutero insistiu na clareza da Palavra de Deus. Esse princípio formou uma parte importante de seu argumento contra Erasmo em *Da vontade cativa* (1525). Essa foi a razão de sua confiança ao fazer afirmações teológicas, algo que Erasmo considerava inadequado, dado o mistério divino e sua expressão na profundidade das Escrituras. Um cristão se deleita em afirmações, Lutero respondeu, mas imediatamente insistiu que estava falando sobre "a afirmação das coisas que nos foram divinamente transmitidas nos escritos sagrados".[39] Afirmações teológicas são possíveis porque Deus comunicou de forma eficaz sua verdade nas Escrituras. Naturalmente, Lutero não negou que algumas passagens bíblicas são difíceis, e abraçou a prática antiga de explicar tais passagens à luz de passagens simples. Ele desvelou o significado da expressão "a clareza da Escritura" e, de alguma forma, explicou por que uma passagem clara não levava inexoravelmente à concordância universal ao distinguir entre dois tipos de clareza:

---

[35] Martinho Lutero, *Eyne kleyn unterricht, was man ynn den Euangelijs suchen und gewartten soll*, Kirchenpostille (1522), WA, v. 10, bk. 1, pt. 1, 15.1–10; LW 35:122 [publicado em português como "Breve instrução sobre o que se deve procurar nos Evangelhos e o que esperar deles", em *Martinho Lutero – Obras Selecionadas, Volume 8: Interpretação bíblica – Princípios*, p. 167–176. Comissão Interluterana de Literatura: Porto Alegre, s/d].

[36] A expressão é encontrada, entre outros lugares, em Martinho Lutero, *Assertio omnium articulorum M. Lutheri per Bullam Leonis X. novissimam damnatorum* (1520), WA 7:97.20–24.

[37] Lutero, *De servo arbitrio* [Da vontade cativa] (1525), WA 18:606.29; LW 33:26.

[38] Martinho Lutero, *In epistolam S. Pauli ad Galatas Commentarius* (1535), WA, v. 40, bk. 1, 254.17–18; LW 26:146.

[39] "Pois não é a marca de uma mente cristã não ter prazer em afirmações; pelo contrário, um homem deve deliciar-se com afirmações, ou ele não será cristão [...] Eu estou falando, sem dúvida, sobre a afirmação daquelas coisas que nos foram divinamente transmitidas nos escritos sagrados". Lutero, *De servo arbitrio* [Da vontade cativa] (1525), WA 18:603.10–12, 14–15; LW 33:19–20.

Para resumir, existem dois tipos de clareza nas Escrituras, assim como também existem dois tipos de obscuridade: uma externa e pertencente ao ministério da Palavra e a outra, localizada na compreensão do coração. Se você fala da clareza interna, ninguém percebe nem um til do que está nas Escrituras, a menos que tenha o Espírito de Deus. [...] Se, por outro lado, você fala da clareza externa, nada fica obscuro ou ambíguo, mas tudo o que há nas Escrituras já foi revelado pela Palavra à luz mais definitiva e publicado a todo o mundo.[40]

O modo de Lutero considerar a autoridade, a natureza e a função das Escrituras definiu muito da direção seguida por aqueles que vieram após ele. Não foi uma ruptura radical com o ensinamento oficial da Igreja nos séculos anteriores à Reforma, uma vez que havia uma herança temática em comum com esse consenso teológico, a saber, a origem divina da Escritura, sua autoridade e veracidade, e seu foco central em Cristo. Um apelo à Escritura também era comum nos escritos teológicos e nos documentos oficiais da Igreja. O radicalismo de Lutero derivou-se mais das consequências dessas convicções em sua revisão do currículo teológico de Wittenberg e em sua crítica à prática da igreja de seu tempo. Ele estava preparado para questionar o que vinha sendo ensinado e praticado na Igreja romana com base em seu compromisso sustentado pelo texto da Escritura. Para ele, *sola Scriptura* significava que todas as outras autoridades, por mais veneráveis que fossem, ficariam sob a autoridade das Escrituras e deviam ser testadas pelo que é ensinado nas Escrituras. Como palavra final, a Escritura é única. Outros reformadores iriam edificar sobre as percepções de Lutero à luz dos desafios que inevitavelmente vieram a surgir.

SEGUINDO A TRAJETÓRIA: MELANCHTHON E A AUTORIDADE BÍBLICA

Philip Melanchthon (1497–1560), colega de Lutero na Universidade de Wittenberg, seguiu cada uma dessas linhas de argumentação, mas, de modo característico, buscou maior clareza sistemática. Em 19 de setembro de 1519, não muito tempo após a disputa em Leipzig entre Lutero, Johann Eck (1486–1543) e Andreas Karlstadt (c. 1480–1541), Melanchthon respondeu a 24 proposições apresentadas pelo decano da faculdade de teologia como parte de seu exame para o *baccalaureus biblicus*.[41] Três das proposições são particularmente notáveis:

- Não é necessário para um católico crer em quaisquer outros artigos de fé que não aqueles dos quais a Escritura é testemunha.
- A autoridade dos concílios está abaixo da autoridade das Escrituras.

---

[40] Lutero, *De servo arbitrio* [Da vontade cativa] (1525), WA 18:609.4–7, 12–14; LW 33:28.
[41] Título que lhe possibilitava também lecionar sobre a Bíblia, e não apenas traduzi-la (N.E.).

- Portanto, não crer no "*character indelibilis*" a ocorrer na transubstanciação e em ordenações afins não possibilita a acusação de heresia.[42]

Sem dúvida, Melanchthon foi profundamente afetado pelo intercâmbio em Leipzig, em particular entre Lutero e Eck. Aquilo deu-lhe uma perspectiva inteiramente nova sobre as autoridades da antiguidade que haviam dominado sua formação humanista. Sua resposta ao ataque pessoal de Eck, publicado um mês antes da disputa do *baccalaureal*, detalhou de forma mais completa seu entendimento da relação entre a autoridade das Escrituras e, em particular, a autoridade dos pais da Igreja:

> Em primeiro lugar, não está em meu coração diminuir de maneira nenhuma a autoridade de quem quer que seja. Reverencio e honro todas as luzes da Igreja, aqueles ilustres defensores da doutrina cristã. A seguir, considero ser importante que as opiniões dos santos pais, quando elas diferem, como ocorre, sejam julgadas pela Escritura, e não o contrário, [pois isso faria que] a Escritura fosse violentada pelos julgamentos diversos [deles]. Há um único e simples sentido da Escritura, como também a verdade celeste é muito simples, a qual estabelece uma ponte entre o fio condutor da Escritura e a oração. Para esse fim, somos ordenados a filosofar a respeito das divinas Escrituras, a fim de podermos avaliar as opiniões dos homens e os decretos à luz da Pedra Angular. [...] A Escritura do Espírito celeste, que é chamada canônica, é una, pura e verdadeira em todas as coisas.[43]

A formação humanista de Melanchthon fez de sua preocupação com as autoridades patrísticas algo corriqueiro. Elas continuaram autoritativas, e seus esforços em defender a doutrina cristã deviam ser honrados. No entanto, havia uma autoridade maior do que qualquer uma delas, uma pedra de toque contra a qual deviam todas ser testadas. Aqui, é bastante claro que Melanchthon adotou entusiasticamente as orientações teológicas estabelecidas por Lutero.

A razão que ressaltava essa diferença entre a Escritura, de um lado, e os textos dos pais e os decretos da Igreja, de outro, encontrava-se na origem da Escritura. Melanchthon apresentou isso de forma sucinta um ano depois, quando escreveu de Nuremberg para John Hess: "Sabemos que o que foi estabelecido nos livros canônicos é a doutrina do Espírito Santo. Não sabemos se o que foi decidido pelos concílios é a doutrina do Espírito Santo, a menos que concorde com as Escrituras".[44]

Mais no início dessa importante carta, Melanchthon manifestou seu compromisso com a clareza da Escritura (outro tema importante de Lutero, como vimos), ancorando-a no caráter e na vontade de Deus:

---

[42] Philip Melanchthon, *Melanchthon: Selected Writings*, editado por Elmer E. Flack e Lowell J. Satre. Minneapolis: Augsburg, 1962, p. 18.
[43] Philip Melanchthon, *Defensio contra Johannem Eckium* (1519), CR 1:113–14, p. 115.
[44] Philip Melanchthon, *Epistolas ad Hessum* (fevereiro de 1522), CR 1:143; *Melanchthon: Selected Writings*, p. 53.

Pelo contrário, o misericordioso Espírito de Deus deseja que a Escritura seja entendida por todos os fiéis com o mínimo de dificuldade possível. Peço-lhe: não vamos permitir que a Escritura divina se torne hieróglifos egípcios. O Filho de Deus assumiu a forma humana a fim de que não seja desconhecida. E ele quis ser tanto mais conhecido por meio das Escrituras que, como uma espécie de imagem de si mesmo, deixou-a para nós em possessão perpétua![45]

A principal obra de Melanchthon, *Loci Communes*, publicada pela primeira vez em 1521, não tratou da doutrina da Escritura como um *locus* distinto. No entanto, sua introdução ao *locus*, na terceira edição (de 1543), trata da diferença entre o antigo e o novo pacto, incluindo uma declaração sobre o propósito divino por trás da Escritura, incorporando a dialética lei-evangelho que Lutero tornou famosa:

> Assim, devemos entender que é uma grande bênção de Deus ter ele dado determinado Livro a sua Igreja, e o preservar para nós e o fato de reunir sua Igreja em torno dele. Por fim, a igreja é o povo que abraça esse Livro, ouve-o, aprende-o e retém como seus os ensinamentos dele para sua vida de adoração e no governo de suas questões morais. Por conseguinte, quando esse Livro é rejeitado, a Igreja de Deus não está presente, como é o caso entre os muçulmanos; ou quando seus ensinamentos são suprimidos ou falsas interpretações são estabelecidas, como tem acontecido entre os hereges. Portanto, devemos ler esse Livro e nele meditar de modo a guardar seus ensinamentos, como frequentemente somos orientados a estudá-lo, por exemplo, em 1Timóteo 4:13: "Dedique-se à leitura pública da Escritura", ou em Colossenses 3:16: "Habite ricamente em vocês a palavra de Cristo". O Espírito Santo testifica que é sua vontade que a doutrina e os testemunhos divinos sejam colocados por escrito; por exemplo, em Salmos 102:18: "Escreva-se isto para as futuras gerações, e um povo que ainda será criado louvará o Senhor".
>
> Portanto, devemos amar e cultivar o estudo deste Livro divinamente oferecido. Em primeiro lugar, devemos conhecer sua substância e que existem dois tipos de ensinamento contidos em todo o Livro: a lei e a promessa de graça, que é apropriadamente chamada de o Evangelho. Essa distinção é uma luz para toda a Escritura e foi ensinado antes mesmo de Moisés.[46]

Embora não tenha se aprofundado em nenhum destes pontos seguintes, Melanchthon defendeu a origem da Escritura em Deus, a confiança ao aproximar-se dela ancorada na benevolência de Deus, que a deu, a preservação dela por parte de Deus e o papel das Escrituras na congregação local. Ele foi mais direto e mais sucinto na primeira edição: "Artigos de fé devem ser julgados simplesmente em

---

[45] Melanchthon, *Epistolas ad Hessum*, CR 1:141; *Melanchthon: Selected Writings*, p. 51.
[46] Philip Melanchthon, *Loci Communes* (1543), CR 21:801; Melanchthon, *Loci Communes 1543*. St. Louis: Concordia, 1992, p. 117.

conformidade com o cânon da Sagrada Escritura. O que for proposto que não esteja na Escritura não deve ser considerado como artigo de fé".[47]

Melanchthon segue explicando as razões disso:

> Agora, como vamos saber a origem dos decretos dos homens se não pudermos avaliá-los com precisão de acordo com a Escritura? Pois está seguramente acordado que aquilo que as Escrituras confirmam tem sua origem no Espírito Santo. [...] Paulo ordena aos tessalonicenses: "Ponham à prova todas as coisas e fiquem com o que é bom" [1Tessalonicenses 5.21]. E em outra passagem ele ordena que os espíritos sejam testados para ver se são de Deus. Eu lhes pergunto como poderemos testar os espíritos a menos que sejam confrontados com um padrão definido, certamente o da Escritura, pois concordamos que somente a Escritura é definitivamente estabelecida pelo Espírito de Deus.[48]

Argumentos semelhantes são encontrados em *A Igreja e a autoridade da Palavra*, tratado que Melanchthon escreveu em 1539. No entanto, ele conseguiu desenvolver essa argumentação mais detalhadamente ao procurar defender os piedosos "contra o sofisma daqueles que falsamente citam os testemunhos dos dogmas da antiguidade e da Igreja na defesa de dogmas malignos".[49] Ele antecipou a objeção de que, "se a autoridade da Igreja é repudiada, então, uma grande abertura é concedida à arrogância de pessoas engenhosas", e, em resposta, escreveu:

> A isso eu respondo que, assim como o Evangelho nos ordena ouvir a Igreja, então, sempre digo que a assembleia na qual a Palavra de Deus é honrada, e que se chama a Igreja, deve ser ouvida, assim como também ordenamos que nossos pastores sejam ouvidos. Vamos, portanto, ouvir a Igreja quando ela ensina e adverte, mas não crer apenas em virtude da autoridade da Igreja, pois a Igreja não é origem de artigos de fé; ela só ensina e adverte. Mas temos de crer por causa da Palavra de Deus quando, com certeza, admoestados pela Igreja, entendemos que determinado parecer foi proferido sob a Palavra de Deus com sinceridade e sem sofismas.[50]

O tratamento que Melanchthon dá à autoridade das Escrituras, na maioria das vezes no contexto de repúdio à autoridade final do dogma da Igreja, certamente segue de perto a trajetória definida por Lutero. Não é um repúdio completo a outras teologias, exceto quando elas são tratadas como autoridades finais. Todas as outras reivindicações devem ser confrontadas com a Escritura, e, onde quer que haja uma diferença, a Escritura deve reinar suprema.

---

[47] Melanchthon, *Loci Communes* (1522), CR 21:131; *Melanchthon and Bucer*, editado por Wilhelm Pauck, LCC 19. Londres: SCM, 1969, p. 63.
[48] Melanchthon, *Loci Communes* (1522), CR 21:131; *Melanchthon and Bucer*, p. 63.
[49] Philip Melanchthon, *De Ecclesia et de Autoritate Verbi Dei* (1539), CR 23:642; *Melanchthon: Selected Writings*, p. 186.
[50] Melanchthon, *De Ecclesia et de Autoritate Verbi Dei*, CR 23:603; *Melanchthon: Selected Writings*, p. 142.

PODEROSO E EFICAZ: ULRICO ZUÍNGLIO E A AUTORIDADE BÍBLICA

Ulrico Zuínglio (1484–1531) sempre argumentou que chegou a sua teologia antes e independentemente de Martinho Lutero. Indiscutivelmente o primeiro reformador suíço, ele produziu o primeiro tratado sobre a natureza e a função da Escritura na era protestante. Em 6 de setembro de 1522, apenas dezesseis meses após a Dieta de Worms, Zuínglio publicou seu sermão *Die Klarheit und Gewissheit des Wortes Gottes* (A clareza e a certeza da Palavra de Deus). O sermão começa com uma meditação introdutória sobre a humanidade criada à imagem de Deus, o que leva à seguinte conclusão:

> Então, chegamos ao ponto em que, a partir do fato de sermos a imagem de Deus, podemos ver que não há nada que possa dar maior alegria ou segurança ou conforto à alma do que a Palavra de seu criador e autor. Agora, podemos nos aplicar a compreender a clareza e a infalibilidade da Palavra de Deus.[51]

O corpo do sermão é estruturado em torno de duas características da Escritura: a certeza ou poder da Palavra de Deus e a clareza da Palavra de Deus. Embora a expressão "Palavra de Deus" seja favorecida por Zuínglio em todo o sermão, seu uso do texto da Escritura e seus próprios comentários explícitos – "Falamos da Escritura, e isso veio de Deus, não de homens"[52] – demonstra que ele não fazia distinção entre os dois exatamente como alguns teólogos do século XX. Isso se evidencia em um comentário ampliado a respeito de Cristo e da Palavra:

> Para aquele que diz que [isto] é uma luz do mundo. Ele é o caminho, a verdade e a luz. Em sua Palavra, nunca nos extraviaremos, tampouco seremos enganados, confundidos ou destruídos nela. Se você pensa que não pode haver nenhuma garantia ou certeza para a alma, ouça a certeza da Palavra de Deus. A alma pode ser instruída e iluminada – note a clareza –, de modo que perceba que toda a sua salvação e justiça, ou justificação, é encontrada em Jesus Cristo.[53]

Na primeira seção, Zuínglio insistiu repetidas vezes em que a Palavra de Deus, escrita ou falada, iria infalivelmente cumprir o propósito de Deus:

> "A Palavra de Deus é tão segura e forte que, se Deus quiser, todas as coisas são feitas no momento em que fala sua Palavra".[54]

---

[51] Ulrico Zuínglio, *Von der Gewüsse oder Kraft des Wortes Gottes* (1522), In: ZSW 1:352–353; tradução para o inglês em *Zwingli and Bullinger: Selected Translations with Introductions and Notes*, editado por G. W. Bromiley, LCC 24. Filadélfia: Westminster, 1953, p. 68.

[52] Zuínglio, *Von der Gewüsse oder Kraft des Wortes Gottes*, em ZSW 1:382; *Zwingli and Bullinger*, p. 92.

[53] Ibid., p. 84.

[54] Ibid., p. 68.

Nada é difícil demais ou distante para a Palavra de Deus realizar.[55]

A Palavra de Deus é tão viva, forte e poderosa que todas as coisas têm, necessariamente, de obedecer a ela, e isso tão frequentemente e no momento em que o próprio Deus diz.[56]

Ele deu uma série de exemplos, do Antigo e do Novo Testamentos, como provas da eficácia da Palavra de Deus.

Zuínglio tratou também da clareza da Escritura. Três anos mais tarde, Lutero falaria de uma dupla clareza: a clareza exterior realizada pelo Espírito no texto e a clareza interior provocada pelo Espírito no coração humano. O foco de Zuínglio era mais singular. Seu interesse estava no poder da Palavra de Deus de iluminar e trazer compreensão: "Quando a Palavra de Deus brilha sobre o entendimento humano, ela o ilumina de tal forma que ele entende e confessa a Palavra e tem certeza dela".[57] Essa foi, de fato, uma aplicação particular do poder ou da eficácia da Palavra de Deus, precisamente porque ela é a Palavra *de Deus*, o soberano Deus (Zuínglio falou de "tão frequentemente e no momento em que o próprio Deus diz" na primeira seção), sendo capaz de trazer o entendimento humano das trevas para a luz. O cristão "deve ser 'teodidata', ou seja, ensinado por Deus, não por homens".[58] A franqueza de discurso de Deus por intermédio de sua Palavra é a chave para a luz que vem da Palavra de Deus. Aqui, Zuínglio aproximou-se do conceito de autoautenticação da Escritura, uma ideia mais frequentemente associada a Calvino. Deus iluminou Abraão com sua palavra de tal modo "que ele sabia ser ela a Palavra de Deus".[59] Zuínglio terminou sua obra com doze instruções sobre "o caminho para chegar a uma verdadeira compreensão da Palavra de Deus e a uma experiência pessoal do fato de que você é ensinado por Deus".[60]

É preciso ressaltar o modo como Zuínglio deu destaque à obra do Espírito. Textos bíblicos significativos para ele a esse respeito são 1Coríntios 2:12,13 e 1João 2:27, pois lhe permitiam explicar exatamente como o cristão é "ensinado por Deus" nas Escrituras e por meio delas:

> Note que os dons que Deus dá são conhecidos pelo Espírito de Deus, não pela exibição inteligente das palavras e pela sabedoria do homem, que é o espírito deste mundo. [...] Deus se revela por seu próprio Espírito, e não podemos aprender dele sem seu Espírito. [...] Essa unção é o mesmo que a iluminação e o dom do Espírito Santo.[61]

---

[55] Ibid., p. 70.
[56] Ibid., p. 71.
[57] Ibid., p. 75.
[58] Ibid., p. 89.
[59] Ibid., p. 76.
[60] Ibid., p. 93.
[61] Zuínglio, *Von der Gewüsse oder Kraft des Wortes Gottes*, em ZSW 1:369, 370; *Zwingli and Bullinger*, p. 82.

A prática pastoral de Zuínglio precisa ser colocada ao lado de seus escritos para obter um quadro mais completo de seu compromisso com a autoridade das Escrituras e, em particular, com a eficácia que ela possui para transformar a vida de homens e mulheres e a comunidade de que fazem parte. Zuínglio começou seu ministério de pregação na catedral *Grossmünster*, em Zurique, com uma exposição contínua do Evangelho de Mateus. Nos doze anos em que exerceu seu ministério, ele pregou sobre quase todos os livros da Bíblia. Ele também estabeleceu o *Prophezei*, uma escola dos profetas em que o texto do Antigo Testamento era lido em latim, hebraico e grego (a Septuaginta) antes de ser exposto em latim para os instruídos e, depois, em alemão para os cidadãos da cidade. Zuínglio esperava que a Escritura permeasse todos os aspectos da vida, e ele construiu estruturas de ministério para tornar isso possível.

Perto do fim da vida, Zuínglio elaborou uma confissão a ser apresentada ao imperador Carlos V na Dieta de Augsburgo. Embora o imperador tenha se recusado a recebê-la, ela fornece uma visão sobre a teologia de Zuínglio ao final de sua vida. Ele não trata a doutrina da Escritura em uma seção discreta, no entanto, ao sumarizar sua confissão, ele fez uma declaração que sustenta seu apoio a Lutero no compromisso com *sola Scriptura*, entendido como um princípio de autoridade único e final das Escrituras sobre uma autoridade real, embora contingente, da Igreja e seus doutores:

> Eu creio firmemente no que foi exposto anteriormente, ensino-o e o mantenho, não a partir de meus próprios oráculos, mas daqueles que procedem do Verbo Divino; e, se Deus quiser, prometo fazer isso enquanto a vida controlar esses membros, a menos que alguém, a partir das declarações da Sagrada Escritura, adequadamente entendida, explicar e estabelecer o inverso da forma mais clara e lúcida quanto temos estabelecido anteriormente. Pois não é menos grato e agradável do que justo e correto para nós submeter nossos julgamentos às Sagradas Escrituras, e a Igreja, de acordo com eles, decidir pelo Espírito.[62]

ORIENTAÇÃO PASTORAL: HEINRICH BULLINGER E A AUTORIDADE BÍBLICA

Heinrich Bullinger (1504–1575), sucessor de Zuínglio em Zurique, foi influente não somente na Confederação Suíça, mas também na Inglaterra. Em 1586, a Convocação da província de Cantuária determinou que *Décadas*, de Bullinger (uma coleção de cinquenta sermões entregues aos pastores de Zurique na sua *Prophezei*), fosse lido por "todo ministro que tem um curato e está abaixo dos graus de mestre de artes e bacharel em direito, e que não é licenciado para ser um pregador

---

[62] Ulrico Zuínglio, *Fidei ratio* (1530), em ZSW, v. 6, pt. 2, 815; Samuel M. Jackson, *Huldreich Zwingli: The Reformer of German Switzerland, 1484–1531*, 2. ed. Nova York: Putnam, 1903, p. 481.

público".⁶³ Os três primeiros sermões da primeira "década" relacionavam-se à Palavra de Deus e incluíam material publicado anteriormente como *De Scripturae sanctae auctoritate*.⁶⁴

O primeiro sermão de Bullinger continha a definição seguinte de "a Palavra de Deus":

> Mas, neste nosso tratado, a Palavra de Deus indica corretamente o discurso de Deus e a revelação da vontade de Deus; em primeiro lugar, proferida em voz vivamente expressa pela boca de Cristo, dos profetas e dos apóstolos e, depois disso, novamente registrada em escritos que são chamados com justiça "as santas e divinas Escrituras". A palavra mostra a mente daquele da qual ela procede; por isso, a Palavra de Deus faz declaração de Deus. Mas Deus, de si mesmo, naturalmente fala a verdade; ele é justo, bom, puro, imortal, eterno; assim, segue-se que a Palavra de Deus, que sai da boca de Deus, também é verdadeira, justa, sem astúcia e engano, sem erro ou afeição má, santa, pura, boa, imortal e eterna.⁶⁵

Essa definição, embora não fosse incomum naquele contexto histórico, traz a fala de Deus e as Escrituras à relação mais estreita possível. Não pode haver dúvida de que, quando Bullinger falava da Palavra de Deus, ele tinha em mente o texto da Bíblia, bem como a voz de Deus ouvida por Moisés e pelos profetas. Ele insistiu em que "a doutrina e os escritos dos profetas sempre foram considerados portadores de grande autoridade entre os homens sábios de todo o mundo", e isso porque "não se originaram dos próprios profetas como os principais autores, mas foram inspirados por Deus, que está no céu, mediante o seu Santo Espírito".⁶⁶ Ele também declarou o seguinte: "Embora, portanto, os apóstolos fossem homens, sua doutrina, antes de tudo ensinada por uma voz vivamente expressa e, depois disso, registrada por escrito com pena e tinta, é a doutrina de Deus e a verdadeira Palavra de Deus."⁶⁷

As mesmas preocupações sobre as quais escreveram Lutero, Melanchthon e Zuínglio quanto à veracidade e à confiabilidade [das Escrituras] foram repetidas por Bullinger nesse sermão. Vemos também a mesma preocupação de permitir à Escritura fazer seu trabalho, habilitando e dando orientações sobre como viver:

---

⁶³ Thomas Harding, "Advertisement". In: Thomas Harding (ed.). *The Decades of Henry Bullinger, Minister of the Church of Zurich*. Parker Society for the Publication of the Works of the Fathers and Early Writers of the Reformed English Church 7–10, 1587; reimpressão: Cambridge: Cambridge University Press, 1849, viii.

⁶⁴ Heinrich Bullinger, *De scripturae sanctae auctoritate, certitudine, firmitate, et absoluta perfectione*. Zurique: Froschouer, 1538.

⁶⁵ Heinrich Bullinger, *Sermonum Decades quinque, de potissimis Christianae religionis capitibus*. Zurique: Froschoveri, 1557, p. 1; *Decades of Henry Bullinger*, p. 37.

⁶⁶ Bullinger, *Sermonum Decades quinque*, 4; *Decades of Henry Bullinger*, p. 50.

⁶⁷ Bullinger, *Sermonum Decades quinque*, 5; *Decades of Henry Bullinger*, p. 54.

Vamos, portanto, em todas as coisas crer na Palavra de Deus que nos foi entregue pelas Escrituras. Vamos pensar que é o próprio Senhor, que é o próprio Deus vivo e eterno, a falar-nos pelas Escrituras. Vamos sempre louvar o nome e a bondade dele, que tem outorgado tão fiel, plena e claramente abrir para nós, miseráveis homens mortais, todos os meios para viver bem e santamente.[68]

No segundo sermão mais uma vez evidencia-se que Bullinger não excluiu a Escritura quando fala da Palavra de Deus, que devia ser lida e ouvida: "Onde, aliás, vemos o nosso dever, que é ler e ouvir a Palavra de Deus, orar fervorosamente e zelosamente com o objetivo de que possamos chegar àquele fim para o qual a Palavra de Deus nos foi dada e revelada".[69]

Bullinger não tinha dúvidas sobre qual era esse fim ou propósito:

> Na Palavra de Deus, que nos foi entregue por profetas e por apóstolos, está abundantemente contido todo o efeito da piedade, e tudo quanto está disponível para conduzir nossa vida de modo reto, bom e santo. [...] Quem é aquele, portanto, que não confessa que todos os pontos da verdadeira piedade nos são ensinados nas Escrituras sagradas?[70]

Bullinger passou a fundamentar essa observação na clássica afirmativa de Paulo sobre a inspiração e a utilidade das Escrituras em 2Timóteo 3:16,17. Ele não teve nenhuma dificuldade em compreender que a expressão "toda a Escritura" nesses versos incluiu tanto o emergente Novo Testamento como também o [já estabelecido] Antigo Testamento:

> Acho que ninguém é tão beberrão ao ponto de interpretar essas palavras de Paulo como se referindo unicamente ao Antigo Testamento, visto que é mais evidente do que a luz do dia que Paulo as aplicou a seu aluno Timóteo, que pregava o evangelho e era ministro do novo testamento.[71]

O sermão de Bullinger trata da suficiência das Escrituras à luz dessa conexão. Ele estava ciente de que Jesus falou muitas coisas aos discípulos que não foram registradas pelos apóstolos nas páginas do Novo Testamento. No entanto, citando João 20:30,31 em apoio a essa alegação, Bullinger insistiu que "por meio dessa doutrina que [João] colocou por escrito, a fé é totalmente ensinada e, por intermédio da fé, Deus concede a vida eterna".[72] Ele tinha em mente, sem dúvida, a tradição

---

[68] Ibid., p. 56–57.
[69] Bullinger, *Sermonum Decades quinque*, 6; *Decades of Henry Bullinger*, p. 61.
[70] Ibid., p. 61.
[71] Bullinger, *Sermonum Decades quinque*, 6; *Decades of Henry Bullinger*, p. 62.
[72] Bullinger, *Sermonum Decades quinque*, 7; *Decades of Henry Bullinger*, p. 62.

oral e a sugestão de que a Igreja também é conduzida, e é necessariamente assim, pelo ensino apostólico não contido nas Escrituras:

> João, portanto, nada deixou de fora no que compete à nossa completa instrução na fé. Lucas não omite nada. Nem os demais apóstolos e os discípulos de nosso Senhor Jesus Cristo deixaram qualquer coisa lhes escapar. Paulo também escreveu catorze epístolas, mas a maioria delas continha uma e a mesma matéria. Por meio disso, podemos muito bem conjecturar que nelas está integralmente compreendida a absoluta doutrina da piedade.[73]

Isso levou Bullinger a uma declaração que coaduna totalmente com a posição sobre a autoridade final das Escrituras que vimos em Lutero, Melanchthon e Zuínglio. Em linguagem um pouco mais floreada, Bullinger desafiou o apelo contemporâneo à tradição oral, particularmente com referência à pedra angular da Escritura:

> Quanto àqueles que sinceramente afirmam que todos os pontos de piedade foram ensinados oralmente pelos apóstolos para a posteridade, e não por escrito, seu objetivo é vender seu próprio pensamento, ou seja, as ordenanças dos homens em lugar da Palavra de Deus. Mas, contra esse veneno, meus irmãos, ingiram o remédio seguinte para expulsá-lo: confiram as coisas que esses companheiros querem vender como se fossem as tradições dos apóstolos, ensinadas oralmente e não por escrito, com a escrita manifesta dos apóstolos; e, se em qualquer lugar você perceber que essas tradições não concordam com as Escrituras, reunidas aos poucos, elas são invenção forjada dos homens, e não a tradição dos apóstolos.[74]

Esse é um tema que Bullinger retomaria em obras posteriores, mais notavelmente em *Summa christenlicher Religion*, de 1556. Nesta, ele insistiu em que "o santo escrito bíblico tem suficiente autoridade e sustenta-se por si mesmo, não precisando ser feita digna de confiança pela Igreja ou pelos seres humanos".[75] Entre essas duas obras, em 1544, ele escreveu uma carta aberta a Johann Cochlaeus (1479–1552) em que argumentou que "os livros do Antigo e os do Novo Testamento são, indiscutivelmente, chamados pelos antigos de canônicos e autênticos, como dizem, *autopistoi* – dignos de fé por si mesmos –, sem a necessidade de argumentos, tendo a suposição de verdade e de autoridade".[76] Ele, sem dúvida, foi o primeiro escritor protestante a usar a linguagem da *autoautenticação*.

Há, evidentemente, uma diferença de ênfase entre os escritos de Bullinger sobre a Escritura e os de Lutero, em particular. Enquanto Lutero estava preocupado em que lêssemos e ouvíssemos o evangelho de nossa salvação e entendêssemos que é

---

[73] Ibid., p. 63.
[74] Ibid., p. 64.
[75] Heinrich Bullinger, *Summa christenlicher Religion*. Zurique: Froschouer, 1556, 7b.
[76] Heinrich Bullinger, *Ad Ioannis Cochlei De Canonicae Scripturae*. Zurique: Froschouer, 1544, 10b.

somente pela fé em Cristo crucificado e ressuscitado que Deus trata do nosso pecado, a ênfase de Bullinger estava em descobrir como devemos viver. A leitura proveitosa é a que produz o fruto da verdadeira piedade:

> Se, portanto, a Palavra de Deus soar em nossos ouvidos, e, com isso, o Espírito de Deus mostrar seu poder em nosso coração, e nós, na fé, realmente recebermos a Palavra de Deus, então, a Palavra de Deus tem uma força poderosa e um efeito maravilhoso em nós. Para isso, dissipou a escuridão enevoada de erros, abriu nossos olhos, converteu e iluminou nossa mente, e instruiu-nos mais completa e absolutamente na verdade e na piedade.[77]

Bullinger tratou mais profundamente do uso da Escritura no terceiro sermão nas *Décadas*, em que estabelece princípios importantes para uma interpretação correta, a saber, atentar ao gênero literário, interpretar no âmbito dos artigos de fé e de acordo com o objetivo adequado de amor a Deus e ao próximo, bem como prestar atenção ao contexto (por exemplo, "observamos atentamente em que ocasião cada coisa é falada, o que vem antes, o que vem depois, em que época, em que ordem e o que é dito acerca de um indivíduo")[78], comparando passagens umas com as outras à luz da autoconsistência do autor divino e mantendo a oração no lugar primordial.

De particular importância nesse sermão é uma justificativa para o lugar da exposição piedosa, afirmada ao lado do compromisso contínuo de Bullinger com a clareza da Escritura. Após ter concluído que "a Escritura é difícil ou obscura para o desejo iletrado, inábil, não exercitado e mal-intencionado ou corrompido, e não para os leitores ou ouvintes zelosos e piedosos dela", ele insistiu: "Mas, embora a Escritura seja manifesta e a Palavra de Deus seja evidente, não obstante, não rejeita uma exposição piedosa ou santa; mas uma exposição santa dá uma definição para a Palavra de Deus e dá muito fruto no ouvinte piedoso".[79]

As principais preocupações do Bullinger seguiam muito de perto as de Zuínglio e as dos reformadores alemães. Ao desenvolver suas observações sobre a Escritura – no tratamento ousado da sua suficiência, na ênfase pastoral sobre o efeito da Escritura na produção de piedade e em sua introdução ao termo *autopistos* –, ele estava, evidentemente, trilhando uma trajetória similar.

A PALAVRA DE DEUS QUE ATESTA A SI MESMA: JOÃO CALVINO E A AUTORIDADE BÍBLICA

João Calvino (1509–1564) foi, sem dúvida, o teólogo mais influente da era da Reforma. Na verdade, sua obra *Institutio Christianae Religionis* [Institutas da religião

---

[77] Bullinger, *Sermonum Decades quinque*, 7; *Decades of Henry Bullinger*, p. 67.
[78] Ibid., p. 77–78.
[79] Bullinger, *Sermonum Decades quinque*, 9; *Decades of Henry Bullinger*, p. 72.

cristã] destaca-se como um dos mais duradouros registros da doutrina bíblica nos últimos dois mil anos. No entanto, é preciso lembrar que a obra foi ampliada e reordenada de modo significativo ao longo dos anos, de 516 páginas em formato pequeno, divididas em seis capítulos, na primeira edição (1536) a oitenta capítulos divididos em quatro livros, tanto na edição definitiva em latim de 1559 como na própria tradução francesa de Calvino, um ano mais tarde. Originalmente, ao trabalho faltava um tratamento individualizado da origem, da natureza e do uso da Escritura. Calvino tratou substancialmente dessas questões pela primeira vez na introdução ampliada sobre o conhecimento de Deus na edição de 1539, três vezes maior do que a primeira e publicada enquanto ele estava no exílio em Estrasburgo. No entanto, muitas das linhas de pensamento sobre o assunto, características de Calvino, eram evidentes, mesmo nessa fase inicial.

Calvino falou sobre a autoridade das Escrituras decorrente da simples realidade de que Deus fala nela:

> Uma vez que não há mais revelações diárias sendo dadas do céu, as Escrituras permanecem únicas, na qual aproue ao Senhor consagrar sua verdade à memória eterna. Também deve ser notado como elas vão justamente receber autoridade entre os crentes e serem ouvidas como as vivas vozes do próprio Deus.[80]

Essa autoridade e a noção de verdade associada a ela, Calvino insistia, não é algo conferido pela Igreja ou pela razão humana. Por um lado, essa autoridade é intrínseca às próprias Escrituras; por outro, é o resultado do testemunho do Espírito ao coração do cristão. Enquanto em alguma medida ecoasse o apelo de Lutero à "clareza interna das Escrituras", esse apelo à obra do Espírito de convencer cristãos acerca da autoridade das Escrituras seria uma das principais características de todos os futuros debates de Calvino sobre a autoridade bíblica. Como ele explicou em 1539:

> Se desejamos cuidar de nossa consciência da melhor forma, para que ela não vacile pela dúvida contínua, devemos derivar a autoridade das Escrituras de algo maior que as razões, as indicações ou as conjecturas humanas. Isso vem do testificar interior do Espírito Santo, pois, embora ela obtenha reverência para si por sua própria majestade, ainda assim realmente nos impressiona somente quando é selada pelo Espírito em nosso coração.[81]

É evidente, a partir de trecho de outro escrito seu daquele ano – em resposta ao Cardeal Sadoleto em nome dos cidadãos de Genebra –, que Calvino estava

---

[80] João Calvino, *Institutes of the Christian Religion* (1539), 1.21, CR 29:293. A tradução está levemente modificada em relação a que ocorre em Henk van den Belt, *The Authority of Scripture in Reformed Theology: Truth and Trust*, Studies in Reformed Theology 17. Leiden: Brill, 2008, p. 18.

[81] Calvino, *Institutes* [Institutas] (1539), 1.24, CR 29:295; tradução de van den Belt, p. 18–19.

ciente do perigo de um apelo ao Espírito separado da Palavra, pois tinha visto a consequência dessa ênfase na vertente mais radical da Reforma. Calvino reconheceu uma semelhança entre os anabatistas e o papa nesse ponto crítico ("a principal arma com a qual ambos nos atacam é a mesma"): ambos se gabam do Espírito, seja na direção do magistério da Igreja romana ou diretamente iluminando a mente, a vontade e as palavras do cristão sem dar a devida atenção à Palavra de Deus.[82] Mas a pedra de toque com a qual os ensinamentos dos pertencentes a ambos os grupos deviam ser testados permanece sendo a Palavra.

O vínculo inseparável entre Espírito e Escritura/Palavra seria uma característica distintiva de todos os escritos de Calvino sobre o assunto a partir desse ponto. Como ele mesmo declarou: "Não é menos razoável vangloriar-se do Espírito sem a Palavra do que seria absurdo expor a própria Palavra sem o Espírito".[83] A autoridade da Palavra é selada em nosso coração pelo Espírito:

> A Escritura, então, só será suficiente para dar um conhecimento salvífico de Deus quando sua certeza for fundamentada sobre a persuasão interior do Espírito Santo.[84]

> A Palavra é o instrumento por meio do qual o Senhor oferece a iluminação de seu Espírito aos cristãos.[85]

Outra característica permanente da teologia de Calvino iniciada nesse período foi o uso de argumentos (*argumenta*) para [sustentar] a autoridade das Escrituras, embora ele insistisse que eram ajudas secundárias, confirmatórias (*posterior adminicula*). Mesmo nessa fase inicial, Calvino obviamente buscava certo equilíbrio. Por um lado, a Escritura está acima e além da necessidade de "provas". "Não procuramos argumentos ou probabilidades nas quais repousemos nosso julgamento", ele escreveu, "mas sujeitamos nosso julgamento e intelecto a ela como a algo que está acima de qualquer dúvida".[86] Por outro lado, Deus proveu essas confirmações (por exemplo, a majestosa simplicidade da Escritura, o consenso da Igreja), que, embora não sejam o fundamento da autoridade das Escrituras, são ajudas à fé:

> Há outras razões, nem poucas nem fracas, pelas quais a dignidade e a majestade das Escrituras são não apenas afirmadas por mentes piedosas, mas brilhantemente reivindicadas contra as ciladas dos opressores. Mas elas não são, por si só, suficientes para fornecer uma fé firme,

---

[82] Calvino, *Responsio ad Sadoletum* (1539), CR 33:393; tradução de *A Reformation Debate: Sadoleto's Letter to the Genevans and Calvin's Reply*, editado por John C. Olin. Grand Rapids: Baker, 1976, p. 61.
[83] Calvino, *Responsio ad Sadoletum* (1539), CR 33:393–94; tradução de Olin, p. 61.
[84] Calvino, *Institutes* (1539), 1.33, CR 29:300; tradução de van den Belt, p. 28.
[85] Ibid., 1.36, CR 29:303; tradução de van den Belt, p. 34.
[86] Calvino, *Institutes* (1539), 1.24, CR 29:295; tradução de van den Belt, p. 20.

até que o Pai celestial coloque reverência pelas Escrituras acima de qualquer dúvida acerca de sua manifestação por meio delas.[87]

Calvino manteve o testemunho do Espírito e as confirmações juntos em uma tensão cuidadosa e construtiva: "Essa, então, é uma convicção que não precisa de motivos; é um conhecimento com o qual a mais elevada razão concorda."[88] Desse modo, a autoridade das Escrituras não foi prejudicada por seu argumento com relação a isso.

No que se tornaria (e estava na mente de Calvino) a edição definitiva das *Institutas*, a de 1559, ele desenvolveu ainda mais seu pensamento sobre a Escritura. Ele tratou extensamente do conhecimento de Deus no início do livro 1, e isso se tornou um argumento contínuo e cuidadoso para a necessidade da Escritura. Calvino insistiu que cada pessoa tem um conhecimento inato de Deus, uma vez todos são criados à imagem de Deus: "Perpassa o entendimento humano, e na verdade por instinto natural, uma consciência da divindade".[89] Por quê? A resposta de Calvino era simples: "Deus semeou uma semente de religião em todos os homens".[90] No entanto, ele insistiu: "Embora alguns possam dissipar-se em suas próprias superstições e outros, deliberada e maliciosamente, abandonar Deus, no entanto, todos se extraviaram do verdadeiro conhecimento dele".[91] Da mesma forma, Calvino reconheceu que Deus "não apenas semeou na mente dos homens aquela semente de religião de que temos falado, mas revelou a si mesmo e diariamente se revela em toda a obra do universo".[92] Mas, uma vez mais, a pecaminosidade humana nos impede de conhecer a Deus por meio desse "teatro deslumbrante" da glória de Deus:

> Mas, embora o Senhor represente a si mesmo e a seu eterno reino no espelho de suas obras com muita clareza, tal é nossa estupidez que nos tornamos cada vez mais ignorantes com respeito a testemunhos tão evidentes, e eles fluem sem nos beneficiar.[93]

À luz de tal falha épica em responder adequadamente à obra de Deus em nós e ao nosso redor, "é necessário que outra e melhor ajuda seja adicionada para nos

---

[87] Calvino, *Institutes* (1539), 1.33, CR 29:300; tradução levemente modificada de van den Belt, p. 28.
[88] Ibid., 1.24, CR 29:296; tradução levemente modificada de van den Belt, p. 21.
[89] João Calvino, *Institutes of the Christian Religion* (1559) 1.3.1, CR 30:36; João Calvino, *Institutes of the Christian Religion*, editado por John T. McNeill. Library of Christian Classics 20–21. Filadélfia: Westminster, 1960, p. 43. [Em português, há duas traduções da versão em latim de 1559. Uma, em segunda edição revisada, é publicada pela Editora Cultura Cristã, em quatro volumes, chamada apenas de *As institutas*, cotejada com versões em inglês, francês, alemão e espanhol; outra, publicada pela Editora Unesp, em dois volumes, intitulada *A instituição da religião cristã*. (N. do T.)]
[90] Calvino, *Institutes* (1559), 1.4.1, CR 30:38; tradução de Battles, p. 47.
[91] Ibid., 1.4.1, CR 30:38; tradução de Battles, p. 47.
[92] Ibid., 1.5.1, CR 30:41; tradução de Battles, p. 51–52.
[93] Ibid., 1.5.11, CR 30:49; tradução de Battles, p. 63.

dirigir acertadamente ao próprio Criador do universo".⁹⁴ A conclusão de Calvino é bem conhecida:

> Assim como ocorre com os homens de avançada idade ou com os de visão cansada e aqueles com alguma deficiência visual, se você colocar diante destes um dos mais belos livros, mesmo que eles reconheçam ser algum tipo de escrito, dificilmente poderão interpretar duas meras palavras, mas, com a ajuda de óculos, vão começar a ler distintamente; assim, a Escritura, reunindo o outrora confuso conhecimento de Deus em nossa mente, tendo dispersado nossa estupidez, mostra-nos claramente o verdadeiro Deus. Esse, portanto, é um dom especial, no qual Deus, para instruir a igreja, não apenas utiliza professores mudos, mas também abre os lábios mais consagrados.⁹⁵

Ligada a essa necessidade da Escritura está a disposição divina em nos falar em termos que são apropriados às nossas limitações. Em vez de nos deixar em nossa ignorância autoimposta, Deus veio até nós e comunicou-se de forma eficaz conosco. A doutrina estabelecida por Calvino da acomodação levou em conta nossa condição de criaturas e nossa Queda. Então, um pouco mais tarde nas *Institutas*, repudiando o mal-entendido dos antropomorfitas, Calvino explicou:

> Pois quem, mesmo de pouca inteligência, não entende que, como amas normalmente fazem com crianças, Deus está acostumado, em certa medida, a cecear ao falar conosco? Assim, essas formas de falar não expressam tão claramente o que Deus é como acomodam o conhecimento dele para a nossa pequena capacidade. Para fazer isso, ele deve descer muito abaixo de sua grandeza.⁹⁶

A linguagem de autoautenticação da Escritura, embora introduzida na discussão por Bullinger, é mais frequentemente associada a Calvino, e, especialmente, com uma passagem muito importante dos primeiros capítulos da edição de 1559 das *Institutas*. Nela, Calvino não chega a sustentar o testemunho do Espírito juntamente com as provas de autoridade das Escrituras, como o fez na edição de 1539, quanto une o testemunho do Espírito e a autoatestação da Escritura. Afinal, "a maior prova da Escritura, em geral, provém do fato de que Deus em pessoa fala nela".⁹⁷ É certamente significativo que, no ponto em que introduz essa linguagem, Calvino deixa claro que a Escritura, e não Deus, é autoatestada:

> Portanto, que se tome isto por estabelecido: aqueles a quem o Espírito Santo interiormente ensinou verdadeiramente encontram descanso na Escritura, e esta é indubitavelmente

---

⁹⁴ Calvino, *Institutes* (1559), 1.6.1, CR 30:53; tradução de Battles, p. 69.
⁹⁵ Ibid., 1.6.1, CR 30:53; tradução de Battles, p. 70.
⁹⁶ Ibid., 1.13.1, CR 30:90; tradução de Battles, p. 121.
⁹⁷ Ibid., 1.7.4, CR 30:58; tradução de Battles, p. 78.

autopistos – não precisa ser submetida à demonstração por provas –, porquanto ela mantém a certeza que merece de nossa parte pelo testemunho do Espírito. Pois, ainda que, de sua própria majestade, evoque espontaneamente reverência para si, ela nos afeta seriamente quando é selada em nosso coração por meio do Espírito.[98]

Em 1559, Calvino estabeleceu pela primeira vez que a base da confiança (*acquiescere*, "descansar") do cristão na Escritura é a autoatestação dela, mas que esse testemunho deve ser selado em nosso coração por meio do Espírito. Só então Calvino segue para falar sobre as provas suficientemente firmes, embora limitadas, para reforçar a confiança (*fides*, "fé") na Escritura.[99]

Paralelamente a esses desenvolvimentos e esclarecimentos da doutrina acerca da Escritura, Calvino falou em termos muito idênticos aos reformadores anteriores, especialmente quando, posteriormente, nas *Institutas*, ele abordou a questão de como a autoridade das Escrituras está corretamente relacionada à autoridade da Igreja. Indiscutivelmente, o decreto do Concílio de Trento sobre a Sagrada Escritura, publicado treze anos antes (8 de abril de 1546), estava na mente de Calvino quando ele reformulou esses capítulos. Ele tinha, por fim, escrito um *Antídoto ao Concílio de Trento* em 1547. De forma sucinta, ele apresentou as duas posições, a da Igreja Romana e a das igrejas da Reforma: "Esta, então, é a diferença. Nossos oponentes situam a autoridade da Igreja fora da Palavra de Deus, mas insistimos que ela está ligada à Palavra e não se permite que seja separada dela".[100] Algumas páginas antes, Calvino tinha escrito o que isso significava para distinguir o ministério dos apóstolos do ministério de seus sucessores:

> Todavia, como tenho dito, esta é a diferença entre os apóstolos e seus sucessores: os primeiros foram infalíveis e autênticos escribas do Espírito Santo, por isso seus escritos devem ser considerados oráculos de Deus; mas o único ofício dos últimos é ensinar o que foi dado e selado nas Sagradas Escrituras. Ensinamos, portanto, que não é permitido aos ministros fiéis que forjem qualquer nova doutrina, mas simplesmente que se apeguem à doutrina à qual Deus a todos sujeitou, sem exceção. Ao afirmar tal coisa, meu intuito é mostrar não apenas o que se permite a cada indivíduo, mas também o que se permite a toda a Igreja.[101]

Os extraordinários dons teológicos de Calvino permitiram-lhe desenvolver as percepções daqueles que haviam escrito antes dele, mantendo-se, em vez de desviar-se, nas orientações estabelecidas por Lutero, Melanchthon, Zuínglio e Bullinger.

---

[98] Calvino, *Institutes* (1559), 1.7.5, CR 30:60; tradução baseada em Battles, p. 80, mas tomada dos registros em van den Belt, p. 51–58.
[99] O título do livro 1, cap. 8, é: "Até onde alcança a razão humana, há provas suficientemente sólidas para se estabelecer a credibilidade da Escritura", Calvino, *Institutes* (1559), 1.8, CR 30:61; tradução de Battles, p. 81.
[100] Calvino, *Institutes* (1559), 4.8.13, CR 30:855; tradução de Battles, p. 1162.
[101] Ibid., 4.8.9, CR 30:851–2; tradução de Battles, p. 1157.

Ele certamente acrescentou novas dimensões ao enfrentar novos desafios e explorou as consequências da autoria primária de Deus das Escrituras. No entanto, as evidências sugerem que, na maioria dos casos, mesmo aquelas novas dimensões não surgiram sem precedentes. O mais importante é que, ao mesmo tempo em que ênfases hermenêuticas se desenvolveriam de modos distintos nos círculos luteranos e reformados, um compromisso comum com a autoridade final das Escrituras permaneceria.

A PALAVRA QUE TRANSFORMA:
THOMAS CRANMER E A AUTORIDADE BÍBLICA

Enquanto Calvino estava exercendo um ministério internacional em Genebra, Thomas Cranmer (1489–1556) estava tentando negociar a delicada situação política da Inglaterra da dinastia Tudor. Cranmer, o primeiro arcebispo protestante de Cantuária, foi o principal redator dos *42 Artigos da Religião* (que se tornaram os *39 Artigos* sob Elizabeth I) e do *Livro de oração comum*, além de ser autor de uma série de sermões nos *Livros de Homilias*, incluindo "Uma frutífera exortação à leitura e ao conhecimento da Sagrada Escritura". Uma vez que as declarações sobre a Escritura nos *42 Artigos* permaneceram inalteradas entre as edições do período eduardiano e elisabetano, podemos simplesmente explorar o texto dos *39 Artigos* como uma reflexão dos pontos de vista de Cranmer. Há um benefício adicional nisso: a subscrição *ex animo* ("do coração") dos *39 Artigos* foi exigida por séculos na Igreja da Inglaterra e em muitos de seus domínios (e em alguns lugares ainda o é hoje).

Dois dos *39 Artigos* tocam na autoridade das Escrituras:

> VI. As Escrituras Sagradas contêm todas as coisas necessárias para a salvação; de modo que tudo o que nela não se lê, nem por ela se pode provar, não se deve exigir que ninguém creia como artigo de Fé nem julgar como requisito para a salvação. [...]

> XX. A Igreja tem poder de decretar Ritos ou Cerimônias e autoridade nas controvérsias da fé; todavia, não é lícito que a Igreja ordene coisa alguma que seja contrária à Palavra de Deus escrita, nem exponha um lugar das Escrituras que contradiga a outro. Portanto, mesmo que a Igreja seja testemunha e guarda das Escrituras Sagradas, todavia, assim como não é lícito decretar nada contra elas, também não se deve obrigar que se creia em algo que nelas não se encontra como necessária para a salvação.[102]

---

[102] Philip Schaff, *The Creeds of Christendom: With a History and Critical Notes*, v. 3, *The Evangelical Protestant Creeds*, revisado por David S. Schaff, 1877; reimpressão: Grand Rapids, MI: Baker, 2007, p. 489, 500. Em português, "Os Trinta e Nove Artigos da Religião". Disponível em: <igrejaanglicana.com.br/2014/os-39-artigos>. Acesso em: 12. out. 2016.

O Artigo 6 termina com uma extensa lista canônica, que cita os apócrifos como livros que "a Igreja lê para exemplo de vida e instrução de costumes, mas não os aplica para estabelecer qualquer doutrina". O mais interessante é a declaração de que, se algo não é lido na Escritura ou provado por ela, não deve ser estabelecido como artigo de fé. Aqui, em forma confessional, está o princípio do *sola Scriptura*. Os artigos propostos de fé devem ser testados pela leitura simples da Escritura: "nela [...] se lê" e "por ela se pode provar". Se o que é proposto está em oposição ao ensino da Escritura, não pode permanecer e nele não se pode insistir. Nem a Igreja nem o rei podem constranger a consciência dos cristãos além do que pode ser lido na Escritura Sagrada ou provado com base nela. No entanto, o artigo não era estritamente biblista: falava de modo muito específico sobre "todas as coisas necessárias para a salvação" e "artigo(s) de Fé", os quais devem ser lidos na Sagrada Escritura ou provados com base nela.

Esse princípio se torna mais claro no Artigo 20, com seu reconhecimento de que "a Igreja tem poder de decretar Ritos ou Cerimônias e autoridade nas Controvérsias da Fé". Dificilmente Cranmer poderia ter escrito de outra forma, dada a relação entre Igreja e Estado na Inglaterra, no entanto, uma declaração como essa não era incomum em outras confissões da Reforma. A ordenação da vida comum era a prerrogativa da Igreja desde que o que fosse instituído não violasse a Palavra de Deus. A resolução de controvérsias religiosas era uma atividade coletiva dos cristãos mais do que de um único cristão solitário, não importando seu título. Portanto, isso também ficou corretamente na esfera da responsabilidade da igreja. Cristãos poderiam confiar nesse arranjo precisamente por causa da linha seguinte: "Não é lícito à Igreja ordenar coisa alguma contrária à Palavra de Deus escrita".

A identificação da Escritura como "Palavra de Deus escrita" é significativa, mesmo sendo bastante corriqueira, e a autoridade que ela carrega está diretamente relacionada com essa identificação. Tendo em vista que é a Palavra de Deus, e não simplesmente uma resposta humana de um tipo ou outro à Palavra de Deus, ela carrega a autoridade do próprio Deus. É igualmente importante que, uma vez que toda a Palavra de Deus é escrita, pressupor sua consistência e coerência, a saber, a unidade fundamental das Escrituras em seu revelador testemunho de Cristo, direcionará a maneira como deve ser lida e aplicada. Os reformadores continentais falaram da Escritura como intérprete dela mesma, e os *39 Artigos* ampliaram o que isso significa para a igreja: ela não pode expor uma parte da Escritura que entre em conflito com outra ou a contradiga – esse era o princípio hermenêutico fundamental de Cranmer. Como veremos, sua homilia relacionada ao assunto explicou a resposta apropriada quando uma parte da Escritura era de difícil compreensão.

Especialmente interessante nesse artigo é como ele descreve a igreja: "Testemunha e guarda do santo escrito". Aqui, Cranmer revelou seu entendimento da famosa citação de Agostinho mencionada anteriormente. A Igreja não transmite autoridade à Escritura. Certamente, ela não deve interpor-se entre o cristão e as Escrituras. Em vez disso, suas responsabilidades se encontram na preservação da Escritura, a fim de garantir que ela seja entregue à geração seguinte, e em chamar a atenção de homens e mulheres para o que ali está escrito. Uma "testemunha e guarda" não controla a Palavra escrita; em vez disso, guarda-a e facilita o sério e contínuo envolvimento com ela.

Grande parte desse bem elaborado ponto de vista é desenvolvido na homilia "Uma frutífera exortação à leitura e ao conhecimento da Sagrada Escritura". Os *39 Artigos* apontam para as *Homilias* ao expor o que só pode ser apresentado por elas na forma de sumário (ver artigo 35, com sua ênfase no *Segundo Livro de Homilias*, que deve ser adicionado ao primeiro e lido para a edificação da congregação). Essa homilia em particular é impregnada de uma vívida confiança na Escritura como a Palavra de Deus, que não é simplesmente uma fonte de conhecimento, mas um poder de transformação de vida:

> As palavras da Sagrada Escritura são chamadas palavras de vida eterna, pois são instrumentos de Deus, ordenadas para o mesmo fim. Elas têm poder para converter mediante a promessa de Deus, e são eficientes por causa da assistência de Deus; e, sendo recebidas em um coração fiel, elas têm sempre uma obra celestialmente espiritual em si.[103]

Essas palavras expõem uma preocupação particular de Cranmer com respeito à doutrina da Escritura. A questão de onde a Escritura se encaixa em uma hierarquia de autoridades era certamente importante, e Cranmer tratou disso nos *Artigos de religião*, mas, do seu ponto de vista, era mais importante expor a maneira pela qual a Escritura produz uma transformação de vida, tanto no cristão individualmente quanto na comunidade em geral. O "poder para converter" não era apenas um floreio poético, mas sim uma convicção de coração que ecoa o que já lemos em Hugo de São Vítor e em Heinrich Bullinger. Deus fez promessas sobre a eficácia de sua Palavra que precisam ser levadas a sério:

> Essa Palavra, em todo aquele que é diligente para ler, e se em seu coração for impresso o que leu, fará com que a grande afeição às coisas transitórias desse mundo seja diminuída nele e com que o grande desejo por coisas celestes, que lhe foram prometidas por Deus, aumentem nele. E não há nada que mais estabeleça nossa fé e confiança em Deus, que conserve tanto a inocência e a pureza de coração quanto a manifestação da vida e da conversação piedosas, do que a leitura e a meditação contínuas da Palavra de Deus.[104]

---

[103] Ronald B. Bond (ed.). *Certain Sermons or Homilies (1547)*; e *A Homily against Disobedience and Wilful Rebellion (1570): A Critical Edition*. Toronto: University of Toronto Press, 1987, p. 62.
[104] Bond, *Certain Sermons*, p. 63.

Essa confiança de que a exposição regular às Escrituras traria transformação radical se refletiu na ênfase de Cranmer ao lecionário que ele criou para complementar os cultos do *Livro de Oração Comum*. De acordo com um dos prefácios desse livro, se as lições fossem lidas a cada dia como indicado, todo o Antigo Testamento seria lido uma vez por ano, o Novo Testamento, duas vezes por ano, e os Salmos, uma vez por mês. Toda a estrutura da vida litúrgica da Igreja da Inglaterra foi projetada para fornecer o contexto para que a Escritura tivesse um impacto radical sobre a mente, o coração e a vontade dos pecadores.

A segunda parte dessa homilia trata de duas objeções que Cranmer antecipou que poderiam impedir as pessoas da "leitura e a meditação contínuas da Palavra de Deus". Ele insistiu que as objeções eram "desculpas vãs e fracas"; no entanto, ele as respondeu. Elas eram, em primeiro lugar: que alguém, por ignorância, podia cair no erro; e, em segundo: que a Escritura é muito difícil de entender. As respostas de Cranmer são duas das passagens mais ornamentadas da homilia, e demonstram compromisso teológico e preocupação pastoral unidos de forma única.

Em primeiro lugar, sobre o perigo de cair em erro, Cranmer explicou:

> E se você estiver temeroso de cair em erro por ler a Sagrada Escritura, vou mostrar como você pode lê-la sem o perigo de erro. Leia humildemente, com um coração meigo e humilde, para que glorifique a Deus, e não a si mesmo, com o conhecimento dela. E não a leia sem orar diariamente a Deus, para que ele dirija sua leitura a um fim proveitoso. E tome sobre você o encargo de não a explicar além do que claramente entender dela. [...] Presunção e arrogância são a mãe de todos os erros, e é preciso humildade para temer errar. Pois a humildade vai apenas buscar conhecer a verdade; vai buscar e vai conferir uma passagem com outra, e, onde não encontrar o sentido, vai orar, vai inquirir de outros que conhecem e não vai, presunçosa e impetuosamente, definir qualquer coisa que não conheça. Portanto, o homem humilde vai pesquisar seguramente qualquer verdade na Escritura sem qualquer perigo de erro.[105]

Em segundo lugar, sobre o medo de uma passagem ser muito difícil de entender, Cranmer respondeu:

> Se lermos uma, duas ou três vezes e não entendermos, não vamos parar, mas ainda continuar lendo, orando, pedindo ajuda a outros e ainda continuar batendo, até que a porta seja aberta, como escreveu Agostinho. Embora muitas coisas na Escritura falem de mistérios obscuros, não há coisa mencionada sob densos mistérios em um lugar que, em outros lugares, não seja mencionada de modo mais familiar e claro à capacidade tanto do letrado quanto do iletrado. E essas coisas na Escritura que são de claro entendimento e necessárias à salvação, todo homem deve aprendê-las, gravá-las na memória e, de modo efetivo, exercitá-las,

---

[105] Bond, *Certain Sermons*, p. 65.

e isso para os mistérios obscuros: estar contente em ser ignorante com respeito a eles até aquele tempo em que apraza a Deus abrir essas coisas para o homem.[106]

O maior caderno particular de Cranmer, seu "Great Commonplaces", dá mais uma prova de suas convicções a respeito da origem e da autoridade das Escrituras. "A Escritura não vem da Igreja", ele escreveu, "mas de Deus, e tem autoridade pelo Espírito Santo".[107] Um pouco mais adiante, acrescentou: "A autoridade das Escrituras vem de Deus, o autor, e não do homem nem dos homens. [...] A autoridade das Escrituras não deve ser subordinada às decisões da Igreja, mas a Igreja deveria ser julgada e regida pelas Escrituras".[108] A evidência mais ampla dos "Great Commonplaces" demonstra sobejamente a consideração humanista de Cranmer aos escritos dos pais da Igreja e dos concílios. No entanto, essas e outras declarações deixam claro que, pelo menos na época em que escreveu "Great Commonplaces", Cranmer tinha mudado para uma posição alinhada com a de outras das vozes principais da Reforma. Ele entendia, como eles, as consequências pastorais desastrosas de outras palavras colocadas ao lado da Escritura, em vez de subordinadas a ela:

> Se qualquer outra coisa fosse a Palavra de Deus que não a Sagrada Escritura, não se poderia ter certeza da Palavra de Deus. Se não tivermos certeza da Palavra de Deus, o diabo será capaz de fazer para nós uma nova palavra, uma nova fé, uma nova igreja, um novo Deus –, de fato, fazer Deus de si mesmo –, como tem feito até agora, porque esse é o fundamento do reino do anticristo. Se a Igreja e a fé cristã não contarem com a precisa Palavra de Deus como um alicerce firme, ninguém pode saber se tem fé, se está na igreja de Cristo ou na sinagoga de Satanás.[109]

CONCLUSÃO

Sola Scriptura, a convicção de que a Escritura e somente ela é a autoridade final mediante a qual toda reivindicação da verdade cristã é testada, tem sido descrito como o princípio formal da Reforma, ao lado do *sola fide*, a justificação somente pela fé, como seu princípio material.[110] Se os reformadores se sentiriam confortáveis com essa distinção é um ponto a ser discutido. O que é mais importante é a abundância de evidências de que, quaisquer que fossem suas particularidades, cada uma das

---

[106] Ibid., p. 66.
[107] "Cranmer's Great Commonplaces", British Library Royal MS 7.B.XI, fol. 8v. Sou muito grato a meu amigo Ashley Null por chamar minha atenção para os comentários de Cranmer sobre a Escritura nos "Great Commonplaces".
[108] "Cranmer's Great Commonplaces", fol. 32v.
[109] "Cranmer's Great Commonplaces," fol. 22v.
[110] A distinção aparentemente começou com Philip Schaff, *The Principle of Protestantism as Related to the Present State of the Church*. Chambersburg: German Reformed Church, 1845, p. 54, 70–71.

principais vozes desse período que examinamos compartilhava uma compreensão das Escrituras como a Palavra de Deus, que carrega a autoridade do Deus cuja Palavra escrita não invalida todas as outras autoridades, mas que é o teste final delas. É a boa Palavra de um Deus bom, e é um tesouro precioso em que se deleitam os salvos por Cristo que são habitados por seu Espírito.

FONTES PARA ESTUDO ADICIONAL

FONTES PRIMÁRIAS

BULLINGER, Heinrich. *The Decades of Henry Bullinger, Minister of the Church of Zurich* [As décadas de Heinrich Bullinger, ministro da igreja de Zurique]. Traduzido por H. I. Editado por Thomas Harding. Parker Society for the Publication of the Works of the Fathers and Early Writers of the Reformed English Church 7–10. 1587. Reimpressão, Cambridge: Cambridge University Press, 1849–1852.

CALVINO, João. *As institutas – Edição clássica* (1985). Traduzido por Waldyr Carvalho Luz. *As institutas – Edição especial* (2006). Traduzido por Odayr Olivetti. 4. vols. São Paulo: Editora Cultura Cristã.

CRANMER, Thomas. *Certayne Sermons or Homilies* [Certos sermões ou homilias]. S. I.: Edwarde Whitchurche, 1547.

LUTERO, Martinho. "Da vontade cativa", em *Martinho Lutero – Obras Selecionadas, Volume 4: Debates e controvérsias II*, p 11–216. Porto Alegre: Comissão Interluterana de Literatura, s/d.

MELANCHTHON, Philip. *Defense against Johann Eck* [Defesa contra Johann Eck]. Em *Melanchthons Werke in Auswahl* [Obra selecionadas de Melanchthon], editado por Robert Stupperich, 1:13–22. 1519. Reimpressão, Gütersloh: Bertelsmann, 1951.

ZUÍNGLIO, Ulrico. *Of the Clarity and Certainty of the Word of God*. Em *Zwingli and Bullinger: Selected Translations with Introductions and Notes*, [Zuínglio e Bullinger: Traduções selecionadas com introduções e notas], editado por G. W. Bromiley, 49–95. Library of Christian Classics 24. 1522. Reimpressão, Filadélfia: Westminster, 1953.

FONTES SECUNDÁRIAS

BELT, Henk van den. *The Authority of Scripture in Reformed Theology: Truth and Trust* [A autoridade da Escritura na teologia reformada: verdade e confiança]. Studies in Reformed Theology [Estudos na teologia reformada] 17. Leiden: Brill, 2008.

HORTON, Michael. "Knowing God: Calvin's Understanding of Revelation" [Conhecer Deus: o entendimento de Calvino sobre revelação] em *John Calvin and Evangelical Theology: Legacy and Prospect* [João Calvino e a teologia evangélica: legado e perspectiva], editado por Sung Wook Chung, p. 1–31. Milton Keynes: Paternoster, 2009.

LILLBACK, Peter A. e Richard B. Gaffin. *Thy Word Is Still Truth: Essential Writings on the Doctrine of Scripture from the Reformation to Today* [Tua Palavra ainda é a verdade: Escritos essenciais sobre a doutrina da Escritura, da Reforma aos dias atuais]. Phillipsburg: P&R, 2013.

NULL, Ashley. "Thomas Cranmer and the Anglican Way of Reading Scripture" [Thomas Cranmer e o modo anglicano de ler a Escritura]. *Anglican and Episcopal History* [História anglicana e episcopal] 75, n. 4, 2006, p. 488–526.

STEPHENS, W. P. "Authority in Zwingli – in the First and Second Disputations" [Autoridade em Zuínglio – Na primeira e na segunda disputas] *Reformation and Renaissance Review* [Resenha da Reforma e da Renascença] 1, n. 1, 1999, p. 54–71.

THOMPSON, Mark D. *A Sure Ground on Which to Stand: The Relation of Authority and Interpretive Method in Luther's Approach to Scripture.* [Um terreno seguro sobre o qual firmar-se: a relação entre a autoridade o método interpretativo na consideração de Lutero sobre a Escritura]. Studies in Christian History and Thought [Estudos sobre a história e o pensamento cristãos]. Carlisle: Paternoster, 2004.

Capítulo 5
A Santa Trindade

Michael Reeves

RESUMO

Este capítulo demonstra que os principais reformadores protestantes não consideraram a doutrina da Trindade como algo secundário; em vez disso, a teologia da Reforma foi construída sobre (e moldada por) fundamentos explicitamente trinitarianos. Depois de uma breve consideração sobre o contexto final da Idade Média, ele descreve os desafios que o trinitarianismo de Lutero e dos primeiros reformadores representaram à teologia católica romana de sua época. Em seguida, ele mostra como, na teologia de Calvino e da tradição reformada, o ser triúno de Deus veio a definir toda a crença cristã e conclui com um exame do antitrinitarianismo e da resposta da Contrarreforma.

INTRODUÇÃO

É plausível pensar que a Trindade não fosse uma doutrina especialmente relevante para os reformadores ou para a Reforma. Afinal, a Trindade foi um terreno historicamente bem firmado, uma área de concordância aceita por protestantes e católicos romanos. As principais questões sobre o trinitarianismo já haviam sido discutidas; as grandes heresias, do sabelianismo ao arianismo, já tinham sido refutadas. Outras doutrinas (a Escritura e a justificação, por exemplo) ainda não tinham sido submetidas a tal escrutínio ou debate, e, por volta do século XVI, eles precisaram se submeter a esse mesmo debate esclarecedor. Assim, se os teólogos e os concílios da Igreja pós-apostólica já haviam consagrado e definido a linguagem trinitariana sobre Deus, que necessidade havia para os reformadores dizerem mais do que *amém*? Eles poderiam simplesmente aceitar as formulações ortodoxas da doutrina de Deus e dar atenção a assuntos mais prementes.

Certamente, essa história parece confirmar-se na literatura secundária. Os pontos de vista dos reformadores sobre a Trindade recebem muito pouca atenção em quase todos as introduções-padrão ao pensamento reformado. Por exemplo, *The T&T Clark Companion to Reformation Theology* [O livro de bolso T&T Clark sobre a teologia da Reforma] um guia por tópicos impressionante, dedica capítulos para temas tão difíceis de compreender quanto "Superstição, magia e bruxaria", mas não abre espaço para um exame da Trindade, ou mesmo para a doutrina de Deus.[1] *The Oxford Encyclopedia of the Reformation* [A enciclopédia Oxford da Reforma] inclui um artigo sobre o antitrinitarianismo, mas nenhum sobre o trinitarianismo.[2] *Reformation Thought* [Pensamento da Reforma], livro de Alister McGrath, não faz qualquer menção à Trindade como objeto de nenhum pensamento substancial e renovado.[3] *A teologia de Martinho Lutero*, compêndio clássico, ainda que conciso, de Paul Althaus, dedica menos de duas páginas ao ideário do reformador sobre a Trindade, cujos pensamentos são sumarizados nessa afirmação: "Lutero aceita a doutrina ortodoxa da Trindade, porque sabe que ela é apoiada pela Escritura".[4] A forte impressão dada é que, embora Lutero tenha, por fim, afirmado a crença na Trindade, ela não foi particularmente valiosa para ele e, com certeza, não afetou sua teologia de forma substancial. Richard Muller, cujo livro *Post-Reformation Reformed Dogmatics* [Dogmática reformada pós-Reforma] realmente se mostra uma exceção à regra, escreve:

> Não há história da doutrina da Trindade que cubra aquele período adequadamente. O pensamento trinitariano dos reformadores e o de seus sucessores ortodoxos têm, de fato, recebido relativamente pouca atenção, exceto por alguns ensaios espalhados sobre os pontos de vista dos mais famosos reformadores e praticamente nenhuma análise dos pensamentos sobre a Trindade entre seus sucessores imediatos no final do século XVI.[5]

No entanto, se, como a literatura secundária tende a sugerir, os reformadores foram bastante vagos em sua concordância com a doutrina da Trindade, sem ver seu valor e sua importância, devemos ficar preocupados. Que outras questões – como a justificação – fossem mais urgentes é uma coisa, mas, se os reformadores falharam de todo em ver a conexão entre, especialmente, a doutrina de Deus e a doutrina da salvação, isso questionaria a coerência global e a profundidade da teologia da Reforma. Doutrinas cristãs, afinal, não flutuam livremente ou de forma independente umas das outras: altere sua compreensão da pessoa de Cristo e terá de alterar sua visão da obra de Cristo; altere sua soteriologia e precisará mudar sua visão da vida cristã; e assim por diante. Quanto mais real isso é com respeito à doutrina de Deus, aquele que constitui a própria base e a lógica da fé cristã. As "urgentes"

---

[1] David M. Whitford (ed.). *The T&T Clark Companion to Reformation Theology*. Londres: T&T Clark, 2012.
[2] Hans J. Hillerbrand (ed.). *The Oxford Encyclopedia of the Reformation*, 4 vols. Nova York: Oxford University Press, 1996.
[3] Alister E. McGrath, *Reformation Thought: An Introduction*. 1. ed. Oxford: Basil Blackwell, 1988.
[4] Paul Althaus, *The Theology of Martin Luther*. Filadélfia: Fortress, 1966, p. 199. Em português, há a seguinte tradução: *A teologia de Martinho Lutero*. Canoas: Ulbra, 2008.
[5] Richard A. Muller, *Post-Reformation Reformed Dogmatics*, v. 4, *The Triunity of God*. Grand Rapids: Baker Academic, 2003, p. 24.

questões soteriológicas da Reforma simplesmente não podem ser entendidas à parte da doutrina da Trindade. Como John Webster colocou:

> Soteriologia é uma doutrina derivada, e nenhuma doutrina derivada pode ocupar o lugar material que está devidamente reservado para a doutrina cristã de Deus, da qual todas as outras doutrinas derivam. A questão da qual a soteriologia tem origem e que acompanha cada declaração soteriológica particular é: *Quis sit deus?*[6]

Na verdade, escreve Gerald Bray,

> Os grandes temas da teologia da Reforma – justificação pela fé, eleição, certeza da salvação – podem ser adequadamente entendidos *apenas no contexto da teologia trinitariana*, que deu a essas questões sua importância peculiar.[7]

Será meu ponto de vista neste capítulo que a teologia da Reforma, em seu melhor aspecto, não era tão atomizada ou truncada como se costuma afirmar. O trinitarianismo dos reformadores cada vez mais explícito não era simplesmente uma reação à ameaça do antitrinitarianismo; em vez disso, constituía o próprio molde e o temperamento da teologia da Reforma. Para que isso seja mais facilmente perceptível, precisamos começar com uma breve revisão sobre o contexto medieval que os Reformadores enfrentaram.

PEDRO LOMBARDO, TOMÁS DE AQUINO E O CONTEXTO MEDIEVAL

A teologia trinitariana católica na chamada Idade Média estava sobre os ombros de Agostinho, em que o Pai era visto como o que primeiramente amava, o Filho como o amado e o Espírito como o amor pessoal que partilhavam. Os escritos de Anselmo (1033–1109), de Bernardo de Clairvaux (1090–1153) e dos cônegos regulares da Abadia de São Vítor têm um inconfundível sabor agostiniano, e, portanto, ricamente trinitariano.

Consideremos Pedro Lombardo (c. 1090–1160), cujo trabalho sistemático *Quatro livros de sentenças* se tornaria um (ou *o*) livro central para as escolas da alta e da baixa Idade Média. No que seria hoje considerada uma atitude corajosa, Lombardo começa sua doutrina de Deus (que está no topo de sua *opus magnum*) com uma discussão sobre a Trindade. Somente após utilizar considerável espaço para tratar das três pessoas da Trindade e de suas relações é que ele avança para discutir

---

[6] John Webster, "'It Was the Will of the Lord to Bruise Him': Soteriology and the Doctrine of God". In: Ivor J. Davidson e Murray A. Rae (eds.). *God of Salvation: Soteriology in Theological Perspective*. Burlington: Ashgate, 2011, p. 16.

[7] Gerald Bray, *The Doctrine of God*, Contours of Christian Theology. Leicester: Inter-Varsity Press, 1993, p. 197-98. Grifos nossos.

o conhecimento, o poder e a vontade de Deus. Esse profundo trinitarianismo agostiniano tomou um rumo prático importante no pensamento de Lombardo. Desenvolvendo a ideia de Agostinho de que o Espírito *é* o amor de Deus, ele propôs que o amor que *nós* temos por Deus e ao próximo é, na verdade, o próprio Espírito Santo trabalhando em nós (Romanos 5:5).[8] Em outras palavras, para Lombardo, a vida cristã era ser tomado pelo Espírito para compartilhar a própria vida e o amor triúnos de Deus.

Essas ênfases seriam significativamente invertidas por Tomás de Aquino (1225–1274). Com os escritos de Aristóteles mais facilmente disponíveis no século XII, Aquino propôs um sistema no qual procurava harmonizar o aristotelismo e o cristianismo. Aquino declarou que, no reino natural, Aristóteles era tão amplamente confiável que poderia fornecer fundamentos filosóficos confiáveis sobre os quais a teologia poderia construir. A teologia cristã poderia, então, ampliar a lógica de Aristóteles à análise do reino sobrenatural (do qual, na falta de revelação divina, Aristóteles era ignorante).

Esse modelo teológico significava que Aquino diferia substancialmente de Lombardo quando discute a doutrina de Deus em sua *Suma teológica*. Em vez de começar com a Trindade, Aquino procurou primeiro determinar o que a razão sozinha, sem ajuda, poderia conhecer de Deus. Somente depois de passar a maior parte da exposição provando, a partir da razão, a existência, a unidade, a perfeição, a bondade, a infinitude, a imutabilidade, a simplicidade e a onisciência de Deus é que ele considera a Trindade, e o faz de forma bastante breve.

Assim como o trinitarianismo de Lombardo teve consequências práticas, Aquino não poderia relegar a Trindade sem causar repercussões. A diferença pode ser sentida na forma como Aquino via a graça de Deus. Considerando que Lombardo tinha identificado a graça de Deus como a própria presença do Espírito em nós, movendo-nos com seu próprio amor, Aquino cria na "graça criada". A ideia de que o Espírito podia amar *por meio de* nós pareceu a Aquino uma violação de nossa integridade humana. Se fosse assim, ele pensou, não seríamos *nós* a amar e, por isso, *nós* não poderíamos ser considerados justos. Em vez disso, Deus nos dá alguma *coisa* que nos permite amar: "Quando as pessoas dizem ter a graça de Deus, isso significa *algo* concedido a elas por Deus".[9]

Ali estavam duas afirmações que, por volta do século XVI, seriam profundamente enraizadas na teologia católica romana e com as quais os reformadores repetidamente se defrontariam:

---

[8] Pedro Lombardo, *The Sentences, Book 1: The Mystery of the Trinity*. Mediaeval Sources in Translation 42. Toronto: Pontifical Institute of Medieval Studies, 2007, 17.1.
[9] Tomás de Aquino, *Summa Theologica*. Westminster, Md.: Christian Classics, 1981, 1a2ae.110.1. Grifos nossos. [*Suma teológica*, 9 vols. São Paulo, SP: Edições Loyola, 2001].

1. A graça de Deus não é algo pelo qual Deus soberanamente resgata os pecadores desamparados; ela é algo que os capacita a, por si mesmos, serem meritórios.
2. O dom de Deus é algo que não é o próprio Deus.

Porque Aquino deu primazia a uma doutrina aristotélica e não relacional de Deus, sua soteriologia inevitavelmente padronizou-se como longe da ideia de que Deus dá a *si mesmo* a nós por seu Espírito. O que Deus parecia oferecer, e o que as pessoas começaram a desejar, era essa outra coisa, essa "graça criada".

Aquino foi logo canonizado pela Igreja Católica Romana e sua teologia, consagrada. Afirma-se que *Suma teológica* foi colocada ao lado das Escrituras sobre o altar no Concílio de Trento, onde Aquino foi galardoado com o título de Doutor Universal da Igreja. Não que todos concordassem com seu modelo teológico geral: Guilherme de Ockham (c. 1287–1347), por exemplo, rejeitou vigorosamente as bases aristotélicas de Tomás de Aquino. No entanto, a crença nominalista de Ockham, de que não havia naturezas compartilhadas, impossibilitou que ele visse como três pessoas divinas podiam compartilhar uma natureza. Ele não adotou como fé uma doutrina que lhe parecia sem sentido e, portanto, irrelevante! As principais luzes do catolicismo romano do final da Idade Média foram efetivamente deixando de lado a doutrina da Trindade, e os efeitos podem ser sentidos na vida cotidiana da igreja em administrar a graça habilitadora.

MARTINHO LUTERO E OS PRIMÓRDIOS DA REFORMA

Seria fácil ficar com a impressão de que, durante as décadas de 1520 e 1530, os primeiros reformadores trataram a Trindade como uma doutrina a ser sussurrada.[10] E, certamente, eles se mostraram hesitantes sobre o uso da tradicional terminologia extrabíblica (palavras como Trindade, *homoousios*, *ousia* e *hipóstase*). Em 1521, Martinho Lutero escreveu:

> Embora os arianos estivessem em erro com respeito à fé, quer seus motivos fossem bons ou maus, eles corretamente exigiram que nenhuma palavra nova, não escriturística, fosse permitida em formulações dogmáticas. A integridade da Escritura deve ser guardada, e um homem não deve presumir que fala de forma mais segura e clara com sua boca do que Deus falou com a dele.[11]

---

[10] Veja Reinhold Seeburg, *The History of Doctrines*. Grand Rapids: Baker, 1977, 2:303.
[11] Martinho Lutero, *Against Latomus*, LW 32:244 [publicado em português como "Refutação do parecer de Látomo", em *Martinho Lutero – Obras Selecionadas, Volume 3: Debates e controvérsias I*, p. 91–191. Porto Alegre: Comissão Interluterana de Literatura, s/d].

Entretanto, não apenas a questão dos termos teológicos cunhados por homens os enervava. Os comentários de Philip Melanchthon nas páginas de abertura de seu *Loci Communes* (também em 1521) tornam o ponto de vista de Lutero bastante brando:

> Agimos melhor ao adorar os mistérios da Divindade do que ao investigá-los. [...] Paulo escreve em 1Coríntios 1:21 que Deus deseja ser conhecido de maneira nova, ou seja, mediante a loucura da pregação, uma vez que, em sua sabedoria, ele não poderia ser conhecido por meio da sabedoria. Portanto, não há nenhuma razão pela qual devamos trabalhar muito nesses tópicos exaltados, como "Deus", "A unidade e a trindade de Deus", "O mistério da criação" e "A maneira da encarnação". O que, eu lhe pergunto, os escolásticos alcançaram durante os muitos séculos em que estavam examinando somente esses pontos? Porventura, como diz Paulo, seus pensamentos não se tornaram fúteis (Romanos 1:21), sempre perdendo tempo sobre universais, formalidades, conotações e várias outras palavras tolas?[12]

No entanto, a reação deles (compartilhada por outros dentre os primeiros reformadores, como Martin Bucer) não era contra o trinitarianismo como tal, mas contra a quantidade de especulação filosófica que havia crescido em torno da doutrina de Deus e que tinha muito pouco fundamento na exegese bíblica.[13] Em 1517, pouco antes de publicar suas famosas *95 teses*, Lutero tinha publicado seu "Debate sobre a teologia escolástica", tendo como alvo direto os fundamentos não bíblicos e aristotélicos de Tomás de Aquino:

- É um erro dizer que nenhum homem pode se tornar teólogo sem Aristóteles. Isso é contrário à opinião comum.
- Na verdade, ninguém pode se tornar teólogo a menos que se torne um [teólogo] sem Aristóteles.
- Em resumo, o que Aristóteles é em sua totalidade para a teologia, a escuridão é para a luz. Por isso, oponho-me aos escolásticos.[14]

O que Lutero, Melanchthon e Bucer estavam realmente procurando nos primeiros anos da Reforma era uma aplicação do princípio do *sola Scriptura* à doutrina de Deus. Longe de questionar a triunidade de Deus, eles estavam defendendo a ideia de que Deus é conhecido de fato, não por meio dos esforços próprios de mentes humanas caídas, mas mediante a pregação de Cristo no evangelho. Na verdade,

---

[12] Philip Melanchthon, *Loci Communes Theologici*. In: Wilhelm Pauck (ed.). *Melanchthon and Bucer*. LCC. Filadélfia: Westminster, 1969, p. 21.

[13] Veja Simo Knuuttila e Risto Saarinen, "Luther's Trinitarian Theology and Its Medieval Background", *Studia theologica*, 53, 1999, p. 3–12.

[14] Martinho Lutero, "Disputation against Scholastic Theology" (1517), LW 31.12 [Em português, "Debate sobre a teologia escolástica", em *Martinho Lutero – Obras Selecionadas, Volume 1: Os primórdios*, p. 13–20].

vinte anos mais tarde, quando Melanchthon estava preparado para escrever explicitamente sobre a unidade e a triunidade de Deus na edição final de seu *Loci Communes* (1543), essa mesma preocupação ainda podia ser encontrada. Cristo, disse ele,

> não desejava que Deus fosse procurado pelas especulações ociosas e errantes, mas deseja que nossos olhos sejam fixados no Filho, que se manifestou a nós para que nossas orações sejam dirigidas ao Pai eterno, que se revelou no Filho a quem enviou.[15]

Em outras palavras, se a Igreja deveria ser reformada pela Escritura (isto é, *sola Scriptura*), o Deus que se fez conhecido por ela deve ser o Deus que se fez conhecido na Escritura. Assim nasceu uma marca definidora do trinitarianismo reformado: ele seria fundamentado e provado, não filosoficamente, mas exegeticamente.[16] O debate em curso sobre a Trindade faria os reformadores mais felizes por usar os termos tradicionais, como *hipóstase* e *ousia*, mas apenas à medida que essas palavras realmente iluminaram o significado das Escrituras. Um exemplo claro disso pode ser visto em *The Old Faith, an Evident Probacion out of the Holy Scripture, that the Christian Fayth [...] hath Endured sens the Beginning of the Worlde* [A antiga fé, uma evidente prova exterior à Sagrada Escritura de que a fé cristã [...] tem existido desde o começo do mundo], de Heinrich Bullinger, reformador de Zurique.[17] De muitas formas, com essa obra Bullinger definiu um rumo para a Reforma, estabelecendo um argumento exegético forte e completo de que tanto o Antigo quanto o Novo Testamentos testemunham de um Deus que é três pessoas em um só ser.

Dizer que o trinitarianismo reformado foi ardentemente exegético não implica que fosse, por esse motivo, doutrinariamente ingênuo. Já em 1520, Lutero reconheceu a controladora primazia da doutrina de Deus, chamando a Trindade de "o maior artigo [de fé], do qual todos os outros derivam".[18] Oito anos mais tarde, em seu *Catecismo maior*, ele explicou como e por que era assim, revelando, desse modo, a forma radicalmente trinitariana de sua teologia geral:

> O Credo foi dividido em 12 artigos. [...] Devemos resumir toda a fé cristã em três artigos principais, de acordo com as três pessoas na Divindade, em quem tudo o que cremos está focado. [...] O Credo pode ser resumido de forma muito breve nestas poucas palavras:

---

[15] Philip Melanchthon, *Loci Communes*, 1543. St. Louis: Concordia, 1992, p. 18.
[16] Veja Christine Helmer, "Luther's Trinitarian Hermeneutic and the Old Testament", *Modern Theology*, 18, n. 1, 2002, p. 49–73.
[17] Heinrich Bullinger, *The Old Faith* (1537). In: George Pearson (ed.). *Writings and Translations of Myles Coverdale, Bishop of Exeter*. Parker Society for the Publication of the Works of the Fathers and Early Writers of the Reformed English Church 13. Cambridge: Cambridge University Press, 1844, p. 1–83.
[18] Martinho Lutero, *Treatise on Good Works* (1520), WA 7:214.27 [Em português, "Das boas obras", em *Martinho Lutero – Obras Selecionadas, Volume 2: O programa da Reforma*, p. 97–170].

"Creio em Deus, o Pai, que me criou; creio em Deus, o Filho, que me redimiu; creio em Deus, o Espírito Santo, que me santifica".[19]

Na explicação de Lutero, o primeiro artigo ("Creio em Deus Pai") responde à pergunta básica: "Que tipo de Deus você tem?", com a resposta: ele é um Pai e "podemos olhar em seu coração paterno e perceber quão ilimitadamente ele nos ama".[20] O segundo artigo ("Creio em Jesus Cristo, seu Filho unigênito") fala do Redentor que "nos trouxe de volta ao favor e à graça de nosso Pai".[21] O terceiro, e mais longo, artigo ("Creio no Espírito Santo") compreende toda a vida cristã, pois o Espírito é aquele que nos separa e nos faz santos.

Lutero estava tornando bastante claro que revelação, justificação e salvação – esses os focos da Reforma – encontravam seu próprio contexto e sua própria forma dentro de uma estrutura trinitariana. Nosso conhecimento de Deus não é um prêmio filosófico, mas o dom de um Deus que se revela como Pai por meio de seu Filho. Nossa salvação não é uma bênção da qual nos apropriamos por nós mesmos, mas sim o resgate compassivo realizado por esse Filho, que veio do Pai para nos proteger com sua justiça. Nossa vida cristã não diz respeito a como obter a recompensa de Deus por nossas obras, mas ela fala do Espírito tomando nosso coração e levando-nos a Cristo. Ou seja, toda a gratuidade e o conforto do evangelho pelo qual Lutero lutaria na Reforma tinha sua origem na natureza triuna de Deus.

Resumindo isso, Lutero escreveu:

> Nesses três artigos, o próprio Deus revelou e desvendou a profundidade mais secreta de seu coração de Pai, seu puro amor inexprimível. Ele nos criou para o propósito de nos redimir e nos fazer santos. E, além de nos dar e de confiar a nós tudo no céu e na terra, ele nos deu seu Filho e seu Espírito Santo, a fim de levar-nos para si por meio deles. Pois, como explicado antes, somos totalmente incapazes de chegar a um reconhecimento do favor e da graça do Pai, a não ser por meio do Senhor Cristo, que é a imagem que reflete o coração do Pai. Sem Cristo, nada vemos em Deus a não ser um juiz irado e terrível. Mas nada poderíamos saber de Cristo se não nos fosse revelado pelo Espírito Santo.[22]

Existem dois desafios monumentais aqui à teologia que Aquino tinha ajudado a trazer para tradição do catolicismo romano do final da Idade Média. Em primeiro lugar, com respeito à revelação, o conhecimento de Deus aqui não começa com a razão, mas com a pregação de Cristo, que nos é revelado pelo Espírito. Em

---

[19] Martinho Lutero, *Getting into Luther's Large Catechism: A Guide for Popular Study*, editado por F. Samuel Janzow. St. Louis: Concordia, 1978, p. 68.
[20] Ibid., p. 70.
[21] Ibid., p. 71.
[22] Ibid., p. 77.

segundo lugar, com respeito à salvação, o dom de Deus não é "graça criada", mas o próprio Deus: "Além de nos dar e de confiar a nós tudo no céu e na terra, ele nos deu seu Filho e seu Espírito Santo, a fim de levar-nos para si mesmo por meio deles".

O primeiro ponto sobre a revelação é aquilo a que chegou Lutero com sua capacidade de criticar a teologia de seu tempo. Considerando que nosso conhecimento de Deus e de seu evangelho é um dom da graça, nossa razão não pode ser determinante na teologia: a Palavra de Deus deve decidir e determinar a verdade.

O segundo ponto sobre a salvação não foi menos significativo para o próprio Lutero. Quando jovem, ele havia orado a santos, mas nunca ousara orar a Deus. O próprio pensamento de ter comunhão direta com Deus, falando ao "supremamente gracioso Pai por meio de Jesus Cristo, seu Filho", como qualquer sacerdote teria de fazer quando celebrava a missa, o aterrorizava quando foi ordenado, em 1507. Isso tinha de mudar se Deus "nos deu seu Filho e seu Espírito Santo para nos levar a si mesmo". A natureza de Deus implicava uma forma particular para a salvação e a vida cristã: unidos a Cristo pelo Espírito, somos levados ao Pai para conhecê-lo e dele desfrutar como o Filho sempre o fez.

Além disso, o fato de Deus nos dar seu próprio Espírito, e não apenas alguma graça capacitadora, era de importância seminal na soteriologia de Lutero por outra razão. Precisarmos do Espírito – o próprio Doador da vida – prova de que não temos vida em nós mesmos. Ou seja, pecadores caídos precisam mais do que de um pouco de capacitação; eles precisam de uma vida que não possuem naturalmente. Assim, a primeira coisa que Lutero escreveu a respeito do Espírito em seu *Catecismo menor* foi o seguinte: "'Creio no Espírito Santo'. O que isso significa? 'Resposta: Creio que, por minha própria razão ou força, não posso crer em Jesus Cristo, meu Senhor, ou vir a ele. Mas o Espírito Santo me chamou mediante o Evangelho'".[23] A dádiva do Espírito significa que a salvação não é um esforço cooperativo, em que Deus ajuda os pecadores que são simplesmente fracos, mas sim um resgate divino, no qual Deus ressuscita os mortos. Mais do que de mera assistência, os pecadores precisam de uma regeneração radical – algo que não pode vir da carne, mas só pode vir do Espírito por intermédio do evangelho. Como Lutero colocou no artigo *Das boas obras*, de 1520, "nós nunca lemos que o Espírito Santo foi dado a alguém porque essa pessoa tinha realizado algumas obras, mas sempre quando os homens ouviram o evangelho de Cristo e da misericórdia de Deus".[24]

---

[23] Martinho Lutero, "The Small Catechism", WA 30:1.317 [Em português, "Enquirídio – Catecismo menor para os pastores e pregadores doutos", em *Martinho Lutero – Obras Selecionadas, Volume 7: Vida em Comunidade: Comunidade – Ministério – Culto – Sacramentos – Visitação – Catecismos – Hinos*, pp. 447–470].

[24] Lutero, *Treatise on Good Works*, LW 44:30.38-39 [Em português, "Das boas obras", em *Martinho Lutero – Obras Selecionadas, Volume 2: O programa da Reforma*, p. 97–170].

WILLIAM TYNDALE

O mesmo tema se agiganta nos escritos de William Tyndale, o reformador inglês e tradutor da Bíblia. Reconhecendo que nosso problema como pecadores está radicalmente enraizado no "coração, com todos os poderes, afetos e apetites, com os quais não podemos senão pecar", Tyndale viu que a única solução era "o Espírito, que liberta o coração".[25] Apenas o próprio Espírito de Deus, por meio do evangelho, Tyndale sustentava, podia "soltar" o coração, libertando-o do amor ao ego e ganhá-lo para o amor sincero de Deus. Assim, a menos que o cristão "sinta a misericórdia, a bondade, o amor e a benignidade infinitos de Deus, bem como a comunhão do sangue de Cristo e o conforto do Espírito de Cristo no coração, ele nunca poderá abandonar qualquer coisa por amor a Deus".[26]

Em suma, o próprio rompimento de Tyndale com o ritualismo superficial de sua educação estava intimamente interligado com seu trinitarianismo robusto. Um pensamento puramente trinitariano foi, desde o início, uma marca da mensagem de reforma por parte de Tyndale. Testemunha desse apelo é *The Parable of the Wicked Mammon* [A parábola do mamom injusto], o tratado que foi contrabandeado para a Inglaterra com muitos exemplares de sua tradução em inglês do Novo Testamento:

> Se tu queres, portanto, estar em paz com Deus e amá-lo, deves te voltar para as promessas de Deus e o evangelho, que é chamado por Paulo, na passagem antes repetida aos coríntios, o ministério da justiça e do espírito. Pois a fé traz perdão, e o perdão foi livremente comprado pelo sangue de Cristo, e traz também o Espírito; o Espírito desfaz os laços do diabo e nos põe em liberdade.[27]

Da mesma forma, Tyndale diz em *A Pathway into Holy Scripture* [Um caminho para a Sagrada Escritura]: "Quando Cristo é pregado desse modo [...] corações começam a amolecer como cera e a derreter na abundante misericórdia de Deus e na bondade demonstrada por Cristo, pois, quando o Evangelho é pregado, o Espírito de Deus entra neles".[28]

JOÃO CALVINO

Enquanto outros reformadores têm seu trinitarianismo apenas negligenciado, João Calvino foi realmente acusado de antitrinitarianismo em sua época. Sua relutância inicial em empregar terminologia teológica tradicional e a recusa que se seguiu

---

[25] William Tyndale, "A Prologue upon the Epistle of St. Paul to the Romans", em *The Works of William Tyndale*. Edimburgo: Banner of Truth, 2010 1:489. Veja também *The Parable of the Wicked Mammon*, em *The Works of William Tyndale*, 1:52.

[26] Tyndale, "Prologue", 1:109.

[27] Tyndale, *Parable*, 1:48.

[28] Ibid., 1:19.

em assinar o Credo de Atanásio levou-o a ser acusado de arianismo e sabelianismo. As acusações nunca se firmaram, sendo, sem dúvida, de motivação política, e Calvino, de qualquer modo, tinha rapidamente se voltado a apreciar os termos clássicos. Na primeira edição de suas *Institutas da religião cristã* (1536), ele escreveu:

> Os hereges bradam que *ousia*, *hypostaseis*, essência, pessoas são nomes inventados por decisão humana, em nenhum lugar lidos ou vistos nas Escrituras. Mas, uma vez que eles não podem abalar nossa convicção de que três [Pessoas] são mencionadas, e são um só Deus, que tipo de escrúpulos são esses que desaprovam palavras que explicam nada mais do que aquilo que é testado e selado pelas Escrituras![29]

A maioria dos estudiosos hoje concorda com o veredito de Michael O'Carroll de que, de todos os reformadores, foi Calvino quem desenvolveu "a mais completa, a mais evidentemente tradicional e ortodoxa teologia trinitariana".[30]

Uma das primeiras indicações das profundezas do trinitarianismo de Calvino – quão informativo ele era e como era integrado ao corpo de sua teologia – pode ser encontrado em sua resposta de 1539 à carta aberta do cardeal Sadoleto ao povo de Genebra. Trabalhando com a suposição tomista de que o dom de Deus é algo que não o próprio Deus, Sadoleto foi compreensivelmente perturbado pela doutrina dos reformadores da salvação pela graça. Que possível motivação para a santidade essa doutrina deixaria às pessoas? Calvino respondeu:

> Se aquele que obteve justificação possui Cristo, e, ao mesmo tempo, Cristo nunca está onde seu Espírito não está, é óbvio que a justiça gratuita está necessariamente ligada à regeneração. Portanto, se você quer entender devidamente quão inseparáveis são fé e obras, olhe para Cristo, que, como ensina o apóstolo (1Coríntios 1:30), foi dado a nós para justificação e para santificação. Portanto, onde estiver a justiça da fé, que afirmamos ser gratuita, lá também Cristo está; e, onde Cristo está, lá está também o Espírito de santidade, que regenera a alma para a novidade de vida. Ao contrário, onde o zelo por integridade e santidade não

---

[29] João Calvino, *Institutes of the Christian Religion* (edição de 1536). H. H. Meeter Center for Calvin Studies. Grand Rapids: Eerdmans, 1975, 2.8.45–46.

[30] Michael O'Carroll, Trinitas: *A Theological Encyclopedia of the Holy Trinity*. Collegeville: Liturgical Press, 1987, p. 194. Veja também Edward A. Dowey Jr., *The Knowledge of God in Calvin's Theology*. Grand Rapids: Eerdmans, 1994, p. 125–26, 146; Wilhelm Niesel, *The Theology of Calvin*. Grand Rapids: Baker, 1980, p. 54–57; T. H. L. Parker, *The Doctrine of the Knowledge of God: A Study in the Theology of John Calvin*. Edinburgh: Oliver and Boyd, 1952, p. 61–62; B. B. Warfield, "Calvin's Doctrine of the Trinity". In: Samuel G. Craig (ed.). *Calvin and Augustine*. Filadélfia: Presbyterian and Reformed, 1974, p. 187–284; Philip W. Butin, *Revelation, Redemption, and Response: Calvin's Trinitarian Understanding of the Divine-Human Relationship*. Nova York: Oxford University Press, 1995; T. F. Torrance, "Calvin's Doctrine of the Trinity", cap. 3, em *Trinitarian Perspectives: Toward Doctrinal Agreement*. Edinburgo: T&T Clark, 1994; Christoph Schwöbel, "The Triune God of Grace: The Doctrine of the Trinity in the Theology of the Reformers", em *The Christian Understanding of God Today: Theological Colloquium on the Occasion of the 400th Anniversary of the Foundation of Trinity College, Dublin*, editado por J. M. Byrne. Dublin: Columba, 1993, p. 49–64.

está em vigor, nem o Espírito de Cristo nem o próprio Cristo estão presentes. Onde quer que Cristo não esteja, não há justiça e, na verdade, não há fé, pois a fé não pode recorrer a Cristo para a justiça sem o Espírito de santificação.[31]

Uma vez que o dom de Deus é Cristo, que não pode ser separado do Espírito, as objeções de Sadoleto não tinham espaço no trinitarianismo de Calvino. A natureza triuna de Deus tinha ficado tão gravada na soteriologia de Calvino que ele poderia pregar a salvação somente pela graça sem hesitação, sem entraves ou medo de que ela pudesse diminuir o zelo pela santidade. Antinomianismo simplesmente não podia crescer naquele solo.

Para ver o lugar da Trindade na teologia amadurecida de Calvino, devemos, naturalmente, olhar para as *Institutas*. A primeira edição (1536) seguiu muito de perto a estrutura tradicional de um catecismo; no entanto, na edição final e definitiva (1559), ele tinha reorganizado totalmente seu material em uma forma elegante de credo e expressamente trinitariana:

- Livro 1: "O conhecimento de Deus, o Criador" (correspondente à primeira seção do Credo dos Apóstolos: "Creio em Deus Pai, Todo-poderoso")
- Livro 2: "O conhecimento de Deus, o Redentor, em Cristo" (correspondente à segunda seção do Credo dos Apóstolos: "Creio em Jesus Cristo, seu único Filho, nosso Senhor")
- Livro 3: "A maneira como recebemos a graça de Cristo" (correspondente à terceira seção do Credo dos Apóstolos: "Creio no Espírito Santo")[32]
- Livro 4: "Os meios externos pelos quais Deus nos convida para a sociedade de Cristo e nos mantém nela" (correspondente à seção do Credo dos Apóstolos sobre a "santa Igreja católica")

O que essa estrutura sugere (e que seu conteúdo, então, prova) é que, longe de Calvino simplesmente reagir a qualquer acusação de heresia ou aos ensinamentos antitrinitarianos de homens como Miguel Servet, ele era trinitariano, do começo ao fim. Na época em que escreveu a edição 1559 das *Institutas*, a Trindade não era mais tratada simplesmente como uma doutrina entre outras: na mente de Calvino, o ser triúno de Deus constituía o molde para *toda* crença cristã. Nesse sentido, há uma diferença gritante entre a *Suma Teológica*, de Aquino, com seu afastamento da doutrina da Trindade, e as *Institutas*, de Calvino, que derivam sua forma dessa doutrina.

---

[31] João Calvino e Jacopo Sadoleto, *A Reformation Debate: Sadoleto's Letter to the Genevans and Calvin's Reply*, editado por John C. Olin. Grand Rapids: Baker, 1966, p. 68.
[32] Embora não trate da pessoa do Espírito especificamente, Calvino explica no título do primeiro capítulo do Volume 3 que "As coisas que foram ditas acerca de Cristo", no Volume 2, "nos são proveitosas em virtude da operação secreta do Espírito".

O Livro 1 contém a explicação de Calvino para a trindade como um tópico discreto: "Nas Escrituras, desde a criação, ensina-se uma essência única de Deus que contém três pessoas".[33] Lá, ele examina a natureza e as pessoas de Deus, a adequação de tais termos, como "pessoas", a divindade do Filho e do Espírito, a unicidade e a trindade de Deus, e também se dedica a refutar o antitrinitarianismo.

Duas questões aqui causaram certo debate: (1) a afirmação de Calvino de que cada pessoa da Trindade é *autotheos* ("Deus em si mesmo") e (2) o fato de quanto Calvino foi influenciado pela teologia oriental, especialmente por Gregório de Nazianzo (c. 329–389). Vamos considerar ambas.

Em primeiro lugar, contra qualquer noção quase ariana de que o Filho tem apenas uma deidade derivada, secundária, Calvino argumentou que, como o Pai, o Filho tem a divindade "de si mesmo". Mesmo nos dias de Calvino, isso confundiu alguns, que achavam que ele estava negando que o Filho fosse *gerado* pelo Pai, "Deus verdadeiro de Deus verdadeiro", como afirmado no Credo Niceno-Constantinopolitano. Mas Calvino estava fazendo uma distinção entre a pessoa do Filho e seu ser divino. A *pessoa* do Filho *é* gerada pelo Pai, mas seu ser divino existe por si só. Calvino explica:

> Portanto, dizemos que Deidade, em acepção absoluta, existe em si mesma; da mesma forma, confessamos que o Filho, uma vez que é Deus, existe em si mesmo, mas não em relação a sua pessoa; na verdade, sendo ele o Filho, afirmamos que ele procede do Pai. Consequentemente, sua *essência* é sem começo; enquanto o início de sua *pessoa* é o próprio Deus.[34]

Em segundo lugar, T. F. Torrance, Gerald Bray e Robert Letham sugeriram que Calvino, em muitos aspectos, estava em dívida com os Pais Capadócios em seu trinitarianismo.[35] A. N. S. Lane, no entanto, manifestou a necessidade de cautela com essa teoria.[36] O ponto principal aqui é reconhecer que Calvino, ao contrário dos teólogos ocidentais medievais, como Aquino, estava preocupado principalmente com as *pessoas* de Deus (Pai, Filho e Espírito), e não com a *essência* de Deus. Ele não dedicou tempo, como era tradicional fazer, considerando a existência, a natureza ou os atributos de Deus, mas quase imediatamente se voltou para considerar as pessoas, escrevendo com entusiasmo que

---

[33] Calvino, *Institutas*, 1.13.
[34] Ibid., 1.13.25. Grifos nossos. Para uma clara análise da posição de Calvino e o subsequente debate, veja Brannon Ellis, *Calvin, Classical Trinitarianism, and the Aseity of the Son*. Oxford: Oxford University Press, 2012.
[35] T. F. Torrance, "The Doctrine of the Holy Trinity in Gregory Nazianzen and John Calvin", em *Trinitarian Perspectives: Toward Doctrinal Agreement*. Edinburgo: T&T Clark, 1994, p. 21–40; Bray, *The Doctrine of God*, 197–224; Robert Letham, *The Holy Trinity: In Scripture, History, Theology, and Worship*. Phillipsburg, NJ: P&R, 2004, p. 252–268.
[36] A. N. S. Lane, *John Calvin: Student of the Church Fathers*. Grand Rapids: Baker, 1999, p. 1–13, 83–86.

Deus também se designa por outra marca especial para se distinguir mais precisamente dos ídolos. Ora, ele não apenas se proclama o único Deus como também se oferece para ser contemplado claramente em três pessoas. A menos que as reconheçamos, apenas o nome desnudo e vazio de Deus se revolverá em nosso cérebro, com a exclusão do verdadeiro Deus.[37]

Todavia, mais impressionante que o tratamento específico dado por Calvino à Trindade no Capítulo 13 é o fato de a *totalidade* do Livro 1 das *Institutas* compor um argumento trinitariano maior. O livro é sobre "O conhecimento de Deus, o Criador", isto é, o conhecimento de Deus, *o Pai*, em particular. Tão evidente, de fato, é a ênfase de Calvino sobre a paternidade de Deus que isso levou J. S. Lidgett a observar que Calvino estava soando uma nota "que não tinha sido ouvida desde Irineu".[38]

Nosso problema como pecadores em um mundo decaído, Calvino escreve, é que "nessa ruína da humanidade, *ninguém agora experimenta Deus quer como Pai*, quer como Autor da salvação, ou ainda favorável de alguma forma, até que Cristo, o Mediador, ofereça-se para reconciliar-nos com ele".[39] Apenas a mente convertida (ou "piedosa") agora "reconhece-o como Senhor e Pai".[40] Em outras palavras, conhecimento verdadeiro e salvífico de Deus significa conhecer o Criador como nosso Pai. Na verdade, não compreendemos verdadeiramente a obra de Deus como Criador ou sua providência (e, por isso, não temos nenhum conforto) a menos que compreendamos que é uma obra *paternal*. Assim, "devemos, na própria ordem das coisas [na criação], diligentemente contemplar o amor paternal de Deus".[41] "Para concluir de uma vez por todas", Calvino continua, "sempre que chamamos Deus de Criador do céu e da terra, devemos, ao mesmo tempo, ter em mente que [...] somos realmente seus filhos, os quais ele recebeu em sua fiel proteção para nutrir e educar".[42]

O Livro 2 trata do Filho e de sua redenção, uma história que é, em última instância, sobre o Filho nos fazer voltar "a Deus, nosso Autor e Criador, de quem fomos afastados, a fim de que ele possa novamente começar a ser nosso Pai".[43] De acordo com a lógica do Livro 1, em que a obra do Criador estava intimamente ligada à sua identidade como Pai, aqui a identidade do Filho é crítica para que se possa compreender corretamente seu trabalho. A redenção do Filho tem o objetivo final de compartilhar essa filiação:

> Sua tarefa era, portanto, restaurar-nos à graça de Deus para fazer, dos filhos dos homens, filhos de Deus; dos herdeiros da Geena, herdeiros do reino celestial. Quem poderia fazer isso

---

[37] Calvino, *Institutas*, 1.13.2.
[38] J. S. Lidgett, *The Fatherhood of God in Christian Truth and Life*. Edinburgo: T&T Clark, 1902, p. 253.
[39] Calvino, *Institutas*, 1.2.1. Grifos nossos.
[40] Ibid., 1.2.2; cf. 2.6.1; 3.6.3.
[41] Ibid., 1.14.2.
[42] Ibid., 1.14.22.
[43] Ibid., 2.6.1.

se o próprio Filho de Deus não se fizesse o Filho do homem e não apenas tomasse o que era nosso como nos transferisse o que, pela graça, tornasse nosso o que era dele?[44]

Foi precisamente esse registro trinitariano da redenção que deu a Calvino o peso teológico de que precisava como pastor para que pudesse dar às pessoas garantia real diante de Deus. Se permanecêssemos por nós mesmos diante do Todo-poderoso, mesmo capacitados pela graça, nunca poderíamos ter confiança, a menos que estivéssemos cheios da mais vã presunção: "Seguramente, a herança dos céus pertence apenas aos filhos de Deus [cf. Mateus 5:9,10]. Além disso, é muito inconveniente considerar que os não enxertados no corpo do Filho unigênito tenham o lugar e a posição de filhos".[45] Mas "o Filho de Deus, a quem ela [a herança nos céus] pertence totalmente, adotou-nos como seus irmãos".[46]

O Livro 3 examina a aplicação que o Espírito faz da redenção que o Filho provê aos cristãos. O livro inicia com a pergunta: "Como recebemos esses benefícios que o Pai concedeu a seu Filho unigênito – não para uso privado de Cristo, mas para que pudesse enriquecer os pobres e necessitados?" A resposta: por meio "da secreta operação do Espírito, pela qual viemos a fruir de Cristo e de todos os seus benefícios. [...] Resumindo: o Espírito Santo é o elo pelo qual Cristo efetivamente nos une a si".[47] Para explicar isso, Calvino observa quais títulos são dados ao Espírito nas Escrituras, sugerindo que o primeiro deles é o

> "Espírito de adoção", porque ele é a testemunha para nós da divina benevolência gratuita com a qual Deus, o Pai, nos abraçou em seu amado Filho unigênito para se tornar um Pai para nós; e ele nos encoraja a ter confiança em oração. Na verdade, ele dá as próprias palavras para que possamos clamar sem medo: "Aba, Pai!" [Romanos 8:15; Gálatas 4:6].[48]

De acordo com Calvino, o Espírito nos une a Cristo para que o Pai possa nos abraçar como filhos em seu Filho amado. Calvino não poderia demonstrar mais claramente como fez a passagem do tema teológico Trindade para a elaboração de sua soteriologia, e tais declarações não são um ponto secundário em seus escritos; a adoção, por parte do Pai, dos cristãos em Cristo corre como um fio condutor ao longo da *ordo salutis* de Calvino.[49] De acordo com Sinclair Ferguson, Calvino "não trata a filiação como um *locus* separado da teologia precisamente porque ela

---

[44] Ibid., 2.12.2.
[45] Ibid., 2.6.1.
[46] Ibid., 2.12.2.
[47] Ibid., 3.1.1.
[48] Calvino, *Institutas*, 3.1.3.
[49] Veja Richard A. Muller, *Calvin and the Reformed Tradition: On the Work of Christ and the Order of Salvation*. Grand Rapids: Baker Academic, 2012.

sustenta tudo o que ele escreve".⁵⁰ O tema da adoção torna-se ainda mais evidente em seus comentários. Assim, Calvino escreveu no comentário sobre Romanos: "Nossa salvação *consiste* em ter Deus como nosso Pai".⁵¹

A eleição de Deus, por exemplo, é um tema que Calvino viu como intimamente ligado à adoção:

> Não é a partir de uma percepção de algo que merecemos, mas porque nosso Pai celestial nos introduziu, por meio do privilégio da adoção, no corpo de Cristo. Em suma, o nome de Cristo exclui todo o mérito e tudo o que os homens têm de si mesmos; pois, quando ele diz que somos escolhidos em Cristo, isso significa que por nós mesmos somos indignos.⁵²

E, em outro trecho:

> Quando nosso Senhor grava seu temor em nossos corações pelo Espírito Santo, e nos induz à obediência a ele, que é como seus filhos devem agir diante dele, é como se ele tivesse colocado em nós o selo de sua eleição e é como ele verdadeiramente testemunha que nos adotou e que é um Pai para nós.⁵³

Eleição, em outras palavras, é precisamente a ratificação da adoção feita pela graça de Deus.⁵⁴

Além disso, quando escreve sobre a justificação, Calvino a apresenta como inexplicável se não for baseada em nossa adoção:

> Paulo certamente refere-se à justificação ao utilizar a palavra "deu" quando, em Efésios 1:5-6, diz: "Em amor nos predestinou para sermos adotados como filhos, por meio de Jesus Cristo, conforme o bom propósito da sua vontade, para o louvor da sua gloriosa graça, a qual nos deu gratuitamente no Amado". Isso significa a mesma coisa que ele normalmente diz em outra passagem, que somos "justificados gratuitamente por sua [de Deus] graça" [Romanos 3:24].⁵⁵

E quando conclui o capítulo sobre a justificação pela fé, ele seleciona uma ilustração filial para resumir a doutrina, uma imagem de nossa aproximação de nosso Pai estando "vestidos" pelo Espírito na justiça de Cristo:

---

⁵⁰ Sinclair B. Ferguson, "The Reformed Doctrine of Sonship". In: Nigel M. De S. Cameron e Sinclair B. Ferguson (ed.). *Pulpit and People: Essays in Honor of William Still*. Edinburgo: Rutherford House, 1986, p. 81. Veja também Nigel Westhead, "Adoption in the Thought of John Calvin", *SBET* 13, n. 2, 1995: p. 102–15; Howard Griffith, "The First Title of the Spirit: Adoption in Calvin's Soteriology", *EvQ* 73, n. 2, 2001, p. 135–53.
⁵¹ João Calvino, *Calvin's Commentaries*. 1844–1856; reimpressão, Grand Rapids: Baker, 1993, 19:301 (Romanos 8:17) [Série Comentários Bíblicos, *Romanos*. São José dos Campos: Editora Fiel, 2014, 3. ed.].
⁵² Ibid., 21:198 (Efésios 1:4).
⁵³ *John Calvin's Sermons on Election and Reprobation*. Audubon: Old Paths Publications, 1996, p. 98–99.
⁵⁴ Calvino, *Institutas*, 3.22.4.
⁵⁵ Ibid., 3.11.4.

Assim como [Jacó] por si mesmo não merecia o direito de primogenitura, escondeu-se na roupa de seu irmão e vestiu a capa dele, que exalava mui aprazível odor [Gênesis 27:27], para cair nas graças de seu pai e receber, em proveito próprio, a bênção ao representar outro. E nós, de maneira semelhante, ocultamo-nos sob a preciosa pureza de Cristo, nosso irmão primogênito, para podermos ser considerados justos aos olhos de Deus. [...] E de fato assim é, pois, para que compareçamos perante a face de Deus para a salvação, é necessário que exalemos sua boa fragrância, e nossos vícios devem ser cobertos e sepultados por sua perfeição.[56]

Com relação a nosso futuro, por que os eleitos e justos em Cristo ainda estão sujeitos à morte, à dor e ao mal? Mais uma vez, a resposta de Calvino está ligada a nossa adoção: continuamos a sofrer aqui "porque o fruto de nossa adoção ainda está escondido".[57] Devemos estar confiantemente pacientes e suportar um pouco mais até o dia em que "vamos participar dela em comum com o Filho unigênito de Deus".[58]

Do Livro 4, que trata da igreja, poderia ser esperado, com razão, ter obviamente um menor gosto trinitariano. Mas, na verdade, o exame empreendido por Calvino acerca dos sacramentos como sinais do evangelho deu-lhe uma oportunidade para recapitular o molde trinitariano geral de nossa salvação:

Todos os dons de Deus propostos no batismo são encontrados somente em Cristo. No entanto, isso não pode ocorrer a menos que o que batiza em Cristo invoque também o nome do Pai e do Espírito, pois somos purificados pelo sangue [do Filho] por causa de nosso Pai misericordioso, desejando, de acordo com sua bondade incomparável, receber-nos na graça, interpôs esse Mediador entre nós para obter o favor a nós diante de seus olhos. Todavia, obtemos a regeneração pela morte e ressurreição de Cristo somente se formos santificados pelo Espírito e imbuídos de uma natureza nova e espiritual. Por essa razão, obtemos e, por assim dizer, discernimos claramente no Pai a causa, no Filho a matéria e, no Espírito, o efeito de nossa purificação e de nossa regeneração.[59]

Na verdade, Calvino acreditava que o batismo está no princípio de nossa fé precisamente como o testemunho de sua natureza trinitariana: o Pai nos adota por meio de seu Filho e renova-nos por intermédio de seu Espírito. Ele explica:

Há boas razões para que *o Pai, o Filho e o Espírito Santo* sejam expressamente mencionados, pois não há outra maneira pela qual a eficácia do *batismo* possa ser experimentada do que quando começamos com a misericórdia imerecida *do Pai*, que nos reconcilia consigo

---

[56] Calvino, *Institutas*, 3.11.23.
[57] *Calvin's Commentaries*, 22:205 (1João 3:2).
[58] Ibid., 19:301 (Romanos 8:17).
[59] Calvino, *Institutas*, 4.15.6.

mesmo pelo *Filho* unigênito; em seguida, Cristo apresenta-se com o sacrifício de sua morte; e, por fim, *o Espírito Santo* é igualmente incluído, por ser quem nos lava e regenera (Tito 3:5) e, em suma, torna-nos participantes de seus benefícios. Assim, percebemos que Deus não pode ser conhecido de fato a menos que nossa fé distintamente conceba três Pessoas em uma essência e, também, que o fruto e a eficácia do *batismo* procedem do fato de Deus, o Pai, adotar-nos por meio de seu *Filho* e, depois de nos ter purificado das contaminações da carne por meio do Espírito, criar-nos novamente em justiça.[60]

Em outras palavras, para Calvino a própria forma e a bondade do evangelho – de toda a fé cristã – foram fundamentadas e moldadas pela natureza triuna de Deus.

TRINITARIANISMO NA TRADIÇÃO REFORMADA

Evidências do trinitarianismo do posterior movimento reformado na história do século XVI são demasiado numerosas para expormos aqui. No entanto, dois casos são dignos de menção: o Catecismo de Heidelberg e o desenvolvimento inicial da teologia aliancista reformada.

O Catecismo de Heidelberg, talvez o mais conhecido de todos os catecismos reformados, fornece um bom exemplo de quão profundamente enraizado e de quão pastoralmente vital o pensamento trinitariano se tornou para a teologia reformada, ainda em 1563, quando foi escrito. Depois de algumas questões relacionadas à miséria e à redenção do homem, a seção central do catecismo é dedicada a Deus Pai, Deus Filho e Deus Espírito Santo. Mais revelador, no entanto, é o rico trinitarianismo de sua memorável primeira resposta:

> Qual é seu único conforto, na vida e na morte?
> Que eu, com corpo e alma, tanto na vida como na morte, não sou de mim mesmo, mas pertenço a meu fiel Salvador Jesus Cristo, que, com seu sangue precioso, pagou plenamente por todos os meus pecados e me redimiu de todo o poder do diabo, e assim me preserva de tal modo que, sem a vontade de meu Pai no céu, nem um só cabelo pode cair de minha cabeça; sim, que todas as coisas devem operar juntas para minha salvação. Pelo que, por seu Espírito Santo, ele também me garante a vida eterna e me faz pronto e disposto de coração a, de agora em diante, viver para ele.[61]

A lógica da resposta mostra que os nomes Cristo, Pai e Espírito não foram inseridos mecanicamente, apenas para cumprir com diligência a obrigação teológica; em vez disso, revela que o conforto do cristão é irredutivelmente trinitariano.

---

[60] *Calvin's Commentaries*, 17:385 (Mateus 28:19).
[61] "The Heidelberg Catechism". In: Thomas F. Torrance (ed.-trad.). *The School of Faith: The Catechisms of the Reformed Church*. Londres: James Clarke, 1959, p. 68. [Disponível em: <www.heidelberg-catechism.com/pdf/lords--days/O%20CATECISMO%20DE%20HEIDELBERG%20(Portuguese).pdf>. Acesso em: 20. out. 2016].

A garantia da salvação, o conhecimento do cuidado providencial de Deus e a renovação do crente por parte do Espírito – marcas da teologia reformada – recebem sua razão do fato de que Deus é (e age como) Pai, Filho e Espírito. Assim como na teologia de Calvino, a Trindade não estava sendo mantida apenas como um entre outros tópicos da teologia; o ser triúno de Deus estava sendo tratado como a matriz para *toda* a teologia.

Outro exemplo particularmente notável do pensamento trinitariano na teologia reformada do século XVI pode ser encontrado no início do desenvolvimento da ideia de um *pacto de redenção*. Essa era a doutrina de que, na eternidade, o Pai havia realizado um pacto com o Filho para salvar os eleitos: o Pai nomeou e o Filho concordou em ser o Redentor. Não precisamos nos ocupar dos detalhes, mas a ideia surgiu de uma crença mais profunda que era fundamental na teologia reformada: a de que todos os modos de agir de Deus, tanto na criação quanto na salvação, fluíam da própria natureza e identidade divinas. Sendo Deus triúno, a raiz e os ramos da salvação só podem ser devidamente explicados em termos trinitarianos. O pacto de redenção seria uma característica cada vez mais forte da teologia reformada posterior, no século XVII, mas as origens do conceito podem ser encontradas anteriormente, nos escritos de teólogos como Caspar Olevian e Jerome Zanchi.[62] Zanchi também produziu a maior obra reformada de análise e polêmica trinitariana: *De tribus Elohim*.[63] Essa foi uma obra concisa (de acordo com o trinitarianismo reformado prévio) e fortemente exegética, que expõe um número considerável de textos que se referem a uma pluralidade de pessoas, em ambos os Testamentos – o título se refere ao fato de que o único Deus Jeová é o triúno Elohim. Seguindo a liderança biblicamente orientada de Calvino, Zanchi colocou a discussão sobre a Trindade *antes* do estudo da essência e dos atributos de Deus.

ANTITRINITARIANISMO: SERVETO, SOCINO E OS REFORMADORES RADICAIS

No início da década de 1520, homens como Ludwig Hatzer (1500–1529) e Christian Entfelder (atuou de 1530 a 1535) ensinaram a doutrina antitrinitariana em oposição a Roma e aos reformadores magistrais. Talvez o mais conhecido dos antitrinitarianos do período inicial da Reforma seja Miguel Serveto (c. 1511–1553).

---

[62] Veja Caspar Olevian, *De substantia foederis gratuiti inter Deum et electos*. Genebra: Eustathium Vignon, 1585; Hieronymus Zanchius, "De natura Dei", em *Omnium operum theólogicorum*. Genebra: Crispinus, 1619, 6:1.11–13; Richard A. Muller, "Toward the Pactum Salutis: Locating the Origins of a Concept", *MAJT* 18, 2007: p. 11–65; Lyle D. Bierma, *German Calvinism in the Confessional Age: The Covenant Theology of Caspar Olevianus*. Grand Rapids: Baker, 1996, p. 107–112; R. Scott Clark, *Caspar Olevian and the Substance of the Covenant: The Double Benefit of Christ*, Rutherford Studies in Historical Theology. Edinburgo: Rutherford House, 2005, p. 177–180.
[63] Hieronymus Zanchius, *De tribus Elohim*, v. 1, de *Operum theologicorum D. Hieronymi Zanchii*. Heidelberg: Stephanus Gamonetus and Matthaeus Berjon, 1605.

Descendente de judeus *conversos*, Serveto saiu da Espanha, país que, com grandes populações judaicas e muçulmanas, tinha sido por muito tempo especialmente receptivo ao antitrinitarianismo. Os títulos de seu primeiro e último trabalhos – *On the Errors of the Trinity* [Sobre os erros acerca da Trindade] (1531) e *The Restoration of Christianity* [A restauração da cristandade] (1553) – evidenciam sua intenção: ele queria reafirmar a doutrina de Deus seguindo linhas não trinitarianas de modo a restaurar a cristandade à visão que ele tinha de sua pureza original. De acordo com Serveto, os apóstolos haviam ensinado que somente o Pai é Deus: Jesus é apenas "Filho", na medida em que ele tem uma origem sobrenatural, e o Espírito nada mais é do que o poder impessoal de Deus. E – ele foi claro – se a igreja abandonasse seu trinitarianismo, seria necessário recalibrar todas as outras doutrinas, da cristologia às doutrinas da justificação, bem como os sacramentos.

No entanto, o nome que se tornou sinônimo de antitrinitarianismo, e que viria a ser citado com horror em toda Europa, foi Fausto Socino (1539–1604). A diferença entre eles era que Socino era mais forte do que Serveto em seu antitrinitarianismo. À semelhança de Serveto, Socino via o Espírito Santo como o poder impessoal de Deus, mas sustentava que Cristo era meramente um homem concebido pelo Espírito e, só nesse sentido, era elegível para ser chamado "Filho de Deus". Para ele, Jesus Cristo não era Deus em qualquer sentido real. Tal como aconteceu com Serveto, o resultado foi uma radical – e inevitável – reformulação da própria estrutura do cristianismo: Jesus foi interpretado como um professor, não um Salvador, e a cruz tornada um martírio, não uma expiação. Socino provou, mais uma vez, que, sem se fundamentar no ser triúno de Deus, o evangelho se torna algo desprovido de graça.

Mas a questão é: quão leais à Reforma esses antitrinitarianos foram? Em 1962, George Williams popularizou uma expressão com o título de seu livro *The Radical Reformation* [A Reforma radical].[64] O termo servia para denominar um movimento que era radicalmente fiel ao projeto da Reforma. Em outras palavras, onde os reformadores magistrais ficaram aquém ou hesitaram, os reformadores radicais (dos quais os anabatistas foram os mais numerosos e de renome) pressionaram por uma reforma mais profunda da Igreja. Certamente foi assim que a maioria dos radicais via a si mesmos. Entre esses radicais, Williams incluiu os antitrinitarianos, uma designação que novamente se ajusta à autoidentificação de homens como Serveto e Socino. Outros, como o historiador unitariano E. M. Wilbur, têm argumentado explicitamente que eles estavam simplesmente empurrando o projeto de reforma para suas conclusões lógicas.[65] No entanto, conforme avançavam as décadas do século XVI, o grande volume de polêmica produzido pelos reformadores trinitarianos

---

[64] George Huntston Williams, *The Radical Reformation*. Londres: Weidenfeld & Nicolson, 1962.
[65] E. M. Wilbur, *A History of Unitarianism*. Cambridge: Harvard University Press, 1945–1952, 1:12–18.

contra esses "radicais" prova que os principais reformadores, pelo menos, negaram veementemente a fidelidade de tais radicais à Reforma.

O que entendemos disso? O caminho é fazer a seguinte pergunta: Se os reformadores magistrais desejaram uma reforma da Igreja *pela Palavra de Deus* (isto é, *sola Scriptura*), por qual padrão os antitrinitarianos desejaram reformá-la? Richard Muller argumentou que "a posição antitrinitariana é caracterizada por um biblicismo radical juntamente com uma renúncia dos entendimentos cristãos e filosóficos tradicionais de substância, pessoa, subsistência, e assim por diante, por serem acréscimos antibíblicos".[66] Certamente, a literatura dos antitrinitarianos, como a dos arianos originais, está repleta de linguagem e argumentos bíblicos; no entanto, por baixo dessa superfície biblista parece residir um racionalismo mais profundo. Esses antitrinitarianos repetidamente fizeram importantes mudanças doutrinárias com base em inferência lógica e *somente depois* lhes deram apoio exegético.

Tomemos como exemplo o socinianismo do *Catecismo Racoviano*. Antes mesmo de chegar à doutrina de Deus, ele recomenda, como um princípio de exegese, que rejeitemos "toda interpretação que é contrária à correta razão ou envolve uma contradição".[67] Então, quando chega à doutrina de Deus, somos imediatamente confrontados, não com textos bíblicos, mas com a razão:

O que é saber que Deus é somente um?

Isso você não pode compreender facilmente por si mesmo: que não pode haver mais do que um ser que possui supremo domínio sobre todas as coisas.[68]

A questão da Trindade é apresentada desta forma:

Prove-me que, na única essência de Deus, há apenas uma pessoa?

Esse fato pode ser visto a partir de a essência de Deus ser uma só não em espécie, mas em número. Portanto, ele não pode, de forma nenhuma, conter uma pluralidade de pessoas, pois uma pessoa é nada mais que uma essência inteligente individual. Onde quer que, portanto, existam três pessoas em número, não devem necessariamente, de igual modo, serem contadas três essências individuais; pois, no mesmo sentido em que se afirma que há uma essência numérica, deve se considerar que há também uma pessoa numérica.[69]

Dado, então, que o socinianismo foi se submetendo a uma autoridade final diferente (que é a razão, não a Escritura), seria totalmente incorreto vê-lo como

---

[66] Muller, *Post-Reformation Reformed Dogmatics*, 4:75.
[67] Thomas Rees (ed.-trad.), *The Racovian Catechism: With Notes and Illustrations, Translated from the Latin; to Which Is Prefixed a Sketch of the History of Unitarianism in Poland and the Adjacent Countries*. Londres: Longman, Hurst, Orme, and Brown, 1818, p. 18.
[68] Ibid., p. 26.
[69] Ibid., p. 33.

uma continuação direta da trajetória da reforma protestante. Certamente, do ponto de vista dos reformadores, [o socinianismo] foi, na verdade, uma *falsa* reforma, não chamando a igreja de volta à pureza apostólica, mas levando-a a uma autoridade suprema diferente, um deus diferente e, consequentemente, a um evangelho diferente.

A CONTRARREFORMA REALIZADA POR ROMA

Em 1550, o reformador inglês Roger Hutchinson escreveu *The Image of God* [A imagem de Deus], argumentando, com extenso referencial bíblico, que todo falso ensino era um subproduto da distorção da doutrina da Trindade.[70] Do arianismo à transubstanciação ou à doutrina romana do sacerdócio, todas [essas distorções], ele tentou provar, estavam indissociavelmente ligadas a uma defeituosa doutrina de Deus. Hutchinson não era, de modo algum, um teólogo do mesmo calibre de Lutero ou de Calvino, mas seu argumento se encaixava bem na insistência compartilhada por aqueles de que o ser triúno de Deus sustentava e modelava toda a teologia da Reforma. No entanto, esse era um argumento especialmente contundente, afinal, Roma nunca tinha pensado em si mesma fora da fórmula trinitariana, e os autores católicos romanos, como os reformadores, opunham-se aos antitrinitarianos. Mas como, então, Roma respondeu a esse trinitarianismo revitalizado e vibrante entre os reformadores?

Nos primeiros dias, houve alguns indivíduos – os católicos evangélicos e o grupo dos *spirituali* – que fizeram propostas doutrinais na direção dos reformadores, mas, conforme a posição de Roma se endurecia, a reforma *doutrinária* passou a ser vista com crescente desconfiança. O Concílio de Trento (1545–1563), a resposta teológica oficial de Roma à Reforma, simplesmente não se preocupou com a doutrina de Deus. A Contrarreforma (ou "Reforma Católica") seria composta predominantemente de observância monástica, pregadores enfatizando a moralidade cristã e a imitação de Cristo, a disciplina da igreja e o cuidado efetivo das almas. Em outras palavras, dizia respeito, em essência, à obtenção de um desempenho puramente prático da mesma teologia não reformada. Consideremos as obras mais especialmente vitais para a espiritualidade da Contrarreforma e representativas dela – *Exercícios espirituais*, de Inácio de Loyola (1491–1556), os escritos de Teresa de Ávila (1515–1582) ou os de João da Cruz (1542–1591): quando colocados ao lado de obras reformadas, como *As institutas*, de Calvino, elas parecem comparativamente intocadas pelo pensamento trinitariano. O

---

[70] Roger Hutchinson, *The Image of God, or Laie Mans Book, in Whych the Right Knowledge of God Is Disclosed*. Londres: John Day, 1550, em *The Works of Roger Hutchinson, Fellow of St. John's College, Cambridge, and afterwards of Eton College, A.D. 1550*, Parker Society for the Publication of the Works of the Fathers and Early Writers of the Reformed English Church 22. Cambridge: Cambridge University Press, 1842, p. 1–208.

catolicismo romano na Contrarreforma, ao que parece, tendeu a não reconhecer os fundamentos trinitarianos das críticas teológicas dos reformadores e, por isso, jamais pretendeu dar-lhes resposta.

No entanto, certamente esses fundamentos eram trinitarianos: desde o momento em que Lutero se referiu à doutrina da Trindade como "o maior artigo [de fé], do qual todos os outros pendem", a melhor teologia reformada era profunda e arraigadamente trinitariana.[71] Os fundamentos são, de modo geral, escondidos pelas estruturas que sustentam, e, por isso, não é de todo surpreendente que a literatura secundária sobre a teologia da Reforma tende a ignorá-los, concentrando-se em áreas mais evidentes de desacordo. Da revelação à salvação, no entanto, a teologia e a prática pastoral da Reforma em sua forma mais convencional derivaram sua vida e sua lógica das bases do pensamento trinitariano.

FONTES PARA ESTUDO ADICIONAL

FONTES PRIMÁRIAS

CALVINO, João. *As institutas – Edição clássica* (1985). Traduzido por Waldyr Carvalho Luz. *As institutas – Edição especial* (2006). Traduzido por Odayr Olivetti. 4. vols. São Paulo: Editora Cultura Cristã.

CALVINO, João; SADOLETO, Jacopo. *A Reformation Debate: Sadoleto's Letter to the Genevans and Calvin's Reply* [Um debate da Reforma: Carta de Sadoleto aos genebrinos e a resposta de Calvino]. Editado por John C. Olin. Grand Rapids: Baker, 1966.

LOMBARDO, Pedro. *The Sentences* [As sentenças]. Trad. por Giulio Silano. 4 vols. Mediaeval Sources in Translation 42-43, 45, 48. Toronto: Pontifical Institute of Medieval Studies, 2007–2010.

LUTERO, Martinho. *Getting into Luther's Large Catechism: A Guide for Popular Study*. [Vasculhando o Catecismo Maior de Lutero: Um guia popular de estudo]. Editado por F. Samuel Janzow. St. Louis: Concordia, 1978.

MELANCHTHON, Philip. *Loci Communes Theologici*. In: Wilhelm Pauck (ed.). *Melanchthon and Bucer* [Melanchthon e Bucer], 3–152. Library of Christian Classics 19. Filadélfia: Westminster, 1969.

REES, Thomas (ed.). *The Racovian Catechism: With Notes and Illustrations, Translated from the Latin; to Which Is Prefixed a Sketch of the History of Unitarianism in Poland and the Adjacent Countries* [O Catecismo Racoviano: com notas e ilustrações, traduzido do latim; o qual é antecedido de uma síntese da história do unitarianismo na Polônia e nos países adjacentes]. Londres: Longman, Hurst, Orme, and Brown, 1818.

ZANCHI, Hieronymus. *De tribus Elohim*. Traduzido por Ben Merkle. Wenden House of New Saint Andrews College. Disponível em: <www.nsa.edu/academics/wenden-house-project/zanchis-de-tribus-elohim>. Acesso em: 26. out. 2016.

---

[71] Lutero, *Treatise on Good Works* (1520), WA 7:214.27 [em português, "Das boas obras", em *Martinho Lutero – Obras Selecionadas, Volume 2: O programa da Reforma*, p. 97–170].

FONTES SECUNDÁRIAS

BRAY, Gerald. *The Doctrine of God* [A doutrina de Deus]. Contours of Christian Theology. Leicester: Inter-Varsity Press, 1993, p. 216.

BUTIN, Philip W. *Revelation, Redemption, and Response: Calvin's Trinitarian Understanding of the Divine-Human Relationship* [Revelação, redenção e resposta: o entendimento trinitariano de Calvino acerca do relacionamento divino-humano]. Nova York: Oxford University Press, 1995.

DOWEY, Edward A., Jr. *The Knowledge of God in Calvin's Theology* [O conhecimento de Deus na teologia de Calvino]. Grand Rapids: Eerdmans, 1994.

FERGUSON, Sinclair B. "The Reformed Doctrine of Sonship" [A doutrina reformada da filiação]. In: Nigel M. De S. Cameron e Sinclair B. Ferguson (eds.). *Pulpit and People: Essays in Honor of William Still* [Púlpito e pessoas: Ensaios em honra de William Still], 81–88. Edinburgo: Rutherford House, 1986.

GRIFFITH, Howard. "'The First Title of the Spirit': Adoption in Calvin's Soteriology" [O primeiro título do Espírito: Adoção na soteriologia de Calvino]. *Evangelical Quarterly* 73, n. 2, 2001, p. 135–153.

LETHAM, Robert. *The Holy Trinity: In Scripture, History, Theology, and Worship* [A Trindade Santa: na Escritura, na teologia e na adoração]. Philipsburg: P&R, 2004.

MULLER, Richard A. *Post-Reformation Reformed Dogmatics: The Rise and Development of Reformed Orthodoxy, ca. 1520 to ca. 1725* [Dogmática reformada pós-Reforma: nascimento e desenvolvimento da ortodoxia reformada, de aprox. 1520 a aprox. 1725]. v. 4, *The Triunity of God* [A triunidade de Deus]. Grand Rapids: Baker Academic, 2003.

———. "Toward the *Pactum Salutis*: Locating the Origins of a Concept" [Com respeito ao *Pactum Salutis*: Localizando as origens de um conceito]. *Mid-America Journal of Theology* 18, 2007, p. 11–65.

PARKER, T. H. L. *The Doctrine of the Knowledge of God: A Study in the Theology of John Calvin* [A doutrina do conhecimento de Deus: um estudo da teologia de João Calvino]. Edinburgo: Oliver and Boyd, 1952.

SCHWÖBEL, Christoph. "The Triune God of Grace: The Doctrine of the Trinity in the Theology of the Reformers" [O Deus triúno da graça: a doutrina da Trindade na teologia dos reformadores]. In: J. M. Byrne (ed.). *The Christian Understanding of God Today: Theological Colloquium on the Occasion of the 400th Anniversary of the Foundation of Trinity College, Dublin* [O entendimento cristão sobre Deus hoje: Colóquio teológico por ocasião do 400º. aniversário de fundação do Trinity College, Dublin], p. 49–64. Dublin: Columba, 1993.

TORRANCE, T. F. "Calvin's Doctrine of the Trinity" [A doutrina de Calvino sobre a Trindade], Cap. 3 em *Trinitarian Perspectives: Toward Doctrinal Agreement* [Perspectivas trinitarianas: em direção a um consenso doutrinário]. Edinburgo: T&T Clark, 1994.

———. "The Doctrine of the Holy Trinity in Gregory Nazianzen and John Calvin" [A doutrina do Espírito Santo em Gregório Nazianzeno e em João Calvino], Cap. 2 em *Trinitarian Perspectives: Toward Doctrinal Agreement*. Edinburgo: T&T Clark, 1994.

WARFIELD, B. B. "Calvin's Doctrine of the Trinity" [A doutrina de Calvino sobre a Trindade]. In: Samuel G. Craig (ed.). *Calvin and Augustine* [Calvino e Agostinho]. Filadélfia: Presbyterian and Reformed, 1974, p. 187–284.

WESTHEAD, Nigel. "Adoption in the Thought of John Calvin" [Adoção no pensamento de João Calvino], *Scottish Bulletin of Evangelical Theology* 13, n.2, 1995, p. 102–115.

Capítulo 6
O SER E OS ATRIBUTOS DE DEUS

Scott R. Swain

RESUMO

A doutrina do ser e dos atributos de Deus não era tema de discussão na época da Reforma, mas nem por isso foi um tópico negligenciado. Os primeiros teólogos protestantes dedicaram significativa atenção à doutrina do ser e dos atributos de Deus em seu polêmico atrito com Roma a respeito de salvação, da graça, da igreja e de seu culto. A doutrina também recebeu significativa atenção nos vários gêneros de construção da teologia protestante, como comentários bíblicos, *loci communes*, sermões e catecismos, que foram planejados para atender às necessidades pedagógicas e pastorais do crescente movimento de Reforma na academia e na igreja. Em termos de desenvolvimento doutrinário, a Reforma forneceu um novo contexto para a elaboração da doutrina cristã de Deus que, em relação a seu contexto do final da Idade Média, trouxe o ensino tradicional sobre Deus para um contato mais direto com sua fonte escriturística e delineou desse ensino uma aplicação mais imediata para fins pastorais, ao mesmo tempo em que ofereceu numerosas ocasiões para se apropriar das fontes e das distinções das teologias patrística e medieval.

INTRODUÇÃO

A retórica protestante inicial poderia sugerir que a Reforma foi um momento de significado revolucionário para a doutrina de Deus. Martinho Lutero contrastou o "deus aristotélico ou filosófico" dos "judeus, dos turcos e dos papistas" com "nosso Deus [...] a quem as Sagradas Escrituras mostram".[1] Lutero também falou sobre "o sofrimento de Deus, o martírio de Deus, o sangue de Deus e a morte de Deus",[2] e essa linguagem tem levado muitos analistas a concluir que sua teologia na verdade mina, senão pela intenção, a doutrina tradicional da impassibilidade divina.[3] De

---
[1] Martinho Lutero, *Lectures on Genesis Chapters 21–25*, LW 4:145.
[2] Martinho Lutero, *On the Councils and the Church* (1539), LW 41:104 [publicado em português como "Dos concílios e da igreja", em *Martinho Lutero – Obras Selecionadas, Volume 3: Debates e controvérsias I*, p. 300–432. Comissão Interluterana de Literatura: Porto Alegre, s/d].
[3] Para um argumento particularmente sofisticado sobre isso, JÜNGEL, Eberhard. *God as the Mystery of the World: On the Foundation of the Theology of the Crucified One in the Dispute between Theism and Atheism*. Edinburgo: T&T Clark, 1983, p. 55–104.

modo similar, Philip Melanchthon criticou as autoridades tradicionais no que diz respeito à doutrina de Deus, concluindo que "João Damasceno filosofa demais" e que Pedro Lombardo "prefere amontoar as opiniões dos homens em vez de expor o significado das Escrituras".[4] E João Calvino considerava a distinção escolástica entre o "poder absoluto" (*potentia absoluta*) de Deus e "poder ordenado" (*potentia ordinata*) uma "blasfêmia chocante" por implicar ser Deus "um tirano que resolve fazer o que lhe apraz, não por justiça, mas por capricho".[5] Exemplos dessa retórica poderiam ser multiplicados.

A retórica, no entanto, pode ser enganosa, visto que a doutrina de Deus não era um ponto de conflito direto entre protestantes e Roma durante a "época tempestuosa"[6] da Reforma. Quando essa doutrina foi levada para "os sublimes artigos da majestade divina" (ou seja, a doutrina do Deus triúno e a doutrina da pessoa de Jesus Cristo), Lutero insistiu: "Esses artigos não são assuntos de disputa ou de conflito, pois ambos os lados os confessam".[7] Uma pesquisa sobre as primeiras confissões protestantes revela uma perspectiva semelhante. As primeiras igrejas protestantes afirmaram as principais linhas do cristianismo niceno no que se refere à doutrina de Deus, confessando a eterna subsistência de três pessoas distintas em um Deus único, eterno, imutável, todo-poderoso, onisciente e todo-misericordioso, o Criador e conservador de todas as coisas, o Redentor de sua igreja e o maior bem da criatura. A Confissão de Augsburgo (1530) declara o seguinte:

> As igrejas entre nós ensinam, com total unanimidade, que o decreto do Concílio de Niceia relativo à unidade da essência divina e sobre as três pessoas é verdadeiro e, portanto, deve-se crer nele sem qualquer dúvida. Ou seja, há uma essência divina que é chamada de Deus e é Deus: eterno, incorpóreo, indivisível, de incomensuráveis poder, sabedoria e bondade, o criador e preservador de todas as coisas, visíveis e invisíveis. No entanto, há três pessoas, coeternas e da mesma essência e poder: o Pai, o Filho e o Espírito Santo.[8]

---

[4] Philip Melanchthon, *Loci Communes* (1521). In: Wilhelm Pauck (ed.). *Melanchthon and Bucer*. LCC 19. Filadélfia: Westminster, 1969, p. 20.

[5] João Calvino, *Commentary on the Book of the Prophet Isaiah*. Grand Rapids: Baker, 1998, 2:152. "Poder absoluto" (*potentia absoluta*) de Deus refere-se à "onipotência de Deus limitada apenas pela lei da não contradição", ao passo que "poder ordenado" (*potentia ordinata*) de Deus se refere ao "poder pelo qual Deus cria e sustenta o mundo de acordo com seu *pactum* [...] consigo mesmo e com a criação. Em outras palavras, um poder limitado e aprisionado, que garante a estabilidade e a consistência das ordens da natureza e da graça". Richard A. Muller, *Dictionary of Latin and Greek Theological Terms: Drawn Principally from Protestant Scholastic Theology*. Grand Rapids: Baker, 1985, p. 231-32.

[6] Ulrico Zuínglio, "An Exposition of the Faith". In: G. W. Bromiley (ed.). *Zwingli and Bullinger: Selected Translations with Introductions and Notes*, LCC 24. Filadélfia: Westminster, 1953, p. 245.

[7] Martinho Lutero, "Smalcald Articles", pt. 1. In: Robert Kolb e Timothy J. Wengert (eds.). *The Book of Concord: The Confessions of the Evangelical Lutheran Church*. Minneapolis: Fortress, 2000, p. 300.

[8] "The Augsburg Confession" (texto latino), art. 1, em Kolb and Wengert, *Book of Concord*, 37. Uma versão em português pode ser encontrada em: www.luteranos.com.br/conteudo/a-confissao-de-augsburgo. Acessa em: 26. out. 2016.

Declarações semelhantes aparecem em confissões reformadas do século XVI. A Primeira Confissão Helvética (1536) sustenta que "há um só, verdadeiro, vivo e todo-poderoso Deus, um em essência, tríplice de acordo com as pessoas, que criou todas as coisas a partir do nada por meio de sua Palavra, isto é, pelo Filho, e por sua providência justa rege, governa e preserva todas as coisas, de maneira verdadeira e sábia".⁹ A Confissão de Fé Francesa (1559) afirma que "há um só Deus, que é uma única e simples essência, espiritual, eterno, invisível, imutável, infinito, incompreensível, inefável, onipotente; que é todo-sábio, todo-bom, todo-justo e todo-misericordioso" e "que nessa única e simples essência divina [...] há três pessoas: o Pai, o Filho e o Espírito Santo".¹⁰ Da mesma forma, a Confissão Escocesa (1560) reconhece

> um só Deus, a quem unicamente temos de ser fiéis, a quem somente temos de servir, a quem somente devemos adorar e em quem somente colocamos nossa confiança. Que é eterno, infinito, imensurável, incompreensível, onipotente, invisível; um em substância e, ainda assim, distinto em pessoas: o Pai, o Filho e o Espírito Santo. Por meio dele confessamos e cremos que todas as coisas no céu e na terra, visíveis e invisíveis, foram criadas, são conservadas em seu ser e são governadas e guiadas por sua inescrutável providência para o fim que sua sabedoria, sua bondade e sua justiça eternas nomearam, e também para a manifestação de sua própria glória.¹¹

Embora Fausto Socino tenha iniciado uma trajetória teológica que resultaria em uma revisão profunda da doutrina de Deus no século XVII,¹² uma tendência revisionista na doutrina não era universal nem mesmo entre os reformadores radicais. Balthasar Hubmaier, por exemplo, expressou uma sensibilidade bastante tradicional quando tratou dos atributos divinos. Em resposta à pergunta "Quem é Deus?", o catecismo de Hubmaier respondeu: "Ele é o bem mais elevado, todo-poderoso, todo-sábio e todo-misericordioso", que manifesta sua onipotência na criação, manifesta sua sabedoria que a tudo abrange na providência e sua misericórdia que a tudo abrange "por ter enviado seu Filho unigênito".¹³ Além disso, numa análise mais detalhada, a retórica revisionista dos reformadores magistrais citada anteriormente é fácil de harmonizar com a linguagem mais tradicional das

---

⁹ "The First Helvetic Confession of Faith of 1536", art. 6. In: Arthur C. Cochrane (ed.). *Reformed Confessions of the Sixteenth Century*. Louisville: Westminster John Knox, 2003, p. 101.
¹⁰ "The French Confession of Faith", art. 1, 6, em *Reformed Confessions*, p. 144, 146.
¹¹ "The Scots Confession", cap. 1, em *Reformed Confessions*, p. 166.
¹² George Huntston Williams, *The Radical Reformation*. 3. ed., Sixteenth Century Essays and Studies 15. Kirksville: Truman State University Press, 2000, p. 979–90; Richard A. Muller, *Post-Reformation Reformed Dogmatics: The Rise and Development of Reformed Orthodoxy, ca. 1520 to ca. 1725*, v. 3, *The Divine Essence and Attributes*. Grand Rapids: Baker Academic, 2003, p. 91–92.
¹³ Balthasar Hubmaier, *A Christian Catechism*, em *CCFCT* 2:676.

confissões protestantes. Recentes estudos de Lutero demonstram que a linguagem do reformador de Wittenberg sobre o sofrimento de Deus não é excepcional quando vista no contexto mais amplo do discurso cristológico tradicional e que Lutero conscientemente empregou conceitos metafísicos clássicos trinitarianos e cristológicos pensados para preservar, em vez de minar, a impassibilidade divina em sua fala sobre o sofrimento de Deus.[14] Além disso, o desprezo de Calvino pela distinção entre poder absoluto e poder ordenado de Deus é provavelmente mais bem entendida não como uma rejeição absoluta à distinção *per se*, a substância da qual ele empregou em seus escritos, mas como uma rejeição de certos abusos da distinção percebidos na teologia do final da Idade Média.[15]

Embora a doutrina de Deus tenha sido considerada um artigo indiscutível na época da Reforma, isso não a relegou a um plano secundário na reflexão teológica protestante. Os primeiros teólogos protestantes deram atenção significativa para o ser e os atributos de Deus, convencidos de que uma compreensão adequada de "quem Deus é, como ele é conhecido, onde e como ele se revelou, e se e por que ele ouve nossas súplicas e clamores" era absolutamente essencial à vida e ao culto cristãos.[16] A doutrina desempenhou um papel crucial nas polêmicas protestantes a respeito de temas como salvação e graça, assim como sobre a igreja e seu culto. Ela também recebeu significativa atenção nos vários gêneros de construção da teologia protestante, como comentários bíblicos, *loci communes*, sermões e catecismos, que foram planejados para atender às necessidades pedagógicas e pastorais do crescente movimento de Reforma na academia e na igreja. Na verdade, Herman Selderhuis sugere que os comentários de João Calvino sobre Salmos exibem uma perspectiva "totalmente *teocêntrica*".[17]

Em termos de desenvolvimento doutrinário, portanto, a Reforma não testemunhou revisão substancial da doutrina de Deus confessada pela Igreja Católica nos séculos anteriores. A Reforma forneceu um novo contexto para a elaboração da doutrina cristã de Deus que, em relação a seu contexto do final da Idade Média, trouxe o ensino tradicional sobre Deus para um contato mais direto com sua fonte escriturística e extraiu desse ensino aplicação mais imediata para fins pastorais, ao

---

[14] David J. Luy, *Dominus Mortis: Martin Luther and the Incorruptibility of God in Christ*. Minneapolis: Fortress, 2014.
[15] Richard A. Muller, *The Unaccommodated Calvin: Studies in the Foundation of a Theological Tradition*, Oxford Studies in Historical Theology. Nova York: Oxford University Press, 2000, p. 41–42, 47, 51-52; Paul Helm, *John Calvin's Ideas*. Oxford: Oxford University Press, 2004, cap. 11.
[16] Philip Melanchthon, *Loci Communes* (1555). In: Clyde L. Manschreck (ed.-trad.). *Melanchthon on Christian Doctrine: Loci Communes 1555*. Grand Rapids: Baker, 1982, p. 3.
[17] Herman J. Selderhuis, *Calvin's Theology of the Psalms, Texts and Studies in Reformation and Post-Reformation Thought*. Grand Rapids: Baker Academic, 2007, p. 285, grifos no original. Como veremos mais plenamente a seguir, os comentários bíblicos de Calvino trazem uma discussão mais ampla sobre os atributos divinos do que aquilo que é encontrado nas *Institutas*.

mesmo tempo que ofereceu numerosas ocasiões para se apropriar das fontes e das distinções relativas às teologias patrística e medieval. A seguir, vamos traçar algumas das principais características do ensino protestante inicial sobre o ser e os atributos de Deus, deixando o outro grande tema do ensino protestante sobre Deus – a distinção entre as três pessoas – para ser tratado no Capítulo 5 deste livro.[18]

O CONHECIMENTO DO SER E DOS ATRIBUTOS DE DEUS

DEUS INCOMPREENSÍVEL, ACOMODADO E CONTEMPLADO

A doutrina da incompreensibilidade absoluta de Deus estabelece a porta de entrada para o modo como os primeiros teólogos protestantes trataram do ser e dos atributos de Deus. Em seu comentário sobre Gênesis 6:5-6, no qual discute extensamente a natureza da revelação divina, Lutero afirma: "Deus, em sua essência, é totalmente desconhecido; não é possível definir ou colocar em palavras o que ele é, embora esforcemo-nos ao máximo".[19] Melanchthon afirmou também que o conhecimento de Deus é "tão elevado que não se pode expressá-lo em palavras".[20] No entanto, a incompreensibilidade divina não é razão para ignorar o estudo de Deus, Wolfgang Musculus insistia, porque "não há nada sobre o que, com maior perigo, se possa ser ignorante". Em vez disso, a incompreensibilidade absoluta de Deus exige que estudantes de teologia tratem da doutrina de Deus com temor e cautela.[21] Heinrich Bullinger afirmou: "Portanto, os santos, como em quaisquer outros assuntos pertencentes a Deus, mas neste em particular, são humildes, modestos e religiosos; entendendo que o eterno e incompreensível poder dele e sua majestade indescritível são totalmente ilimitados e não podem ser compreendidos por qualquer pessoa que seja".[22]

De acordo com a confissão protestante universal, Deus é incompreensível. O conhecimento de Deus é possível, no entanto, porque ele se inclina para se revelar às criaturas em termos que elas sejam capazes de compreender, embora não em termos que sejam capazes de esgotar a verdade do insondável ser divino. Deus é "completamente desconhecido", mas, Lutero nos lembra, "desce ao nível de nossa humilde compreensão e se apresenta a nós em imagens, em invólucros, por assim

---

[18] Em outras partes, discuto a doutrina da Trindade na era da Reforma. Ver Scott R. Swain, "The Trinity in the Reformers". In: Gilles Emery e Matthew Levering (ed.). *The Oxford Handbook of the Trinity*. Oxford: Oxford University Press, 2011, p. 227–239.

[19] Martinho Lutero, *Lectures on Genesis Chapters 6–14*, LW 2:45.

[20] Melanchthon, *Loci Communes* (1555), p. 86. Para um entendimento similar, veja Pedro Mártir Vermigli, *Commentary on Aristotle's Nicomachean Ethics*. Emidio Campi e Joseph C. McLelland (ed.). Sixteenth Century Essays and Studies. Kirksville: Truman State University Press, 2006, p. 136.

[21] Wolfgang Musculus, *Common Places of Christian Religion*. Londres: R. Wolfe, 1563, 1 p. 1, col. 2–p. 2, col. 1.

[22] Heinrich Bullinger, *The Decades of Heinrich Bullinger* editado por Thomas Harding, 1849–1852; reimpressão, Grand Rapids: Reformation Heritage Books, 2004, 2:126.

dizer, adaptado à simplicidade do entendimento infantil, de modo que, de certa maneira, possa ser ele conhecido por nós".²³ De acordo com Bullinger:

> Nenhuma língua, quer dos anjos, quer dos homens, pode expressar plenamente o que, quem e de que modo Deus é, considerando que sua majestade é incompreensível e inexplicável. No entanto, a Escritura, que é a Palavra de Deus, concilia-se à nossa imbecilidade para ministrar a nós alguns meios, algumas formas e algumas frases do discurso, possibilitando certo conhecimento de Deus que nos seja pelo menos suficiente enquanto vivermos neste mundo.²⁴

A natureza acomodada [no sentido de ajustada, adaptada] da revelação desempenhou um papel importante na doutrina de Deus desenvolvida por Lutero. Ele distinguia Deus na forma acomodada de sua autorrevelação ("vestido de sua Palavra") de Deus fora dessa forma acomodada ("despido de sua majestade"):

> Deus, em sua própria natureza e majestade, deve ser deixado só. Com respeito a isso, não temos nada a ver com ele, nem deseja que lidemos com ele. Temos de nos relacionar com ele ao estar vestido e apresentado em sua Palavra, pela qual se apresenta a nós. Essa é sua glória e beleza, da qual o salmista proclama estar ele coberto (cf. Salmos 21:5).²⁵

Apesar de sua retórica ser suscetível a erros de interpretação, o ponto de distinção de Lutero não era sugerir a existência de dois deuses diferentes: "o Deus dos filósofos", caracterizado pela majestade transcendente, e "o Deus de Jesus Cristo", caracterizado por mansidão e humildade. De acordo com Lutero, a majestade da natureza eterna, imortal e onipotente de Deus é fonte de grande conforto para os pecadores por Deus ter prometido, no evangelho, ser o Deus deles.²⁶ O ponto de distinção de Lutero foi identificar dois *modos* diferentes pelos quais

---

[23] Lutero, *Lectures on Genesis Chapters 6–14*, LW 2:45.
[24] Bullinger, *Decades*, 2:129–130. Cf. Pedro Mártir Vermigli, *The Common Places of Peter Martyr Vermilius*,. Londres: Henry Denham and Henry Middleton, 1583, 1.12.1.
[25] Martinho Lutero, *The Bondage of the Will*. Old Tappan: Fleming H. Revell, 1957, 4.10 ["Da vontade cativa", em *Martinho Lutero – Obras Selecionadas, v. 4: Debates e controvérsias II*, p 11–216. Porto Alegre: Comissão Interluterana de Literatura, s/d.]; cf. Lutero, *Lectures on Genesis Chapters 6–14*, LW 2:45. Para uma discussão mais aprofundada, veja Roland F. Ziegler, "Luther and Calvin on God: Origins of Lutheran and Reformed Differences", *CTQ* 75, n. 1, 2011, p. 64–76; e Steven Paulson, "Luther's Doctrine of God". In: Robert Kolb, Irene Dingel e L'ubomír Batka (eds.). *The Oxford Handbook of Martin Luther's Theology*. Oxford: Oxford University Press, 2014, p. 194–198.
[26] Martinho Lutero, *Selected Psalms II*, LW 13:91–93. Forde resume a questão de forma útil: "Na teologia de Lutero, os atributos da divindade, como necessidade, imutabilidade, atemporalidade, impassibilidade divinas, e assim por diante, funcionam como máscaras de ocultação de Deus. Isso significa que eles funcionam, por um lado, como ira, como ataque contra a pretensão humana, e, por outro, em última instância, como conforto, como apoio para a proclamação". Gerhard O. Forde, "Robert Jenson's Soteriology". In: Colin E. Gunton (ed.). *Trinity, Time, and Church: A Response to the Theology of Robert W. Jenson*. Grand Rapids: Eerdmans, 2000, p. 137.

Deus pode ser conhecido e dirigir-nos de um para o outro.[27] Para elaborar esse ponto, Lutero apropriou-se da distinção escolástica entre a "vontade de beneplácito" (*voluntas beneplaciti*) de Deus e sua "vontade revelada" ou "sinal de sua vontade" (*voluntas signi*):[28]

> Uma investigação dessa vontade essencial e divina, ou da Majestade Divina, não deve ser perseguida, mas completamente evitada. Essa vontade é insondável, e Deus não nos quis dar um vislumbre sobre isso nesta vida. Ele apenas queria indicá-la por meio de alguns invólucros: o Batismo, a Palavra, o Sacramento do altar – essas são as imagens divinas e "a vontade revelada". Por meio delas, Deus trata conosco dentro do alcance de nossa compreensão, pois somente essas coisas devem envolver nossa atenção. "A vontade de seu beneplácito" deve ser completamente descartada da consideração, a menos que você seja um Moisés, um Davi ou algum homem perfeito semelhante, embora também esses homens tenham visto "a vontade de seu beneplácito" sem nunca desviar os olhos da "vontade revelada".[29]

Na teologia de Lutero, a distinção entre Deus "vestido" e Deus "despido", em última análise, serviu ao fim pastoral de promover consolo evangélico: "Nessas imagens podemos ver e conhecer um Deus com quem podemos ter ligação, aquele que nos conforta, que nos eleva em esperança e nos salva. As outras ideias sobre 'a vontade de seu beneplácito', ou a vontade essencial e eterna, massacram e condenam".[30] O motivo antiespeculativo e pastoral de Lutero ecoou em todo o espectro do pensamento protestante inicial.[31]

Uma vez que Deus acomoda o conhecimento de seu ser incompreensível para nós na forma humilde da revelação, os primeiros teólogos protestantes regularmente advertiam contra a loucura dos antropomorfistas, que "pecam contra a natureza de Deus por vesti-la com um corpo".[32] Calvino reconheceu que "a Escritura muitas vezes atribui a ele boca, orelhas, olhos, mãos e pés".[33] "Essas formas de expressão" – ele, no entanto, insistiu – "não apenas não descrevem claramente o que Deus

---

[27] Compare essa noção com a distinção que Lutero fazia entre ser um "teólogo da glória" e ser um "teólogo da cruz" em seu Debate de Heildelberg.

[28] A "vontade do beneplácito" (*voluntas beneplaciti*) de Deus refere-se a seu decreto oculto e eterno sobre todas as coisas que ocorrerão em suas obras externas. A "vontade revelada" de Deus ou "o sinal de sua vontade" (*voluntas signi*) refere-se àquele aspecto da vontade eterna de Deus que ele tem prazer de revelar às criaturas. A distinção entre ambas é desenvolvida de forma diferente nas tradições teológicas luterana e reformada. Veja Muller, *Dictionary of Latin and Greek Theological Terms*, p. 331-333.

[29] Lutero, *Lectures on Genesis Chapters 6–14*, LW 2:47. Veja também Lutero, *Lectures on Genesis Chapters 21–25*, LW 4:143–45.

[30] Lutero, *Lectures on Genesis Chapters 6–14*, LW 2:48.

[31] Melanchthon, *Loci Communes* (1521), p. 21–22; Bullinger, *Decades*, 2:130; Pedro Mártir Vermigli, *Philosophical Works: On the Relation of Philosophy to Theology*, traduzido e editado por Joseph C. McLelland, Sixteenth Century Essays and Studies 39. Kirksville: Thomas Jefferson University Press, 1996, p. 151.

[32] Vermigli, *Philosophical Works*, p. 140.

[33] João Calvino, *Institutas*, 1.13.1.

é como também acomodam o conhecimento dele à nossa limitada capacidade".[34] Teólogos da Reforma não só impediram a dedução do antropomorfismo bíblico de que Deus tem *partes do corpo* humano, como também impediram a dedução do antropopatismo bíblico de que Deus tem *emoções* humanas. Mais uma vez comentando Gênesis 6:6, Lutero declarou: "Não se deve imaginar que Deus tem coração ou que ele pode sofrer". O "coração cortado" de Deus em Gênesis 6 refere-se ao efeito de sua ira sobre o espírito dos patriarcas, "que perceberam no coração que Deus odiou o mundo por causa dos pecados dele e decidiu destruí-lo" – ele não se refere à "essência divina".[35] A natureza acomodada da revelação sustenta tanto uma promessa quanto um perigo para as criaturas peregrinas quando se trata da doutrina de Deus: promessa, na medida em que permite que Deus seja conhecido; e perigo, na medida em que podemos ser tentados a confundir o Criador com a criatura.

A natureza acomodada da revelação não foi a última palavra dos reformadores com respeito ao conhecimento do ser e dos atributos incompreensíveis de Deus. Os primeiros teólogos protestantes afirmaram o ensino tradicional católico de que a forma acomodada e mediada de nosso conhecimento de Deus um dia vai dar lugar a um conhecimento sem mediação de Deus na visão beatífica. Lutero assim afirmou: "No último dia, os que morreram nessa fé serão tão iluminados pelo poder celestial que verão até mesmo a própria Divina Majestade".[36] De acordo com Pedro Mártir Vermigli, vamos captar a essência incompreensível de Deus, não por meio de nossos sentidos, e sim mediante a percepção espiritual e, mesmo assim, nossa mente finita não vai entender completamente a infinita perfeição de Deus.[37] Até o dia em que contemplaremos a face de Deus num êxtase não mediado, Lutero encoraja-nos a lançar mão da autorrevelação de Deus em Jesus Cristo: "Temos de ir ao Pai por este caminho, que é o próprio Cristo; ele vai nos levar em segurança, e nós não seremos enganados".[38] O conselho de Bullinger é semelhante: "Que o conhecimento de Cristo nos seja suficiente e nos contente".[39]

FONTES DO CONHECIMENTO DE DEUS

Os teólogos da Reforma buscaram o conhecimento da majestade incompreensível de Deus em várias fontes. Em um sermão intitulado "Of God; Of the True Knowledge

---

[34] Ibid. Para uma discussão mais aprofundada do ponto de vista de Calvino sobre a divina acomodação, veja Helm, *John Calvin's Ideas*, cap. 7; e Jon Balserak, *Divinity Compromised: A Study of Divine Accommodation in the Thought of John Calvin*, Studies in Early Modern Religious Reforms 5. Dordrecht: Springer, 2006. Cf. Vermigli, *Philosophical Works*, p. 148.
[35] Lutero, *Lectures on Genesis Chapters 6–14*, LW 2:49.
[36] Lutero, *Lectures on Genesis Chapters 6–14*, LW 2:49. Veja também Bullinger, *Decades*, 2:130, p. 142–143.
[37] Vermigli, *Philosophical Works*, p. 140, 148.
[38] Lutero, *Lectures on Genesis Chapters 6–14*, LW 2:49.
[39] Bullinger, *Decades*, 2:147.

of God, and Of the Diverse Ways How to Know Him; That God is One in Substance, and Three in Persons" [Sobre Deus; do verdadeiro conhecimento de Deus e dos diversos modos de como conhecê-lo; que Deus é um em substância e três em pessoas], Heinrich Bullinger dedicou amplo espaço para discutir os vários meios pelos quais Deus se revela às criaturas.[40] De acordo com Bullinger, "a primeira e principal maneira de conhecer a Deus é proveniente dos próprios nomes de Deus atribuídos a ele na Sagrada Escritura" – um princípio metodológico observado em toda a teologia protestante inicial, ao qual voltaremos mais adiante.[41] Deus também se dá a conhecer "por visões e espelhos divinos, como se fossem certa parábola, enquanto por *Prosopografia, Prosopoeia* ou Antropomorfismo ele é colocado diante de nossos olhos".[42] Mas, "forma e meio mais evidentes e excelentes de conhecer a Deus", Bullinger insiste, "evidenciam-se diante de nós em Jesus Cristo, o Filho de Deus encarnado e feito homem". O reformador suíço obteve apoio para essa afirmação de João 14:9 ("Quem me vê, vê o Pai"), um texto de prova comum para esse princípio metodológico protestante inicial.[43]

Ao discutir as diversas formas pelas quais Deus se revela a nós, Bullinger também afirmou que Deus se dá a conhecer "pela contemplação de suas obras" e "pelos ditos ou pelas sentenças proferidos pela boca dos profetas e apóstolos", estes últimos provendo a fonte do "verdadeiro conhecimento de Deus" como "um em essência e três em pessoas".[44]

O conhecimento de Deus revelado pelos nomes divinos e supremamente por Jesus Cristo na Sagrada Escritura suplanta de longe o que é revelado pelas obras de Deus em conteúdo e em eficácia.[45] Os primeiros teólogos protestantes, no entanto, deram um lugar significativo à revelação geral na produção de um verdadeiro, ainda que limitado, conhecimento de Deus, mesmo entre os filósofos não cristãos.[46] Comentando Romanos 1:19, Vermigli argumentou que Deus havia implantado noções comuns (*prolepseis*) na mente humana "por intermédio das quais somos levados a conceber opiniões nobres e sublimes sobre a natureza divina"[47] A presença dessas noções comuns explica como filósofos chegaram ao conhecimento do ser e dos

---

[40] Para debates similares, veja Melanchthon, *Loci Communes* (1555), 5–7; Musculus, *Common Places*, 1.1, p. 2, col. 2-p. 3, col. 2; Vermigli, *Philosophical Works*, p. 18–29, 138–54.
[41] Bullinger, *Decades*, 2:130.
[42] Ibid., 2:138.
[43] Bullinger, *Decades*, 2:147. Veja também Lutero, *Lectures on Genesis Chapters 6–14*, LW 2:49; Melanchthon, *Loci Communes* (1555), p. 3–4; Vermigli, *Philosophical Works*, 151.
[44] Bullinger, *Decades*, 2:150, 153–154.
[45] Vermigli, *Philosophical Works*, 27, p. 150–51.
[46] Lutero, *Lectures on Genesis Chapters 21–25*, LW 4:145; Lutero, *Lectures on Romans: Glosses and Scholia*, LW 25:154, 156–57; Lutero, *Bondage*, 2.4; Melanchthon, *Loci Communes* (1555), p. 5, 6, 39–41, 86; Musculus, *Common Places*, 1.1 (p. 2, cols. 1–2).
[47] Vermigli, *Philosophical Works*, 20. Para afirmações similares, veja Melanchthon, *Loci Communes* (1555), p. 5,6; Calvino, *Institutas*, 1.3.1.

atributos de Deus observando "as maravilhosas propriedades e qualidades da natureza" e considerando "a série de causas em sua relação com os efeitos".[48] Na verdade, Vermigli argumentou que, quando as pessoas refletem sobre "as qualidades mais nobres" da alma humana, como justiça, sabedoria, verdade e retidão, e devidamente consideram como os seres humanos dependem de Deus, elas concluem que essas perfeições residem em Deus, que é seu "cabeça e autor principal"[49] Embora estivesse ciente da tentativa de Cícero de refutar esse tipo de argumento, Vermigli cria que Salmos 94:9 ("Será que quem fez o ouvido não ouve? Será que quem formou o olho não vê?") demonstrava isso sem sombra de dúvidas: "Aprendemos com isso a não negar ser da natureza divina tudo o que é perfeito e absoluto em nós".[50]

DEIXE DEUS SER DEUS: A DISTINÇÃO ENTRE CRIADOR E CRIATURA E A SIMPLICIDADE DIVINA

A distinção entre deuses verdadeiros e falsos, e, portanto, entre Criador e criatura, foi de fundamental importância nos primeiros ensinos protestantes sobre Deus.[51] "Essa é a primeira doutrina no primeiro mandamento a respeito do correto conhecimento de Deus", Melanchthon insistia.[52] Teólogos protestantes julgavam que a falha de Roma em observar essa distinção veio a ser uma causa básica de muitos de seus erros. De acordo com Lutero, pelo fato de o sistema medieval doutrinário da salvação ensinar que as obras humanas eram capazes de merecer a graça divina, Deus era roubado "da glória de sua divindade" pela recusa em reconhecer sua única suficiência como "aquele que dispensa seus dons gratuitamente a todos".[53] De forma semelhante, Zuínglio argumentou que o ensino de Roma a respeito da veneração aos santos e da eficácia dos sacramentos erroneamente atribuía "à criatura o que pertence unicamente ao Criador".[54]

---

[48] Vermigli, *Philosophical Works*, 21.
[49] Vermigli, *Philosophical Works*, 22. Compare com Tomás de Aquino, *Suma Teológica*, 1a.13.2.
[50] Vermigli, *Philosophical Works*, 22. Karl Barth criticou a teologia protestante inicial por apelar à revelação geral e a provas filosóficas quanto à doutrina de Deus, sugerindo que esse apelo, em última análise, "abriu o caminho para o Iluminismo, com tudo o que isso envolveu". Barth, *Church Dogmatics*, editado por G. W. Bromiley e T. F. Torrance, v. 2, pt. 1. Edinburgo: T & T Clark, 1957, p. 266 (ver toda a argumentação: 259–272). O que a crítica de Barth não conseguiu captar, no entanto, foi que os reformadores derivaram e confirmaram seus argumentos sobre a revelação geral mediante exegese bíblica, como o apelo de Vermigli a Romanos 1:19 e Salmos 94:9 ilustra.
[51] O título desta seção vem de Philip S. Watson, *Let God Be God! An Interpretation of the Theology of Martin Luther*. Eugene: Wipf & Stock, 2000.
[52] Melanchthon, *Loci Communes* (1555), p. 86; veja também 7.
[53] Martinho Lutero, *Lectures on Galatians* (1535), LW 26:127. Charles Arand debate o significado da distinção entre Criador e criatura nos comentários de Lutero a respeito do Credo do Apóstolos em seus Catecismos Menor e Maior. Veja Charles P. Arand, "Luther on the Creed", *LQ* 20, 2006, p. 1–25.
[54] Zuínglio, "Exposition of the Faith", p. 249. Para o lugar da distinção entre Criador e criatura na teologia de Zuínglio, veja W. P. Stephens, *Zwingli: An Introduction to His Thought*. Oxford: Clarendon, 1992. Note a preocupação

A distinção entre Criador e criatura instruiu também a exposição construtiva dos atributos divinos, proeminentemente na forma da doutrina da simplicidade divina. Seguindo o modelo básico da ortodoxia de Niceia, a "Confissão Tetrapolitana", de Martin Bucer, afirmava que a Divindade "não admite nenhuma outra distinção a não ser de pessoas".[55] De modo semelhante, Calvino declarou: "Quando professamos crer em um Deus, sob o nome de Deus está entendida uma essência singular e única".[56] Melanchthon mais plenamente detalhou a importância da simplicidade divina para nossa compreensão dos atributos divinos: "Em Deus, poder, sabedoria, justiça e outras virtudes não são coisas contingentes, mas são um com o Ser; o Ser divino é poder, sabedoria e justiça divinos, e essas virtudes não estão separadas dele."[57]

Vermigli coloca seriamente em uso filosófico e teológico a doutrina da simplicidade divina em seu *Commentary on Aristotle's Nicomachean Ethics* [Comentário da obra Ética a Nicômaco, de Aristóteles] e, ao fazê-lo, baseou-se em uma ampla gama de fontes filosóficas e teológicas clássicas, patrísticas e medievais. Ao discutir as ideias divinas, os padrões eternos segundo os quais o Artesão divino cria e sustenta tudo o que existe, o reformador italiano envolveu Platão, Aristóteles, Agostinho, Boécio e Averróis, entre outros.[58] Enquanto argumentava que as ideias divinas explicavam a diversidade de criaturas que habitam o mundo de Deus, Vermigli também insistia, seguindo Agostinho e outros, que elas devem ser "uma e uniformes" em Deus em virtude da absoluta simplicidade dele. E ele conclui:

> Assim, a Ideia pode ser compreendida por nós de três maneiras: primeiro, como algo que está contido na essência divina e, por isso, é um e uniforme. Segundo, como um objeto prático da mente divina, caso em que também seria um e uniforme, uma vez que a autocontemplação de Deus é uma ação única e singular que lhe revela tudo de uma vez. Em terceiro lugar, pode ser entendida como uma forma e um padrão, mas, nesse caso, devemos supor a existência de muitas ideias diversas, uma vez que elas apresentariam muitos padrões distintos de numerosas criaturas de diferentes espécies.[59]

Posteriormente, na mesma obra, ao discutir se as dez categorias metafísicas de Aristóteles se aplicavam ao ser de Deus, o compromisso de Vermigli com a doutrina da simplicidade divina levou-o a adotar a posição de Dionísio e de "certos sábios (em número elevado) de teólogos escolásticos [que] foram relutantes em encerrar Deus

---

similar em Melanchthon, *Loci Communes* (1555), p. ex. 7, 86.
[55] "Tetrapolitan Confession", cap. 2, em *Reformed Confessions*, p. 56.
[56] Calvino, *Institutas*, 1.13.20.
[57] Melanchthon, *Loci Communes* (1555), p. 8.
[58] Veja Vermigli, *Commentary*, p. 137–144, 172.
[59] Vermigli, *Commentary*, 143. Compare com Francis Turretin, *Institutes of Elenctic Theology*, editado por James T. Dennison. Phillipsburg: P&R, 1992–1997, 4.1.8–12.

em categorias aristotélicas".⁶⁰ Segundo Vermigli, "Deus está acima de todas essas categorias, visto que sua causa é eficiente".⁶¹ Ele é, portanto, "tudo e nada" em relação às categorias: "Ele é tudo, uma vez que tudo o que existe participa dele; ao mesmo tempo, ele é nada, embora não no sentido de defeito, como se faltasse substância ou, se me for permitido dizer, essência, mas porque está além de tudo o que existe".⁶²

Exposition of the Faith [A exposição da fé], de Zuínglio, dá outro exemplo claro de como a distinção entre Criador e criatura e a doutrina da simplicidade divina que a acompanha operavam no pensamento protestante primitivo sobre Deus.⁶³ O artigo "Sobre Deus e o culto de Deus" trata da importância de distinguir o Criador de suas criaturas, a fim de que possamos confiar no primeiro e usar o último para a glória de Deus.⁶⁴ "Para resumir", disse ele, "a fonte de nossa religião é confessar que Deus é o Criador não criado de todas as coisas, e que somente ele tem poder sobre todas as coisas e livremente concede todas as coisas".⁶⁵ De acordo com Zuínglio, a natureza única e transcendente do Criador determina como devemos pensar sobre a bondade divina. A bondade de Deus, ele explicou, é simples: "Sabemos que esse Deus é bom por natureza, pois tudo o que ele é, o é por natureza".⁶⁶ Além disso, por ser simples, a bondade de Deus é "amorosa, bondosa e graciosa, e

---

⁶⁰ Vermigli, *Commentary*, 156. As dez categorias de ser de Aristóteles (isto é, substância, qualidade, quantidade, relação, posição, hábito, lugar, tempo, ação e paixão) receberam atenção generalizada no pensamento trinitariano clássico, com teólogos assumindo várias posições sobre o grau e a maneira pela qual elas poderiam ser apropriadas no discurso teológico. Veja, por exemplo, Agostinho, *The Trinity* 5.2; Boethius, *De Trinitate* 4.1–9; Pedro Lombardo, *Sentences* 1.8.6–8. Para uma visão geral da discussão medieval, veja Marilyn McCord Adams, "The Metaphysics of the Trinity in Some Fourteenth Century Franciscans", *Franciscan Studies* 66, n. 1, 2008, p. 101–168.

⁶¹ Vermigli, *Commentary*, 158.

⁶² Ibid., p. 157. A discussão de Vermigli oferece mais indícios contra a acusação, recentemente feita com grande força por Brad Gregory, de que a Reforma inaugurou um afastamento da "metafísica de participação" clássica. Brad S. Gregory, *The Unintended Reformation: How a Religious Revolution Secularized Society*. Cambridge: Harvard University Press, 2012. Para evidências adicionais contra a tese de Gregory, veja Richard A. Muller, "Not Scotist: Understandings of Being, Univocity, and Analogy in Early-Modern Reformed Thought", *RRR* 14, n. 2, 2012, p. 127–150; Scott R. Swain, "Lutheran and Reformed Sacramental Theology, Seventeenth-Nineteenth Centuries". In: Hans Boersma e Matthew Levering (eds.). *The Oxford Handbook of Sacramental Theology*. Oxford: Oxford University Press, 2015, p. 362–379.

⁶³ Este parágrafo é adaptado de Scott Swain, "Zwingli, Divine Impassibility, and the Gospel", *reformation21* (blog), The Alliance of Confessing Evangelicals, 23 de janeiro de 2015. Disponível em: <http://www.reformation21.org/blog/2015/01/zwingli-divine-impassibility-a.php>. Usado com permissão da Alliance of Confessing Evangelicals e do autor. Acesso em 4. nov. 2016.

⁶⁴ Ao distinguir Deus, em quem se deve "confiar" e que deve ser "desfrutado", das criaturas, que devem ser "usadas" no desfrute de Deus, Zuínglio se baseia numa distinção agostiniana, estabelecida em *On Christian Teaching* [Sobre o ensino cristão], que veio a dominar o modelo da teologia medieval por sua influência estrutural nas *Sentenças*, de Pedro Lombardo. Zuínglio aplica a distinção de modo polêmico ao argumentar que os teólogos católicos romanos "involuntariamente ignoram" a distinção ao recomendar a confiança nos sacramentos, que são criaturas, e seu desfrute, e não em Deus. *Exposition*, 247–249.

⁶⁵ Zuínglio, *Exposition*, 249.

⁶⁶ Ibid. Para declarações semelhantes sobre a natureza não adventícia da bondade divina, veja Vermigli, *Commentary*, p. 137; Musculus, *Common Places*, 1 (p. 8, col. 2–p. 9, col. 1).

também santa, justa e impassível".⁶⁷ Zuínglio introduziu o conceito de impassibilidade divina nesse ponto para definir a seção final em sua discussão sobre a bondade divina, na qual tratou da expressão suprema da bondade de Deus ao dar seu Filho "não apenas para revelar, mas para dar, a toda terra, salvação e renovação".⁶⁸ Zuínglio argumentou que não podemos apreciar plenamente a motivação de Deus para a encarnação e a obra expiatória de seu Filho à parte de uma compreensão adequada da bondade simples e impassível de Deus. Ele afirmou:

> Pois, considerando que sua bondade, isto é, sua justiça e misericórdia, é impassível, isto é, firme e imutável, sua justiça requeria expiação, mas sua misericórdia requeria perdão, e o perdão, novidade de vida. Vestido, portanto, com a carne, pois, de acordo com sua natureza divina não pode morrer, o Filho do Rei Supremo ofereceu-se como sacrifício para aplacar a justiça irrevogável e trazer reconciliação para aqueles que, por sua consciência de pecado, não ousavam entrar na presença de Deus com base em sua própria justiça. Ele fez isso porque é bondoso e misericordioso, e essas virtudes não podem permitir a rejeição de seu trabalho, assim como sua justiça não pode permitir a fuga da punição. A justiça e a misericórdia estavam unidas, uma ministrando o sacrifício e a outra, aceitando-o como um sacrifício pelo pecado.⁶⁹

Para Zuínglio, a bondade simples e impassível de Deus nos capacita a apreciar o profundo fundamento divino e o motivo para a morte do Filho de Deus na cruz e para nossa redenção. Ela também proporciona uma ocasião para nos maravilhar em gratidão:

> Quem pode estimar suficientemente a magnanimidade da bondade e da misericórdia divinas? Nós merecíamos a rejeição, e ele nos adota como herdeiros. Nós destruímos o caminho para a vida, e ele o restaurou. A bondade divina nos redimiu e nos restaurou de tal forma que estamos cheios de gratidão por sua misericórdia e justos e irrepreensíveis em razão de seu sacrifício expiatório.⁷⁰

OS NOMES DIVINOS

Os nomes divinos revelados na Sagrada Escritura serviram como uma das fontes mais importantes para a nascente doutrina protestante de Deus.⁷¹ Tendo em vista que o ser simples e incompreensível de Deus não pode ser resumido em um nome ou em uma definição, Deus se acomoda a nós por meio de vários nomes.⁷² De

---

⁶⁷ Zuínglio, *Exposition*, p. 249.
⁶⁸ Zuínglio, *Exposition*, p. 250.
⁶⁹ Ibid.
⁷⁰ Ibid., p. 250–251.
⁷¹ Bullinger, *Decades*, 2:130. Muller, *Post-Reformation Reformed Dogmatics*, 3:246–254.
⁷² Vermigli, *Common Places*, 1.13.1. Veja também Vermigli, *Commentary*, p. 156–157; Bullinger, *Decades*, 2:126–128, citando Tertuliano; Musculus, *Common Places*, 1.3.2 (p. 4, col. 2).

acordo com sua compreensão da natureza acomodada da revelação, os reformadores reconheceram a desproporção radical entre o modo como a Escritura usa termos como *bondade, poder, sabedoria* e *glória* com referência a Deus e o modo como usualmente utilizamos esses termos quando nos referimos a criaturas. Musculus nos encoraja a "tolerar todas as comparações e reconhecer que sua bondade, sabedoria, grandeza, majestade, poder e glória são incomparáveis, extraordinariamente grandes, e sua continuação, infinita".[73] A desproporção radical entre Deus e suas criaturas, no entanto, não impede os nomes divinos de serem um recurso significativo para a teologia construtiva. Muito pelo contrário, os nomes divinos eram frequentemente tratados como fontes das quais se poderia extrair toda a gama de atributos divinos, juntamente com um profundo consolo cristão. Bullinger diz o seguinte: do nome *El Shaddai*, revelado em Gênesis 17:1, "Tudo o que foi dito na Sagrada Escritura sobre a unidade, o poder, a majestade, a bondade e a glória de Deus está incluído nesta expressão única da aliança: 'Eu sou o Senhor todo-suficiente'."[74] Como veremos mais detalhadamente a seguir, do nome revelado de Deus em Êxodo 3:14, Calvino derivou os atributos de glória divina, autoexistência, eternidade, incompreensibilidade, ser e onipotência.[75] E Lutero viu na "pequena palavra 'pastor'" de Salmos 23 "quase todas as coisas boas e reconfortantes que louvamos em Deus".[76]

A exposição feita pelos reformadores sobre os nomes divinos exibe sofisticação linguística e ampla familiaridade com a história da interpretação bíblica, tanto cristã quanto judaica. Ao comentar Gênesis 17:1 e o nome *El Shaddai*, Lutero disse que *El* "indica a força e o poder de Deus", demonstrando que Deus "é poderoso, é autossuficiente, tem poder sobre tudo, não precisa de ajuda de ninguém, e é capaz de dar todas as coisas a todos". Quanto a *Shaddai*, ele mostrou consciência da interpretação judaica medieval que considerava o nome um composto do pronome *quem* e o substantivo *suficiência*, mas considerou essa interpretação pouco convincente do ponto de vista lexical.[77] Bullinger e outros, no entanto, seguiram a interpretação seguinte para o termo:

> Portanto, Deus é aquele a quem nada falta, que em todas as coisas e com respeito a todas as coisas é suficiente a si mesmo; que não necessita da ajuda de ninguém; sim, que sozinho

---

[73] Musculus, *Common Places*, 1 (p. 9, col. 1). Veja também Muller, "Not Scotist", 131.
[74] Bullinger, *A Brief Exposition of the One and Eternal Testament or Covenant of God*, em Charles S. McCoy e J. Wayne Baker, *Fountainhead of Federalism: Heinrich Bullinger and the Covenantal Tradition*. Louisville: Westminster John Knox, 1991, p. 112.
[75] João Calvino, *Commentaries on the Last Four Books of Moses: Arranged in the Form of a Harmony*. Grand Rapids: Baker, 1998, 1:73,74.
[76] Martinho Lutero, *Selected Psalms I*, LW 12:152.
[77] Martinho Lutero, *Lectures on Genesis Chapters 15–20*, LW 3:80–81.

tinha todas as coisas que pertencem à perfeita felicidade desta vida e do mundo vindouro; e que sozinho pode preencher e ser suficiente a todo o seu povo e outras criaturas.[78]

O nome de Deus revelado em Êxodo 3:14 foi considerado por muitos teólogos protestantes como a "mais excelente" definição de Deus.[79] Na exegese que Calvino faz desse nome divino, testemunhamos mais uma vez um exemplo de competência linguística, consciência histórica e sofisticação teológica. Calvino comentou a gramática desse versículo, observando que "o verbo no hebraico está no futuro: 'Eu serei o que serei'; mas é da mesma força que o presente, exceto pelo fato de que designa a duração perpétua do tempo".[80] Ele também observou que "imediatamente depois, ao contrário do uso gramatical, ele usou o mesmo verbo na primeira pessoa como substantivo, anexando-o a um verbo na terceira pessoa; que nossa mente seja preenchida de admiração tão frequentemente quanto sua essência incompreensível é mencionada".[81] Calvino não se impressionou com as leituras platônicas desse versículo, que sugeriam "que este único e singular Ser de Deus absorve todas as essências imagináveis", pois tais interpretações muito facilmente levam à conclusão idólatra de que "a multidão de deuses falsos" é derivada, em sentido corrente, do ser superlativo de Deus.[82] Como esse nome divino deve ser interpretado? Calvino concluiu:

> Portanto, para que corretamente compreendamos o Deus único, devemos primeiro saber que todas as coisas no céu e na terra derivam, pela vontade divina, sua essência ou subsistência daquele que realmente é. De esse ser todo o poder é derivado; porque, se Deus sustenta todas as coisas por sua excelência, governa-as também por sua vontade. E como teria Moisés contemplado a essência secreta de Deus, que estava encerrada no céu, a menos que, assegurado da onipotência divina, tivesse ele daí obtido a proteção de sua confiança? Por isso, Deus ensina que só ele é digno do mais santo nome, que é profanado quando indevidamente transferido para outros; e, então, define, para sua inestimável excelência, que Moisés não pode ter dúvida de superar todas as coisas sob sua orientação.[83]

O modo como Calvino trata Êxodo 3:14 é notável na medida em que revela como sua discussão um tanto escassa dos nomes divinos nas *Institutas*[84] é equilibrada pela exposição mais elaborada em seus comentários bíblicos.[85]

---

[78] Bullinger, *Decades*, 2:135. Veja também Bullinger, *Brief Exposition*, 109; Vermigli, *Common Places*, 1.12.2.
[79] Muller, *Post-Reformation Reformed Dogmatics*, 3:248–249.
[80] Calvino, *Commentaries on the Last Four Books of Moses*, p. 73.
[81] Ibid.
[82] Ibid.
[83] Calvino, *Commentaries on the Last Four Books of Moses*, p. 73,74.
[84] Veja Calvino, *Institutas*, 1.10.1–3, 1.12.1,2. Apesar de Calvino tratar pouco dos atributos divinos nas *Institutas*, B. B. Warfield observa que uma ampla gama deles é discutida em lugares esparsos em toda a obra. Veja Warfield, "Calvin's Doctrine of God", em *Calvin and Calvinism*. Grand Rapids: Baker, 1981, cap. 3.
[85] Muller, *The Unaccommodated Calvin*, p. 152–154.

Bullinger oferece o que poderia ser anacronicamente chamado de "leitura canônica" dos nomes divinos *El Shaddai* e *Yahweh* por meio do comentário sobre Êxodo 6:3: "Apareci a Abraão, a Isaque e a Jacó como o Deus todo-poderoso, mas pelo meu nome, o Senhor, não me revelei a eles". De acordo com Bullinger, esse versículo não deve ser lido para afirmar "que os patriarcas não tinham ouvido ou conhecido o nome Jeová, pois esse nome começou a ser invocado no tempo de Sete, imediatamente após o início do mundo".[86] Bullinger explicou o significado do versículo à luz de suas conclusões exegéticas com respeito aos dois nomes divinos *El Shaddai* e *Yahweh*:

> Portanto, parece que o Senhor quis realmente dizer: "Eu me apresentei aos patriarcas como *El Shaddai*, aquele que é totalmente capaz de preenchê-los suficientemente com toda bondade; e, por isso, lhes prometi uma terra que mana leite e mel; mas, por meu nome Jeová, eu ainda não lhes era conhecido, isto é, eu não lhes fiz o que prometi", pois já ouvimos que ele é chamado Jeová por aquilo que ele faz ser; e, portanto, ele realiza sua promessa. "Agora, pois, (ele disse), eu de fato cumprirei minha promessa e mostrar-me-ei não somente como *El Shaddai*, um Deus todo-suficiente ou todo-poderoso, mas também como Iahweh, essência ou ser eterno, imutável, verdadeiro e, em todas as coisas, meu igual, ou pronto para cumprir minha promessa".[87]

Assim, os dois significados distintos dos nomes divinos *El Shaddai* e *Yahweh* subscreveram as duas fases distintas da relação histórica de Deus com seu povo, a saber: promessa e realização. Na exegese de Bullinger, os nomes divinos ganharam não apenas um significado teológico, mas também um significado histórico-redentor.

A exposição de Bullinger dos nomes divinos também exibe um motivo pastoral ou prático. No mesmo contexto de sua discussão sobre os nomes *El Shaddai* e *Yahweh*, ele lembrou a seus leitores que Deus também se chama "o Deus de Abraão, o Deus de Isaque, o Deus de Jacó" (Êxodo 3:15). Quando ouvimos que esse nome divino deve ser memorizado "de geração em geração", isso nos lembra de que "todos os excelentes e inumeráveis benefícios que Deus concedeu a nossos antepassados" nos são também prometidos: "Pois ele será nosso Deus, assim como era deles, se crermos nele como eles creram. Pois, para nós, que cremos, ele será tanto *Shaddai* como Iahweh, acumulação de todo o bem, verdade, ser e vida eternos e imutáveis".[88] Como Bullinger disse em outro trecho: "Não basta ter crido que Deus existe ou até mesmo que ele é todo-suficiente, a menos que você ainda creia que o mesmo Deus onipotente, o criador de todas as coisas, é *seu* Deus, de fato o

---

[86] Bullinger, *Decades*, 2:136.
[87] Ibid.
[88] Ibid., 2:136–237

galardoador de todos os que o buscam".[89] No início do pensamento protestante, os nomes divinos eram parte integrante do tecido de uma teologia prática da aliança.

Os comentários de Lutero sobre Salmos revelam um motivo prático semelhante. Em sua exposição de Salmos 111:4, ele incentivou os cristãos a obter consolo durante a Ceia do Senhor, em vez de sentir receio, considerando os vários nomes divinos que a Escritura nos apresenta. "Os nomes 'Deus' e 'Senhor' contêm algo formidável em sua natureza", diz Lutero, "porque eles são nomes de majestade" – uma classificação com a qual já estamos familiarizados.

> Mas os sobrenomes "gracioso" e "misericordioso" contêm puro conforto e alegria. Não sei se em qualquer parte das Escrituras Deus se deixa chamar por nomes mais encantadores. Tão ansiosamente ele deseja imprimir em nosso coração as palavras doces, que devemos realmente aceitar e honrar sua lembrança com alegria e amor, com louvor e ação de graças.[90]

Focando o ponto principal sobre Deus, Lutero então exortou seus leitores:

> Não lhe dê um nome diferente em seu coração nem faça dele qualquer outra coisa em sua consciência. Você cometeria uma injustiça e cometeria um grande erro, e você mesmo sofreria o maior dano. Pois se o chama de outra coisa ou pensa nele de outra forma no coração, você o torna mentiroso e rejeita esse versículo; pois, então, crê em seu coração enganoso mais do que em Deus e em suas palavras doces e ternas.[91]

Lutero esboçou um contraste semelhante entre os nomes "majestosos" de Deus e seus nomes "amigáveis" no comentário ao salmo 23. "Alguns dos outros nomes que a Escritura dá a Deus" – como Senhor, Rei e Criador –

> também soam quase esplêndidos e majestosos, e de imediato despertam temor e tremor quando os ouvimos serem mencionados. [...] A pequena palavra "pastor", no entanto, não é desse tipo, mas tem um som muito amigável. Quando os devotos a leem ou ouvem, ela imediatamente lhes dá uma confiança, um conforto e uma sensação de segurança que a palavra "pai" e outras dão quando atribuídas a Deus.[92]

Como observamos anteriormente, é importante lembrar que o contraste que Lutero faz entre os nomes "majestosos" e "amigáveis" de Deus era relativo, não absoluto, pois ele também recomendou a majestade de Deus como fonte de consolação para o cristão.[93]

---

[89] Bullinger, *Brief Exposition*, p. 109.
[90] Lutero, *Selected Psalms II, LW* 13:374.
[91] Ibid., *LW* 13:374–375.
[92] Lutero, *Selected Psalms I, LW* 12:152.
[93] Lutero, *Selected Psalms II, LW* 13:91–93.

CONCLUSÃO

A doutrina de Deus desempenhou um papel significativo na teologia construtiva, polêmica e pastoral da Reforma protestante. Com base em recursos de tradições filosóficas e teológicas clássicas, os teólogos protestantes expuseram, com grande conhecimento e convicção, a confissão histórica dos cristãos católicos sobre a doutrina de Deus. Sua exposição demonstrou atenção paciente e detalhada às bases bíblica e exegética das quais se deriva a doutrina de Deus, mesmo quando se engajaram livremente em argumentos filosóficos que consideravam parte da autorrevelação generosa de Deus às criaturas. Sem exceção, a teologia protestante inicial também demonstrou um profundo compromisso com o cuidado pastoral, encorajando os cristãos a tomarem consciência de que esse grande Deus é seu Deus e a viver pela honra do nome de Deus. Essas características da doutrina reformada acerca de Deus foram ainda mais desenvolvidas durante a era da ortodoxia protestante.[94]

É uma situação lamentável, portanto, que muitos que se consideram herdeiros da teologia da Reforma estejam ultimamente tomando uma postura cada vez mais ambivalente em relação à doutrina de Deus que os primeiros protestantes confessaram e proclamaram. Os atributos divinos (simplicidade, asseidade, eternidade, imutabilidade, impassibilidade, bondade, amor, graça, misericórdia, justiça e ira), assim como os modos segundo os quais esses atributos nos comunicam o envolvimento de Deus conosco como Criador, Redentor e Consumador, não desfrutam, pelo menos em suas formas tradicionais, de ampla aceitação entre os protestantes contemporâneos, nem são regularmente discutidos ou defendidos no contexto da exegese bíblica e do cuidado pastoral.

No entanto, à teologia não é permitido desanimar em situações de lamento, e isso se dá por razões em última instância relacionadas à doutrina de Deus. A teologia preocupa-se com o Deus "que dá vida aos mortos e chama à existência coisas que não existem" (Romanos 4:17). Comentando sobre Romanos 4, Calvino declarou: "Não exaltamos suficientemente o poder de Deus, a menos que pensemos que seja maior do que nossa fraqueza. Portanto, a fé não deve considerar nossa fraqueza, nossa miséria e nossos defeitos, mas fixar inteiramente sua atenção apenas no poder de Deus".[95] Seguindo o conselho de Calvino, e também o exemplo dos pastores, exegetas e teólogos protestantes que confessaram esse Deus diante de

---

[94] Veja Muller, *Post-Reformation Reformed Dogmatics*, v. 3, *The Divine Essence and Attributes*; Sebastian Rehnman, "The Doctrine of God in Reformed Orthodoxy". In: Herman J. Selderhuis (ed.). *A Companion to Reformed Orthodoxy*. Brill's Companions to the Christian Tradition 40. Leiden: Brill, 2013, p. 353–401; Dolf te Velde, *The Doctrine of God in Reformed Orthodoxy, Karl Barth, and the Utrecht School: A Study in Method and Content*, Studies in Reformed Theology 25. Leiden: Brill, 2013.

[95] João Calvino, *Commentaries on the Epistle of Paul the Apostle to the Romans*. Grand Rapids: Baker, 1998, p. 181. [em português, *Comentário de Romanos*, trad. Rev. Valter Graciano Martins. São José dos Campos, SP: Editora Fiel, 3. ed., 2014)]

nós, a teologia faz bem em confiar-se ao Senhor Deus todo-poderoso. E, em tempos de necessidade, ela também pode colocar as orações desses confiáveis professores em seus lábios:

> Deus conceda que com verdade conheçamos e adoremos religiosamente o elevado, excelente e poderoso Deus, assim mesmo e tal como ele é. Pois até agora, tão simples, sincera e brevemente como posso, discorri sobre os caminhos e os meios de conhecer Deus, que é em substância um, e três em pessoas; e, contudo, reconhecemos e confessamos livremente que em todo esse tratado até agora nada do que foi dito é digno de sua majestade inefável ou comparável a ela. Pois o eterno, excelente e poderoso Deus é maior do que toda a majestade e que toda a eloquência de todos os homens. Longe estou de pensar que eu, com minhas palavras, tenha chegado minimamente perto de sua excelência, mas humildemente suplico ao misericordioso Senhor que conceda suas inestimáveis bondade e liberalidade para iluminar em nós todo o entendimento de nossa mente com suficiente conhecimento de seu nome por meio de Jesus Cristo, nosso Senhor e Salvador. Amém.[96]

FONTES PARA ESTUDO ADICIONAL

FONTES PRIMÁRIAS

BULLINGER, Heinrich. *The Decades of Heinrich Bullinger* [As décadas, de Heinrich Bullinger]. Editado por Thomas Harding. 2 vols. 1849–1852. Grand Rapids: Reformation Heritage Books, 2004.

CALVINO, João. *Institutes of the Christian Religion*. Editado por John T. McNeill. 2 vols. Library of Christian Classics 20–21, edição de 1559. Filadélfia: Westminster, 1960. Em português, este livro é encontrado como *As institutas – Edição clássica* (1985). Traduzido por Waldyr Carvalho Luz. *As institutas – Edição especial* (2006). Traduzido por Odayr Olivetti. 4. vols. São Paulo: Editora Cultura Cristã.

COCHRANE, Arthur C. (ed.). *Reformed Confessions of the Sixteenth Century* [Confissões reformadas do século XVI]. Louisville: Westminster John Knox, 2003.

LUTERO, Martinho. *Lectures on Genesis* [Sermões sobre Gênesis]. Vols. 1–8 em *Luther's Works* [Obras de Lutero]. Editado por Jaroslav Pelikan e Helmut T. Lehmann. Philadelphia: Fortress; St. Louis: Concordia, 1955–1986.

MELANCHTHON, Philip. *Loci Communes* [Lugares-comuns] (1555). Em *Melanchthon on Christian Doctrine: Loci Communes 1555* [Melanchthon sobre a doutrina cristã: Lugares comuns 1555]. Traduzido e editado por Clyde L. Manschreck. Grand Rapids: Baker, 1982.

MUSCULUS, Wolfgang. *Common Places of Christian Religion* [Lugares-comuns da religião cristã]. Londres: R. Wolfe, 1563.

VERMIGLI, Pedro Mártir. *The Common Places of Peter Martyr Vermilius* [Os lugares-comuns de Pedro Mártir Vermigli]. Traduzido por Anthonie Marten. Londres: Henry Denham and Henry Middleton, 1583.

ZUÍNGLIO, Ulrico. *An Exposition of the Faith* [Uma exposição da fé]. Em *Zwingli and Bullinger: Selected Translations with Introductions and Notes* [Zuínglio e Bullinger: Traduções

---

[96] Bullinger, *Decades*, 2:173.

selecionadas com introduções e notas], editado por G. W. Bromiley, 239–279. Library of Christian Classics 24. Filadélfia: Westminster, 1953.

Fontes secundárias

KOLB, Robert. *Luther and the Stories of God: Biblical Narratives as a Foundation for Christian Living* [Lutero e as histórias de Deus: Narrativas bíblicas como fundamento para o viver cristão]. Grand Rapids: Baker Academic, 2012.

LUY, David J. *Dominus Mortis: Martin Luther and the Incorruptibility of God in Christ* [*Dominus mortis*: Lutero e a incorruptibilidade de Deus em Cristo]. Minneapolis: Fortress, 2014.

MULLER, Richard A. *Post-Reformation Reformed Dogmatics: The Rise and Development of Reformed Orthodoxy, de c. 1520 a c. 1725* [Dogmática reformada pós-Reforma: nascimento e desenvolvimento da ortodoxia reformada, de aprox. 1520 a aprox. 1725]. V. 3, *The Divine Essence and Attributes* [A essência e os atributos divinos]. Grand Rapids: Baker Academic, 2003.

———. *The Unaccommodated Calvin: Studies in the Foundation of a Theological Tradition* [O Calvino não acomodado: Estudos na fundação de uma tradição teológica]. Oxford Studies in Historical Theology. Nova York: Oxford University Press, 2000.

STEPHENS, W. P. *Zwingli: An Introduction to His Thought* [Zuínglio: uma introdução a seu pensamento]. Oxford: Clarendon, 1992.

Capítulo 7
PREDESTINAÇÃO E ELEIÇÃO

Cornelis P. Venema

RESUMO

A doutrina da Reforma a respeito da predestinação e da eleição foi baseada em ensino bíblico e representa a continuação de um antigo legado agostiniano. Ao contrário dos ensinamentos do pelagianismo e do semipelagianismo, que concedem uma medida de autonomia humana e de livre-arbítrio na resposta do cristão ao chamado do evangelho à fé e ao arrependimento, a doutrina da predestinação sustenta o ensino da salvação somente pela graça por meio apenas da obra de Cristo. Os principais teólogos da tradição reformada ensinaram que a salvação estava enraizada na graciosa escolha de Deus em Cristo e para Cristo de salvar alguns pecadores caídos e lhes conceder o dom da fé.

INTRODUÇÃO

Um preconceito comum com relação à teologia da Reforma é que a doutrina da predestinação e da eleição foi o foco peculiar dos teólogos reformados, especialmente de sua principal figura teológica, João Calvino. Embora a Reforma Protestante, tanto em sua expressão luterana quanto na reformada, enfatizava especialmente a doutrina da livre justificação somente pela graça e unicamente mediante a fé, o segmento reformado da Reforma se distinguia por seu especial interesse no tema da predestinação. Esse preconceito levou alguns historiadores da teologia da Reforma a colocar as tradições luterana e reformada em confronto entre si: a luterana mantendo um foco especial na doutrina da justificação, que é o "artigo da permanência e da queda da igreja" (*articulus stantis et cadentis ecclesiae*), ao passo que os reformados substituindo uma espécie de metafísica predestinatória que deduz todo o *corpus* da teologia do princípio governante da vontade soberana de Deus. Nessa interpretação das duas tradições, o impulso religioso da Reforma – a redescoberta do evangelho da livre aceitação dos pecadores por parte de Deus com base apenas na justiça de Cristo – foi posto em perigo por uma visão austera e presunçosa da soberania absoluta de Deus. O vento de renovação da descoberta, feita por Lutero acerca da justificação somente pela fé foi ameaçado por uma doutrina de predestinação que removeu o foco da vontade revelada de Deus no evangelho de Jesus Cristo e o substituiu por um foco no decreto oculto e inescrutável do Deus triúno.

Não pretendo aqui resolver esse preconceito, que tem desempenhado um papel significativo na interpretação da teologia da Reforma. Entretanto, esse assunto merece menção no início deste capítulo sobre a doutrina da predestinação e da eleição na teologia da Reforma por pelo menos três razões.

Primeira: uma vez que a Reforma nasceu de uma atenção renovada ao ensino da Escritura, ela deveria incluir uma consideração renovada do ensino bíblico sobre predestinação e eleição. Embora a linguagem não pertença ao vocabulário teológico do século XVI, historiadores do período da Reforma frequentemente falam da doutrina da Escritura como seu "princípio formal". Posicionando-se contra a Igreja Católica Romana medieval, que privilegiava a interpretação oficial da tradição apostólica da Igreja (em forma escrita ou não), os reformadores insistiam em que a teologia cristã deve ser normatizada pelo ensino da Escritura devidamente interpretada. Os pronunciamentos dogmáticos da Igreja devem sempre suportar o teste da Escritura e devem ser revisados onde estão em desacordo com o ensino bíblico. Por essa razão, os principais teólogos da Reforma Protestante foram obrigados a tratar da doutrina da predestinação e da eleição. Por exemplo, uma vez que a epístola do apóstolo Paulo aos Romanos era uma fonte particularmente importante para a articulação da doutrina da justificação pela Reforma, era praticamente impossível que os reformadores ignorassem a doutrina da predestinação, que constitui parte importante do ensino de Romanos.

A segunda razão é que o tema central da Reforma, a doutrina da justificação gratuita, nasceu de uma redescoberta do evangelho da salvação somente pela graça (*sola gratia*). Contrariamente ao ensinamento da Igreja Católica Romana medieval de que os seres humanos caídos têm um livre-arbítrio capaz de "cooperar" com a graça de Deus e de "merecer" mais graça, até mesmo a vida eterna, os reformadores insistiram em que os seres humanos caídos são incapazes de realizar qualquer obra salvífica.[1] De acordo com o ensinamento dos principais reformadores, a salvação começa e termina com as graciosas iniciativas de Deus em Cristo, e somente aqueles que são levados à fé por meio da obra do Espírito Santo e da palavra do evangelho são capazes de abraçar a promessa do evangelho, o perdão dos pecados e a livre aceitação por Deus. Os méritos, as realizações e os desempenhos humanos em nada contribuem para a salvação de pecadores caídos. A doutrina da

---

[1] A seguinte declaração do Concílio de Trento, que trata da maneira pela qual os pecadores caídos podem cooperar livremente com a graça de Deus e se dispor para a justificação, é representativa da visão católica: "Aqueles que eram inimigos de Deus por seus pecados, se disponham, por sua [de Deus] graça, que os anima e ajuda a converterem-se para sua própria salvação, assistindo e cooperando livremente com a mesma graça". Concílio ecumênico de Trento, Sessão VI: A salvação (ou: A justificação), Decreto sobre a salvação, cap. V. Disponível em: <http://agnusdei.50webs.com/trento9.htm>. Acesso em: 11. nov. 2016.

justificação estabelecida na Reforma enfatizou que a justiça de Cristo, livremente concedida e imputada aos cristãos que abraçam a promessa do evangelho, é a única base para o direito do cristão de estar com Deus. O ensinamento pelagiano e semipelagiano de que os pecadores caídos têm a possibilidade de cooperar livremente com a graciosa iniciativa de Deus em Cristo ou a capacidade de realizar boas obras que constituam uma base parcial para a salvação foi rotundamente condenado pela teologia da Reforma.

Esses delineamentos da doutrina reformada da salvação não poderiam deixar de apontar para a questão focalizada pela doutrina da predestinação e da eleição. Afinal de contas, se os pecadores caídos são incapazes de salvar a si mesmos ou de realizar qualquer obra que contribua para sua salvação, então, a salvação deles será, em última análise, realizada somente por Deus, que toma a iniciativa de prover e efetuar a salvação dos cristãos mediante a obra de Cristo. Como veremos no decorrer da exposição dos pontos de vista da Reforma, a doutrina da predestinação e da eleição encontra naturalmente seu lar no contexto do reconhecimento da incapacidade humana e da afirmação do evangelho da graça imerecida de Deus em Jesus Cristo. As mesmas ênfases teológicas que deram ímpeto à doutrina da justificação sustentaram a doutrina reformada da eleição.

E terceira: embora a Reforma tenha nascido de um estudo renovado da Escritura, também estava profundamente enraizada em um antigo legado agostiniano, especialmente na teologia cristã ocidental. A doutrina da predestinação e da eleição encontrou sua expressão patrística mais completa nos escritos polêmicos de Agostinho, o grande pai da Igreja, contra o pelagianismo e o semipelagianismo.[2] Embora a doutrina de justificação de Agostinho não coincidisse inteiramente com a dos reformadores do século XVI, sua doutrina da predestinação e eleição, da maneira que foi formulada contra o pelagianismo, era uma fonte importante para o ponto de vista da Reforma.[3] De fato, entre a maioria dos autores primários da teologia da Reforma, a doutrina agostiniana de predestinação e eleição foi um componente-chave em sua polêmica contra o semipelagianismo medieval e toda

---

[2] Para a doutrina de Agostinho, veja *Augustine, Four Anti-Pelagian Writings*. Fathers of the Church 86. Washington, DC: Catholic University of America Press, 1992; Donato Ogliari, *Gratia et Certamen: The Relationship between Grace and Free Will in the Discussion of Augustine with the So-Called Semipelagians*. Leuven: University Press, 2003); J. B. Mozley, *A Treatise on the Augustinian Doctrine of Predestination*, 2. ed. Nova York: E. P. Dutton, 1878.

[3] No século XIV, o ponto de vista de Agostinho foi abraçado e defendido por Thomas Bradwardine e Gregório de Rimini, que anteciparam os pontos de vista dos reformadores do século XVI. Sobre o agostinianismo medieval, veja Heiko A. Oberman, *Archbishop Thomas Bradwardine, a Fourteenth-Century Augustinian: A Study of His Theology in Its Historical Context*. Utrecht: Kemink & Zoon, 1958; Gordon Leff, *Bradwardine and the Pelagians: A Study of His "De Causa Dei" and Its Opponents*. Cambridge: Cambridge University Press, 1957; e P. Vigneaux, *Justification et predestination au XIVe siècle: Duns Scot, Pierre d'Auriole, Guillaume d'Occam, Gregoire de Rimini*. Paris: Librairie Philosophique J. Vrin, 1981.

forma de doutrina de salvação baseada (total ou parcialmente) em obras humanas. Os reformadores eram bíblicos em seu trato da teologia, mas também eram católicos e tradicionais em sua reivindicação de representar o ensino histórico da Igreja cristã.[4] Invocar o ensinamento de Agostinho sobre a doutrina da predestinação foi, portanto, um componente importante na defesa deles da catolicidade de seus ensinamentos de que a salvação vem somente pela graça e que ela tem sua fonte no conselho eterno do Deus triúno.

Por essas razões, não é de surpreender que os reformadores, ao redescobrir o evangelho da salvação pela graça à parte de quaisquer obras humanas, também redescobriram a doutrina bíblica e agostiniana da predestinação e eleição. A Reforma queria ressaltar a verdade de que somente Deus idealiza e realiza a redenção de seu povo mediante a obra de Cristo. Ao defender a verdade de somente a graça e somente Cristo, insistiram que a obra de Cristo tinha raízes profundas na própria determinação amorosa de Deus desde antes da fundação do mundo de salvar seu povo eleito em Cristo.

PREDESTINAÇÃO E ELEIÇÃO: ALGUMAS DEFINIÇÕES PRELIMINARES

Antes de recorrer a uma pesquisa sobre a doutrina da predestinação e eleição nos escritos de vários dos principais reformadores do século XVI, preciso oferecer algumas breves definições de termos pertinentes à doutrina.

O termo *predestinação* deriva do latim *praedestinatio*, palavra composta de *prae-*, "antes", e *destinare*, "destinar" ou "ordenar". No âmbito da teologia cristã histórica, a doutrina da predestinação diz respeito ao eterno propósito ou vontade de Deus para a salvação ou a não salvação de pecadores caídos. Tradicionalmente, a doutrina da predestinação foi tratada no sistema da teologia como parte da doutrina mais ampla da providência (como uma "providência especial", *specialis providentiae*). Enquanto a doutrina da providência trata do sustento de Deus e de seu governo sobre todas as coisas criadas, a doutrina da predestinação se concentra especialmente no propósito eterno de Deus no que diz respeito à salvação de seres humanos caídos. A doutrina assume fundamentalmente que todas as coisas ocorrem na história de acordo com o propósito eterno de Deus. Na distinção cristã entre o Deus triúno, que é o Criador de todas as coisas e o único Redentor de seu povo, e o mundo criado, toda a criação em sua existência e história é governada pelo conselho de Deus, e não por acaso ou destino.[5]

---

[4] Cf. Heinrich Bullinger, *Der Alt Gloub* (The Old Faith). Zurique: Froschouer, 1537. O tratado de Bullinger é um exemplo notável da reivindicação do reformador de não ser uma novidade, mas uma redescoberta da "antiga fé" da Igreja cristã. Para um estudo desse ensaio e de seu significado, veja Cornelis P. Venema, "Heinrich Bullinger's *Der Alt Gloub* (The Old Faith): An Apology for the Reformation", *MAJT* 15, 2004, p. 11–32.

[5] Cf. Benjamin B. Warfield, *The Plan of Salvation*. ed. rev. Grand Rapids: Eerdmans, s/d, p. 14: "Que Deus age de acordo com um plano em todas as suas atividades já é dado no teísmo. No estabelecimento de um Deus pessoal,

Na história da teologia, a predestinação normalmente consiste em dois elementos: *eleição* e *reprovação* (dupla predestinação ou *gemina praedestinationis*). Eleição, da palavra latina *electio*, "escolher", refere-se à escolha de Deus de salvar alguns pecadores caídos e lhes conceder fé em Jesus Cristo como Salvador. Já reprovação, da palavra latina *reprobatio*, "rejeitar", refere-se à escolha de Deus de não salvar outros, mas deixá-los em seus pecados. O decreto ou propósito de Deus para eleger ou reprovar expressa a liberdade soberana de Deus para salvar e conceder fé em Jesus Cristo a alguns ou para não salvar e, assim, deixar outros em seus pecados. Frequentemente também se estabelece uma distinção entre a eleição, uma expressão positiva da graciosa vontade de Deus de conceder salvação a pecadores que não a merecem, e a reprovação, uma expressão negativa da justa determinação de Deus de "preterir" ou "ignorar" alguns da raça humana caída, cujos membros são, de modo justo, dignos de condenação e morte por causa de seus pecados. Nesse entendimento, a reprovação não é exatamente paralela à eleição, mas é uma manifestação da justiça de Deus.[6] Embora a vontade de Deus seja a principal razão para a salvação de alguns e a não salvação de outros, a razão seguinte para a não salvação do réprobo é sua própria pecaminosidade. Nesse sentido, a eleição revela especialmente a misericórdia de Deus, enquanto a reprovação revela sua justiça.

Na história da teologia cristã, dois termos relacionados são empregados para distinguir a doutrina da predestinação de pontos de vista alternativos sobre a obra de Deus na salvação dos pecadores. Considerando que uma robusta doutrina de predestinação e eleição acentua a verdade de que a salvação é fundamentada na escolha graciosa e soberana de Deus, essa doutrina é uma forma de *monergismo*. A única causa efetiva no início e na realização da conversão é a graça soberana de Deus. Isso contrasta com o *sinergismo*, que ensina que as vontades divina e humana cooperam na resposta do cristão ao evangelho. O sinergismo implica que a salvação dos cristãos não é idealizada somente por Deus em consequência de seu propósito de eleição; em vez disso, a salvação passa a depender, em última instância, da cooperação livre e independente da vontade humana ao abraçar a promessa evangélica de salvação em Cristo.

---

essa uma questão encerrada. Pessoa significa propósito: justamente o que distingue pessoa de coisa é que os modos de ação daquela são propositivos, e que tudo o que ela faz é direcionado a um fim e procede da escolha de meios para alcançar esse fim". O estudo de Warfield continua sendo uma apresentação magistral da doutrina da predestinação e da eleição.

[6] Por essa razão, às vezes é feita uma distinção entre o que é chamado de *preterição* (do lat. *praeterire*, "preterir, passar por"), que é uma expressão da vontade negativa de Deus de não salvar o réprobo, e *condenação*, que é uma expressão da justiça de Deus em punir os réprobos por seus pecados. Na parte final deste capítulo, tratarei da diferença que surgiu na teologia reformada posterior entre *infralapsarianismo* e *supralapsarianismo*. A posição infralapsariana enfatiza especialmente que a vontade de Deus em relação ao réprobo é um exemplo de preterição.

LUTERO E O LUTERANISMO

Uma vez que Lutero (1483–1546) e o luteranismo representam o primeiro ramo da Reforma Protestante, é apropriado começar com um esboço da doutrina da predestinação como foi articulada por ele e seus seguidores. Embora o luteranismo normalmente não esteja associado à doutrina da predestinação,[7] o tópico surge expressamente em dois contextos significativos: primeiro, o bem conhecido tratado de Lutero contra Erasmo, *Da vontade cativa*,[8] e, segundo, nos debates subsequentes no seio do desenvolvimento da tradição luterana sobre a liberdade da vontade humana em receber a graça de Jesus Cristo.

Martinho Lutero: De Servo Arbitrio

A fonte mais importante, e também a mais controversa, sobre o modo como Martinho Lutero tratou da doutrina da predestinação é, sem dúvida, sua resposta a Erasmo de Roterdã (1466–1536), o qual havia escrito *A liberdade da vontade*, uma crítica ao ensino de Lutero em 1524.[9] Embora Erasmo estivesse comprometido com um programa moral e humanista de reforma da igreja, ele se opôs firmemente à insistência inicial de Lutero de que os seres humanos caídos não têm liberdade de vontade em relação a sua resposta ao evangelho.[10] No entendimento de Erasmo, era essencial que os seres humanos conservassem a liberdade de responder favoravelmente ou desfavoravelmente ao evangelho. Sem uma ênfase clara nessa liberdade, o evangelho seria apenas ocasião para a irresponsabilidade humana e o antinomianismo. Se os pecadores caídos fossem incapazes de fazer (ou não) o que o evangelho requer, o favor de Deus com relação aos cristãos ou o não favorecimento dos incrédulos seria sem fundamento. Além disso, se condenasse os pecadores que são incapazes de realizar o que o evangelho exige deles, Deus seria manifestamente injusto.

---

[7] Por exemplo, Werner Elert afirma que a predestinação foi, no máximo, "um pensamento meramente auxiliar" na teologia de Lutero. Elert, *The Structure of Lutheranism*. St. Louis: Concordia, 1962, 1:123.

[8] "Da vontade cativa", em *Martinho Lutero – Obras Selecionadas, Volume 4: Debates e controvérsias II*, p 11–216. Porto Alegre: Comissão Interluterana de Literatura, s/d. Para um estudo extensivo da obra de Lutero, incluindo uma história de sua acolhida no desenvolvimento da tradição luterana, veja Robert Kolb, *Bound Choice, Election, and Wittenberg Theological Method: From Martin Luther to the Formula of Concord*, Lutheran Quarterly Books. Grand Rapids: Eerdmans, 2005.

[9] Para uma tradução em inglês de *De libero arbitrio*, de Erasmo, veja Ernst F. Winter (ed.-trad.) *Erasmus-Luther: Discourse on Free Will*. Nova York: Continuum, 1961, p. 3–94. Para estudos recentes sobre a troca de opiniões entre Erasmo e Lutero, escritos por respeitados teólogos luteranos, Gerharde O. Forde, *The Captivation of the Will: Luther vs. Erasmus on Freedom and Bondage*, editado por Steven D. Paulson, Lutheran Quarterly Books. Grand Rapids: Eerdmans, 2005; e Kolb, *Bound Choice*, p. 11–28.

[10] Mesmo em 1521, Lutero fez a seguinte declaração em sua *Afirmação de todos os artigos*: "É um erro profundo e cego ensinar que a vontade é, por natureza, livre e pode, sem a graça, voltar-se ao espírito, buscar a graça e desejá-la. Na verdade, a vontade tenta escapar da graça e se ira contra ela quando ela está presente. [...] Esses ensinamentos [sobre o livre-arbítrio] foram inventados para insultar e diminuir a graça de Deus". *LW* 32:93.

A resposta de Lutero a Erasmo é sugestivamente resumida em duas passagens significativas de *Da vontade cativa*:

> A fé cristã está inteiramente extinguida e as promessas de Deus e todo o evangelho são completamente destruídos se ensinarmos e crermos que não devemos conhecer a necessária presciência de Deus e a necessidade das coisas que estão acontecendo. Pois este é o único e supremo consolo dos cristãos em todas as adversidades: saber que Deus não mente, mas faz todas as coisas imutavelmente, e também que sua vontade não pode ser resistida nem alterada, tampouco impedida.[11]

> Mas agora, uma vez que Deus tomou minha salvação em suas mãos, tornando-a dependente de sua escolha, não da minha, e prometeu me salvar, não por minhas próprias obras ou esforço, mas por sua graça e misericórdia, estou certo de que ele é fiel e não vai mentir para mim, e também que ele é mui grande e poderoso frente a quaisquer demônios ou adversidades que pudessem ser capazes de impedi-lo ou de me arrancar dele. "Ninguém", ele diz, "as [minhas ovelhas] poderá arrancar da minha mão. Meu Pai, que as deu para mim, é maior do que todos" (João 10:28-29). Assim, isso significa que, desse modo, se nem todos são salvos, mas apenas alguns, – e isso já representa um grande número –, por outro lado, pelo poder da livre escolha nenhum deles seria salvo, mas todos juntamente pereceriam.[12]

Vários aspectos da visão de Lutero sobre predestinação e eleição estão presentes nessas passagens representativas. Em primeiro lugar, ele partiu da convicção de que Deus é um Deus pessoal e o Todo-poderoso Criador de tudo o que existe. Como Criador e Senhor de toda a criação, Deus é, em última instância, responsável por tudo o que acontece no mundo que ele criou e supervisiona por sua providência. Como Lutero expressou:

> Ele é Deus, e para sua vontade não há causa ou razão que possa ser estabelecida como regra ou medida, uma vez que não há nada igual ou superior a ela, mas ela própria é a medida de todas as coisas. Pois, se houvesse alguma regra, medida, causa ou razão para ela, ela não poderia mais ser a vontade de Deus.[13]

O Deus que revelou sua misericórdia e graça em Jesus Cristo na plenitude dos tempos é, ao mesmo tempo, aquele que opera sua vontade e seu propósito em todas as coisas, incluindo a salvação dos pecadores caídos:

> Pois a vontade de Deus é eficaz e não pode ser impedida, pois é o poder da própria natureza divina; além disso, é sábia, de modo que não pode ser enganada. Ora, se sua vontade

---

[11] Martinho Lutero, *The Bondage of the Will*, *LW* 33:43 ["Da vontade cativa", em *Martinho Lutero – Obras Selecionadas, Volume 4: Debates e controvérsias II*].

[12] Ibid., *LW* 33:289.

[13] Ibid., *LW* 33:181.

não é impedida, não há nada que impeça a obra ser realizada, no lugar, no tempo, no modo e na medida que ele mesmo prevê e deseja. Se a vontade de Deus era tal que, quando a obra foi completada, ela permaneceu, mas a vontade cessou – como a vontade dos homens, que deixam de querer quando a casa que queriam é construída, assim como ela também chega ao fim pela morte –, então, poderia ser verdadeiro dizer que as coisas acontecem contingente e mutavelmente. Mas aqui acontece o contrário: a obra chega ao fim e a vontade permanece.[14]

Em sua representação da vontade soberana e predestinadora de Deus, Lutero frequentemente distinguiu entre as vontades "oculta" e "revelada" de Deus, entre *Deus absconditus* e *Deus revelatus*. Por meio dessa distinção, Lutero tinha como objetivo enfatizar que a vontade de Deus que tudo governa é perfeita e justa, ainda que permaneça algo inescrutável e além de nossa compreensão:

> Pois, se sua justiça fosse tal que pudesse ser julgada como justa pelos padrões humanos, claramente não seria divina e também não seria, de modo nenhum, diferente da justiça humana. Mas, como ele é o único e verdadeiro Deus, e é totalmente incompreensível e inacessível à razão humana, é próprio e necessário que sua justiça seja incompreensível.[15]

Embora não haja discrepância entre o que sabemos da vontade de Deus no evangelho a respeito de Cristo e o que permanece inacessível para nós, nunca poderemos compreender ou perscrutar plenamente as profundezas da vontade dele.

No argumento de *Da vontade cativa*, Lutero raramente falou explicitamente da predestinação ou da eleição de Deus. Curiosamente, ele sequer ofereceu uma exposição de passagens como Romanos 9 ou Efésios 1, que estão entre os mais significativos testemunhos bíblicos da doutrina.[16] Contudo, ele ensinou claramente que os pecadores caídos são incapazes de se voltarem para Deus em fé e arrependimento, a menos que o próprio Deus lhes conceda graciosamente esses dons de acordo com seu propósito de eleição. A predestinação pertence à palavra do evangelho, e não à lei, porque se refere à escolha graciosa que Deus fez de alguns pecadores caídos para serem seus filhos mediante a obra de Cristo. Na esfera espiritual da redenção, somente Deus é capaz de converter a vontade e a escolha dos pecadores caídos para que, pela fé, abracem a promessa do evangelho. Nessa esfera,

---

[14] Martinho Lutero, *The Bondage of the Will*, *LW* 33:38.
[15] Ibid., *LW* 33:290. Para avaliações dessa distinção na teologia de Lutero, veja Paul Althaus, *The Theology of Martin Luthe*. Filadélfia: Fortress, 1966, p. 274–286; e David C. Steinmetz, *Luther in Context*, 2. ed. Grand Rapids: Baker Academic, 2002, p. 23–31.
[16] Veja Steinmetz, *Luther in Context*, 12–22, para uma análise perspicaz da diferença entre os comentários de Lutero e de Agostinho sobre Romanos 9 em seus respectivos escritos. Steinmetz identifica áreas em que Lutero difere de Agostinho, especialmente em sua preocupação de que a doutrina da predestinação pode servir para minar a certeza que o cristão tem da salvação.

o homem não é deixado nas mãos de seu próprio conselho, mas sim dirigido e conduzido pela escolha e pelo conselho de Deus, de modo que, assim como em sua própria esfera, é guiado por seu próprio conselho, sem levar em conta os preceitos de outro, no Reino de Deus é dirigido pelos preceitos de outro sem considerar sua própria escolha.[17]

Embora Lutero enfatizasse os meios de graça que o Espírito de Deus usa para atrair pecadores à comunhão com Cristo e também insistisse em que a palavra do evangelho é sempre aquela que expressa o desejo de Deus de que todos os pecadores sejam salvos, sua compreensão da servidão da pecaminosa vontade levou-o a atribuir a salvação dos cristãos inteiramente à soberana escolha de Deus.

PHILIP MELANCHTHON E O LUTERANISMO POSTERIOR

Ao lado de Lutero, Philip Melanchthon (1497–1560) foi indiscutivelmente a figura mais influente no desenvolvimento da teologia luterana durante o século XVI. Sua crescente relutância em tratar a doutrina da predestinação e da eleição, bem como sua aparente modificação dos pontos de vista de Lutero em *Da vontade cativa*, contribuíram significativamente para o silenciamento da doutrina na teologia luterana subsequente.[18]

Na primeira edição (em 1521) de seu principal trabalho teológico, *Loci Communes*, Melanchthon estabeleceu uma forma bastante robusta da doutrina da predestinação, que coincidia com a visão que Lutero adotou em *Da vontade cativa*.[19] Nesta edição do *Loci*, Melanchthon ligou a doutrina diretamente ao evangelho da justificação pela graça somente por meio da obra única de Cristo. A salvação é somente pela graça, e a obra de Cristo beneficia somente aqueles a quem Deus escolhe para salvar por conceder-lhes fé em Cristo. No entanto, em edições subsequentes do *Loci* e em seus outros escritos, Melanchthon mudou a localização da doutrina para a doutrina da igreja e colocou maior ênfase nas promessas universais do evangelho apresentadas na Palavra e nos sacramentos. Temeroso de que a doutrina da

---

[17] Lutero, *Bondage*, *LW* 33:118–119.
[18] Para um estudo do relacionamento de Melanchthon com Lutero, veja Timothy J. Wengert, "Melanchthon and Luther/Luther and Melanchthon", *Lutherjahrbuch* 66, 1999, p. 55–88; e Wengert, "Philip Melanchthon's Contribution to Luther's Debate with Erasmus over the Bondage of the Will". In: Joseph A. Burgess e Marc Kolden (eds.). *By Faith Alone: Essays on Justification in Honor of Gerhard O. Forde*. Grand Rapids: Eerdmans, 2004, p. 110–124. Para um estudo dos primeiros comentários de Melanchthon sobre a predestinação em Romanos 9, veja Robert Kolb, "Melanchthon's Influence on the Exegesis of his Students". In: Timothy J. Wengert e M. Patrick Graham (eds). *Philip Melanchthon (1497–1560) and the Commentary*. Sheffield, Inglaterra: Sheffield Academic Press, 1997, p. 194–215.
[19] Philip Melanchthon, *Loci Communes* (1521), em *Melanchthon and Bucer*, editado por Wilhelm Pauck, LCC 19. Filadélfia: Westminster, 1969, p. 25,26: "Acho que faz uma diferença considerável que as mentes jovens sejam imediatamente imbuídas com essa ideia de que todas as coisas acontecem não de acordo com os planos e os esforços dos homens, mas de acordo com a vontade de Deus".

predestinação minasse a apresentação da promessa evangélica na Palavra e no sacramento, Melanchthon começou a ver a doutrina com maior reserva. Além disso, em sua formulação da doutrina da escravidão da vontade, Melanchthon expressou pontos de vista que modificaram as fortes declarações de Lutero.

Em suas reflexões sobre o papel da vontade na resposta do cristão ao evangelho, a posição de Melanchthon gerou uma controvérsia prolongada sobre o "sinergismo" entre os teólogos luteranos que seria formalmente decidida somente pela Fórmula de Concórdia em 1576.[20] A ênfase de Melanchthon na cooperação da vontade humana na resposta do cristão ao evangelho levou a um debate considerável, uma vez que isso, sem dúvida, comprometia a soberania de Deus ao conceder fé aos pecadores caídos. Em vez de enfatizar a obra soberana de Deus como a única base para a resposta do cristão ao evangelho, o sinergismo enfatizava a cooperação ativa da vontade humana na conversão. No transcorrer da controvérsia sinergista, a tradição luterana parou de abraçar o ponto de vista de Melanchthon e insistiu que os crentes respondem com fé ao evangelho somente em virtude da obra soberana do Espírito Santo.[21]

Em vez de tentar resolver a complicada história dos debates luteranos sobre a doutrina da predestinação, a escravidão da vontade e as modificações de Melanchthon às percepções de Lutero, o consenso da tradição luterana sobre a doutrina pode ser mais bem determinado por considerarmos a Confissão de Augsburgo e a Fórmula de Concórdia.

Uma vez que Melanchthon foi o autor principal da Confissão de Augsburgo, o primeiro e mais formativo dos documentos confessionais da tradição luterana, uma consideração de seu ensino é instrutiva para determinar a visão particular de Melanchthon e do luteranismo em geral. A Confissão de Augsburgo não faz menção explícita à doutrina da predestinação ou da eleição, no entanto, após um artigo inicial sobre a doutrina da justificação, que enfatiza que nós, os pecadores, somos justificados diante de Deus pela graça e não "por méritos, obra e satisfação nossos"[22], a confissão repudia fortemente o erro do pelagianismo. No artigo que trata da liberdade da vontade, ela insiste no fato de que os pecadores caídos não têm liberdade para "executar a justiça de Deus, ou a justiça espiritual, sem o

---

[20] Para um extenso estudo da controvérsia, veja Kolb, *Bound Choice*, p. 106–134.
[21] Na segunda e na terceira edições do *Loci Communes*, Melanchthon começou a falar de "três causas da boa ação": a Palavra de Deus, o Espírito Santo e "a vontade humana que concorda com a Palavra de Deus e não a rejeita". *Melanchthons Werke in Auswahl*, editado por Robert Stupperich, v. 2, bk. 1 Gütersloh: Bertelsmann, 1955, p. 243. Veja também Kolb, *Bound Choice*, p. 91–95. Usando o esquema de causas de Aristóteles, Melanchthon identificou a Palavra de Deus como a causa "instrumental", o Espírito como a causa "criadora" e a vontade humana como causa "material" da conversão. Se as formulações de Melanchthon são realmente sinergistas continua a ser uma questão de debate entre seus intérpretes.
[22] "A Confissão de Augsburgo", art. 4. Disponível em: <www.luteranos.com.br/textos/a-confissao-de-augsburgo>. Acesso em: 16. nov. 2016.

espírito de Deus, pois o homem natural não recebe as coisas do Espírito de Deus (1Coríntios 2:14). Todavia, isso é realizado no coração daqueles que recebem o Espírito de Deus por meio da Palavra"[23] O ensino dos pelagianos, isto é, "que podemos amar a Deus acima de todas as coisas pelas forças da natureza, sem o Espírito de Deus", é explicitamente condenado. Embora não afirmem de modo expresso a doutrina da eleição de alguns para a salvação, essas afirmações correspondem estreitamente ao encargo do ensinamento de Lutero de que os cristãos são salvos pela livre decisão e pela graça de Deus, não com base em suas próprias obras ou iniciativa.

A Fórmula de Concórdia, que foi escrita para resolver uma série de disputas doutrinárias dentro do luteranismo no final do século XVI, é mais diretamente relevante para a compreensão da visão luterana sobre predestinação e eleição. Ela não trata de modo direto da doutrina da predestinação e vê claramente a não salvação de alguns pecadores caídos que não vêm à fé de maneira "assimétrica" à salvação daqueles a quem Deus deseja salvar. Enquanto a salvação dos cristãos é inteiramente fruto da graciosa iniciativa de Deus e da obra do Espírito, a não salvação de outros é o resultado de sua irresponsável recusa em aceitar as promessas gratuitas do evangelho.

No entanto, ao lidar com a controvérsia sinergista, a Fórmula de Concórdia oferece um leve corretivo para os seguidores de Melanchthon. Em suas descrições da obra da graça de Deus na salvação dos cristãos e da escravidão da vontade humana a uma parte da obra do Espírito, a Fórmula de Concórdia corresponde significativamente aos temas iniciais de *Da vontade cativa*, de Lutero.[24] No artigo 2, que trata da controvérsia com relação à liberdade da vontade, a Fórmula rejeita o ensinamento de que os pecadores caídos podem "aplicar-se e preparar-se para a graça de Deus" em resposta à Palavra e aos sacramentos. A menos que o Espírito Santo a regenere pelos meios da graça, a "vontade não regenerada do homem não só é contrária a Deus, mas até mesmo se tornou hostil a ele, de modo que só quer, deseja e se deleita com as coisas más e opostas à vontade divina".[25] A escravidão da vontade dos pecadores caídos os impede de cooperar com a graça de Deus ministrada mediante a Palavra, a menos que o Espírito os atraia e os faça querer. Na defesa dessa visão da servidão da vontade, a Fórmula de Concórdia cita a afirmação de Agostinho de que Deus na conversão "de homens indispostos faz homens dispostos" e identifica apenas duas "causas eficientes" na conversão: o Espírito Santo e a Palavra de Deus.[26] Ao fazer isso, a Fórmula de Concórdia discordou do sinergismo

---

[23] Idem, art. 18.
[24] Kolb, *Bound Choice*, 248–258.
[25] "The Formula of Concord", art. 2, em Schaff, *Creeds of Christendom*, 3:107.
[26] "The Formula of Concord", art. 2, em Schaff, *Creeds of Christendom*, 3:113.

aparente de Melanchthon entre as três causas da conversão: o Espírito Santo (a causa criadora), a Palavra de Deus (a causa instrumental) e a vontade consentânea do homem (a causa material).

Portanto, embora as confissões luteranas não afirmem diretamente uma doutrina de eleição soberana e graciosa, afirmam que a salvação dos pecadores caídos, que são incapazes de se converter sem uma operação prévia do Espírito Santo por intermédio da Palavra, ocorre inteiramente de acordo com o propósito gracioso de Deus. É certo que a tradição luterana segue, em geral, a reticência de Melanchthon de falar de predestinação e eleição, temendo que isso possa mitigar a clareza do evangelho em distinção da lei. No entanto, ao afirmar claramente a salvação somente pela graça mediante a graciosa iniciativa de Deus em Cristo, e ao opor-se a qualquer visão sinergista da relação entre a obra da graça de Deus e a vontade dos pecadores caídos, o luteranismo apresenta um monergismo agostiniano moderado. Porém, a fim de preservar a graça universal que é comunicada no evangelho, a tradição luterana geralmente se abstém de afirmar qualquer doutrina de reprovação ou propósito divinos de deixar de lado pessoas não eleitas, deixando-as em seus pecados.

A DOUTRINA REFORMADA DA PREDESTINAÇÃO E ELEIÇÃO[27]

A hesitação em articular uma doutrina exaustiva da predestinação e eleição na tradição luterana não foi compartilhada pelos principais teólogos da tradição reformada do século XVI. Embora houvesse uma considerável diversidade de formulação entre os teólogos reformados, houve um consenso geral de que a salvação dos pecadores caídos é o fruto do propósito gracioso de eleição de Deus. O testemunho desse consenso é dado nos principais documentos confessionais das igrejas reformadas. Para o propósito desta pesquisa sobre a doutrina reformada da predestinação, ofereceremos um resumo do ensino de duas figuras importantes, João Calvino, de Genebra (1509-1564), e Heinrich Bullinger, de Zurique (1504-1575). Embora esses dois estudiosos confirmem um amplo consenso de ensino entre os teólogos reformados do período, suas diferenças também ilustram a diversidade de opiniões que permaneceu em alguns pontos.

---

[27] Para um exame geral da doutrina da predestinação na teologia reformada, veja Harry Buis, *Historic Protestantism and Predestination*. Filadélfia: Presbyterian & Reformed, 1958; Richard A. Muller, *Christ and the Decree: Christology and Predestination in Reformed Theology from Calvin to Perkins*, Studies in Historical Theology 2. 1986; reimpressão, Grand Rapids: Baker, 1988; Cornelis Graafland, *Van Calvijn tot Barth: Oorsprong en ontwikkeling van de leer der verkiezing in het Gereformeerd Protestantisme* [De Calvino a Barth: a origem e o desenvolvimento da doutrina da eleição no protestantismo reformado] 's-Gravenhage, Holanda: Uitgeverij Boekencentrum, 1987; Pieter Rouwendal, "The Doctrine of Predestination in Reformed Orthodoxy", em *A Companion to Reformed Orthodoxy*, editado por Herman J. Selderhuis, Brill's Companions to the Christian Tradition 40. Leiden: Brill, 2013, p. 553-589.

Predestinação na teologia de João Calvino [28]

Na história da interpretação da teologia de Calvino, geralmente argumenta-se que a predestinação era o centro e o princípio organizador de sua teologia. A doutrina da predestinação foi considerada por muitos teólogos dos séculos XIX e XX o "dogma central" da teologia de Calvino, a raiz da qual todas as outras doutrinas alegadamente derivaram.[29] Mesmo na imaginação popular, a característica da teologia de Calvino mais frequentemente enfatizada é a doutrina da dupla predestinação.

Apesar da suposição geral de que a predestinação está no centro da teologia de Calvino, é importante ressaltar que em sua obra teológica mais importante, *As institutas da religião cristã*, ele somente vai tratar dessa doutrina no final de uma longa discussão sobre a obra do Espírito Santo ao unir cristãos em Cristo e comunicar-lhes os benefícios de sua obra salvadora.[30] Embora Calvino originalmente tenha tratado da doutrina da predestinação no contexto da doutrina da providência, na edição final das *Institutas* discutiu-a no contexto da soteriologia (a doutrina da salvação) e da eclesiologia (a doutrina da igreja). Dessa forma, enfatizou de que maneira a predestinação confirma que a salvação do cristão nasce inteiramente dos propósitos graciosos de Deus em Cristo e como ela sustenta a certeza do cristão a respeito do favor de Deus.

Calvino abriu seu estudo acerca da predestinação observando que "a aliança da vida não é pregada igualmente entre todos os homens, e, entre aqueles a quem

---

[28] Entre as muitas fontes sobre a doutrina de Calvino acerca da predestinação, as seguintes são especialmente importantes: Muller, *Christ and the Decree*, p. 17–38; Paul Jacobs, *Prädestination und Verantwortlichkeit bei Calvin*. Kasel: Oncken, 1937; Fred H. Klooster, *Calvin's Doctrine of Predestination*. Grand Rapids: Baker, 1977; François Wendel, *Calvin: The Origins and Development of His Religious Thought*. Nova York: Harper & Row, 1963, p. 263–283; Carl R. Trueman, "Election: Calvin's Theology of Election and Its Early Reception". In: J. Todd Billings e I. John Hesselink (eds.). *Calvin's Theology and Its Reception: Disputes, Developments, and New Possibilities*. Louisville: Westminster John Knox, 2012, p. 97–120; R. Scott Clark, "Election and Predestination: The Sovereign Expressions of God (3.21–24)". In: David W. Hall e Peter A. Lillback (eds.). *A Theological Guide to Calvin's Institutes: Essays and Analysis*. Calvin 500 Series. Phillipsburg: P&R, 2008, p. 90–122.

[29] Para apresentações representativas da tese de que a predestinação é um "dogma central" na teologia de Calvino e no calvinismo posterior, veja Alexander Schweizer, *Die Protestanischen Centraldogmen in ihrer Entwicklung innerhalb der reformierten Kirche*, 2 vols. Zurique: Orell, Füssli, 1854–1856; Hans Emil Weber, *Reformation, Orthodoxie Und Rationalismus*, v. 1, pt. 1, *Von Der Reformation Zur Orthodoxie*. Gütersloh: Gerd Mohn, 1937; Graafland, *Von Calvijn tot Barth*; Ernst Bizer, *Frühorthodoxie und Rationalismus*. Zurique: EVZ Verlag, 1963. Para refutações críticas e persuasivas desse tese, veja Muller, *Christ and the Decree*, esp. p. 1–13, 177–182; Muller, "The Use and Abuse of a Document: Beza's Tabula Praedestinationis, the Bolsec Controversy, and the Origins of Reformed Orthodoxy". In: Carl R. Trueman e R. Scott Clark (eds.). *Protestant Scholasticism: Essays in Reassessment*. Carlisle: Paternoster, 1999, p. 33–61; Willem J. van Asselt e Eef Dekker, "Introduction". In: Willem J. van Asselt e Eef Dekker (eds.). *Reformation and Scholasticism: An Ecumenical Enterprise*. Texts and Studies in Reformation and Post-Reformation Thought. Grand Rapids: Baker Academic, 2001, p. 11–43.

[30] Para análises úteis sobre o significado do lugar dado por Calvino à doutrina da predestinação nas *Institutas*, veja Richard A. Muller, "The Placement of Predestination in Reformed Theology: Issue or Non-Issue?", *CTJ* 40, n. 2, 2005, p. 184–210; Paul Helm, "Calvin, the 'Two Issues', and the Structure of the Institutes", *CTJ* 42, n. 2, 2007, p. 341–348.

é pregada, ela não ganha a mesma aceitação nem constantemente nem no mesmo grau".[31] O tópico da predestinação e eleição é, portanto, inevitável. Como explicar que alguns respondem ao chamado do evangelho pela fé, ao passo que outros se recusam a crer? A explicação final deve ser encontrada na "misericórdia gratuita" e na "eleição eterna" de Deus, que são o manancial de todas as graças salvadoras de Deus em Cristo. Se falharmos em atribuir a diferença entre aqueles que creem e são salvos e aqueles que permanecem indispostos a crer na "mera generosidade de Deus", desonraremos a absoluta graça de Deus ao nos salvar e deixaremos de depositar nosso conforto somente em Deus.[32] Consequentemente, Calvino argumentou, devemos dar atenção à doutrina bíblica da predestinação e da eleição. Ao fazer isso, enfrentamos dois perigos. Por um lado, existe o perigo de uma curiosidade excessiva com relação à doutrina, que pode facilmente nos levar além dos limites do que a Escritura revela a respeito da eterna eleição de Deus. Por outro lado, existe o perigo de uma hesitação indevida, que não reconhece que aquilo que o Espírito de Deus revelou na Palavra é para nosso conforto e nossa bênção.

O título do primeiro capítulo de Calvino sobre a doutrina da predestinação nas *Institutas* identifica claramente o que está em questão: "Da eterna eleição, pela qual Deus a uns predestinou para a salvação, a outros para a perdição".[33] A principal razão pela qual alguns creem e são salvos por Cristo deve ser atribuída ao propósito divino de eleição. Embora seja verdade que Deus é onisciente e conhece todos os eventos antes de ocorrerem, não é verdade que a eleição equivale a nada mais do que a presciência de Deus de quem crerá em resposta à pregação do evangelho. Como Calvino definiu:

> Chamamos predestinação o eterno decreto de Deus pelo qual houve por bem determinar o que acerca de cada homem quis que acontecesse. Porque todos não foram criados em igual condição; ao contrário, preordenou uns para a vida eterna e outros para a condenação eterna. Portanto, como cada um foi criado para um ou outro desses dois destinos, assim dizemos que cada um foi predestinado ou para a vida ou para a morte.[34]

Nas descrições bíblicas do propósito de eleição de Deus, pode-se fazer uma distinção entre "graus de eleição". No caso dos filhos de Israel, Deus os escolheu corporativamente e concedeu-lhes muitas bênçãos e privilégios comuns.

---

[31] Calvino, *Institutas*, 3.21.1. Em adição ao estudo de Calvino sobre a predestinação nas *Institutas*, as seguintes fontes oferecem uma apresentação extensa de seu ponto de vista: João Calvino, *The Bondage and Liberation of the Will: A Defence of the Orthodox Doctrine of Human Choice against Pighius*, editado por A. N. S. Lane. Texts and Studies in Reformation and Post-Reformation Thought 2. Grand Rapids: Baker, 1996; Calvino, *Concerning the Eternal Predestination of God*. Louisville: Westminster John Knox, 1997.

[32] Calvino, *Institutas*, 3.21.1.

[33] Ibid., 3.21.

[34] Ibid., 3.21.5.

No entanto, para essa eleição geral de Israel como povo, "é preciso adicionar um segundo grau mais restrito de eleição, ou no qual a graça mais especial de Deus se faz mais evidente quando, da mesma linhagem de Abraão, Deus repudiou a uns, mas reteve outros entre seus filhos, sustentando-os na Igreja."[35] Quando o apóstolo Paulo fala do "propósito de eleição" de Deus em Romanos 9–11, fala desse segundo propósito de Deus para salvar certo número de indivíduos dentre o povo de Israel.

De acordo com Calvino, a decisão de Deus de salvar alguns baseia-se inteiramente em sua "graciosa misericórdia", ao passo que sua decisão de não salvar os outros se baseia em "seu justo e irrepreensível juízo, ainda que incompreensível":

> Portanto, como mostra claramente a Escritura, dizemos que Deus outrora designou, em seu eterno e imutável desígnio, aqueles que receberão a salvação e, também, aqueles que, por outro lado, estarão condenados à destruição. Afirmamos que, no que diz respeito aos eleitos, esse desígnio foi fundamentado em sua graciosa misericórdia, sem qualquer consideração da dignidade humana; mas, aqueles a quem ele barra o acesso à vida, por seu justo e irrepreensível juízo, ainda que incompreensível, ele os destina à condenação.[36]

Quando trata da doutrina da eleição em Romanos 9–11, o apóstolo Paulo atribui a salvação de alguns à imerecida misericórdia de Deus, que é revelada em seu propósito de eleição, e atribui a não salvação de outros à decisão justa de Deus de deixá-los em seus pecados. Contrariamente àqueles que afirmaram a eleição, mas não a reprovação, Calvino argumentou que:

> [É], pois, um notável desvario afirmar que os outros alcançam casualmente ou adquirem por seus próprios esforços o que a eleição dá a uns poucos. Portanto, aqueles a quem Deus pretere, ele condena; não por outra causa, mas porque os quer excluir da herança para a qual predestina seus filhos.[37]

Embora não exista uma simetria exata entre eleição e reprovação – a eleição revela a misericórdia imerecida de Deus e a reprovação, a justiça de Deus ao deixar alguns no pecado –, a explicação final para a salvação de alguns e não de outros repousa no propósito eletivo de Deus.

No capítulo final de sua exposição relativamente breve da doutrina da predestinação nas *Institutas*, Calvino identificou várias objeções comuns contra a doutrina e respondeu a elas. Entre essas objeções, duas são de especial importância.

---

[35] Calvino, *Institutas*, 3.21.6.
[36] Ibid., 3.21.7.
[37] Ibid., 3.23.1. Nesta passagem, Calvino claramente tem em vista a posição luterana, a qual afirma a eleição, mas não a reprovação.

A primeira objeção que Calvino considerou foi a afirmação de que essa doutrina faz de Deus um "tirano". Contra essa objeção, Calvino insistiu que a vontade de Deus é perfeitamente justa, assim como Deus é justo e representa o padrão de toda e qualquer justiça. Embora não possamos entender as profundezas da vontade de Deus, não podemos considerá-la arbitrária ou injusta. Quando Deus escolhe não salvar alguns, devemos nos lembrar de que a "causa" da condenação dessas pessoas repousa nelas mesmas.[38]

A segunda objeção era que a doutrina da eleição tira a "culpa e a responsabilidade" dos pecadores com respeito a sua salvação. De acordo com essa objeção, se a vontade de Deus é a razão definitiva para a não salvação do réprobo, então "por que Deus imputaria aos homens como sendo pecado essas coisas, cuja necessidade ele impôs em razão de sua predestinação?"[39] Na resposta a essa objeção, Calvino não hesitou em insistir em que a não salvação de alguns pecadores se deve à pré-ordenação de Deus, e que inclusive a queda da raça humana em pecado foi resultado do decreto de Deus.[40] Para Calvino, não bastava dizer que Deus simplesmente "permitiu" a queda de Adão ou que a não salvação do réprobo não tinha outra explicação senão sua própria pecaminosidade voluntária. Embora seja verdade que "a causa e a ocasião" para a não salvação do réprobo deve ser encontrada nele mesmo, Calvino declarou: "Portanto, não hesitarei, com Agostinho, em simplesmente confessar que 'a vontade de Deus é a necessidade das coisas', e que haverá necessariamente de ocorrer aquilo que ele quis, da mesma forma que aquelas coisas que previu verdadeiramente virão à existência".[41] Devemos reconhecer que "o homem cai segundo a providência de Deus ordena, mas cai por sua própria culpa".[42] De fato, Deus determina com justiça e livremente não salvar alguns, mas isso não deve ser motivo para remover do pecador a culpa por sua condenação:

> Por sua própria malignidade o homem corrompeu a natureza pura que havia recebido do Senhor, e por sua ruína arrastou consigo à destruição toda a posteridade. Daí devermos contemplar a causa evidente de nossa condenação na natureza corrupta do gênero humano,

---

[38] Ibid., 3.23.3: "Não acusem falsamente a Deus de injustiça, se de seu eterno juízo [alguns] foram destinados à morte, à qual são – eles mesmos sentem isso –, por sua própria natureza, conduzidos por vontade própria, quer queiram, quer não. Faz-se evidente a perversa disposição deles de vociferar contra Deus porque suprimem deliberadamente a causa da condenação que em si mesmos são compelidos a reconhecer, para que se livrem de acusar Deus".

[39] Calvino, *Institutas*, 3.23.6.

[40] Muller ressalta: "Ao contrário de muitos de seus contemporâneos e sucessores, Calvino não se esquivou da conclusão de que a permissão e a vontade são uma coisa só na mente de um Deus eterno e soberano: a reprovação não podia ser vista simplesmente como um ato passivo de Deus. [...] No entanto, tendo em vista a ênfase de Calvino no conhecimento de Deus, a reprovação não parece ser a exata contrapartida da eleição". *Christ and the Decree*, p. 24,25.

[41] Calvino, *Institutas*, 3.23.8.

[42] Ibid., 3.23.9.

que nos é mais próxima, antes que a busquemos, oculta e totalmente incompreensível, na predestinação de Deus.[43]

Na exposição que faz da doutrina da eleição, Calvino deu especial ênfase ao conforto que os cristãos podem obter dela. A doutrina da predestinação e eleição deve ser tratada judiciosamente e de uma maneira que não só atribua glória a Deus por sua graça em Cristo, mas que também conforte os cristãos e lhes assegure da certeza de sua salvação. Visto que o propósito de Deus na eleição é dado a conhecer pelo chamado gracioso do evangelho, Cristo é o "espelho" de nossa eleição. Somente quando os cristãos depositarem sua confiança em Cristo encontrarão o conforto e a segurança que a eleição adequadamente lhes oferece:

> Se buscarmos a misericórdia paternal e o coração bondoso de Deus, devemos voltar nossos olhos para Cristo, em quem o Espírito de Deus repousa. [...] Por conseguinte, é dito acerca daqueles a quem Deus adotou como filhos terem sido escolhidos, não em si mesmos, mas em Cristo; porque, a menos que ele [Deus] pudesse amá-los nele [Cristo], ele [Deus] não poderia honrá-los com a herança de seu Reino sem que eles anteriormente tivessem se tornado partícipes dele. Mas, se fomos escolhidos nele, encontraremos a certeza de nossa eleição não em nós mesmos, e nem mesmo em Deus, o Pai, se o concebemos como separado de seu Filho. Cristo é, pois, o espelho em que devemos, e sem autoengano podemos, contemplar nossa própria eleição.[44]

Como Calvino entendeu, o ensino bíblico sobre a predestinação enfatiza especialmente que os cristãos são salvos somente pela graça de Deus, e isso dá a eles uma base sólida para a certeza de contarem com o favor de Deus.

Predestinação na teologia de Heinrich Bullinger

Ao contrário de João Calvino, que é normalmente considerado o principal teólogo das igrejas reformadas no século XVI, Heinrich Bullinger é visto como um "reformador nos bastidores".[45] Bullinger, que sucedeu Zuínglio como o principal pastor

---

[43] Ibid., 3.23.3.
[44] Ibid., 3.24.5. A ênfase de Calvino no conforto da doutrina da predestinação é um tema comum entre os teólogos reformados da época. A predestinação, de maneira semelhante à doutrina da justificação somente pela fé, é um ensinamento que simultaneamente honra a iniciativa da graça de Deus na salvação e sustenta a confiança do cristão nessa graça. Em contrapartida, a Igreja Católica Romana no Concílio de Trento rejeitou a possibilidade de tal garantia para os cristãos, a menos que, a título de exceção, seja dada a alguém uma "revelação especial" da graça eletiva de Deus: "Além disso, ninguém, nessa vida mortal, deve mesmo presumir quanto ao secreto mistério da predestinação divina para determinar com certeza que está seguramente compondo o número dos predestinados; como se fosse verdade que aquele que é justificado ou não pode mais pecar, ou, ao pecar, deve prometer a si mesmo um arrependimento certo; pois, exceto por revelação especial, não se pode saber a quem Deus escolheu para si mesmo". Em Schaff, *Creeds of Christendom*, 2:103.
[45] Essa expressão é derivada do livro de David C. Steinmetz, *Reformers in the Wings*. Filadélfia: Fortress, 1971. Para uma proveitosa introdução à obra e ao pensamento reformatório de Bullinger, veja Bruce Gordon e Emidio

das igrejas reformadas em Zurique, é, apesar disso, uma figura apropriada para incluir nesse levantamento sobre a doutrina da predestinação na teologia da Reforma. Ao lado de Calvino, nenhum teólogo reformado foi mais influente durante o século XVI, e, sobre a doutrina da predestinação, Bullinger oferece uma versão mais moderadamente aproximada do agostinianismo clássico do que a de Calvino.

Nos estudos da teologia da Reforma, a doutrina de Bullinger sobre predestinação tem suscitado considerável controvérsia.[46] Por ter expressado reservas sobre as formulações de Calvino e se recusado a apoiar fortemente a defesa deste na controvérsia de Bolsec,[47] estudiosos de Bullinger têm debatido sobre se ele diferia substancialmente de Calvino na doutrina da predestinação. Alguns até argumentam que Bullinger privilegiava a doutrina da aliança sobre a da eleição e era a "fonte" de uma tradição teológica alternativa àquela proveniente de Calvino.[48] Embora eu não creia que existam diferenças substanciais ou insuperáveis entre Bullinger e Calvino, não há dúvida de que Bullinger se expressou mais reservadamente sobre essa doutrina.

A melhor fonte para determinar o ensino maduro de Bullinger sobre a doutrina da predestinação e da eleição é a Segunda Confissão Helvética (*Confessio helvetica posterior*). Embora Bullinger tenha escrito sobre o tema da predestinação em diversas ocasiões ao longo da vida, a Segunda Confissão Helvética apresenta temas que Bullinger enfatizou de modo firme ao tratar dessa doutrina. Essa confissão, que Bullinger provavelmente começou a escrever em 1561,[49] contém um resumo abrangente de seu entendimento da fé reformada. Bullinger escreveu a Segunda Confissão Helvética não apenas como uma declaração de sua confissão pessoal, mas também como resumo e defesa da fé "católica" das igrejas reformadas. Quando começou a

---

Campi (eds.). *Architect of Reformation: An Introduction to Heinrich Bullinger, 1504–1575*, Texts and Studies in Reformation and Post-Reformation Thought. Grand Rapids: Baker Academic, 2004.

[46] Para estudos gerais sobre a doutrina de Bullinger acerca da predestinação, que registram o debate sobre a compatibilidade entre o ponto de vista dele e o de Calvino, veja Cornelis P. Venema, *Heinrich Bullinger and the Doctrine of Predestination: Author of 'the Other Reformed Tradition'?*, Texts and Studies in Reformation and Post-Reformation Thought. Grand Rapids: Baker Academic, 2002; Muller, *Christ and the Decree*, p. 39–47; e Peter Walser, *Die Prädestination bei Heinrich Bullinger im Zussamenhang mit seiner Gotteslehre*. Zurich: Zwingli Verlag, 1957.

[47] A controvérsia sobre a doutrina da predestinação em Genebra começou quando Jerônimo Bolsec, ex-monge carmelita e médico, atacou publicamente a doutrina da predestinação defendida por Calvino em 16 de outubro de 1551. Para fontes primárias e debates sobre a controvérsia, veja Philip E. Hughes, *The Register of the Company of the Pastors of Geneva in the Time of Calvin*. Grand Rapids: Eerdmans, 1966, p. 133–186; Philip C. Holtrop, *The Bolsec Controversy on Predestination, From 1551–1555: The Statements of Jerome Bolsec, and the Response of John Calvin, Theodore Beza, and Other Reformed Theologians*, v. 1, livros 1 e 2, *Theological Currents, the Setting and Mood, and the Trial Itself*. Lewiston: Edwin Mellen, 1993; e Venema, *Heinrich Bullinger*, p. 58–63.

[48] J. Wayne Baker, *Heinrich Bullinger and the Covenant: The Other Reformed Tradition*. Athens: Ohio University Press, 1980. Meu estudo *Heinrich Bullinger and the Doctrine of Predestination* oferece uma avaliação extensa e crítica da alegação de que Bullinger escreveu outra tradição reformada que privilegiava a doutrina da aliança sobre a da eleição.

[49] Ernst Koch, "Die Textüberlieferung der Confessio Helvetica Posterior und Ihre Vorgeschichte". In: Joachim Staedtke (ed.). *Glauben und Bekennen: Vierhundert Jahre Confessio Helvetica Posterior*. Zurique: Zwingli Verlag, 1966, p. 17.

escrever essa confissão, Bullinger pretendia que ela fosse anexada a seu testamento como uma espécie de legado às igrejas reformadas nas quais ele tinha servido como pastor. O que ele não imaginava era a dimensão com que a confissão seria recebida e abraçada entre as igrejas reformadas no continente.[50]

Na sequência de tópicos tratados em sua confissão, Bullinger retomou a doutrina da predestinação em um capítulo separado, logo após os capítulos sobre as doutrinas da providência, da queda no pecado e da liberdade da vontade, e anterior ao capítulo sobre a pessoa e a obra de Cristo. Assim, a doutrina da predestinação é colocada entre os tópicos da pecaminosidade humana e do propósito gracioso de Deus em Cristo para salvar seu povo. A predestinação e a eleição não pertencem à doutrina da teologia propriamente dita, mas às doutrinas da soteriologia e da cristologia. Em virtude desse arranjo temático, a apresentação de Bullinger da doutrina da predestinação é infralapsariana em sua forma. A graciosa eleição de Deus responde à necessidade dos pecadores caídos, que são incapazes de se restabelecerem sob o favor de Deus ou mesmo de tomar a iniciativa em resposta ao chamado do evangelho à fé.[51]

A obra de redenção feita por Deus encontra sua principal fonte na eleição de Deus para em Cristo salvar seu povo. Somente o monergismo da soberana graça eletiva pode corrigir a situação dos seres humanos caídos, cuja vontade, embora livre de qualquer compulsão externa para o mal, não tem capacidade para fazer o que é bom. A predestinação é definida como a eleição de Deus para *em Cristo* salvar seu povo e não é tratada no contexto do decreto divino como um aspecto da doutrina de Deus. Rompendo com a ordem tradicional de tópicos teológicos seguida por Tomás de Aquino e a escolástica anterior, Bullinger encarava a predestinação não apenas como uma providência especial (*providentia specialis*), mas como fonte da obra salvífica de Deus em Cristo. Para Bullinger, a predestinação respondia à seguinte pergunta: "Como os pecadores caídos, que não têm livre-arbítrio ou capacidade de responder com fé ao evangelho por conta própria, são salvos por meio da fé em Cristo?"[52] A única explicação para a salvação daqueles que abraçam a promessa

---

[50] A Segunda Confissão Helvética foi traduzida para quinze línguas e publicada em mais de 115 edições. É sem dúvida o mais difundido dos símbolos reformados do século XVI. A tradução em português citada está disponível em: <www.monergismo.com/textos/credos/seg-confissao-helvetica.pdf>. A seguir, cito a confissão por capítulos. O texto latino da Segunda Confissão Helvética pode ser encontrado em Wilhelm Niesel, *Bekenntnisschriften und Kirchenordnungen der nach Gottes Wort reformierten Kirche*. Zurique: A.G. Zollikon, 1938, p. 219–275.

[51] Segunda Confissão Helvética, cap. 9: "A Escritura evangélica e apostólica requer regeneração de todos aqueles que desejam ser salvos. Por conseguinte, nosso primeiro nascimento de Adão em nada contribui para nossa salvação. [...] Por isso, o homem ainda não regenerado não tem livre-arbítrio para o bem e nenhum poder para realizar o que é bom".

[52] Como afirma Muller: "A justaposição da predestinação com o pecado e o problema da vontade representam uma afirmação poderosa do monergismo soteriológico: a incapacidade humana respondida diretamente pela vontade eletiva de Deus" (*Christ and the Decree*, 44). De especial importância no modo como a Confissão trata da

do evangelho em Cristo é que Deus escolheu livremente conceder-lhes a salvação e dar-lhes fé por meio da obra do Espírito Santo com o evangelho.

Embora a doutrina da predestinação inclua, pelo menos formalmente, os elementos de eleição e reprovação, Bullinger enfatizou particularmente a expressão positiva do decreto de Deus, a eleição de alguns para a salvação em Cristo: "Deus, desde a eternidade, livremente e movido apenas pela sua graça, sem levar em consideração a ação humana, predestinou ou elegeu os santos que ele quer salvar em Cristo".[53] Elaborando essa definição de predestinação, que se concentra no propósito gracioso de Deus para salvar os eleitos em Cristo, Bullinger associou intimamente a eleição com a pessoa e a obra de Cristo. Cristo não é apenas o Mediador que provê a salvação dos eleitos, mas também o fundamento e a fonte da graça eletiva de Deus. De acordo com Bullinger, aqueles a quem Deus predestina são eleitos "não diretamente, mas em Cristo e por causa de Cristo [...] para que aqueles que agora estão enxertados em Cristo pela fé também sejam eleitos".[54] Com essa fala, Bullinger não pretende sugerir que a eleição graciosa de Deus está sobre a base da fé. Embora haja uma estreita correlação entre a eleição e a união do cristão com Cristo pela fé, a própria fé é um dom de Deus para os eleitos que lhes permite ter comunhão com Cristo.[55] Em consonância com sua ênfase na expressão positiva da predestinação, por parte de Deus, dos eleitos para a salvação, Bullinger apresentou apenas uma observação sobre a reprovação, a saber, descrevendo os rejeitados como aqueles que estão "fora de Cristo".[56] Embora possa ser possível inferir, a partir da eleição de alguns para a salvação de Deus, que isso implica logicamente a não eleição ou rejeição de outros, Bullinger se contentou em notar simplesmente que eles são rejeitados por não terem comunhão com Cristo.

Depois de definir a doutrina da predestinação como a livre eleição que Deus faz de seu povo em e por meio de Cristo, Bullinger voltou-se para questões pastorais que muitas vezes vêm à tona em relação ao divino propósito de eleição. Com respeito à questão relativa ao alcance da eleição, Bullinger enfatizou que "devemos, contudo, esperar bem acerca de todos, e não julgar apressadamente nenhum homem

---

antropologia é o comentário de Bullinger sobre "questões curiosas" (*curiosae quaestiones*) que surgem ao considerar a queda de Adão no pecado: "As demais questões – tais como se Deus quis que Adão caísse [...] e outras semelhantes – nós as reconhecemos como curiosas (salvo, talvez, se a impiedade dos heréticos ou de outros homens grosseiros nos leve a explicá-las também com base na Palavra de Deus, como frequentemente o fizeram os piedosos doutores da Igreja), sabendo que o Senhor proibiu o homem de comer do fruto proibido e puniu sua transgressão". (Segunda Confissão Helvética, cap. 8). Nessa declaração, Bullinger critica obliquamente a inclusão, feita por Calvino, da queda no decreto de Deus e ecoa um argumento que havia previamente adiantado em sua correspondência com Calvino durante a controvérsia com Bolsec.

[53] Segunda Confissão Helvética, cap. 10.
[54] Ibid.
[55] Ibid.
[56] Ibid. O latim traz: "*Reprobi vero, qui sunt extra Christium*".

como rejeitado".⁵⁷ Em vez de especular sobre o número relativo de eleitos, se são poucos ou muitos, devemos encorajar todos a "esforçar-se por entrar pela porta estreita (Lucas 13:24)". Embora Bullinger não use a expressão na Segunda Confissão Helvética, sua insistência tanto em que ninguém seja considerado impiedosamente rejeitado e que os cristãos sustentem a esperança por todos reflete sua frequente afirmação de que Deus é um "amante do homem" (*philanthrōpos*) que não age com malícia com ninguém. E, embora não tenha falado explicitamente das promessas universais de Deus, falou das promessas "que se aplicam a todos os fiéis" e devem ser o motivo para os crentes confiarem em Deus.⁵⁸

Bullinger concluiu sua consideração a respeito da eleição tratando da importante questão da segurança do cristão ou do conhecimento da eleição. Coerente com a conjunção estreita e íntima da eleição com Cristo, Bullinger observou que a relação do cristão com Cristo é a base para qualquer garantia de eleição. Não podemos perguntar se somos eleitos ou não para a eternidade "fora de Cristo" (*extra Christum*).⁵⁹ Pelo contrário, somos chamados a crer por intermédio da pregação da promessa do evangelho em Cristo. Pois "não se deve ter dúvida de que, se alguém crê e está em Cristo, é eleito".⁶⁰ Para Bullinger, "ser eleito" e "estar em Cristo" estão correlacionados, assim como "ser rejeitado" e "estar fora de Cristo" por meio da incredulidade. Empregando as imagens usadas por Calvino para responder à questão da certeza da eleição, Bullinger afirmou: "Seja, pois, Cristo o espelho [*speculum*] no qual contemplemos a nossa predestinação. Teremos um testemunho bastante claro e seguro de que estamos inscritos no Livro da Vida se tivermos comunhão com Cristo e se ele for nosso e nós dele em verdadeira fé".⁶¹ É no sentido de nossa eleição estar unida à nossa comunhão com Cristo que as admoestações não são inúteis pelo fato de a salvação vir da eleição. Como mostra Agostinho, "devem ser pregadas tanto a graça da livre eleição e predestinação como também as admoestações e doutrinas da salvação".⁶² Consequentemente, Bullinger concluiu sua discussão sobre a predestinação e a eleição com a advertência de Paulo para desenvolvermos nossa salvação com temor e tremor.

Embora Bullinger demonstrasse maior reserva na Segunda Confissão Helvética do que em alguns casos anteriores em sua consideração do assunto da reprovação

---

⁵⁷ Ibid.
⁵⁸ Ibid.
⁵⁹ Ibid.
⁶⁰ Ibid.
⁶¹ Ibid. O latim traz: "*Christus itaque sit speculum, in quo praedestinationem nostram contemplemur. Satis perspicuum et firmum habebimus testimonium, nos in libro vitae inscriptos esse, si communicaverimus cum Christo, et is in vera fide noster sit, nos eius simus*". Cf. Calvino, Institutas, 3.24.5.
⁶² Segunda Confissão Helvética, cap. 10. Como em seus outros escritos sobre o tema da predestinação, as referências de Bullinger aos escritos de Agostinho mostram que ele permanece na tradição exegética e teológica agostiniana.

– sua definição de predestinação fala apenas de eleição, não de reprovação –, sua relutância em estabelecer uma conexão direta entre a vontade de Deus e a condenação daqueles que estão fora de Cristo certamente segue um padrão evidente em seus outros escritos. A qualidade pastoral de Bullinger ao lidar com a doutrina também fica evidente na forma como a Segunda Confissão Helvética enfatiza temas como a boa esperança que os cristãos devem ter pela salvação de todos os pecadores, não julgando precipitadamente qualquer um como rejeitado; a suposição errônea de que o número de eleitos é apenas de uns poucos; a importância dos meios que Deus usa para cumprir seus propósitos de salvação; e a segurança da eleição mediante a comunhão com Cristo. Embora esses temas não fossem uma formulação original de Bullinger da doutrina da predestinação entre os teólogos reformados de meados do século XVI, incluindo Calvino, a maneira pastoral e homilética pela qual Bullinger lidou com essa doutrina na Segunda Confissão Helvética revela muitos traços indicativos de sua visão distintiva.[63]

PREDESTINAÇÃO NA TEOLOGIA DE ULRICO ZUÍNGLIO E NA DE PEDRO MÁRTIR VERMIGLI

Embora nossa pesquisa sobre a doutrina da predestinação entre os teólogos reformados no século XVI tenha se concentrado em Calvino e Bullinger, várias outras figuras influentes trataram dela em seus escritos. Dois desses teólogos, Ulrico Zuínglio e Pedro Mártir Vermigli, merecem uma breve atenção.

O modo como Zuínglio apresenta a predestinação se localiza na estrutura da doutrina da providência de Deus. No ponto mais importante em que trata da doutrina, ele começou com uma definição geral de providência: "Providência é o governo duradouro e imutável sobre todas as coisas no universo e a direção de todas elas".[64] Deus é o bom, sábio e justo Governante, e Sustentador de todas as coisas, de modo que nada acontece no curso da história fora de seu cuidado e controle

---

[63] Para um estudo de como dois contemporâneos de Calvino, Wolfgang Musculus (1497–1563) e Pedro Mártir Vermigli (1499–1562), tratam da doutrina da predestinação, veja Muller, *Christ and the Decree*, p. 39–75. Embora Muller diga que esses teólogos empregaram uma forma mais "escolástica" em seu tratamento da doutrina, ele rejeita a alegação de que essa forma afeta materialmente a compreensão deles a respeito da predestinação ou representa um movimento apartado da estreita associação de Calvino da doutrina com a cristologia e a soteriologia. Como na teologia de Calvino e de Bullinger, "a predestinação e a cristologia servem tanto para focalizar como para fundamentar a estrutura soteriológica e a si mesmas, ambas se desenvolvendo a partir do contexto de uma preocupação abrangente de delinear o padrão da obra divina na economia da salvação". (*Christ and the Decree*, 68). Para a doutrina de Musculus a respeito da predestination, veja Wolfgang Musculus, *Common Places of Christian Religion*. Londres: R. Wolfe, 1563, 1578; Musculus, *Loci communes sacrae theologiae*. Basel: Johannes Hervagius, 1560, 1568, 1573. Para a doutrina de Vermigli, veja *The Common Places of D. Peter Martyr Vermigli*. Londres: Denham, 1583; Vermigli, *Loci Communes D. Petri Martyris Vermigli*. Londres, 1576; ed. rev. 1583; Frank A. James III, *Peter Martyr Vermigli and Predestination: The Augustinian Inheritance of an Italian Reformer*, Oxford Theological Monographs. Oxford: Clarendon, 1998.

[64] Ulrico Zuínglio, *On Providence and Other Essays*, editado por William John Hinke, 1922; reimpressão, Durham: Labyrinth, 1983, p. 136. Para uma pesquisa sobre a doutrina da predestinação conforme entendida por Zuínglio,

providenciais. De acordo com Zuínglio, "Deus é onisciente, Todo-poderoso e bom. Nada escapa à sua atenção, nada evita suas ordens e seu domínio, tudo que ele faz é sempre bom".[65] A predestinação é o aspecto da providência de Deus que pertence à boa e graciosa vontade divina de conceder salvação aos eleitos. No sentido mais estrito, a predestinação se concentra especialmente na eleição graciosa de Deus, a qual exibe a imerecida misericórdia divina por aqueles da raça humana caída a quem se agrada em salvar, e não em sua determinação em deixar outros na condição perdida em que se encontram. Se a eleição graciosa mostra especialmente a misericórdia de Deus, a determinação de Deus para não salvar os que não foram eleitos mostra sua justiça. Por conseguinte, Zuínglio definiu a eleição como "a livre disposição da vontade divina com relação àqueles que devem ser abençoados".[66] Embora a eleição graciosa de Deus tenha como corolário a não eleição daqueles a quem ele condena de modo justo deixando-os em seus pecados, Zuínglio distinguia claramente essa característica da providência de Deus de sua misericórdia e boa eleição de alguns para a salvação. Apesar da relutância de Zuínglio em tratar a determinação de Deus de não salvar alguns como paralela à determinação de salvar os eleitos, sua decisão de formular a doutrina da eleição no contexto da determinação providencial de Deus de todas as coisas incomodou seu sucessor, Bullinger.[67] Em razão de ter Zuínglio colocado seu entendimento de predestinação no contexto de sua ênfase na providência todo-inclusiva de Deus, Bullinger temeu que essa doutrina não enfatizasse suficientemente a bondade e a graça de Deus na eleição de seu povo em Cristo.

A doutrina de Pedro Martyr Vermigli sobre a predestinação também merece ser notada.[68] Vermigli foi um entre muitos teólogos italianos de destaque (incluindo seu bom amigo Jerome Zanchi) que exerceram uma influência importante no desenvolvimento inicial da tradição teológica reformada.[69] A declaração mais

---

veja Gottfried W. Locher, *Zwingli's Thought: New Perspectives*, Studies in the History of Christian Thought 25. Leiden: Brill, 1981, p. 121–141.

[65] Zuínglio, *On Providence*, 180.

[66] Zuínglio, *On Providence*, 184.

[67] Bullinger expressou sua preocupação com a doutrina de Zuínglio sobre a providência em sua correspondência com Calvino sobre a controvérsia a respeito da doutrina da predestinação apresentada por Jerome Bolsec em Genebra. Quando criticou o ensinamento de Calvino, Bolsec argumentou que sua visão da predestinação era similar à de Bullinger. Na correspondência a Calvino, Bullinger expressou insatisfação com as declarações descuidadas de Calvino e de Zuínglio sobre o tema da predestinação e da providência. Para uma revisão dessa correspondência, veja Venema, *Heinrich Bullinger*, p. 58–63.

[68] O mais abrangente estudo sobre a vida e os escritos de Vermigli é C. Schmidt, *Peter Martyr Vermigli, Leben und ausgewählte Schriften*. Elberfeld: R. L. Friderichs, 1858. Para uma apresentação breve de sua vida, veja David C. Steinmetz, "Peter Martyr Vermigli", em *Reformers in the Wings*, p. 151–161. Para um resumo de sua correspondência com Bullinger, veja Marvin W. Anderson, "Peter Martyr, Reformed Theologian (1542–1562): His Letters to Heinrich Bullinger and John Calvin", *SCJ* 4, n. 1, 1973, p. 41–64.

[69] Para estudos mais recentes da doutrina da predestinação como entendida por Vermigli, particularmente dentro da estrutura de seu escolasticismo aristotélico, veja John Patrick Donnelly, *Calvinism and Scholasticism in*

importante da doutrina da predestinação defendida por Vermigli é fornecida em seu *Loci Communes*, uma coleção de palestras, tratados e disputas publicadas postumamente por Robert Masson em 1576.[70] Masson organizou esses escritos de acordo com a ordem das *Institutas*, de Calvino, embora sem distorcer a estrutura básica do pensamento de Vermigli.[71] Em seu estudo da doutrina da predestinação, Vermigli seguiu um padrão muito mais "escolástico" e racionalista do que o encontrado até então nos escritos de Calvino e de Bullinger.[72] Ele começou com uma discussão introdutória de duas questões: a adequação da doutrina da predestinação para a pregação e o ensino e a "questão do lógico" de se há ou não uma predestinação divina.[73] Só depois de tratar dessas questões e oferecer uma defesa contra a objeção de que a predestinação leva a uma doutrina de "necessidade fatal" (*necessitatem quidem fatalem*),[74] Vermigli tratou diretamente do assunto da predestinação. Ao fazê-lo, começou com uma declaração ampla e geral de predestinação e, depois, falou de uma vontade positiva de Deus na eleição e de uma vontade negativa ou permissiva de Deus na reprovação.

Em sua definição inicial de predestinação, Vermigli sustentou que Deus, em seu conselho (*consilium*) divino, destinava ou designava todas as coisas para seu fim particular.[75] Embora o conselho divino inclua a eleição de alguns e a reprovação de outros, Vermigli vinculou a predestinação divina mais especialmente à eleição e formulou a doutrina da reprovação com o uso da doutrina escolástica da vontade "permissiva" ou "passiva" de Deus. Em sua definição formal de predestinação, ele enfatizou o conselho de Deus para mostrar o amor pelos seus em Cristo:

> Digo, portanto, que a predestinação é o mais sábio conselho (*propositum*) de Deus, pelo qual ele decretou firmemente, antes de toda a eternidade, chamar aqueles a quem ele amou em Cristo para a adoção de filhos, a fim de serem justificados pela fé; e depois glorificar mediante boas obras aqueles que serão conformados à imagem do Filho de Deus, para que neles a glória e a misericórdia do Criador sejam declaradas.[76]

Vermigli's Doctrine of Man and Grace, Studies in Medieval and Reformation Thought 18. Leiden: Brill, 1976, esp. p. 3–41, 116–149; Muller, *Christ and the Decree*, p. 57–75; J. C. McClelland, "The Reformed Doctrine of Predestination: According to Peter Martyr", *SJT* 8, n. 3, 1955, p. 255–271; James, *Vermigli and Predestination*; Frank A. James III, "Peter Martyr Vermigli: At the Crossroads of Late Medieval Scholasticism, Christian Humanism and Resurgent Augustinianism", em Trueman and Clark, *Protestant Scholasticism*, p. 62–78.

[70] Vermigli, *Loci communes*. As referências ao entendimento de Vermigli sobre a predestinação nas notas seguintes são da edição revisada de 1583.

[71] De acordo com Muller, *Christ and the Decree*, p. 58.

[72] Donnelly e James documentam influência de Tomás de Aquino e de Scotus sobre o pensamento de Vermigli entre os escolásticos, e da doutrina mais explicitamente desenvolvida por Gregório de Rimini e por Martin Bucer, entre os reformadores. Donnelly, *Calvinism and Scholasticism*, 125–129; James, "Peter Martyr Vermigli", 52–78.

[73] Vermigli, *Loci communes*, 3.1.1.

[74] Ibid., 3.1.5.

[75] Vermigli, *Loci communes*, 3.1.5.

[76] Ibid., 3.1.11. Tradução de James, "Peter Martyr Vermigli", p. 75.

Em contrapartida, na definição de reprovação, Vermigli sustentou que, embora ela tivesse sua fonte na vontade divina desde a eternidade, era um ato passivo de Deus no qual ele privou seu amor ao não eleito. Vermigli, portanto, negou uma vontade direta ou eficiente de Deus na reprovação. Aqueles a quem Deus escolheu não salvar são pecadores caídos a quem ele rejeitou no decreto divino. Assim, ele definiu a reprovação como o decreto de Deus na eternidade "de não ter misericórdia daqueles a quem não amou".[77]

Embora isso represente apenas um esboço da doutrina da predestinação como entendida por Vermigli, ilustra algumas das diferenças entre a doutrina deste e a que Bullinger defendeu. Ao contrário de Bullinger, Vermigli colocou a doutrina da predestinação em uma moldura muito mais escolástica, demonstrando considerável dependência da construção tomista do conselho divino, com sua distinção entre a vontade "eficiente" e a "permissiva" de Deus. Em sua cuidadosa e ampliada exposição da vontade divina, insistia que todas as coisas caíam no âmbito do conselho divino, quer por meio de uma vontade direta e positiva, quer por meio de uma disposição indireta ou permissiva. Ele também estava preparado para desenvolver mais explicitamente o decreto de reprovação, ligando-o com a vontade passiva de Deus e reconhecendo que ele é paralelo em alguns aspectos, embora não em todos, ao decreto de eleição de Deus. Nessas ênfases, ele demonstrou disposição para explorar de maneira bastante explícita e plena, à maneira da tradição escolástica, os diversos aspectos do conselho divino. Ao fazê-lo, distinguiu-se do manejo mais cauteloso e moderado da doutrina de Bullinger, pelo menos como apresentado nas fontes que consideramos aqui.

Entretanto, também deve ser notado que a doutrina de Vermigli aproximava-se mais dos ensinamentos de Bullinger em alguns aspectos do que de Calvino. Por exemplo, ele compartilhou a apresentação basicamente infralapsariana de predestinação de Bullinger: a eleição de Deus para salvar alguns pressupõe a queda de todos os homens no pecado (*homo creatus et lapsus*). Além disso, ao vincular positivamente a predestinação com a eleição e apenas passivamente com a reprovação, ele compartilhou a resistência de Bullinger a postular qualquer conexão direta entre a vontade de Deus e a não salvação do rejeitado. O fato de alguns não serem salvos não pode ser atribuído à vontade eficiente de Deus; eles são meramente deixados em sua condição caída, uma condição pela qual Deus não tem nenhuma responsabilidade final, uma vez que a vontade de Deus em relação ao rejeitado é meramente passiva, não ativa.[78] Assim como Bullinger, Vermigli resistiu a qualquer

---

[77] Ibid., 3.1.5.
[78] Como Muller afirma: "A reprovação continua a ser uma vontade negativa, uma decisão de reter a mediação e de deixar alguns homens para um destino de sua própria criação. Claramente, o fundamento escolástico do argumento de Vermigli não é a causa de uma formulação mais rígida de predestinação, mas de uma concepção menos

tentativa de estabelecer uma conexão positiva entre a predestinação de Deus e a queda de Adão no pecado.

PREDESTINAÇÃO NAS CONFISSÕES REFORMADAS

Sem dúvida, as fontes mais importantes para averiguar a doutrina reformada da predestinação no século XVI são as confissões oficiais que foram adotadas pelas igrejas reformadas. Além da Segunda Confissão Helvética, discutida anteriormente com referência a Bullinger, as seguintes confissões oferecem uma visão da compreensão reformada a respeito dessa doutrina à época do encerramento do primeiro e mais formativo período da Reforma: a Confissão Francesa, de 1559, a Confissão Escocesa, de 1560, o Catecismo de Heidelberg, de 1563, e a Confissão Belga, de 1567. Em cada uma dessas confissões, a doutrina da predestinação é estabelecida para ressaltar os temas doutrinários da incapacidade humana, da salvação somente pela graça por meio da obra de Cristo, do propósito eterno que está subjacente à graciosa provisão de Deus para a salvação em Cristo e do conforto que esse ensinamento dá ao cristão. Com vistas à brevidade, citarei as declarações mais importantes da doutrina nessas confissões e, em seguida, oferecerei uma síntese de seu ensino comum.[79]

> Confissão Francesa: "Cremos que, a partir desta corrupção e condenação gerais em que todos os homens estão mergulhados, Deus, de acordo com seu conselho eterno e imutável, chama aqueles a quem escolheu somente por sua bondade e misericórdia em nosso Senhor Jesus Cristo, sem considerar as obras dos homens, a fim de mostrar nelas as riquezas de sua misericórdia; deixando os demais nessa mesma corrupção e condenação a fim de mostrar neles sua justiça".[80]

> Confissão Escocesa: "O mesmo Deus e Pai eterno, que somente pela graça nos escolheu em seu Filho, Cristo Jesus, antes da fundação do mundo, nomeou-o para ser nosso cabeça, nosso irmão, nosso pastor e o grande bispo de nossa alma."[81]

> Catecismo de Heidelberg: "O que você crê a respeito da *santa igreja católica*? Que o Filho de Deus, de todo o gênero humano, desde o princípio até o fim do mundo, reúne, defende e

---

decididamente determinista dos decretos". *Christ and the Decree*, p. 66. Muller corretamente defende esse ponto contra a alegação de John Patrick Donnelly de que a doutrina de Vermigli sobre a predestinação era mais estrita do que a de Calvino. "Calvinist Thomism", *Viator* 7, 1976, p. 445, 448.

[79] Para uma exposição mais completa da doutrina da predestinação nas confissões reformadas, veja Jan Rohls, *Reformed Confessions: Theology from Zurich to Barmen*. Columbia Series in Reformed Theology. Louisville: Westminster John Knox, 1998, p. 148–166.

[80] "The Gallican Confession", art. 12, in Schaff, *The Creeds of Christendom*, 3:366,367.

[81] "The Scots Confession", 3.08, em *Book of Confessions*. Embora a doutrina da predestinação seja moderadamente afirmada na Confissão Escocesa e foque somente na graciosa eleição dos cristãos por Deus em Cristo, é importante notar que John Knox, um de seus principais autores, escreveu uma longa e forte defesa da predestinação: *An answer to a great number of blasphemous cauillations written by an Anabaptist, and aduersarie to Gods eternal predestination*. Genebra: Crespin, 1560.

preserva para si, por seu Espírito e pela Palavra, na unidade da verdadeira fé, uma Igreja escolhida para vida a eterna; e que eu sou, e para sempre permanecerei, um membro vivo dela".[82]

Confissão Belga: "Cremos que a toda a posteridade de Adão, tendo assim caído em perdição e ruína pelo pecado de nossos primeiros pais, Deus, então, se manifestou tal como ele é; ou seja, misericordioso e justo: misericordioso porque liberta e preserva dessa perdição todos aqueles que ele, em seu eterno e imutável conselho de mera bondade, elegeu em Cristo Jesus, nosso Senhor, sem respeito pelas obras deles; e justo por deixar outros na queda e perdição em que eles se envolveram."[83]

Essas declarações confessionais compartilham vários pontos em comum. Todas elas veem a pessoa e a obra de Cristo não apenas na provisão da salvação, mas também em sua comunicação aos cristãos pela obra de seu Espírito, para estarem enraizados no eterno propósito de eleição de Deus. Elas também partem da convicção de que todos os seres humanos estão caídos em Adão, além de não estarem dispostos e serem incapazes de se voltar para Deus em fé e arrependimento, a menos que Deus os traga de acordo com sua misericórdia e graça. A doutrina da predestinação concentra-se principalmente na escolha misericordiosa de Deus para salvar seu povo. Embora ela inclua um decreto de eleição e reprovação (*gemina praedestinationis*), há uma assimetria entre esses dois aspectos do conselho de Deus. A eleição envolve a decisão positiva e misericordiosa de Deus em Cristo e por causa dele para salvar seu povo, ao passo que a reprovação envolve a justa decisão de Deus de "deixar" outros em seus pecados e condená-los por causa da pecaminosidade deles. Sem tratar da questão mais especulativa da ordem relativa dos elementos internos do decreto de Deus, essas confissões representam a doutrina da predestinação de uma maneira decididamente "infralapsariana": o decreto contempla a raça humana em sua condição caída de modo que a ocasião apropriada e a causa para a condenação do rejeitado é seu próprio pecado e sua indignidade. Além disso, os dois temas principais que a doutrina da predestinação acentua são a glória de Deus, que é o autor único da salvação dos cristãos, e o conforto destes, que podem descansar confiantes na certeza da graça e da misericórdia de Deus como são reveladas no evangelho.

Predestinação na Ortodoxia Reformada Antiga

Após a codificação inicial da doutrina da predestinação nas confissões reformadas de meados do século XVI, vários teólogos importantes articularam a doutrina no

---

[82] "The Heidelberg Catechism", em *The Good Confession: Ecumenical Creeds and Reformed Confessions*. Dyer: Mid-America Reformed Seminary, 2013, p. 103.
[83] "The Belgic Confession", art. 16, em *Good Confession*, p. 41.

primeiro período da ortodoxia reformada. Embora esses teólogos dessem continuidade à diversidade de formulação do período anterior, geralmente refletiam uma formulação mais desenvolvida e "escolástica" da doutrina da predestinação e dos decretos de Deus.[84] Ao fazê-lo, eles prepararam o cenário para as controvérsias do início do século XVII entre as igrejas reformadas, que foram tratadas no Sínodo de Dort, em 1618–1619, e na Assembleia de Westminster, em 1643–1645.[85] Uma vez que as confissões produzidas por essas assembleias do início do século XVII das igrejas reformadas nos levam para além do século XVI, vou apenas identificar três tópicos importantes que surgiram naquela época.

Primeiro tópico: nesse período, a ordem exata dos elementos do decreto de Deus tornou-se um tema de discussão teológica, especialmente nos escritos de Teodoro Beza e William Perkins, dois teólogos que defenderam vigorosamente a doutrina reformada da predestinação.[86] Embora os teólogos reformados não exibissem nenhuma diferença significativa de opinião sobre a ordem em que o propósito de Deus foi executado na história, a distinção entre infralapsarianismo e supralapsarianismo refletia dois pontos de vista diferentes sobre a ordem dos elementos distintos incluídos no decreto eterno de Deus. Enquanto o infralapsarianismo vê o decreto de Deus de eleger ou não para a salvação como "abaixo" (*infra*) ou logicamente subsequente a seu decreto para permitir a queda no pecado (*lapsus*), o supralapsarianismo vê o decreto de Deus da predestinação como "acima" (*supra*) ou logicamente anterior a seu decreto com respeito à queda. Na posição infralapsariana, os objetos do decreto de Deus são criados e são pecadores caídos (*homo creatus et lapsus*); na posição supralapsariana, os objetos do decreto de Deus são incriados e são pecadores não caídos (*homo creabilis et labilis*). A ordem dos elementos no decreto de Deus no esquema infralapsariano é a seguinte:

---

[84] Além de Musculus e de Vermigli, dois contemporâneos de Calvino que trataram a doutrina da predestinação de forma mais "escolástica", outra importante figura de transição no desenvolvimento da ortodoxia reformada inicial foi Jerome Zanchius. Para discussão da doutrina da predestinação de acordo com Zanchius, veja Muller, *Christ and the Decree*, p. 110–125; Venema, *Heinrich Bullinger*, p. 79–86.

[85] Para uma visão geral desse período e dos debates com respeito à doutrina da predestinação, veja Rouwendal, "Predestination in Reformed Orthodoxy", p. 568–589.

[86] Para a doutrina da predestinação ensinada por Beza, veja Theodore Beza, *Tabula Praedestinationis*. Genebra, 1555; John S. Bray, *Theodore Beza's Doctrine of Predestination*, Bibliotheca Humanistica & Reformatorica 12. Nieuwkoop: De Graaf, 1975; Muller, *Christ and the Decree*, p. 79–96; Muller, "Use and Abuse of a Document", p. 33–61. Para a doutrina da predestinação ensinada por Perkins, veja William Perkins, *The Workes of ... Mr. William Perkins*, v. 2, *A Golden Chaine, or the Description of Theologie*, e *A Treatise of the Manner and Order of Predestination*. Cambridge, 1612–1619; Muller, *Christ and the Decree*, p. 149–71; Muller, "Perkins' A Golden Chaine: Predestinarian System or Schematized Ordo Salutis?", *SCJ* 9, n. 1, 1978, p. 69–81. *A Golden Chaine*, de Perkins, foi escrito como uma elaboração de *Tabula Praedestinationis*, de Beza. Em sua avaliação da elaboração escolástica que Perkins faz da doutrina da predestinação, Muller conclui que, "embora a afirmação da doutrina da predestinação tenha se tornado mais elaborada em um sentido escolástico e, de fato, mais especulativa em termos de sua declaração de prioridades lógicas, ela não se tornou mais determinista do que a de Calvino nem menos cristologicamente orientada" (*Christ and the Decree*, p. 170).

1. O decreto de glorificar-se na criação da raça humana
2. O decreto de permitir a queda
3. O decreto de eleger alguns da raça humana caída para a salvação e de rejeitar outros e condená-los por seus pecados
4. O decreto de prover salvação para os eleitos por meio de Jesus Cristo

A ordem dos elementos no decreto de Deus no esquema supralapsariano é a seguinte:

1. O decreto de glorificar-se por meio da eleição de alguns e da não eleição de outros
2. O decreto de criar os eleitos e os reprovados
3. O decreto de permitir a queda
4. O decreto de prover salvação para os eleitos por meio de Jesus Cristo

Embora a diferença entre os pontos de vista infralapsariano e supralapsariano tenha dado motivos para a discussão teológica no período inicial da ortodoxia reformada, é significativo que as confissões do século XVII, que oferecem a codificação final e mais detalhada da opinião reformada, os Cânones de Dort e os Padrões de Westminster não concedam a posição confessional a nenhum dos pontos de vista. Essas confissões tendem a expressar a doutrina da predestinação de maneira infralapsariana, vendo a eleição como expressão positiva da vontade de Deus de salvar alguns da raça humana caída e a reprovação como expressão negativa da vontade de Deus de "rejeitar" os outros e de condená-los por seus pecados. O debate sobre a ordem dos elementos no decreto de Deus evidencia um tratamento mais escolástico, até mesmo especulativo, da doutrina da predestinação no período inicial da ortodoxia reformada. No entanto, isso não produziu nenhuma mudança substancial no consenso confessional da tradição reformada quanto à doutrina.

Segundo tópico: emergiu nesse período associado à teologia de Teodoro Beza (1519–1605), que procurou defender a doutrina de Calvino dos que o criticavam. Além de ter escrito várias obras importantes sobre a doutrina da predestinação, Beza foi uma figura de transição importante em discussões reformadas posteriores sobre a relação entre o propósito de Deus de eleição e a extensão ou o desígnio da obra de expiação de Cristo. Durante seu conflito com o teólogo luterano Jacob Andreae, Beza criticou a fórmula tradicional de que a morte de Cristo era "suficiente para todos, mas eficiente apenas para os eleitos".[87] Na visão de Beza, essa fórmula

---

[87] Para um registro do conflito, veja Teodoro Beza, *Ad Acta Colloqui Montisbelgardensis Tubingae edita, Theodori Bezae responsionis*. Genebra: Joannes le Preux, 1588; Jill Raitt, *The Colloquy of Montbéliard: Religion and Politics in the Sixteenth Century*. Nova York: Oxford University Press, 1993. Na defesa da doutrina da predestinação

era ambígua, uma vez que a preposição "para" na declaração poderia ser interpretada de forma variada. A fim de remover qualquer ambiguidade, ele insistiu que a morte de Cristo tinha a intenção de produzir salvação apenas para os eleitos. Embora reconhecesse a suficiência e a perfeição da obra de Cristo, Beza estava entre os primeiros a ensinar explicitamente a doutrina da expiação definitiva ou particular. Uma vez que Calvino não tratou explicitamente do tema da extensão ou do desígnio da obra de expiação de Cristo,[88] pelo menos não da maneira como Beza fez durante essa controvérsia, alguns estudiosos da história da teologia reformada se perguntam se a doutrina reformada posterior da expiação definida, que foi codificada no segundo capítulo de doutrina dos Cânones de Dort, é coerente com o ensino de Calvino e da antiga tradição reformada. Nos estudos sobre o desenvolvimento da teologia reformada nesse período, a questão da continuidade ou descontinuidade da doutrina entre Calvino e a ortodoxia reformada posterior foi expressa como uma questão de "Calvino e os calvinistas".[89] Alguns intérpretes argumentam

---

apresentada por Beza, William Perkins também enfatizou a intenção divina em prover e aplicar a obra redentora de Cristo ao eleito. Veja Muller, *Christ and the Decree*, p. 168.

[88] Embora Calvino estivesse familiarizado com a expressão "suficiente para todos, eficiente para os eleitos" (*pro omnibus [...] sufficientiam; sed pro electis [...] ad efficaciam*), que pode ser encontrada nas *Sentenças*, de Pedro Lombardo, ele não considerou sua formulação adequada. Veja os comentários de Calvino sobre 1João 2:2 em Série Comentários Bíblicos, *Epístolas gerais*. São José dos Campos: Editora Fiel, 2015. Para estudos sobre a extensão ou o desígnio da expiação em Calvino ou no calvinismo posterior, veja W. Robert Godfrey, "Reformed Thought on the Extent of the Atonement to 1618", *WTJ* 37, n. 2, 1975, p. 133–171; Peter L. Rouwendal, "Calvin's Forgotten Classical Position on the Extent of the Atonement: About Efficiency, Sufficiency, and Anachronism", *WTJ* 70, n. 2, 2008, p. 317–335; G. Michael Thomas, *The Extent of the Atonement: A Dilemma for Reformed Theology from Calvin to the Consensus (1536–1675)*, Paternoster Biblical and Theological Monographs. Carlisle: Paternoster, 1997; Brian G. Armstrong, *Calvinism and the Amyraut Heresy: Protestant Scholasticism and Humanism in Seventeenth-Century France*. Madison: University of Wisconsin Press, 1969; Muller, *Christ and the Decree*, p. 33–35; Roger Nicole, *Moyse Amyraut (1596–1664) and the Controversy on Universal Grace: First Phase (1634–1637)*. Dissertação (PhD), Harvard University, 1966. Em minha opinião, os comentários de Muller sobre as implicações do ponto de vista de Calvino a respeito da eleição particular e a intercessão sacerdotal de Cristo são especialmente apropriados: "É supérfluo falar de uma extensão hipotética da eficácia da obra de Cristo [na teologia de Calvino] além de sua aplicação real. Como mostrado na doutrina da eleição, a salvação não é concedida em geral, mas para indivíduos. O apelo do evangelho é universal, mas a intercessão de Cristo, como a eleição divina, é pessoal, individual e particular" (*Christ and the Decree*, 35). Embora Calvino não tenha explicitamente tratado da extensão da expiação à maneira de escritores posteriores, parece evidente que sua doutrina da predestinação e da obra de expiação de Cristo apontou nessa direção.

[89] Para interpretações da tradição reformada que busca contrastar Calvino com o calvinismo posterior, veja R. T. Kendall, *Calvin and English Calvinism to 1649*. Oxford: Oxford University Press, 1979; Basil Hall, "Calvin against the Calvinists", em *John Calvin: A Collection of Distinguished Essays*, editado por G. E. Duffield, Courtenay Studies in Reformation Theology 1. Grand Rapids: Eerdmans, 1966, p. 19–37; Armstrong, *Calvinism and the Amyraut Heresy*. Para uma refutação convincente desse entendimento, veja Richard A. Muller, "Calvin and the 'Calvinists': Assessing Continuities and Discontinuities between the Reformation and Orthodoxy", Parte 1, *CTJ* 30, n. 2, 1995, p. 345–375, e Parte 2, *CTJ* 31, n. 1, 1996, p. 125–160; Muller, *The Unaccommodated Calvin: Studies in the Foundation of a Theological Tradition*, Oxford Studies in Historical Theology. Nova York: Oxford University Press, 2000, p. 3–8; Muller, *Christ and the Decree*, esp. p. 175–182; Paul Helm, *Calvin and the Calvinists*. Edinburgo: Banner of Truth, 1982; Carl R. Trueman, "Calvin and Calvinism". In: Donald K. McKim (ed.). *The Cambridge Companion to John Calvin*. Cambridge: Cambridge University Press, 2004, p. 225–244.

que Beza e os teólogos do período ortodoxo divergiram da visão mais cristocêntrica de Calvino sobre a predestinação. Entretanto, as afirmações desses intérpretes que opõem Calvino aos calvinistas posteriores têm sido habilmente refutadas. Embora os teólogos do período ortodoxo tenham moldado a doutrina de Calvino em uma forma mais escolástica, eles não abandonaram a ênfase que ele deu à eleição em Cristo. Há também indícios da doutrina posterior da expiação definida nos escritos de Calvino.[90]

E o terceiro tópico: o debate sobre o grau de continuidade ou descontinuidade entre a visão de Calvino sobre a predestinação e a da ortodoxia reformada tem ressaltado uma longa discussão sobre a doutrina da predestinação na tradição reformada: teria essa doutrina assumido caráter de "dogma central", especialmente no período da ortodoxia? Conforme observado na introdução deste capítulo, vários intérpretes da teologia da Reforma do século XIX e do início do século XX desenvolveram a tese de que Calvino e a tradição reformada estabeleceram uma teologia predestinatória que diferia significativamente da tradição luterana com seu enfoque na doutrina da justificação.[91] De acordo com esses intérpretes, a tradição reformada articulou uma teologia que começou com o ponto de partida da soberana vontade predestinadora de Deus. Todos os elementos ou tópicos do sistema reformado de teologia foram, então, logicamente deduzidos ou derivados desse ponto de partida. A doutrina do decreto de Deus foi transmutada em um "decretalismo" que subordinava a cristologia – o estudo da pessoa e da obra de Cristo – e a pneumatologia – o estudo da comunicação dos benefícios da obra de Cristo pelo Espírito Santo aos cristãos – à doutrina de Deus.[92]

Entre os intérpretes recentes da doutrina reformada da predestinação, Richard Muller oferece um argumento extenso e convincente contra a tese do "dogma central". De acordo com a interpretação de Muller sobre a tradição reformada, havia antecedentes significativos para o ponto de vista reformado nos períodos patrístico e medieval, e houve diferenças consideráveis de ênfase e de ensino entre os teólogos reformados ao longo dos séculos XVI e XVII. Embora continuidades e descontinuidades de formulação estivessem presentes durante todo esse período, a diferença entre a formulação inicial da doutrina em Calvino e seus contemporâneos e a formulação posterior do período ortodoxo foi, em grande medida, uma questão de moldar posições doutrinárias semelhantes em uma forma mais "escolástica". No entanto, o método e a forma escolásticos do período ortodoxo não produziram uma posição teológica fundamentalmente diferente sobre a doutrina da predestinação. Comparada à formulação que Calvino deu à doutrina, a formulação ortodoxa

---

[90] Veja Muller, *Christ and the Decree*, 35, 175–182.
[91] Veja a nota 29.
[92] Veja Richard A. Muller, "The Myth of 'Decretal Theology'", *CTJ* 30, n. 1, 1995, p. 159–167.

posterior não era mais reflexo de um decretalismo ou de uma metafísica predestinatória do que a de Calvino. Como Calvino e os teólogos reformados anteriores, a doutrina da predestinação estava intimamente ligada e correlacionada às ênfases típicas da Reforma sobre a salvação somente pela graça por meio da obra de Cristo apenas. Considerando que os pecadores humanos caídos são incapazes de salvar a si mesmos, e uma vez que a fé necessária para beneficiá-los com a obra salvadora de Cristo é um dom gracioso de Deus, eles formularam a doutrina da predestinação para fornecer um relato teológico da provisão divina de Cristo como Mediador e da eficácia de sua obra salvífica a favor de seu povo.

RESUMO E OBSERVAÇÕES FINAIS

Embora minha pesquisa da doutrina da predestinação na Reforma do século XVI ofereça apenas uma visão panorâmica das formulações doutrinárias do período, ela fornece uma base para algumas observações finais.

Em primeiro lugar, a doutrina da Reforma sobre a predestinação e a eleição baseou-se em um compromisso com o ensino da Escritura e representa a continuação de um antigo legado agostiniano. Ao contrário do ensino do pelagianismo e do semipelagianismo, que propõem uma medida de autonomia e de livre-arbítrio humanos na resposta do cristão ao chamado evangélico à fé e ao arrependimento, a doutrina da predestinação enfatiza os temas da salvação somente pela graça e a iniciativa divina em prover a salvação apenas pela obra de Cristo. Em vez de representar um desvio da doutrina da justificação somente pela fé, a doutrina da predestinação articula a preocupação primordial da Reforma de estabelecer as raízes das doutrinas da cristologia e da eclesiologia na determinação de Deus em conceder em Cristo salvação aos pecadores caídos, dos quais nenhum é capaz de tomar a iniciativa de voltar-se para Deus ou responder favoravelmente ao chamamento do evangelho. Embora os teólogos reformados do século XVI fossem mais aptos a articular a doutrina de uma forma plena do que outros braços da teologia da Reforma, a doutrina da predestinação não era exclusiva da tradição reformada, mas foi também expressa por Lutero e pelo luteranismo, especialmente no início do século XVI.

Além disso, apesar das diversas maneiras pelas quais os teólogos reformados do século XVI formularam a doutrina da predestinação, vários temas comuns são evidentes, os quais foram codificados nas principais confissões reformadas da época. Embora a doutrina da predestinação nunca tenha sido um "dogma central" ou princípio organizador da teologia reformada, ela encontrou aceitação comum entre os principais teólogos da época. Ainda que as características mais escolásticas da doutrina surgissem apenas no final do século XVI — como a questão da ordem relativa dos elementos dentro do eterno conselho ou decreto de Deus ou a questão do desígnio subjacente à obra de expiação de Cristo –, várias características da doutrina eram comumente abraçadas. Embora alguns teólogos formulassem a doutrina da dupla predestinação mais rigorosamente do que outros, os principais teólogos da tradição Reformada afirmaram tanto a eleição misericordiosa de Deus quanto sua justa não eleição ou reprovação de outros. Por um lado, insistiram que a salvação e a obra de Cristo ao prover a salvação tinham suas raízes na escolha graciosa de Deus em e por Cristo para salvar alguns pecadores caídos e lhes conceder o dom da fé a fim de abraçarem a promessa do evangelho. E, por outro lado, afirmaram a justa determinação de Deus de deixar outros em seu estado perdido e condená-los por causa de seus pecados e de sua desobediência intencional. A esse respeito, os teólogos reformados do período normalmente reconheceram a assimetria que há entre a graciosa escolha de Deus para salvar alguns e sua escolha justa de não salvar outros.

Por fim, a doutrina da predestinação e da eleição estava intimamente ligada a duas ênfases que também pertencem à doutrina da justificação. A primeira dessas ênfases era a honra de Deus como único Salvador de seu povo. A doutrina da predestinação milita contra qualquer entendimento da salvação que conceda aos pecadores caídos qualquer possibilidade de contribuir para a própria salvação. No modo como Calvino trata da doutrina, por exemplo, a predestinação expressa claramente que a salvação do povo de Deus nasce somente da generosidade imerecida de Deus em Cristo.[93] A segunda dessas ênfases era o conforto que deriva da doutrina da eleição. Longe de minar a garantia de salvação do cristão, a doutrina da predestinação e da eleição oferece uma base sólida de conforto. Quando o conhecimento da graça de Deus para nós em Cristo é visto como o único "espelho" apropriado da eleição, então, o que se segue é uma garantia da graça e da misericórdia de Deus que não depende do fio fino de nossas escolha e perseverança, mas da corrente inquebrável da graça soberana e da misericórdia de Deus. Se Deus ama seu povo em Cristo por toda a eternidade, então nada será capaz de separá-los de seu amor ou frustrar a realização de seu bom propósito de salvá-los.

FONTES PARA ESTUDO ADICIONAL

Fontes primárias

AGOSTINHO. *Four Anti-Pelagian Writings* [Quatro escritos antipelagianos].. Fathers of the Church 86. Washington, Catholic University of America Press, 1992.

CALVINO, João. *The Bondage and Liberation of the Will: A Defence of the Orthodox Doctrine of Human Choice against Pighius* [A escravidão e a libertação da vontade: uma defesa da doutrina ortodoxa da escolha humana contra Fígio]. Editado por A. N. S. Lane. Texts and Studies in Reformation and Post-Reformation Thought 2. Grand Rapids: Baker, 1996.

---

[93] Veja Calvino, *Institutas*, 3.21.1.

_____. *Calvin's Commentaries*. v. 22, *Commentaries on the Epistle of Paul the Apostle to the Hebrews; Commentaries on the Catholic Epistles*. 1844-1856. Grand Rapids: Baker, 1981.

_____. *Concerning the Eternal Predestination of God* [Com respeito à eterna predestinação de Deus]. Louisville: Westminster John Knox, 1997.

_____. Calvino, João. *As institutas — Edição clássica* (1985). Traduzido por Waldyr Carvalho Luz. *As institutas — Edição especial* (2006). Traduzido por Odayr Olivetti. 4. vols. São Paulo: Editora Cultura Cristã.

LUTERO, Martinho. *Obras selecionadas*. Comissão Interluterana de Literatura. 14 vols. (prev.). São Leopoldo: Editora Sinodal; Porto Alegre: Editora Concórdia, s/d.

Fontes secundárias

BRAY, John S. *Theodore Beza's Doctrine of Predestination* [A doutrina da predestinação segundo Teodoro Beza]. Bibliotheca Humanistica & Reformatorica 12. Nieuwkoop: De Graaf, 1975.

CLARK, R. Scott. "Election and Predestination: The Sovereign Expressions of God [Eleição e predestinação: as soberanas expressões de Deus] (3.21–24)". Em *A Theological Guide to Calvin's Institutes: Essays and Analysis* [Um guia teológico para as *Institutas*, de Calvino: Ensaios e análises], editado por Dsavid W. Hall e Peter A. Lillback, 90–122. Calvin 500. Phillipsburg: P&R, 2008.

GRAAFLAND, Cornelis. *Van Calvijn tot Barth: Oorsprong en ontwikkeling van de leer der verkiezing in het Gereformeerd Protestantisme* (De Calvino a Barth: a origem e o desenvolvimento da doutrina da eleição no protestantismo reformado). 's-Gravenhage, Holanda: Uitgeverij Boekencentrum, 1987.

JACOBS, Paul. *Prädestination und Verantwortlichkeit bei Calvin*. Kasel: Oncken, 1937.

JAMES, Frank A., III. *Peter Martyr Vermigli and Predestination: The Augustinian Inheritance of an Italian Reformer* [Pedro Mártir Vermigli e a predestinação: a herança agostiniana de um reformador italiano]. Oxford Theological Monographs. Nova York: Oxford University Press, 1998.

KLOOSTER, Fred H. *Calvin's Doctrine of Predestination* [A doutrina da predestinação segundo Calvino]. Grand Rapids: Baker, 1977.

KOLB, Robert. *Bound Choice, Election, and Wittenberg Theological Method: From Martin Luther to the Formula of Concord* [Escolha aprisionada, eleição e o método teológico de Wittenberg: de Martinho Lutero à Fórmula de Concórdia]. Lutheran Quarterly Books. Grand Rapids: Eerdmans, 2005.

MULLER, Richard A. *Christ and the Decree: Christology and Predestination in Reformed Theology from Calvin to Perkins* [Cristo e o decreto: Cristologia e predestinação na teologia reformada, de Calvino a Perkins]. Studies in Historical Theology 2. 1986. Grand Rapids: Baker, 1988.

NICOLE, Roger. *Moyse Amyraut (1596–1664) and the Controversy on Universal Grace: First Phase (1634–1637)* [Moyse Amyraut (1596–1664) e a controvérsia da graça universal: Primeira fase (1634–1637)]. Dissertação de PhD, Harvard University, 1966.

ROUWENDAL, Pieter. "The Doctrine of Predestination in Reformed Orthodoxy" [A doutrina da predestinação na ortodoxia reformada]. Em *A Companion to Reformed Orthodoxy* [Um livro de bolso sobre a ortodoxia reformada], editado por Herman J. Selderhuis, p. 553–589. Brill's Companions to the Christian Tradition 40. Leiden: Brill, 2013.

TRUEMAN, Carl R. "Election: Calvin's Theology and Its Early Reception" [Eleição: Teologia de Calvino e sua recepção inicial]. In: J. Todd Billings e I. John Hesselink (eds.). *Calvin's*

Theology and Its Reception: Disputes, Developments, and New Possibilities [Teologia de Calvino e sua recepção: Discussões, desenvolvimentos e novas possibilidades], p. 97–120. Louisville: Westminster John Knox, 2012.

VENEMA, Cornelis P. *Heinrich Bullinger and the Doctrine of Predestination: Author of 'the Other Reformed Tradition'?* [Heinrich Bullinger e a doutrina da predestinação: Autor de "outra tradição reformada"?] Texts and Studies in Reformation and Post-Reformation Thought. Grand Rapids: Baker Academic, 2002.

WARFIELD, Benjamin B. *The Plan of Salvation* [O plano de salvação]. Edição revisada. Grand Rapids: Eerdmans, s/d.

Capítulo 8

A CRIAÇÃO, A HUMANIDADE E A IMAGEM DE DEUS

Douglas F. Kelly

RESUMO

Ao examinarmos os ensinamentos dos grandes reformadores do século XVI sobre a criação, a humanidade e a imagem de Deus, encontramos certa unanimidade geral em sua abordagem (apenas com pequenas diferenças) a respeito de Deus ter criado a humanidade, da queda do homem e da restauração divina. Todos interpretaram os primeiros capítulos de Gênesis e as passagens relacionadas do Novo Testamento (como Romanos 5 e 1Coríntios 15) de um modo histórico-literal evitando o sentido alegórico. Em sua maioria, os reformadores estavam de acordo com a grande tradição teológica ocidental sobre a criação, a queda e a redenção do homem – especialmente com Agostinho (embora o criticassem em alguns momentos). Geralmente, não estavam muito distantes de Pedro Lombardo e de Tomás de Aquino, embora – ao contrário de Tomás – não vissem nenhuma diferença entre "imagem" e "semelhança" e tomassem mais seriamente os efeitos da queda sobre a mente humana. A maioria dos reformadores protestantes baseou sua doutrina em trabalhos exegéticos sérios e aproveitou muitos dos avanços linguísticos providos pelo Renascimento. Esses teólogos do século XVI estabeleceram um firme fundamento intelectual para toda interpretação posterior da Sagrada Escritura sobre a questão do salmo 8: "Que é o homem?"

INTRODUÇÃO

A doutrina fundacional da Escritura é a criação de todas as coisas *ex nihilo* (a partir do nada) realizada pelo Deus vivo. A Bíblia não começa com um argumento sobre a existência de Deus, mas com sua criação do universo. Gênesis 1:1 diz: "No princípio, Deus criou os céus e a terra". A criação de todas as coisas por Deus é tomada como a base de toda a realidade e é frequentemente celebrada pela Lei, pelos Profetas e pela literatura sapiencial.

A criação é tão fundacional para o Novo Testamento quanto para o Antigo. No Novo Testamento, o prólogo do Evangelho de João afirma: "No princípio era aquele que é a Palavra. Ele estava com Deus, e era Deus. Ele estava com Deus no princípio. Todas as coisas foram feitas por intermédio dele; sem ele, nada do que existe teria sido feito" (1:1–3). De acordo com Hebreus 11:3, "Pela fé entendemos que o universo foi formado pela palavra de Deus, de modo que aquilo que se vê não foi feito do que é visível".

Os livros do Novo Testamento apoiam-se fortemente do relato de Gênesis tanto da criação quanto da história primitiva da raça humana, o que se pode inferir das 165 passagens em Gênesis que recebem citações diretas em o Novo Testamento ou definitivamente ali são mencionadas.[1] Quase todos os escritores neotestamentários referem-se a um dos primeiros onze capítulos de Gênesis, e em nenhuma passagem existe o menor indício de que qualquer deles considerasse o ensino desses capítulos algo mítico ou alegórico. O próprio Cristo se referiu, pelo menos em seis ocasiões, a assuntos relacionados a esses primeiros capítulos de Gênesis e compreendeu que eram relatos fidedignos e relevantes que forneciam o pano de fundo da criação e queda da humanidade que ele veio redimir.[2]

A ESCRITURA E A TEOLOGIA DOS REFORMADORES UNEM CRIAÇÃO E REDENÇÃO

A Bíblia é corretamente chamada de "o livro da redenção", e o contexto da redenção é a criação pura e perfeita do cosmos por Deus. No terceiro capítulo de Gênesis, ocorreu a queda da humanidade e do restante do universo (que Adão representava). Criação e queda demonstraram a origem do mal e a necessidade de Deus redimir a humanidade e o cosmos desse mal destrutivo. O Deus Criador torna-se o Redentor de sua própria obra bem-amada que havia caído em pecado, o qual acarretou culpa, julgamento, decadência e morte. A primeira promessa do evangelho é encontrada em Gênesis 3:15, quando o Senhor promete à nossa primeira mãe, Eva, que um descendente dela iria reverter os efeitos da queda a um custo imenso para si mesmo e de perda para o Maligno, vencendo assim o pecado, a morte e o juízo final.

O evangelho jamais será entendido fora desse contexto criacional, seguido pela queda e, então, pelo longo desenvolvimento das várias fases do pacto redentor da graça, a qual garante redenção plena e final pelo mesmo Deus que todas as coisas criara! Como Atanásio disse certa vez, somente alguém tão infinitamente grande como o Criador seria suficientemente poderoso e sábio o bastante para redimir a ordem criada, no centro da qual estão os portadores de sua imagem: a humanidade, todos descendentes de Adão e Eva.[3]

---

[1] Veja Henry M. Morris, *The Genesis Record: A Scientific and Devotional Commentary on the Book of Beginnings*. Grand Rapids: Baker, 1976, p. 21,22.
[2] Ibid.
[3] Atanásio, *De Incarnatione 7*.

A ABORDAGEM GERAL DOS REFORMADORES

Calvino uniu a criação, a queda e a redenção no "argumento inicial" de seu *Comentário sobre o Gênesis*:

> E, de fato, embora Moisés comece, neste livro, com a criação do mundo, ele, no entanto, não nos confina a esse assunto, pois estas coisas devem estar conectadas entre si: que o mundo foi fundado por Deus e que o homem, depois de ter sido dotado com a luz da inteligência e adornado com tantos privilégios, caiu por sua própria culpa e foi, assim, privado de todos os benefícios que obtivera; depois, pela compaixão de Deus, ele foi restaurado à vida que havia perdido, e isso por meio da benignidade de Cristo; de modo que sempre haveria alguma assembleia na terra que, sendo adotada na esperança da vida celestial, poderia, nessa confiança, adorar a Deus. O fim a que toda a extensão da história tende para o seguinte ponto: que a raça humana foi preservada por Deus de tal maneira que manifesta seu cuidado especial por sua Igreja, pois esse é o argumento do livro.[4]

Bullinger cobriu muito do mesmo terreno ao juntar os temas da criação e da redenção, por exemplo, no primeiro sermão de sua *First Decade* [Primeira década].[5] E, ao fazê-lo, ele e seu amigo Calvino não estavam longe de partes da *Cidade de Deus*, de Agostinho (embora criticassem alguns aspectos de seu ensino).

O mesmo aconteceu com Philip Melanchthon, outro seguidor de Agostinho e assistente e sucessor de Lutero, além de amigo de Calvino e de Bullinger (que se conheceram por intermédio de alguns dos colóquios luterano-calvinistas e que leram os escritos um do outro). Melanchthon colocou a criação, especialmente a criação do homem à imagem de Deus, no contexto da eleição de Deus para sua igreja.[6] Seu mestre, Martinho Lutero, anteriormente também havia estabelecido de modo claro o evangelho no contexto da criação, da queda e da promessa.[7]

A CRIAÇÃO E OS ATRIBUTOS DE DEUS

De modo geral, os reformadores protestantes do século XVI geralmente seguiram o caminho de muitos pais da Igreja e de vários escolásticos medievais (com alguma

---

[4] João Calvino, *Calvin's Commentaries*, v. 1, *Commentary on Genesis* (1844–1856; reimpressão, Grand Rapids, MI: Baker, 1979), p. 64.
[5] Heinrich Bullinger, *The First Decade*. In: *The Decades of Heinrich Bullinger*. (1849–1852). Editado por Thomas Harding. Grand Rapids: Reformation Heritage Books, 2004), p. 42,43.
[6] Philipp Melanchthon, *Initia doctrinae physicae*, *CR* 13, 199. Essa obra é tratada de modo proveitoso por Dino Bellucci, *Science de La Nature et Réformation: La physique au service de la Réforme dans l'enseignement de Philippe Mélanchthon*. Roma: Edizioni Vivere In, 1998, p. 129–194.
[7] Martinho Lutero, "Preface to the Old Testament" (1523, rev. 1545). In: Timothy F. Lull (ed.). *Martin Luther's Basic Theological Writings*, 2. ed. Minneapolis: Fortress, 2005, p. 114,115 ["Prefácio ao Antigo Testamento". In: *Martinho Lutero Obras selecionadas*, v. 8: *Interpretação bíblica – Princípios*. Comissão Interluterana de Literatura. São Leopoldo: Editora Sinodal; Porto Alegre: Editora Concórdia, s/d.].

crítica a ambos) ao enfatizar a bondade original da criação e sua queda como contexto para a redenção por Cristo, o agente da criação. Eles entenderam que, apesar de sua vastidão e complexidade, a ordem criada é temporal e finita, diretamente dependente de um poder fora e acima dela. Esse poder transcendente, cuja obra criadora é o início do primeiro capítulo do Gênesis, foi considerado o Deus triúno (embora alguns achassem que não se poderia derivar a Trindade apenas de Gênesis 1:26).[8] Somente *Elohim* é eterno e infinito, existindo independente de tudo fora de si mesmo.

Em outras palavras, eles viram que a eterna autoexistência de Deus (tradicionalmente chamada *asseidade*, ou seja, que existe em e por si mesmo, sem dependência de nada fora de seu próprio ser) é demonstrada (1) na obra da criação e (2) nos nomes dados nos livros de Moisés, especialmente aqueles que se relacionam à obra da criação.

(1) A criação a partir do nada demonstra a autoexistência de Deus

João Calvino, por exemplo, ressaltou que o preciso verbo hebraico usado para a obra criadora de Deus (*bara*) se refere a fazer todas as coisas a partir do nada – às vezes, na tradição teológica posterior, denominada *criação absoluta* – e é um milagre reservado a Deus, ao passo que um verbo diferente, *yatsar*, significa "moldar ou formar" (com materiais preexistentes) – mais tarde chamada de *criação secundária*. *Bara* (no grau Qal) é usado na Escritura somente para descrever a atividade de Deus, ao passo que *yatsar* pode ser usado para descrever a atividade de seres humanos ou de Deus.[9]

---

[8] João Calvino, no entanto, achou que não havia fundamento suficiente para fazer essa identificação direta entre *Elohim* e a Trindade – veja seu *Commentary on Genesis*, 1:70. E, ainda em outros pontos das *Institutas*, Calvino mencionou que a frase "Façamos o homem à nossa imagem" sugere que mais de uma pessoa subsiste em Deus (1.13.24). Calvino provavelmente quis dizer que, embora não possamos ler a plena doutrina do Novo Testamento a respeito da Trindade no Antigo, contudo, aspectos dela são sugeridos. Zuínglio, que era exegeticamente menos cuidadoso do que Calvino (cujo ministério começou alguns anos após a morte de Zuínglio), ensinou que a frase "Façamos o homem à nossa imagem" (Gênesis 1:26) refere-se à Trindade, em seu sermão de 1522, *Of the Clarity and Certainty or Power of the Word of God*, traduzido para o inglês em *Zwingli and Bullinger: Selected Translations with Introductions and Notes*, editado por G. W. Bromiley, LCC 24. Filadélfia: Westminster, 1953, p. 59. Bullinger também encontrou evidências da Trindade em Gênesis 1:26 no terceiro sermão de sua *Fourth Decade*, em *The Decades of Henry Bullinger*, editado por Thomas Harding. Grand Rapids: Reformation Heritage Books, 2004, 2:135. O uso que Bullinger faz de textos do Antigo Testamento para estabelecer a doutrina da Trindade é cuidadosamente discutido por Mark Taplin, "Bullinger on the Trinity: 'Religionis Nostrae Caput et Fundamentum'", em *Architect of Reformation: An Introduction to Heinrich Bullinger, 1504–1575*, editado por Bruce Gordon e Emidio Campi, Texts and Studies in Reformation and Post-Reformation Thought. Grand Rapids: Baker Academic, 2004, p. 67–99. Lutero ensinou, em suas *Lectures on Genesis*, comentando 1:26, que "Façamos" se refere aos conselhos dentro da Trindade, mas suas observações sobre 3:22 são judiciosas, onde ele afirma que 1:26 indica "uma pluralidade de pessoas, ou [...] a Trindade", mas acrescenta: "Esses mistérios são mais claramente revelados no Novo Testamento". *Lectures on Genesis Chapters 1–5, LW* 1:58, 59, 223.

[9] Calvino, *Commentary on Genesis*, 1:70.

Em seus *Sermons on Genesis Chapters 1–11* [Sermões sobre Gênesis 1–11], Calvino resumiu esse ponto em termos mais simples para sua congregação em Genebra:

> É por isso que Moisés diz que Deus criou o céu e a terra. Agora, quando usa a palavra "criou", ele indica que não existe nenhum ser, que Deus existe sozinho. [...] A palavra "criou" nos diz que a existência reside apenas nele, pois tudo o que teve um começo não é por si mesmo, isto é, não produziu a si mesmo, mas deriva seu ser de outra coisa.[10]

(2) A Autoexistência de Deus sugerida por seus nomes

Os vários nomes atribuídos a Deus em Gênesis e Êxodo – *Elohim* e particularmente o "nome da "aliança" (ou redentor) que ele dá ao seu povo escolhido, *Iahweh* (ou *Jeová*) – foram entendidos como indicadores da eterna existência de Deus. Isso não era novo para os reformadores, uma vez que os pais da Igreja muito antes tinham visto o significado desses nomes divinos. Um dos mais antigos reformadores protestantes, William Tyndale, tradutor de todo o Novo Testamento e de partes do Antigo (cujo trabalho foi amplamente utilizado pelos tradutores da Versão Autorizada de 1611), discutiu o significado do nome Jeová: "Jeová é o nome de Deus, e nenhuma criatura é assim chamada. E como dizer que ele procede de si mesmo e não depende de nada. Além disso, sempre que você vir SENHOR (exceto em caso de erro na impressão), no hebraico a palavra é *Jeová*, 'tu que és' ou 'aquele que é'".[11]

Bullinger discutiu esse nome de forma similar:

> De todos os nomes de Deus, este é o mais excelente, o que é chamado de *Tetragrama Sagrado*, isto é (se assim podemos dizer), o nome de quatro letras: pois é composto das quatro letras espirituais e é chamado *JEOVÁ*. Deriva-se do verbo substantivo *Hovah*, diante do qual colocam *Jod* e tornam-no Jeová, ou seja, "Ser" ou "eu sou", como o que é *autousia*, um ser de si mesmo; sem a ajuda de ninguém para o fazer ser, mas dando o vir a ser a todo tipo de coisa; a saber, Deus eterno, sem começo nem fim, em quem vivemos, nos movemos e temos nosso ser. Para significar isso, essas palavras têm seu lugar próprio. [...] E disse Deus a Moisés: Eu sou o que sou; ou, eu serei que eu serei. [...] Ou seja, eu sou Deus que será, e ele que me enviou é seu próprio ser, ou essência, e Deus eterno.[12]

Ou como disse Calvino: "A Deidade, em acepção absoluta, existe em si mesma".[13] O significado dos nomes divinos indica esta qualidade essencial do Deus vivo: asseidade. Só Deus é Deus; só ele possui os atributos da eternidade e da

---

[10] João Calvino, *Sermons on Genesis 1:1–11:4: Forty-Nine Sermons Delivered in Geneva between 4 September 1559 and 23 January 1560*. Edinburgo: Banner of Truth, 2009, p. 10, 11.
[11] A partir de *Pentateuch*, escrito por Tyndale (c. 1530). Citado por David Daniell, *William Tyndale: A Biography*. New Haven: Yale University Press, 1994, p. 284.
[12] Sermão 3 de *The Fourth Decade*, em *The Decades of Henry Bullinger*, 2:130,131.
[13] Calvino, *Institutas*, 1.13.25.

autoexistência, do poder onipotente e onisciente. Esses atributos nunca devem ser atribuídos ao que ele criou por esse poder transcendente.

ENSINO DOS REFORMADORES CONTRASTADOS COM TEORIAS EVOLUCIONÁRIAS POSTERIORES

Antes de examinar o ensinamento dos reformadores sobre a imagem divina na humanidade, devemos considerar brevemente a enorme lacuna intelectual entre sua confiança no significado claro da Sagrada Escritura e a rejeição pós-Iluminismo de autoridade da Bíblia no que diz respeito às suas reivindicações históricas e científicas da verdade. O Iluminismo do século XVIII (especialmente em suas fases posteriores) colocou os poderes da razão humana acima da revelação divina de tal maneira que rejeitou grande parte da cosmovisão bíblica e a substituiu pelas teorias daqueles que, à época, estavam na vanguarda intelectual.

Por isso, em particular com o desenvolvimento do deísmo (que excluía a intervenção de Deus no mundo natural), muitos rejeitaram os relatos milagrosos e, sobretudo, os relatos bíblicos da criação divina em seis dias, há apenas alguns milhares de anos. Aqueles que julgaram ser necessário chegar a um acordo com essas formas iniciais daquilo que mais tarde seria chamado de "secularismo" foram confrontados com o difícil problema das reinterpretações propostas para os milagres e a criação divina. As duas cosmovisões eram incompatíveis: a crença na intervenção divina e a crença no secularismo (também conhecido como naturalismo) rendiam considerações contrárias do significado da natureza em geral e da importância da humanidade em particular.

Qualquer leitura séria dos reformadores mostrará que eles desenvolveram sua doutrina com base na cosmovisão bíblica tradicional e seu compromisso com a intervenção de Deus no reino natural e sua descrição exata na Sagrada Escritura. É claro que Lutero, Calvino e os outros reformadores estavam bem conscientes de antigas formas de explicação secular do cosmo, como as teorias atômicas de Demócrito e Lucrécio, que não recorriam a Deus nem a quaisquer milagres que ele pudesse realizar no mundo. Mas eles desprezaram essas teorias ateístas e creram que, com a verdade das Escrituras, permaneciam na luz divinamente revelada, somente pela qual poderiam dar sentido à natureza e à humanidade.

O que eles teriam feito do deísmo e do evolucionismo duzentos ou trezentos anos depois de seu tempo é impossível dizer com certeza. Mas pode ser uma observação justa sugerir que seu compromisso com o ensino claro das Sagradas Escrituras sobre o mundo e sobre os portadores da imagem de Deus não os teria tornado mais amigáveis aos filósofos pós-Iluminismo do que aos antigos escritores atomistas, embora essa sugestão não constitua uma prova.

No entanto, há uma diferença importante em relação aos cristãos da era da Reforma e à filosofia antiga: não foi difícil para os pensadores cristãos rejeitá-la no século XVI, uma vez que quase toda a sua cultura medieval tinha feito isso muito antes. Muito mais difícil para os cristãos de hoje é rejeitarem as formas *modernas* da antiga teoria atômica e evolucionária grega, pois muito da cultura ocidental desde aproximadamente 1800 sentiu que tinha de submeter-se ao que entendia ser a interpretação científica da realidade natural.[14] Em meados e no final do século XIX, questionar as afirmações científicas reinantes sobre o mundo e sobre como ele funcionava geralmente colocava alguém na categoria de ignorância e obscurantismo (de uma forma que a rejeição tradicional aos pré-socráticos não fazia), e, com isso, possivelmente tornaria sua apresentação do evangelho inaceitável para sua própria geração. Por essa razão, tantos intérpretes cristãos de Gênesis 1–11 pensaram não ser mais necessário aceitar o significado claro dos textos bíblicos sobre a criação do cosmos e de Adão e Eva. Ao reinterpretar as doutrinas fundamentais da Escritura, eles não precisavam mais confiar diretamente no modo como Lutero, Calvino, Bullinger e os outros reformadores expuseram essas passagens.

Assim, à medida que estudamos os detalhes do ensino reformado sobre o homem à imagem de Deus, é útil ter em mente esse quadro maior, isto é, uma cosmovisão que rejeita grande parte daquilo em que esses mestres da Igreja criam e que ensinavam sobre a criação. Mas não pretendemos aqui expor em profundidade essas pressupostas e cruciais diferenças que se situam na leitura superficial que fazemos da doutrina dos reformadores sobre a criação e a imagem de Deus e influenciam diretamente nossa valorização de seu ensino.[15]

Assim, sem traçar o desenvolvimento da interação pós-Iluminismo entre as visões da ciência e da teologia cristã em transformação, uma única referência pode ser suficiente para mostrar o que aconteceu quando grande parte da igreja capitulou para o ensino evolutivo no século XIX. Nigel Cameron, por exemplo, em seu livro *Evolution and the Authority of the Bible* [A evolução e a autoridade da Bíblia],

---

[14] T. F. Torrance realizou um trabalho inovador sobre o significado real da ciência em *Theological Science*. Londres: Oxford University Press, 1969. Ele demonstra que a verdadeira ciência *não* é o mesmo que as teorias ainda populares do dualismo pós-newtoniano (que rejeitou de forma desonesta a criação divina e outros milagres). Ele observa que essa forma posterior de deísmo desde a década de 1920 foi superada pela nova física introduzida por Einstein. Especialmente útil para evidenciar essa diferença é seu ensaio "Newton, Einstein, and Scientific Theology", cap. 8, em Torrance, *Transformation and Convergence in the Frame of Knowledge: Explorations in the Interrelations of Scientific and Theological Enterprise*. Grand Rapids: Eerdmans, 1984, p. 263-283. Pode ser o caso de que muitos teólogos cristãos, em sua sincera ânsia de estar de acordo com a "ciência", tenham tomado muito rapidamente e sem consideração cuidadosa, e aceito sem crítica uma espécie de ciência popular que não reflete a leitura atual de grande parte da ciência desde a década de 1920. Eles estariam em terreno mais seguro se tivessem seguido os reformadores em sua aceitação da simples leitura histórico-literal da Escritura.

[15] Seguindo os passos de tantos outros, procurei tratar desse assunto com algum detalhamento em *Creation and Change: Genesis 1.1–2.4 in the Light of Changing Scientific Paradigms*. Fearn, Ross-shire, Escócia: Mentor, 1997.

mostra como quase todos os comentaristas protestantes na Grã-Bretanha, nos vinte anos após a publicação de *A origem das espécies*, de Darwin, reinterpretaram drasticamente Gênesis 1–11 para acomodar a teoria evolucionária.[16] Mas se respira uma atmosfera totalmente diferente nos comentários sobre o Gênesis de Lutero, Calvino e seu amigo Wolfgang Capito, o Reformador de Estrasburgo.[17]

Permita-me sugerir alguns pontos nos escritos dos reformadores sobre a criação e a imagem de Deus que, eu diria, demonstram serem definitivamente incompatíveis com a teoria evolucionária.

Em primeiro lugar, eles buscaram basear seu ensinamento em uma interpretação histórico-literal direta do texto relevante da Escritura, e o fizeram em oposição a grande parte das interpretações alegóricas dos textos bíblicos que predominavam no período medieval. Para eles, o que os vários textos das Escrituras apresentavam deveria ser entendido por meio de uma leitura simples dos originais em hebraico e em grego. Assim, em seus comentários sobre Gênesis, por exemplo, Lutero e Calvino claramente aceitaram o ensinamento da criação direta de todas as coisas por Deus no espaço de seis dias, apenas alguns milhares de anos atrás.[18] Esse é o significado definitivo do texto sagrado. Para estender a idade do cosmos a bilhões de anos (a fim de acomodar as vastas eras exigidas pela teoria evolucionária), é necessário um novo tipo de procedimento alegórico "criativo" nunca praticado por Lutero ou Calvino.

Em segundo lugar, em seus comentários sobre Gênesis e Romanos, e também em outros trechos, os reformadores magistrais ensinaram o significado central do encabeçamento de Adão sobre a raça humana, e, assim, o significado de sua queda (na qual toda a sua posteridade caiu com ele) como o pano de fundo da gloriosa obra da redenção por meio de Cristo, o segundo Adão. O primeiro pecado de Adão trouxe a decadência, a doença e a morte, de acordo com as Escrituras, e esse é o relato do pecado e da salvação que os reformadores seguiram. O pecado era a origem do mal, e não o contexto do mundo pré-queda. Eles compreenderam o lugar de Adão, o primeiro portador da imagem de Deus, e de sua rebelião e suas consequências como cruciais para entender o que Cristo, como o último Adão, fez para nos restaurar. Um ponto de vista da humanidade evoluindo gradualmente para algo como "a imagem de Deus" a partir de uma espécie inferior em um mundo já marcado por esforço e morte é contrário a tudo o que os reformadores ensinaram.

---

[16] Nigel M. De S. Cameron, *Evolution and the Authority of the Bible*. Exeter: Paternoster, 1983.

[17] Wolfgang Capito, *Hexameron, Sive Opus Sex Dierum* (Argentiae [Estrasburgo], 1539 – infelizmente, apenas em latim). Essa é uma soberba exposição dos primeiros capítulos de Gênesis e os liga a Jó, Salmos, Romanos e outros livros da Bíblia. Capito também utiliza muito material de fontes rabínicas, especialmente das teorias de conexão entre a "sabedoria" e a obra de criação de Deus.

[18] Calvino expõe sua posição nas *Institutas*, 1.14.

Em terceiro lugar, de tudo o que escreveram, os reformadores não poderiam ter aceitado a transferência tácita dos atributos de Deus para o processo evolutivo autossuficiente.[19] Mas isso é precisamente o que acontece no ensino evolutivo abertamente ateísta, embora os evolucionistas teístas procurem evitá-lo ao máximo. Contudo, os evolucionistas teístas, apesar de todas as suas boas intenções, são incapazes de fazer uma leitura tão honesta e direta do texto bíblico como fizeram os reformadores.

Sem esquecer o aspecto geral das cosmovisões incompatíveis, vamos agora, no caminho dos reformadores, prosseguir para ver o que o significado histórico claro dos textos bíblicos relevantes nos ensina sobre a criação do homem à imagem de Deus. Digamos de modo humilde, com o Samuel de antigamente: "Fala, Senhor, pois o teu servo está ouvindo" (1Samuel 3:9). Essa atitude está no alicerce da doutrina reformada a respeito da imagem de Deus.[20]

O CONTEÚDO DA IMAGEM DE DEUS NA HUMANIDADE

Os reformadores do século XVI concordavam, de modo geral, que o homem foi criado em inocência e beleza por Deus no sexto dia da criação.

Martinho Lutero (1483–1546) e Ulrico Zuínglio (1484–1531)

O primeiro reformador, Martinho Lutero, foi claro sobre isso. Em um de seus sermões, falou da pureza dessa imagem original na humanidade:

> Adão teve essa imagem de Deus quando foi criado. Ele era, quanto à alma, verdadeiro, livre de erro e possuído de verdadeira fé e conhecimento de Deus; e, quanto ao corpo, santo e puro, isto é, sem os desejos impuros e imundos da avareza, da lascívia, da inveja, do ódio etc. E todos os seus filhos, todos os homens, teriam permanecido assim desde o nascimento se não tivesse ele sido desviado pelo diabo e sido arruinado.[21]

Em *Lectures on Genesis 1–5* [Sermões sobre Gênesis 1–5], Lutero falou sobre a dignidade da humanidade acima de todas as outras criaturas, indicada pelo falar

---

[19] Note as referências que acabamos de citar tratando dessa questão em Bullinger e em Calvino.

[20] Há evidências crescentes de que, embora a teoria evolucionista ainda seja a leitura majoritária de nossa "cultura científica", a evolução não mais está de fora do sério desafio científico e filosófico. Até a década de 1950, a maioria dos evangélicos pensava que era intelectualmente irresponsável argumentar contra a evolução em favor de uma visão literal da criação em seis dias. Mas, desde a década de 1960, muito trabalho significativo tem sido feito contra a teoria evolucionária e a favor da criação especial. Começou entre os fundamentalistas "cientistas da criação" e, em seguida, na década de 1980, tornou-se mais conhecido com os cientistas, advogados e filósofos do "design inteligente". Só o tempo dirá se esse é o começo de uma mudança de paradigma, mas, se assim for, o empenho dos reformadores no ensino histórico-literal de Gênesis a respeito da criação do homem à imagem divina pode mais uma vez se difundir.

[21] *Sermons of Martin Luther*, editado por John Nicholas Lenker, v. 8, *Sermons on Epistle Texts for Trinity Sunday to Advent with an Index of Sermon Texts in Volumes 1–8*. Grand Rapids: Baker, 1989), p. 309.

de Deus dentro de si mesmo como um "conselho divino" que corresponde a uma obra muito importante.[22] Lutero, então, apropriou-se de *On the Trinity* [Sobre a Trindade] (livros 9–11), de Agostinho, ao dizer que:

> A imagem de Deus é o poder da alma: a memória, a mente, ou intelecto, e a vontade. [...] Portanto, a imagem de Deus, segundo a qual Adão foi criado, era algo muito mais distinto e excelente, uma vez que obviamente nenhuma lepra do pecado aderira à razão ou à vontade de Deus. Tanto suas sensações internas quanto suas sensações exteriores eram do tipo mais puro.[23]

O registro de Zuínglio sobre a imagem era muito parecido com o de Lutero, embora com menos detalhes. Ele colocou a imagem em primeiro lugar na mente, discutindo isso em seu livro *Of the Clarity and Certainty or Power of the Word of God* [Da claridade e da certeza ou poder da Palavra de Deus].[24]

WILLIAM TYNDALE (1494–1536)

O primeiro reformador inglês, William Tyndale, é mais conhecido por sua excelente tradução de todo o Novo Testamento e da primeira metade do Antigo em inglês claro e belo, trabalhando a partir dos melhores textos gregos e hebraicos de seu tempo (e não a partir da Vulgata latina). Suas traduções, como David Daniell afirmou, são "o fundamento de todas as Bíblias inglesas que se seguiram, incluindo a célebre Versão Autorizada de 1611, ou Versão King James, da qual o Novo Testamento é 83% Tyndale".[25]

Em vários aspectos, Tyndale era seguidor de muito do que Lutero escreveu, embora não de tudo, mas, particularmente em assuntos relacionados à justificação pela fé. Donald Dean Smeeton procurou minimizar a influência de Lutero sobre Tyndale, no interesse de enraizá-lo na obra de Wyclif e dos lolardos.[26] Mas David Daniell tem criticado essa ênfase de Smeeton, que, ele argumenta, "separa Tyndale muito impetuosamente de Lutero".[27]

De qualquer maneira, o que Lutero ensinou a respeito da criação do homem à imagem de Deus provavelmente foi seguido por Tyndale nos relativamente poucos

---

[22] Lutero, *Lectures on Genesis Chapters 1–5*, *LW* 1:55–61.
[23] Ibid., *LW* 1:62.
[24] Zuínglio, *Of the Clarity and Certainty or Power of the Word of God*. In: G. W. Bromiley (ed.). *Zwingli and Bullinger: Selected Translations with Introductions and Notes*, LCC 24. Filadélfia: Westminster, 1953, p. 59–68.
[25] David Daniell, "Introduction". In: David Daniell (ed.). *William Tyndale, The Obedience of a Christian Man*. Londres: Penguin, 2000, p. xix.
[26] Donald Dean Smeeton, *Lollard Themes in the Reformation Theology of William Tyndale*, Sixteenth Century Essays & Studies 6. Kirkville: Sixteenth Century Journal Publishers, 1986.
[27] Daniell, *William Tyndale: A Biography*, 393n24.

lugares em que ele a mencionou. De modo geral, ele se referia à imagem de Deus no contexto de nosso relacionamento com Cristo. Bem a seu modo, em sua segunda carta a Frith, Tyndale exortou: "Leve a imagem de Cristo em seu corpo mortal, para que, na vinda dele, seu corpo seja feito semelhante ao dele".[28] E em seu prólogo ao Sermão do Monte ele escreveu: "Crer no sangue de Cristo para a remissão do pecado [... é] a nova geração [ou seja, o novo nascimento] e a imagem de Cristo".[29] Em *Obedience of a Christian Man* [Obediência de um homem cristão], referindo-se a Colossenses 3, ele disse: "Tomastes o novo homem que é renovado à imagem daquele que o fez (isto é, Cristo)."[30]

Mas Tyndale também atribuiu a imagem diretamente a Deus, o Pai. Antes, em seu prólogo ao Sermão da Montanha, ele falou de nosso amor pelos "nossos irmãos por causa de nosso Pai, porque eles foram criados segundo a sua imagem".[31] Em seu prólogo ao Evangelho de Mateus, ele combinou "imagem de Deus" tanto em termos de nossa criação à imagem do Pai quanto em termos de nosso dever cristão de mostrar misericórdia.[32]

JOÃO CALVINO (1509–1564)

O ensinamento de João Calvino sobre a imagem de Deus é, sem dúvida, muito mais completo e sistemático do que o de Tyndale. Este, embora teólogo capaz, distinguiu-se no princípio da Reforma e serviu principalmente como tradutor, além de ter escrito livros e ensaios ocasionais. Calvino, o expositor e teólogo bíblico magisterial, sustentou que, no que diz respeito ao homem, "o lugar apropriado de sua imagem[ou seja, de Deus] está na alma".[33] Ele entendia que "alma" e "espírito" eram essencialmente a mesma coisa e os via como algo "separável do corpo",[34] e cria que a consciência humana, que teme o julgamento, é uma testemunha do sentido de uma imortalidade humana.[35]

Na exposição sobre Gênesis 1:26, Calvino negou qualquer diferença real de significado entre "imagem" e "semelhança". Ao contrário de Irineu de Lion e Agostinho, do segundo século, e de alguns dos escolásticos medievais que os seguiram, Calvino corretamente viu, trabalhando a partir de uma compreensão renascentista do hebraico, que "imagem" e "semelhança" eram palavras paralelas, explicativas uma da outra (ou *epexegéticas*, para usar uma palavra mais moderna): "Primeiro,

---

[28] Robert Demaus, *William Tyndale: A Biography* (1871). Nashville: Cokesbury, 1927, p. 429, 430.
[29] Ibid., 398.
[30] Tyndale, *Obedience of a Christian Man*, p. 149.
[31] *William Tyndale: Selected Works* (1831) Lewes, East Sussex: Focus Christian Ministries, 1986, p. 136.
[32] Ibid., p. 304.
[33] Calvino, *Institutas*, 2.15.3.
[34] Ibid., 1.15.2.
[35] Ibid.

sabemos que as repetições eram comuns entre os hebreus, em que expressam uma coisa duas vezes; então, na coisa em si, não há ambiguidade: simplesmente o homem é chamado a imagem de Deus porque ele é como Deus".[36] Calvino passa a discutir os termos paralelos em hebraico (*tselem* e *demuth*):

> Pois quando Deus determinou criar o homem à sua imagem, que era uma expressão um pouco obscura, para explicá-la, ele a repete com esta frase: "De acordo com sua semelhança", como se estivesse dizendo que iria fazer o homem, em quem ele se representaria como numa imagem, por meio de marcas gravadas de semelhança.[37]

Thomas F. Torrance argumenta que Calvino empregou a palavra "gravadas" no sentido de que o homem refletiria Deus, em vez de possuir a imagem em si e de si mesmo.[38] Isso parece estar de acordo com o conceito de Calvino nas *Institutas*: "O homem foi criado, portanto, à imagem de Deus, e nele o Criador teve o prazer de contemplar, como em um espelho, sua própria glória".[39] Mas, ao mesmo tempo, Calvino insistia em que a imagem é *interna* ao homem: "A semelhança deve estar dentro, nele mesmo. Deve ser algo que não é exterior a ele, mas é propriamente o bem interno da alma".[40] Assim, ela é muito mais do que o brilho meramente superficial de um rosto sobre um espelho, ou seja, as noções de quem somos e de como devemos viver são moldados pelo caráter de nosso Deus Criador.

Termos sido criados à imagem do caráter de Deus é percebida em nossa obrigação de refletir a bondade do Senhor a todas as pessoas: "Não devemos considerar que os homens merecem de si mesmos, mas olhar a imagem de Deus em todos os homens, à qual devemos todo amor e honra. [...] Portanto, qualquer que seja o homem a quem você encontre, e que precise de sua ajuda, você não tem motivos para se recusar a ajudá-lo".[41]

Calvino interpretou Gênesis 1:26 à luz da discussão do Novo Testamento sobre a renovação em Cristo da imagem corrompida. Assim, é necessário olhar para o Cristo encarnado para "ver mais claramente as faculdades em que o homem se destaca e nas quais deve ser considerado o reflexo da glória de Deus" (Calvino referia-se a Efésios 4:24 e a Colossenses 3:10). Ele acrescentou:

---

[36] Ibid., 1.15.3.
[37] Ibid.
[38] "Não há dúvida de que Calvino sempre pensa na *imago* em termos de um espelho. Somente enquanto o espelho realmente reflete um objeto ele tem a imagem desse objeto. Não existe tal coisa no pensamento de Calvino como uma *imago* dissociada do ato de refletir. Ele usa expressões como *gravada* e *esculpida*, mas apenas em um sentido metafórico e nunca dissociado da ideia do espelho". T. F. Torrance, *Calvin's Doctrine of Man*. Londres: Lutterworth, 1949, p. 36, 37.
[39] Calvino, *Institutas*, 2.12.6.
[40] Ibid., 1.15.4.
[41] Ibid., 3.7.6.

Agora devemos ver o que Paulo compreende principalmente sob essa renovação. Em primeiro lugar, ele coloca o conhecimento, depois a pura justiça e a santidade. Disso deduzimos que, para começar, a imagem de Deus era visível à luz da mente, na retidão do coração e na solidez de todas as partes.

Depois de citar 2Coríntios 3:18, Calvino declarou: "Agora vemos como Cristo é a mais perfeita imagem de Deus; se formos conformados a ele, somos tão restaurados que, com as verdadeiras piedade, justiça, pureza e inteligência, carregamos a imagem de Deus".[42] Ele não negou totalmente que alguma faísca da imagem de Deus brilhou no corpo do homem[43] ou que o domínio sobre o resto da ordem criada estava ligado a ela[44], mas também não enfatizou nenhum desses dois aspectos, focando-se, antes, no espiritual: "A glória de Deus brilha peculiarmente na natureza humana, em que a mente, a vontade e todos os sentidos representam a ordem divina".[45]

HEINRICH BULLINGER (1504-1575)

Bullinger e Calvino eram colegas e amigos. Calvino liderou a igreja em Genebra, e Bullinger (sucessor de Zuínglio) liderou a igreja em Zurique. Ambos eram exemplares na pregação reformada; eles compartilhavam o mesmo compromisso com a Sagrada Escritura, e ambos eram agostinianos em teologia. A pregação de Bullinger muito influenciou a Igreja da Inglaterra no final do século XVI.[46]

---

[42] Ibid., 1.15.4.
[43] Calvino afirmou resumidamente nas *Institutas*, 1.15.4: "Não havia nenhuma parte do homem, nem mesmo o próprio corpo, em que algumas faíscas não brilharam". Anteriormente, citando Ovídio, ele disse: "E se alguém quiser incluir sob 'imagem de Deus' o fato de que, 'enquanto todos os outros seres vivos estão inclinados a olhar para a terra, o homem recebeu um rosto erguido, a fim de olhar para o céu e elevar seu semblante às estrelas', não contenderei com muita força". *Institutas*, 1.15.3, citando Ovídio, *Metamorphoses*, 1.84-ss.
[44] Calvino se referiu à humanidade (macho e fêmea) recebendo domínio sobre os animais, mas com muito pouca discussão, em seus *Sermões sobre Gênesis 1–11*: "Agora para a segunda espécie de bênção: Deus dá ao homem e à mulher domínio e senhorio sobre os animais. [...] Deus diz: 'Eis que eu tornei vocês senhores e mestres, mesmo sobre todos os animais. Não somente vocês viverão dos frutos da terra, mas também governarão sobre as aves do céu'". *Sermões sobre Gênesis 1:1–11:4*, 104.
[45] Calvino, *Comentário sobre Gênesis*, 1:96.
[46] Os famosos cinquenta sermões de Bullinger, *As décadas*, foram traduzidos na íntegra para o inglês em 1577. Como explica Thomas Harding: "Em 1588, o arcebispo de Cantuária, John Whitgift, redigiu instruções para os chamados ao ministério, as quais intitulou *Orders for the better increase of learning in the inferior Ministers*. Jovens clérigos e aqueles que desejavam ser licenciados como pregadores públicos e não tinham educação teológica foram instruídos a adquirir uma Bíblia, uma cópia das *Décadas*, de Bullinger, e um caderno de exercícios em branco. O arcebispo disse aos candidatos que eles deviam ler um capítulo da Bíblia todos os dias, fazendo anotações no caderno de exercícios do que tinham aprendido. Todas as semanas, deviam ler um dos livros de Bullinger e fazer anotações apropriadas sobre o que aprenderam; em seguida, uma vez por trimestre, deviam se reunir com seu tutor para discutir sua leitura e suas anotações e receber as instruções adicionais". Harding, "Introduction". In: *The Decades of Henry Bullinger*, 1:lxvi.

Bullinger, assim como Calvino, afirmava que a imagem de Deus no homem estava localizada na alma. Inspirando-se na passagem de Gênesis 2:7, Bullinger declarou: "Pois o sopro de vida significa a alma viva e pensante, isto é, a alma do homem, que (tu, ó Deus) respiraste sobre ela ou a derramaste no corpo quando ele foi formado".[47] Ele viu dois aspectos da alma: vivificação física e orientação intelectual. A alma, no primeiro sentido, anima o corpo, de modo que "compreende os poderes que funcionam inconscientemente e os sensitivos, por meio dos quais dá vida ao corpo".[48] Mas também possui poderes intelectuais para a vida humana à imagem de Deus: "Além disso, a alma tem duas partes, distintas em funções, mas não na substância; quais sejam, compreensão e vontade; e assim ela dirige o homem".[49] Em outro lugar, ele disse: "Havia em nosso pai Adão, antes de sua queda, a própria imagem e semelhança de Deus; a imagem, como o apóstolo a expõe, era uma conformidade e participação da sabedoria, da justiça, da santidade, da verdade, da integridade, da inocência, da imortalidade e da felicidade eterna de Deus".[50] Como Calvino e ao contrário de Agostinho, Bullinger entende "imagem" e "semelhança" como fatos paralelos, não diferentes.

Pierre Viret (1511–1571)

Pierre Viret de Lausanne era colega próximo de Calvino, com quem se correspondia frequentemente; em certa ocasião, ele serviu como assistente de Calvino em Genebra. Viret escreveu o mais completo e talvez o mais interessante relato da criação do homem à imagem de Deus entre os líderes da Reforma do século XVI. No terceiro volume de suas obras (publicado em francês em 2013), Viret dedicou quase 350 páginas a vários aspectos da criação do homem à imagem de Deus.[51]

Ele acreditava que o "conselho divino executivo" mencionado em Gênesis 1:26 implica uma discussão dentro da Trindade, embora, acrescentou, a referência à Trindade tão cedo nas Escrituras seja "um tanto vaga".[52] Ele afirmou que, ao contrário de outras criaturas, o homem é físico e espiritual, é uma espécie de "microcosmo" do mundo inteiro.[53]

Viret dedicou a maior parte de seu tratado a um esboço, em detalhes consideráveis, do "edifício exterior do corpo humano",[54] algo que muito o interessava por

---

[47] Bullinger, sermão 10 de *The Fourth Decade*, In: *The Decades of Henry Bullinger*, 2:375.
[48] Ibid., 2:376.
[49] Ibid.
[50] Bullinger, sermão 10 de *The Third Decade*, em *The Decades of Henry Bullinger*, 1:394.
[51] Pierre Viret, *Instruction Chrétienne, Tome Troisième*, editado por Arthur-Louis Hofer. Lausanne: L'Age D'Homme, 2013, p. 405–742.
[52] Ibid., p. 428.
[53] As palavras de Viret quanto a isso são: "L'image de tout le monde et de tout l'univers qui et em lui" ("A imagem de todo o mundo e de todo o universo é que está nele". Tradução do autor). Viret, *Instruction Chrétienne*, p. 430.
[54] Viret, *Instruction Chrétienne*, p. 475–743.

entender que o Senhor planejou que o corpo fosse um templo digno para a encarnação de seu Filho. Como se fosse um manual rudimentar de anatomia, Viret tratou de muitas partes do corpo, como ligamentos, cartilagens e nervos[55] e citou os dois pés e pernas do homem que lhe permitem ficar ereto e suas mãos como "a causa da ciência e da sabedoria".[56] Ele mencionou brevemente os órgãos sexuais, o estômago e o útero para transmissão e nutrição da vida física,[57] bem como tratou da carne, dos músculos e das glândulas. Ele discutiu a providência de Deus na formação dos seios das mulheres (e das glândulas que os sustentam). Além disso, falou sobre a utilidade do cabelo e tratou de como a beleza física é unida à utilidade e à conveniência do corpo humano.[58]

Viret então expôs os cinco sentidos corporais: visão, audição, olfato, paladar e tato.[59] É desnecessário aqui examinar seu ensinamento, exceto observar que ele passou a discutir os instrumentos dos cinco sentidos como particularmente refletindo a vida do Deus triúno. Por exemplo: mostrou de que modo a língua e a utilidade dos idiomas humanos refletem o Deus triúno, em quem está "a Palavra".[60] Muitas vezes, nessas páginas, ele se viu envolvido em analogias criativas, como sua comparação da necessidade de nutrição física para o corpo com a utilidade dos sacramentos.[61]

Sem entrar em detalhes, encontramos Viret na tarefa de descrever e aplicar espiritualmente o nariz, o rosto e os membros do corpo humano que são atribuídos a Deus. Ele falou sobre o cérebro e nossas sensações interiores, e, dentro dessa seção, ofereceu ideias interessantes sobre senso comum, memória, imaginação e como o Maligno nos perturba interiormente.[62]

Considerando seu longo e abrangente levantamento sobre a vida corporal e mental do homem, avalio que é, tanto quanto pode afirmar, correto, e, embora não seja alegórico (ou seja, ele aceita a realidade total dos aspectos físicos do corpo e os eventos do texto das Escrituras sem fugir do significado de qualquer um deles), é certamente mais "criativo" do que a maioria das produções da ala calvinista da Reforma. Talvez pudéssemos pensar na longa exposição de Viret sobre a imagem de Deus no homem como uma espécie de meditação maciça sobre a admiração de Davi com a natureza humana no salmo 139. Viret certamente procurou pensar sobre a

---

[55] Ibid., 479, 489–493, 507–513.
[56] Ibid., p. 494–495.
[57] Ibid., 511–12. Lutero também falou de alguns detalhes da bênção da gravidez em *Lectures on Genesis Chapters 1–5, LW* 1:200–203.
[58] Viret, *Instruction Chrétienne*, p. 513, 515–526, 529–532.
[59] Ibid., p. 534–582.
[60] Ibid., p. 583–611.
[61] Ibid., p. 631–638.
[62] Ibid., p. 649–743.

relação alma/espírito/mente e corpo e dar atenção mais completa ao próprio corpo, questões que a teologia reformada dos séculos XVI ao XXI tem negligenciado.

JOHN KNOX (C. 1513–1572)

O grande reformador escocês John Knox passou vários anos de formação como colega de Calvino quando este estava no exílio em Genebra durante o regime perseguidor da rainha Maria Tudor. O pensamento de Calvino marcou profundamente a teologia de Knox depois disso. Embora Knox tenha dado, em suas obras, pouca atenção detalhada à imagem de Deus, podemos encontrar seu ensinamento sobre o assunto acuradamente representado na Confissão Escocesa de 1560, da qual ele foi o autor principal (embora cinco outros homens, também chamados John, tenham cooperado em sua formulação). Ela apresenta essa doutrina no artigo 2:

> Confessamos e reconhecemos que nosso Deus criou o homem, a saber, nosso primeiro pai, Adão, à sua própria imagem e semelhança, a quem deu sabedoria, senhorio, justiça, livre-arbítrio e claro conhecimento de si mesmo – em toda a natureza do homem não poderia ser notada nenhuma imperfeição. De tais honra e perfeição caíram ambos, homem e mulher: a mulher por ser enganada pela Serpente e o homem por obedecer à voz da mulher, ambos conspiraram contra a soberana majestade de Deus, que em palavras expressas tinha antes lhes tinha avisado da morte se eles presumissem comer da árvore proibida.[63]

CONFISSÕES CONTINENTAIS

O ensinamento de três confissões continentais, uma luterana e duas calvinistas, concordam essencialmente com o que é dito na Confissão Escocesa sobre a criação do homem à imagem divina.

A Fórmula de Concórdia

Os principais sucessores de Lutero reuniram (em alemão), em 1576, a Fórmula de Concórdia. No artigo 1 da seção "Epítome", "Com relação ao pecado original", a Fórmula afirma: "Cremos, ensinamos e confessamos que há uma distinção entre a natureza do próprio homem, não somente como homem que foi criado por Deus no começo puro e santo e livre do pecado, mas também como agora a possuímos depois que nossa natureza caiu".[64] Ela acrescenta no mesmo artigo: "E hoje, não menos Deus reconhece nossa mente e nosso corpo como suas criaturas e obras; como está escrito (Jó 10:8a): 'Foram as tuas mãos que me formaram e me fizeram'".[65]

---

[63] Philip Schaff, *The Creeds of Christendom: With a History and Critical Notes*, v. 3, *The Evangelical Protestant Creeds*, rev. David S. Schaff (1877). Grand Rapids: Baker, 1996), p. 440.
[64] Ibid., 3:98.
[65] Ibid., 3:99.

A Confissão Francesa (ou A Confissão de La Rochelle)

Essa confissão da Igreja Reformada Francesa foi preparada por Calvino e seu discípulo Antoine de Chandieu (c. 1534–1591) e foi revisada por um sínodo em Paris, em 1559. Foi aprovada por um sínodo em La Rochelle, em 1571. Ela declara, no Artigo 9: "Cremos que o homem foi criado puro e perfeito à imagem de Deus, e que por sua própria culpa caiu da graça que recebeu e está, portanto, alienado de Deus".[66]

A Confissão Belga

Foi composta (em francês) em 1561 por Guy de Brès (1522–1567) para as igrejas reformadas de Flandres e da Holanda. Seu ensinamento sobre a imagem de Deus no homem não é diferente das outras três confissões citadas anteriormente. No artigo 14, afirma: "Cremos que Deus criou o homem do pó da terra, e o fez e o formou à sua própria imagem e semelhança, bom, justo e santo, capaz em todas as coisas de acordo com a vontade de Deus".[67]

A DEFORMAÇÃO DA IMAGEM DE DEUS NO HOMEM PELA QUEDA

A queda de Adão e Eva no jardim do Éden trouxe resultados devastadores para a imagem de Deus, que ambos carregavam. Algumas das confissões reformadas realmente começam com a queda de Adão (embora, obviamente, aceitem sua perfeita criação por parte de Deus). É o que ocorre com a principal confissão principal da Igreja da Inglaterra, os 39 Artigos e com o influente Catecismo de Heidelberg.

Os 39 Artigos (1562) e o Catecismo de Heidelberg (1563)

O artigo 9º diz:

> O pecado original não está no seguimento de Adão (como os pelagianos falam em vão); mas é a culpa e a corrupção de todo homem, que naturalmente é engendrada da descendência de Adão, pelo qual o homem está muito longe da justiça original e é, de sua própria natureza, recriado para o mal, de modo que a carne cobiça sempre contrário ao Espírito e, portanto, em toda pessoa nascida neste mundo, ela merece a ira e a danação de Deus.[68]

Da mesma forma, o Catecismo de Heidelberg começa a história do homem com a queda. Foi escrito em 1563 por dois seguidores alemães de Calvino:

---

[66] Ibid., 3:365.
[67] Ibid., 3:398.
[68] Ibid., 3:492, 493.

Zacharius Ursinus (1534–1583) e Caspar Olevianus (1536–1587). Uma pergunta inicial é:

> Pergunta 6:
> Deus criou o homem assim tão mau e perverso?
>
> Resposta:
> Não, pelo contrário, Deus criou o homem bom e à sua imagem, isto é, em justiça e verdadeira santidade, de modo que ele pudesse conhecer corretamente Deus, seu Criador, amá-lo de coração e viver com ele em eterna felicidade para o louvar e glorificar.[69]

Esses dois documentos da igreja estão entre os principais do ensino dos reformadores protestantes sobre a queda do homem.

MARTINHO LUTERO SOBRE A DESTRUIÇÃO DA IMAGEM

Às vezes, Lutero parecia dizer que a imagem de Deus no homem se havia perdido totalmente na queda, como em seus *Sermões sobre Gênesis*: "Mas, pelo pecado, tanto a semelhança como a imagem se perderam".[70] No entanto, ele nem sempre foi tão longe. Nos mesmos *Sermões sobre Gênesis*, ele admitiu a permanência de pelo menos alguns de seus aspectos:

> Assim, mesmo que essa imagem tenha sido quase completamente perdida, ainda há uma grande diferença entre o ser humano e o restante dos animais. [...] Portanto, mesmo agora, pela bondade de Deus, esse corpo leproso tem alguma aparência do domínio sobre as outras criaturas. Mas é extremamente pequeno e muito inferior ao primeiro domínio, quando não havia necessidade de habilidade ou astúcia.[71]

Nos Artigos de Esmalcalde, ele deu detalhes ainda mais sombrios sobre os efeitos da queda sobre a humanidade:

> Devemos confessar, como Paulo diz em Romanos 5:11, que o pecado se originou de um homem, Adão, por cuja desobediência todos os homens foram feitos pecadores e sujeitos à morte e ao diabo. Isso é chamado pecado original ou pecado capital. Os frutos desse pecado são, posteriormente, as más ações que estão proibidas nos Dez Mandamentos. [...] Esse pecado hereditário é uma corrupção tão profunda da natureza que nenhuma razão pode entendê-lo, mas deve ser crido a partir da revelação das Escrituras: Salmos 51:5; Romanos 5:12-ss; Êxodo 33:3; Gênesis 3:7-ss.[72]

---

[69] Ibid., 3:309.
[70] Lutero, *Lectures on Genesis Chapters 1–5*, *LW* 1:338.
[71] Ibid., p. 67.
[72] "The Smalcald Articles", pt. 3, art. 1, In: Hugh T. Kerr (ed.). *The Book of Concord*, citado em *A Compend of Luther's Theology*. Filadélfia: Westminster, 1943, p. 84.

BULLINGER A RESPEITO DA DESFIGURAÇÃO DA IMAGEM

Bullinger referia-se à "desfiguração" da imagem de Deus, ao escrever:

> O pecado original é a desobediência ou a corrupção hereditária de nossa natureza, que primeiro nos põe sob o perigo da ira de Deus e, então, produz em nós aquilo que a Escritura chama de as obras da carne. Portanto, esse pecado original não é uma ação, nem uma palavra, nem um pensamento, mas uma doença, um vício, uma depravação do juízo e da concupiscência; ou uma corrupção de todo o homem, isto é, do entendimento, da vontade e de todo o poder do homem. [...] Esse pecado teve início em Adão e a partir dele; e por isso é chamado de desobediência hereditária e corrupção de nossa natureza.[73]

JOÃO CALVINO SOBRE A CORRUPÇÃO DA IMAGEM DE DEUS

Calvino ensinou que a melhor maneira de entender o que a imagem de Deus era em nós originalmente é considerar sua restauração em Cristo:

> Não há dúvida de que Adão, quando caiu de seu estado, alienou-se de Deus por essa falha. Portanto, embora concordemos que a imagem de Deus não foi totalmente aniquilada e destruída nele, está corrompida a tal ponto que tudo o que resta é horrenda deformidade. Consequentemente, o início de nossa recuperação da salvação está nessa restauração que conseguimos por meio de Cristo, que, por essa razão, é também chamado o segundo Adão, visto que nos restaura a integridade verdadeira e completa. [...] Agora a imagem de Deus é a perfeita excelência da natureza humana que refulgiu em Adão antes da falha, mas foi posteriormente tão corrompida e quase apagada que nada restou depois da ruína, exceto o que é confuso, mutilado e enfermo.[74]

Calvino sustentava que a mente, a vontade e os afetos, ainda que deformados, permaneceram no Adão caído, mas que a justiça e a santidade puras foram perdidas (especialmente à luz de Efésios 4:24 e de Colossenses 3:10).[75]

As opiniões de Calvino e de Lutero sobre os efeitos da queda foram muito diferentes das de Tomás de Aquino (1225–1274). Tomás, seguindo Alexandre de Hales (c. 1185–1245), ensinou que, mesmo dentro do ser humano não caído, um dom de graça era necessário para capacitá-lo a controlar seus "poderes inferiores" (ou paixões) por meio de sua razão superior.[76] Uma vez que não podemos mais controlar as paixões, Tomás concluiu que esse "dom acrescentado" se perdeu na queda e que nos tornamos presa de todas as paixões destrutivas do pecado.[77]

---

[73] Bullinger, *The Third Decade*, In: *The Decades of Henry Bullinger*, 1:385.
[74] Calvino, *Institutas*, 1.15.4.
[75] Ibid.
[76] Alexandre de Hales chama essa graça pré-queda de *donum superadditum naturae. Summa Theologica* 2.91.1.3.
[77] Tomás, *Suma Teológica* 2a2ae.164.2.

Mas não há nenhuma indicação no texto de Gênesis de qualquer luta assim antes da queda entre paixões do corpo e da mente (ou alma), e isso não estaria realmente em harmonia com a bondade original e total da criação. O ensinamento de Calvino, de Lutero e de Bullinger sobre os efeitos radicais da queda sobre toda a raça humana (e não sobre a perda de um dom de graça acrescentado) estava muito mais alinhado com uma exegese simples do Antigo Testamento hebraico e dos manuscritos gregos do Novo Testamento.

O estudo de Tomás sobre a queda, na verdade, não é tão superficial como alguns sugerem. Ele falou sobre "a ferida da natureza", a qual prejudicou a capacidade do intelecto de receber a verdade, e afirmou que isso exigia "a luz da graça".[78] Ele não ensinou que a mente do homem não está caída, no entanto, deu mais ênfase à perda do dom acrescentado e não levou tão a sério os efeitos devastadores da queda nos portadores da imagem de Deus, como fizeram os exegetas reformados posteriores. Assim, ele desenvolveu uma descrição bastante diferente da obra soberana da graça regeneradora na personalidade humana caída.[79]

Certamente, Tomás não foi tão longe quanto os nominalistas posteriores, como Gabriel Biel, que nos moldes pelagianos afirmou que, se depois da queda, a consciência das pessoas está intelectualmente confusa a ponto de fazer com que sua vontade erre, então tal confusão escusa o pecado delas,[80] e, também, que se elas tentarem fazer o que é certo com suas próprias luzes, poderão fazê-lo.[81] Em oposição a esse tipo de pelagianismo medieval tardio, a Confissão de Augsburgo, de 1530, bem representava a teologia da Reforma quando disse: "Eles [ou seja, os protestantes] condenam os pelagianos e todos os outros que ensinam que pelas forças da natureza apenas, sem o Espírito de Deus, somos capazes de amar a Deus acima de todas as coisas e, também, de cumprir os mandamentos de Deus no tocante à substância de nossas ações".[82]

Os reformadores não foram os primeiros a lutar contra os pontos de vista pelagianos da natureza humana. Eles sabiam que estavam de acordo com os numerosos

---

[78] Ibid., 2a2ae2.4. Isso foi cuidadosamente discutido por Arvin Vos em *Aquinas, Calvin, and Contemporary Protestant Thought: A Critique of Protestant Views on the Thought of Thomas Aquinas*. Grand Rapids: Eerdmans, 1985.

[79] Um exame da teoria católica romana do "dom acrescentado" é discutido e criticado de modo lúcido por John Murray, "Man in the Image of God", In: *Collected Writings of John Murray*, v. 2, *Systematic Theology*. Edinburgo: Banner of Truth, 1977, p. 41,45.

[80] Gabriel Biel, *II Sent.* 22.2.2.1: "Ignorância invencível ocorrer antes de um ato da vontade, seja positivo ou negativo, seja de direito ou de fato, simplesmente escusa do pecado, não só naquela matéria, mas totalmente" (tradução do autor).

[81] Biel, *II Sent.* 22.2.2.4: "O infiel faz o que está em si mesmo, enquanto se conforma à razão e procura com todo o seu coração e procura ser iluminado para o conhecimento da verdade, da justiça e da bondade" (tradução do autor). Devo essas referências a Biel a Heiko A. Oberman, *The Harvest of Medieval Theology: Gabriel Biel and Late Medieval Nominalism*, 3. ed. Durham: Labyrinth, 1983), 131. Veja o debate dele sobre esse desvio da Escritura, bem como da herança patrística e tomista, em *Harvest of Medieval Theology*, p. 131–145.

[82] A Confissão de Augsburgo, art. 18, citado em Schaff, *Creeds of Christendom*, 3:19.

escritos de Agostinho contra os pelagianos. Calvino, por exemplo, citou o livro de Agostinho *Contra Pelágio e Celéstio* ao demonstrar que "a graça é anterior às obras".[83]

Embora Tomás nunca tenha se afastado tanto do ensino de Gênesis a respeito dos efeitos radicais da queda como Biel e os nominalistas, os reformadores rejeitaram boa parte de sua posição por não refletir fielmente o que Gênesis ensinava sobre o assunto. Melanchthon, por exemplo, negou o ensinamento da quinta sessão do Concílio de Trento, que seguiu Tomás ao colocar essa tendência da natureza inferior (geralmente chamada de "concupiscência") de vindicar seu poder sobre a natureza superior do homem.[84] Ao contrário dos escolásticos, Melanchthon ensinou que o elemento principal da imagem deformada não era uma "privação" (do dom acrescentado de justiça original), mas sim uma quantidade de desordens internas, tais como dúvidas, omissões e o espírito de revolta contra Deus.[85]

A IMAGEM DE DEUS E A IMORTALIDADE

Calvino tinha o ponto de vista típico da teologia católica tradicional[86] e da teologia reformada em conectar a imortalidade humana com nossa criação à imagem de Deus:

> Ora, se a alma não fosse algo essencial, separada do corpo, a Escritura jamais ensinaria que habitamos em casas de barro [Jó 4:19] e que na morte deixamos o tabernáculo da carne, despojando-nos do que é corruptível [...] Por certo que essas passagens, e outras semelhantes a essas, que ocorrem com frequência, não só distinguem claramente a alma do corpo, mas, por lhe transferir o designativo "homem", indicam ser ela a parte principal.[87]

Bullinger dedicou grande parte de um longo sermão para destacar a realidade e as bênçãos da vida após a morte, mas sua ênfase não era tanto sobre a "imortalidade

---

[83] Calvino, *Institutas*, 2.3.7.
[84] Concílio de Trento, sessão 5, can. 5 (DH §792).
[85] Philip Melanchthon, *Loci Communes, tertia aetas*, v. 2, pt. 1, p. 264, 37–265. Isso é exposto em Bellucci, *Science de La Nature et Réformation*, p. 543–554.
[86] Pedro Lombardo (c. 1090—1160), "Mestre das Sentenças", produziu o livro teológico mais importante usado nas universidades europeias no decorrer dos quinhentos anos seguintes, e os reformadores, quando estudantes, devem ter lido seu trabalho. Lombardo, em consonância com Agostinho (a quem citou frequentemente) e com toda a tradição patrística, ensinou a imortalidade da alma, como quando citou *Enarrationes in Psalmos*, de Agostinho, sobre Salmos 48:15, sermão 2, referindo-se à morte de Cristo: "A morte que os homens temem é a separação entre a alma e a carne, e a morte que eles não temem é a separação entre a alma e Deus". Lombardo, *The Sentences, Book 3: On the Incarnation of the Word of God*, Mediaeval Sources in Translation 45. Toronto: Pontifical Institute of Mediaeval Studies, 2008, 21.68. O foco principal de Lombardo não era tanto a imortalidade da alma (que, é claro, ele aceitava), mas sim o estado do corpo do homem, que era animado pela alma. Ele escreveu que "o corpo do homem antes do pecado era mortal e imortal [...] porque era capaz de morrer e não morrer". Lombardo, *The Sentences, Book 2: On Creation*. Mediaeval Sources in Translation 43 Toronto: Pontifical Institute of Mediaeval Studies, 2008, 19.3.
[87] Calvino, *Institutas*, 1.15.2.

natural" da alma (nos termos, digamos, do argumento platônico) mas, sobre o cristão no contexto da providência de Deus, a qual, na misericórdia invisível, leva-o com segurança por todo tipo de mal terreno, com o olhar no objetivo da glória imortal por meio de Cristo e com ele.[88]

A Confissão Escocesa afirma a imortalidade da alma (tanto dos eleitos quanto dos rejeitados) no artigo 17. Da mesma forma, o Catecismo de Heidelberg, na questão 16, fala do crente passando da morte para a vida.

Sem examinar as muitas passagens bíblicas em ambos os Testamentos que mencionam a imortalidade da alma, notemos apenas este texto crucial: "Deus [...] o bendito e único Soberano, o Rei dos reis e Senhor dos senhores, o único que é imortal" (1Timóteo 6:15,16a)." Em outras palavras, somente o Deus triúno é *essencialmente imortal*, mas ele concede a imortalidade aos portadores de sua imagem de forma derivada para refletir, como criaturas dependentes, sua imortalidade. A imortalidade humana não é a essência do portador da imagem criada, mas é um aspecto de seu espelhamento de Deus. Ou seja, seu relacionamento com Deus é o que lhe dá a imortalidade.

George Dragas, erudito da Patrística, mostra que esse era o ensinamento de Atanásio no quarto século: "Parece claro que, para Atanásio, a pessoa humana não é uma possessão de uma criatura humana *per se*, mas um dom dinâmico que é mantido pelo Logos Criador. Atanásio fala disso como um dom quando nos diz que o *kat' eikona* [de acordo com a imagem] envolve a transmissão do poder do Logos".[89]

A RESTAURAÇÃO DA IMAGEM DE DEUS NA HUMANIDADE

Calvino bem representou a Reforma magistral quando escreveu o *Comentário de 2Coríntios*, especificamente discutindo 3:18: "Observe que o propósito do Evangelho é a restauração em nós da imagem de Deus que havia sido cancelada por nosso pecado, e que essa restauração é progressiva e continua durante toda a nossa vida. [...] Assim, o apóstolo fala de progresso que só será aperfeiçoado quando Cristo aparecer".[90] Calvino, ao lado de outros reformadores, enfatizou o ministério do Es-

---

[88] Bullinger, sermão 1 de *The Third Decade*, In: *The Decades of Henry Bullinger*, v. 1, pt. 2, p. 2–111.
[89] George Dion Dragas, *Saint Athanasius of Alexandria: Original Research and New Perspectives*, Patristic Theological Library 1. Rollinsford: Orthodox Research Institute, 2005, p. 9. Novamente, sem entrar em detalhes, muitos teólogos protestantes no século XX negaram a imortalidade da alma. Para resolver de forma justa se essa negação estava relacionada com a filosofia materialista dos séculos XIX e XX, no espírito dos saduceus do Novo Testamento, seria necessário um livro de volume substancial. No entanto, vou mencionar aqui duas obras de excelente erudição que discutem e defendem uma cuidadosa leitura bíblica da imortalidade da alma: G. C. Berkouwer, "Immortality", cap. 7, In: *Man: The Image of God*. Grand Rapids: Eerdmans, 1962; e, um mais recente, John W. Cooper, *Body, Soul, and Life Everlasting: Biblical Anthropology and the Monism-Dualism Debate*. Vancouver: Regent College Publishing, 1995.
[90] João Calvino, *The Second Epistle of Paul the Apostle to the Corinthians and the Epistles to Timothy, Titus and Philemon*, editado por David W. Torrance e Thomas F. Torrance. Grand Rapids: Eerdmans, 1964, p. 50. [Calvino,

pírito Santo na renovação da imagem de Deus no cristão. Torrance resume Calvino com precisão: "A resposta do homem é a obra realizada pelo Espírito Santo, que, por meio da Palavra, forma de novo a imagem no homem e também seus lábios para reconhecer que é um filho do Pai".[91]

Lutero escreveu no mesmo sentido:

> Mas agora o Evangelho trouxe a restauração daquela imagem. Intelecto e vontade de fato permaneceram, mas ambos muito prejudicados. E assim, o Evangelho nos convence de que somos formados mais uma vez de acordo com aquela imagem familiar e, de fato, uma imagem melhor, porque somos nascidos de novo na vida eterna ou, melhor, na esperança da vida eterna pela fé, para que vivamos em Deus e com Deus, e sejamos um com ele, como Cristo diz (João 17:21).[92]

Em um sermão sobre Efésios 4:22–28, Lutero falou da vida cristã como uma recuperação alegre daquilo que a iniquidade partiu:

> Ninguém pode esperar remédio exceto os cristãos, os quais, pela fé em Cristo, começam novamente a ter um coração alegre e confiante com relação a Deus. Assim, eles entram novamente em sua relação anterior e no verdadeiro paraíso de perfeita harmonia com Deus e de justificação; eles são consolados pela graça divina. Por conseguinte, estão dispostos a levar uma vida piedosa em harmonia com os mandamentos de Deus e a resistir às concupiscências e aos caminhos ímpios. [...] Portanto, aquele que almeja ser cristão deve se esforçar para ser encontrado nesse novo homem criado segundo Deus [...] na própria essência da justiça e da santidade.[93]

Encontramos em Lutero e em Calvino o conceito de que o aspecto da imagem de Deus que foi perdido na queda ("justiça e santidade") será restaurado nos cristãos. Enquanto Calvino enfaticamente (e também Lutero até certo ponto) sustentou que os aspectos ontológicos da imagem permaneceram, embora seriamente desfigurados, os aspectos éticos dessa imagem foram perdidos, os quais estão agora sendo restaurados no cristão por intermédio da obra de santificação (baseada na justificação gratuita pela fé).

Zuínglio tinha sido menos vigoroso do que Lutero (e, mais tarde, do que Calvino) sobre o dano causado à imagem pela queda, mas, em um sermão de 1524, ele também afirmou que a regeneração é uma nova criação à semelhança de Cristo.[94] Todavia Bullinger, seu sucessor, era cristalino tanto sobre os efeitos da queda como sobre a restauração da imagem na experiência cristã. Sobre sua

---

Comentário de 2Coríntios. Série Comentários Bíblicos João Calvino. São José dos Campos: Editora Fiel, 2008.]
[91] Torrance, T. F. *Calvin's Doctrine of Man*, p. 80.
[92] Lutero, *Lectures on Genesis Chapters 1–5, LW* 1:64.
[93] Lutero, *Sermons of Martin Luther*, 8:310.
[94] O sermão, intitulado "Resposta", é discutido em *Zwingli and Bullinger*, p. 51–53.

restauração, ele escreveu, no contexto da encarnação de Cristo: "Pois, ao encarnar, ele uniu o homem a Deus; assim, por morrer na carne com sacrifício, ele purificou, santificou e livrou a humanidade; e, dando-lhe seu Espírito Santo, ele tornou o homem novamente como na natureza a Deus, isto é, imortal e absolutamente abençoado".[95]

Melanchthon espelhava Lutero, Bullinger e Calvino, expondo a importância da ação dos redimidos enquanto o Espírito restaura a imagem neles. Ele aplicou Romanos 6:12 ("Portanto, não permitam que o pecado continue dominando os seus corpos mortais, fazendo com que vocês obedeçam aos seus desejos") à responsabilidade humana: "O pecado está presente no regenerado, mas a resistência deste impede aquele de reinar. Os cristãos, portanto, permanecem na graça de Deus".[96]

A graça do Deus triúno restaura a humanidade à imagem divina mediante a obra do Pai, do Filho e do Espírito Santo, que envolve primeiro a soberana iniciativa divina e depois a experiência abnegada da vida na igreja com uma abertura amorosa a um mundo perdido. Realiza-se numa vida renovada: "Em suma, ao olhar para Jesus Cristo, a imagem perfeita de Deus, aprendemos que o bom funcionamento da imagem inclui ser dirigido a Deus, dirigido ao próximo e governar a natureza".[97]

FONTES PARA ESTUDO ADICIONAL

FONTES PRIMÁRIAS

BULLINGER, Heinrich. *The First Decade* [A primeira década]. Em *The Decades of Heinrich Bullinger*, editado por Thomas Harding, 1:36–192. 1849–1852. Reprint, Grand Rapids, MI: Reformation Heritage Books, 2004.

CALVINO, João. *Calvin's Commentaries* [Comentários de Calvino]. v. 1, *Commentary on Genesis* [Comentário sobre Gênesis]. 1844-1856. Grand Rapids: Baker, 1979.

——. *As institutas – edição clássica* (1985). *As institutas – edição especial*. 4. vols. São Paulo: Editora Cultura Cristã, 2006.

——. *Sermons on Genesis 1:1—11:4: Forty-Nine Sermons Delivered in Geneva between 4 September 1559 and 23 January 1560* [Sermões sobre Gênesis 1:1—11:4: 49 sermões apresentados em Genebra, entre 4 de setembro de 1559 e 23 de janeiro de 1560]. Edinburgo: Banner of Truth, 2009.

LENKER, John Nicholas (ed). *Sermons of Martin Luther* [Sermões de Martinho Lutero]. Vol. 8, *Sermons on Epistle Texts for Trinity Sunday to Advent with an Index of Sermon Texts in Volumes 1–8* [Sermões sobre os textos das Epístolas para o Domingo da Trindade ao Advento, com um índice de textos dos sermões nos volumes 1-8]. Grand Rapids: Baker, 1989.

LUTERO, Martinho. "Textos Selecionados da Preleção sobre Gênesis" em *Obras selecionadas, Volume 12: Interpretação do Antigo Testamento*. Comissão Interluterana de Literatura. 14 vols. (prev.). São Leopoldo, RS: Editora Sinodal; Porto Alegre, RS: Editora Concórdia, s/d.

---

[95] Bullinger, sermão 1 de *The First Decade*, In: *The Decades of Henry Bullinger*, 1:42,43.
[96] Melanchthon, *Loci Communes, tertia aetas*, v. 2, pt. 1, p. 275, 10. Tradução do autor.
[97] Anthony A. Hoekema, *Created in God's Image*. Grand Rapids: Eerdmans, 1994, p. 75.

MELANCHTHON, Philip. *Initia doctrinae physicae*. Em vol. 13 de *Corpus Reformatorum*, editado por C. G. Brettschneider e H. E. Bindseil, 179–412. Halle: Schwetschke, 1846.

——. *Loci praecipui theologici nunc denuo cura et diligentia summa recogniti multisque in locis copiose illustrati* (*Loci Communes, tertia aetas*). Em *Melanchthons Werke in Auswahl* [*Studien-Ausgabe*], edited by Robert Stupperich, 2.1.164–2.2.780. 1559. Reprint, Gütersloh: Bertelsmann, 1955.

TYNDALE, William. *The Obedience of a Christian Man* [A obediência de um homem cristão]. Editado por David Daniell. Londres: Penguin, 2000.

VIRET, Pierre. *Instruction Chrétienne, Tome Troisième*. Editado por Arthur-Louis Hofer. Lausanne: L'Age D'Homme, 2013.

ZUÍNGLIO, *Of the Clarity and Certainty or Power of the Word of God* [Sobre a clareza e a certeza ou O poder da Palavra de Deus]. In: G. W. Bromiley (ed.). *Zwingli and Bullinger: Selected Translations with Introductions and Notes* [Zuínglio e Bullinger: Traduções selecionadas, com introduções e notas], p. 49-95. Library of Christian Classics 24. Filadélfia: Westminster, 1953.

Fontes secundárias

BERKOUWER, G. C. *Man: The Image of God* [Homem: a imagem de Deus]. Grand Rapids: Eerdmans, 1962.

CAMERON, Nigel M. De S. *Evolution and the Authority of the Bible* [Evolução e a autoridade da Bíblia]. Exeter: Paternoster, 1983.

COOPER, John W. *Body, Soul, and Life Everlasting: Biblical Anthropology and the Monism-Dualism Debate* [Corpo, alma e vida eternal: Antropologia bíblica e o debate monismo-dualimos]. Vancouver: Regent College Publishing, 1995.

DANIELL, David. *William Tyndale: A Biography* [William Tyndale: uma biografia]. New Haven: Yale University Press, 1994.

DEMAUS, Robert. *William Tyndale: A Biography* [William Tyndale: uma biografia]. 1871. Nashville: Cokesbury, 1927.

HOEKEMA, Anthony A. *Created in God's Image* [Criado à imagem de Deus]. Grand Rapids: Eerdmans, 1994.

KELLY, Douglas F. *Creation and Change: Genesis 1.1—2.4 in the Light of Changing Scientific Paradigms* [Criação e mudança: Gênesis 1.1–2.4 à luz da mudança de paradigmas científicos]. Fearn, Ross-shire, Scotland: Mentor, 1997.

MORRIS, Henry M. *The Genesis Record: A Scientific and Devotional Commentary on the Book of Beginnings* [O registro de Gênesis: um comentário científico e devocional do Livro dos Começos]. Grand Rapids: Baker, 1976.

MURRAY, John. "Man in the Image of God" [O homem à imagem de Deus]. Em *Collected Writings of John Murray* [Escritos selecionados de John Murray], v. 2, *Systematic Theology* [Teologia sistemática], p. 41-45. Edinburgo: Banner of Truth, 1977.

OBERMAN, Heiko A. *The Harvest of Medieval Theology: Gabriel Biel and Late Medieval Nominalism* [A colheita da teologia medieval: Gabriel Biel e o nominalismo medieval tardio]. 3. ed. Durham: Labyrinth, 1983.

SCHAFF, Philip. *The Creeds of Christendom: With a History and Critical Notes* [Os credos do cristianismo: com uma história e notas críticas]. v. 3, *The Evangelical Protestant Creeds* [Os credos evangélicos protestantes]. Revisado por David S. Schaff. 1877. Reimpressão, Grand Rapids: Baker, 1996.

SMEETON, Donald Dean. *Lollard Themes in the Reformation Theology of William Tyndale* [Temas lolardos na teologia reformada de William Tyndale]. Sixteenth Century Essays & Studies 6. Kirkville: Sixteenth Century Journal Publishers, 1986.

TORRANCE, T. F. *Calvin's Doctrine of Man* [A doutrina de Calvino a respeito do homem]. Londres: Lutterworth, 1949.

——. *Theological Science* [Ciência teológica]. Londres: Oxford University Press, 1969.

Capítulo 9
A PESSOA DE CRISTO

Robert Letham

RESUMO

A cristologia não era uma fonte de atrito entre Roma e os reformadores. As principais questões do século XVI diziam respeito à posição inovadora de Lutero e do luteranismo sobre a natureza da união hipostática e seu impacto na Ceia do Senhor. Eles afirmaram que os atributos divinos haviam sido comunicados à humanidade de Cristo. Os reformadores responderam insistindo que, por causa da ascensão corporal, Cristo transcendeu os limites da humanidade que assumiu. Essa diferença afetou a controvérsia sobre a presença de Cristo na Ceia do Senhor.

INTRODUÇÃO

A cristologia não era um grande problema entre os reformadores e a igreja romana. Ambos aceitavam o dogma cristológico clássico, tal como havia sido elaborado nos séculos V, VI e VII. Com relação a isso, a igreja, tanto no Oriente como no Ocidente, afirmou que o eterno Filho de Deus tinha, na encarnação, tomado uma natureza humana completa em união pessoal, de modo que a humanidade assumida era e é a humanidade do Filho eterno. Em resposta à pergunta de *quem* era Jesus de Nazaré, a resposta foi que ele era o Filho de Deus. Quando perguntada sobre em *que* ele consistia, a resposta foi que ele era ao mesmo tempo completamente Deus e completamente humano. Assim, a igreja confessava a identidade pessoal e a continuidade entre um membro da Trindade e o [Filho] encarnado, a natureza humana não tendo existência à parte de ter sido assumida na concepção virginal. Sobre esse tópico, ambos os lados concordaram. A única questão menor cercou a atribuição feita por Calvino do termo *autotheos* (asseidade) ao Filho, em sua oposição a Valentino Gentile, antitrinitariano italiano.[1] No entanto, o principal teólogo católico romano, Robert Bellarmine, reconheceu a ortodoxia de Calvino sobre esse ponto.[2]

---

[1] Sobre a doutrina de Calvino sobre *autotheos*, veja "John Calvin", cap. 5, "The Trinity", por Michael Reeves, p. 200.
[2] Robert Letham, *The Holy Trinity: In Scripture, History, Theology, and Worship*. Phillipsburg: P&R, 2004, p. 256, 257.

Além disso, o assunto tem mais relação com trinitarianismo do que com cristologia. A principal área de preocupação dizia respeito às diferenças entre as cristologias luterana e reformada, que afetavam as respectivas opiniões sobre a eucaristia. Elas foram expressas nos escritos dos representantes das duas confissões e chegaram a um ponto culminante em três colóquios: Marburgo, em 1529, Malbronn, em 1564, e Montbéliard, em 1586. Assim, vamos nos concentrar nas questões teológicas em torno da eucaristia. Além disso, notaremos como alguns anabatistas mantiveram ideias heterodoxas sobre a carne celestial de Cristo.

MARTINHO LUTERO E A COMUNICAÇÃO DE ATRIBUTOS

Para Lutero, Cristo era a chave para interpretar a Escritura. Em seu "Prefácio às Epístolas de Tiago e Judas", ele declarou que não podia aceitar que Tiago fosse escrito por um apóstolo ou fosse canônico, pois "não menciona uma só vez a paixão, a ressurreição ou o Espírito de Cristo", mensagens que um verdadeiro apóstolo proclamaria, "e esse é o verdadeiro teste pelo qual julgar todos os livros: quando os vemos ou não inculcar Cristo" – "porque todas as Escrituras nos mostram Cristo".[3] Independente de quem seja o autor, se o livro não ensina Cristo, não é apostólico.[4] Lutero considerava o Antigo Testamento um livro sobre Cristo, dando testemunho dele como lei e promessa.[5] Assim, em seu "Prefácio ao Antigo Testamento", ele disse: "Os profetas não são nada mais do que administradores e testemunhas de Moisés e de seu ofício, trazendo todos a Cristo mediante a lei", de modo que, "se você for interpretá-la corretamente e com segurança, ponha Cristo diante de ti, pois ele é o homem a quem tudo se aplica, cada pedaço dele [do Antigo Testamento]."[6]

Althaus está correto ao afirmar que Lutero se distingue por seu foco generalizado na salvação[7] e que, para este, "o verdadeiro conhecimento de Cristo consiste em reconhecer e compreender a vontade de Deus para mim na vontade de Cristo para mim e a obra de Deus para me salvar na obra de Cristo por mim".[8] Atkinson afirma que isso é "a dinâmica de sua [de Lutero] teologia".[9]

---

[3] Martinho Lutero, "Preface to the Epistles of St. James and St. Jude", *LW* 35:396. ["Prefácio às Epístolas de Tiago e Judas", em *Martinho Lutero Obras selecionadas, v. 8: Interpretação bíblica – Princípios*. Comissão Interluterana de Literatura. São Leopoldo: Editora Sinodal; Porto Alegre, RS: Editora Concórdia, s/d.].

[4] Veja Martinho Lutero, *Commentary on Psalm 45*, *LW* 12:260; Lutero, *Against Latomus*, *LW* 32:229–30 ["Refutação do parecer de Látomo", Lutero, *Obras selecionadas, v. 3: Debates e Controvérsias I*].

[5] Paul Althaus, *The Theology of Martin Luther*. Filadélfia: Fortress, 1966, p. 92.

[6] Martinho Lutero, "Preface to the Old Testament", *LW* 35:247 ["Prefácio ao Antigo Testamento", Lutero, *Obras selecionadas, v. 8: Interpretação bíblica – Princípios*]; James Atkinson, *Martin Luther and the Birth of Protestantism* (1968) Atlanta: John Knox, 1982, p. 95–102.

[7] Althaus, *Theology of Martin Luther*, p. 181–186.

[8] Ibid., p. 189.

[9] Atkinson, *Luther*, p. 127. Veja também Gerhard Ebeling, *Luther: An Introduction to His Thought*. Londres: Collins, 1972, p. 235.

Como Althaus observa, Lutero "aceita expressamente os grandes credos ecumênicos das teologias grega e latina, e, além de conceitos individuais, ele não expressa nenhuma crítica aos dogmas cristológicos tradicionais".[10] Comentando sobre Filipenses 2:6, Lutero declarou: "O termo 'forma de Deus' [ACF] aqui não significa a essência de Deus, porque Cristo nunca se esvaziou disso".[11] A compreensão de Lutero dos dogmas gêmeos da *anhypostasia*[12] e da *enhypostasia*[13] é clara e importante para sua cristologia, pois constitui a base de suas ideias peculiares da *communicatio idiomatum*,[14] que é parte integrante de toda a cristologia. Ele escreveu:

> Como a divindade e a humanidade são uma só pessoa em Cristo, as Escrituras atribuem à divindade, por causa dessa união pessoal, tudo o que acontece à humanidade, e vice-versa — e de fato é assim. Na verdade, você deve dizer que a pessoa (referindo-se a Cristo) sofre e morre, mas essa pessoa é verdadeiramente Deus e, portanto, é correto dizer: o Filho de Deus sofre. Embora, por assim dizer, uma parte (ou seja, a divindade) não sofra, ainda assim a pessoa, que é Deus, sofre em outra parte (ou seja, na humanidade).[15]

Ele usou várias analogias. O filho do rei é ferido quando apenas sua perna está ferida; Salomão é sábio, embora somente sua alma seja sábia; Pedro é grisalho, embora só sua cabeça seja grisalha. Assim, a pessoa de Cristo é crucificada de acordo com sua humanidade.[16] Tudo isso está em harmonia com o dogma clássico, no entanto, Lutero acrescentou um toque distintamente novo. Para ele, Cristo manteve toda a gama de atributos divinos de acordo com sua natureza humana, e estes foram comunicados à sua humanidade em virtude da união hipostática. Assim, Cristo, de acordo com sua natureza humana, possuía os atributos da

---

[10] Althaus, *Theology of Martin Luther*, p. 179.

[11] Martinho Lutero, "Two Kinds of Righteousness", *LW* 31:301 ["Sermão sobre as duas espécies de justiça", *Obras selecionadas, v. 1: Os primórdios. Escritos de 1517 a 1519*].

[12] Esse é o dogma de que a natureza humana de Cristo não tem existência pessoal própria à parte da união em que foi assumida na encarnação. Isso significa que o Filho de Deus não se uniu a um ser humano (o que implicaria duas entidades pessoais separadas), mas a uma natureza humana.

[13] Esse dogma, promulgado no Segundo Concílio de Constantinopla (553), diz que o Filho eterno é a pessoa do Cristo encarnado, que se uniu a uma natureza humana concebida pelo Espírito Santo no ventre da virgem Maria. Por trás desse dogma reside o ensinamento bíblico de que o homem é feito à imagem de Deus e, portanto, é, como criatura, ontologicamente compatível com Deus. Assim, o Filho de Deus fornece a personalidade para a natureza humana assumida.

[14] A comunicação dos idiomas decorre do fato de que Cristo é o Filho de Deus, a quem foi acrescentada a natureza humana na encarnação. Consequentemente, os atributos da divindade e da humanidade são previsíveis da pessoa de Cristo. A cristologia clássica afirmou que essas duas naturezas estão indivisivelmente unidas na pessoa de Cristo, mas ainda mantêm sua identidade distinta. A questão levantada por Lutero e seus seguidores foi se os atributos divinos são comunicados à natureza *humana* de Cristo.

[15] Martinho Lutero, *Confession concerning Christ's Supper*, *LW* 37:210 ["Da Santa Ceia de Cristo – Confissão", *Obras selecionadas, v. 4: Debates e Controvérsias II*].

[16] Ibid., 37:211.

majestade divina. Lutero não entendia que Filipenses 2:6,7 se referisse ao Cristo preexistente que se autoesvaziou, como os exegetas da igreja primitiva fizeram, mas imaginou que se referia à atitude do Cristo terreno. Ele constantemente esvaziou-se [a si mesmo] durante toda a vida terrena.[17] Ele "não estava desejoso de usar sua posição contra nós, não desejava ser diferente de nós", e "embora estivesse livre [...] fez-se servo de todos [Marcos 9:35]"[18] – esse é um contínuo autoesvaziamento que conduz à cruz.[19]

Embora Lutero enfatizasse o *genus majestaticum* – que os atributos divinos são comunicados à humanidade de Cristo – como pressuposto de seu autoesvaziamento na história, Althaus considera que isso está em conflito não só com a apresentação bíblica de Cristo e com a aceitação por parte de Lutero dos credos ecumênicos, mas especialmente com o *enhypostasia*. Mas, argumenta Althaus, o *genus majestaticum* é equilibrado quando Lutero aceita o *genus tapeinoticon*: Deus em Cristo compartilhou a fraqueza, o sofrimento e a humilhação de Jesus. Para Lutero, Deus sofre em Cristo, e o reformador viu isso como um mistério incompreensível.[20] Isso vem à tona na doutrina de Lutero sobre a presença real de Cristo na Ceia do Senhor, uma vez que ele sustentava enfaticamente que o corpo e o sangue de Cristo estão presentes corporalmente dentro, com e sob o pão e o vinho em virtude da participação desses elementos no atributo divino da onipresença. A carne de Cristo não é carnal – isto é, ela não está sob a maldição de Deus nem requer regeneração –, mas é espiritual, uma vez que Cristo nasceu do Espírito Santo, e, portanto, é a carne de Deus que dá vida a todos os que a comem em fé.[21]

O pensamento cristológico básico de Lutero era que não há Deus separado de Cristo e, portanto, a humanidade de Cristo é onipresente. A mão direita de Deus não deve estar localizada em um só lugar, mas está em toda parte: "Onde está a Escritura que limita a mão direita de Deus dessa maneira a um lugar?"[22] Citando Salmos 139, Lutero declarou:

> As Escrituras nos ensinam [...] que a mão direita de Deus não é um lugar específico no qual um corpo deve ou pode estar [...] mas é o agir todo-poderoso de Deus que, ao mesmo

---

[17] Lutero, "Two Kinds of Righteousness", *LW* 31:301–2 ["Sermão sobre as duas espécies de justiça", *Obras selecionadas, v. 1: Os primórdios. Escritos de 1517 a 1519*]; Martinho Lutero, *The Freedom of a Christian*, *LW* 31:366 ["Tratado de Martinho Lutero sobre a liberdade cristã", *Obras selecionadas, v. 2: O Programa da Reforma. Escritos em 1520*].
[18] Lutero, "Two Kinds of Righteousness" ["Os dois tipos de justiça"], *LW* 31:301.
[19] Ibid., *LW* 31:300–303.
[20] Althaus, *Theology of Martin Luther*, p. 196–198.
[21] Martinho Lutero, *That These Words of Christ, "This Is My Body", Still Stand Firm against the Fanatics*, *LW* 37:98–100, 124. Veja também Lutero, *Confession concerning Christ's Supper*, *LW* 37:236–238 ["Da Santa Ceia de Cristo – Confissão"].
[22] Lutero, *That These Words of Christ*, *LW* 37:56.

tempo, pode estar em lugar nenhum e ainda estar em toda parte. [...] Pois, se estivesse em algum lugar específico, teria de estar ali de maneira circunscrita e determinada [...] de modo que não poderia, enquanto isso, estar em qualquer outro lugar. Mas o poder de Deus não pode ser tão determinado e medido, pois é incircunscrito e imensurável, além e acima de tudo o que é e pode ser. [...] Por outro lado, deve estar essencialmente presente em todos os lugares, mesmo na mais ínfima folha de árvore.[23]

Lutero concluiu que Cristo, à destra de Deus, está presente ao mesmo tempo no céu e na Ceia, pois "não é contrário à Escritura nem aos artigos de fé que o corpo de Cristo esteja ao mesmo tempo no céu e na Ceia",[24] e também atacou a ideia de *alloiosis* defendida por Zuínglio, na qual uma natureza é tomada pela outra.[25] O que queremos, disse Lutero, "é a Escritura e razões sãs, não o ranho e o vociferar [de Zuínglio]".[26] Ele se defendeu fortemente da alegação de que misturou as naturezas. Ao contrário, seus oponentes ameaçaram dividir a pessoa, no entanto, há evidências de que Lutero não tinha entendido Zuínglio, pensando que ele tinha confinado a mão direita de Deus a um único espaço no céu.[27]

Isso nos ajudará a entender como Lutero chegou a essas conclusões, sabendo que ele considerava haver três possíveis formas de presença. A primeira: um objeto está local ou circunscritamente em um lugar, onde o objeto e o espaço se encaixam com precisão – isso se aplica a pessoas, que ocupam locais específicos. A segunda: um objeto está presente definitivamente ou de forma não circunscrita, onde pode ocupar mais ou menos espaço. Assim ocorreu com o Cristo ressuscitado, que passou através da pedra que selava seu túmulo e através de portas trancadas. Os anjos também não estão confinados a espaços particulares. A terceira: só Deus ocupa lugares de maneira completa, estando presente em todos os lugares em todos os momentos e preenchendo-os, embora não seja medido por qualquer um deles. Portanto, não podemos limitar nossos pensamentos sobre a presença de Cristo a um único modo de presença. Considerando que o Cristo ressuscitado estava presente definitivamente, faz sentido tomar "este é o meu corpo" tal como está. Onde quer que Cristo esteja, ele está presente como Deus e como homem; se não fosse assim, ele estaria dividido. Em vez disso, ele é uma pessoa com Deus, além de quem não há nada maior.[28] Tendo em vista que ele é uma pessoa indivisível com Deus, onde quer que Deus esteja, Cristo deve estar também. Esse é um mistério conhecido apenas por Deus; Lutero escreveu sobre isso apenas para mos-

---

[23] Ibid., *LW* 37:57.
[24] Ibid., *LW* 37:55.
[25] Lutero, "Confession *concerning Christ's Supper*", *LW* 37:209, 210.
[26] Ibid., *LW* 37:212.
[27] Ibid., *LW* 37:212, 213.
[28] Ibid., *LW* 37:215–218, 221, 222.

trar "quão tolos nossos fanáticos são".[29] Então, exclamou: "Saia daqui, seu fanático estúpido, com suas ideias sem valor!"[30]

Lutero expressou essas ideias veementemente no Colóquio de Marburgo (1529), onde entrou em sério conflito com Zuínglio. Mas, antes de examinar o que aconteceu lá, precisamos investigar a cristologia zuingliana.

ULRICO ZUÍNGLIO E A *ALLOIOSIS*

Em sua teologia mais ampla, a ênfase de Zuínglio estava em Deus, e não no homem, assim como sua cristologia estava em Cristo como Deus. Como resultado, enquanto Lutero enfaticamente afirmava a unidade da pessoa de Cristo, Zuínglio distinguia nitidamente entre as duas naturezas. Isso levou Lutero a acusá-lo de afirmar que um mero homem havia morrido por nós.[31] Essa distinção nítida, quase separação, entre as naturezas é clara no *Commentary on True and False Religion* [Comentário sobre a religião verdadeira e a falsa] (1525), onde Zuínglio escreveu que Cristo é nossa salvação de acordo com sua natureza divina, não de acordo com sua humanidade.[32] Assim, em João 6, quando Cristo fala de carne e sangue, está simplesmente se referindo ao evangelho, ao comer e beber pela fé: "Esta, então, é a terceira marca segura de que Cristo não está falando aqui do comer sacramental; pois ele por si só é salvação suficiente para nós por ter sido morto por nós; todavia, ele poderia ser morto apenas de acordo com a carne e poderia ser a salvação dada apenas de acordo com sua divindade".[33] Muito dessa seção é dedicado a estabelecer que João 6 não se refere ao comer sacramental, mas, ao fazê-lo, Zuínglio aproximou-se da separação nestoriana entre as naturezas.[34] Em seguida, ele considerou a expressão "este é o meu corpo" como sendo "isto significa o corpo".[35] No debate eucarístico com Lutero, Zuínglio tanto enfatizou a distinção entre as duas naturezas, mantendo a unidade da pessoa, que Lutero o acusou de nestorianismo.[36]

Sobre a *communicatio idiomatum*, Zuínglio argumentou que se atribui a uma das naturezas o que é realizado pela outra. Essa é uma figura de discurso com base na unidade da pessoa de Cristo e não representa uma transferência real de atributos.[37] A palavra mais usual de Zuínglio a esse respeito foi *alloiosis*, indicando que, quando nos referimos a uma natureza, entendemos também a outra, ou, quando

---

[29] Ibid., *LW* 37:223.
[30] Ibid., *LW* 37:220.
[31] W. P. Stephens, *The Theology of Huldrych Zwingli*. Oxford: Clarendon, 1986, p. 111.
[32] Huldrych Zwingli, *Commentary on True and False Religion*, editado por Samuel Macaulay Jackson e Clarence Nevin Heller (1929). Durham: Labyrinth, 1981, p. 204.
[33] Ibid., p. 205.
[34] Ibid., p. 199–211.
[35] Ibid., p. 226–230.
[36] Ibid., p. 113, 114.
[37] Ibid., p. 205.

nomeamos ambas, no entanto entendemos apenas uma. Consequentemente, Zuínglio resistiu à crença de Lutero na ubiquidade da humanidade de Cristo – o que aponta para a raiz do conflito com Lutero. Enquanto Lutero mantinha unidas as duas naturezas a tal ponto que podia duvidar-se de ter ele feito justiça à humanidade, Zuínglio as distinguiu a um ponto em que se podia perguntar se ele tinha uma compreensão adequada da unidade da pessoa.

Esse embate subjazia à controvérsia sacramental. Em uma de suas primeiras obras, *Exposition of the Articles* [Exposição dos artigos] (1523), Zuínglio sustentou que a Eucaristia fortalece a fé; no entanto, ele abandonou essa posição quando escreveu seu *Comentário sobre a religião verdadeira e a falsa* (1525).[38] Foi a partir dessa época que a controvérsia com Lutero se desenvolveu. O principal argumento de Zuínglio, evidenciado pelo registro do debate em Marburgo, focou-se na ascensão. Para ele, o corpo de Cristo só poderia estar em um único lugar. Desde a ascensão, ele está à mão direita de Deus, *in loco*. Portanto, ele não poderia estar corporalmente presente na Eucaristia, e nem a onipotência de Deus nem a vontade de Cristo tornam seu corpo onipresente.[39] Em Marburgo, Zuínglio recorreu repetidamente ao que ele pensava ser o significado claro de João 6:63: "O Espírito dá vida; a carne não produz nada que se aproveite. As palavras que eu lhes disse são espírito e vida". No entanto, ao desenvolver questões teológicas mais amplas, Zuínglio lia esse texto pela lente de seu neoplatonismo, o que tornou difícil para ele ver como as entidades materiais poderiam ser canal das realidades espirituais.[40] Ele concordou que Cristo estava presente na Ceia, mas não podia aceitar que isso ocorria de forma corporal.[41] O corpo de Cristo é humano e tem características humanas, por isso sofre as limitações do espaço e do tempo.

Em seu breve tratado *On the Lord's Supper* [Sobre a Ceia do Senhor] (1526), está claro que Zuínglio acentuou a natureza humana, tratando as duas naturezas como virtualmente autônomas. Ele considerou que Cristo experimenta coisas de acordo com sua natureza mais do que de acordo com sua pessoa. Por conseguinte, foi somente em sua natureza humana que Cristo experimentou a ascensão; assim, ele está ausente e seu corpo e seu sangue não podem estar presentes no sacramento. Somente a natureza divina de Cristo é ubíqua, ou então ele não teria necessidade de ascender. Consequentemente, o corpo do Cristo ascendido está em um lugar e não pode estar presente simultaneamente na Ceia. Portanto, a frase "este é o meu corpo" é um tropo.[42]

---

[38] Stephens, *Theology of Zwingli*, p. 222.
[39] Ibid., p. 238.
[40] Robert Letham, "Baptism in the Writings of the Reformers", *SBET 7*, n. 2, 1989, p. 21–44.
[41] Stephens, *Theology of Zwingli*, p. 252.
[42] Ulrico Zuínglio, *On the Lord's Supper*, in *Zwingli and Bullinger: Selected Translations with Introductions and Notes*, editado por G. W. Bromiley, LCC 24. Londres: SCM, 1953, p. 212, 214, 215, 219–227.

Bromiley, em sua introdução a essa obra, concorda que "deve ser admitido que Zuínglio tendia para aquele isolamento das naturezas ou aspectos distintivos, tanto do próprio Cristo como da Palavra e dos sacramentos".[43] Mais tarde, no entanto, em *An Exposition of the Faith* [Uma exposição da fé] (1529), Zuínglio mostrou uma declaração ortodoxa de cristologia.[44]

O COLÓQUIO DE MARBURGO (1529)

O Colóquio foi convocado por Filipe I de Hesse, de modo a apresentar uma frente protestante unida contra o imperador Carlos V. O imperador tinha feito um acordo com o papa e o rei da França, tornando os protestantes vulneráveis. Filipe queria um acordo teológico como base para uma aliança defensiva, mas as conversas emperraram quando se discutiu a natureza da presença de Cristo na Ceia do Senhor. Subjacentes a essas diferenças estavam questões cristológicas mais profundas. Em particular, suas diferenças sobre o *communicatio idiomatum* ressaltaram as cristologias significativamente diferentes dos dois reformadores, que, por sua vez, e entre outras coisas, afetaram a visão que tinham da eucaristia. Como Atkinson aponta, Lutero era quase eutiquiano, misturando divino e humano, enquanto Zuínglio beirava o nestorianismo.[45] Lutero tinha uma forte doutrina da união hipostática; o foco de Zuínglio estava no caráter distintivo da humanidade de Cristo, embora sua concentração total estivesse em sua divindade.

Em parte, esse impasse refletia desenvolvimentos anteriores na cristologia patrística. Calcedônia (451) tinha destacado as duas naturezas "se unindo" para formar uma pessoa, um e o mesmo Cristo. Isso criara problemas para os seguidores de Cirilo (c. 378–444), a figura principal por trás da rejeição de Nestório, e levou muitos a deserdar, pensando que Calcedônia tinha feito demasiadas concessões aos nestorianos. O Segundo Concílio de Constantinopla (553) resolveu muitas dessas questões por meio dos dogmas gêmeos da *anhypostasia* e do *enhypostasia*, afirmando a unidade e a continuidade da pessoa de Cristo, assumindo a humanidade do Filho. Nesse sentido, Zuínglio podia ser considerado, em termos calcedônicos, como alguém que destacava o dogma das duas naturezas, ao passo que Lutero tinha uma compreensão mais forte da resolução enipostática.[46]

---

[43] G. W. Bromiley, "Introduction to *On the Lord's Supper*", In: *Zwingli and Bullinger*, p. 183.
[44] Ulrico Zuínglio, "An Exposition of the Faith", In: *Zwingli and Bullinger*, p. 251–253.
[45] Atkinson, *Luther*, p. 269.
[46] Para material adicional sobre o Colóquio de Marburgo, veja especialmente a transcrição do registro do debate feito por Rudolph Collini em B. J. Kidd (ed.). *Documents Illustrative of the Continental Reformation*. Oxford: Clarendon, 1918, p. 247–254.

LUTERANISMO APÓS LUTERO

JOHANNES BRENZ (1499-1570)

O principal trabalho de Brenz em cristologia foi *De personali unione duarum naturam em Christo* (1561).[47] Ele construiu sua ideia de *communicatio idiomatum* sobre a doutrina patrística de que divindade e humanidade estão inseparável e indivisivelmente unidas. Como o Filho de Deus desde a eternidade tinha imenso poder, agora também o tem o Filho do homem. É mera sabedoria humana que se opõe à ideia de que a humanidade está em toda a parte em que a divindade está. Quando a Palavra se fez carne, toda a majestade de sua divindade foi derramada. Brenz viu que isso era efetivo desde o momento da concepção. Aqueles que disseram que isso é contrário à natureza do corpo humano necessitavam se submeter à Palavra de Deus, porque a glória do corpo de Cristo não é de sua humanidade, mas da divindade.[48]

Por isso, para Brenz os atributos divinos foram comunicados à humanidade de Cristo desde a concepção, e o poder que lhe foi dado após a ressurreição, ele o tinha de antemão. A razão humana não pode compreender isso. Baseia-se na união hipostática, em que as propriedades de uma natureza são comunicadas à outra, sendo o poder da humanidade proveniente da divindade, não de si mesma. Brenz estava ciente dos problemas que isso causaria, por isso insistiu que a humanidade não é transformada em divindade, pois as propriedades de ambas as naturezas permanecem. Assim, em termos de espaço geométrico, Cristo não está em toda parte. Essencialmente, a ascensão não era para outro lugar corpóreo ou espacial, mas para a onipotência e a majestade de Deus.[49] É difícil ver como o argumento de Brenz seja compatível com o relato de Cristo nos Evangelhos.

MARTIN CHEMNITZ (1522-1586)

Martin Chemnitz apresentou uma construção mais sofisticada do que Brenz, evitando algumas das falhas óbvias deste. Em *De duabus naturis in Christo* (1578),[50] e em sua tradução em inglês *The Two Natures of Christ* [As duas naturezas de Cristo] (1971)[51], ele apresenta a exposição mais clara e mais cuidadosa da posição luterana.

Chemnitz considerava que havia um aspecto triplo para a comunicação de atributos. O primeiro tipo, resultante da união hipostática, implica a atribuição de

---

[47] Johannes Brenz, *De Personali Unione Duarum Naturarum in Christo, et Ascensu Christi in Coelum, ac Sessione Eius ad Dexteram Dei Patris. Qua Vera Corporis et Sanguinis Christi Praesentia in Coena Explicata Est, & Confirmata*. Tübingen: Viduam Ulrichi Morhadi, 1561, p. 4–15.
[48] Ibid., 4, 4b, 5, 5b, 6a, 7b.
[49] Ibid., 7b, 8a, 11a–b, 12a, 15a–b.
[50] Martin Chemnitz, *De Duabus Naturis in Christo: De Hypostatica Earum Unione: De Communicatione Idiomatum, et de Aliis Quaestionibus Inde Dependentibus*. Lipsiae: Ramba, 1578.
[51] Martin Chemnitz, *The Two Natures in Christ* (1578) St. Louis: Concordia, 1971.

propriedades da natureza de Cristo a sua pessoa *in concreto*. No segundo tipo, as coisas são atribuídas à pessoa de acordo com ambas as naturezas, quando ambas as naturezas atuam em comunhão uma com a outra naquilo que lhes é comum.[52] A terceira categoria de Chemnitz é a mais significativa para nossos propósitos. Inumeráveis "qualidades sobrenaturais e mesmo qualidades contrárias à condição comum da natureza humana são dadas e comunicadas à natureza humana de Cristo".[53] A Escritura testifica que a humanidade assumida na encarnação retém seus atributos essenciais, mas, pelo fato de a união hipostática ser exaltada acima de todo nome e lhe ser dada todo o poder no céu e na terra, sua carne dá vida. Uma vez que a natureza divina de Cristo habita pessoalmente na natureza assumida, seria blasfemo pensar que, nessa união hipostática, a humanidade de Cristo é deixada apenas em seu estado meramente natural e que não recebeu nada além de seus atributos, poderes e faculdades essenciais. A Escritura afirma que Cristo foi ungido acima de seus seguidores. Esses dons infundidos não são os atributos essenciais da natureza divina, mas são suas operações exteriores à natureza divina infundidas na natureza humana, de modo que eles habitam a natureza humana formal, habitual e subjetivamente, fazendo-a um instrumento adequado à divindade. Há ecos aqui da distinção entre a essência de Deus e sua obra, distinção esta exposta pelos capadócios na crise trinitariana do quarto século e expressa mais tarde na teologia ortodoxa por Gregório Palamas como uma distinção entre essência e energias. Chemnitz reforçou seus comentários usando extensas citações dos pais [apostólicos ou "da Igreja"]. Esses dons não são apenas dons criados, finitos ou habituais, mas também são atributos da natureza divina de Cristo, atributos pertencentes à própria divindade, mas dados de acordo com a natureza humana assumida. Assim Cristo, de acordo com sua natureza humana, recebeu a onipotência, que pertence propriamente à natureza divina. A divindade tem o tipo de comunhão com a humanidade que o fogo tem quando transfere sua essência e seu calor para queimar ferro, sem qualquer mistura. A glória do Unigênito nem sempre se revelou em plenitude pela carne assumida no momento de sua humilhação, mas, quando a humilhação foi posta de lado, Cristo foi exaltado de acordo com a natureza humana e, assim, entrou na glória.[54]

Chemnitz tinha clareza de que não há mistura ou mudança em qualquer natureza. Os atributos divinos comunicados à humanidade não são possuídos essencialmente pela natureza humana; caso contrário, a natureza divina seria comutada. As propriedades de uma natureza não podem se tornar as propriedades da outra, e qualquer ideia dessa comunicação essencial dos atributos divinos deve ser rejeitada. Não há equilíbrio de naturezas, nenhuma comunicação de essências ou naturezas.

---

[52] Ibid., p. 215–240.
[53] Ibid., p. 241,242.
[54] Ibid., p. 243,244, 247–256, 259, 263,264.

Por outro lado, Chemnitz também rejeitou qualquer negação de que a majestade é comunicada à natureza assumida, com o corolário de que a humanidade na união hipostática não tem participação nos atributos divinos. Ele também se opôs à alegação de que os atributos divinos se referem apenas à pessoa e são dados apenas verbalmente a Cristo como homem, não tendo a humanidade absolutamente nenhuma comunhão neles. Chemnitz afirmou que a teologia antiga tinha uma opinião única sobre isso, ao passo que os reformados haviam sido evasivos, dizendo que esses dons eram dados à pessoa de Cristo, mas não à natureza humana, como se a pessoa existisse exteriormente às naturezas unidas, de modo que a pessoa tivesse algo que uma das naturezas ou ambas não têm.[55]

Chemnitz concordou que esse é um mistério, recebido por nós mediante a fé. Ele ocorre pela interpenetração, como o fogo no ferro aquecido: toda a majestade da divindade de Cristo brilha na humanidade, operando com ela e por meio dela, sem se misturar, para que a natureza assumida possa dar vida e dominar todas as coisas. Ele citou profusamente os pais: Atanásio, Cirilo, Justino, Ambrósio, Eusébio, Teodoreto, e Leão I, bem como o Terceiro Concílio de Constantinopla (680–681). Em suma, a comunicação flui da união hipostática, e não o contrário; e isso serve de proteção contra a ideia de que toda a Trindade se encarnou.[56]

A. B. Bruce pensa que Chemnitz provavelmente não se diferenciava teoricamente dos reformados.[57] De fato, sugiro aqui que Chemnitz teve uma melhor compreensão da doutrina clássica da encarnação do que teve Zuínglio e muitos dos reformados. Sua premissa básica era a união hipostática, em vez das duas naturezas, uma perspectiva mais de acordo com a resolução cristológica patrística final. Sua visão da *ubiquidade* também foi matizada. Cristo *é capaz de estar presente* quando, onde e como lhe agrada. Essa é uma onipresença hipotética ou opcional, como Bruce a chama.[58] Chemnitz via isso como uma dedução lógica da união hipostática, a partir da qual o Logos não está fora da carne. Segue-se que a natureza humana de Cristo está sempre íntima e inseparavelmente presente no Logos, com a possibilidade de estar presente, de acordo com sua vontade, em qualquer parte da criação. Chemnitz sustentou que, em seu estado de humilhação, Cristo apenas ocasionalmente usou esses dons, mas, depois da ascensão, ele os usou plenamente. Brenz, por outro lado, pensava que, ao possuir esses dons desde a concepção, Cristo os usava furtivamente.[59]

---

[55] Ibid., p. 267, 270, 278–283.
[56] Ibid., p. 288,289, 292–312.
[57] A. B. Bruce, *The Humiliation of Christ in Its Physical, Ethical, and Official Aspects*, 5. ed. Edinburgo: T&T Clark, 1905, p. 98.
[58] Ibid., p. 99.
[59] Ibid., p. 100–102.

A Fórmula de Concórdia (1576) e Philip Melanchthon

As diferenças entre Brenz e Chemnitz geraram controvérsia. A Fórmula de Concórdia tentou uma resolução, dando proeminência a Chemnitz. O resultado, no artigo 8, é obscuro, parecendo fugir do problema. Posições opostas foram colocadas lado a lado e questões problemáticas passaram em silêncio, e nenhuma distinção foi feita entre propriedades essenciais e acidentais da natureza humana. Essa justaposição desconfortável de elementos incompatíveis deixou os problemas subjacentes não resolvidos.[60]

O artigo 8 apresenta a controvérsia como "se as naturezas divina e humana, nos atributos de cada uma, estão REALMENTE em comunicação mútua, isto é, verdadeiramente e em cada fato e ação, na pessoa de Cristo, e até que ponto essa comunicação se estende".[61] Os sacramentarianos, ou os reformados, a Fórmula reivindica, consideram que uma natureza não comunica à outra qualquer coisa própria a ela, mas que a comunicação é puramente nominal. Eles consideram que Deus não tem nada em comum com a humanidade, nem a humanidade com a divindade, uma acusação de nestorianismo efetivo.

Em oposição, a Fórmula afirmou que as naturezas estão pessoalmente tão unidas que o Filho de Deus e o Filho do homem são um e o mesmo. As naturezas não são misturadas ou mudadas, mas mantêm seus próprios atributos essenciais. Portanto, os atributos divinos de onisciência, onipresença e onipotência nunca se tornam atributos da humanidade. Por outro lado, a união não é uma conjunção em que nenhuma natureza tem pessoalmente algo em comum com a outra, pois é a mais alta comunhão que Deus tem com o homem – como ferro incandescente, corpo e alma. Devido à união pessoal com o Filho, Deus é homem e o homem é Deus. Maria não carregou um mero homem, mas o verdadeiro Filho de Deus, e é corretamente chamada de mãe de Deus. Não foi um mero homem que sofreu e morreu, mas a pessoa do Filho de Deus. Ele sofreu de acordo com sua natureza humana, assumido na unidade com sua pessoa divina. De acordo com sua natureza humana, o Filho do homem é exaltado à destra de Deus.

Na humilhação, Cristo se despojou de sua majestade divina e não a usou até depois da ressurreição, quando deixou de lado a forma de servo, mas não a natureza humana. Portanto, agora ele é onisciente, onipotente e onipresente, não só como Deus, mas também como homem. Assim, ele pode estar presente em seu corpo e sangue na Ceia de acordo definido pela mão direita de Deus. Essa presença não é física ou antropófaga (isto é, transubstanciação), mas é verdadeira e substancial.

Por sua vez, a Fórmula repudiou, entre outras coisas, a posição de que a união pessoal é apenas uma figura de linguagem e que a *communicatio idiomatum* é

---

[60] Ibid., 104–106.
[61] Philip Schaff, *The Creeds of Christendom: With a History and Critical Notes, v. 3, The Evangelical Protestant Creeds* (1877). Grand Rapids: Baker, 1966, p. 147–159.

apenas verbal, sem qualquer fato correspondente. Ela rejeitou a noção de que a humanidade se tornou infinita e, assim, está em toda parte presente com a natureza divina, ou que ela foi feita igual ao divino, e também negou as afirmações de que é impossível para Cristo estar em mais de um lugar com seu corpo, que apenas sua humanidade sofreu por nós e, portanto, o Filho de Deus não tinha comunicação com a natureza humana ou que ele está presente para nós apenas por meio de sua divindade. Rejeitou também aqueles que afirmam que o Filho não realiza obras onipotentes em sua humanidade e com ela, que segundo sua humanidade é incapaz das propriedades da natureza divina e que o poder dado a Cristo de acordo com sua humanidade não tinha comunicação com a onipotência de Deus. Negou ainda que haja limites no que ele pode saber, de modo que Cristo ainda não tenha um conhecimento perfeito de Deus e de suas obras e que ele não pode saber o que veio da eternidade, o que está em toda parte e o que virá da eternidade.

Concentrando-se no período posterior a 1600, Schmid resume a cristologia luterana da seguinte maneira: "Uma comunhão real de ambas as naturezas é assim afirmada, em consequência da qual as duas naturezas não mantêm relações meramente exteriores entre si", mas "uma verdadeira e real transmissão e comunhão".[62]

Bruce faz algumas críticas. Por que a comunicação não é recíproca? – pergunta. Ele aponta corretamente que é um caminho de mão única, do divino ao humano, pois não há reivindicação correspondente de que os atributos da humanidade de Cristo sejam comunicados à sua divindade. Ao fazê-lo, isso ameaça a humanidade de Cristo, pois sua humilhação, embora soteriologicamente necessária, é cristologicamente impossível.[63] Isso é evidente, sugiro, já que dificilmente se pode dizer que Cristo, se onipresente, onipotente e onisciente segundo sua humanidade, estava em estado de humilhação! Bruce conclui, em seu zelo pela deificação da humanidade de Cristo, que a cristologia luterana nos rouba a encarnação.[64]

Surpreendentemente, Philip Melanchthon (1497–1560) mudou para uma posição reformada sobre essa questão ao longo dos anos. Em *Loci Communes*, de 1521, ele nada escreveu sobre a pessoa de Cristo, embora preocupado com as obras de Cristo e as questões imediatas na Reforma. Posteriormente, ele discutiu a ascensão corporal em seu comentário sobre Colossenses, na exposição do capítulo 3.[65] Os *Loci*, de 1555, são claramente reformados, especialmente na seção *De coena Do-*

---

[62] Heinrich Schmid, *The Doctrinal Theology of the Evangelical Lutheran Church*. 3. ed. (1899). Minneapolis: Augsburg, 1961, p. 309,310.

[63] Bruce, *Humiliation of Christ*, p. 106–112.

[64] Ibid., p. 113,114.

[65] Philip Melanchthon, "Enarratio Epistolae Pauli ad Colossenses Praelecta, 1556". In: *Operum omnium*. Wittenberg: Zacharia Schürerio et eius sociis, 1601, 4:358.

mini (Sobre a Ceia do Senhor).⁶⁶ Ele rejeitou a comunicação de atributos de uma natureza para outra.⁶⁷

CRISTOLOGIA REFORMADA

A. B. Bruce resume as características da cristologia reformada em contraposição à luterana em sua ênfase sobre a realidade da humanidade de Cristo e o estado de humilhação. No mesmo molde da cristologia ortodoxa, afirma que Cristo tem duas naturezas, uma mente dupla e uma vontade dupla. Em virtude da união hipostática, tudo o que é dito de Cristo é dito de sua pessoa, às vezes em relação a ambas as naturezas, às vezes em relação a uma delas. Em termos de natureza divina, a diferença está entre ocultação no estado de humilhação e manifestação aberta após a ascensão. Em sua exaltação, a humanidade perdeu algumas propriedades acidentais (fome, sede e coisas semelhantes), ao passo que outras estavam perfeitamente desenvolvidas (glória, majestade, força, sabedoria e virtude); as propriedades essenciais, por sua vez, foram mantidas.⁶⁸

Bruce acredita que a cristologia reformada diferia da cristologia luterana no que diz respeito à natureza da união. Os luteranos acusaram os reformados de verem as naturezas como se elas fossem duas tábuas sem qualquer comunhão real, ao passo que os reformados, por sua vez, enfatizavam a comunicação dos carismas: sabedoria e virtude como qualidades produzidas pelo Logos por meio de seu Espírito. A pergunta de Bruce é: "Como isso faz justiça à união?" Por que essas graças não deveriam resultar da união do Logos com a humanidade? Por que elas devem ser comunicadas de maneira indireta pelo Espírito Santo? Isso não torna a própria união puramente externa?⁶⁹ São questões prementes, como veremos.

Proeminente na cristologia reformada é o esvaziamento (exinanição) do Filho, aplicado à sua natureza divina não por desinvestimento, mas por ocultação (*occultatio*). Daí surgiu a ideia de uma vida dupla do Logos: o *logos totus extra Jesum* e o *logos totus in Jesu* – um não afetado pela encarnação e outro, autocontrolado no homem Jesus Cristo.⁷⁰

JOÃO CALVINO (1509–1564) E O EXTRA CALVINISTICUM

Nas *Institutas*, Calvino perguntou por que era necessário que o Mediador fosse Deus e se tornasse homem. Ele ligou a encarnação à obra abrangente da redenção:

---

⁶⁶ Philip Melanchthon, *Loci Communes Theologici* (1555). Basel: Ioannem Operinum, 1562, p. 41–44, 402–417.
⁶⁷ Philip Melanchthon, *Loci Communes* (1555). In: *Melanchthon on Christian Doctrine: Loci Communes 1555*, traduzido e editado por Clyde L. Manschreck. Grand Rapids: Baker, 1965, p. 34.
⁶⁸ Bruce, *Humiliation of Christ*, p. 114–116, 118–120.
⁶⁹ Ibid., p. 120–124.
⁷⁰ Ibid., p. 125,126.

A situação certamente era irremediável, a não ser que até nós descesse a própria majestade de Deus, já que não estava a nosso alcance subir até ele. Assim, era necessário que o Filho de Deus viesse a ser para nós "Emanuel, isto é, Deus conosco" [Isaías 7:14; Mateus 1:23], de tal maneira que sua divindade e nossa natureza humana pudessem, por mútua conexão, crescerem unidas [*ut mutua coniunctione eius divinitas et hominum natura inter se coalescerent*].[71]

Aqui *coalesco* implica a prioridade ontológica das naturezas em vez da pessoa, o que é contrário à conclusão final do Segundo Concílio de Constantinopla e tem elo com o nestorianismo. Assim, Cristo tomou "o que era nosso para transmitir o que era dele a nós e para fazer o que era dele por natureza nosso pela graça".[72]

Calvino continuou traçando a conexão indissolúvel entre encarnação e expiação:

> A segunda exigência de nossa reconciliação com Deus foi esta: que o homem, o qual por sua desobediência havia se perdido, deveria, por meio de um remédio, combatê-la com obediência, satisfazer o juízo de Deus e pagar as penalidades pelo pecado. Assim, nosso Senhor surgiu como verdadeiro homem e revestiu-se da pessoa e do nome de Adão para tomar o lugar de Adão em obedecer ao Pai, apresentando nossa carne como preço de liquidação da dívida para o juízo justo de Deus e, na mesma carne, pagar a penalidade que tínhamos merecido. Resumindo, uma vez que nem sendo apenas Deus ele poderia sentir a morte, nem sendo somente homem podia vencê-la, ele uniu a natureza humana com a divina, a fim de que, para expiar o pecado, submetesse a fraqueza de uma à morte; e, lutando com a morte pelo poder da outra natureza, ele poderia ganhar a vitória para nós.[73]

Assim, "nossa natureza comum com Cristo é o penhor da nossa comunhão com o Filho de Deus; e, vestido com nossa carne, ele venceu o pecado e a morte juntos, para que a vitória e o triunfo fossem nossos".[74]

Mais tarde, Calvino expôs a *communicatio idiomatum*. Cristo estava livre de toda a corrupção, não apenas por ter nascido de uma virgem, mas

> Porque ele foi santificado pelo Espírito, para que a geração fosse pura e imaculada, como teria sido antes da queda de Adão. [...] Aqui está algo maravilhoso: o Filho de Deus desceu do céu de tal maneira que, sem deixar o céu, ele quis ser carregado no ventre da virgem, para andar sobre a terra e pender na cruz; contudo, ele continuamente encheu o mundo, assim como tinha feito desde o princípio![75]

---

[71] Calvino, *Institutas*, 2.12.1. Para a versão em latim, veja Peter Barth (ed.). *Joannis Calvini Opera Selecta*. Munique: C. Kaiser, 1926–1959, 3:437.
[72] Calvino, *Institutas*, 2.12.2.
[73] Ibid., 2.12.3.
[74] Ibid.
[75] Ibid., 2.13.4.

Calvino enfatizou que o Filho não se restringia à natureza humana, que assumia como união, mas que a transcendia. Isso é o que os luteranos deveriam chamar de *extra Calvinisticum*. No entanto, alguns têm argumentado que Calvino enfatizou tanto as duas naturezas que parecia flertar com o nestorianismo. A divindade de Cristo está tão ligada e unida à sua humanidade (*ita coniunctam unitamque humanitati divinitatem*), que cada uma mantém sua natureza distinta intacta, e, ainda assim, essas duas naturezas constituem um Cristo (*ex duabus illis unus Christus constituatur*).[76] Calvino parece igualar as naturezas, com a possível implicação de que a humanidade existia antes da união, na medida em que esta é formada a partir das duas, impressão esta que é reforçada pela consideração de que a *communicatio* era uma figura de linguagem. Na mesma seção, ele escreveu que as Escrituras às vezes atribuem a Cristo o que se aplica somente à sua humanidade, às vezes o que pertence a sua divindade, e às vezes o que abrange ambas as naturezas, mas não são próprias de uma só: "E elas [as Escrituras] tão sinceramente expressam essa união das duas naturezas de Cristo que, às vezes, elas se comunicam entre si. Essa figura de linguagem é chamada pelos antigos escritores de 'comunicação das propriedades'".[77] Os luteranos consideravam isso uma realidade, não um tropo.

Embora Calvino tenha dito que as passagens que compreendem ambas as naturezas de uma só vez acima de tudo expõem a verdadeira substância de Cristo (como João 1:29; 5:21–23; 8:12; 9:5; 10:11; 15:1), observou que "o nome 'Senhor' pertence exclusivamente à pessoa de Cristo somente porque representa a intermediação entre Deus e nós".[78] Parece que Calvino pensou que a pessoa é uma união de duas naturezas em vez de uma ação do Filho eterno em acrescentar a si a natureza humana.

Essa tendência é particularmente evidente nos comentários de Calvino sobre 1Coríntios 15:27. Lá, ele declarou que, no final, Cristo irá "transferi-lo [o reino] de um modo ou de outro [*quodammodo*] de sua humanidade para sua divindade gloriosa",[79] como se as naturezas tivessem algum grau de autonomia. É isso que está na raiz da tradição reformada de atribuir ao Espírito Santo a união das naturezas e as obras realizadas por Cristo, em vez de à união estabelecida no próprio Filho, pois, se a encarnação fosse simplesmente uma coalescência de duas naturezas, a união seria subsequente às naturezas, quase uma conjunção, e, portanto, exigiria um agente externo para efetuá-la e mantê-la.[80]

---

[76] Ibid., 2.14.1.
[77] Ibid.
[78] Ibid., 2.14.3.
[79] Calvino sobre 1Coríntios 15:27, em *CNTC* 8:327.
[80] Calvino foi acusado de ensinos nestorianos. Thomas Weinandy reconhece que Calvino foi forçado a fazer afirmações como essas a fim de defender a integridade das duas naturezas. Thomas G. Weinandy, *Does God Suffer?* Notre Dame: University of Notre Dame Press, 2000, p. 188. Ele concorda com Willis quando este diz que

Calvino concordava com Zuínglio que o corpo humano de Cristo está em um lugar, no céu. Em sua obra *Second Defence of the Pious and Orthodox Faith concerning the Sacraments in Answer to the Calumnies of Joachim Westphal* [Segunda defesa da fé pia e ortodoxa acerca dos sacramentos em resposta às calúnias de Joaquim Westphal] (1556), ele escreveu que dizer, como Westphal, que "o corpo que o Filho de Deus assumiu e com o qual [...] ele ressuscitou para a glória celestial é ἄτοπος (sem lugar) é realmente muito ἄτοπος (absurdo)".[81] Em vez disso, Calvino disse o seguinte: "para [alguém] ganhar posse de Cristo, ele deve ser procurado no céu", uma vez que "o corpo [...] que ele ofereceu uma vez em sacrifício deve estar agora contido no céu, como Pedro declara".[82] Isso é assim, uma vez que o corpo, por ter sido "carregado acima dos céus está isento da ordem comum da natureza, ainda não deixa de ser um verdadeiro corpo".[83] Diferentemente de Zuínglio, ele considerava que Cristo "não só enche o céu e a terra, mas também nos une milagrosamente a si mesmo em um só corpo, de modo que a carne, embora permaneça no céu, é nosso alimento".[84] Westphal argumentara que Calvino, assim como Zuínglio, exilou Cristo no céu.

Em resposta, Calvino argumentou: "Se os cristãos vão encontrar Cristo no céu, devem começar com a Palavra e os sacramentos".[85] Assim, "Cristo, pela incompreensível atuação de seu Espírito, une perfeitamente as coisas separadas pelo espaço e, desse modo, alimenta nossa alma com sua carne, embora sem deixar o céu, e nós continuamos nos esgueirando sobre a terra".[86] Assim, Calvino foi além de Zuínglio ao afirmar que a distância entre o corpo de Cristo no céu e nós na terra é superada pelo Espírito Santo. Entretanto, diferentemente de Lutero e dos luteranos, essa alimentação não ocorre em relação direta com a encarnação, com a união hipostática e com a comunhão das naturezas que dela resultam, mas pela agência distinta do Espírito. A união com Cristo não é uma consequência que flui diretamente da encarnação.

Em *Clear Exposition of Sound Doctrine concerning the True Partaking of the Flesh and Blood of Christ in the Holy Supper in order to dissipate the mists of Tileman Heshusius* [Exposição clara da sã doutrina sobre a verdadeira participação da carne e do

---

Calvino não tinha um conceito claro do fundamento ontológico da encarnação. Edward David Willis, *Calvin's Catholic Christology: The Function of the So Called Extra Calvinisticum in Calvin's Theology*, Studies in Medieval and Reformation Thought 2. Leiden: E. J. Brill, 1966, p. 61–100.

[81] João Calvino, *Second Defence of the Pious and Orthodox Faith concerning the Sacraments in Answer to the Calumnies of Joachim Westphal*, In: Henry Beveridge e Jules Bonnet (eds.). *Selected Works of John Calvin*, v. 2, *Tracts and Letters, Part 2*. Henry Beveridge (1849). Grand Rapids: Baker, 1983, 2:282.
[82] Ibid., 2:285.
[83] Ibid., 2:290.
[84] Ibid., 2:295.
[85] Ibid., 2:296.
[86] Ibid., 2:299.

sangue de Cristo na Santa Ceia, a fim de dissipar as névoas de Tileman Heshusius] (1561), Calvino foi ainda mais esclarecedor. Ele atribuiu a vida que recebemos à carne de Cristo, fazendo do Espírito o agente dessa obra. Por isso, ele disse que a carne que Cristo assumiu vivifica, uma vez que é a fonte da vida espiritual para nós.[87] Embora o corpo de Cristo esteja ausente em termos de lugar, temos uma verdadeira participação espiritual nele, pois "cada obstáculo da distância foi superado por sua divina atuação".[88] De passagem, Calvino reconheceu que é incompreensível para nós como o corpo de Cristo pode estar em um lugar e, ainda assim, a pessoa de Cristo ser onipresente.[89] Ele mencionou sua adoção do dito escolástico *totus ubique sed non totum*: "o Cristo todo em toda parte, mas não inteiramente".[90] Hesshus, ele afirmou, perverteu o que ele dissera, afirmando que a natureza humana está em toda parte e a natureza humana de Cristo pode existir em lugares diferentes, onde Cristo quiser.[91] Pelo contrário:

> Para nossa comunhão substancial com a carne de Cristo não há necessidade de qualquer mudança de lugar, uma vez que, pela virtude secreta do Espírito, ele infunde sua vida em nós a partir do céu. A distância não impede de modo nenhum que Cristo habite em nós, ou que sejamos um com ele, pois a eficácia do Espírito supera todos os obstáculos naturais.[92]

Pela Escritura, fica claro que o corpo de Cristo é finito:

> Não negamos que o Cristo inteiro e completo na pessoa do Mediador enche o céu e a terra. Digo *inteiro*, não *inteiramente* (*totus, non totum*), porque é absurdo aplicar isso à sua carne. A união hipostática das duas naturezas não é equivalente a uma comunicação da imensidão da Divindade à carne, uma vez que as propriedades peculiares de ambas as naturezas estão perfeitamente de acordo com a unidade da pessoa.[93]

Citando um trabalho anterior, Calvino afirmou que, embora a humanidade de Cristo esteja no céu, a mão direita de Deus não significa um lugar, mas sim o poder que o Pai deu a Cristo para governar o cosmos. "Pois Cristo, por sua ascensão ao céu, entrou na possessão do domínio que lhe foi dado pelo Pai"; ele está muito distante em termos de presença corporal, "mas preenche todas as coisas [...] por meio de seu Espírito".[94] "Porque, por onde a mão direita de Deus, que abraça o céu e a

---
[87] Ibid., 2:507.
[88] Ibid., 2:510.
[89] Ibid., 2:514.
[90] Ibid., 2:514, 515.
[91] Ibid., 2:515.
[92] Ibid., 2:518, 519.
[93] Ibid., 2:557, 558.
[94] Ibid., 2:558, 559.

terra, está espalhada" – explicou Calvino –, "ali há a presença espiritual do próprio Cristo por seu poder ilimitado, embora seu corpo deva ser contido pelo céu, de acordo com a declaração de Pedro".[95] Como uma palavra final, Calvino respondeu: "Quando ele [Hesshus] diz que certas propriedades são comuns à carne de Cristo e à Divindade, eu o convido para uma demonstração que ele ainda não aceitou".[96]

A insistência de Calvino, compartilhada pelos reformados, de que o Filho não está confinado à humanidade que ele assumiu foi apelidada pelos luteranos no século seguinte de "esse outro calvinismo [*extra-Calvinisticum*]".[97] No entanto, não era uma designação nova. David Willis, investigando as fontes de Calvino, descobriu extensa evidência de escritores patrísticos e medievais[98] para concluir que isso representava "um consenso dos antigos pais".[99] De fato, ele acrescenta, "o termo 'extra-Calvinisticum' não é uma marca exclusiva que distinga a cristologia de Calvino de outras cristologias da única Igreja Católica. [...] Ao contrário, a doutrina sustenta as corretas interpretações católicas do testemunho bíblico de Cristo".[100] O "fato é que o 'extra-calvinisticum' é um meio de expressar a unidade da pessoa de Jesus Cristo sem deslocar o mistério pela especulação".[101] Consequentemente, "o 'extra-Calvinisticum', por causa de seu uso difundido e antigo, poderia muito bem ser chamado de 'extra-Catholicum'".[102]

Não obstante essa avaliação, a pressão do debate pode, em algumas ocasiões, ter levado Calvino a fazer o tipo de comentário não velado para o qual chamamos a atenção anteriormente. Parece que os luteranos tinham maior domínio da doutrina patrística da união hipostática no sentido original da expressão no século VI, no Segundo Conselho de Constantinopla; contudo, os reformados compreendiam melhor a distinção das naturezas. Seja como for, as forças das controvérsias costumam polarizar opiniões.

PEDRO MÁRTIR VERMIGLI (1499–1562)

A cristologia de Vermigli é revelada em seu livro *Dialogus de utraque em Christo natura* (1561).[103] Ele estava convicto de que a humanidade de Cristo em seu es-

---

[95] Ibid., 2:561.
[96] Ibid.
[97] Veja Willis, *Calvin's Catholic Christology*, passim; Willis, "Extra-Calvinisticum". In: Donald K. McKim (ed.). *Encyclopedia of the Reformed Faith*. Louisville: Westminster John Knox, 1992, p. 132, 133.
[98] Ele cita, por exemplo, Lombardo, Aquino, Duns Scotus, Occam, Biel, Lefevre, Agostinho, Orígenes, Teodoro de Mopsuestia e Atanásio. Willis, *Calvin's Catholic Christology*, p. 26–58.
[99] Ibid., p. 49.
[100] Ibid., p. 99.
[101] Ibid., p. 100.
[102] Ibid., p. 153.
[103] Pietro Martire Vermigli, *Dialogus de Utraque in Christo Natura…: Illustratur & Coenae Dominicæ Negotium, Perspicuisque… Testimoniis Demonstratur Corpus Christi Non Esse Ubique*. Tiguri: C. Froschoverus, 1561.

tado pós-ascensão era real. Seu diálogo retrata com precisão as diferenças entre as confissões luterana e reformada. Ele insistiu que não podemos remover do corpo de Cristo o que faz parte da composição humana, a saber, massa, tamanho, disposição corporal, partes, características e membros, uma vez que o corpo humano é abolido quando alguém lhe subtrai esses atributos.[104]

Vermigli confirmou a adesão das igrejas reformadas aos primeiros seis concílios ecumênicos, mas seu imaginário interlocutor luterano respondeu que Vermigli não queria afirmar as consequências delas. Como divindade e humanidade são inseparáveis na única pessoa de Cristo, onde quer que esteja a Divindade, ali também está a humanidade. Vermigli rejeitou essas conclusões, pois elas demonstravam a falha da ambiguidade. O luterano, diz ele, entende a natureza humana como se toda a natureza divina estivesse nela incluída ou como se a natureza humana estivesse preenchida e se espalhasse igualmente com a divina – isso não era muito diferente de Eutiques, que apregoava apenas uma natureza. Em vez disso, argumentava que os reformados creem que a humanidade é inseparável da divindade, de modo que "jamais restringe a divindade dentro de seus estreitos limites, nem se expande para preencher todo lugar onde a divindade existe".[105] O luterano oponente não poderia evitar uma mistura entre as naturezas. Ele pensava que a pessoa é despedaçada se a deidade ficar onde a humanidade não está presente. Mas, Vermigli sustentava, embora o corpo de Cristo esteja no céu e não mais habite na terra, ainda assim o Filho de Deus está na igreja e em toda parte: "Ele nunca está tão livre de sua natureza humana que não a tenha enxertado nele, unindo-a na unidade de sua pessoa no lugar onde está a natureza humana".[106]

Vermigli usou uma variedade de argumentos – como a relação da cabeça com o corpo e a órbita dos planetas – para argumentar que a unidade das coisas não é destruída quando há uma distância espacial intermediária. Ele negou que isso signifique afastar a deidade da humanidade. A natureza divina está em toda parte em virtude de sua imensidade, e sempre tem a humanidade unida a ela. Mas a humanidade não está presente em todos os lugares que a divindade preenche. A Palavra divina preenche todas as coisas, mas a humanidade hipostaticamente unida a ela é confinada a seu próprio lugar. O luterano respondeu dizendo que isso significa que Vermigli postula duas pessoas: uma hipóstase em que a humanidade está unida à deidade e outra em que a deidade se espalha para fora da

---

[104] Peter Martyr Vermigli, *The Peter Martyr Library*, v. 2, *Dialogue on the Two Natures in Christ*, traduzido e editado por John Patrick Donnelly, Sixteenth Century Essays & Studies 31. Kirksville: Thomas Jefferson University Press and Sixteenth Century Journal Publishers, 1995, p. 12.
[105] Ibid., p. 23.
[106] Ibid., p. 24.

natureza humana.¹⁰⁷ Vermigli não mantinha nada disso. A unidade da pessoa é retida de tal maneira que as propriedades das naturezas permanecem distintas, mas não misturadas.¹⁰⁸ Nós não pregamos nem uma separação entre a divindade e a humanidade ou vice-versa, ele insistiu. Onde quer que esteja a natureza humana, ela é sustentada na pessoa divina, e a divindade não é limitada pelo corpo humano, pois preenche todas as coisas.¹⁰⁹

Sobre as propriedades das naturezas em Cristo, Vermigli fez abundantes referências aos pais.¹¹⁰ Em apoio, ele citou Cirilo, João de Antioquia, Leão I, Teodoreto, Ambrósio e Agostinho.¹¹¹ Referiu-se a Cirilo, que falava de Cristo morrendo de acordo com sua humanidade, o que significava que a natureza que a Palavra fizera sua pela encarnação sofreu e morreu.¹¹² Ele citou a carta de Agostinho a Dardanus, na qual disse que as declarações bíblicas são tão próprias de uma das naturezas de Cristo que não podem ser atribuídas à outra sem concessões à terminologia e à maneira de falar delas.¹¹³ Além disso, Vermigli recorreu ao *Quinto diálogo sobre a Trindade*, de Cirilo, em que o autor advertiu contra o atribuir à humanidade de Cristo as qualidades exclusivamente pertencentes à Divindade ou à natureza divina os atributos humanos; em vez disso, Cirilo exortou seus leitores a "cultivar uma terminologia que distingue e convém a cada uma".¹¹⁴

A partir disso, Vermigli discutiu o compromisso luterano com a ubiquidade. O luterano perguntou: Se concedemos à humanidade, por causa da união hipostática, poder de santificação vivificante, por que não lhe conceder também a ubiquidade? Vermigli respondeu que, embora essas faculdades aperfeiçoem em vez de destruir a natureza humana, é impossível fazer a humanidade coextensiva com a Divindade sem torná-la infinita e destruí-la. O oponente insistiu que os luteranos não acreditam que a natureza humana está em todos os lugares intrinsecamente – ela não tem esse poder. Em vez disso, a Palavra comunica esse poder a ela por causa da união hipostática. Citando Brenz, ele disse que o corpo de Cristo não preenche todas as coisas como um corpo humano, mas como um corpo assumido. Vermigli respondeu declarando que a hipóstase divina não impede o corpo assumido de ser um corpo humano verdadeiro. O luterano, então, mencionou os três tipos de ubiquidade, remontando a Lutero: local, repleta e pessoal. Depois que o Filho de Deus encarnou, segue-se necessariamente que a humanidade assumida na unidade

---

[107] Ibid., p. 24,25.
[108] Ibid., p. 26.
[109] Ibid., p. 28.
[110] Ibid., p. 39,89.
[111] Ibid., p. 51–59.
[112] Ibid., p. 61–65.
[113] Vermigli, *Dialogue on the Two Natures*, p. 66; PL 33:835.
[114] Vermigli, *Dialogue on the Two Natures*, p. 67; PG 75:973.

de sua pessoa esteja em toda parte por uma ubiquidade pessoal (*ubiquitate personali*). Vermigli achou isso muito estranho.[115]

A respeito da ascensão de Cristo ao céu, Vermigli escreveu que Cristo não era humano no céu antes disso acontecer. O ônus da prova era que os luteranos mostrassem que Cristo poderia ter ascendido de acordo com sua humanidade se ele já estivesse ali presente. Alguém que está em toda parte não tem para onde ir! A hipóstase divina de Cristo não poderia ascender porque ele era infinito e já teria ocupado tudo. Mas a humanidade de Cristo tinha dimensões fixas e verdadeiramente ascendeu ao céu. O anjo anunciou que o corpo de Cristo não estava no túmulo. Cristo não estava com Lázaro quando este morreu. Vermigli concluiu que, para os luteranos, dada sua noção de ubiquidade, a ascensão era apenas na aparência e para exibição.[116]

O COLÓQUIO DE MALBRONN (1564)

O Colóquio de Malbronn foi convocado depois das controvérsias surgidas no Palatinado, que se seguiram à rejeição, em Heidelberg, do luteranismo à fé reformada. No entanto, em vez de chegar a qualquer resolução sobre a cristologia ou a Ceia do Senhor, o resultado foi apenas o endurecimento das posições. Entre os luteranos, isso levou a uma separação entre filipistas (seguidores de Melanchthon) e luteranos estritos (gnésio-luteranos).[117]

Nessa época, os luteranos chamavam seus oponentes de *calviniani* e não de *zwingliani*.[118] Haviam acabado de ocorrer o Consenso Tigurino (1549), em que Calvino fez concessões a Bullinger sobre a eucaristia,[119] e a Paz de Augsburgo (1555), pela qual somente luteranos e católicos romanos seriam tolerados na Europa.[120] Em sua *Final Admonition to Westphal* [Admoestação final a Westphal],[121] Calvino afirmou que suas opiniões eram coerentes com a Confissão de Augsburgo. Em Malbronn, Caspar Olevian introduziu a figura de "Antuérpia e o oceano" para defender a posição reformada: o oceano representaria o Filho de Deus que existe também além dos limites da carne que assumiu.[122] No entanto, por meio de todos esses desenvolvimentos divergentes, a divisão entre luteranos e reformados permaneceu.

---

[115] Vermigli, *Dialogue on the Two Natures*, p. 89–107, esp. p. 89–91.

[116] Ibid., p. 107–111.

[117] As figuras de destaque entre os luteranos foram Johannes Brenz, Jacob Andraeus e Theodore Schnapff, e, entre os reformados, Zacharius Ursinus, Caspar Olevian, Immanuel Tremellius e Boquinas.

[118] Willis, *Calvin's Catholic Christology*, p. 11.

[119] Paul E. Rorem, "The Consensus Tigurinus (1549): Did Calvin Compromise?" In: Wilhelm H. Neuser (ed.). *Calvinus Sacrae Scripturae Professor: Calvin as Confessor of Holy Scripture: Die Referate Des Congrès International Des Recherches Calviniennes Vom 20. Bis 23. August 1990 in Grand Rapids*. Grand Rapids: Eerdmans, 1994, p. 72–90.

[120] Willis, *Calvin's Catholic Christology*, p. 13.

[121] *CO* 9:148.

[122] Willis, *Calvin's Catholic Christology*, p. 15.

O Colóquio de Montbéliard (1586)

As questões cristológicas assumiram cada vez mais destaque nessa controvérsia no Colóquio de Montbéliard, uma vez que era na natureza de Cristo que as diferenças sacramentais subjacentes se faziam notar. Como observa Raitt: "Do Colóquio de Maulbronn, 1564, pelas amargas batalhas sobre o significado de *kenōsis* na primeira parte do século XVII, as discussões sobre a Ceia do Senhor, que significavam discussões sobre o modo da presença de Cristo, tornaram-se discussões cristológicas".[123]

Em Montbéliard, os principais antagonistas foram Jacob Andraeus, pelos luteranos, e Teodoro Beza, pelos reformados. Para Andraeus, não houve grande diferença em Cristo antes e depois da ressurreição por causa da comunicação de atributos divinos à natureza humana.[124] Em contraste, como observa Willis, as analogias reformadas, como a comparação entre Antuérpia e o oceano, pareciam incongruentes. Por trás delas pretende-se afirmar que a humanidade é finita ou não é humanidade, mesmo quando hipostaticamente unida ao Criador infinito. A partir de 1586, os luteranos consideraram esse *extra* como definitivamente calvinista, embora tenham se oposto a ele desde 1564.[125] Tudo isso nos leva de volta à insistência de Lutero de que "nem no céu nem na terra eu [...] conheço Cristo fora dessa carne".[126] Isso significava que, para os luteranos, o Filho não existe além dos limites da humanidade assumida, o que, por sua vez, implica a ubiquidade da humanidade.

Teodoro Beza (1519–1605)

Em seus comentários sobre os debates em Montbéliard, Beza reagiu fortemente à calúnia de que reconhecera apenas uma *communicatio idiomatum* verbal em Cristo, e não uma que fosse real.[127] É verbal somente na medida em que é uma forma de afirmação (*genus praedicationis*) em razão da unidade da pessoa, pela qual atributos concretos de qualquer natureza são atribuídos à pessoa indivisível. Ele chamou de "falsa, ímpia e blasfema" a afirmação de Chemnitz de que os dons comunicados à humanidade de Cristo são imensos.[128] Ele negou que a união hipostática anula a natureza humana ou que as propriedades divinas são comunicadas a ela. A elevação de Cristo à direita de Deus não foi o resultado da encarnação como tal, mas

---

[123] Jill Raitt, *The Colloquy of Montbéliard: Religion and Politics in the Sixteenth Century*. Nova York: Oxford University Press, 1993, p. 110.
[124] Ibid., p. 84.
[125] Willis, *Calvin's Catholic Christology*, p. 16–18,23.
[126] Martinho Lutero, *Scholia in Esaiam prophetam*, cap. 1–41, no vol. 22 de *Die Martini Lutheri Exegetica Opera Latina*, editado por Christoph von Elsperger e Heinrich Schmidt. Erlangen: Heyder, 1860, p. 60. Isso também é citado por Willis na série WA.
[127] Teodoro Beza, *Ad Acta Colloquii Montisbelgardensis Responsionis*, 3. ed. Genebra: Ioannes le Preux, 1589, p. 17,18,79,80,163–167.
[128] Ibid., p. 80. Tradução do autor.

ocorreu no final do tempo da humilhação. Andraeus, como Chemnitz, considerava a *communicatio* como o resultado da união hipostática.[129]

Por sua vez, Beza afirmou que a presença da carne de Cristo na eucaristia não se deve à união hipostática, mas às palavras de instituição do sacramento. A substância do corpo de Cristo estava ausente do céu quando estava na terra, e, agora que ele está no céu, ela está ausente da terra. Sua carne é poderosa e eficaz em um mistério maravilhoso e impenetrável. Embora em suas anotações sobre o Colóquio Andraeus tenha repetidamente alegado que Beza concordou com Nestorius, Beza, por sua vez, acusou Andraeus de confundir e misturar deidade e humanidade.[130] Em resumo, ele sustentou que a afirmação de Andraeus sobre a comunicação de propriedades reais e essenciais entre as naturezas era "falsa e absurda".[131]

Para Beza, na pessoa de Cristo, a humanidade não recebe nada da divindade, nem vice-versa. Ele argumentou que não há comunicação real entre a divindade e a humanidade.[132] No entanto, por mais insatisfatória que seja a posição luterana, para alguns críticos Beza isso soou muito próximo do nestorianismo, pois sua cristologia era mais uma conjunção de duas naturezas do que uma encarnação.

CRISTOLOGIA ANABATISTA

A cristologia anabatista seguiu um curso diferente. Alguns grupos aceitaram a decisão cristológica clássica, mas outros, particularmente os holandeses, adotaram uma variedade de ideias heterodoxas. Os Artigos de Schleitheim (1527) nada afirmam sobre cristologia.[133] A Confissão de Fé de Jörg Muller (1534) é ortodoxa.[134] Por outro lado, o artigo 6 da Confissão Suíça dos Irmãos de Hesse (1578) diz que Jesus Cristo é "um filho de Deus [...], como Deus em força, poder e glória [...], o primogênito de todas as criaturas", o que é claramente heterodoxo.[135] Além disso, os artigos 2 a 5 não são explicitamente trinitarianos. Essas declarações são um calculado afastamento da tradição cristã.[136] Entre as confissões alemãs e holandesas, a Confissão de Kampen (1545) é ambígua, passível de interpretação ariana.[137] O parágrafo sobre o Cristo do Conceito de Colônia (1591) também é ambíguo: Cristo encarnou "pelo poder do Todo-Poderoso", sugerindo que ele não era todo-podero-

---

[129] Ibid., p. 163.
[130] Ibid., p. 164.
[131] Ibid., p. 165. Tradução do autor.
[132] Ibid., p. 167.
[133] Karl Koop (ed.). *Confessions of Faith in the Anabaptist Tradition, 1527–1660*, Classics of the Radical Reformation 11. Kitchener: Pandora, 2006, p. 23–33.
[134] Ibid., p. 35–44.
[135] Ibid., p. 56.
[136] Ibid., p. 60.
[137] Ibid., p. 97,98.

so.[138] Tendo em vista o fato de que a igreja tinha se pronunciado claramente sobre essas questões, a ambiguidade fala por si mesma.

Uma figura-chave na tradição anabatista holandesa foi Melchior Hofmann (c. 1495– c. 1544). Karl Koop, em seus comentários sobre o Conceito de Colônia, afirma que:

> Muitos anabatistas holandeses foram influenciados pela doutrina de Melchior Hofmann sobre a encarnação que reconhecia que Cristo se tornou humano, mas assumiu que sua carne era "celestial" e não viera de Maria. A maioria dos líderes anabatistas holandeses, como Menno Simons e Dirk Philips, mantiveram alguma versão dessa doutrina melchiorita, ao passo que os anabatistas alemães do sul [...] normalmente seguiam a compreensão da igreja em geral.[139]

Por outro lado, na Confissão de Waterlander (1577), a doutrina melchiorita não aparece, sugerindo que os Waterlanders estavam em desacordo com ela; isso é apoiado por sua declaração ortodoxa sobre a cristologia.[140]

Em suas formas ortodoxas, o anabatismo tendia a uma nítida distinção entre as duas naturezas, semelhante a Zuínglio e Karlstadt. Isso era útil para defender uma doutrina da Ceia do Senhor na qual Cristo está ausente e o Espírito Santo é o meio da presença divina, garantindo assim uma visão puramente espiritualizada da realidade.[141] Assim, Baltazar Hubmaier (c.1480–1528) sustentou que, depois da ascensão, o Filho estava e está ausente da história e da Ceia.[142] Isso representa uma visão radicalmente dualista do mundo, no entanto, essa leitura de Hubmaier foi desafiada por MacGregor, que argumenta que Hubmaier estava em dívida com Lutero, de quem usou a "distinção entre a presença definitiva de Deus e a presença repleta de Deus", segundo a qual Cristo preenche todos os locais do espaço-tempo sem ser restrito.[143] Ele concluiu que tanto a "presença definitiva como a repleta" se aplicam também à natureza humana de Cristo, cujo "corpo físico está definitivamente presente à mão direita de Deus" enquanto está "repletamente presente em todos os pontos no universo de espaço-tempo sem ser limitado por ele".[144] Mas ele não desenvolveu a ideia a fim de relacionar isso à Ceia do Senhor.[145]

---

[138] Ibid., p. 119.
[139] Ibid., p. 115.
[140] Ibid., p. 123–127.
[141] John D. Rempel, *The Lord's Supper in Anabaptism: A Study in the Christology of Balthasar Hubmaier, Pilgram Marpeck, and Dirk Philips*, Studies in Anabaptist and Mennonite History. Scottdale: Herald, 1993, p. 34,35.
[142] Ibid., p. 66,67.
[143] Kirk R. MacGregor, "The Eucharistic Theology and Ethics of Balthasar Hubmaier", *HTR* 105, n. 2, 2012, p. 228.
[144] Ibid., p. 228,229.
[145] Ibid., p. 229.

Caspar Schwenkfeld (1489–1561) sustentava que a humanidade primordial de Cristo não era de criatura e estava, assim, potencialmente disponível para todos os cristãos que eram espiritualmente perceptivos.[146] De fato, Schwenkfeld dizia que aqueles que pensavam que Cristo como homem em glória era uma criatura eram mais malditos do que os eutiquianos. Ele não reconheceu nada de criação ou de ser criatura em Cristo: "Não posso considerar o Homem Cristo com seu corpo e sangue como criação ou criatura".[147] A ênfase de Schwenkfeld estava na unidade da pessoa de Cristo de tal forma que efetivamente apagava a humanidade.

Pilgram Marpeck (c. 1495–1556), que tinha uma cristologia basicamente ortodoxa, se opôs a Schwenkfeld em debates em 1538 e 1539.[148] Embora afirmasse que o Filho sempre teve duas naturezas, Schwenkfeld cria que o Filho precisava nascer não de uma mulher, mas apenas *em* uma mulher. Marpeck tinha apenas uma limitada *communicatio idiomatum*, devido à distinção das naturezas, que ele corretamente sustentava continuar após a ascensão, mas, para Schwenkfeld, a *communicatio* eliminou qualquer distinção.[149] No pensamento de Schwenkfeld, desde a concepção, a humanidade incriada de Cristo foi progressivamente sendo deificada para que, recebendo-a na Ceia, avancemos nós mesmos para a deificação.[150]

Outros foram mais longe que Schwenkfeld, que tinha a preocupação de agir dentro das fronteiras confessionais. Dietrich (ou Dirk) Philips (1504–1568), em *The Church of God* [A Igreja de Deus] (c. 1560), considerou impossível que a carne de Cristo fosse formada da semente de Maria, pois, se fosse assim, não poderia ser o Pão vivo que desceu do céu.[151] Melchior Hofmann, que provavelmente influenciou Schwenkfeld, argumentava que a virgem Maria não desempenhou nenhum papel em prover a carne humana a Jesus; em vez disso, Jesus "passou por Maria como água através de um tubo".[152] Se Maria tivesse contribuído com alguma coisa, Jesus teria sido manchado com o estado de ser criatura,[153] o que era uma negação da carne humana de Cristo e uma afirmação de que ele tinha uma natureza, não duas.[154] Menno Simons seguiu Hofmann ao longo de sua carreira e ensinou que Cristo era uma única pessoa, e não duas, indicando sua falha em entender o ensinamento cristológico da Igreja, pois compreendeu que qualquer coisa de criatura im-

---

[146] George Huntston Williams e Angel M. Mergal (eds.). *Spiritual and Anabaptist Writers*, LCC 25. Londres: SCM, 1957, p. 162.
[147] Ibid., p. 180.
[148] Rempel, *Lord's Supper in Anabaptism*, p. 108–119; C. Arnold Snyder, *Anabaptist History and Theology: An Introduction*. Kitchener, Ontario: Pandora, 1995, p. 357,358.
[149] Rempel, *Lord's Supper in Anabaptism*, p. 114.
[150] George Huntston Williams, *The Radical Reformation*. Filadélfia: Westminster, 1975, p. 332–335.
[151] Ibid., p. 238,239.
[152] Snyder, *Anabaptist History and Theology*, p. 357.
[153] Ibid.
[154] Williams, Radical Reformation, p. 329–331.

plicaria uma identidade separada e, portanto, duplicidade de pessoas. Desde que o Filho do homem desceu do céu, ele concluiu que o Cristo todo – deidade e humanidade – tem sua origem no céu, não na terra.[155] Williams vincula as origens dessas ideias a um jardineiro de Estrasburgo, Clemente Zeigler, que ensinou que Cristo trouxe seu corpo do céu e ganhou visibilidade pela carne fornecida por Maria.[156]

CONCLUSÃO

As diferenças entre os vários agrupamentos anabatistas refletem o grau com que os respectivos porta-vozes aceitaram ou desconsideraram os compromissos confessionais históricos da Igreja sobre Cristologia. No entanto, muitos dentre os líderes radicais tinham pouco compromisso com a tradição da Igreja e, consequentemente, muitas heresias antigas ressurgiram e novas brotaram.

De modo geral, os luteranos e os reformados, embora tão comprometidos com o dogma ecumênico quanto Roma, tenderam a acentuar os lados opostos das declarações confessionais clássicas. Aqueles, com uma forte compreensão da união hipostática, foram mantidos pelos reformados a ponto de comprometer a realidade da humanidade de Cristo. Por outro lado, em sua preocupação com a integridade de ambas as naturezas, às vezes os reformados pareciam ter uma visão frouxa da união.

FONTES PARA ESTUDO ADICIONAL

Fontes primárias

BEZA, Teodoro. *Ad Acta Colloquii Montisbelgardensis Responsionis*. 3. ed. Geneva: Ioannes le Preux, 1589.

BRENZ, Johannes. *De Personali Unione Duarum Naturarum in Christo, et Ascensu Christi in Coelum, ac Sessione Eius ad Dexteram Dei Patris. Qua Vera Corporis et Sanguinis Christi Praesentia in Coena Explicata Est, & Confirmata*. Tübingen: Viduam Ulrichi Morhadi, 1561.

BROMILEY, G. W., ed. *Zwingli and Bullinger: Selected Translations with Introductions and Notes* [Zuínglio e Bullinger: Traduções selecionadas, com introduções e notas]. Library of Christian Classics 24. Londres: SCM, 1953.

CALVINO, João. *Comentário de 1 Coríntios*. Série Comentários Bíblicos João Calvino. São José dos Campos, SP: Editora Fiel, 2003.

—. *As institutas – Edição clássica* (1985). *As institutas – Edição especial* (2006). 4 vols. São Paulo: Editora Cultura Cristã.

—. *Tracts and Letters* [Tratados e cartas], Part 2. v. 2 de Selected Works of John Calvin [Obras selecionadas de João Calvino]. Editado por Henry Beveridge e Jules Bonnet. 1849. Grand Rapids, MI: Baker, 1983.

CHEMNITZ, Martin. *The Two Natures in Christ* [As duas naturezas em Cristo]. St. Louis, MO: Concordia, 1971.

---

[155] Snyder, *Anabaptist History and Theology*, p. 359,360.
[156] Williams, Radical Reformation, 326–329.

KOOP, Karl (ed). *Confessions of Faith in the Anabaptist Tradition* [Confissões de fé na tradição anabatista], *1527–1660*. Classics of the Radical Reformation 11. Kitchener, Ontario: Pandora, 2006.

LUTERO, Martinho. *Da Santa Ceia de Cristo – Confissão*, em *Martinho Lutero Obras selecionadas, vol. 4: Debates e controvérsias II*. Comissão Interluterana de Literatura. São Leopoldo: Editora Sinodal; Porto Alegre, RS: Editora Concórdia, s/d.

——. *Tratado de Martinho Lutero sobre a liberdade cristã*, em *Martinho Lutero Obras selecionadas, vol. 2: O programa da Reforma. Escritos em 1520*. Comissão Interluterana de Literatura. São Leopoldo: Editora Sinodal; Porto Alegre, RS: Editora Concórdia, s/d.

——. "Prefácio às Epístolas de S. Tiago e Judas". In: *Martinho Lutero Obras selecionadas, vol. 8: Interpretação bíblica - Princípios*. Comissão Interluterana de Literatura. São Leopoldo: Editora Sinodal; Porto Alegre, RS: Editora Concórdia, s/d.

——. "Prefácio ao Antigo Testamento", em *Martinho Lutero Obras selecionadas, vol. 8: Interpretação bíblica – Princípios*. Comissão Interluterana de Literatura. São Leopoldo, RS: Editora Sinodal; Porto Alegre, RS: Editora Concórdia, s/d.

——. *That These Words of Christ, "This Is My Body", Etc., Still Stand Firm against the Fanatics* [Estas palavras de Cristo: "Isto é meu corpo" etc., ainda permanecem firmes contra os fanáticos], em *Luther's Works* [Obras de Lutero]. Vol. 37, *Word and Sacrament III* [Palavra e sacramento III], editado por Robert H. Fischer, 3–150. 1527. Filadélfia: Fortress, 1961.

——. "Sermão sobre as duas espécies de justiça". In: *Martinho Lutero Obras selecionadas, vol. 1: Os primórdios. Escritos de 1517 a 1519*. Comissão Interluterana de Literatura. São Leopoldo: Editora Sinodal; Porto Alegre: Editora Concórdia, s/d.

MELANCHTHON, Philip. *Loci Communes* [Lugares comuns] (1555). Em *Melanchthon on Christian Doctrine: Loci Communes 1555* [Melanchthon sobre a doutrina cristã: Lugares comuns, de 1555]. Traduzido e editado por Clyde L. Manschreck. Grand Rapids: Baker, 1965.

——. *Loci Communes Theologici*. 1555. Basel: Ioannem Operinum, 1562.

VERMIGLI, Pedro Mártir. *The Peter Martyr Library* [A biblioteca Pedro Mártir]. v. 2, *Dialogue on the Two Natures in Christ* [Diálogo sobre as duas naturezas em Cristo]. Traduzido e editado por John Patrick Donnelly. Sixteenth Century Essays & Studies 31. Kirksville, MO: Thomas Jefferson University Press and Sixteenth Century Journal Publishers, 1995.

WILLIAMS, George Huntston e ANGEL M. Mergal, eds. *Spiritual and Anabaptist Writers* [Escritores espirituais e anabatistas]. Library of Christian Classics 25. Londres: SCM, 1957.

ZUÍNGLIO, Ulrico. *Commentary on True and False Religion* [Comentário sobre a religião verdadeira e a falsa]. Editado por Samuel Macaulay Jackson e Clarence Nevin Heller. 1929. Reimpressão, Durham, NC: Labyrinth, 1981.

Fontes secundárias

RAITT, Jill. *The Colloquy of Montbéliard: Religion and Politics in the Sixteenth Century* [O colóquio de Montbéliard: Religião e política no século 16]. Nova York: Oxford University Press, 1993.

REMPEL, John D. *The Lord's Supper in Anabaptism: A Study in the Christology of Balthasar Hubmaier, Pilgram Marpeck, and Dirk Philips* [A Ceia do Senhor no anabatismo: um estudo da cristologia de Baltazar Hubmaier, Pilgram Marpeck e Dirk Philips]. Studies in Anabaptist and Mennonite History 33. Scottdale: Herald, 1993.

ROREM, Paul E. "The Consensus Tigurinus (1549): Did Calvin Compromise?" [O consenso tigurino (1549): Calvino transigiu?] em *Calvinus Sacrae Scripturae Professor: Calvin as Confessor of Holy Scripture: Die Referate Des Congrès International Des Recherches Calviniennes Vom 20. Bis 23. August 1990 in Grand Rapids* [*Calvinus Sacrae Scripturae Professor*: Calvino como confessor da Sagrada Escritura: Os documentos do Congresso Internacional de Pesquisas Calvinistas, de 20 a 23 de agosto de 1990 em Grand Rapids], editado por Wilhelm H. Neuser, 72–90. Grand Rapids: Eerdmans, 1994.

WILLIS, Edward David. *Calvin's Catholic Christology: The Function of the So-Called Extra Calvinisticum in Calvin's Theology* [A cristologia católica de Calvino: a função do assim chamado *Extra Calvinisticum* na teologia de Calvino]. Studies in Medieval and Reformation Thought 2. Leiden: E. J. Brill, 1966.

Capítulo 10
A OBRA DE CRISTO

Donald Macleod

RESUMO

Começando com a observação de que a doutrina da justificação pela fé é incompleta sem uma doutrina clara sobre a obra de Cristo, este capítulo usa o conceito de Calvino do tríplice ofício (*munus triplex*) como a estrutura para um resumo da doutrina dos reformadores a respeito da atividade mediadora de Jesus, com ênfase especial na compreensão que tinham da expiação. Aqui, observaremos os principais pontos em que o protestantismo desafiou o dogma católico romano com relação ao sacerdócio de Cristo, avaliaremos o argumento de Aulén de que Lutero, diferentemente dos outros reformadores, pregou uma doutrina "clássica" da expiação, e concluiremos com reflexões sobre a insistência de Lutero em uma "teologia da cruz".

INTRODUÇÃO

Poucos negariam que a redescoberta-chave da Reforma foi a doutrina da justificação pela fé. Como apontou Calvino em *Reply to Cardinal Sadolet* [Resposta ao cardeal Sadolet], esse era o "primeiro e mais sagaz tema de controvérsia entre nós"; e acrescentou: "De onde quer que o conhecimento sobre isso seja removido, a glória de Cristo se extingue, a religião é abolida, a Igreja é destruída e a esperança da salvação é completamente derrubada".[1] No entanto, a expressão "justificação pela fé" é sempre incompleta, porque deixa sem resposta a questão: fé em quê? Foi por essa questão que o romanismo e o protestantismo se dividiram. O Concílio de Trento nunca negou que a justificação fosse pela fé; o que ele negava, na verdade, era que fosse *somente* pela fé e *somente* em Cristo – foi sobre estes que caíram os anátemas de Roma.[2] Mas na doutrina protestante algo sempre foi mais fundamental do que a justificação: a obra do Redentor, e é sobre ela que repousa a justificação e é nela

---

[1] João Calvino, *John Calvin: Tracts and Letters*, editado por Henry Beveridge e Jules Bonnet (1844). Edinburgo: Banner of Truth, 2009, 1:41.
[2] Veja os cânones 9 e 11 da sexta sessão do Concílio de Trento em, por exemplo, Philip Schaff, *The Creeds of the Greek and Latin Churches*. Londres: Hodder and Stoughton, 1877, p. 112, 113.

que a fé confia. Os pecadores, Lutero escreveu, "devem ser justificados sem mérito [próprio] por meio da fé em Cristo, que se fez mérito para nós por seu sangue e se tornou para nós um lugar de misericórdia de Deus".[3]

Era natural, então, que os reformadores dessem destaque à obra de Cristo, e particularmente à doutrina da expiação, mas nem Lutero, Melanchthon, Bucer, Zuínglio ou Bullinger deram-lhe o tratamento sistemático que recebeu das mãos de João Calvino. Calvino dedicou seis capítulos das *Institutas*[4] a esse assunto e, no decorrer de sua discussão, introduziu na teologia da Reforma o conceito amplamente influente do *munus triplex*. Parece apropriado, então, usar a doutrina de Calvino como ponto de entrada na doutrina mais ampla da Reforma.

CRISTO, O ÚNICO MEDIADOR

O termo latino *munus triplex* não aponta para "os três ofícios" de Cristo, mas para um ofício triplo. Há um ofício, o de Mediador, mas esse único ofício (do latim, *officium*, "dever") inclui as três funções: profeta, sacerdote e rei. A ideia bíblica de um mediador é antiga; ocorre em Deuteronômio 5:5, onde Moisés fala de si mesmo como estando entre Iavé e Israel, a fim de receber a palavra divina e transmiti-la ao povo. A razão pela qual isso teve de ser feito por um mediador foi que as pessoas, ao serem confrontadas com a cena aterradora do Sinai, "tiveram medo do fogo". Calvino viu isso como um sinal-exemplo do princípio de acomodação: "Ao enviar sua palavra pelas mãos de homens, Deus o fez por respeito à negligência e à enfermidade dos homens".[5] Todavia, a necessidade de um Mediador surgiu não apenas de nossas limitadas capacidades humanas, mas também de nossa terrível situação espiritual. Pela queda de Adão, a humanidade se tornou degenerada, amaldiçoada e miseravelmente escravizada. "Toda a raça humana", Calvino afirma, "pereceu na pessoa de Adão". Consequentemente, nossa origem de "excelência e nobreza [...] não seriam de nenhum proveito para nós, mas redundariam em nossa maior vergonha até que Deus, que não reconhece como obra sua obra homens manchados e corrompidos pelo pecado, apareça como Redentor na pessoa de seu Filho unigênito".[6] Assim, "além do Mediador, Deus nunca mostrou favor ao povo antigo, nem lhe deu esperança de graça".[7]

---

[3] De "Prefaces to the New Testament", *LW* 35:375 ["Prefácio ao Novo Testamento", In: *Martinho Lutero Obras selecionadas, v. 8: Interpretação bíblica – Princípios*. Comissão Interluterana de Literatura. São Leopoldo: Editora Sinodal; Porto Alegre: Editora Concórdia, s/d]. Cf. Melanchthon, que afirmou: "Quando dizemos que somos justificados pela fé, não estamos dizendo nada além de que, graças ao Filho de Deus, recebemos remissão de pecados e somos considerados justos". Philip Melanchthon, *The Chief Theological Topics: Loci Praecipui Theologici*, 2. edição em inglês. Preus. St. Louis: Concordia, 2011, p. 157.

[4] Calvino, *Institutas*, 2.12–17.

[5] *The Sermons of M. John Calvin upon the Fifth Booke of Moses called Deuteronomie*. Londres, 1583; reprodução de fac-símile, Edinburgo: Banner of Truth, 1987, p. 183.

[6] Calvino, *Institutas*, 2.6.1.

[7] Ibid., 2.6.2.

O termo específico "mediador" (gr. *mesitēs*) é aplicado a Cristo no Novo Testamento em passagens como 1Timóteo 2:5; Hebreus 8:6; 9:15; 12:24. E não se aplica a ele como um mediador entre muitos, mas como único Mediador. "Há *um só* Deus e um só mediador entre Deus e os homens: o homem Cristo Jesus" (1Timóteo 2:5). Esse foi um ponto-chave na controvérsia com Roma. Contrários à prática de rezar à Santíssima Virgem e aos santos, os reformadores argumentaram vigorosamente que "uma vez que Cristo nos é proposto como o único Mediador, por intermédio do qual devemos nos aproximar de Deus, aqueles que, ignorando-o ou preterindo-o, entregam-se aos santos, não têm desculpa para sua depravação".[8] Em seu comentário sobre 1Timóteo 2:5, Calvino se referiu ao fato de que "desde o começo os homens se afastaram cada vez mais de Deus, inventando para si um mediador após o outro". Mas particularmente interessante é a razão que ele alegou para essa prática: "A errônea noção de que Deus estava a uma grande distância deles e que, por isso, eles não sabiam para onde se voltar a fim de obter ajuda". O antídoto para isso é que, em Cristo, Deus desceu a nós e está presente em nosso meio: "Se foi profundamente impresso no coração de todos os homens que o Filho de Deus nos oferece as mãos de um irmão e está unido a nós por compartilhar nossa natureza, quem não escolheria andar nessa estrada reta em vez de vagar em passagens incertas e árduas?" Calvino acrescentou: "Assim, sempre que oramos a Deus, se o pensamento de sua majestade sublime e inacessível enche nossa mente de pavor, recordemos também do homem Cristo que gentilmente nos convida e nos leva pela mão, de modo que o Pai de quem tínhamos pavor e a quem temíamos torna-se favorável e amigável para nós". Os "sofistas romanos", entretanto, estavam ocupados criando todos os modos de obscurecer essa verdade: "O nome é tão odioso para eles que, se alguém tão somente menciona a mediação de Cristo sem invocar os santos, imediatamente cai sob suspeita de heresia".[9]

Exatamente os mesmos sentimentos já haviam sido expressos na Confissão de Augsburgo (1530), que declarou (artigo 21):

> Não pode ser provado pelas Escrituras que devemos invocar santos ou buscar a ajuda deles. "Há um só Deus e um só mediador entre Deus e os homens: o homem Cristo Jesus" (1Timóteo 2:5), que é o único salvador, o único sumo sacerdote, advogado e intercessor diante de Deus (Romanos 8:34). Só ele prometeu ouvir nossas orações.

---

[8] Calvino, *Tracts and Letters*, 1:96.
[9] Calvino sobre 1Timóteo 2:5, In: *CNTC* 9:210, 211. Cf. o artigo 12 da Confissão de Genebra, o qual afirma: "Nós rejeitamos a intercessão dos santos como uma superstição contrária às Escrituras inventada pelos homens, pelo fato de que ela procede da falta de confiança na suficiência da intercessão de Jesus Cristo". João Calvino, "The Genevan Confession (1536)". In: *Calvin: Theological Treatises*, LCC 22. Londres: SCM, 1954, p. 29.

A forma mais elevada de culto divino é, portanto, "sinceramente buscar e invocar esse mesmo Jesus em cada momento de necessidade".¹⁰ Na Apologia da Confissão de Augsburgo, redigida por Melanchthon em 1531, a invocação aos santos é declarada "simplesmente intolerável, pois transfere para os santos a honra que pertence somente a Cristo e isso os torna mediadores e propiciadores".¹¹ A Apologia pode até ter sido a fonte que Calvino usou quando atribuiu a invocação dos santos a um temor equivocado de Deus e do próprio Cristo: "Os homens supõem", ela declara, "que Cristo é mais severo e os santos, mais acessíveis; por isso, confiam mais na misericórdia dos santos do que na misericórdia de Cristo, e fogem de Cristo e se voltam para os santos".¹²

É dentro do conceito abrangente de Cristo como Mediador que Calvino desenvolveu sua compreensão das duas naturezas de Cristo e sua doutrina do tríplice ofício: "O ofício ordenado a Cristo pelo Pai consiste em três partes, pois lhe foi dado ser profeta, rei e sacerdote".¹³ É importante ressaltar que Calvino não ofereceu nenhuma exposição para a frase "o ofício ordenado a Cristo". Era de esperar que ele o fizesse a partir dos textos sobre os quais estava comentando (por exemplo, Hebreus 3:2; 5:4), mas contentou-se em dizer que o Pai chamou Cristo, nomeou-o e o colocou sobre nós;¹⁴ ou, comentando Salmos 2:7, ele simplesmente declarou que "Cristo foi feito rei por Deus Pai".¹⁵ Talvez o mais surpreendente é que, ao comentar as palavras de Salmos 89:3 ("Fiz aliança com o meu escolhido"), limitou-se à aliança feita com Davi.¹⁶ O que impressiona aqui não é apenas a ausência de qualquer referência àquilo que os teólogos reformados posteriores se referiam como a aliança da redenção (o eterno acordo entre o Pai e o Filho que estava por trás da missão e da obra de Cristo), mas também a ausência de qualquer percepção de necessidade de tal aliança. Não há nem mesmo o germe do que John Owen mais tarde chamaria de "transações federais entre o Pai e o Filho".¹⁷ Mesmo quando se aproximou mais de discutir o comissionamento de Jesus, Calvino pareceu confiná-lo a sua vida terrena: "Estamos falando de Cristo na medida em que ele foi posto em nossa carne, e é, portanto, o Servo do Pai para a execução de seus

---

[10] Veja Theodore G. Tappert (ed.-trad.). *The Book of Concord: The Confessions of the Evangelical Lutheran Church* Filadélfia: Fortress, 1959, p. 47.
[11] Ibid., p. 230.
[12] Ibid., p. 231.
[13] Calvino, *Institutas*, 2.15.1.
[14] Calvino sobre Hebreus 3:2 e 5:4, In: *CNTC* 12:35, p. 60.
[15] João Calvino, *Commentary on the Book of Psalms*. Edinburgo: Calvin Translation Society, 1845–1849, 1:17 (*ad* Salmos 2:7).
[16] Ibid., 3:421.
[17] John Owen, *An Exposition of Hebrews*, editado por William H. Goold. Edinburgo: Johnstone & Hunter, 1855, 2:77–97.

mandamentos".[18] No entanto, embora Calvino não tenha feito menção explícita a uma nomeação ou incumbência pré-temporal, a própria palavra *officium* implica que Cristo não veio para uma missão indefinida, mas como alguém encarregado de um dever específico.

Até certo ponto, essa ausência de qualquer referência a um pacto pré-temporal reflete a posição de Calvino no cronograma da teologia reformada: a teologia do pacto plenamente desenvolvida só surgiria um século depois.[19] Ainda assim, está em jogo mais do que uma mera metodologia. O próprio Cristo definiu claramente seu ministério em um contexto de aliança (Mateus 26:28), e os principais aspectos de sua obra são difíceis de entender, exceto no contexto de um acordo entre ele e o Pai. De que maneira, por exemplo, o Filho veio a ser enviado, e como veio a ser-lhe dada uma obra para fazer (João 17:4)? Acima de tudo está o mistério da relação de Cristo com seu povo. Como ele foi nomeado seu representante, fiador e substituto? E como aqueles de seu povo vieram a ser co-herdeiros com o único Filho de Deus? Em vista de tais questões, o que o pacto de redenção oferecia não era uma especulação muito ampla, mas uma resposta coerente a questões que surgem do próprio material bíblico.

PRECEDENTES DO *MUNUS TRIPLEX*

Calvino apresentou pela primeira vez a ideia do *munus triplex* nas *Institutas*, edição de 1539, mas havia alguns precedentes para ela no pensamento cristão anterior. O próprio Calvino reconheceu que "os papistas também usam esses nomes"[20], e, ao explicar o título Cristo, o artigo 2 do Catecismo do Concílio de Trento (1566) declarou explicitamente: "Quando Jesus Cristo, nosso Salvador, veio ao mundo, ele assumiu estes três papéis: profeta, sacerdote e rei", tendo sido ungido para essas funções por seu Pai celestial.[21] A tendência geral, no entanto, era falar de um duplo ofício, sacerdote e rei, ainda que, já no começo do quarto século, o *munus triplex* já tivesse aparecido em Eusébio, que descreveu Cristo como "o único Sumo Sacerdote do universo, o único Rei de toda a criação e, dos profetas, o único Arquiprofeta do Pai".[22] Crisóstomo também se referia às "três dignidades" de Cristo: rei, profeta e sacerdote,[23] mas eram alusões rápidas, não fórmulas sistemáticas. Os teólo-

---

[18] João Calvino, *The Epistle of Paul the Apostle to the Hebrews and the First and Second Epistles of St. Peter*, 35 (*ad* Hebreus 3:2).
[19] Para as mais antigas raízes da teologia federal, veja, por exemplo, William Klempa, "The Concept of Covenant in Sixteenth- and Seventeenth-Century Continental and British Reformed Theology", In: Donald K. McKim (ed.). *Major Themes in the Reformed Tradition*. Grand Rapids: Eerdmans, 1992, p. 94–107.
[20] Calvino, *Institutas*, 2.15.1.
[21] *The Catechism of the Council of Trent*, publicado por ordem do papa Pio V. Baltimore: Feilding Lucas, 1829, p. 34.
[22] Eusébio, *The History of the Church from Christ to Constantine*. Harmondsworth: Penguin, 1965, p. 43.
[23] Citado em John Frederick Jansen, *Calvin's Doctrine of the Work of Christ*. Londres: James Clarke, 1956, p. 30.

gos medievais continuaram a falar em termos de um *munus duplex*, embora exista um exemplo enigmático do tríplice ofício em Aquino, que mencionou os ofícios de legislador, sacerdote e rei, todos ocorrendo ao mesmo tempo em Cristo.[24] Mas, novamente, isso parece ter sido apenas parte de uma resposta única a uma objeção. Lutero, Melanchthon e Bullinger deram continuidade ao uso medieval. Em *The Freedom of a Christian* [A liberdade de um cristão], por exemplo, Lutero se referiu a Cristo como "o verdadeiro e único primogênito de Deus Pai e da virgem Maria, verdadeiro rei e sacerdote".[25] A única exceção entre os teólogos da Reforma foi Osiandro, que escreveu: "Devemos entender isto de seu ofício: que ele é Cristo, isto é, Mestre, Rei e Sumo Sacerdote. Pois, como Cristo significa 'ungido', e somente profetas, reis e sacerdotes eram ungidos, assim se vê que todos os três ofícios se aplicam a ele".[26]

Quando escreveu a primeira edição das *Institutas*, em 1536, Calvino ainda falava apenas do duplo ofício de rei e sacerdote, e, assim como Osiandro, ligou os ofícios à unção: como o Espírito se derramou totalmente sobre ele,

> assim cremos, de forma sucinta, que por essa unção ele foi nomeado rei pelo Pai para subordinar todo poder no céu e na terra, para que nele pudéssemos ser reis, tendo domínio sobre o diabo, o pecado, a morte e o inferno. Então, cremos que ele foi nomeado sacerdote para aplacar o Pai por seu sacrifício e reconciliá-lo conosco, de modo que nele pudéssemos ser sacerdotes.[27]

Na edição de 1539 das *Institutas*, Calvino aludiu ao fato de que os profetas, bem como reis e sacerdotes, eram ungidos, e, na edição de 1545, ele claramente ligou o "ofício do profeta-chefe" à realeza e ao sacerdócio de Cristo.[28] Mas a combinação já se havia tornado explícita no Catecismo de Calvino da Igreja de Genebra (edição em francês de 1541, edição em latim de 1545), no qual, à pergunta: "Que força, então, tem o nome de Cristo?", ele dá a resposta: "Significa que ele é ungido por seu Pai para ser rei, sacerdote e profeta".[29] Na edição definitiva das *Ins-*

---

[24] Aquino, *Summa Theologiae* 3a.22.1 *ad* 3, tradução de São Tomás de Aquino, *Suma Teológica*, trad. Fathers of the English Dominican Province. Notre Dame: Christian Classics, 1981, 4:2136.
[25] *LW* 31:353.
[26] Citado por Jansen, *Calvin's Doctrine of the Work of Christ*, 37. A citação vem de uma obra publicada por Osiandro em 1530.
[27] João Calvino, *Institutes of the Christian Religion* (ed. 1536), editado por H. H. Meeter Center for Calvin Studies. Grand Rapids: Eerdmans, 1986, p. 54. [*As institutas – Edição clássica* (1985). *As institutas – Edição especial* (2006). Traduzido por Odayr Olivetti. 4. vols. São Paulo: Editora Cultura Cristã]
[28] Veja Jansen, *Calvin's Doctrine of the Work of Christ*, p. 41, 42.
[29] Em *Calvin: Theological Treatises*. Londres: SCM, 1954), p. 95. No entanto, em seu *Commentary on Hebrews* (publicado em 1549), Calvino voltou ao duplo ofício ao comentar Hebreus 4:14: "Quando o Filho de Deus foi-nos enviado, foi-lhe dado um duplo papel: de mestre e de sacerdote". Calvino, *The Epistle of Paul the Apostle to the Hebrews and the First and Second Epistles of St. Peter*, p. 54.

titutas, de 1559, Calvino dedicou um capítulo inteiro à introdução dos três ofícios de rei, sacerdote e profeta.[30]

Depois de Calvino, o ofício triplo tornou-se uma fórmula-chave tanto na catequese quanto na teologia reformada. Foi adotado nas respostas 31 e 32 do Catecismo de Heidelberg (publicado em 1563, enquanto Calvino ainda estava vivo) e de lá passou para o *Comentário*, de Ursino, muito influente, publicado pela primeira vez em 1591, mas incorporando a substância das palestras universitárias entre 1561 e 1577.[31] E, mesmo antes da publicação dessa obra, *The Golden Chain* [A cadeia de ouro], de William Perkins (1590), aceitou como fato que "o ofício de Cristo é triplo: sacerdotal, profético, régio".[32] Isso foi adotado pela Confissão de Fé de Westminster (8.1), pelo Catecismo Maior de Westminster (42, 45) e pelo Catecismo Menor de Westminster (23–26), e também pelos sistemáticos reformados, de Ussher a Hodge e de Berkhof a Grudem.[33] De fato, sua influência ultrapassou sobremaneira os limites da ortodoxia reformada, como Jansen aponta: "Homens tão diferentes como Schleiermacher e Brunner, Gerhard e Turretin, Bavinck e Newman, fizeram uso dela".[34]

Calvino claramente não adotou o *munus triplex* por deferência a qualquer autoridade anterior, nem o tomou porque correspondia perfeitamente à tríplice necessidade espiritual do homem (conhecimento, perdão e libertação). Em vez disso, como vimos, deduziu-o do título Messias, baseando-se em seu significado primordial de "ungido". Cristo foi, em primeiro lugar, "o ungido", e Calvino observou que, no Antigo Testamento, os ocupantes de três funções específicas eram ungidos: reis, como Saul (1Samuel 10:1) e Davi (1Samuel 16:13); sacerdotes, especialmente o sumo sacerdote (Êxodo 29:7); e profetas. A afirmação de Calvino de que, sob a lei, profetas, bem como reis e sacerdotes, eram ungidos com óleo pode parecer um pouco duvidosa, pois não havia, afinal, nenhuma prescrição formal no Antigo Testamento para a unção de profetas. Mas não poderia haver dúvida de que eles falavam pelo Espírito, e isso é explícito em Isaías 61:1, em que o profeta clama: "O Espírito do Soberano, o SENHOR, está sobre mim porque o SENHOR ungiu-me para levar boas notícias aos pobres".[35] Foi com

---

[30] Calvino, *Institutas*, 2.15.
[31] *The Commentary of Dr. Zacharias Ursinus on the Heidelberg Catechism* (1852). Phillipsburg: Presbyterian and Reformed, n.d.
[32] William Perkins, *The Golden Chain*, In: Ian Breward (ed.). *The Works of William Perkins*. Courtenay Library of Reformation Classics 3. Appleford: Sutton Courtenay, 1970, p. 204.
[33] James Ussher, *A Body of Divinitie*. Londres: 1653, p. 166–186; Charles Hodge, *Systematic Theology*. Nova York: Scribner, p. 1871–1873, 2:459–609; Louis Berkhof, *Systematic Theology*. Londres: Banner of Truth, 1959, p. 356–414; Wayne Grudem, *Systematic Theology: An Introduction to Biblical Doctrine*. Leicester: Inter-Varsity Press, 1994, p. 624–631.
[34] Jansen, *Calvin's Doctrine of the Work of Christ*, p. 16.
[35] Calvino, *Institutas*, 2.15.2.

essas palavras que o próprio Jesus começou seu ministério profético na sinagoga de Nazaré (Lucas 4:18,19).

O MEDIADOR: VERDADEIRO DEUS E VERDADEIRO HOMEM

A doutrina dos reformadores acerca da obra de Cristo repousava sobre um sólido fundamento calcedônico. Eles eram unânimes em afirmar que o Mediador era, ao mesmo tempo, verdadeiro Deus e verdadeiro homem. Lutero expressou-o de forma memorável em suas *Pregações sobre Romanos* (*ad* Romanos 1:3,4): "Porque desde o princípio, na concepção de Cristo, por causa da união das duas naturezas, foi correto dizer: 'Esse Deus é o Filho de Davi, e esse Homem é o Filho de Deus'".[36] Melanchthon, ainda mais ousado, escreveu: "Deus sofreu, foi crucificado e morreu. Você não deve pensar que o Redentor o é somente em sua natureza humana, e não como todo o Filho de Deus. Pois, mesmo que a natureza divina não possa ser torturada, nem morrer, você deve entender que esse Filho, coeterno com o Pai, é o Redentor".[37]

Mas eles não só afirmaram a realidade de ambas as naturezas, mas também se esforçaram para mostrar por que ambas eram essenciais para a obra de Cristo. Calvino dedicou um capítulo inteiro das *Institutas* (2.12) a essa questão. O Mediador tinha de ser um homem verdadeiro, porque precisava ser capaz de simpatizar com seu povo e porque a penalidade do pecado tinha de ser sofrida na mesma carne que havia pecado. Além disso, ele tinha de ser Deus verdadeiro, porque sua missão era engolir a morte, "e quem, a não ser a Vida, poderia fazer isso? Era tarefa dele derrotar os poderes do mundo e do ar. Quem, exceto um poder superior ao do mundo e ao do ar, poderia fazer isso?"[38] "Em suma", concluiu ele, "uma vez que, afinal, nem podia, como somente Deus, sentir a morte, nem como somente homem podia superá-la, associou a natureza humana com a divina, para que sujeitasse à morte a fraqueza de uma, a fim de expiar pecados; e, lutando com a morte pelo poder da outra natureza, nos adquirisse a vitória".[39]

Lutero não tratou da necessidade das duas naturezas com a mesma objetividade que Calvino.[40] No entanto, ele estabeleceu que "Cristo teve de vir como um segundo Adão, legando-nos sua justiça por meio de um novo nascimento espiritual na fé, assim como o primeiro Adão nos legou o pecado por meio do velho nascimento na carne".[41] Em *Do cativeiro babilônico da Igreja*, ele ligou a necessidade da en-

---

[36] *LW* 25:147.
[37] Melanchthon, *Chief Theological Topics*, 2.8.
[38] Calvino, *Institutas*, 2.12.2.
[39] Ibid., 2.12.3.
[40] Entretanto, veja o cap. 9, "A pessoa de Cristo", de Robert Letham, em que ele faz uma apresentação detalhada da cristologia de Lutero.
[41] Lutero, "Prefaces to the New Testament", *LW* 35:375. ["Prefácio ao Novo Testamento", em *Martinho Lutero Obras selecionadas, v. 8: Interpretação bíblica – Princípios*. Comissão Interluterana de Literatura. São Leopoldo:

carnação às palavras de Jesus em Lucas 22:20: "Este cálice é a nova aliança no meu sangue, derramado em favor de vocês". Tomando o termo *testamentum* da Vulgata significando literalmente uma "última vontade e testamento", Lutero concluiu que, se Deus fez um testamento, era necessário que ele morresse, "mas Deus não poderia morrer a menos que se tornasse homem".[42] Mas foi sobre a necessidade da divindade do Mediador que Lutero colocou mais ênfase. Comentando sobre Gálatas 3:13, em seus *Sermões sobre Gálatas*, de 1535, ele escreveu:

> Aqui você vê como é necessário crer e confessar a doutrina da divindade de Cristo. Quando Ário negou isso, foi necessário para ele negar também a doutrina da redenção. Pois vencer o pecado do mundo, a morte, a maldição e a própria ira de Deus não é obra de qualquer criatura, mas do poder divino. Portanto, era necessário que aquele que vinha conquistar essas coisas fosse o Deus verdadeiro por natureza.[43]

Em sua *Plain Exposition of the Twelve Articles of the Christian Faith* [Exposição simples dos Doze Artigos da Fé Cristã] (publicada em italiano em 1542), Pedro Mártir Vermigli também destacou a importância da divindade do Messias: "Se Cristo fosse apenas humano, deveríamos ser proibidos de ter esperança nele".[44] Ursino também levantou a questão: "Que tipo de Mediador ele é?", e respondeu: "Nosso Mediador deve ser homem – um verdadeiro homem, derivando sua natureza de nossa raça e mantendo-a para sempre –, um homem perfeitamente justo e verdadeiro Deus".[45] Seu argumento, entretanto, era que, para ser uma "pessoa que faz intermediação" adequada, Cristo tinha de se relacionar com ambas as partes, "tendo ambas as naturezas, a divina e a humana, na unidade de sua pessoa, para que ele fosse um intermediário e fizesse a mediação entre Deus e os homens".[46] Em contrapartida, Perkins aderiu ao argumento de Calvino: a união das duas naturezas em Cristo foi essencial para sua mediação, "pois foi por essa união que sua humanidade sofreu um tipo de morte na cruz pela qual ele não podia ser vencido nem perpetuamente esmagado".[47]

À medida que os sucessores de Calvino desenvolveram o *munus triplex*, eles insistiram em que, após sua encarnação, o Mediador não só possuía as duas naturezas,

---

Editora Sinodal; Porto Alegre: Editora Concórdia, s/d.]
[42] *LW* 36:37, 38. [*Do cativeiro babilônico da Igreja*, em *Martinho Lutero Obras selecionadas, v. 2: O programa da Reforma. Escritos em 1520.*]
[43] *LW* 26:282.
[44] Pedro Mártir Vermigli, *The Peter Martyr Library*, v. 1, *Early Writings: Creed, Scripture, Church*, editado por Joseph C. McLelland, Sixteenth Century Essays & Studies 30. Kirksville: Sixteenth Century Journal Publishers, 1994, p. 33.
[45] Ursino, *Commentary on the Heidelberg Catechism*, p. 95.
[46] Ibid.
[47] Perkins, *The Golden Chain*, p. 200.

bem como agia de acordo com ambas, e o fez em cada ponto de sua obra. Eles foram cuidadosos, no entanto, para fazer justiça à unidade da pessoa de Cristo. Todas as ações e experiências do Mediador foram ações do único Filho de Deus, e foi ele, como pessoa divina, que falou, agiu e sofreu. Indissoluvelmente ligado a isso estava a doutrina de que o próprio Filho divino foi oferecido em sacrifício pelos pecados do mundo. Lutero já havia enfatizado isso (embora para fins polêmicos, decorrentes de seu debate com Zuínglio): "É a pessoa que faz e sofre tudo, uma coisa de acordo com essa natureza e a outra segundo a outra natureza".[48]

Foi precisamente esse princípio que Calvino invocou para explicar como Paulo usa a frase "seu próprio sangue" em Atos 20:28: "Paulo atribui o sangue a Deus, porque o homem Jesus Cristo, que derramou seu sangue por nós, também era Deus".[49] Uma aplicação característica disso era que a extraordinária magnitude do sacrifício realçava a gravidade do pecado. Melanchthon, por exemplo, escreveu: "Pois o que poderia ser um sinal mais terrível da ira de Deus do que ele não poder ser satisfeito com qualquer sacrifício, exceto a morte de seu próprio Filho?"[50] Inversamente, imaginar que a remissão de pecados poderia ser assegurada por nossas próprias obras era minimizar o pecado: "Pois a cegueira humana e a autossegurança não entendem a enormidade da ira de Deus contra o pecado, e, portanto, essa cegueira imagina que tal ira pode ser atenuada pela disciplina humana".[51]

Definindo a relação entre as duas naturezas

Mas, por volta do final do século XVI, os teólogos haviam progredido no assunto. Perkins, por exemplo, estabeleceu que "Cristo faz a intercessão de acordo com ambas as naturezas".[52] Ursino também especulou um pouco mais, argumentando que Cristo foi ungido de acordo com cada natureza e, portanto, era profeta, sacerdote e rei em relação a cada natureza. E, uma vez que, em termos de comunicação de propriedades, os atributos de cada natureza foram atribuídos *à pessoa*, seguiu-se que era apropriado falar de Deus sofrendo de acordo com sua humanidade e do homem Cristo sendo onipotente, eterno e onipresente de acordo com sua divindade.[53]

Na época das *Institutes of Elenctic Theology* [Institutas da teologia elênctica], de Turretin (Genebra, 1688), essa questão estava sendo tratada com atenção na

---

[48] Martinho Lutero, *That These Words of Christ, "This Is My Body," Still Stand Firm against the Fanatics*, LW 37:3-150. Citação em 37:123.
[49] João Calvino, *The Acts of the Apostles 14-28*. Grand Rapids: Eerdmans, 1966), p. 184.
[50] Melanchthon, *Chief Theological Topics*, p. 153.
[51] Ibid., p. 161.
[52] Perkins, *The Golden Chain*, 207.
[53] Ursino, *Commentary on the Heidelberg Catechism*, p. 172. Note o contraste com o luteranismo, o qual via uma comunicação dos atributos entre as duas naturezas. Veja cap. 9, "The Person of Christ", de Robert Letham.

dogmática reformada protestante,⁵⁴ mas isso exigia esclarecimentos. Embora cada ato ou experiência do Mediador seja um ato ou experiência do único Filho de Deus, cada ato não deve ser atribuído a qualquer uma das naturezas. Por exemplo: o Filho não sustentou o universo de acordo com sua natureza humana; nem, como indicou Zuínglio em sua *Exposition of the Faith* [Exposição da fé] (1536), tinha fome e sede de acordo com sua natureza divina;⁵⁵ tampouco poderia ser ignorante de acordo com sua natureza divina. E, embora o Filho divino tenha provado a morte, a natureza divina não morreu nem sofreu (os teólogos da Reforma aceitaram inquestionavelmente a doutrina da impassibilidade divina).

Nesse ponto, no entanto, devemos recordar a terminologia precisa utilizada por Calcedônia para definir a relação entre as duas naturezas na pessoa de Cristo. Elas não são agentes distintos, mas correm juntas, "ambas concordando [do grego, *suntrecho*] dentro de [ou em?] uma pessoa e uma hipóstase".⁵⁶ Isso significa que, mesmo quando um ato ou uma função particular é peculiar a uma natureza, há uma "concomitância" da outra. Por exemplo: embora o governo do universo seja antes de tudo uma função da natureza divina de Cristo, ele governa como o Encarnado e reúne em seu governo toda a compaixão que aprendeu ao compartilhar nossa vida na terra. Se não fosse Deus, não poderia estar no centro do trono (Apocalipse 5:6), mas, se não fosse homem, não poderia simpatizar com nossas fraquezas (Hebreus 4:15). Essa concomitância aplica-se a cada ação que atribuímos ao Mediador encarnado. As duas naturezas andam juntas, distintas, mas não separadas, unidas em uma só pessoa, mas não confundidas. Em cada ponto, chegando mesmo à cruz (e, na verdade, na cruz), havia um amor divino e um amor humano, uma escolha divina e uma escolha humana, um conhecimento divino e um conhecimento humano.

No entanto, essa ideia da concomitância de ambas as naturezas na obra de Cristo carrega seus próprios perigos. Uma delas é a tentação de atribuir suas ações ora a uma natureza e, depois, à outra. Vemos isso já em Zuínglio, que disse que o clamor: "Meu Deus! Meu Deus! Por que me abandonaste?" (Mateus 27:46) é a voz de sua natureza humana, mas a oração: "Pai, perdoa-lhes" (Lucas 23:34) é "a voz de inviolável divindade".⁵⁷ Isso requer uma discriminação que poucos de nós possuímos: é suficiente que *ele* tenha clamado e que *ele* tenha orado. Mas o perigo ainda maior é que perdemos de vista o ministério do Espírito Santo na vida do Media-

---

⁵⁴ Francis Turretin, *Institutes of Elenctic Theology*, editado por James T. Dennison Jr. Phillipsburg: P&R, 1992–1997, 1:379–384.
⁵⁵ Veja *Zwingli and Bullinger: Selected Translations with Introduction and Notes*, editado por G. W. Bromiley, LCC 24. Filadélfia: Westminster, 1953, p. 251.
⁵⁶ T. H. Bindley (ed.). *The Oecumenical Documents of the Faith*, 3. ed. Londres: Methuen, 1925, p. 233.
⁵⁷ *Zwingli and Bullinger*, p. 252.

dor. Não perdemos tempos para invocar sua natureza divina como explicação para os atos e aspectos sobrenaturais de sua vida e para falar, como Ursino, da natureza divina que apoia a humana, sustentando-a nas dores e nos sofrimentos que suportou e levantando-a da morte para a vida.[58] Isso é obviamente plausível, mas o Novo Testamento atribui sua ressurreição, por exemplo, não a "sua própria" natureza divina, mas à ação do Pai e do Espírito (Romanos 8:11) e ao fato de que, uma vez que ele fez a expiação pelo pecado, a morte já não tinha poder sobre ele (Romanos 6:9; cf. Romanos 4:25).

Devemos lembrar também as condições sob as quais Jesus exerceu seu ministério terreno. Ele estava aqui em um estado de *kenosis*, sua glória estava velada, agindo não na forma de Deus, mas na forma de um servo, não "apegado" a seu divino esplendor, o qual estava tão velado que os observadores viam apenas o humano.[59] Isso não pode significar simplesmente que, embora seus poderes estivessem presentes, estavam escondidos. Deve significar que eles estavam ocultos por *não* estarem presentes: mantidos *in retentis* (ou restrição), mas em suspenso, não absolutamente, mas em relação à obra que ele tinha de realizar na carne. Ele não devia recorrer a seus poderes divinos para aliviar sua própria fome, para se proteger da exaustão ou para verificar o tempo de sua segunda vinda. Ele tinha tomado carne e sangue e seria como seus irmãos e irmãs em todos os aspectos. Ele havia vindo como o último Adão, a fim de render uma obediência humana, e a renderia com os recursos disponíveis para a humanidade. Além disso, seria tentado como nós (mas sem ceder), e iria repelir o Diabo usando as mesmas armas que estão disponíveis para seu povo.

Foi Melanchthon quem tratou desse aspecto da vida do Senhor com mais habilidade, tomando sua sugestão de uma frase de Ireneu: "Ele, a Palavra, permaneceu *quiescente*, para que pudesse ser tentado, desonrado, crucificado e sofrer a morte".[60] Melanchthon explicou: "A natureza divina na verdade não foi mutilada ou morta, mas foi obediente ao Pai, *permanecendo em silêncio*, cedeu à ira do Pai eterno contra o pecado da raça humana e *não usou seu poder ou exerceu sua força*". Comentando a referência de Paulo (Filipenses 2:6) ao fato de Cristo ser igual a Deus, ele observou que, embora Cristo fosse igual ao Pai em poder e sabedoria, ele não insistiu em usar essa igualdade, "isto é, quando foi enviado para ser obediente a Deus em sofrimento, ele não agiu de forma contrária à ordem, não usou seu poder para fugir de seu chamado, mas 'se esvaziou'".[61]

---

[58] Ursino, *Commentary on the Heidelberg Catechism*, p. 216.
[59] Confira o comentário de Calvino sobre Filipenses 2:7: "Cristo, de fato, não podia renunciar a sua divindade, mas ele a manteve escondida por algum tempo, para que, sob a fraqueza da carne, ela não pudesse ser vista". Calvino, In: *CNTC* 11:248.
[60] Ireneu, *Against Heresies*, 3.19, In: Alexander Roberts e James Donaldson (eds.). *Ante-Nicene Fathers*. Cleveland Coxe. Grand Rapids: Eerdmans, 1993, 1:449. grifos nossos.
[61] Melanchthon, *Chief Theological Topics*, p. 27,28.

A preocupação subjacente aqui é insistir que, sob suas "regras de engajamento", Cristo não fez uso de sua sabedoria e de seu poder divinos para mitigar a dureza das condições de sua obra, e não poderia fazê-lo. Ele esteve aqui na forma de servo e, sob essa forma e sujeito a suas limitações, tinha de ser obediente até a morte.

Compreendendo o poder divino do Filho

Como, então, devemos considerar as características extraordinárias da vida de Jesus: seu conhecimento sobrenatural, por exemplo, seus milagres e a determinação com que suportou a cruz? Temos de invocar o apoio de sua natureza divina? Foi o que Zuínglio fez quando atribuiu os milagres de cura feitos por Cristo a seu "poder divino, e não ao humano".[62]

Mas isso não é necessário, pois, não estamos certos de que o ponto-chave na vida de Jesus é que ele veio a esse mundo como o Ungido, possuidor de um dom messiânico inteiramente suficiente a equipá-lo para cada aspecto de sua obra? E não podem seus "poderosos atos" ser explicados por esse dom, o ministério pessoal do Espírito Santo, por meio do qual o Pai havia prometido sustentá-lo (Isaías 42:1)? Foi esse mesmo Espírito que capacitou Moisés, Davi e Elias a transcenderem os poderes comuns da natureza humana, e podemos certamente crer que ele veio sobre o Messias em medida única por causa de sua identidade única, seu ofício único e suas responsabilidades únicas. Nunca foi para a sua natureza divina que orou, mesmo *in extremis*, mas ao "Aba" (Marcos 14:36), e não foi para a sua natureza divina que ele atribuiu seus poderosos atos, mas ao Espírito Santo (Mateus 12:28; conferir Atos 2:22; 10:38).

Por outro lado, mesmo enquanto Cristo vivia num estado de *kenosis*, sua obra não podia ser confinada aos limites da vida que tinha como ser humano. Essa é a doutrina que veio a ser conhecida como *extra Calvinisticum* (*extra* aponta não para algo adicional, mas para algo "de fora"). Cristo, Calvino insistia, era ativo além dos confins de sua natureza humana:

> Pois mesmo tendo a Palavra, em sua imensurável essência, se unido à natureza do homem em uma só pessoa, não imaginamos que estivesse confinado nela. Aqui está algo maravilhoso: o Filho de Deus desceu do céu de tal maneira que, sem deixar o céu, quis ser carregado no ventre da virgem, andar sobre a terra e pender na cruz; contudo, ele encheu continuamente o mundo do mesmo modo que o fez desde o começo.[63]

Em outras palavras: durante sua vida terrena, a atividade do Logos transcendeu sua existência humana, de modo que, mesmo enquanto sua forma divina estava

---

[62] *Zwingli and Bullinger*, p. 251.
[63] Calvino, *Institutas*, 2.13.4.

velada aos olhos humanos, ele ainda estava defendendo o universo por seu poder sem limites. Mas essa atividade, embora transcendendo sua humanidade, ainda era mediadora. A onipotência, a onisciência e a onipresença que possuía serviam a seu povo; e essas perfeições divinas ainda são necessárias, porque nem mesmo a natureza humana glorificada de Cristo é suficiente por si só para os encargos da mediação.

O *extra Calvinisticum* não foi, entretanto, aceito ou divulgado por todos os reformadores. Enquanto Calvino argumentava que a divindade de Cristo transcendeu sua humanidade, Lutero dizia que a própria humanidade possuía atributos divinos, particularmente o atributo de ubiquidade. Isso claramente não poderia se aplicar ao corpo de Cristo enquanto ele estava na terra, mas agora que Cristo ressuscitou e ascendeu, seu corpo está à destra de Deus, e "a mão direita de Deus não é um lugar específico no qual um corpo pode ou deve estar, como em um trono de ouro, mas é o poder extremo de Deus, que pode, ao mesmo tempo, estar em nenhum lugar e ainda estar em toda parte".[64] Lutero se apegou ao termo "mão direita" como um argumento irrefutável para sua opinião de que o corpo de Cristo é onipresente: se a mão direita de Deus está em toda parte, o corpo de Cristo está em toda parte. As doutrinas de Calvino e de Lutero não apenas se mostram diferentes, mas também as preocupações por trás delas eram radicalmente divergentes. Calvino estava refutando a "impudência" que se opõe à encarnação com base no fato de que "se [Cristo] a Palavra de Deus se tornou carne, então, ele estava confinado dentro da prisão estreita de um corpo terreno" (e, por implicação, em uma posição que lhe impediria de sustentar o universo).[65] Lutero estava buscando um fundamento para sua ardorosa crença de que o corpo de Cristo está presente na Ceia do Senhor: "O corpo e o sangue de Cristo estão ao mesmo tempo no céu e na Ceia".[66]

CRISTO COMO PROFETA

O Antigo Testamento havia prometido um profeta como Moisés (Deuteronômio 18:18), e, na mente dos contemporâneos de Jesus, a ideia do Messias estava intimamente associada a um ministério profético especial. A mulher samaritana, por exemplo, observa: "Quando ele [o Messias] vier, explicará tudo para nós" (João 4:25). De acordo com essa expectativa, como observou Calvino, Cristo veio "ungido pelo Espírito para ser arauto e testemunha da graça do Pai".[67] É preciso ressaltar que esse ministério é em si mesmo uma parte essencial da obra de redenção do Mediador. Jansen, de acordo com sua tese de que, embora anunciasse um ofício

---

[64] Lutero, *That These Words of Christ*, LW 37:59.
[65] Calvino, *Institutas*, 2.13.4.
[66] Para a extensa defesa dessa posição de Lutero, veja seu tratado anti-zuingliano *That These Words of Christ*, LW 37:3–150. A citação é da página 59.
[67] *Institutas*, 2.15.2.

triplo, Calvino nunca fez qualquer uso real dele, minimiza o ministério de Cristo como profeta, argumentando que em nenhum de seus comentários e sermões Calvino atribuiu à obra de Cristo como pregador e mestre uma dignidade messiânica distinta dos ofícios de rei e sacerdote.[68] A ênfase, ele sustenta, recai nos ofícios real e sacerdotal, e seu uso predominante é resumir a obra de Cristo sob a fórmula de *munus duplex* em vez de *munus triplex*.

Muito provavelmente Calvino nunca tenha visto o triplo ofício como uma fórmula dogmática a que fosse obrigado a aderir sempre que discutia a obra de Cristo, e também é verdade que ele escreveu frequentemente apenas em termos de um duplo ofício. No entanto, mesmo quando fez isso, Calvino não limitava essa obra invariavelmente aos ministérios sacerdotal e real de Cristo. Por exemplo, comentando Hebreus 3:1,2 e sua comparação entre Cristo e Moisés, ele falou de Cristo sustentando uma dupla honra, mas não a de sacerdote e rei, e sim a de médico e sacerdote. Moisés, Calvino escreveu, "desempenhou o ofício de profeta e médico, Arão, o de sacerdote; mas ambos os deveres estão sobre Cristo".[69] Quanto à alegação de que Calvino fez pouco uso sistemático do tríplice ofício, é notável que o tenha usado em seu *Catecismo genebrino*, e é bem possível que tenha sido no campo da catequese que a fórmula foi mais útil – o que é sem dúvida a razão pela qual foi adotada pelo *Catecismo de Heidelberg*, pelos *Catecismos maior* e *menor da assembleia de Westminster* e pelos primeiros catecismos escoceses, como o de John Craig.[70]

No entanto, por mais interessante que seja a questão do uso que Calvino faz da fórmula *munus triplex*, a verdadeira questão é a importância do ministério de Jesus como profeta, mestre e pregador. Jansen estabelece uma antítese entre Cristo sendo o *arauto* do reino e *sendo* o reino, argumentando que ensinar não era uma obra messiânica separada, e sugere que não é seguro falar de Cristo como profeta, uma vez que, ao contrário de outros profetas, ele não "transmitia" a palavra de outra pessoa, mas ele *é* a Palavra: "Ele não dá uma revelação – ele é a revelação". Jansen conclui: "O caráter revelador de Cristo não está sob o *de officiis*, mas sob o *de persona*, permeando tanto sua obra régia quanto a sacerdotal".[71]

A importância desse argumento é que a revelação era meramente incidental à redenção, mas isso ignora o fato de que uma das grandes necessidades da humanidade do homem caído era de luz e sabedoria. Um Redentor tinha de trazer revelação, bem como perdão e libertação, e essa revelação não poderia ser acessória à sua

---

[68] Jansen, *Calvin's Doctrine of the Work of Christ*, p. 61.
[69] Calvino, *The Epistle of Paul the Apostle to the Hebrews and the First and Second Epistles of St. Peter*, p. 34. [Calvino, *Comentário de Hebreus* (2012) e *Comentário das Epístolas Gerais* (2015). Série Comentários Bíblicos João Calvino. São José dos Campos: Editora Fiel].
[70] Veja Thomas F. Torrance (ed.-trad.). *The School of Faith: The Catechisms of the Reformed Church*. Londres: James Clarke, 1959, p. 97–165.
[71] Jansen, *Calvin's Doctrine of the Work of Christ*, p. 85, 101, 102. Citações das págs. 101, 102.

obra redentora; tinha de ser parte integrante dela, ou, como dizia B. B. Warfield, um componente da série de atos redentores pelos quais o Deus misericordioso salva os homens.[72] Isso não prejudica de modo algum a verdade de que Cristo é simultaneamente Revelador, Revelação e Revelado.

É de acordo com sua obra reveladora que o Messias foi ungido especificamente para ser um pregador (Lucas 4:18), foi constantemente chamado de mestre (João 3:2; 11:28; 13:13), foi tratado como "Mestre" (Mateus 8:19; Marcos 4:38), chamou-se de mestre (Mateus 23:8), foi chamado de profeta (Mateus 21:11; João 6:14; Atos 3:22), proferiu um sermão memorável que expõe a ética do reino (Mateus 5–7) e passou as últimas horas da vida instruindo seus discípulos nos mais profundos mistérios de seu reino (João 13–17).

Assim, seja qual for o uso feito por Calvino da fórmula *munus triplex*, ele foi plenamente justificado em falar de Cristo como profeta e em retratar esse ministério profético como um elemento essencial em sua obra mediadora. Mais tarde, os teólogos reformados do século XVI seguiram seu exemplo. Perkins definiu o ofício como "aquele por meio do qual ele [Cristo], diretamente vindo de seu Pai, revela sua palavra e todos os meios de salvação compreendidos nele"; e acrescentou: "Por essa causa, Cristo é chamado médico, legislador e conselheiro de sua Igreja".[73] Ursino falou no mesmo sentido: "Cristo é o maior e principal profeta, e foi diretamente ordenado por Deus e enviado por ele desde o início da igreja no Paraíso com o propósito de revelar a vontade de Deus para a raça humana".[74]

A verdade fundamental aqui é que, em Cristo, Deus fala. Isso decorre não apenas de sua unção mediadora, mas também de sua identidade de Filho de Deus – um ponto enfatizado pelo escritor aos Hebreus quando declara que Deus, nesses últimos dias, falou pelo Filho (Hebreus 1:2). E o próprio Jesus enfatizou isso quando anunciou que ninguém conhece o Pai a não ser o Filho (Mateus 11:27). Sua filiação divina colocou-o em uma posição única em termos da concepção clássica do Antigo Testamento a respeito do profeta (do hebraico, *nabi*) como alguém que tinha audiência com Deus e dela vinha como seu porta-voz nomeado.

O MINISTÉRIO PROFÉTICO DE CRISTO COMO MESTRE

No entanto, temos de lembrar mais uma vez que, embora Jesus fosse o Filho de Deus durante a totalidade de seu ministério terreno, ele era o Filho de Deus em forma de servo, e esse é um dos principais pontos em que Calvino invocou seu

---

[72] B. B. Warfield, "The Biblical Idea of Revelation". In: Samuel G. Craig (ed.). Warfield, *The Inspiration and Authority of the Bible*. Filadélfia: P&R, 1948, p. 80. [*A inspiração e autoridade da Bíblia – A clássica doutrina da Palavra de Deus*. São Paulo: Editora Cultura Cristã, 2010.]
[73] Perkins, *The Golden Chain*, p. 208.
[74] Ursino, *Commentary on the Heidelberg Catechism*, p. 173.

conceito de acomodação. Com base em Irineu, ele escreveu: "O Pai, ele mesmo infinito, torna-se finito no Filho, pois ele se acomodou à nossa pequena medida para que nossa mente não seja esmagada pela imensidão de sua glória".[75] Isso coloca em questão a fraseologia usada por Perkins quando falou de Cristo revelando sua palavra "diretamente de seu Pai".[76] Em Cristo, a voz de Deus é ouvida mediante a voz de um homem, que declara o que ele, como homem, recebeu e assimilou e que a transmite de modo que nela se imprima a inconfundível impressão de sua própria personalidade encarnada. O que ouvimos não é a voz da augusta e onisciente deidade, nem é a voz de Moisés ou Isaías, tampouco de Paulo ou João. É a voz de Jesus, singularmente ungido e unicamente íntimo com o Espírito, mas manso e humilde de coração, falando com autoridade que reivindica sua própria autenticidade e vestindo sua mensagem de formas inesquecíveis. No entanto, não é uma voz capaz de responder a todas as nossas perguntas ou autorizada a fazê-lo. Ainda há "coisas encobertas" que pertencem ao SENHOR, nosso Deus (Deuteronômio 29:29), como o dia e a hora da parusia de Cristo – isto é, sua segunda vinda (Marcos 13:32). Mas nada do que sua igreja precisa saber foi mantido em segredo.

Um segundo ponto-chave é que Cristo veio como o Profeta das *boas-novas*. Trata-se de um tema sobre o qual Melanchthon trabalhou em seu capítulo sobre "O Evangelho" na edição original (1521) de *Loci Communes*,[77] embora todo seu tratamento do assunto inevitavelmente seja governado não pelo *munus triplex*, mas pela antítese de Lutero entre lei e evangelho. Além disso, ele está respondendo aos "sofistas ímpios" que proclamavam que "Cristo se tornou o sucessor de Moisés e deu uma nova lei, e que essa nova lei é chamada evangelho".[78] Na verdade, pergunta-se se a negligência comparativa do luteranismo com relação à obra de Cristo como profeta está ligada aos temores de ligar Cristo a Moisés, e, portanto, à lei.[79] Por outro lado, Melanchthon tomou o cuidado de não comprometer a autoridade de

---

[75] Calvino, *Institutas*, 2.6.4. Veja também Ford Lewis Battles, "God Was Accommodating Himself to Human Capacity". In: Donald K. McKim (ed.). *Readings in Calvin's Theology*. Eugene: Wipf and Stock, 1998, p. 21, 42.
[76] Perkins, *The Golden Chain*, p. 208.
[77] Parece ser essa a edição publicada em *Melanchthon and Bucer*, ed. Wilhelm Pauck, LCC 19 (Filadélfia: Westminster, 1969). O texto de *Loci* passou por não menos que 75 edições, e, como o editor de *Chief Theological Topics*, de Melanchthon, aponta em sua introdução: "As diferenças entre as edições são, por vezes, muito grandes" (Preus, ed., *Chief Theological Topics*). Por exemplo: as primeiras edições não contêm o capítulo "Deus", do qual algumas citações neste artigo foram tomadas, enquanto o capítulo "O Evangelho" (locus 7) em edições posteriores não tem a polêmica agudez dos primeiros anos da Reforma.
[78] *Melanchthon and Bucer*, p. 74.
[79] Veja, por exemplo, a advertência de Lutero: "Vede, portanto, que não façais um Moisés de Cristo, ou um livro de leis e doutrinas do evangelho, como foi feito antes e como certos prefácios o colocaram, mesmo os de Jerônimo". "Preface to the New Testament", *LW* 35:360. [Martinho Lutero, "Prefácio ao Novo Testamento", em *Obras selecionadas, v. 8: Interpretação bíblica. Princípios*. Comissão Interluterana de Literatura. São Leopoldo: Editora Sinodal; Porto Alegre: Editora Concórdia, s/d.]

Moisés e distinguiu-o claramente dos defensores da justiça farisaica.[80] Ele também admitiu que Cristo "expõe a lei, porque a graça não pode ser pregada sem lei"[81] e insistiu, contudo, que o ofício primário ou apropriado de Cristo não é estabelecer a lei, mas conceder graça: Moisés é legislador e juiz, Cristo é o Salvador, concedendo graça e perdão. E essa graça, disse Melanchthon, não é alguma qualidade em nós, "mas sim a própria vontade de Deus, ou a boa vontade de Deus para conosco".[82]

Calvino repetiu essa ênfase, declarando que Cristo foi ungido para ser arauto e testemunha da graça do Pai.[83] Na geração seguinte, o puritano inglês John Preston resumiria essa mensagem em sua paráfrase da forma marcana da Grande Comissão: "Vá e diga a cada homem, sem exceção, que há boas-novas para ele".[84] É essa mensagem que traz alívio àqueles que, como Lutero, permaneciam frustrados em seus esforços para manter a lei; e é nessa revelação da graça que a fé confia. "Onde está faltando a promessa do amor divino para conosco", escreveu Calvino, ao comentar Gálatas 4:6, "certamente não há fé".[85] Isso se reflete na resposta dada à pergunta 21 do Catecismo de Heidelberg: "O que é a verdadeira fé?" É "uma confiança de coração de que o Espírito Santo opera em mim pelo Evangelho, que não só para os outros, mas também para mim, o perdão dos pecados, a justiça e a salvação eternas são dados gratuitamente por Deus, por causa do mérito de Cristo".

Em terceiro lugar, a revelação dada por meio de Cristo é final e definitiva, e isso se aplica não só ao ensinamento durante sua vida na terra, mas também a todo o ministério profético que exerce em sua qualidade de Mediador, incluindo a palavra que ele falou (como *incarnandus* ["a ser encarnado], mas ainda não *incarnatus* [encarnado]) ao longo do Antigo Testamento e da tradição que transmitiu aos apóstolos após a ressurreição (1Coríntios 11:23; 15:3–8; Gálatas 1:11,12) com a intenção expressa de que eles deveriam entregar a palavra à igreja. Calvino foi inflexível sobre a finalidade dessa revelação: a doutrina perfeita que Cristo trouxe pôs fim a todas as profecias. "Fora de Cristo", ele escreveu, "não há nada que valha a pena conhecer, e todos os que pela fé percebem como ele é compreenderam toda a imensidão dos benefícios celestiais".[86] A *finalidade* da revelação foi assim feita para descansar em sua *perfeição*. "Nem a Igreja universal, nem os sacerdotes nem os concílios", escreveu Melanchthon, "têm o direito de mudar ou decretar qual-

---

[80] Cf. Lutero: "Cristo é sem dúvida um legislador divino e sua doutrina é a lei divina, que nenhuma autoridade pode mudar ou dispensar." *Explanations of the Ninety-Five Theses* (1517), *LW* 31:88.
[81] *Melanchthon and Bucer*, p. 75.
[82] Ibid., p. 87.
[83] Calvino, *Institutas*, 2.15.2.
[84] John Preston, *The Breast-Plate of Faith and Love* (1634). Reimpressão do fac-símile, Edimburgo: Banner of Truth, 1979, p. 8.
[85] Calvino, *Galatians, Ephesians, Philippians and Colossians*, p. 75.
[86] Calvino, *Institutas*, 2.15.2.

quer coisa sobre a fé. Os artigos de fé devem ser julgados simplesmente de acordo com o cânon da Sagrada Escritura".[87] O ponto foi repetido em credos posteriores reformados, como a Confissão de Westminster, que declarou que nada podia ser adicionado à Escritura pelas "tradições dos homens".[88] Isso excluiria, por exemplo, o estudo teológico proposto no *Essay on the Development of Christian Doctrine* [Ensaio sobre o desenvolvimento da doutrina cristã], de John Henry Newman, que argumentava que o credo cristão pode ser expandido por "mais tempo e reflexão mais profunda" e que isso legitima a introdução no dogma católico de artigos sequer insinuados nos escritos apostólicos.[89]

Mas uma revelação externa não é suficiente. Também deve haver uma obra interior do Espírito Santo iluminando a Palavra e selando-a no coração humano. "A natureza não concorda com a Palavra de Deus e, além disso, não é movida por ela", escreveu Melanchthon.[90] Tudo o que se pode alcançar é fé histórica ou mera opinião: "O que, portanto, é a fé? É constantemente concordar com cada palavra de Deus, o que não pode ocorrer a menos que o Espírito de Deus renove e ilumine nosso coração".[91] Lutero usou o mesmo argumento, embora em um contexto em que viu o ensino de Cristo como parte do ministério sacerdotal, não do profético: "Não apenas ora e intercede por nós, mas nos ensina interiormente mediante a instrução viva de seu Espírito, desempenhando assim as duas funções reais de um sacerdote".[92] Foi esse mesmo ensino que Calvino condensou em sua doutrina do testemunho interior do Espírito Santo: "O próprio Espírito, portanto, aquele que falou pela boca dos profetas, deve penetrar em nosso coração para nos persuadir de que eles fielmente proclamaram o que lhes havia sido divinamente ordenado".[93]

O MINISTÉRIO PROFÉTICO DE CRISTO POR INTERMÉDIO DOS PREGADORES

Ligada a esse ensinamento está a doutrina de que a unção profética de Cristo "foi espalhada da Cabeça para os membros".[94] Essa doutrina decorria do fato de que

---

[87] Melanchthon, *Loci Communes*, p. 63.
[88] WCF 1.6.
[89] John Henry Newman, *An Essay on the Development of Christian Doctrine* (1845). Harmondsworth: Penguin Books, 1974.
[90] *Melanchthon and Bucer*, p. 91.
[91] Ibid., p. 92.
[92] Martinho Lutero, *The Freedom of a Christian*, LW 31:354. Isso reflete o fato de que, no Antigo Testamento, os sacerdotes instruíam o povo diariamente.
[93] Calvino, *Institutas*, 2.7.4. Veja também o sermão de Calvino sobre Isaías 53:13, em que ele diz: "O profeta afirma expressamente que a voz exterior que convida não é de nenhum proveito, a menos que o dom especial do Espírito a acompanhe". João Calvino, *Sermons on Isaiah's Prophecy of the Death and Passion of Christ*, traduzido e editado por T. H. L. Parker. Londres: James Clarke, 1956, p. 46.
[94] Calvino, *Institutas*, 2.15.2.

ele recebeu sua unção "não só para si mesmo, mas para desempenhar o ofício do ensino, mas para todo o seu corpo, a fim de que o poder do Espírito esteja presente na contínua pregação do evangelho".[95] Os reformadores, então, consideravam não só a palavra *escrita*, mas também a *pregada* como a Palavra de Cristo? Lutero certamente o fez, insistindo que, onde o pregador expõe fielmente a Escritura, sua palavra é a Palavra de Deus: "Agora, dá-se comigo e com qualquer homem que fala a Palavra de Cristo que quem age assim pode gloriar-se livremente de que sua boca é a boca de Cristo. Estou certo de que minha palavra não é minha, mas de Cristo".[96] O mesmo sentimento é registrado em seu livro *Table Talk* [Conversa à mesa]: "Alguém perguntou: 'Doutor, a Palavra que Cristo falou quando estava na terra é a mesma, de fato e em efeito, que a Palavra pregada por um ministro?' O doutor [Lutero] respondeu: 'Sim, porque ele [Cristo] disse: 'Aquele que lhes dá ouvidos, está me dando ouvidos' (Lucas 10:16)'".[97] Em seu "Prefácio às Epístolas de Tiago e Judas", chegou mesmo a afirmar que isso era verdade, independentemente das qualidades pessoais do pregador: "O que prega a Cristo será apostólico, mesmo que Judas, Anás, Pilatos e Herodes o façam".[98] O conteúdo é o que importa.

Calvino disse o mesmo, ainda que insistisse que os intérpretes humanos da Palavra são uma acomodação à nossa fraqueza, "pois [Deus] prefere dirigir-se a nós de modo humano por intermédio de intérpretes para nos atrair a si mesmo, em vez de trovejar sobre nós e fazer-nos fugir".[99] No entanto, quando ouvimos seus ministros falarem, é como se ele mesmo falasse: "É um privilégio singular que ele se permita consagrar para si mesmo a boca e a língua de homens para que sua boca ressoe neles". Isso depende, é claro, do "fato de que o pregador venha a declarar somente o que foi revelado e registrado na Sagrada Escritura".[100] A pregação "toma emprestada" sua posição de Palavra de Deus a partir da Escritura, e o púlpito, então, torna-se o trono do qual Deus governa nossa alma: "Lembremos", declarou Calvino em um de seus sermões sobre Deuteronômio, "que a doutrina que recebemos de Deus é como o discurso de um rei".[101]

Essa noção não significa que o pregador, simplesmente como tal, é uma extensão do ministério profético de Cristo, mas sim que Cristo continua a exercer *seu* ministério profético por intermédio do pregador.

---

[95] Ibid.
[96] Citado em Karl Barth, *Church Dogmatics*, v. 1, pt. 1. Edimburgo: T&T Clark, 1936, p. 107.
[97] *LW* 54:394.
[98] *LW* 35:396. ["Prefácio às Epístolas de Tiago e Judas". In: *Obras selecionadas, Volume 8: Interpretação bíblica. Princípios.*]
[99] Calvino, *Institutas*, 4.1.5.
[100] T. H. L. Parker, *Calvin's Preaching*. Edimburgo: T&T Clark, 1992, p. 22.
[101] João Calvino, *Sermons on Deuteronomy* (1583). Reprodução de fac-símile, Edimburgo: Banner of Truth, 1987, p. 1192.

CRISTO COMO SACERDOTE

A discussão inicial de Calvino sobre o ofício de sacerdote de Cristo foi mais ou menos proporcional a seus comentários sobre os ofícios profético e régio no mesmo capítulo.[102] No entanto, ele ampliou seu estudo nos dois capítulos seguintes, na mesma linha do Credo dos Apóstolos e pausando reverentemente sobre as cláusulas "sofreu sob Pôncio Pilatos, foi crucificado, morto e sepultado; desceu ao hades". Há um tratamento mais curto, mas não menos rico, dessas mesmas cláusulas em Pedro Mártir Vermigli, cuja exposição do credo reflete a perspectiva teológica de Calvino.[103] Examinaremos isso mais tarde.

O TRABALHO SACERDOTAL DE CRISTO NA EXPIAÇÃO

O foco de Calvino na crucificação de Cristo não deve obscurecer o fato de que ele atribuiu nossa redenção a "todo o curso de sua obediência [...] desde o momento em que assumiu a forma de servo, ele começou a pagar o preço da libertação a fim de redimir-nos".[104] No entanto, Calvino insistiu que, quando se trata de definir "mais exatamente" o caminho da salvação, a Escritura "atribui isso como peculiar e próprio à morte de Cristo".

Mas será que Cristo teria vindo se não fosse necessário dar a vida como expiação pelo pecado? Calvino dirigiu-se, com considerável firmeza e rigor (e óbvia irritação), ao que chamou de "especulação" de Osiandro de que Cristo ainda se tornaria homem mesmo se o pecado nunca tivesse entrado no mundo.[105] Para Calvino, essa era uma novidade frívola: toda a Escritura proclama que para ser um Redentor foi que Cristo se vestira de carne. O Messias foi prometido desde o início apenas para restaurar o mundo caído, e, quando realmente veio, ele mesmo declarou (por exemplo, em Mateus 18:11) que a razão para seu advento era que por sua morte pudesse apaziguar Deus e libertar-nos da morte para a vida. Calvino concluiu que, uma vez que o Espírito declara que estes dois, o pecado do homem e o advento de Cristo, são unidos pelo decreto eterno de Deus, "não é lícito inquirir como Cristo se tornou nosso redentor e participante de nossa natureza".[106]

Mas o que levou Deus a mostrar favor a nosso mundo caído? Calvino esforçou-se por firmar sua doutrina de reconciliação firmemente no eterno amor divino e insistir que esse amor precedeu o sacrifício expiatório de Cristo. "Por seu amor", ele escreveu, "Deus, o Pai, precede e antecipa nossa reconciliação em Cristo". Ele continuou:

---

[102] Calvino, *Institutas*, 2.15.6.
[103] Vermigli, *Early Writings*, p. 15–79.
[104] Calvino, *Institutas*, 2.16.5.
[105] Ibid., 2.12.4–7.
[106] Ibid., 2.12.5.

Porque não foi depois que fomos reconciliados com ele pelo sangue de seu Filho, que ele começou a nos amar. Pelo contrário, ele nos amou antes que o mundo fosse criado. [...] O fato de termos sido reconciliados pela morte de Cristo não deve ser entendido como se seu Filho nos reconciliasse com ele para que ele pudesse agora começar a amar aqueles a quem odiava.[107]

Pelo contrário, fomos reconciliados com aquele que nos ama.

No entanto, Calvino estava igualmente consciente de que Cristo como sacerdote deve considerar seriamente a raiva de Deus: ninguém pode considerar seriamente o que isso é sem sentir "a ira e a hostilidade de Deus com respeito a si". Associado a isso vem a necessidade de segurança de que há alguns meios pelos quais Deus pode ser apaziguado, mas uma garantia comum não fará isso, "pois a ira e a maldição de Deus sempre estarão sobre os pecadores até que sejam absolvidos da culpa. Visto que é um juiz justo, ele não permite que sua lei seja quebrada sem punição, mas é equipado [do latim, *armatus*] para vingá-la".[108]

Mas aqui, sugeriu Calvino, há "algum tipo de contradição".[109] Como poderíamos ser objetos do amor e da misericórdia de Deus e simultaneamente objetos de sua ira e de sua vingança? Ou, como a "contradição" é expressa por Paul Helm: "Como poderia Deus a qualquer momento ser um inimigo se ele eternamente nos amou?"[110] Uma resposta apropriada a isso teria sido que o amor e a ira não são opostos: o amor pode ser irado, às vezes muito irado. Amor e ódio é que são opostos, e, embora os filhos de Deus fossem, por natureza, objetos de sua ira (Efésios 2:3), nunca foram objetos de seu ódio. Além disso, mesmo depois de sermos livremente perdoados e adotados na família de Deus, podemos, como diz a Confissão de Fé de Westminster, "cair sob o desagrado paternal de Deus".[111]

Mas Calvino escolheu um caminho diferente, argumentando que expressões tais como Deus sendo inimigo do homem, o homem sendo maldito e o homem distanciado de Deus "foram acomodadas à nossa capacidade [de modo] para que pudéssemos entender melhor quão miserável e arruinada é nossa condição separada de Cristo".[112] Em outras palavras, a expressão bíblica sobre a ira de Deus pertence à mesma categoria de Deus se arrepender.

Isso certamente é uma estrada perigosa. "Nenhum arrependimento pode pertencer a Deus", declarou Calvino em seu comentário sobre Jonas. É simplesmente um modo de falar, usado somente para nossa compreensão humana. Da mesma

---

[107] Ibid., 2.16.4.
[108] Ibid., 2.16.1.
[109] Ibid., 2.16.1.
[110] Paul Helm, *John Calvin's Ideas*. Oxford: Oxford University Press, 2004, p. 393.
[111] WCF 11.5.
[112] Calvino, *Institutas*, 2.16.2.

forma, quando a Escritura fala da ira de Deus, ela está se acomodando à "rudeza de nosso entendimento", porque não podemos fazer nada a não ser ficar aterrorizados e, assim, sermos humilhados diante de Deus e arrepender-nos: "Porque, ao *compreendermos* que Deus está irado quando nos leva a seu tribunal e nos mostra nossos pecados, assim também nós o *compreendemos* como aplacado quando oferece a esperança do perdão".[113]

Como essas palavras evidenciam, os conceitos de ira e de propiciação permanecem ou caem juntos. Se um é apenas uma maneira de falar, assim é o outro; e, desse modo, por fim, são todos os conceitos-chave da doutrina da expiação. Mesmo o amor divino terá de ser desmistificado como mero antropomorfismo projetado para acomodar nossa finitude humana. Em vez disso, certamente, devemos nos apegar ao fato de que nosso amor não é mais que um leve reflexo do divino e nossa ira contra o mal apenas um reflexo fraco da dele.

A DESCIDA AO INFERNO

Calvino também dedicou considerável atenção à afirmação do Credo dos Apóstolos de que Cristo "desceu ao inferno",[114] assunto este sobre o qual os reformadores não foram unânimes. Lutero, por exemplo, oscilou entre Jesus descendo ao inferno após sua morte, a fim de engolir a morte e o inferno, e Cristo meramente sofrendo no Getsêmane e no Calvário.[115] Zuínglio, em sua *Exposição da fé*, entendeu a descida como se referindo primeiramente à realidade da morte de Jesus, "pois ser contado entre aqueles que desciam ao inferno significa ter morrido", mas, depois, estendeu isso para incluir a ideia de que o poder da expiação de Cristo penetrou até o mundo inferior. Em apoio a essa sugestão, ele citou 1Pedro 3:19, considerando que a passagem significa que o evangelho foi pregado aos mortos, "isto é, àqueles no Hades que desde o início do mundo creram em avisos divinos, como Noé".[116]

De acordo com Pedro Mártir Vermigli, a descida ao inferno indica que, quando a alma de Cristo se separou de seu corpo, ela "desceu às regiões inferiores", onde experimentou o mesmo que outras almas separadas do corpo, ou seja, "associação com os santos ou com a companhia dos condenados". Ambos os grupos – ele declarou – foram confrontados com a presença da alma de Cristo. Para aqueles cristãos que haviam esperado a salvação por meio de Cristo, ele trouxe consolo. Para

---

[113] João Calvino, *Commentaries on the Twelve Minor Prophets* (1846–1849). Edimburgo: Banner of Truth, 1986, 3:115. Grifos nossos.
[114] Calvino, *Institutas*, 2.16.8–12. [Nas versões em português, são também encontradas as formas "desceu ao Hades" e "desceu à mansão dos mortos". (N. do T.)]
[115] Lutero, *Freedom of a Christian*, LW 31:352. Veja Paul Althaus, *The Theology of Martin Luther*. Filadélfia: Fortress, 1966, p. 207.
[116] *Zwingli and Bullinger*, p. 251,252.

aqueles condenados à perdição eterna (e aqui Vermigli também citou 1Pedro 3:19), ele trouxe repreensão por causa da obstinação e da incredulidade deles.[117]

Calvino foi incrivelmente insistente sobre a importância desse artigo, declarando que, se fosse deixado fora do credo, grande parte do benefício da morte de Cristo seria perdida.[118] Ele descartou a ideia de que "inferno" aqui significa simplesmente a sepultura e a ideia de que Cristo desceu ao *limbus patrum* ("o limbo dos pais") para libertar a alma dos patriarcas, excluída da vida de glória até ser liberta pela paixão de Cristo.[119] Em vez disso, ele definiu a descida ao inferno como uma expressão do tormento espiritual que Cristo sofreu por nós: "Ele teve de lutar pessoalmente com os exércitos do inferno e o terror da morte eterna". É digno de nota, no entanto, que Calvino colocou essa descida *antes* da morte de Cristo, não depois. Ele desceu ao inferno *na cruz*. Calvino diz que não só o corpo de Cristo foi dado como o preço de nossa redenção, mas que "ele pagou um preço maior e mais excelente ao sofrer em sua alma os terríveis tormentos de um homem condenado e abandonado".[120] O ponto mais baixo desse "inferno" foi ter sido abandonado pelo Pai: "Certamente não se pode conceber um abismo mais terrível do que se sentir desamparado e afastado de Deus; e, quando você o invoca, não é ouvido. É como se o próprio Deus tivesse planejado sua ruína."[121]

Essa compreensão da descida ao inferno foi compartilhada por figuras-chave entre os sucessores de Calvino. Ursino, por exemplo, apresentou um estudo conciso, mas abrangente, em seu *Comentário* sobre a questão 44 do Catecismo de Heidelberg, concluindo que a descida "significa aqueles tormentos, dores e angústia extremos que Cristo sofreu em sua alma". Ao mesmo tempo, ele foi cuidadoso ao ligar essa descida ao inferno à nossa salvação:

> Crer em Cristo, que desceu ao inferno, é crer que ele suportou por nós, em sua própria alma, agonias e dores infernais, e também aquela extrema ignomínia que aguarda os ímpios no inferno, para que nunca desçamos para lá, nem sejamos compelidos a sofrer as dores e os tormentos que todos os demônios e réprobos sofrerão eternamente no inferno.[122]

É nessa angústia experimentada por Cristo que Calvino viu a mais clara refutação ao apolinarianismo. Ecoando "o despretensioso é o não curado", dito de Gregório de Nazianzo (de c. 329 a 389), Calvino escreveu: "A menos que sua alma

---

[117] Vermigli, *Early Writings*, p. 43,44.
[118] Calvino, *Institutas*, 2.16.8.
[119] Aquino, *Suma Teológica* 2.52.2.5.
[120] Calvino, *Institutas*, 2.16.10. A fraseologia pode ser atribuída a Lutero, que falou de Cristo experimentando "a ansiedade e o terror de uma consciência aterrorizada que sente [sobre si] uma ira eterna". Citado em Althaus, *Theology of Martin Luther*, p. 205.
[121] Calvino, *Institutas*, 2.16.11.
[122] Ursino, *Commentary on the Heidelberg Catechism*, p. 231,232.

compartilhasse do castigo, ele teria sido o Redentor apenas de corpos". E, embora com cuidado para negar que Cristo tivesse experimentado "um desespero contrário à fé", havia em Cristo "uma fraqueza pura e livre". Isso fica particularmente claro no Getsêmane, onde devemos reconhecer a tristeza de Cristo, "a menos que tenhamos vergonha da cruz". Isto, ele concluiu, é nossa sabedoria: "sentir devidamente quanto nossa salvação custou ao Filho de Deus".[123]

A AMPLITUDE DA EXPIAÇÃO

Em contraste com seus sucessores imediatos na tradição reformada, Calvino não debateu o tema da amplitude da expiação. Durante o século XX, tornou-se moda argumentar que Calvino ensinou a redenção universal e que a doutrina da "expiação limitada" era uma inovação perniciosa introduzida por Teodoro Beza – argumento já antecipado por John Cameron e Moïse Amyraut no século XVII.[124] É tentador para os admiradores de Calvino responderem com o contra-argumento de que o reformador já era um defensor da doutrina da expiação definida, mas a questão precisa de se Cristo morreu para obter a redenção "para todos os homens e para cada homem" nunca esteve antes na mente de Calvino, e não é seguro citá-lo sobre uma questão a respeito da qual ele nunca tratou diretamente. Com certeza, não é difícil extrair do vasto corpo de declarações de Calvino que Cristo morreu por todos, mas, então, como Cunningham assinalou: "Nenhum calvinista, nem mesmo o Dr. Twisse, o grande campeão do alto supralapsarianismo, negou que existe um sentido em que se pode afirmar que Cristo morreu por todos os homens".[125]

O fato mais pertinente aqui é que, quando Calvino comentou sobre aquelas passagens geralmente citadas em apoio à redenção universal, ele não aproveitou a oportunidade para impor uma exegese de redenção universal. Isso é ainda mais notável à luz do fato de que estudiosos como R. T. Kendall argumentam não só que Cristo morreu indiscriminadamente por todos, mas que essa doutrina era fundamental

---

[123] Calvino, *Institutas*, 2.16.12. Nos *Sermões sobre Gálatas*, de 1535, Lutero expressou o mesmo sentimento ao tratar de Gálatas 2:20: "Portanto, é uma blasfêmia intolerável pensar em alguma obra pela qual você presume aplacar Deus, quando você vê que ele não pode ser aplacado, exceto por este preço imenso, infinito: a morte e o sangue do Filho de Deus, uma gota do qual é mais precioso do que toda a criação". *LW* 26:176.

[124] Veja, por exemplo, Basil Hall, "Calvin against the Calvinists". In: G. E. Duffield (ed.). *John Calvin: A Collection of Distinguished Essays*. Courtenay Studies in Reformation Theology 1. Appleford: Sutton Courtenay, 1966), p. 19–37; R. T. Kendall, *Calvin and English Calvinism to 1649*. Oxford: Oxford University Press, 1979), esp. 3–28; Brian G. Armstrong, *Calvinism and the Amyraut Heresy: Protestant Scholasticism and Humanism in Seventeenth-Century France*. Eugene: Wipf and Stock, 2004, esp. 127–139. Veja, em posição contrária, Paul Helm, "Calvin, Indefinite Language, and Definite Atonement". In: David Gibson e Jonathan Gibson (eds.). *From Heaven He Came and Sought Her: Definite Atonement in Historical, Biblical, and Pastoral Perspective*. Wheaton: Crossway, 2013, p. 97–120; Raymond A. Blacketer, "Blaming Beza: The Development of Definite Atonement in the Reformed Tradition", In: Gibson e Gibson, *From Heaven He Came and Sought Her*, p. 97–141.

[125] William Cunningham, "Calvin and Beza". In: *The Reformers and the Theology of the Reformation*. Edimburgo: T&T Clark, 1862, p. 396.

para a teologia de Calvino, sustentando toda a sua compreensão da fé.[126] No entanto, a exegese de Calvino de passagens como 1Timóteo 2 e 1João 2 é exatamente a mesma que se encontra mais tarde na obra dos defensores da expiação definida. Por exemplo, comentando as palavras "[Deus] deseja que todos os homens sejam salvos" (1Timóteo 2:4), ele descartou "a ilusão infantil de quem pensa que essa passagem contradiz a predestinação" e concluiu que "o significado do apóstolo aqui é simplesmente que nenhuma nação da terra e nenhuma classe da sociedade é excluída da salvação, uma vez que Deus deseja oferecer o Evangelho a todos, sem exceção".[127] Ele tratou 1João 2:2 da mesma maneira, argumentando que, quando o apóstolo falou de Cristo como a propiciação pelos pecados de todo o mundo,

> seu propósito era apenas fazer essa bênção comum a toda a Igreja. Portanto, sob a palavra "todos", ele não inclui o réprobo, mas se refere a todos os que crerem e aos que foram espalhados por várias regiões da terra. Pois, como é o caso, a graça de Cristo é realmente tornada clara quando é declarada a única salvação do mundo.[128]

Dado que muitos supõem que Beza seja o verdadeiro autor (ou vilão) da doutrina da "expiação limitada", é fascinante que seu contemporâneo Ursino já estivesse ensinando uma doutrina cuidadosamente redigida da expiação definida na Universidade de Heidelberg de 1561 a 1577 (como testemunhado por seu *Comentário sobre o Catecismo de Heidelberg*, que, embora publicado apenas em 1616, expôs a substância de suas pregações em Heidelberg). Não há razão para pensar que Ursino fazia parte do círculo de Beza; suas afinidades parecem ter sido com Melanchthon e Pedro Mártir Vermigli. Tampouco a questão da amplitude da expiação decorre do próprio Catecismo de Heidelberg. Contudo, tratou dela diretamente, discutindo a questão das passagens "aparentemente opostas" da Escritura, invocando a distinção clássica entre a suficiência da expiação e sua eficácia, e estabelecendo que, embora a expiação seja *suficiente* para expiar os pecados de todos os homens, sua *eficácia* é limitada aos eleitos, e estava destinada a ser assim:

> No tocante à eficácia de sua morte, ele quis morrer apenas pelos eleitos, ou seja, ele não só adquiriu graça suficientemente meritória e vida por eles, mas também efetivamente as confere a eles, concede a fé e o Espírito Santo, e os traz a eles para que possam aplicar a si mesmos, pela fé, os benefícios de sua morte e, assim, obtenham para si a eficácia de seus méritos.[129]

---

[126] Como Kendall destaca: "Fundamental para a doutrina de fé em João Calvino é sua crença de que Cristo morreu indiscriminadamente por todos os homens". *Calvin and English Calvinism*, p. 13.

[127] Calvino, *The Second Epistle of Paul the Apostle to the Corinthians and the Epistles to Timothy, Titus and Philemon*, p. 209.

[128] João Calvino sobre 1João 2:2, em *CNTC* 5:244.

[129] Ursino, *Commentary on the Heidelberg Catechism*, 223. Calvino tinha reservas quanto à distinção entre suficiência e eficiência: "A solução comum não se beneficia de que Cristo sofreu suficientemente por todos, mas eficazmente

A NECESSIDADE DA EXPIAÇÃO

Embora não tenha se pronunciado sobre a amplitude da expiação, Calvino tratou da questão de sua *necessidade*. A forma exata dessa questão, como tratada por Calvino, foi: "Por que era necessário que o Mediador fosse Deus e homem?" No entanto, isso fazia parte da pergunta mais ampla colocada por Anselmo: "Por que lógica ou necessidade Deus se tornou homem e, por sua morte, como cremos e professamos, decidiu restaurar a vida ao mundo, quando ele poderia ter feito isso pela agência de algum outro ser, angelical ou humano, ou simplesmente por querer isso?"[130] Por que a redenção teve de ser assegurada por tal preço?

Calvino respondeu em termos do que foi chamado de "necessidade hipotética consequente".[131] Não havia necessidade absoluta, apenas uma necessidade derivada do decreto celeste do qual dependia a salvação do homem: "Nosso Pai mais misericordioso decretou o que era melhor para nós".[132] Calvino estava fazendo uma distinção cuidadosa aqui. Deus não tinha necessidade nenhuma de salvar a raça humana; era uma questão de clemência soberana induzida pelo amor eterno incondicional. Contudo, a partir desse compromisso, era necessário que houvesse uma expiação, pois Deus, para usar os termos de Anselmo, não poderia simplesmente ter "desejado" a salvação do mundo, e Calvino é absolutamente claro quanto à razão: "A justa maldição de Deus barra nosso acesso a ele, e Deus, em seu ofício de juiz, está irado conosco. Por isso, uma expiação deve intervir para que Cristo, como sacerdote, obtenha o favor de Deus para nós e aplaque sua ira. Assim, Cristo, para desempenhar esse ofício, teve de apresentar-se com um sacrifício".[133]

Essa mesma pergunta foi feita por Pedro Mártir Vermigli: "Não lhe parece estranho que, embora pudesse reconciliar o mundo consigo de maneira mais fácil, Deus escolheu fazê-lo expondo seu Filho a esses sofrimentos?" Sua resposta básica era que nenhuma outra maneira poderia ter satisfeito a justiça de Deus. Mas ele ampliou esse ponto, destacando três verdades adicionais, que, segundo ele, devem

---

somente pelos eleitos". Calvino, *Concerning the Eternal Predestination of God*. Londres: James Clarke, 1961, p. 148; cf. p. 103.

[130] Anselmo, *Cur Deus Homo*, 1.1. Tradução para o inglês: *Why God Became Man*. In: Brian Davies e G. R. Evans(eds.). *Anselm of Canterbury: The Major Works*. Oxford: Oxford University Press, 1998, p. 265.

[131] John Murray, *Redemption: Accomplished and Applied*. Grand Rapids: Eerdmans, 1955, p. 11.

[132] Calvino, *Institutas*, 2.12.1.

[133] Ibid., 2.15.6. Mas Calvino parece ter uma visão diferente em seu comentário sobre João 15:13: "Deus poderia nos redimir por uma palavra ou um desejo, a não ser que outra maneira lhe parecesse melhor por nossa causa: que por não poupar os Seus e somente "Ele pode testemunhar em Sua pessoa o quanto Ele cuida de nossa salvação". Mais tarde, os teólogos reformados, como Jerônimo Zanchius e Samuel Rutherford, argumentando a partir da premissa da liberdade absoluta de Deus, acreditavam que Deus, se ele tivesse escolhido, poderia ter deixado o pecado impune. Os teólogos luteranos parecem não ter abordado a questão da necessidade da expiação. Conforme vimos, porém, o próprio Lutero declarou que Deus não podia ser aplacado "exceto por esse preço imenso e infinito, a morte e o sangue do Filho de Deus". *Lectures on Galatians* (1535), *LW* 26:176.

ser "notadas cuidadosamente". Primeira: que por meio desse instrumento amargo Deus destacou quão grande dívida nossos pecados produziram, que fez necessária uma retribuição tão severa ser necessária. Segunda: se não fosse a punição sofrida por Cristo, a consciência humana não poderia ter certeza de ter sido libertada da condenação. Terceira: no sofrimento de Cristo vemos uma demonstração de paciência, obediência e amor perfeitos. Esse último ponto o levou a discorrer sobre como essa demonstração nos fortalece em cada aflição: "Quem se recusará a beber do cálice que vê seu Senhor Jesus Cristo tão voluntariamente tomar para a salvação dos outros?"[134] Vermigli tinha clara consciência de que, embora a cruz seja primeiramente e acima de tudo expiatória, isso não impede que ela também tenha força exemplarista.

A SUFICIÊNCIA DA EXPIAÇÃO

Permanece a questão da finalidade do sacrifício de Cristo na cruz, uma questão levantada de forma perspicaz pela doutrina católica romana da missa. O Concílio de Trento definiu a missa como um sacrifício, estabelecendo que nesse "divino sacrifício" Cristo foi reimolado "de uma maneira não sangrenta", e passou a declarar que esse sacrifício é verdadeiramente propiciatório. Por meio dele, Deus é apaziguado, e nós obtemos misericórdia e encontramos graça. A vítima, o Concílio afirmou, é a mesma, tendo o pão, pelo mistério da transubstanciação, sido convertido em corpo, sangue, alma e divindade do Filho de Deus, e Cristo realiza agora, pelo ministério dos sacerdotes, o mesmo sacrifício que ele próprio ofereceu na cruz.[135]

Cada detalhe nessa afirmação foi recebido como um anátema pelos reformadores, os quais negavam que a missa fosse um sacrifício, que aqueles que "ministravam no altar" agiam na qualidade de sacerdotes e que a missa fosse de algum modo propiciatória. Acima de tudo, negavam que houvesse necessidade de qualquer sacrifício adicional. O único sacrifício na cruz foi perfeito e, portanto, absolutamente definitivo. Em *Do cativeiro babilônico da igreja*, Lutero descreveu "a crença comum de que a missa é um sacrifício" como o maior e mais "perigoso escândalo de todos".[136] Em seu tratado posterior, *Este é o meu corpo*, ele também escreveu: "É plenamente certo que Cristo não pode ser sacrificado além da única vez em que se sacrificou".[137] Melanchthon escreveu com o mesmo teor: "Em todo o

---

[134] Vermigli, *Early Writings*, p. 41.
[135] Veja "The Canons and Decrees of the Council of Trent", sessão 22, caps. 1,2, e cânones 1–4, em Schaff, *Creeds of the Greek and Latin Churches*, p. 176–179, 184,185.
[136] *LW* 36:51. [*Do cativeiro babilônico da igreja*. In: *Obras selecionadas, Volume 6: Ética: Fundamentação da ética política: Governo – Guerra dos camponeses – Guerra contra os turcos – Paz social.*]
[137] *LW* 37:143.

mundo houve apenas um sacrifício propiciatório, ou seja, o sofrimento ou a morte de Cristo". Em apoio a isso, citou Hebreus 10:10, que ele traduziu: "Nós fomos sacrificados pelo sacrifício do corpo de Cristo uma vez por todas".[138]

Mas, novamente, é em Calvino que encontramos o estudo mais sistemático. Já na primeira edição das *Institutas* (1536), ele descreveu como "um erro muito pestilento" a crença de que a missa é um sacrifício oferecido para obter o perdão dos pecados. O princípio-chave aqui é o sacerdócio exclusivo de Cristo: somente o Filho de Deus poderia oferecer o Filho de Deus, porque só ele foi divinamente designado sacerdote e não teve sucessor: "Cristo, sendo imortal, não precisa de vigário para substituí-lo [...] O Pai o designou 'sacerdote para sempre, de acordo com a ordem de Melquisedeque', para que ele cumprisse um sacerdócio eterno".[139]

Esses pontos são ampliados na edição definitiva de sua obra, de 1559. A honra do sacerdócio, escreveu Calvino, "era da competência exclusiva de Cristo, porque, pelo sacrifício de sua morte, ele limpou nossa culpa e fez o pagamento pelo pecado".[140] E no livro 4, onde discute a missa, ele prefaciou suas considerações com a observação de que estava lutando contra a opinião que "contaminou o mundo inteiro", ou seja, a opinião de que a missa é uma obra pela qual o sacerdote oferece Cristo como uma vítima expiatória, merecendo assim o favor de Deus e reconciliando-nos com Deus. O julgamento de Calvino foi intransigente: essa noção "inflige sinal desonroso a Cristo, enterra e oprime sua cruz, consagra sua morte ao esquecimento e tira o benefício que nos veio dela".[141] Depois, citando as palavras "Está consumado!", de João 19:30, ele declarou: "Por seu único sacrifício, tudo o que pertence a nossa salvação foi realizado e cumprido. [...] Será que nós", desafiou ele, "somos autorizados a costurar diariamente inúmeros remendos sobre tal sacrifício, como se fosse imperfeito, quando ele [Cristo] tão claramente elogiou sua perfeição?" Então, mencionando Hebreus 9,10, Calvino concluiu: "Em toda a discussão, o apóstolo não só afirma que não há outros sacrifícios, como também que esse foi oferecido apenas uma vez e nunca deve ser repetido".[142] Há somente um sacrifício, de modo que nossa fé seja firmada na cruz de Cristo.[143]

---

[138] Melanchthon, *Chief Theological Topics*, p. 280.
[139] Calvino, *Institutas da religião cristã* (edição de 1536), p. 115.
[140] Calvino, *Institutas*, 2.15.6.
[141] Ibid., 4.18.1.
[142] Ibid., 4.18.3.
[143] Ibid., 4.18.6. Um dos pilares do argumento católico romano em favor da doutrina da missa como sacrifício foi a declaração de Gênesis 14:18 de que Melquisedeque, como sacerdote do Deus Altíssimo, trouxe "pão e vinho". Sobre isso, veja Calvino, *Commentaries on the First Book of Moses Called Genesis*. Edimburgo: Calvin Translation Society, 1847–1850), 1:388–391.

CRISTO COMO REI: ERA A VISÃO DE LUTERO MAIS CLÁSSICA DO QUE A TRADIÇÃO DE ANSELMO?

Calvino, Melanchthon, Vermigli, Ursino e Perkins parecem posicionar-se firmemente na tradição de Anselmo, proclamando a cruz como um sacrifício vicário oferecido para efetuar o pagamento por nossos pecados. Mas Lutero tinha uma visão diferente?[144] Esse é o argumento de Gustaf Aulén,[145] que sustenta que essa doutrina "latina" ou "ocidental" da expiação, derivada de Anselmo, foi um desvio radical da doutrina "clássica" dos primeiros pais, que viram a expiação principalmente como uma vitória sobre o pecado, a morte e o Diabo, uma visão expressa em sua forma mais famosa no *Grande Catecismo,* de Gregório de Nissa.[146] Por causa do pecado, o homem havia se tornado propriedade do Diabo, e a única condição em que o Diabo o liberaria seria mediante o pagamento de um resgate. Mas onde poderia ser encontrado um resgate de tal preço? Em ninguém menos do que no próprio Deus, que, na pessoa de seu Filho, tornou-se o resgate pago ao Diabo. No transcurso da transação, no entanto, certa dissimulação tinha de ser praticada: "Para garantir que o resgate fosse facilmente aceito, a Divindade estava escondida sob o véu de nossa natureza para que, como acontece com peixes vorazes, o anzol da Deidade pudesse ser engolido juntamente com a isca da carne", e, assim, "aquele que primeiramente enganou o homem pela isca do prazer sensual é enganado pela apresentação da forma humana".[147]

É essa doutrina que enfatiza a ideia régia de vitória e negligencia a ideia sacerdotal de sacrifício que ouvimos em Lutero? Certamente ouvimos ecos claros dela, mesmo quando ele adotou as imagens de Nissa a respeito do engano do Diabo, incluindo a ideia de humanidade de Cristo como a isca no anzol. O Diabo engole a Cristo, mas não pode digeri-lo, "porque Cristo cola em suas brânquias, e ele [o Diabo] deve vomitá-lo novamente, como o grande peixe fez com o profeta Jonas, e, mesmo enquanto o mastiga, o diabo se sufoca, é morto e é feito cativo por Cristo".[148] É duvidoso que o uso dessa linguagem fosse do agrado do grande reformador, embora seja fácil imaginar um público rústico desfrutando de um pregador que se diverte à custa do Diabo. Mas o tema da vitória e da libertação também se evidencia nas declarações mais moderadas de Lutero. Por exemplo, em seu *Catecismo menor* (1529), declarou: "Eu creio que Jesus Cristo [...] me livrou e que

---

[144] Para uma visão geral do entendimento de Lutero acerca da obra de Cristo como reconciliador, veja Althaus, *Theology of Martin Luther,* p. 201–223.
[145] Gustaf Aulén, *Christus Victor: An Historical Study of the Three Main Types of the Idea of the Atonement.* Londres: SPCK, 1965, p. 101–122. Para uma crítica a Aulén, veja Althaus, *Theology of Martin Luther,* p. 218–223.
[146] Gregório de Nissa, *Select Writings and Letters of Gregory, Bishop of Nyssa*, NPNF, 2. série, v. 5, editado por Philip Schaff e Henry Wace. Grand Rapids: 1983, p. 471–509.
[147] Gregório de Nissa, *The Great Catechism*, NPNF, 2. ser., 5:24,26.
[148] Citado em Aulén, *Christus Victor,* p. 104.

fui liberto de todos os pecados, da morte e do poder do diabo".[149] Ele falou em sentido similar em seu *Catecismo maior* (2.2): os tiranos e carcereiros foram agora derrotados, porque Cristo "nos arrebatou, pobres criaturas perdidas, das garras do inferno, conquistou-nos, libertou-nos e nos restaurou ao favor e à graça do Pai".[150] A mesma ênfase é reproduzida novamente em *A liberdade de um cristão*, onde Lutero falou de "uma luta, uma vitória, uma salvação e uma redenção abençoadas".[151] Foi precisamente para vencer o pecado, a morte e as dores do inferno que Cristo desceu ao inferno, e, como a morte e o inferno não o puderam engolir, foram engolidos por ele em um poderoso "duelo": "Porque sua justiça é maior do que os pecados de todos os homens, sua vida é mais forte do que a morte, sua salvação é mais invencível do que o inferno".[152] O tema do duelo aparece novamente em seu *Comentário de Gálatas*, de 1535 (*ad* Gálatas 3:13), e, nessa ocasião, tornou-se o "duelo maravilhoso" (*mirabile duellum*), com o tema da dissimulação por trás de tudo. O diabo atacou Cristo e quis devorá-lo, juntamente com toda a raça humana,

> mas porque a vida era imortal, ela saiu vitoriosa quando foi conquistada, ao conquistar e matar a morte por sua vez. Sobre esse duelo maravilhoso, a igreja lindamente canta: "Foi um grande e terrível embate quando a morte com a vida contendeu". O Príncipe da vida, que morreu, está vivo e reina. Por meio de Cristo, portanto, a morte é conquistada e abolida em todo o mundo, de modo que agora só há um retrato da morte.[153]

Essas são declarações memoráveis do poder divino empregado em nossa salvação e da vitória de Cristo sobre os poderes do mal, e seria fácil citar muitas outras. Entretanto, declarações com o mesmo tom também abundam em Calvino, embora sem a linguagem vívida de Lutero. Na primeira edição das *Institutas*, Calvino relacionou a unção de Cristo especificamente à sua realeza: "Cremos, em suma, que por essa unção ele foi nomeado rei pelo Pai para sujeitar todo poder no céu e na terra [Salmos 2:1–6], para que nele pudéssemos ser reis, tendo vencido o Diabo, o pecado, a morte e o inferno".[154] Na edição de 1559, a discussão sobre a realeza de Cristo concentrou-se principalmente na natureza espiritual dos benefícios que ela confere à Igreja, mas Calvino ainda se esforçava para enfatizar que Cristo era chamado Messias especialmente em virtude de sua realeza e que, como tal, ele seria o eterno protetor e defensor de seu povo. Uma vez que ele reina, disse Calvino, mais para nosso próprio bem do que para o dele, "não duvidemos de que sempre sere-

---

[149] Tappert, *Book of Concord*, p. 345.
[150] Ibid., p. 414.
[151] *LW* 31:351.
[152] *LW* 31:252.
[153] *LW* 26:281.
[154] Calvino, *Institutas da religião cristã* (edição de 1536), p. 54.

mos vitoriosos sobre o Diabo, o mundo e todo tipo de coisa prejudicial".[155] Decorre disso que "o Diabo, com todos os recursos do mundo, nunca pode destruir a igreja, fundada como está no eterno trono de Cristo".[156]

O estudo da realeza nas *Institutas* é comparativamente breve, mas o tópico ocorre frequentemente em Calvino. De fato, Jansen chega a afirmar que "a conquista régia sobre o Diabo, a morte e o pecado" é o tema mais recorrente de Calvino e até mesmo que ele é "um com Lutero ao enfatizar a visão 'clássica' da expiação".[157] É inegável que, em seus *Comentários*, Calvino aproveitou todas as oportunidades para se exprimir sobre a realeza triunfante do Messias. Há um bom exemplo disso no *Comentário sobre Colossenses* (*ad* Colossenses 2:15), onde ele se referiu à cruz como uma marcha triunfal em que Cristo desfilou seus inimigos e como um carro triunfal "em que ele apareceu de modo ilustre":

> Pois, embora na cruz não haja nada além de maldição, ela foi, no entanto, engolida pelo poder do Filho de Deus, que a revestiu de uma nova natureza. Pois não há tribunal tão magnífico, nem trono real tão majestoso, nem demonstração de triunfo tão distinta, nem carruagem tão elevada, como o lenho sobre o qual Cristo subjugou a morte e o Diabo, o príncipe da morte; mais do que isso, ele o colocou debaixo de seus pés.[158]

Esse sublime registro é sustentado nos *Sermons on Isaiah's Prophecy of the Death and Passion of Christ* [Sermões sobre a profecia de Isaías a respeito da morte e da paixão de Cristo], de Calvino. No sétimo sermão (sobre Isaías 53:12), Calvino usou a sugestiva linguagem de Lutero referente ao "duelo": Cristo saqueou seus inimigos e os manteve amarrados e presos, impotentes para resistir a ele.[159] E no primeiro sermão (Isaías 52:13–15), ele declarou que na cruz ("um patíbulo infame") Jesus Cristo não só venceu o Diabo, "mas mostrou que agora podemos nos gloriar por termos sido absolvidos de toda condenação, pelo fato de o pecado não ter mais domínio sobre nós e porque todos os demônios no inferno têm de retirar completamente sua acusação contra nós".[160]

Entre os não luteranos, essa ênfase não se limitava a Calvino. Genebra e Zurique concordaram com ela, como testemunha o artigo 4 do Consenso Tigurino (o Acordo de Zurique), elaborado conjuntamente por Calvino e Bullinger, que declarou que Cristo "deve ser considerado o rei que nos enriquece com todo tipo de bênção, governa-nos e nos defende com seu poder, equipa-nos de

---

[155] Calvino, *Institutas*, 2.15.4.
[156] Ibid., 2.15.3.
[157] Jansen, *Calvin's Doctrine of the Work of Christ*, p. 88.
[158] Calvino, *Galatians, Ephesians, Philippians and Colossians*, p. 336.
[159] Calvino, *Isaiah's Prophecy*, p. 137.
[160] Ibid., p. 38.

armas espirituais, liberta-nos de todo mal, rege-nos e guia-nos pelo cetro de sua boca". E em seu sermão "Das tentações de Cristo no deserto", o reformador escocês John Knox usou linguagem tão dramática quanto a de Lutero. Ele imaginou Cristo desafiando o Diabo:

> Eis que eu sou um homem como meus irmãos, tendo carne e sangue, e todas as características da natureza do homem, excetuando o pecado, que é teu veneno. Tenta-me, tenta contra mim e me assalta. Ofereço-te aqui um lugar mais conveniente: o deserto; não haverá criatura mortal para me consolar contra teus assaltos; terás tempo suficiente para fazeres o que puderes; eu não vou fugir do lugar de batalha. Se te tornares vencedor, tu ainda podes continuar em posse de teu reino neste mundo miserável; mas, se tu não puderes prevalecer contra mim, então, devem ser tirados de ti tua presa e teu despojo injusto; deves considerar-te vencido e confundido, e serás obrigado a deixar de lado todas as acusações aos membros de meu corpo, pois a eles pertence o fruto de minha batalha. Minha vitória é deles, pois sou designado para levar o castigo dos pecados deles em meu corpo.[161]

Mas, se a vitória e a conquista são temas-chave em Calvino, Bullinger e Knox, expiação, propiciação e substituição não o são menos em Lutero. De fato, o *Comentário sobre Gálatas*, de Lutero, publicado em 1535 (*ad* Gálatas 3:13), oferece a exposição mais brilhante da doutrina da substituição penal na história da teologia cristã. A ideia central é a imputação: "Deus impôs nossos pecados, não sobre nós, mas sobre Cristo, seu Filho".[162] Lutero desenvolveu essa ideia com extraordinária energia e ousadia. "E todos os profetas", escreveu ele, "viram isto: que Cristo seria o maior assassino, adúltero, ladrão, profanador, blasfemador etc., que jamais existiu em qualquer parte do mundo". Ele continuou:

> Agora, ele não é o Filho de Deus, nascido da virgem, mas sim um pecador, que tem e carrega o pecado de Paulo, anteriormente blasfemador, perseguidor e agressor; de Pedro, que negou a Cristo; de Davi, que era adúltero e assassino. [...] Em resumo, ele tem e carrega todos os pecados de todos os homens em seu corpo – não no sentido de que ele os cometeu, mas no sentido de que ele tomou esses pecados, cometidos por nós, sobre seu próprio corpo, a fim de liquidar essa dívida com seu próprio sangue.

"Sejam quais forem os pecados", concluiu ele, "que eu, você e todos nós tenhamos cometido ou possamos a cometer no futuro, eles são tão de Cristo como se ele mesmo os tivesse cometido".[163]

---

[161] *The Select Practical Writings of John Knox*. Edimburgo: Banner of Truth, 2011, p. 182,183. Para o texto original, não modernizado, veja David Laing (ed.). *The Works of John Knox* (1855). Edimburgo: Banner of Truth, 2014, 4:103.
[162] *LW* 26:279.
[163] *LW* 26:277,278.

Sem dúvida, a preocupação primordial de Lutero era com a justificação pela fé: "É assim que devemos magnificar a doutrina da justiça cristã em oposição à justiça da Lei e das obras".[164] É nesse vicário carregar de pecados que a fé confia, sabendo que "ou nosso pecado deve ser o próprio pecado de Cristo ou pereceremos eternamente".[165] Mas a verdade subjacente é que os conceitos de vitória e de sacrifício, longe de serem antíteses, são elementos inter-relacionados e interdependentes na única grande doutrina bíblica da expiação. Foi justamente por suportar a maldição que Cristo nos redimiu dela e nos libertou do Diabo, como é claramente demonstrado em Hebreus 2:14–18, passagem que declara que foi para expiar os pecados do povo que Cristo assumiu carne e sangue, e foi por meio dessa expiação que ele destruiu o Diabo. Uma vez expiado o pecado – uma vez que Cristo o tirou dos homens e levou-o sobre si –, Satanás perdeu o poder de levar "os filhos" para o inferno consigo, e é a esse "intercâmbio afortunado"[166] que devemos nossa libertação: "Ele levou esses pecados, cometidos por nós, sobre seu próprio corpo, a fim de liquidar essa dívida com seu próprio sangue".[167] O resultado, Calvino afirmou, é que Cristo "nos libertou de uma tirania diabólica" e agora temos de enfrentar apenas um adversário que já não tem poder contra nós: "O próprio Diabo foi posto tão baixo que já não têm importância, como se ele não existisse".[168]

É por isso que podemos falar do trabalho sacerdotal de Cristo como fundamental. Tanto o ministério profético como o governo régio de Cristo se relacionam diretamente apenas com a raça humana, mas sua obra sacerdotal de expiação, por outro lado, é dirigida a Deus, e, nesse ato de expiação, por restaurar nossa comunhão com Deus, todas as coisas se articulam. "Os poderes com os quais Cristo lutava tinham sua força e autoridade apenas derivados da ira de Deus", escreve Paul Althaus. "É por isso que Lutero, ao discutir a obra de Cristo, coloca ênfase primária em sua relação com a ira de Deus e, portanto, com nossa culpa, em vez de em sua relação com os poderes demoníacos".[169] Disso vem a ordem explícita de Lutero: "A liberdade pela qual estamos livres da ira de Deus para sempre é maior do que o céu e a terra e toda a criação. *Disso se segue a outra liberdade*, pela qual somos livres por Cristo da Lei, do pecado, da morte, do poder do diabo, do inferno etc."[170] Primeiro, liberdade da ira; então (e só então), liberdade de tais potestades.

---

[164] *LW* 26:280.
[165] *LW* 26:278.
[166] *LW* 26:284.
[167] *LW* 26:277.
[168] Calvino, *The Epistle of Paul to the Hebrews and the First and Second Epistles of St. Peter*, 31. [*Comentário de Hebreus*. Série Comentários Bíblicos João Calvino. São José dos Campos: Editora Fiel, 2012.]
[169] Althaus, *Theology of Martin Luther*, p. 220.
[170] Martinho Lutero, *Lectures on Galatians* (1535), *LW* 27:4. Grifos nossos.

A TEOLOGIA DA CRUZ

Apesar de sua ênfase na conquista e na vitória, a missão primária de Lutero era promover não uma teologia da glória, mas uma "teologia da cruz".[171] Essa é a frase que ele usou no Debate de Heidelberg (maio de 1518),[172] e, como Moltmann aponta, ele a escolheu "a fim de encontrar palavras para a percepção da Reforma a respeito do evangelho libertador do Cristo crucificado, em contraste com a *theologia gloriae* da igreja institucional medieval".[173] A frase apresenta uma séria antítese: "Um teólogo da glória chama o mal de bem e o bem de mal. Já um teólogo da cruz chama a coisa do que ela realmente é".[174] Mas quais são os pontos da antítese? Lutero ofereceu respostas em suas *"Proofs of the Thesis"* [Provas da tese].[175]

Em primeiro lugar, a teologia da cruz difere radicalmente da teologia da glória no que ela entende por "conhecimento de Deus". O ponto de partida de Lutero aqui era Romanos 1:20, onde Paulo declara que as qualidades invisíveis de Deus podem ser conhecidas pelo que ele fez. É esse o conhecimento que "a sabedoria do mundo" (1Coríntios 1:20) procura, e Lutero não negou sua validade: "A sabedoria não é por si só má".[176] A natureza invisível de Deus pode ser vista e reconhecida em suas obras.[177] O que ele negou foi, primeiramente, que as obras de Deus são a fonte primária do conhecimento teológico e, em segundo lugar, que o reconhecimento das qualidades invisíveis de Deus (como sua divindade, seu poder e sua justiça) pode fazer alguém "digno ou sábio".[178] Pelo contrário, argumentou Lutero, ninguém merece ser chamado de teólogo a menos que "compreenda as coisas visíveis e manifestas de Deus vistas pelo sofrimento e pela cruz".[179] O que Lutero estava fazendo aqui era introduzir uma nova definição de "obra". Não é na obra majestosa e gloriosa da criação que se encontra a verdadeira sabedoria, mas na obra de Cristo, de humilhação e vergonha. Aqui Lutero recordou o momento (João 14:8) em que Filipe pediu a Jesus: "Mostra-nos o Pai". Isso foi dito, menciona Lutero, de acordo com a teologia da glória, que assume que qualquer epifania divina

---

[171] Para uma exposição completa da teologia da cruz, de Lutero, veja Althaus, *Theology of Martin Luther*, p. 25–34; Jürgen Moltmann, *The Crucified God: The Cross of Christ as the Foundation and Criticism of Christian Theology*. Londres: SCM, 2001, p. 62–79.

[172] Martinho Lutero, *O debate de Heidelberg*, em *Obras selecionadas, Volume 1: Os primórdios. Escritos de 1517 a 1519*. Comissão Interluterana de Literatura. São Leopoldo: Editora Sinodal; Porto Alegre: Editora Concórdia, s/d., p. 35–54.

[173] Moltmann, *The Crucified God*, p. 67.

[174] Lutero, *O debate de Heidelberg, Obras selecionadas, Volume 1*, p. 53.

[175] Lutero, *LW* 31:39–70.

[176] Ibid., *LW* 31:55. Compare com seu comentário sobre Romanos 1:19: "Este foi o erro deles: não adoraram essa divindade imaculada, mas mudaram-na e ajustaram-na a seus desejos e necessidades". Lutero, *Lectures on Romans: Glosses and Scholia*, *LW* 25:157.

[177] Lutero, *Lectures on Romans*, *LW* 25:154 (*ad* Romanos 1:20).

[178] Lutero, *O debate de Heidelberg, Obras selecionadas, Volume 1*, 54.

[179] Ibid., p. 54.

será de poder resplandecente e de majestade. Mas Cristo deixou de lado "esse pensamento vacilante" e direcionou Filipe ao seu encontro: "Quem me vê, vê o Pai" (João 14:9).[180] A glória se torna visível não em "estrelas, mundos e trovões", mas em forma de servo, lavando os pés e dando a vida.[181]

Em segundo lugar, a teologia da cruz difere da teologia da glória em seu entendimento da justificação. A teologia da glória se vangloria em suas obras, nas obras da lei, e deriva sua reputação delas, esquecendo que a "lei traz a ira de Deus, mata, insulta, acusa, julga e condena tudo o que não está em Cristo".[182] A teologia da cruz, por outro lado, não deixa espaço para jactância, porque sabe que "o homem deve deixar de confiar totalmente em sua própria habilidade antes de estar preparado para receber a graça de Cristo".[183] O homem justo, consequentemente, não é aquele que faz muito, mas é o que, sem obras, crê muito em Cristo. "A lei diz: 'Faça isso', e isso nunca é feito. A graça diz: 'Creia nisso', e tudo já está feito", porque Cristo cumpriu todas as leis de Deus e porque nós também cumprimos tudo por meio dele.[184]

Em terceiro lugar, o teólogo da cruz espera que ele mesmo esteja crucificado, porque está identificado com a fraqueza e a loucura de Deus, que "só podem ser encontradas no sofrimento e na cruz".[185] Ele escolherá o "bem da cruz", ao passo que os que odeiam a cruz perseguem sabedoria, glória e poder. É notável como isso é central para a psiquê de Lutero. Por exemplo: em seu comentário sobre Gálatas 6:14 ("Quanto a mim, que eu jamais me glorie, a não ser na cruz de nosso Senhor Jesus Cristo[...]"), em lugar da esperada exposição exultante do Calvário, Lutero explicou: "'A cruz de Cristo' não significa, é claro, a madeira que Cristo carregou sobre os ombros e na qual ele foi, em seguir, pregado. Não, ela se refere a todos os sofrimentos dos fiéis, cujos sofrimentos são os sofrimentos de Cristo". Ele continuou:

> É útil saber isso para que não fiquemos excessivamente tristes ou até completamente desesperados quando vemos nossos inimigos nos perseguindo, excomungando e assassinando, ou quando vemos os hereges nos odiarem tão amargamente. É correto pensar que, seguindo o exemplo de Paulo, devemos nos gloriar na cruz *que recebemos por causa de Cristo*, não por causa de nossos próprios pecados.[186]

---

[180] Ibid., p. 54.
[181] "Quão grande és tu", poema suíço original de Carl G. Boberg, traduzido e adaptado de uma versão russa para o inglês por Stuart K. Hine, 1949. Versão em português citada de Luiz Soares.
[182] Ibid., p. 42.
[183] Ibid., p. 42.
[184] Ibid., p. 42,54
[185] Ibid., p. 54
[186] Lutero, *Lectures on Galatians* (1535), *LW* 27:134.

Tal sofrimento, no entanto, não é meramente a consequência inevitável da fidelidade de alguém ao chamado recebido, mas sim um elemento essencial na formação de um teólogo da cruz: o homem sofredor "é o único que pode entrar em comunhão com Deus".[187] Ninguém pode ser um teólogo da cruz a menos que tenha primeiramente sido crucificado com Cristo. Então, "esvaziado mediante o sofrimento", ele não se orgulha de fazer boas obras, nem se perturba se Deus não faz boas obras por meio dele. Morrendo e ressuscitando com o Filho do homem, ele sabe que "é impossível que uma pessoa não se ensoberbeça com suas boas obras, a menos que tenha sido primeiramente esvaziada e destruída pelo sofrimento e pelo mal até que saiba que é inútil e que suas obras não são dele, mas de Deus".[188]

É justamente porque Lutero era um teólogo da cruz que ele poderia escrever: "*Crux probat omnia*":[189] "A cruz é o teste de tudo". Ela é o teste de nosso senso da gravidade do pecado; é o teste de doutrinas como a da impassibilidade divina; é o teste de nosso modo de viver a fé; e, acima de tudo, é o teste de nossa pregação, uma vez que reivindica o lugar central, que deve ser reiterado com ênfase urgente e incansável. Calar-se, suplantar ou marginalizar a cruz é uma traição do lema programático de Paulo: "Nós pregamos a Cristo crucificado" (1Coríntios 1:23). Mas não é menos uma traição da Reforma, que deixou de lado toda obra humana e proclamou a obra de Cristo como o único fundamento para a garantia e a esperança cristãs.

FONTES PARA ESTUDO ADICIONAL

FONTES PRIMÁRIAS

BROMILEY, G. W. (ed.). *Zwingli and Bullinger: Selected Translations with Introductions and Notes* [Zuínglio e Bullinger: Traduções selecionadas, com introduções e notas]. Library of Christian Classics 24. Filadélfia: Westminster, 1953.

CALVINO, João. *Calvin: Theological Treatises* [Calvino: Tratados teológicos]. Library of Christian Classics 22. Londres: SCM, 1954.

——. *As institutas – Edição clássica* (1985). *As institutas – Edição especial* (2006). 4. vols. São Paulo: Editora Cultura Cristã (especialmente 2.15–17, 4.18).

——. *Reply to Cardinal Sadolet* [Resposta ao cardeal Sadolet]. In: Henry Beveridge e Jules Bonnet (eds.). *John Calvin: Tracts and Letters* [João Calvino: Tratados e cartas], 1:25-68. 1844. Reimpressão, Edimburgo: Banner of Truth, 2009.

——. *Sermons on Isaiah's Prophecy of the Death and Passion of Christ* [Sermões sobre a profecia de Isaías a respeito da morte e da paixão de Cristo]. Traduzido e editado por T. H. L. Parker. Londres: James Clarke, 1956.

---

[187] Althaus, *Theology of Martin Luther*, p. 28.
[188] Lutero, *O debate de Heidelberg, Obras selecionadas, Volume 1*, p. 54.
[189] Martinho Lutero, *WA* 5:179. O comentário ocorre no comentário de Lutero a Salmos 5:11 no decorrer de sua segunda série de pregações sobre Salmos (1519–1521). Essa série não foi incluída na coleção, em inglês, de 55 volumes da edição Concordia das *Luther's Works* [Obras de Lutero.]

LUTERO, Martinho. *Do cativeiro babilônico da Igreja*, em *Martinho Lutero Obras selecionadas, Volume 2: O programa da Reforma. Escritos em 1520*. Comissão Interluterana de Literatura. São Leopoldo: Editora Sinodal; Porto Alegre: Editora Concórdia, s/d., p. 341–424.

——. *O debate de Heidelberg*, em *Obras selecionadas, Volume 1: Os primórdios. Escritos de 1517 a 1519*. Comissão Interluterana de Literatura. São Leopoldo: Editora Sinodal; Porto Alegre: Editora Concórdia, s/d., p. 35–54.

——. *Lectures on Galatians* [Pregações sobre Gálatas] (1535). v. 26. In: Jaroslav Pelikan (ed.). *Luther's Works*. [Obras de Lutero]. St. Louis: Concordia, 1963.

MELANCHTHON, Philip. *The Chief Theological Topics: Loci Praecipui Theologici* [Os principais tópicos teológicos: Loci Praecipui Theologici] 1559. 2. e. em inglês. Editado e traduzido por J. A. O. Preus. St. Louis: Concordia, 2011.

PAUCK, Wilhelm (ed.). *Melanchthon and Bucer* [Melanchthon e Bucer]. Library of Christian Classics 19. Philadelphia: Westminster, 1969.

PERKINS, William. *A Golden Chain* [Uma cadeia dourada]. Em *The Works of William Perkins* [As obras de William Perkins], editado por Ian Breward, 175–259. Courtenay Library of Reformation Classics 3. Appleford: Sutton Courtenay, 1970.

SCHAFF, Philip. *The Creeds of the Greek and Latin Churches* [Os credos das igrejas gregas e latinas]. Londres: Hodder and Stoughton, 1877.

TAPPERT, Theodore G. (ed.-trad.). *The Book of Concord: The Confessions of the Evangelical Lutheran Church* [O Livro de Concórdia: as confissões da igreja evangélica luterana]. Filadélfia: Fortress, 1959.

URSINO, Zacarias. *The Commentary of Dr. Zacharias Ursinus on the Heidelberg Catechism* [O comentário do dr. Zacarias Ursino sobre o Catecismo de Heidelberg]. Phillipsburg: Presbyterian and Reformed, s/d.

VERMIGLI, Pedro Mártir. *The Peter Martyr Library* [Biblioteca Pedro Mártir]. v. 1, *Early Writings: Creed, Scripture, Church* [Os primeiros escritos: Credo, Escritura, Igreja]. Editado por Joseph C. McLelland. Sixteenth Century Essays & Studies 30. Kirksville: Sixteenth Century Journal Publishers, 1994.

Fontes secundárias

ALTHAUS, Paul. *A teologia de Martinho Lutero*. São Leopoldo: Editora Ulbra, 2008.

ARMSTRONG, Brian G. *Calvinism and the Amyraut Heresy: Protestant Scholasticism and Humanism in Seventeenth-Century France* [Calvinismo e a heresia de Amyraut: Escolasticismo e humanismo protestantes na França do século XVII]. Eugene: Wipf and Stock, 2004.

AULÉN, Gustaf. *Christus Victor: An Historical Study of the Three Main Types of the Idea of the Atonement* [Cristo vitorioso: Um estudo histórico dos três principais tipos de ideia sobre a expiação]. Londres: SPCK, 1965.

BATTLES, Ford Lewis. *"God Was Accommodating Himself to Human Capacity"* [Deus estava se acomodando à capacidade humana], In: McKim, Donald K. *Readings in Calvin's Theology* [Leituras na teologia de Calvino], p. 21–42. Eugene: Wipf and Stock, 1998.

BUREN, Paul Van. *Christ in Our Place: The Substitutionary Character of Calvin's Doctrine of Reconciliation* [Cristo em nosso lugar: o caráter substitutivo da doutrina de Calvino sobre a reconciliação]. Eugene: Wipf and Stock, 2002.

FRANKS, R. S. *The Work of Christ: A Historical Study of Christian Doctrine* [A obra de Cristo: um estudo histórico da doutrina cristã]. Londres: Nelson, 1962.

HELM, Paul. *Calvin at the Centre* [Calvino em destaque]. Oxford: Oxford University Press, 2010.
JANSEN, John Frederick. *Calvin's Doctrine of the Work of Christ* [A doutrina de Calvino a respeito da obra de Cristo]. Londres: James Clarke, 1956.
KENDALL, R. T. *Calvin and English Calvinism to 1649* [Calvino e o calvinismo inglês em 1649]. Oxford Theological Monographs. Oxford: Oxford University Press, 1979.
LINDBERG, Carter (ed.). *The Reformation Theologians: An Introduction to Theology in the Early Modern Period* [Os teólogos reformados: uma introdução à teologia no princípio do período moderno]. Oxford: Blackwell, 2002.
MCKIM, Donald K. *Introducing the Reformed Faith: Biblical Revelation, Christian Tradition, Contemporary Significance* [Introdução à fé reformada: Revelação bíblica, tradição cristã, relevância contemporânea]. Louisville: Westminster John Knox, 2001.
——. (ed.). *Major Themes in the Reformed Tradition* [Temas principais na tradição reformada]. Grand Rapids: Eerdmans, 1992.
PARKER, T. H. L. *Calvin's Preaching* [Pregação de Calvino]. Edimburgo: T&T Clark, 1992.
WHITFORD, David M. (ed.). *T&T Clark Companion to Reformation Theology* [Guia de bolso T&T sobre a teologia da Reforma]. Londres: Bloomsbury, 2014.

Capítulo 11
O Espírito Santo

Graham A. Cole

RESUMO

A pneumatologia de quatro reformadores magistrais (Lutero, Zuínglio, Calvino e Cranmer) e de um radical (Simons) é explorada neste capítulo em relação aos seus pontos de vista sobre a natureza de Deus como Trindade, focalizando especificamente a personalidade e a deidade do Espírito Santo. O capítulo destaca o que eles têm em comum e suas diferenças. Todos os cinco acreditavam que o Espírito Santo de Deus era ativo na salvação, na santificação, em nossa resposta à Palavra e nos sacramentos. Os reformadores magistrais, no entanto, viam uma relação positiva entre a Igreja e o Estado que os reformadores radicais perseguidos não perceberam. Para Simons, a única Igreja verdadeira era a dos cristãos. Lutero, Zuínglio, Calvino, Cranmer e Simons criam que o Espírito Santo é o grande aplicador da salvação, cujo arquiteto é o Pai e cujo realizador é o Filho.

INTRODUÇÃO

Nenhum estudo do passado é feito sem determinado enfoque, nem se pode aproximar do passado sem seletividade. Nesse caso, a doutrina do Espírito Santo (pneumatologia) é esse assunto em pauta, e não a teologia em geral de uma pessoa. Além disso, este estudo centra-se em quatro reformadores magistrais e em um reformador radical. Os reformadores magistrais "tentaram trabalhar dentro das estruturas eclesiais existentes ou desenvolver outras novas que estavam especialmente ligadas a reis ou a príncipes, ou ao Estado".[1] Em contraposição, os reformadores radicais "resistiram a formas de igreja que estavam intimamente ligadas ao Estado e a seu poder".[2] Os reformadores magistrais escolhidos incluem

---

[1] F. LeRon Shults e Andrea Hollingsworth, *The Holy Spirit*. Grand Rapids: Eerdmans, 2008, p. 44.
[2] Ibid., p. 44,45. É interessante observar que Anthony C. Thiselton descreve esses reformadores como "os principais reformadores" mais do que como magistrais, em seu excelente *The Holy Spirit – In Biblical Teaching, through the Centuries, and Today*. Grand Rapids: Eerdmans, 2013, p. 255-269. É significativo também que, em sua história da doutrina, Thiselton não trata os reformadores radicais por seu valor próprio, mas como objetos da ira dos grandes reformadores, o que é uma lacuna surpreendente. Menno Simons, por exemplo, não é mencionado.

Martinho Lutero (1483–1546), Ulrico Zuínglio (1484–1531), João Calvino (1509–1564) e Thomas Cranmer (1489–1556). O reformador radical escolhido é Menno Simons (1496–1561).[3] Embora esse modo de tratar o assunto coloque os movimentos da Reforma em segundo plano, em vez de em primeiro, eles não ficarão fora de vista.[4]

Cinco questões em particular inspiram este capítulo:

1. Como Lutero, Zuínglio, Calvino, Cranmer e Simons veem o Espírito em relação à Trindade?
2. Como cada um vê a relação do Espírito com a Palavra de Deus?
3. Como cada um vê a relação do Espírito com os sacramentos?
4. Como cada um vê o papel do Espírito na salvação, especialmente na santificação?
5. Como cada um entende a relação do Espírito Santo com a igreja?

O enfoque é, portanto, sistemático.[5]

UMA FÉ TRINITÁRIA COMUM

Os reformadores considerados neste capítulo, sejam eles magistrais ou radicais, estavam comprometidos com a crença no Deus triúno. Afirmaram a unicidade da

---

[3] De acordo com Olson, os reformadores radicais dividem-se em três grupos: os anabatistas, os espiritualistas e os racionalistas antitrinitarianos. Roger E. Olson, *The Story of Christian Theology: Twenty Centuries of Tradition and Reform*. Downers Grove: IVP Academic, 1999 [*História da teologia cristã: 2.000 anos de tradições e reformas*. São Paulo: Editora Vida, 2000], p. 415. O presente capítulo não trata de todos os subgrupos.

[4] Para uma visão geral da teologia da Reforma, veja David Bagchi e David C. Steinmetz (eds.). *The Cambridge Companion to Reformation Theology*. Cambridge: Cambridge University Press, 2004. Está fora do objetivo deste breve capítulo considerar a Reforma católica, mas, para um estudo resumido da pneumatologia naquele movimento, também chamado de Contrarreforma, veja Veli-Matti Kärkkäinen (ed.). *Holy Spirit and Salvation: The Sources of Christian Theology*. Louisville: Westminster John Knox, 2010, p. 177–184.

[5] Existem limitações na utilização desse método. Outra limitação neste capítulo surge das fontes usadas para cada um dos reformadores em vista. Cada um deles merece uma monografia por seus próprios méritos, e o material-fonte é volumoso: tratados, sermões, comentários, catecismos, liturgias e correspondência. Seletividade foi inevitável. A dificuldade reside em delimitar o foco de uma forma com a qual seja possível lidar. Este é um capítulo de um livro, não um livro. A fraqueza é que estou me aproximando desses personagens com minhas perguntas, não necessariamente com as do leitor. Por exemplo: a formulação de Martinho Lutero de justificação pela fé foi caracterizada mais tarde por outros como "o artigo de fundamento ou de queda da igreja" (*articulus stantis et cadentis ecclesiae*). Veja Richard A. Muller, *Dictionary of Latin and Greek Theological Terms: Drawn Principally from Protestant Scholastic Theology*. Grand Rapids: Baker, 1986, p. 46. O mesmo não poderia ser dito da doutrina de Lutero sobre o Espírito Santo. Uma possibilidade alternativa teria sido adotar o método de elucidação problemática. Para um exemplo desse tipo de estudo, veja E. Osborn, "Elucidation of Problems as a Method of Interpretation – 1", *Colloquium* 8, n. 2 (1976), p. 24–32, e "Elucidation of Problems as a Method of Interpretation – 2", *Colloquium* 9, n. 2 (1976), p. 10–18. Em suma, descobrir a problemática em que Lutero, Zuínglio, Calvino, Cranmer e Simons se envolveram e com que sucesso lidaram com ela. A força desse modo de estudo é que ele situa diretamente uma teologia de um reformador magistral ou de um radical em sua *Sitz im Leben* ("situação na vida").

Deidade e a trindade das pessoas. Assim, eles também afirmaram a divindade e a personalidade do Espírito Santo.

Os reformadores magistrais entendiam sua visão de Deus e de Cristo não como mera novidade: eles valorizavam o passado cristão fiel. Carl L. Beckwith afirma com precisão:

> Os principais reformadores nunca hesitaram em aceitar os decretos dos concílios ecumênicos sobre a doutrina da Trindade e de Cristo ou os grandes credos da Igreja primitiva. Não havia nenhum debate sobre esses assuntos. Que o credo era uma necessidade foi algo simplesmente assumido. De fato, os luteranos colocaram os credos Apostólico, Niceno e Atanasiano antes de seus próprios documentos confessionais no *Livro de Concórdia*. Algo similar foi feito nos 39 Artigos. Embora Calvino nunca tenha promovido o Credo Niceno de qualquer forma oficial, ele certamente abraçou seu conteúdo e significado.[6]

Roger Olson e Christopher Hall também argumentam corretamente: "A maior parte dos reformadores protestantes considerou a doutrina da Trindade um assunto estabelecido e se recusou a reconsiderar seu conteúdo essencial como expresso no Credo Niceno e elaborado nos escritos de Agostinho".[7]

Lutero, Zuínglio, Calvino e Cranmer não ficaram impressionados com a especulação escolástica trinitariana. Mesmo assim, estavam preparados para usar linguagem não bíblica, como *pessoa*, na articulação da doutrina, bem como a recorrer aos pais da Igreja primitiva. Em sua visão, o Espírito Santo era uma pessoa distinta na triuna Deidade, e abraçaram a posição ocidental sobre a cláusula *filioque*, que postula que o Espírito procede do Pai *e do Filho*. Nisso, eles contrastavam com mestres antitrinitarianos, como Miguel Serveto (c. 1511–1553) e Fausto Socino (1539–1604), o último dos quais considerava o Espírito Santo, não como uma pessoa ou uma deidade, mas "uma atividade de Deus".[8]

O reformador radical Menno Simons também afirmou a fé no Deus triúno, mas procurou articulá-la em categorias e em linguagem estritamente bíblicas.[9] Olson e Hall têm razão em argumentar que "é claro que Menno Simons e os outros grandes líderes anabatistas eram pelo menos minimamente ortodoxos em termos de sua crença na Trindade".[10] Simons estava confortável ao afirmar que o Espírito Santo "procede do Pai por meio do Filho, embora permaneça com Deus

---

[6] Carl L. Beckwith, "The Reformers and the Nicene Faith: An Assumed Catholicity". In: Timothy George (ed.). *Evangelicals and the Nicene Faith: Reclaiming the Apostolic Witness*. Grand Rapids: Baker Academic, 2011, p. 65.
[7] Roger E. Olson e Christopher A. Hall, *The Trinity*. Grand Rapids: Eerdmans, 2002, p. 67.
[8] Ibid., p. 76, 79.
[9] Timothy George aponta que Simons nem sempre era constante nesse assunto. Ele empregava, por exemplo, a categoria patrística de *pessoa* quando falava de Cristo. *Theology of the Reformers*. Nashville: Broadman, 2013, p. 289,290.
[10] Olson e Hall, *Trinity*, p. 74.

e em Deus".[11] Essa escolha de palavras ressoa a posição oriental sobre a questão *filioque*, mas há pouca evidência de qualquer empréstimo direto dela.

Nosso estudo agora se volta para a pneumatologia propriamente dita.

LUTERO E O ESPÍRITO

Houve uma época no estudo acadêmico de Lutero em que se argumentou que ele tinha pouco interesse ou contribuição a fazer à pneumatologia.[12] Afinal, para Lutero, a justificação somente pela fé era "o artigo de fundamento ou de queda da Igreja", como Alsted o declararia no século XVII. No entanto, o trabalho de Regin Prenter, na década de 1950, desafiou esse consenso. Ele argumenta que "o conceito do Espírito Santo domina completamente a teologia de Lutero".[13] Estudos recentes assumem a colocação de Prenter, mas a equilibra com a redescoberta da ênfase de Lutero na união com Cristo (a seguir).[14]

O Espírito e a Palavra

Lutero cria que sua Bíblia era a Palavra de Deus e, também, que havia um nexo vital entre essa Palavra e o Espírito Santo. Ele argumentou nos Artigos de Esmalcalde:

> Nessas questões, no que se refere à Palavra externa falada, devemos manter firmemente a convicção de que Deus não dá a ninguém seu Espírito ou favor a não ser mediante ou com a Palavra externa que o precede. Assim, seremos protegidos dos entusiastas, isto é, dos espiritualistas que possuem o Espírito sem a Palavra e antes dela e que, portanto, julgam, interpretam e torcem as Escrituras ou a Palavra falada de acordo com seu prazer. Thomas Münzer fez isso. [...] Consequentemente, precisamos e devemos constantemente sustentar que Deus não tratará conosco, exceto por meio de sua Palavra externa e do sacramento. Tudo o que é atribuído ao Espírito, à parte de tal Palavra e do sacramento, é do Diabo.[15]

No entanto, para apreciar essa Palavra, o ministério do Espírito é essencial. Lutero fez esse contraste em seu comentário sobre Gálatas, no qual descreveu "o povo comum, que não ama a Palavra, mas a despreza, como se nada que diz respeito a ela lhes pertencesse. Mas, qualquer que sentir algum amor ou desejo pela Palavra, reconheça com gratidão que esse afeto lhes é derramado pelo Espírito Santo".[16]

---

[11] Citado em George, *Theology of the Reformers*, p. 290.
[12] Para uma excelente bibliografia atualizada sobre as obras primárias e secundárias de Lutero, veja ibid., p. 107–111.
[13] Regin Prenter, *Spiritus Creator*. Filadelfia: Muhlenberg, 1953, p. ix.
[14] Veja o útil debate em Veli-Matti Kärkkäinen, *Pneumatology: The Holy Spirit in Ecumenical, International, and Contextual Perspective*. Grand Rapids: Baker Academic, 2002, p. 79,80. Estranhamente, Kärkkäinen se refere a "Reginald" [sic] Prenter. Ibid., p. 79.
[15] "Schmalcald Articles", 3.8.3–12, In: Kärkkäinen, *Holy Spirit and Salvation*, p. 156,157.
[16] Lutero, *Commentary on Galatians*, citado em: Hugh T. Kerr (ed.). *A Compend of Luther's Theology*. Filadélfia: Westminster, 1974, p. 70.

Nem todos os contemporâneos de Lutero ficaram impressionados com sua insistência na objetividade da Palavra. O anabatista radical Thomas Müntzer (1489-1525), mencionado na citação de Lutero apresentada anteriormente, é um exemplo disso.[17] Ele afirmou que Lutero "nada sabe de Deus, mesmo que pudesse engolir cem Bíblias". Lutero respondeu em grande estilo: "Eu não ouviria Thomas Müntzer se ele engolisse o Espírito Santo, com penas e tudo". Müntzer apelou para o Espírito. Lutero apelou à Palavra e ao Espírito em um nexo inseparável. Aos olhos de Lutero, Müntzer era "um *Schwärmer* [visionário] instável", enquanto para Münzer, Lutero era "o Dr. Mentiroso".[18]

O ESPÍRITO E OS SACRAMENTOS

A doutrina de Lutero a respeito dos sacramentos consiste mais em cristologia do que com pneumatologia explícita. Quanto ao batismo, Lutero argumentou: "Pois não é o batismo do homem, mas o batismo de Cristo e de Deus, que recebemos pela mão de um homem; assim como qualquer outra coisa criada que usamos pela mão de outro, é só de Deus".[19] Com relação à Ceia do Senhor, essa ênfase cristológica – especialmente sua doutrina da ubiquidade da humanidade de Cristo – veio à tona em seus célebres debates com Zuínglio. No entanto, Lutero não negligenciou a pneumatologia em sua teologia sacramental, como pode ser visto na afirmação seguinte, digna de ser novamente citada: "Consequentemente, precisamos e devemos constantemente sustentar que Deus não tratará conosco, exceto por meio de sua Palavra externa e do sacramento. Tudo o que é atribuído ao Espírito, à parte de tal Palavra e do sacramento, é do Diabo".[20] Essa afirmação foi originalmente feita sobre o batismo em debate com os anabatistas, mas também se aplica *mutatis mutandis* à Ceia do Senhor.

O ESPÍRITO E A SALVAÇÃO

Para Lutero, a obra de Cristo na cruz para nossa salvação não tem efeito a menos que o Espírito Santo tome o que Cristo fez e aplique-o a nós. Lutero defendia:

> Nem você nem eu poderíamos saber alguma coisa de Cristo, ou crer nele e tomá-lo como nosso Senhor, a menos que esses fatos fossem oferecidos a nós e outorgados a nosso coração mediante a pregação do evangelho pelo Espírito Santo. A obra está terminada e completa,

---

[17] A estatura de Müntzer como teólogo sofreu uma reavaliação. Na verdade, de acordo com Matheson, "Müntzer pode ser o mais notável teólogo da Reforma radical". Peter Matheson, "Müntzer, Thomas (c. 1489–1525)". In: Trevor A. Hart (ed.). *The Dictionary of Historical Theology*. Grand Rapids: Eerdmans, 2000, p. 382.

[18] Ibid., p. 381,382. Note que a grafia de "Müntzer" varia na literatura secundária.

[19] Lutero, *The Babylonian Captivity of the Church*, em Kerr, *Compend of Luther's Theology*, p. 65. [*Do cativeiro babilônico da igreja*, em *Obras selecionadas, Volume 2: O Programa da Reforma. Escritos em 1520*. Comissão Interluterana de Literatura. São Leopoldo, RS: Editora Sinodal; Porto Alegre, RS: Editora Concórdia, s/d., 341–424.]

[20] "Schmalcald Articles", 3.8.3–12. In: Kärkkäinen, *Holy Spirit and Salvation*, p. 156,157.

Cristo conquistou e ganhou o tesouro para nós por seus sofrimentos, por sua morte e por sua ressurreição etc. Mas, se a obra permanecesse escondida e ninguém soubesse dela, ela teria sido em vão, totalmente perdida. Para que esse tesouro não fosse enterrado, mas usado e desfrutado, Deus fez com que a Palavra fosse publicada e proclamada, na qual deu o Espírito Santo para oferecer e aplicar-nos esse tesouro de salvação.[21]

Em sua maneira geralmente vívida, Lutero usou uma linguagem pictórica. Ele falou da obra de Cristo como um tesouro, e todo tesouro é inútil se está fora da vista e enterrado. É o Espírito que traz o tesouro à luz e o torna nosso.

A obra do Espírito é para o indivíduo e para muitos, e esse trabalho não cessa com a expressão inicial da fé. Ao expor o terceiro artigo do Credo dos Apóstolos em seu *Catecismo menor*, Lutero declarou:

> Acredito que não posso, por minha própria razão ou força, crer em Jesus Cristo, meu Senhor, ou vir a ele; mas o Espírito Santo me chamou pelo Evangelho, iluminou-me com seus dons, santificou-me e me manteve na verdadeira fé; assim como ele chama, reúne, ilumina e santifica toda a igreja cristã na terra, e a mantém com Jesus Cristo na única e verdadeira fé. Creio que na igreja cristã ele perdoa diária e ricamente todos os pecados cometidos por mim e por todos os cristãos, e no último dia eu e todos os mortos ressuscitaremos, e dará a mim e a todos os cristãos em Cristo a vida eterna. Isso é certamente verdade.[22]

O alcance do papel do Espírito Santo na salvação se estende do chamamento inicial ao último dia, e os benefícios desse papel são para Lutero e para todos os cristãos em Cristo. Lutero não era individualista.

O Espírito e a Igreja

Lutero era um clérigo, e, para ele, o cristianismo não era assunto individual. Por meio do Espírito, ele pertencia a um corpo, o corpo de Cristo. Ele escreveu o seguinte sobre a igreja em seu *Catecismo maior*:

> Ela é convocada pelo Espírito Santo a uma só fé, uma só mente e um só entendimento. Possui uma variedade de dons, mas unidos em amor, sem partidarismo ou cisma. Dessa comunidade eu também faço parte e sou membro, um participante e coparticipante em todas as bênçãos que ela possui. Fui trazido a ela pelo Espírito Santo e incorporado a ela pelo fato de ter ouvido e ainda ouvir a Palavra de Deus, que é o primeiro passo para entrar nela. [...] Até o último dia o Espírito Santo permanece com a comunidade santa ou o povo cristão, e, por meio dela, ele nos reúne, usando-a para ensinar e pregar a Palavra.[23]

---

[21] Martinho Lutero, "The Large Catechism", The Apostles' Creed, art. 3, par. 38,39. In: Kärkkäinen, *Holy Spirit and Salvation*, p. 158.
[22] Lutero, "Small Catechism". In: Kerr, *Compend of Luther's Theology*, p. 65.
[23] Lutero, "Large Catechism", Credo, art. 3, par., 47–53. In: Kärkkäinen, *Holy Spirit and Salvation*, p. 161,162.

Estava claro para Lutero que a obra do Espírito Santo era vital para a própria existência e vida da igreja, entendida como a comunidade (*Gemeinde*) da fé, não como um edifício e não como uma instituição. Essa citação também mostra o que para Lutero era uma das duas marcas da verdadeira igreja: a pregação fiel da Palavra de Deus. Na verdade, o Espírito é o pregador.[24]

ZUÍNGLIO E O ESPÍRITO

Nosso foco agora se volta para Ulrico Zuínglio, de Wittenberg para Zurique.[25] Das cinco pessoas consideradas neste capítulo, ele foi o único a morrer no campo de batalha com um machado medieval durante a Batalha de Kappel, em 1531.[26] Importante destacar que Zuínglio não era apenas um soldado; ele era também um teólogo perspicaz cujo ensinamento sobre o Espírito Santo ainda vale a pena ser considerado.

O Espírito e a Palavra

Zuínglio valorizou a Palavra de Deus escrita, mas não negligenciou o Espírito Santo, como mostra a citação a seguir:

> Se o Espírito de Deus está com vocês é demonstrado acima de tudo se sua Palavra for ou não seu guia, e se fizerem nada senão o que está claramente indicado na Palavra de Deus, para que a Escritura seja seu mestre, e não vocês os senhores das Escrituras. [...] Sempre que damos ouvidos à Palavra, adquirimos conhecimento puro e claro da vontade de Deus e somos atraídos a ele por seu Espírito e transformados à sua semelhança.[27]

Para Zuínglio, a Escritura era a Palavra de Deus em geral e a Palavra do Espírito em particular. Um sinal seguro da presença do Espírito com o cristão é se este está vivendo sob a autoridade da Palavra, e a obediência à Palavra de Deus leva à transformação pelo Espírito na semelhança divina. Zuínglio evidenciou um forte senso de conectividade entre Palavra e Espírito.

---

[24] Um dos hinos congregacionais de Lutero dirigidos ao Espírito Santo, "Vem, Deus criador, Espírito Santo", tem esta estrofe:

6. O Pai nos faze conhecer,
e o Filho seu, Cristo Jesus.
Vem-nos na fé fortalecer,
do Espírito dá-nos luz.

Veja "Hinos de Lutero", disponível em: <http://www.lutero.com.br/novo/hinos_22.php>. Acesso em: 5. jan. 2017. O hino é uma obra em latim do nono século que Lutero traduziu e reestruturou.

[25] Para uma excelente bibliografia atualizada sobre as obras primárias e secundárias de Zuínglio, veja George, *Reformers*, p. 167,168.

[26] Ibid., p. 115.

[27] Ulrico Zuínglio, "The Defense of the Reformed Faith". In: Kärkkäinen, *Holy Spirit and Salvation*, p. 163.

O Espírito e a salvação

Para Zuínglio, voltar-nos para Deus está além da capacidade humana, portanto, o Pai celestial deve nos atrair para si mesmo. Em relação à educação da juventude, Zuínglio escreveu: "Ainda assim, nas palavras de Paulo, "a fé vem por se ouvir a mensagem, e a mensagem é ouvida mediante a palavra de Cristo" (Romanos 10:17), embora isso não signifique que muito possa ser realizado pela pregação da palavra externa à parte do discurso interno e da compulsão do Espírito".[28] Qual é, então, o papel do educador cristão nisso? Zuínglio aconselhou a oração: "Portanto, é necessário não apenas instilar a fé nos jovens pelas palavras puras que procedem da boca de Deus, mas orar também para que ele, o único que pode dar fé, ilumine por seu Espírito aqueles a quem instruímos em sua Palavra".[29]

Há uma série de ideias teológicas clássicas na obra de Zuínglio: o chamado exterior do pregador e o chamado interior do Espírito, a fé como um dom divino e a necessidade de serem os ouvintes da Palavra iluminados pelo Espírito.

A articulação da soteriologia de Zuínglio também é surpreendente em certas ocasiões. Por vezes, ele escreveu de maneira que um teólogo ortodoxo oriental aplaudiria. Por exemplo, ele declarou: "Que uma pessoa é atraída para Deus pelo Espírito de Deus e deificada, torna-se bastante claro a partir da Escritura".[30] Nessa proposição, Zuínglio não estava abolindo a distinção Criador-criatura; ao contrário, essa afirmação ecoava Atanásio: Jesus se tornou o que somos para que pudéssemos ser o que ele é. Pela graça, o cristão é restaurado à imagem de Deus, e tal crença é a obra do Espírito Santo. Zuínglio escreveu: "Pois ninguém sabe ou crê que Cristo sofreu por nós, salvo aqueles a quem o Espírito interior ensinou a reconhecer o mistério da bondade divina, pois somente estes recebem Cristo. Portanto, nada gera confiança em Deus a não ser o Espírito".[31] A garantia de salvação depende do Espírito.

O Espírito, a Igreja e os sacramentos

Como Lutero, Zuínglio cria que, onde a Palavra é fielmente pregada e os sacramentos devidamente administrados, há a igreja. No entanto, sua compreensão muito diferente da Ceia do Senhor significava que Zurique e Wittenberg tomaram direções muito diferentes a respeito da natureza desse sacramento. Timothy George capta a diferença de maneira precisa: "Lutero enfatizou o 'Isto é' nas palavras da instituição, enquanto Zuínglio enfatizava o 'Façam isto'".[32]

---

[28] Ulrico Zuínglio, "Of the Education of Youth". In: G. W. Bromiley (ed.). *Zwingli and Bullinger: Selected Translations with Introductions and Notes*. LCC 24. Filadélfia: Westminster, 1953, p. 104.
[29] Ibid.
[30] Zuínglio, *"Defense of the Reformed Faith"*. In: Kärkkäinen, *Holy Spirit and Salvation*, p. 165.
[31] Ulrico Zuínglio, "On Providence". In: Kärkkäinen, *Holy Spirit and Salvation*, p. 167.
[32] George, *Reformers*, p. 153. Explorar o chamado conflito da Ceia, por mais fascinante que seja, nos levaria muito além de nossa breve exposição.

Para Zuínglio, sem o Espírito, que concede fé, os sacramentos podem apenas evocar a "fé histórica" (*fides historica*), e não a fé salvadora. Com relação à Ceia do Senhor (embora suas palavras se apliquem *mutatis mutandis* ao batismo também), ele escreveu: "Primeiro, porque nenhuma coisa externa, mas somente o Espírito Santo, pode dar a fé que é a confiança em Deus. Os sacramentos dão fé, mas apenas fé histórica".[33] Para Zuínglio, "a fé deve estar presente antes de virmos".[34] Com relação ao batismo, o crucial é o batismo do Espírito, pois sem este não há salvação.[35] Tal batismo não requer água; o batismo do Espírito é "o batismo interior do ensino, do chamamento e da união com Deus".[36]

CALVINO E O ESPÍRITO

Com Calvino, passamos de Wittenberg e Zurique para Genebra, e, sem dúvida, para a contribuição mais significativa com respeito à pneumatologia vista neste capítulo.[37] De fato, Calvino foi descrito por B. B. Warfield como "preeminentemente o teólogo do Espírito Santo". Ele colocou Calvino numa linha de luminares:

> No mesmo sentido em que podemos dizer que as doutrinas do pecado e da graça datam de Agostinho, a doutrina da satisfação, de Anselmo, a doutrina da justificação pela fé, de Lutero, devemos dizer que a doutrina da obra do Espírito Santo é um presente de Calvino para a igreja.[38]

É a esse presente que agora voltamos nossa atenção.

O ESPÍRITO E A PALAVRA

Calvino viu a relação mais próxima entre as Escrituras e o Espírito Santo, tanto que Willem Balke argumenta que "a inseparabilidade da Palavra e do Espírito era um

---

[33] Zuínglio, *"An Exposition of the Faith"*. In: G. W. Bromiley (ed.). *Zwingli and Bullinger: Selected Translations with Introductions and Notes*. LCC 24. Filadélfia: Westminster, 1953, p. 260. Para a opinião de Zuínglio e de outros reformadores sobre o batismo, veja Robert Letham, "Baptism in the Writings of the Reformers", *SBET* 7, n. 2, 1989, p. 21–44.

[34] Zuínglio, *"Exposition of the Faith"*, p. 261. Veja Bruce A. Ware, "The Meaning of the Lord's Supper in the Theology of Ulrich Zwingli (1884–1531)". In: Thomas R. Schreiner e Matthew R. Crawford (eds.). *The Lord's Supper: Remembering and Proclaiming Christ until He Comes*. Nashville: B&H Academic, 2010.

[35] Ulrico Zuínglio, "Of Baptism". In: *Zwingli and Bullinger*, p. 136.

[36] Ibid., p. 133. A tentativa de Zuínglio de encaixar o batismo infantil nessa estrutura teológica é bem debatida em George, *Reformers*, p. 146–147. Lutero enfrentou desafio similar.

[37] Para uma excelente bibliografia atualizada sobre as obras primárias e secundárias de Calvino, veja George, *Reformers*, p. 259–264. É extraordinário que em sua *Pneumatology: The Holy Spirit in Ecumenical, International, and Contextual Perspective*, Veli-Matti Kärkkäinen não tenha uma seção exclusiva para a pneumatologia reformada e faça apenas uma referência a Calvino, de acordo com o índice.

[38] Benjamin Breckinridge Warfield, "John Calvin the Theologian". In: Samuel G. Craig (ed.). *Calvin and Augustine*. Filadélfia: Presbyterian and Reformed, 1956, p. 485.

dos principais ensinamentos de Calvino".³⁹ O título do capítulo 7 do livro 1 das *Institutas* apoia a afirmação de Balke: "É necessário que se estabeleça o testemunho do Espírito em prol da Escritura para que sua autoridade seja indubitável".⁴⁰ Calvino prosseguiu argumentando:

> Mas eu respondo: o testemunho do Espírito é mais excelente do que toda a razão. Pois como só Deus é um testemunho digno de si mesmo em sua Palavra, assim também a Palavra não encontrará aceitação no coração dos homens antes de ser selada pelo testemunho interior do Espírito. O mesmo Espírito, portanto, que falou pela boca dos profetas deve penetrar em nosso coração para *persuadir*-nos de que eles fielmente proclamaram o que havia sido ordenado por Deus.⁴¹

Essa importante afirmação apresenta a contribuição seminal de Calvino ao nexo entre bibliologia e pneumatologia: a ideia do testemunho interno do Espírito (*testimonium Spiritus sancti internum*).

Na visão de Calvino, o testemunho interno do Espírito é mais forte do que a razão. Ele afirmou que "devemos buscar nossa convicção em um lugar mais elevado do que nas razões humanas, nos julgamentos ou nas conjecturas, isto é, no testemunho secreto do Espírito". Novamente, ele argumentou:

> Que este ponto, portanto, fique estabelecido: aqueles a quem o Espírito Santo ensinou interiormente repousam de fato sobre a Escritura, e que a Escritura realmente é autoautenticada; portanto, não é correto submetê-la à demonstração e ao raciocínio, uma vez que a certeza que ela merece de nossa parte, ela a alcança pelo testemunho do Espírito. Pois, mesmo que venha a reverenciar-se a si mesma por sua própria majestade, ela só nos afeta seriamente quando é selada em nosso coração mediante o Espírito.⁴²

Aqui estão alguns temas familiares em Calvino: o testemunho do Espírito, sua natureza interior, seu caráter secreto, a obra iluminadora do Espírito *vis-à-vis* com a Escritura, e a natureza autoautenticadora da Escritura.

A ideia de uma Escritura autoautenticada levanta questões sobre a coerência da discussão de Calvino. O argumento parece envolver um apelo tanto à Palavra como ao Espírito, com o Espírito autenticando a Palavra, por um lado, e a Escritura autenticando a si mesma, por outro; este último caso parece sugerir que a Escritura

---

³⁹ Willem Balke, citado em um belo artigo de Eifon Evans, "John Calvin: Theologian of the Holy Spirit", *R&R* 10, n. 4, 2001, p. 94.

⁴⁰ Calvino, *Institutas*, 1.7. A afirmação de Balke também é apoiada pelos comentários de Calvino. Por exemplo, ao comentar sobre Ezequiel, Calvino escreve: "Para que saibamos que a palavra externa é inútil por si mesma, a menos que seja animada pelo poder do Espírito". João Calvino, *Commentary on the First Twenty Chapters of the Book of the Prophet Ezekiel*. Edimburgo: Calvin Translation Society, 1849, p. 108.

⁴¹ Calvino, *Institutas*, 1.7.4.

⁴² Ibid.

tem vida própria, no entanto, o argumento de Calvino é que o Espírito com a Palavra é a chave. Na verdade, o Espírito é o grande persuasor de que essa Escritura é de fato a Palavra de Deus.[43]

O Espírito e os sacramentos

Para Calvino, os sacramentos (batismo e Ceia do Senhor) são usados pelo Espírito Santo para confirmar e aumentar a fé. A atividade do Espírito é uma condição necessária para a eficácia deles: "Eles só realizam seu ofício corretamente quando acompanhados pelo Espírito, aquele Mestre interior, por cuja energia nosso coração é penetrado, nossos afetos se movem e uma entrada é aberta para os sacramentos em nossa alma".[44]

"O batismo", explicou Calvino, "é o sinal da iniciação pelo qual somos recebidos na sociedade da Igreja, a fim de que, enxertados em Cristo, sejamos contados entre os filhos de Deus".[45] No batismo, as promessas de Deus são mostradas: "Assim, o livre perdão dos pecados e a imputação da justiça são primeiramente prometidos a nós, e, então, a graça do Espírito Santo nos reforma para atuarmos em novidade de vida".[46] O papel da fé, no entanto, não é negligenciado por Calvino: "Mas deste sacramento, como de todos os outros, obtemos apenas tanto quanto recebemos pela fé".[47]

A pneumatologia também aparece no entendimento de Calvino sobre a Ceia do Senhor. De acordo com ele, a presença do Cristo ressuscitado na Ceia do Senhor deve ser entendida em termos pneumatológicos. Nas *Institutas*, ele afirmou: "No entanto, um mal sério é feito ao Espírito Santo, a menos que creiamos que é por meio de seu incompreensível poder que participamos da carne e do sangue de Cristo". Ele argumentou ainda:

> Mesmo que pareça inacreditável que a carne de Cristo, separada de nós por tão grande distância, entre em nós, para que se torne nosso alimento, lembremo-nos de quão longe o poder secreto do Espírito Santo se eleva acima de todos os nossos sentidos e quão tolo é medir sua incomensurabilidade por nossa medida. Então, aquilo que nossa mente não compreende, que a fé conceba: que o Espírito realmente une as coisas separadas no espaço.[48]

Para Calvino, o Senhor Jesus está à destra do Pai. Contudo, seu Espírito está conosco e em nós. Desse modo, ele está presente por intermédio de seu Espírito,

---

[43] Sobre o Espírito como persuasor, e com uma dívida reconhecida com Calvino, veja a discussão em Bernard L. Ramm, *The God Who Makes a Difference: A Christian Appeal to Reason*. Waco: Word Books, 1972, p. 38–44.
[44] Calvino, *Institutas*, 4.19.9.
[45] Ibid., 4.15.1.
[46] Ibid., 4.15.5.
[47] Ibid., 4.15.15.
[48] Ibid., 4.17.10.

e há uma presença real, mas não do tipo que possa ser reduzida ao pão e ao vinho. Nisso, ele se opôs tanto a católicos quanto a luteranos.

Calvino resumiu sua posição com sua habitual lucidez no que descreveu como um "breve resumo":

> Meus leitores agora possuem, reunidos em forma sumária, quase tudo o que pensei que deveria ser conhecido sobre esses dois sacramentos, cujo uso foi transmitido à igreja cristã do início do Novo Testamento ao fim do mundo; isto é, que o batismo deve ser, por assim dizer, uma entrada na igreja e uma iniciação na fé; mas a Ceia deve ser uma espécie de alimento contínuo em que Cristo alimenta espiritualmente a família da fé.[49]

No entanto, para Calvino, "os sacramentos não têm proveito sem o poder do Espírito Santo".[50]

O Espírito e a salvação

Na soteriologia de Calvino, a menos que nós, os cristãos, estejamos unidos a Cristo de alguma maneira real, os benefícios da obediência de Cristo (*obedientia Christi*) são perdidos para nós.[51] No entanto, se o Espírito Santo nos une a Cristo como um ramo é unido à videira, todos os benefícios que Cristo ganhou são nossos. Nessa linha, Calvino começou o livro 3 das *Institutas* levantando uma pergunta:

> Devemos examinar essa questão. Como recebemos esses benefícios que o Pai concedeu a seu Filho unigênito, não para uso privado de Cristo, mas a fim de enriquecer os pobres e necessitados? Primeiro, temos de entender que, enquanto Cristo permanecer fora de nós e estivermos separados dele, tudo o que ele sofreu e fez pela salvação da raça humana permanece inútil e sem valor para nós. Portanto, para compartilhar conosco o que recebeu do Pai, ele teve de se tornar nosso e habitar em nós. Por essa razão, ele é chamado de nossa "cabeça" [Efésios 4:15], e "o primogênito entre muitos irmãos" [Romanos 8:29]. De nós, por sua vez, é dito que fomos enxertados nele [Romanos 11:17] e que somos dos que "de Cristo se revestiram" [Gálatas 3:27]; pois, como eu disse, tudo o que ele possui nada é para nós até que cresçamos em um corpo com ele. [...] Em suma, o Espírito Santo é o vínculo pelo qual Cristo efetivamente nos une a si mesmo.[52]

---

[49] Ibid., 4.18.19.
[50] Ibid., 4.14.9.
[51] Esse ponto é bem defendido por Lewis B. Smedes, *Union with Christ: A Biblical View of the New Life in Jesus Christ*, 2. ed. Grand Rapids: Eerdmans, 1983, p. 11.
[52] Calvino, *Institutas*, 3.1.1. O título de Calvino para o capítulo 1 do livro 3 é: "As coisas que foram ditas acerca de Cristo nos são proveitosas em virtude da operação secreta do Espírito", e o da primeira seção é: "O Espírito Santo é o que nos une a Cristo".

Essa linha de argumentação apresenta uma rica pneumatologia![53] De acordo com Lewis Smedes, a afirmação de Calvino de que, enquanto Cristo permanecer fora de nós, a salvação que ele traz não nos serve de nada "controla toda a discussão de Calvino sobre a graça da santificação e da justificação".[54] É significativo, porém, que Calvino não negligenciou o agente humano ao tratar da união com Cristo. No mesmo lugar, ele argumentou: "É verdade que obtemos isso pela fé".[55] No entanto, essa fé, afirmou Calvino, "é a principal obra do Espírito Santo".[56]

O ESPÍRITO, A GRAÇA COMUM E A CULTURA

Calvino tinha uma completa teologia sobre o mundo, como mostram as *Institutas*. Ele cria não somente em Deus, o Redentor (Livro 2), mas também em Deus, o Criador (Livro 1). Em sua teologia, a ordem da criação e a ordem da redenção não estavam divorciadas. Ele não era maniqueísta, como se a vida da criatura fosse sem valor.

Nas *Institutas*, Calvino distingue entre a compreensão da humanidade caída acerca das coisas terrenas ou inferiores e o fracasso da humanidade em compreender as coisas celestiais ou superiores.[57] Na criação partida pós-queda, a razão humana era ainda competente em graus diversos, como evidenciado pelas artes mecânicas, artes manuais, artes liberais, artes médicas, matemática, retórica, e assim por diante. Essas artes e ciências são produtos de nossos talentos naturais, que são dom de Deus.[58] Eles também mostram "alguns resquícios da imagem divina".[59] Mesmo assim, quando se trata do conhecimento de Deus e da salvação, os filósofos "são mais cegos que as toupeiras".[60]

Calvino estava escrevendo sobre o que a teologia posterior chamaria de *graça comum*, que é a bondade geral de Deus com relação aos caídos portadores de sua imagem.[61] A graça especial ou graça salvadora, por outro lado, no pensamento reformado, é a salvífica e imerecida bondade de Deus dirigida a seus eleitos, reconciliando-os consigo. O Espírito Santo está intimamente envolvido em ambas. Tomemos a graça comum, por exemplo. Calvino indicou que qualquer arte, ciência ou habilidade que a humanidade caída mostra é obra do Espírito Santo. Na

---

[53] Uma lacuna surpreendente em George, *Theology of the Reformers*, é que ele não faz referência à união com Cristo pelo Espírito ao tratar da doutrina de Calvino sobre a vida no Espírito, p. 231–243.
[54] Smedes, *Union With Christ*, p. 10.
[55] Calvino, *Institutas*, 3.1.1.
[56] Ibid., 3.1.4.
[57] Ibid., 2.2.13.
[58] Ibid., 2.14–16.
[59] Ibid., 2.17.
[60] Ibid., 2.18.
[61] Donald K. McKim, *Westminster Dictionary of Theological Terms*. Louisville: Westminster John Knox, 1996, p. 120.

verdade, ele afirmou que, ao desprezar tais dons, "desonramos o Espírito".⁶² Essa é uma linguagem forte. Além disso, ele argumentou, "se o Senhor quis que fôssemos ajudados em física, dialética, matemática e disciplinas semelhantes por obra e ministério dos ímpios, usemos essa assistência, pois, se negligenciarmos o dom de Deus livremente oferecido nessas artes, devemos apenas sofrer o castigo por nossa preguiça".⁶³

Calvino apelou às Escrituras para justificar sua posição, mas sua escolha de evidência é surpreendente. Ele discutiu o tabernáculo construído no deserto e a habilidade e o conhecimento de Bezalel e Aoliabe usados em sua construção (Êxodo 31:2,6; 35:30). O conhecimento e a habilidade deles vieram do Espírito. O argumento é um pouco obscuro: se a excelência deles vem do Espírito, então, o mesmo se dá também com o que há de mais excelente na vida humana.⁶⁴ Entretanto, há uma diferença entre o piedoso e o ímpio. Afirma-se que o Espírito habita nos cristãos, tornando-os templos sagrados por sua presença, mas com os ímpios não é assim. Contudo, o Espírito não os privou de sua influência: "No entanto, ele preenche, move e desperta todas as coisas pelo poder do mesmo Espírito, e o faz de acordo com o caráter que conferiu a cada espécie pela lei da criação".⁶⁵

O Espírito, a Igreja e os sacramentos

Para Calvino, a igreja incluía o visível e o invisível. Ele escreveu o seguinte com relação ao Credo: "O artigo no Credo no qual professamos 'crer na igreja' refere-se não apenas à igreja visível (nosso tópico atual), mas também a todos os eleitos de Deus, em cujo número também estão incluídos os mortos".⁶⁶ O batismo é o rito irrepetível de iniciação na igreja, e a Ceia do Senhor é o banquete contínuo do Cristo ressuscitado à mão direita do Pai pela fé, mediante o Espírito Santo. Escrevendo sobre os sacramentos (batismo e Ceia do Senhor), Calvino observou:

> Cremos que essa comunicação seja (a) mística e incompreensível à razão humana, e (b) espiritual, uma vez que é efetuada pelo Espírito Santo; a quem, por ser a virtude do Deus vivo, procedente do Pai e do Filho, atribuímos a onipotência, pela qual ele nos une a Cristo, nossa Cabeça, não de maneira imaginária, mas de forma poderosa e verdadeira, de modo que nos tornamos carne de sua carne e osso de seus ossos, e de sua carne vivificante ele transfunde a vida eterna a nós.⁶⁷

---

⁶² Calvino, *Institutas*, 2.2.15.
⁶³ Ibid., 2.2.16.
⁶⁴ Ibid.
⁶⁵ Ibid.
⁶⁶ Ibid., 4.1.2
⁶⁷ João Calvino, "Summary of Doctrine Concerning the Ministry of the Word and the Sacraments". In: *Calvin: Theological Treatises*. LCC 22. Louisville: John Knox, 2006, p. 171.

Essa afirmação é rica de teor teológico. A afirmação de Calvino sobre o *filioque* está em vista, assim como sua compreensão realista da união com Cristo operada pneumatologicamente. Além disso, a deidade do Espírito é afirmada, pois a onipotência só pode ser atribuída à deidade.

CRANMER E O ESPÍRITO

Apesar de todo o gênio litúrgico do arcebispo Thomas Cranmer, poucos estudiosos sustentariam que ele estava na vanguarda da teologia da Reforma. Jonathan Dean escreve:

> Thomas Cranmer não era um dos grandes pensadores ou teólogos originais da Reforma. Ele não libertou, como Martinho Lutero, as energias de toda uma geração num monumental movimento de mudança religiosa. Ele não era Calvino, definindo os contornos da teologia e da prática reformadas mediante uma exposição sistemática maciça e meticulosa destinada à orientação das gerações futuras. Nem sequer era um Ulrico Zuínglio, reimaginando a eucaristia de forma controversa e dinâmica.[68]

Então, por que considerar Cranmer? Outra vez, Jonathan Dean faz uma observação útil: "Se não foi o líder ou o crítico mais brilhante dos variados movimentos da Reforma do século XVI, sua obra é, de longe, a mais influente na vida dos cristãos comuns com quem ele tanto se preocupava, e ela tem desfrutado de uma longevidade muito maior".[69]

Certamente, Cranmer não era Lutero ou Zuínglio, tampouco Calvino, no entanto, ele sabia quais eram as necessidades da Igreja inglesa e se esforçou para supri-las de maneira biblicamente fundamentada e teologicamente hábil. Gerald Bray capta bem isso:

> Os formulários históricos foram projetados pelo Arcebispo Cranmer [...] para dar à Igreja inglesa uma base sólida nas três áreas fundamentais da vida: *doutrina, devoção e disciplina*. Os Artigos forneceram sua estrutura doutrinária, o *Livro de oração* estabeleceu o padrão de sua vida devocional e o Ordinal esboçou o que se esperava do clero, cujo papel era a chave para a disciplina da Igreja.[70]

---

[68] Jonathan Dean (ed.). *God Truly Worshipped: Thomas Cranmer and His Writings*. Norwich: Canterbury Press, 2012, 1. J. I. Packer acrescenta uma necessária nuance aqui: "É verdade que ele [Cranmer] não foi nem prolífico, nem original, nem argumentativo, mas isso não o coloca numa segunda categoria. [...] Se os cultos de Cranmer [1549 e 1552 especialmente] devem ser aceitos como obras-primas da adoração cristã, há pelo menos a presunção de que a teologia por trás deles também seja uma obra de mestre". "Introduction". In: G. E. Duffield (ed.). *The Works of Thomas Cranmer*. Filadélfia: Fortress, 1965, p. xvii,xviii.
[69] Dean, *God Truly Worshipped*, p. 1.
[70] Gerald Bray, *The Faith We Confess: An Exposition of the Thirty-Nine Articles*. Londres: Latimer, 2009, p. 1. A ênfase, no original, era com negrito; aqui, com itálico. Cranmer foi martirizado em 1556; por isso, os artigos a serem

Com relação ao *Livro de oração* (também conhecido como *Livro de oração comum*), Stephen Neill oferece uma observação perspicaz. Primeiro, ele faz esta afirmação geral: "Nada é mais impressionante na Reforma do que a recuperação da doutrina quase esquecida do Espírito Santo". Em seguida, ele volta sua atenção para Cranmer em particular: "Do interesse especial de Cranmer nesta doutrina, o *Livro de oração*, com suas constantes referências ao Espírito Santo, é evidência".[71]

Qual era, então, a pneumatologia de Cranmer? Comecemos nossa apresentação de sua pneumatologia com a doutrina acerca da Palavra de Deus por ele defendida.

O ESPÍRITO E A PALAVRA

Como os demais reformadores magistrais, Cranmer tinha uma visão elevada da autoridade bíblica, a qual fica evidente no artigo 5 dos 42 Artigos, que diz:

> As Escrituras Sagradas contêm todas as coisas necessárias à salvação; de modo que tudo o que nela não se lê, nem por ela se pode provar, embora seja recebido em algum momento dos fiéis, como Deus, e proveitoso para a ordem e a decência, não se deve exigir de ninguém que seja crido como artigo de fé ou julgado como exigido ou necessário para a salvação.[72]

A Bíblia para Cranmer era, em primeira instância, um livro do Evangelho. Para ele, ela era *norma normans* ("a norma normativa"). Ele estava ciente de que outras autoridades têm seu lugar no cristianismo, mas apenas como *norma normata* ("normas governadas", isto é, governadas pelas Escrituras). Os concílios gerais da Igreja, por exemplo, têm algum peso, mas podem errar e têm errado no passado. Isso é assim, de acordo com o artigo 22 dos 42 Artigos, porque esses concílios nem sempre foram "governados com o Espírito e a Palavra de Deus".[73]

Na visão de Cranmer, as Escrituras não deveriam ser lidas apenas pelos eruditos. Em seu prefácio à Bíblia, ele argumentou: "Porque o Espírito Santo ordenou e atenuou as Escrituras, para que neles também publicanos, pescadores e pastores encontrem sua edificação, assim como os grandes doutores encontram sua erudição".[74] Sobretudo, se somos instruídos ou não, a Escritura é o instrumento do Espíri-

---

considerados são os 42 Artigos de 1553, e o Livro de Oração é o de 1552.

[71] Stephen Neill, *Anglicanism*, 4. ed. Nova York: Oxford University Press, 1982, p. 79.
[72] Em Dean, *God Truly Worshipped*, p.165. Os 42 Artigos foram escritos originalmente em latim por Cranmer. Como Gerald Bray indica, "os 42 Artigos foram não apenas declarações sobre pontos de doutrina em discussão, mas uma exposição geral do que ele [Cranmer] pensava que a igreja devia crer". Veja Bray, *Faith We Confess*, p. 8.
[73] Em Dean, *God Truly Worshipped*, p. 169,170.
[74] Thomas Cranmer, "Preface to the Bible". In: Duffield, *Work of Thomas Cranmer*, p. 35.

to Santo pelo qual o conhecimento da salvação advém: "Porque, como marretas, martelos, serras, formões, machados e machadinhas são instrumentos da profissão deles, assim também os livros dos profetas, dos apóstolos e de todos os santos escritores inspirados pelo Espírito Santo são instrumentos de nossa salvação".[75] Além disso, é o Espírito que dá a certeza epistêmica quanto à veracidade das Escrituras: "Há a iluminação do Espírito Santo, o fim de todos os nossos desejos e a própria luz pela qual a veracidade das Escrituras é vista e percebida".[76]

O Espírito e a salvação

Como Lutero, Zuínglio e Calvino, Cranmer sustentava uma visão robusta da soberania divina e era um predestinatariano em sua soteriologia.[77] Ele era, de fato, um protestante agostiniano.[78] O artigo 17 dos 42 Artigos expressa a posição cranmeriana e é o mais longo deles. Cito-o *in extenso*:

> A predestinação para a vida é o propósito eterno de Deus, pelo qual (antes que as fundações do mundo fossem postas) ele decretou constantemente por seu conselho secreto para nós, a fim de livrar da maldição e da danação aqueles dentre os homens que ele escolheu em Cristo e para trazê-los por Cristo à salvação eterna, como vasos feitos para honra. Por isso, os que são dotados de tão excelente benefício de Deus são chamados de acordo com o propósito de Deus *por seu Espírito*, que opera no tempo oportuno: pela graça obedecem ao chamado; são justificados livremente; são feitos filhos de Deus por adoção; são feitos como a imagem de seu Filho unigênito, Jesus Cristo; caminham religiosamente em boas obras e, por fim, pela misericórdia de Deus, alcançam a felicidade eterna.
>
> Assim como a piedosa consideração da predestinação, e de nossa eleição em Cristo, está cheia de conforto doce, agradável e inexprimível para pessoas piedosas e que sentem em si mesmas *a operação do Espírito de Cristo*, mortificando as obras da carne e seus membros terrenos e atraindo sua mente para coisas elevadas e celestiais, também estabelece e confirma grandemente sua fé da salvação eterna a ser desfrutada por meio de Cristo, pois ardorosamente acendeu seu amor por Deus. Assim, para pessoas curiosas e carnais, *sem o Espírito de Cristo*, ter continuamente diante dos olhos a sentença da predestinação de Deus é uma queda muito perigosa, pelo qual o Diabo as empurra ou para o desespero ou para a imprudência da vida mais impura, não menos perigosa que o desespero.
>
> Além disso, devemos receber as promessas de Deus da forma como são geralmente estabelecidas para nós na Sagrada Escritura e, em nossas ações, que a vontade de Deus seja seguida, aquilo que a nós expressamente declarou-nos na Palavra de Deus.[79]

---

[75] Ibid.
[76] Ibid.
[77] Sobre Cranmer como adepto da predestinação, veja a biografia definitiva escrita por Diarmaid MacCulloch, *Thomas Cranmer: A Life*. New Haven: Yale University Press, 1996, p. 211.
[78] Uma opinião bem defendida por Ashley Null, *Thomas Cranmer's Doctrine of Repentance: Renewing the Power to Love*. Oxford: Oxford University Press, 2006, p. 215, 251.
[79] Em Dean, *God Truly Worshipped*, p. 168. Grifos nossos.

O significado das três referências pneumatológicas aqui é múltiplo. O Espírito é o aplicador dos propósitos salvíficos de Deus para quem tem em vista a justificação, a adoção, a transformação na semelhança de Cristo, a produção de boas obras na vida cristã ou a chegada segura dos eleitos no mundo vindouro. Além disso, quanto à santificação, o Espírito Santo age ao levar à morte as obras da carne, ao dirigir nossos pensamentos às coisas do alto, ao estabelecer e confirmar nossa fé na salvação eterna e acender nosso amor por Deus. Por fim, se alguém carece do Espírito Santo, essa doutrina, quando contemplada, pode fomentar o desespero ou um modo imprudente de viver.

Sobre a questão da justificação, Cranmer era *solifidiano* ("a fé somente"). Como afirma o artigo 11 dos 42 Artigos, "a justificação somente pela fé em Jesus Cristo, naquele sentido em que é declarada na homilia da justificação, é uma doutrina muito segura e saudável para os homens cristãos".[80] Ashley Null bem resume a posição de Cranmer sobre a justificação e a relação do Espírito Santo com ela: "A fé do cristão se apoderou da justiça extrínseca de Cristo, sobre a qual seus pecados foram perdoados. Ao mesmo tempo, o Espírito Santo habitou o cristão, despertando nele o amor a Deus por gratidão pela certeza da salvação".[81] De fato, uma doutrina muito saudável!

Uma das questões teológicas que Cranmer enfrentou foi como entender o papel das boas obras na vida de fé. Ele tinha muita clareza de que obras feitas antes da justificação não valem nada para Deus, como mostra o artigo 12:

> As obras feitas antes da graça de Cristo e da inspiração de seu Espírito não são agradáveis a Deus, porquanto não nascem de fé em Jesus Cristo, nem fazem os homens se reunirem para receber graça, ou (como dizem os autores da Escola) merecem graça de coerência; sim, pois, por não terem sido feitas como Deus quis e ordenou que fossem feitas, nós duvidamos que tenham algo além da natureza do pecado.

A graça divina e a operação do Espírito Santo são condições necessárias para as obras agradáveis a Deus feitas pelo cristão. Cranmer não era pelagiano.

Cranmer estava pastoralmente consciente de que os cristãos pecam depois de serem justificados pela graça. A perfeição sem pecado não fazia parte de sua teologia, como o artigo 15 dos 42 Artigos deixa claro:

> Nem todo pecado mortal cometido voluntariamente depois do batismo é pecado contra o Espírito Santo e imperdoável; portanto, o lugar para a penitência não deve ser negado aos que caem em pecado após o batismo. Depois de termos recebido o Espírito Santo, é

---

[80] Ibid., p. 167.
[81] Ashley Null, *Cranmer's Doctrine*, p. 252. Null argumenta que a forte doutrina de Cranmer da "eleição incondicional" protege "a gratuidade absoluta dessa fé salvadora". Ibid.

possível que nos afastemos da graça dada e caiamos no pecado, e pela graça de Deus poderemos nos levantar novamente e corrigir nossa vida. E, portanto, devem ser condenados os que dizem que não pecam mais enquanto vivem aqui ou negam oportunidade de penitência para aqueles que verdadeiramente se arrependem e corrigem sua vida.[82]

Mesmo assim, para Cranmer há o pecado imperdoável contra o Espírito Santo, o qual, de acordo com o artigo 16, ocorre "quando um homem de malícia e obstinação de mente se fecha para a verdade da Palavra de Deus manifestamente percebida e, sendo dela inimigo, por isso a persegue".[83] A tais pessoas ocorre estarem debaixo de uma maldição divina.

O Espírito, a Igreja e os sacramentos

O anglicanismo que surgiu durante a Reforma do século XVI na Inglaterra foi um catolicismo ocidental reformado. Ele permaneceu uma igreja litúrgica regida pelo ano eclesiástico. A linguagem dos sacramentos foi mantida, mas reformada. Como Cranmer, então, compreendeu o papel do Espírito nos dois sacramentos dominicais: batismo e Ceia do Senhor?

Na visão de Cranmer, o Espírito Santo desempenha um papel vital na vida sacramental da igreja. Geoffrey Bromiley capta isso quando escreve sobre a teologia eucarística de Cranmer: "Portanto, nenhum relato pode ser satisfatório se não faz justiça ao fato e à missão do Espírito Santo com relação a Jesus Cristo".[84] Bromiley é preciso em outra instância: "O ofício do Espírito Santo não é meramente dar-nos um lembrete simbólico da pessoa e da obra de Cristo, mas torná-lo nosso contemporâneo, para que nos sinais estejamos genuinamente confrontados com Cristo e sua redenção".[85] Essas palavras poderiam ter sido igualmente escritas sobre a teologia batismal de Cranmer. O Artigo 27, "Do Batismo", afirma:

> O batismo não é apenas um sinal de profissão [de fé] e marca de diferença pelo qual os homens cristãos são diferenciados de outros que não são batizados, mas também é um sinal de nosso novo nascimento, pelo qual, por meio de um instrumento, aqueles que recebem o batismo corretamente são enxertados na Igreja, as promessas de perdão do pecado e de nossa adoção para sermos filhos de Deus pelo Espírito Santo são visivelmente assinadas e seladas, a fé é confirmada e a graça é aumentada em virtude da oração a Deus. O costume da Igreja de batizar crianças pequenas deve ser elogiado e, de qualquer modo, ser mantido na Igreja.[86]

---

[82] Em Dean, *God Truly Worshipped*, p. 167,168.
[83] Ibid., p. 168.
[84] G. W. Bromiley, *Thomas Cranmer: Theologian*. Nova York: Oxford University Press, 1956, p. 83.
[85] Ibid., p. 82.
[86] "The Forty-Two Articles". In: Gerald Bray (ed.). *Documents of the English Reformation* 1526–1701. Cambridge: James Clarke, 2004, p. 301. Disponível em:
https://books.google.com.br/books?id=UGi6WWtzkJYC&pg=&redir_esc=y.

Cranmer rejeitou totalmente a transubstanciação.[87] Além disso, assim como Zuínglio e Calvino, Cranmer cria que o Cristo ascendido estava no céu à destra do Pai. Ele não abraçou a teoria do ubiquismo de Lutero a respeito da humanidade de Cristo compartilhando o atributo divino da onipresença por meio da *communicatio idiomatum* ("comunicação de propriedades"). No entanto, ele cria que Cristo estava, de certo modo, presente na Ceia do Senhor. Bromiley sublinha bem a compreensão de Cranmer: "Ele [Cristo] não está agora presente como encarnado, mas como crucificado, ressuscitado e ascendido. Ele está presente mediante o Espírito".[88] Diarmaid MacCulloch descreve, proveitosamente, a visão madura de Cranmer da presença de Cristo a partir de 1548 como "presença espiritual" por meio do "dom do Espírito Santo" em contraposição a uma "presença real".[89]

MENNO SIMONS E O ESPÍRITO

Menno Simons não era o mais teologicamente perspicaz dos escritores anabatistas, mas era "o líder de maior destaque".[90] Ao se discutir a pneumatologia de Simons, surgem alguns novos temas além do que vimos até agora com os Reformadores magistrais. Em particular, ao contrário de Lutero, Zuínglio, Calvino e Cranmer, Simons rejeitou o batismo infantil. E, por ser anabatista, Simons fez da excomunhão (a seguir) uma terceira marca da igreja verdadeira, ao lado da pregação fiel da Palavra e dos sacramentos devidamente administrados.[91]

O Espírito e a Palavra

No pensamento de Simons, a inspirada Palavra da Escritura é a *norma normans* ("norma normativa"). Ele se expressou da seguinte maneira:

> Certamente esperamos que ninguém com uma mente racional seja um homem tão tolo a ponto de negar que todas as Escrituras, tanto o Antigo como o Novo Testamentos, foram escritos para nossas instrução, admoestação e correção, e que eles são os verdadeiros cetro e regra pelos quais o reino, a casa, a igreja e a congregação do Senhor devem ser regidos e

---

[87] Na leitura de Cranmer sobre a história da igreja, Satanás foi libertado, como em Apocalipse 20, cerca de mil anos depois de Cristo, e o Quarto Concílio de Latrão, de 1215, que oficialmente endossou a doutrina da transubstanciação, era evidência dessa libertação de Satanás. Veja Graham A. Cole, "Cranmer's Views on the Bible and the Christian Prince: An Examination of His Writings and the Edwardian Formularies". ThM thesis, University of Sydney, 1983, p. 49–54.
[88] Bromiley, *Thomas Cranmer: Theologian*, p. 79.
[89] MacCulloch, *Cranmer*, p. 392.
[90] Essa é a opinião de George, *Reformers*, p. 269. Para uma excelente e atualizada bibliografia sobre Simons, tanto de obras primárias quanto de secundárias, veja ibid., p. 323–325.
[91] George trata muito bem desse ponto em *Theology of the Reformers*, p. 310.

governados. Portanto, tudo o que é contrário às Escrituras, seja nas doutrinas, nas crenças, nos sacramentos, na adoração ou na vida, deve ser medido por essa regra infalível, demolido por esse cetro justo e divino, e destruído sem qualquer consideração pelas pessoas.[92]

Como os reformadores magistrais, Simons tinha uma visão elevada da autoridade bíblica. Curiosamente, porém, para ele a Palavra canônica se estendia aos escritos apócrifos, e nisso ele estava em descompasso com a maioria dos reformadores magistrais.[93] Ao mesmo tempo, ele não privilegiou a razão, como fizeram os racionalistas evangélicos, nem acentuou o Espírito interior, como fizeram os espiritualistas.[94]

Simons não reivindicava qualquer tipo de acesso experiencial privilegiado aos mistérios de Deus. Ele escreveu: "Irmãos, eu digo a verdade e não minto. Eu não sou Enoque. Eu não sou Elias. Eu não sou aquele que tem visões. Eu não sou algum profeta que possa ensinar e profetizar de outra maneira senão segundo o que está escrito na Palavra de Deus e é compreendido no Espírito".[95] Essa é uma impressionante modéstia epistêmica.

O Espírito e os sacramentos

Como seria de esperar de um anabatista, Simons sustentou que somente aqueles que confessassem a fé eram candidatos apropriados para o batismo. Ele escreveu: "A igreja de Cristo [é] composta de verdadeiros cristãos, quebrantados de coração pelo moinho da Palavra divina, batizados com a água do Espírito Santo e, com o fogo do amor puro e sincero, são feitos um corpo".[96] Essa confissão teria de vir do coração. Ele argumentou: "Oh, não! O batismo exterior nada aproveita enquanto

---

[92] Menno Simons, "Foundations", citado em: Walter Klaassen (ed.). *Anabaptism in Outline: Selected Primary Sources*. Classics of the Radical Reformation 3, Waterloo: Herald, 1981), p. 151.
[93] Esse aspecto da teologia de Simons é bem discutido em George, *Theology of the Reformers*, p. 291. O reformador magistral Thomas Cranmer considerava que havia proveito na leitura dos apócrifos, mas que nenhuma doutrina deveria ser construída a partir disso. O Artigo 6 do Livro de Oração Comum diz:
E os outros Livros (como diz Jerônimo), a Igreja os lê para exemplo de vida e instrução de costumes; mas não os aplica para estabelecer doutrina alguma; tais são os seguintes:
Terceiro Livro de Esdras, o restante do livro de Ester,
Quarto Livro de Esdras, o Livro da Sabedoria,
Livro de Tobias, Jesus, filho de Siraque,
Livro de Judite, o profeta Baruque,
O Cântico dos Três Mancebos, Oração de Manassés,
A História de Susana, Primeiro Livro dos Macabeus
De Bel e o Dragão, Segundo Livro dos Macabeus. (*Livro de oração comum*, Igreja Episcopal do Brasil. Porto Alegre: Editora Metrópole, 1950, p. 604.)
[94] George, *Theology of the Reformers*, p. 269. Veja também o estudo de Werner O. Packull, "An Introduction to Anabaptist Theology". In: Bagchi e Steinmetz, *Reformation Theology*, p. 194–219, esp. p. 218.
[95] Citado em George, Op. Cit., p. 295.
[96] Ibid., p. 308.

não formos interiormente renovados, regenerados e batizados com o fogo celestial e com o Espírito Santo de Deus".[97]

Com relação à Ceia do Senhor, Simons tornou-se lírico: "Oh, a deliciosa assembleia e a festa de casamento cristão [...] em que as consciências famintas são alimentadas com o pão celestial da Palavra divina, com o vinho do Espírito Santo, e onde as almas pacíficas e alegres cantam e festejam diante do Senhor".[98]

O Espírito e a salvação

Para Simons, o novo nascimento era de suma importância salvífica, e o Espírito Santo tem um papel central no evento e no discipulado que dele surge.[99] No que se refere ao processo de conversão, ele escreveu que "o coração é traspassado e movido pelo Espírito Santo com inusitado poder regenerador, renovador e vivificante, que produz, antes de tudo, o temor a Deus".[100] Ele descreveu a vida cristã que flui da regeneração da seguinte maneira:

> Essas pessoas regeneradas têm um rei espiritual sobre si que as governa pelo cetro inquebrável de sua boca, isto é, com seu Espírito Santo e com sua Palavra. Ele os veste com o manto de justiça de pura seda branca, as refresca com a água viva de seu Espírito Santo e as alimenta com o Pão da vida.[101]

De acordo com Roger Olson, "a conversão sincera de Menno, envolvendo arrependimento consciente e confiança em Jesus Cristo, seguidos de um enchimento do Espírito Santo, tornou-se o paradigma do começo da teologia anabatista da salvação".[102]

O Espírito, a igreja e a excomunhão

Na eclesiologia de Simons, a igreja é composta de cristãos, em vez de ser um corpo misto (*corpus per mixtum*). Ele escreveu:

> Não são realmente a verdadeira congregação de Cristo aqueles que simplesmente se vangloriam de seu nome, mas sim aqueles que são verdadeiramente convertidos, que nasceram do alto, de Deus, que são de uma mente regenerada pela operação do Espírito Santo mediante

---

[97] Simons, "Foundations". In: Klaassen, *Anabaptism*, p. 188.
[98] Citado em George, Op. Cit., p. 309.
[99] Max Göbel escreveu em 1848: "A característica essencial e distintiva dessa igreja [anabatista] é sua grande ênfase na real conversão pessoal e na regeneração de cada cristão mediante o Espírito Santo". Citado em George, Op. Cit., p. 280.
[100] Citado em George, Op. Cit., p. 281.
[101] Menno Simons, "The New Birth". In: Kärkkäinen, *Holy Spirit and Salvation*, p. 189.
[102] Olson, *The Story of Christian Theology*, p. 423.

o ouvir da Palavra divina e se tornaram filhos de Deus, que entraram em obediência a ele, e vivem incontestavelmente em seus santos mandamentos e segundo sua santa vontade todos os dias, ou desde o momento de seu chamado.[103]

A Palavra deve ser ouvida para que haja resposta a ela – os bebês são incapazes disso. Assim, para Simons, "aqueles que sustentam que o batismo de crianças irracionais é uma lavagem de regeneração atacam a Palavra de Deus, resistem ao Espírito Santo, e fazem de Cristo e de seus santos apóstolos mentirosos".[104] Por que isso? Ele argumentou: "Pois Cristo e seus apóstolos ensinam que a regeneração, assim como a fé, vem de Deus e de sua Palavra, a Palavra que não deve ser ensinada aos que são incapazes de ouvir ou de entender, mas sim àqueles que têm a habilidade tanto de ouvir como de entender".[105]

A ênfase em que a congregação é pura e verdadeira ajusta-se à noção anabatista da excomunhão. George Williams e Angel Mergal observam: "O batismo e a excomunhão eram as chaves que controlavam tanto a entrada na igreja regenerada do anabatismo como a saída dela". Como assim? "Pelo [re]batismo alguém entra na igreja. Pela excomunhão, o membro rebelde é expulso. Somente os puros poderiam participar da comunhão da carne celestial de Cristo.[106]

Para Simons, as restrições de Mateus 18:15–18 constituíam uma característica definidora de uma igreja pura. Aqueles que se desviavam da doutrina e da conduta não tinham lugar em uma santa assembleia, portanto, deveriam ser excluídos e evitados. A retórica é forte, mas não sem sentimento:

> Mas agora o Espírito Santo não nos ensina a destruir os ímpios, como fez Israel, mas que nós deveríamos com tristeza expulsá-los da igreja, e isso em nome do Senhor, pelo poder de Cristo e do Espírito Santo, uma vez que um pouco de fermento leveda toda a massa. [...] Portanto, o Espírito Santo abundantemente nos ensinou a separar estes dentre nós.[107]

Essa excomunhão deveria ser amplamente aplicada à família, ao marido, à esposa, aos pais e aos filhos. Na prática, no entanto, Simons fez, por vezes, um conselho de clemência.[108]

As referências ao Espírito Santo abundam na argumentação de Simon a respeito da excomunhão. Receber aqueles que erraram ao, por exemplo, comer com

---

[103] Citado em George, Op. Cit., p. 300.
[104] Menno Simons, "Foundations". In: Klaassen, *Anabaptism*, p. 187.
[105] Ibid.
[106] George Huntston Williams e Angel M. Mergal (eds.). *Spiritual and Anabaptist Writers*, LCC 25. Louisville: Westminster John Knox, 2006, p. 261.
[107] Menno Simons, "Account of Excommunication". In: Klaassen, *Anabaptism*, p. 229.
[108] A excomunhão é bem estudada em George, Op. Cit, p. 312.

eles é rejeitar o Espírito Santo. Evitar os que erraram é seguir o conselho do Espírito Santo, e fazê-lo com esperança de que eles se reformem é também seguir o conselho do Espírito Santo. Obedecer ao Espírito Santo na prática da excomunhão é nunca ser envergonhado. Na verdade, o Espírito Santo ordenou a excomunhão.[109]

CONCLUSÃO

Consideramos quatro reformadores magistrais (Lutero, Zuínglio, Calvino e Cranmer) e um radical (Simons). Ao fazê-lo, estavam em vistas as Reformas continental e inglesa. Todos eles concordaram a respeito da natureza de Deus como Trindade e, portanto, tanto sobre a personalidade como sobre a divindade do Espírito Santo. Todos concordaram que o Espírito Santo de Deus estava ativo na salvação, na santificação, em nossa resposta à Palavra e nos sacramentos. Os reformadores magistrais, no entanto, viam um nexo entre Igreja e Estado que os reformadores radicais rejeitaram. Os magistrais não viam problema na prática do batismo infantil, ao passo que os radicais não o aceitavam. Para estes, a única igreja verdadeira era a composta pelos cristãos. De particular interesse é como a relação entre a Palavra de Deus escrita e o ministério do Espírito deveria ser entendida. Alguns dos reformadores radicais privilegiaram a Palavra interna (os espiritualistas) ou a razão (os racionalistas evangélicos) sobre a Palavra externa de um modo que os reformadores magistrais não o fizeram. Em contrapartida, os magistrais acentuaram a Palavra externa. Nesse aspecto, Menno Simons foi mais semelhante a eles que que Serveto ou Schwenkfeld. Todas as pessoas selecionadas deram imenso valor teológico à pessoa e à obra do Espírito Santo como o grande aplicador da salvação planejada pelo Pai e realizada pelo Filho.

FONTES PARA ESTUDO ADICIONAL

FONTES PRIMÁRIAS

BROMILEY, G. W. (ed.). *Zwingli and Bullinger: Selected Translations with Introductions and Notes* [Zuínglio e Bullinger: Traduções selecionadas, com introduções e notas]. Library of Christian Classics 24. Filadélfia: Westminster, 1953.

CALVINO, João. *As institutas – Edição clássica* (1985). *As institutas – Edição especial* (2006). 4 vols. São Paulo: Editora Cultura Cristã (especialmente 2.15–17, 4.18).

CRAMMER, Thomas. *Works* [Obras]. Cambridge: Parker Society, 1844–1846.

DILLENBERGER, John (ed.). *Martin Luther: Selections from his Writings* [Martinho Lutero: Seleções de seus escritos]. Garden City: Doubleday, 1961.

DUFFIELD, G. E. (ed.). *The Work of Thomas Cranmer* [A obra de Thomas Cranmer]. Filadélfia: Fortress, 1965.

---

[109] Para o conteúdo desse parágrafo, sou devedor a Menno Simons, "On the Ban: Questions and Answers by Menno Simons". In: Williams e Mergal, *Spiritual and Anabaptist Writers*, p. 263–271, *passim*.

KARKKAINEN, Veli-Matti (ed.). *Holy Spirit and Salvation: The Sources of Christian Theology* [Espírito Santo e salvação: as fontes da teologia cristã]. Louisville: Westminster John Knox, 2010.

KLASSEN, Walter (ed.). *Anabaptism in Outline: Selected Primary Sources* [Anabatismo em esboço: Fontes primárias selecionadas]. Classics of the Radical Reformation 3. Waterloo: Herald, 1981.

SIMONS, Menno. *The Complete Works of Menno Simons* [As obras completas de Menno Simons]. Londres: Forgotten Books, 2012.

WILLIAMS, George Huntston e Angel M. Mergal (eds.). *Spiritual and Anabaptist Writers* [Escritores espirituais e anabatistas]. Library of Christian Classics 25. Louisville: Westminster John Knox, 2006.

FONTES SECUNDÁRIAS

BAGCHI, David V. N., and STEINMETZ, David C. (eds.). *The Cambridge Companion to Reformation Theology* [Guia de bolso Cambridge sobre a teologia da Reforma]. Cambridge: Cambridge University Press, 2004.

GEORGE, Timothy. *Theology of the Reformers* [A teologia dos reformadores]. Ed. rev. Nashville: B&H, 2013.

HART, Trevor A. (ed.). *The Dictionary of Historical Theology* [Dicionário de teologia histórica]. Grand Rapids: Eerdmans, 2000.

HUGHES, Philip E. *Theology of the English Reformers* [Teologia dos reformadores ingleses]. 2. ed. Grand Rapids: Baker, 1980.

KARKKAINEN, Veli-Matti. *Pneumatology: The Holy Spirit in Ecumenical, International, and Contextual Perspective* [Pneumatologia: o Espírito Santo nas perspectivas ecumênica, internacional e contextual]. Grand Rapids: Baker Academic, 2002.

Capítulo 12
União com Cristo

J. V. Fesko

RESUMO

Os teólogos do século XVI de todas as linhas (luteranos, reformados, católicos romanos, arminianos e socinianos) defendiam a doutrina da união com Cristo. Os teólogos protestantes (luteranos e reformados) fizeram eco a formulações medievais anteriores da doutrina, especialmente a de Bernardo de Clairvaux, mas distinguiram entre justificação e santificação a fim de argumentar que a justificação do cristão se baseia unicamente na justiça imputada de Cristo. Isso contrasta com as formulações católicas romanas e com desenvolvimentos posteriores à Reforma, como os de Jacó Armínio e Fausto Socino. As visões católica romana e arminiana mantêm a importância e a necessidade da união com Cristo, mas combinam justificação e santificação. Socinianos sustentam que os cristãos estão unidos a Deus mediante um poder impessoal que flui para eles, não pela habitação pessoal de Cristo pelo Espírito. Essas visões divergentes fornecem um pano de fundo para apreciar as características únicas das formulações protestantes sobre a união com Cristo.[1]

INTRODUÇÃO

Basta uma leitura superficial do Novo Testamento para que o leitor fique impressionado com a frequência em que a expressão "em Cristo" (ou "nele") ocorre. Ela denota a doutrina da união com Cristo.[2] A expressão aparece seguidas vezes em todo o *corpus* paulino, o que naturalmente produziu significativa reflexão sobre essa doutrina ao longo da história da Igreja, mas especialmente dentro da Reforma protestante, que tem sido caracterizada como um renascimento do paulinismo. Mas o que, precisamente, os reformadores protestantes ensinavam com relação à doutrina da união com Cristo? Como a definiram? E, mais amplamente, como as formulações da Reforma se comparam com os pontos de vista cató-

---

[1] Gostaria de agradecer a Korey Maas e a Robert Kolb por lerem um esboço inicial deste capítulo, oferecerem *feedback* e comentários úteis e por sugerirem fontes.
[2] Por exemplo, Constantine R. Campbell, *Paul and Union with Christ: An Exegetical and Theological Study*. Grand Rapids: Zondervan, 2012.

lico, arminiano e sociniano? Antes de prosseguirmos, é importante apresentar uma definição comum da doutrina para estabelecer seus parâmetros. Por mais tentador que possa ser citar uma fonte ou uma definição contemporânea, é metodologicamente preferível empregar uma definição do início da era moderna para que as concepções históricas da Reforma tomem o centro do palco em vez de versões posteriores da doutrina.

Um desses exemplos vem de Girolamo Zanchi (1516–1590), reformador de segunda geração. Zanchi explicou a união com Cristo em uma confissão pessoal, que se destinava a substituir a Segunda Confissão Helvética (1566), escrita por Heinrich Bullinger (1504–1575). A confissão de Zanchi, portanto, foi escrita para ampla aceitação e apresenta o que ele cria serem convicções comuns sobre a doutrina. Zanchi escreveu que a participação na justiça e na salvação depende inteiramente de uma necessária comunhão com Cristo. Ele descreveu essa união como tripla: "Uma, que foi feita uma vez em nossa natureza; outra, que é feita diariamente na pessoa dos eleitos que ainda se extraviam do Senhor; e a última, que será feita quando nos tornarmos pessoalmente parecidos com o Senhor, quando estivermos presentes com ele, isto é, quando Deus for tudo em todos". A primeira união implica a encarnação do Filho como ser humano e a segunda é quando Cristo misticamente habita os cristãos, o que Pedro chama participação na natureza divina (2Pedro 1:4). A terceira união é a glorificação do pecador.[3] É imediatamente evidente, a partir dessa descrição e dessa definição funcional, que a união com Cristo tem um alcance mais amplo do que as versões contemporâneas da doutrina. As declarações de Zanchi englobam a cristologia, a soteriologia e a escatologia, ao passo que as definições contemporâneas às vezes se concentravam em grande parte na soteriologia.[4]

Com essa descrição básica em mãos, o presente capítulo passará a examinar os pontos de vista da Reforma sobre a união com Cristo, principalmente por meio de suas principais figuras, como os teólogos luteranos Martinho Lutero (1483–1546), Philip Melanchthon (1497–1560), André Osiandro (1498–1552) e Martin Chemnitz (1522–1586), e os teólogos reformados Pedro Mártir Vermigli (1499–1562), João Calvino (1509–1564), Wolfgang Musculus (1497–1563) e Zanchi. Ao analisarmos amostras das formulações desses teólogos luteranos e

---

[3] Girolamo Zanchi, *De Religione Christiana Fides – Confession of Christian Religion*, editado por Luca Baschera e Christian Moser, Studies in the History of Christian Traditions 135. Leiden: Brill, 2007, 12.5. O inglês arcaico foi atualizado nessa e em todas as citações subsequentes de *De Religione*, de Zanchi.

[4] Confira, por exemplo, Wayne Grudem, *Systematic Theology: An Introduction to Biblical Doctrine*. Grand Rapids: Zondervan, 1994, p. 840; John M. Frame, *Systematic Theology: An Introduction to Christian Belief*. Phillipsburg: P&R, 2013, p. 913,914; Gerald Bray, *God Is Love: A Biblical and Systematic Theology*. Wheaton: Crossway, 2012, p. 620–625. Veja o estudo mais amplo feito por Michael Horton em *The Christian Faith: A Systematic Theology for Pilgrims on the Way*. Grand Rapids: Zondervan, 2011, p. 587–619.

reformados, seremos capazes de identificar os principais elementos e os contornos da união com Cristo de acordo com os reformadores. A segunda parte desse ensaio vai comparar e contrastar as formulações protestantes com as oferecidas pelos teólogos católicos romanos, principalmente pela lente do Concílio de Trento (1545–1563), e também examinará brevemente a concepção sociniana sobre a união com Cristo, principalmente pelos escritos de Fausto Socino (1539–1604) e pelo Catecismo Racoviano (1605), bem como pelas obras de Jacó Armínio (1560–1609). Embora o entendimento sociniano e a formulação da união segundo Armínio estejam além da Reforma, eles oferecem um contexto histórico maior pelo qual podemos apreciar e entender melhor as opiniões protestantes na Reforma. Se fôssemos meramente examinar as compreensões protestantes, seria como pintar uma figura solitária em uma tela em branco. Embora a figura solitária possa ser muito interessante, apenas o contexto circundante da pintura conta o restante da história. Comparando e contrastando as visões católica, sociniana e arminiana sobre a união com Cristo com as formulações protestantes na Reforma, demonstraremos suas características únicas.

PRECURSORES MEDIEVAIS

Em qualquer pesquisa sobre o ensino protestante moderno, é importante notar que a Reforma não foi uma ruptura completa com o passado teológico. A Reforma, como o nome indica, buscou *corrigir* erros, não criar uma compreensão da Bíblia inteiramente nova. Essa observação é necessária quando consideramos a doutrina da união com Cristo, a qual foi apresentada por alguns como se fosse exclusiva da Reforma e especificamente da percepção inovadora de João Calvino.[5] Mas tal narrativa tem mais a ver com a tradição da Reforma e os mitos sobre ela do que com os fatos reais da história. Muito antes da Reforma, teólogos como Tomás de Aquino (1225–1274) e Tomás de Kempis (1380–1471) escreveram sobre a união com Cristo.[6] Aquino sustentou que a encarnação estabelece uma união entre Deus e o homem (considerada de modo geral) por meio da união hipostática das duas naturezas de Cristo.[7] Um dos teólogos mais famosos por expor sobre a doutrina, no entanto, foi Bernardo de Clairvaux (1090–1153), que a apresentou amplamente

---

[5] Por exemplo, William B. Evans, *Imputation and Impartation: Union with Christ in American Reformed Theology*, Studies in Christian History and Thought. Eugene: Wipf & Stock, 2009, 7n1; Richard B. Gaffin Jr., "Justification and Union with Christ". In: David W. Hall e Peter A. Lillback (eds.). *A Theological Guide to Calvin's Institutes: Essays and Analysis*. Calvin 500 Series. Phillipsburg: P&R, 2008, p. 248; Charles Partee, *The Theology of John Calvin*. Louisville: Westminster John Knox, 2008, 19n65, p. 24–27, esp. 27.

[6] Tomás de Kempis, *The Imitation of Christ*. Londres: Oxford University Press, 1906 [*A imitação de Cristo*, São Paulo, SP: Paulus Editora, 1997], 4.2.6, 4.4.2; Richard A. Muller, *Calvin and the Reformed Tradition: On the Work of Christ and the Order of Salvation*. Grand Rapids: Baker Academic, 2012, p. 205.

[7] Tomás de Aquino, *Suma Teológica*. Allen: Christian Classics, 1948, 3a.1.2.

nos sermões sobre Cântico dos Cânticos.⁸ Os sermões de Bernardo estão repletos de referências à doutrina da união com Cristo; na verdade, ele a discutiu em termos de uma graça dupla: arrependimento e perseverança.⁹

Uma das obras mais importantes para a compreensão da vasta gama de opiniões durante a Idade Média é a de Jean Gerson (1363–1429) e seu tratado *De Mystica Theologia Speculativa* [Sobre a teologia especulativa mística].¹⁰ Em seu trabalho, Gerson identificou uma série de diferentes pontos de vista, como o de Pedro Lombardo (c. 1090–1160), o qual propôs que a união é a habitação do Espírito Santo pela qual os pecadores são capazes de amar a Deus. Dessa maneira, Deus está em nós, e nós estamos em Deus.¹¹ Gerson identificou outra visão, que empregava várias analogias diferentes para expressar a doutrina, como quando uma gota de água é colocada em uma garrafa de vinho forte: quando se faz isso, a gota de água perde suas propriedades e é absorvida completamente no vinho. Do mesmo modo é a natureza da união com Cristo de acordo com Agostinho (354–430), alegou Gerson.¹² Ele atribuiu outra variação a Bernard, o qual argumentou que, mediante o amor, a alma humana abandona a si mesma e a seu corpo e passa a ser completamente de Deus.¹³ Esse imaginário específico e suas formas de expressão por fim ganharam espaço nos primeiros escritos do jovem Martinho Lutero, em suas pregações sobre Romanos, de 1517.¹⁴

Outra voz que viria a contribuir para o desenvolvimento das concepções da Reforma sobre a união com Cristo foi o líder da ordem monástica de Lutero, Johann von Staupitz (c. 1460–1524). Em seu sermão de 1517, "Predestinação eterna e sua execução no tempo", Staupitz expôs as doutrinas da eleição e da justificação e uniu-as sob a rubrica de união com Cristo, empregando a analogia do casamento para descrever a união entre Cristo e o cristão. Como duas pessoas se tornam uma pelo casamento, assim é com Cristo e o cristão. Cristo diz à igreja ou ao cristão: "'Eu te aceito como meu, eu te aceito como minha contraparte, eu te aceito em mim mesmo'". E, inversamente, a Igreja ou a alma diz a Cristo: "'Eu te aceito como meu, tu és minha contraparte, eu te aceito em mim

---

⁸ Bernardo de Clairvaux, *On the Song of Songs*. 4 vols. Cistercian Fathers 4, 7, 31, 40. Kalamazoo: Cistercian Publications, 1971–1980.

⁹ Ibid., sermão 3.3; cf. Dennis E. Tamburello, *Union with Christ: John Calvin and the Mysticism of St. Bernard*. Louisville: Westminster John Knox, 1994, p. 48.

¹⁰ Jean Gerson, *Selections from A Deo Exivit, Contra Curiositatem Studentium, and De Mystica Theologia Speculativa*, editado e traduzido por Steven E. Ozment. Leiden: Brill, 1969.

¹¹ Gerson, *Mystica Theologia*, 87n15; cf. Pedro Lombardo, *The Sentences, Book 1: The Mystery of the Trinity*, trad. Giulio Silano, Mediaeval Sources in Translation 42 (Toronto: Pontifical Institute of Medieval Studies, 2007), 17.4.

¹² Gerson, *Selections from "Mystica Theologia"*, 87n19; cf. Agostinho, *Confessions*. Oxford: Oxford University Press, 1991) [*Confissões*, São Paulo: Paulus Editora, 1984], 7.10.

¹³ Gerson, *Selections from "Mystica Theologia"*, p. 53.

¹⁴ Ibid., 87n20; Martinho Lutero, *Lectures on Romans: Glosses and Scholia*, *LW* 25:364.

mesma'".¹⁵ Staupitz, como Tomás de Aquino antes dele, também ligou a união com Cristo à encarnação.¹⁶

Todos esses teólogos medievais (Bernardo, Aquino, Gerson e Staupitz) empregaram a doutrina da união com Cristo, e Gerson também observou que há várias maneiras de explicar a natureza da união entre Cristo e o cristão. Outra característica desses pontos de vista medievais era ligar a união não apenas à soteriologia, mas também à cristologia, ou seja, por intermédio da união hipostática. O Filho se une a toda a humanidade em um sentido geral, não redentor, em virtude de sua encarnação.

PERSPECTIVAS DA REFORMA SOBRE A UNIÃO COM CRISTO

PONTOS DE VISTA LUTERANOS

Quando cruzamos o limiar da Reforma, popularmente associado com a data de 31 de outubro de 1517, dia em que Lutero pregou suas *95 teses* à porta do castelo em Wittenberg, encontramos muito do tema da *união com Cristo* na teologia dos reformadores protestantes. Todavia, naquilo em que os teólogos medievais não conseguiram distinguir entre as doutrinas da justificação e da santificação, os teólogos protestantes tomaram um caminho diferente. Lutero escreveu, e isso ficou bem conhecido, sobre uma *iustitia aliena*, uma "justiça de fora". Ou seja: quando um cristão é declarado justo diante do tribunal divino, o veredito não se baseia em suas próprias boas obras, mas em uma justiça de fora, de Jesus.¹⁷ A justificação não era, portanto, alcançada pela fé formada pelo amor (*fides charitatae formata*) ou pela fé que opera pelo amor – uma visão comum entre teólogos medievais, como Lombardo e Aquino.¹⁸ Ao contrário disso, Lutero argumentou que Cristo, não o amor, era a forma da fé.¹⁹ A esse respeito, Lutero afirmou: "Cristo, que é compreendido pela fé e vive no coração, é a verdadeira justiça cristã".²⁰ Por causa desta justiça de fora, a perfeita justiça de Cristo, Deus considera os cristãos justos.²¹

---

[15] Johann von Staupitz, "Eternal Predestination and Its Execution in Time". In: Heiko A. Oberman (ed.). *Forerunners of the Reformation: The Shape of Late Medieval Thought*. Cambridge: James Clark, 1967, p. 187; Staupitz, *Libellus de Executione Eterne Predestinationis: Fratris Ioannis de Staupitz*. Nuremburg: Peypus, 1517, 9.56.

[16] Staupitz, "Eternal Predestination", p. 188; Staupitz, *Eterne Predestinationis*, 9.61.

[17] Veja Mark Mattes, "Luther on Justification as Forensic and Effective". In: Robert Kolb, Irene Dingel e Ľubomír Batka (eds.). *The Oxford Handbook of Martin Luther's Theology*. Oxford: Oxford University Press, 2014, p. 264–273; Klaus Schwarzwäller, "Verantwortung des Glaubens: Freiheit und Liebe nach der Dekalogauslegung Martin Luthers". In: Dennis O. Bielfeldt e Klaus Schwarzwäller (eds.). *Freiheit als Liebe bei Martin Luther / Freedom as Love in Martin Luther*. Frankfurt am Main: Lang, 1995, p. 133–158. Sou grato a Robert Kolb por me chamar a atenção para essas fontes.

[18] Lombardo, *Sentences, Book 1: The Mystery of the Trinity*, 3.23.3; Aquino, *Suma Teológica* 2a2ae.4.3.

[19] Martinho Lutero, *Lectures on Galatians* (1535), *LW* 26:129.

[20] Ibid., *LW* 26:130.

[21] Ibid., *LW* 26:132,133.

Com essa ênfase na justiça de fora, de Cristo, Lutero envolveu seu entendimento da justificação na doutrina da união com Cristo:

> No que diz respeito à justificação, Cristo e eu devemos estar tão intimamente ligados que ele vive em mim e eu, nele. Que maneira maravilhosa de falar! Porque ele vive em mim, tudo o que é graça, retidão, vida, paz e salvação que está em mim é de Cristo; no entanto, é também meu, pela consolidação e pela ligação que há através da fé, pela qual nos tornamos como um só corpo no Espírito.[22]

Ao contrário de seus antecessores medievais, exceto Staupitz, Lutero fundamentou a justificação na justiça de fora, mas, como seus antepassados medievais, articulou sua compreensão da redenção sob a rubrica da união com Cristo. No entanto, o fato de Lutero ter distinguido justificação e santificação não significa que tenha desprezado a última. Para ele, a união com Cristo foi o contexto a partir do qual o cristão poderia proceder para manifestar boas obras. Empregando imagens que remetem a Bernardo, Lutero descreveu a união e a santificação da seguinte maneira:

> Pela fé, estamos nele e ele está em nós (João 6:56). Este Esposo, Cristo, deve estar sozinho com sua esposa em sua câmara particular, e toda a família e os familiares devem ser deslocados. Contudo, mais tarde, quando o Esposo abrir a porta e sair, então os criados voltarão para cuidar deles e servir-lhes comida e bebida. Sendo assim, deixe que as obras e o amor comecem.[23]

Para Lutero, a união com Cristo era o anel que envolvia a gema, a origem e fonte supremas da santificação e das boas obras de um cristão.[24]

Dada a posição de Lutero como reformador de primeira geração, ele teve o benefício e a liberdade de arar terreno em pousio, de ser um pioneiro. Caiu sobre outros teólogos, como Philip Melanchthon, colega de Lutero e correformador, a responsabilidade de defender a fortaleza teológica que Lutero construiu. Por exemplo: Melanchthon foi responsável por escrever a *Confissão de Augsburgo* (1530), a primeira expressão confessional de teologia luterana. Além disso, ao longo de seus escritos, Melanchthon defendia vigorosamente a doutrina da justiça imputada. Dada a grande extensão com que ele defendeu a natureza forense da justificação, alguns erroneamente concluem que Melanchthon não se apegou a uma doutrina de união com Cristo.[25] Eles sugerem, antes, que a justificação era simplesmente uma doutrina autônoma.[26]

---

[22] Ibid., *LW* 26:167,168.
[23] Ibid., *LW* 26:137,138.
[24] Ibid., *LW* 26:131,132.
[25] Por exemplo, Alister E. McGrath, *Iustitia Dei: A History of the Christian Doctrine of Justification*. 3. ed. Cambridge: Cambridge University Press, 2005, p. 238.
[26] Richard B. Gaffin Jr., *By Faith, Not by Sight: Paul and the Order of Salvation*. 2. ed. Phillipsburg: P&R, 2013, p. 56,57.

E, em vez de ter a união com Cristo como a rubrica abrangente por meio da qual o cristão recebe justificação e santificação, Melanchthon supostamente cria que a justificação era a fonte e a causa da santificação.²⁷ A história, no entanto, revela um quadro diferente.

Melanchthon cria que, na salvação, havia dois benefícios ou "coisas" (*zwei Ding*) principais – o perdão de pecados e o dom da presença de Deus – e que Cristo obtém ambos por seu mérito.²⁸ Melanchthon descreveu a união com Cristo da seguinte forma:

> Não dizemos que Deus está presente neles como o poder do sol que opera sobre os veios da terra, mas que o Pai e o Filho estão realmente presentes, soprando o Espírito Santo no coração do cristão. Essa presença ou habitação é o que se chama de renovação espiritual. Essa união pessoal, no entanto, não é a mesma coisa que a união das naturezas divina e humana em Cristo, mas é um habitar como alguém que vive em um domicílio do qual possa se separar nesta vida.²⁹

Melanchthon cria que os cristãos são habitados por Cristo e, portanto, estão em união com ele. Mas, como Lutero antes dele, ele queria garantir que a base para a aceitação do cristão diante do julgamento divino foi encontrada somente em Cristo e em sua obediência.³⁰

Um dos pontos importantes a observar sobre as declarações de Melanchthon a respeito da união com Cristo é que ele os fez no contexto dos debates com André Osiandro.³¹ Osiandro era professor na universidade de Königsberg e criou controvérsia com suas doutrinas da justificação e da união com Cristo. Ao contrário de Lutero e Melanchthon, Osiandro negou que a justificação fosse uma declaração forense e alegou que ela exigia morada divina para que os cristãos compartilhassem a justiça pessoal e essencial de Cristo. O ponto de vista de Osiandro era a justificação não pela justiça imputada, mas pela justiça que habitava, ou justificação pela união com Cristo.³² Apesar de Melanchthon ter rejeitado vigorosamente a opinião de Osiandro, isso não significa que ele tenha abandonado inteiramente a doutrina

---

²⁷ Mark A. Garcia, *Life in Christ: Union with Christ and Twofold Grace in Calvin's Theology*. Milton Keynes: Paternoster, 2008, p. 145,146, 248.

²⁸ Philip Melanchthon, "Iudicum de Osiandro 1552, n. 5017", em *CR* 7:893,394.

²⁹ Philip Melanchthon, "Confutation of Osiander (September 1555)". In: Eric Lund (ed.). *Documents from the History of Lutheranism* 1517–1750. Minneapolis: Fortress, 2002, p. 208.

³⁰ Ibid.

³¹ Para uma pesquisa histórica sobre o debate de Osiandro dentro dos círculos luteranos, veja Timothy J. Wengert, *Defending the Faith: Lutheran Responses to Andreas Osiander's Doctrine of Justification*, p. *1551–1559*, Spätmittelalter, Humanismus, Reformation 65. Tübingen: Mohr Siebeck, 2012.

³² Timothy J. Wengert, "Philip Melanchthon and John Calvin against Andreas Osiander: Coming to Terms with Forensic Justification". In: R. Ward Holder (ed.). *Calvin and Luther: The Continuing Relationship*. Refo500 Academic Studies 12. Göttingen: Vandenhoeck & Ruprecht, 2013, p. 64; cf. Andreas Osiander, *Disputatio de Iustificatione* (1550). In: Gesamtausgabe. Gütersloh: Gütersloher Verlagshaus, 1994, 9:422–447.

da união com Cristo em favor de uma doutrina autônoma da justificação.[33] Melanchthon escreveu: "Afirmamos claramente a presença ou a habitação de Deus no renascido".[34] No entanto, ele cuidadosamente estipulou a relação entre habitação e justificação da seguinte maneira:

> Apesar de Deus habitar em Moisés, Elias, Davi, Isaías, Daniel, Pedro e Paulo, nenhum deles alegou ser justo diante de Deus por causa dessa habitação ou por terem sido renovados, mas por causa da obediência do Mediador e sua graciosa intercessão, já que, nesta vida, os remanescentes do pecado ainda estavam neles.[35]

Melanchthon acreditava que Osiandro havia errado ao afastar a base da justificação da justiça de fora, de Cristo, e movê-la para o cristão, que era o problema com a doutrina católica romana da justificação. Melanchthon explicou:

> Osiandro faz um estardalhaço especialmente a respeito deste artigo e afirma que o homem é justo por causa da habitação de Deus, não por causa da obediência do Mediador e não pela justiça do Mediador imputada mediante a graça. Ele distorce a proposição "Pela fé somos justificados" e a transforma em "Pela fé estamos preparados para que possamos nos tornar justos por meio de outra coisa", isto é, a habitação de Deus. Assim, na realidade, ele está repetindo o que os papistas dizem: "Somos justos por nossa renovação", exceto pelo fato de que ele menciona a causa enquanto os papistas mencionam o efeito: nós somos justos quando Deus nos renova.[36]

Melanchthon estava preocupado com o fato de que a justificação pela união com Cristo (ou seja, o habitar) era pouco diferente das concepções católicas romanas. Em sua opinião, Osiandro fez a justificação fiar-se na causa (a habitação interior de Cristo), ao passo que os católicos romanos fizeram-na fiar-se no efeito (as boas obras produzidas pela presença de Cristo mediante a disposição de um *habitus*, ou justiça infundida).[37] Ambos os pontos de vista comprometeram a natureza exterior da justiça imputada de Cristo. Assim, Melanchthon manteve a doutrina da união com Cristo, mas fez distinção entre a justiça imputada e a habitação divina, de modo a não mudar de Cristo para o cristão o fundamento legal da justificação.

Sua rejeição aos pontos de vista de Osiandro foi positivamente recebida pela tradição luterana confessional e substancialmente incorporada à Fórmula de Concórdia

---

[33] Em seu comentário sobre Romanos de 1556, Melanchthon gastou doze colunas de texto na edição *Corpus Reformatorum* para refutar o ponto de vista de Osiandro antes de expor a doutrina da justificação. Wengert, "Melanchthon and Calvin", p. 65-66; cf. *CR* 15:855-67.
[34] Melanchthon, "Confutation of Osiander", p. 208.
[35] Ibid., p. 208,209.
[36] Ibid., p. 209.
[37] Wengert, "Melanchthon and Calvin", p. 66.

(1577).³⁸ Além disso, a Fórmula de Concórdia também elogiou o comentário de Lutero de 1535 sobre Gálatas como uma "maravilhosa e magnífica exposição" do "elevado e sublime artigo sobre a justificação diante de Deus", o que significa que os redatores da Fórmula mantiveram a compatibilidade entre a opinião de Melanchthon e a de Lutero sobre justificação e união com Cristo.

Antes de prosseguirmos para discutir as opiniões reformadas sobre a união, devemos notar que alguns teólogos luteranos, como Martin Chemnitz, discutiram a doutrina em conexão com a encarnação. Chemnitz cria que a salvação exigia não apenas a imputação da justiça de Cristo, mas também a encarnação. Por meio da encarnação, o divino Filho de Deus assumiu a natureza humana e, assim, uniu divindade e humanidade, "para que tenhamos menos dúvidas de que sua carne é da mesma substância que a nossa e para estarmos certos de que a encarnação do Filho de Deus contribui para a restauração de nossa concepção, de nosso nascimento e de nossa natureza inteira".³⁹ Nesse aspecto, Chemnitz cria que a encarnação sinalizava a futura união entre o pecador e Deus.⁴⁰ Para Chemnitz, a união com Cristo e a encarnação andavam de mãos dadas:

> Pois Cristo concede e distribui prodigamente suas bênçãos sobre nós pela comunicação de si mesmo e pela união com ele mesmo. Ele não faz isso pela comunicação e pelo compartilhamento apenas de sua natureza divina, mas também de sua carne e de seu sangue (que são expressamente mencionados várias vezes em João 6). A fé que se apega a, que retém e aplica Cristo a si mesma não se baseia apenas na natureza divina dele, mas particularmente na natureza que está relacionada conosco e é da mesma substância que nós, por meio da qual realizou a obra da redenção.⁴¹

Chemnitz manteve a doutrina de uma justiça imputada e, como Lutero e Melanchthon, enfatizou que essa justiça de fora veio mediante a união com Cristo: uma comunhão, ou participação, ou *koinonia* entre Cristo e o cristão pelo qual este compartilha da natureza divina (2Pedro 1:4).⁴²

---

³⁸ Veja "The Solid Declaration of the Formula of Concord", art. 3. In: Robert Kolb e Timothy J. Wengert (eds.). *The Book of Concord: The Confessions of the Evangelical Lutheran Church*. Minneapolis: Fortress, 2000, p. 573; cf. Charles P. Arand, James Nestingen e Robert Kolb (eds.). *The Lutheran Confessions: History and Theology of the Book of Concord*. Minneapolis: Fortress, 2012, p. 217–226.

³⁹ Martin Chemnitz, *The Two Natures in Chris*. v. 6 de *Chemnitz's Works*. St. Louis: Concordia, 2007, p. 56.

⁴⁰ Olli-Pekka Vainio, *Justification and Participation in Christ: The Development of the Lutheran Doctrine of Justification from Luther to the Formula Concord (1580)*, Studies in Medieval and Reformation Traditions 130. Leiden: Brill, 2008, p. 139. Para críticas vigorosas à tese geral de Vainio e à fraqueza de sua acusação em pontos-chave, veja Timothy J. Wengert, "Review of Justification and Participation in Christ", *Renaissance Quarterly* 61, n. 4, 2008, p. 1305–1307.

⁴¹ Chemnitz, *Two Natures*, p. 332.

⁴² Ibid., p. 309; cf. Chemnitz, *Examination of the Council of Trent, Part 1*, v. 1 de *Chemnitz's Works*. St. Louis: Concordia, 2007, p. 462; Chemnitz, *Loci Theologici, partes 2–3*, v. 8 de *Chemnitz's Works*. St. Louis: Concordia, 2008,

Pontos de vista reformados

Na ala reformada da Reforma protestante, os teólogos estavam igualmente ansiosos para afirmar a doutrina da união com Cristo.[43] Um teólogo reformado que escreveu sobre a doutrina foi João Calvino. Como reformador de segunda geração, ele entrou em cena com a publicação de sua obra *As institutas da religião cristã*, de 1536.[44] Essa edição inicial das *Institutas* é um volume bastante pequeno em comparação com a edição definitiva de 1559; ela tem capítulos sobre a lei, o Credo dos Apóstolos, a Oração do Senhor, os sacramentos, os cinco falsos sacramentos e a liberdade cristã. Calvino não tratou da doutrina da justificação, por exemplo, na edição inicial. Por volta de 1539, porém, quando ele publicou uma segunda edição, ampliada, incorporou a união com Cristo no recém-acrescentado capítulo sobre justificação. Calvino escreveu:

> Cristo, que nos é dado pela bondade de Deus, é apreendido e possuído por nós pela fé, pela participação de quem recebemos especialmente dois benefícios. Em primeiro lugar, sendo por sua inocência reconciliados com Deus, temos no céu um Pai propício em vez de um juiz; em segundo lugar, sendo santificados por seu Espírito, devotamo-nos à inocência e à pureza da vida.[45]

De um ponto de vista, Calvino ecoou a construção de Bernardo a respeito da união com Cristo e, como o mestre medieval, falou de uma graça dupla. Mas, ao contrário de Bernardo, que denominou a graça dupla como arrependimento e perseverança, Calvino identificou-as como justificação e regeneração, ou santificação.[46]

Apesar de as *Institutas* de Calvino serem conhecidas por sua linguagem sobre o duplo benefício da união com Cristo, o famoso Reformador de Genebra não elaborou a doutrina da união com Cristo com grande especificidade. Não há lugar ou tratado particular, por exemplo, em que Calvino tenha explicado essa doutrina. Em muitos aspectos, ele simplesmente assumiu a categoria e empregou-a ao longo de seus escritos.[47] O único lugar, no entanto, onde os detalhes sobre sua compreen-

---

p. 813–1042; cf. Vainio, *Justification and Participation*, p. 150–161.

[43] Para um levantamento sobre a opinião de vários teólogos reformados a respeito da união com Cristo, veja J. V. Fesko, *Beyond Calvin: Union with Christ and Justification in Early Modern Reformed Theology (1517–1700)*, Reformed Historical Theology 20. Göttingen: Vandenhoeck & Ruprecht, 2012.

[44] João Calvino, *Institutes of the Christian Religion* [Institutas da religião cristã], (ed. 1536), H. H. Meeter Center for Calvin Studies. Grand Rapids: Eerdmans, 1975.

[45] João Calvino. *As institutas — Edição clássica*. São Paulo: Editora Cultura Cristã, 1985; *As institutas — Edição especial*. São Paulo: Editora Cultura Cristã, 2006, 3.11.1.

[46] Muitos reformadores do século XVI escreveram sobre a doutrina da santificação sob o termo *regeneração*. Desenvolvimentos posteriores na teologia distinguiram entre o ato inicial de conversão (regeneração) e a transformação do cristão (santificação). Salvo indicação apontada, emprego *regeneração* e *santificação* como em seu uso contemporâneo.

[47] Há um debate contemporâneo sobre a função da união com Cristo na teologia de Calvino, bem como sua relação com os tratamentos subsequentes dados à união na tradição Reformada. Veja, por exemplo, o seguinte debate:

são da união com Cristo aparecem são as várias cartas de Pedro Mártir Vermigli a Calvino e a Teodoro Beza (1519–1605).

Vermigli correspondeu-se com os dois teólogos genebrinos na primavera de 1555, e o principal tema de discussão era a união com Cristo. Em suas cartas a Beza e a Calvino, Vermigli estabeleceu uma tríplice doutrina de união com Cristo. Ele começou com a união encarnacional: a união universal que Cristo compartilha com todas as pessoas em virtude de sua encarnação como homem. Vermigli baseou essa união, a que denominou *união natural*, em sua compreensão de Hebreus 2:14.[48]

Vermigli denominou a segunda união que identificou *união espiritual*. Em sua carta a Calvino, ele descreveu essas duas uniões da seguinte maneira: "Temos então aqui, até agora, duas comunhões com Cristo: uma é natural, que derivamos de nossa origem de nossos pais; a outra é efetuada pelo Espírito de Cristo, pelo qual somos, por nossa própria regeneração, renovados ao molde de sua glória".[49]

Vermigli chamou a terceira união de *união mística*, que repousa entre as uniões natural e espiritual: "Admitimos e cremos que tem de haver um ponto central, que é secreto, entre o início e o fim desse tipo de comunhão".[50] Assim, ele postulou uma união tríplice: encarnacional, espiritual e mística. É importante notar nesse ponto a concordância de Calvino com Vermigli sobre essa união tríplice: "Ao dirigir-me a você, toquei no assunto muito brevemente, com o simples objetivo de mostrar que estamos inteiramente de acordo no sentimento".[51]

---

[48] Thomas L. Wenger, "The New Perspective on Calvin: Responding to Recent Calvin Interpretations", *JETS* 50, n. 2, 2007, p. 311–328; Marcus Johnson, "New or Nuanced Perspective on Calvin? A Reply to Thomas Wenger", *JETS* 51, n. 3, 2008, p. 543–558; Thomas L. Wenger, "Theological Spectacles and a Paradigm of Centrality: A Reply to Marcus Johnson", *JETS* 51, n. 3, 2008, p. 559–572. De modo geral, Wenger apresenta uma percepção mais acurada do ponto de vista de Calvino, uma apresentação dirigida mais pela sensibilidade histórica do que por alegações dogmáticas, como ocorre com Johnson. Cf. Muller, *Calvin and the Reformed Tradition*, p. 202–243, p. 277–284, esp. p. 281. Atente também para J. Todd Billings, *Calvin, Participation, and the Gift: The Activity of Believers in Union with Christ*. Oxford: Oxford University Press, 2008; Billings, "Union with Christ and the Double Grace: Calvin's Theology and Its Early Reception"; e Michael S. Horton, "Calvin's Theology of Union with Christ and the Double Grace: Modern Reception and Contemporary Possibilities". In: J. Todd Billings e I. John Hesselink (eds.). *Calvin's Theology and Its Reception: Disputes, Developments, and New Possibilities*. Louisville: Westminster John Knox, 2012, p. 49–71, 72–96.

[48] Pedro Mártir Vermigli, "Vermigli to Beza". In: John Patrick Donnelly (trad.-ed.). *The Peter Martyr Library*, v. 5, *Life, Letters, and Sermons*, Sixteenth Century Essays & Studies 42. Kirksville, MO: Thomas Jefferson University Press, 1999, p. 134–137; Vermigli, "Vermigli to Calvin". In: George C. Gorham (ed.-trad.). *Gleanings of a Few Scattered Ears during the Period of the Reformation in England and of the Times Immediately Succeeding, A.D. 1533 to A.D. 1588*. Londres: Bell and Daldy, 1857, p. 342.

[49] Vermigli, "Vermigli to Calvin", p. 343.

[50] Pedro Mártir Vermigli, "Vermigli to Beza". In: *Loci Communes D. Petri Martyris Vermigli*. Londres: Henry Denham and Henry Middleton, 1583, p. 1109.

[51] João Calvino, "Calvin to Vermigli". In: *Gleanings of a Few Scattered Ears During the Time of the Reformation in England and the Times Immediately Succeeding: 1533-1588*, editado e traduzido por George C. Gorham. Londres: Bell and Daldy, 1857, p. 352.

A união tríplice que Vermigli e Calvino afirmaram era muito semelhante às opiniões de Zanchi, que foram apresentadas no início deste capítulo. Merece destaque o fato de que Zanchi estudou tanto com Vermigli quanto com Calvino em diferentes momentos de sua vida, o que sugere pelo menos duas das fontes da visão de Zanchi sobre a união. Essa união tríplice abrange da encarnação ao fim do mundo. Como o entendimento de Calvino sobre o duplo benefício da união, ou seja, justificação e santificação, Vermigli localizou os mesmos dois aspectos da redenção na união central, secreta e mística que os cristãos compartilham com Cristo. Vermigli escreveu o seguinte:

> No devido tempo, a fé é soprada nos eleitos, e por meio dela eles podem crer em Cristo; assim, eles não têm apenas remissão de pecados e reconciliação com Deus (em que consiste o método verdadeiro e sólido de justificação), mas, além disso, recebem a influência renovadora do Espírito por meio da qual seu corpo, sua carne, seu sangue e sua natureza também são feitas suscetíveis à imortalidade e também se tornam cada dia mais e mais semelhantes a Cristo (*Christiformia*), por assim dizer.[52]

Vermigli explicou ainda a natureza dessa união mística:

> Mas penso que, entre essas uniões [natural e espiritual] há uma união intermediária [união mística], que é fonte e origem de toda a semelhança celestial e espiritual que obtemos juntamente com Cristo. É aquilo por meio de que, assim que cremos, obtemos o próprio Cristo, nossa verdadeira cabeça, e somos feitos seus membros. Daí, da própria Cabeça (como diz Paulo [Efésios 4:15,16]) seu Espírito flui e é espalhado por articulações e ligamentos a nós, como seus membros legítimos e verdadeiros. Essa comunhão com nossa Cabeça é anterior, em natureza pelo menos, senão no tempo, àquela comunhão posterior que é trazida pela renovação.[53]

O argumento geral de Vermigli, o qual Calvino aprovou, é que a união natural conduz à união mística, o habitar de Cristo no cristão, pelo qual este recebe sua justificação, que resulta na sua união espiritual, a qual encontra sua consumação na completa glorificação do cristão, ou seja, sua transformação total à imagem e à semelhança de Cristo.

Como sua contraparte luterana, os teólogos reformados abraçaram e empregaram a doutrina da união com Cristo, e estavam igualmente preocupados em refutar os ensinamentos de André Osiandro. De fato, na edição definitiva das *Institutas*, em 1559, Calvino acrescentou sete novos parágrafos especificamente para refutar os pontos de vista de Osiandro.[54] Calvino estava preocupado por Osiandro ter in-

---

[52] Vermigli, "Vermigli to Calvin", p. 342,343; Vermigli, *Loci Communes*, p. 1095.
[53] Ibid., p. 343.
[54] Calvino, *Institutas*, 3.11.5–12; Wengert, "Melanchthon and Calvin", p. 72.

troduzido sua "horrenda noção de justiça essencial" e porque o próprio Calvino fora acusado por vários luteranos de ter uma visão semelhante à de Osiandro,[55] e, se houve um momento em que ele pudesse ter sido tentado a abandonar a doutrina da união com Cristo, certamente teria sido em face da doutrina de Osiandro. Mas, como seus correligionários luteranos, Calvino não rejeitou a doutrina e, em vez disso, fez distinções cuidadosas ao afirmar: "Ele diz que somos um com Cristo, e isso nós admitimos; mas, ao mesmo tempo, negamos que a essência de Cristo esteja misturada com a nossa".[56] Em uma passagem que ecoa a declaração de Lutero de 1535 enfatizando temas semelhantes, a saber, que somos unidos a Cristo por meio da fé e assim nos tornamos um com ele para receber sua justiça imputada, Calvino escreveu:

> Atribuo, portanto, a maior importância à conexão entre a Cabeça e os membros, à habitação de Cristo em nosso coração; em uma palavra, à união mística pela qual nós desfrutamos dele, de modo que, sendo feito nosso, ele nos faz participantes das bênçãos de que foi dotado. Não o contemplamos, pois, longe de nós mesmos, para que sua justiça nos seja imputada; mas, porquanto dele nos vestimos e fomos enxertados em seu corpo, e por ele foi dignado a se unir a nós, por isso nos gloriamos na participação de sua justiça.[57]

Calvino contentou-se em continuar a empregar a doutrina da união com Cristo, mas foi cuidadoso, como seus homólogos luteranos, em distinguir entre o habitar divino e a justiça imputada.

De fato, estudos acadêmicos recentes têm feito uma análise profunda da refutação de Calvino a Osiandro e determinado que aquele se baseou em diversos teólogos luteranos, incluindo Melanchthon, para construir sua própria formulação.[58] Calvino provavelmente utilizou o comentário de Romanos escrito por Melanchthon em 1556, em que este ofereceu uma série de argumentos contra Osiandro antes de expor a doutrina da justificação. Os paralelos entre os dois reformadores aparecem em várias partes. Ambos apelam para (1) o fato de que a linguagem sobre justificação é terminologia hebraica; (2) a natureza inseparável, porém distinta, da justificação e da santificação; (3) a experiência do cristão a respeito dos vestígios do pecado que permanecem nos pecadores justificados; e (4) a consciência do cristão.[59] Mas isso não quer dizer que Melanchthon e Calvino refutassem Osiandro exatamente da mesma maneira; há, com certeza, algumas diferenças entre eles, embora,

---

[55] Calvin, *Institutes*, 3.11.5, translation from Allen; Wengert, "Melanchthon and Calvin," 75n43
[56] Calvino, *Institutas*, 3.11.5.
[57] Ibid., 3.11.10; cf. Lutero, *Lectures on Galatians* (1535), *LW* 26:167,168.
[58] Wengert, "Melanchthon and Calvin", p. 71–82.
[59] Ibid., p. 78–80; cf. Calvino, *Institutas*, 3.11.11; Philip Melanchthon, *Commentary on Romans*. St. Louis: Concordia, 1992, p. 106–121.

em seu conjunto, os teólogos reformados e os luteranos se opuseram igualmente à construção de união com Cristo feita por Osiandro.

Como observamos na introdução, uma das afirmações mais completas sobre a união com Cristo vem da confissão de fé de Zanchi. Ao contrário de Calvino, que tratou a união de forma esporádica ao longo das *Institutas*, Zanchi tratou do assunto como um título importante em sua confissão. Essa estrutura organizacional é o resultado das próprias reflexões de Zanchi sobre a doutrina, que se originou de sua obra exegética na Epístola de Paulo aos Efésios. Zanchi escreveu um excurso doutrinário que originalmente apareceu em seu comentário sobre Efésios e mais tarde foi traduzido e publicado separadamente na forma de um tratado.[60] Ele argumentou que a primeira união, a natural, é o meio pelo qual Cristo assumiu a condição humana para que os pecadores pudessem participar da segunda união e ter acesso à satisfação de Cristo.[61] Nessa segunda união, os remidos foram unidos e incorporados a Cristo pelo poder do Espírito Santo.[62] mas, ainda que fosse uma união espiritual, Zanchi foi incisivo em argumentar que ela era, no entanto, verdadeira e real. Mesmo que permanecendo na terra, os cristãos estavam verdadeiramente unidos ao corpo e à alma de Cristo, que estava assentado e reinando no céu.[63] Zanchi apelou a dois textos para sustentar essas afirmações: 2Pedro 1:4, que diz que somos "participantes da natureza divina", e Efésios 5:30, que afirma que somos "membros do seu corpo", osso de seus ossos e carne de sua carne. Em muitos aspectos, a confissão de Zanchi é um esboço de sua compreensão da união com Cristo, enquanto seu excurso oferece uma apresentação completa da doutrina.

Na atualidade, as discussões sobre a união com Cristo geralmente tratam de assuntos que pertencem à soteriologia, mas, durante a Reforma, a união englobou muito mais. Como já vimos, as discussões sobre o assunto englobavam a cristologia, mas também envolviam a doutrina da Ceia do Senhor.[64] Wolfgang Musculus é um exemplo de teólogo que conecta a união e a Ceia do Senhor. Em sua obra principal, *Loci Communes Sacrae Theologiae* [Lugares comuns da teologia sagrada],

---

[60] Girolamo Zanchi, *An Excellent and Learned Treatise, of the Spiritual Marriage Betweene Christ and the Church, and Every Faithfull Man*. Cambridge: John Legate, 1592.
[61] Zanchi, *De Religione*, 12.6.
[62] Ibid., 12.7.
[63] Ibid., 12.8. Note que essa afirmação, sem dúvida, incorpora o ensinamento de Zanchi sobre a união com Cristo, mas foi forjada no meio das controvérsias sacramentais luterano-reformadas durante o tempo de Zanchi em Estrasburgo. Essa ideia reflete assim o entendimento reformado de Zanchi com respeito à Ceia do Senhor em contraposição com os pontos de vista luteranos. Veja Zanchi, *De Religione*, 1.4–6; Arand, Nestingen e Kolb, *Lutheran Confessions*, p. 212–214.
[64] As formulações reformadas da pós-Reforma também englobavam a doutrina da eleição, nas quais os teólogos postulavam uma união do decreto, bem como as uniões legal e federal, para integrar as doutrinas da aliança e da imputação. Veja Fesko, *Beyond Calvin*, p. 318–379.

Musculus não expôs a união com Cristo em sua soteriologia, embora reconhecesse o conceito geral ao discutir a justificação.[65] Quando falou de quem especificamente deveria participar da Ceia do Senhor, Musculus traçou uma linha fronteiriça com a doutrina da união com Cristo. Ele escreveu: "Primeiro, devemos ser membros no corpo de Cristo, pois, aquele que ainda não está enxertado em Cristo, mas ainda é membro de uma prostituta, do Anticristo, de Satanás, não pode ser alimentado com essa carne, com a qual o corpo de Cristo, isto é, a Igreja, é alimentado".[66] Portanto, somente os que estão em união com Cristo podem participar da Ceia e comer sacramentalmente sua carne e beber seu sangue.

Para os teólogos reformados, a união com Cristo tocava na doutrina dos sacramentos porque estes eram o meio pelo qual os cristãos podiam fortalecer e alimentar a comunhão com Cristo – união e comunhão andam juntas. A esse respeito, Calvino, por exemplo, sustentou que, para realizar a união do cristão com Cristo, o Espírito Santo emprega um duplo instrumento: Palavra e sacramentos.[67] Ele argumentou que na pregação da Palavra e na administração dos sacramentos há dois ministros: o exterior e o interior. O ministro exterior administra a Palavra falada e os símbolos sagrados, ao passo que o ministro interior, o Espírito Santo, opera livremente no coração daquele que ele escolhe para realizar com esse tal a união com Cristo. "Essa união", Calvino escreveu, "é uma coisa interior, celestial e indestrutível".[68] Assim, ele explicou:

> Na pregação da Palavra, o ministro exterior apresenta a palavra falada, e ela é recebida pelo ato de ouvir (Atos 16:14). O ministro interior, o Espírito Santo, verdadeiramente comunica a coisa proclamada por meio da Palavra, isto é, Cristo, à alma de todos os que quiserem, de modo que não é necessário que Cristo ou, em adição, sua Palavra sejam recebidos mediante os órgãos do corpo, mas o Espírito Santo efetua essa união por sua virtude secreta, criando fé em nós, pela qual nos faz membros vivos de Cristo, verdadeiro Deus e verdadeiro homem.[69]

Esse tipo de relação entre a união com Cristo, a pregação e os sacramentos é comum e aparece em outros teólogos reformados, como Zanchi. Ele, por exemplo, descreveu a relação entre a união e os sacramentos de maneira semelhante à de Calvino:

---

[65] Wolfgang Musculus, *Loci Communes Sacrae Theologiae*. Basel: Johannes Hervagius, 1567, p. 582; Musculus, *Common Places of Christian Religion*. Londres: R. Wolfe, 1563), fols. 227,228; Muller, *Calvin and the Reformed Tradition*, p. 217.
[66] Musculus, *Loci Communes*, p. 820; Musculus, *Common Places*, fol. 324. Segui, mas modifiquei, a tradução inglesa usada na última edição citada.
[67] João Calvino, "Summary of Doctrine Concerning the Ministry of the Word and the Sacraments". In: *Calvin: Theological Treatises*, LCC 22. Londres: SCM, 1960, p. 172.
[68] Ibid., p. 173.
[69] Ibid.

> Cremos que seu Espírito, pelo qual Cristo se une a nós e nós a ele, e une sua carne com a nossa e a nossa carne com a dele, é comunicado do mesmo Cristo por sua mera graça, quando, onde e como quiser, embora isso comumente ocorra na pregação do evangelho e na administração dos sacramentos. Disso há um testemunho visível, o qual lemos, sobre aqueles que, na igreja primitiva, abraçaram o evangelho pela fé e foram batizados em nome de Cristo ou sobre quem as mãos foram impostas, além da graça invisível receberam também diversos dons perceptíveis do Espírito.[70]

Para Zanchi, assim como para Calvino, a união vem por intermédio da Palavra e do sacramento, mas tal união é nutrida pela comunhão com Cristo. Observe como Zanchi uniu todas estas ideias (união, salvação, habitação, sacramentos e comunhão) na seguinte declaração:

> Com isso, facilmente concluímos qual seja o fim principal de pregar o evangelho e administrar os sacramentos, a saber: esta comunhão com Cristo, o Filho de Deus encarnado, que sofreu e morreu por nós, mas agora reina no céu e concede a salvação e a vida para seus escolhidos. Essa comunhão foi iniciada aqui, mas deve ser aperfeiçoada no céu, para que nós, por meio dessa união verdadeira e real de nós mesmos com sua carne e seu sangue e com toda a sua pessoa, fôssemos feitos participantes da salvação eterna, que foi comprada por ele e ainda permanece e habita nele.[71]

Zanchi não empregou os termos específicos em sua explicação, mas sua compreensão da união tríplice (natural, mística e escatológica) subjaz a superfície. A cristologia, a soteriologia, a pneumatologia, a eclesiologia e a escatologia estão sob a rubrica da tríplice doutrina de Zanchi a respeito da união com Cristo. Lembre-se mais uma vez de que tais formulações eram parte da confissão de fé de Zanchi, destinada à ampla aceitação — ou seja, esses pontos de vista eram comuns aos teólogos reformados.[72]

CONTEXTO MAIS AMPLO

CATOLICISMO ROMANO

A fim de apreciar e avaliar a natureza dos entendimentos protestantes a respeito da união com Cristo, eles devem ser colocados no contexto de outras Fórmulas de fé do século XVI, especialmente as da Igreja Católica Romana, dos socinianos e de Jacó

---

[70] Zanchi, *De Religione*, 12.11.
[71] Ibid., 12.12.
[72] Para a contribuição de outros teólogos reformados, como Heinrich Bullinger (1504–1575), veja Fesko, *Beyond Calvin*, p. 173–187. A doutrina da união com Cristo recebeu um tratamento difuso em várias Confissões reformadas. Veja, por exemplo, a Confissão Escocesa, art. 16; a Segunda Confissão Helvética, capítulo 17; a Confissão Belga, arts. 14,15, 22–24, 28,29. O tema também aparece em Confissões reformadas pós-Reforma, como os Padrões de Westminster; veja o Catecismo Maior, perguntas 58, 66 e WCF 25.1,2.

Armínio. Algumas análises históricas recentes dão a impressão de que uma das grandes diferenças entre Calvino e a Igreja Católica Romana era que ele ensinava a união com Cristo, ao passo que a Igreja Romana, não.[73] Tal caracterização, no entanto, é equivocada. Em primeiro lugar, como observamos anteriormente neste capítulo, vários teólogos medievais, como Aquino, Kempis, Bernardo e Gerson, escreveram sobre a união com Cristo, e essas diferentes formulações alimentaram o entendimento católico romano da união com Cristo, que encontrou sua principal codificação nos pronunciamentos do Concílio de Trento. Os decretos de Trento não têm um decreto (ou uma sessão) específico que trate da união com Cristo, mas a doutrina aparece em vários lugares, como no decreto sobre justificação. Trento, por exemplo, declara: "Pois o próprio Jesus Cristo infunde continuamente força aos justificados, como a cabeça aos membros e a vide aos ramos, e essa força sempre precede, acompanha e segue as boas obras deles".[74] Trento emprega a expressão *união com Cristo*, que é extraída do famoso discurso de Cristo a respeita da vinha e dos ramos (João 15:1–11). Trento, assim como os teólogos protestantes, entrelaça a justificação e a união com Cristo.

Mas como Trento explica a origem dessa união? O catecismo oficial criado pelo concílio explica:

> Pelo batismo somos também unidos a Cristo, como os membros à sua Cabeça. Assim como da cabeça procede o poder pelo qual os diferentes membros do corpo são movidos visando ao bom desempenho de suas respectivas funções, assim, da plenitude de Cristo, o Senhor, são difundidos graça e virtude divinas para todos aqueles que são justificados, qualificando-os para o desempenho de todas as funções de piedade cristã.[75]

De acordo com Trento, o batismo leva as pessoas à união com Cristo. Os teólogos católicos romanos, portanto, ensinaram a doutrina da união com Cristo. Tanto os católicos romanos quanto os protestantes criam que o Espírito Santo regenera os pecadores e os une a Cristo, mas, para Roma, isso ocorre *ex opere operato* ("pela obra operada") pelas águas do batismo, enquanto para os teólogos protestantes isso acontece *sola fide*. Os teólogos protestantes, tanto luteranos como reformados, estavam unidos em sua ênfase no *sola fide*.[76]

---

[73] Craig B. Carpenter, "A Question of Union with Christ? Calvin and Trent on Justification", *WTJ* 64, 2002, p. 363–386.
[74] *Dogmatic Decrees of the Council of Trent (1545–1563)*, sess. 6, cap. 16. In: *CCFCT* 2:835.
[75] *Catechism of the Council of Trent*. Rockford: Tan Books, 1982, p. 188.
[76] A concordância geral entre os pontos de vista luterano e reformado sobre *sola fide* e justificação aparece em *Harmony of the Confessions of Faith* (1581), um documento reunido sob a orientação de Teodoro Beza. Foi a contraparte reformada da Fórmula da Concórdia, e um de seus principais propósitos foi demonstrar a concordância entre as igrejas reformada e luterana sobre uma série de questões doutrinais. Veja Jean-François Salvard, *The Harmony of Protestant Confessions: Exhibiting the Faith of the Churches of Christ, Reformed after the Pure and Holy Doctrine of the Gospel, throughout Europe*, editado por Peter Hall. Londres: John F. Shaw, 1842, p. 148–210; cf.

Por exemplo, de acordo com Lutero, a fé era o meio pelo qual Cristo habitava os pecadores; para o reformador alemão, Cristo estava presente na fé.[77] Em contrapartida, Trento sustentava que o batismo, à parte da fé, une os pecadores a Cristo. No batismo, a água transmite a infusão de virtudes habituais (fé, esperança, amor) e a habitação de Cristo. O batismo do pecador constitui sua justificação *inicial* mediante a união com Cristo e a infusão dessas virtudes, e, pela fé trabalhando por meio do amor e dessas virtudes infundidas, a pessoa batizada então procura tornar-se mais justa. Na consumação e no juízo final, Deus julgará a pessoa batizada para determinar se ela é realmente justa. Somente no juízo final Deus pronunciará o veredito de sua justificação *final*. Assim, para Trento e a teologia católica romana, a justificação se dá em duas partes.[78]

As diferentes doutrinas da união com Cristo, informadas por compreensões díspares da justificação, aparecem claramente na descrição que Lutero faz das duas visões dissimilares:

> Onde falam de amor, falamos de fé. E embora eles digam que a fé é o mero esboço, mas o amor é suas cores vivas e conclusão, nós dizemos, em oposição, que a fé se apodera de Cristo e que ele é a forma que adorna e anima a fé, como a cor faz com a parede. Portanto, a fé cristã não é uma qualidade ociosa ou uma casca vazia no coração, que pode existir em um estado de pecado mortal até que o amor chegue para torná-lo vivo. Mas, se é fé verdadeira, é confiança segura e firme aceitação no coração. Ela se apodera de Cristo de tal maneira que este é o objeto da fé, ou melhor, não o objeto, mas, por assim dizer, aquele que está presente na própria fé.[79]

As diferenças entre os dois pontos de vista são palpáveis. Trento apresentou uma doutrina de justificação pela união com Cristo em que esta vem inicialmente por meio do batismo e é complementada pelas boas obras do cristão e pelos esforços induzidos por Cristo para alcançar sua justificação final.[80] Teólogos protestantes, por outro lado, sustentavam que o Espírito traz os pecadores à união com Cristo somente por meio da fé e que em Cristo eles recebem a dupla graça da justificação e da santificação. Teólogos reformados argumentaram que a Palavra e os sacra-

---

Jill Raitt, "Harmony of Confessions of Faith", *OER* 2:211,212. Também merece destaque J. Todd Billings, "The Contemporary Reception of Luther and Calvin's Doctrine of Union with Christ: Mapping a Biblical, Catholic, and Reformational Motif". In: R. Ward Holder (ed.). *Calvin and Luther: The Continuing Relationship*. Refo500 Academic Studies 12. Göttingen: Vandenhoeck & Ruprecht, 2013, p. 165, 173–180.

[77] Lutero, *Lectures on Galatians* (1535), *LW* 26:129.

[78] Sobre justificação em duas partes, veja, por exemplo, Ambrosius Catharinus Politus, *Liber de Perfecta Iustificatione a Fide et Operibus*. In: *Speculum Haerticorum*. Lugduni: Antonium Vicentium, 1541, p. 180–248; *Decrees of the Council of Trent*, sess. 6, caps. 10-13. In: *CCFCT* 2:831–833.

[79] Lutero, *Lectures on Galatians* (1535), *LW* 26:129.

[80] Hubert Jedin, *A History of the Council of Trent*, v. 2, *The First Sessions at Trent, 1545-1547*. Londres: Thomas Nelson and Sons, 1961, p. 185, 188, 189, 247, 255, 256, 308.

mentos desempenham um papel em trazer pecadores à união com Cristo, mas não *ex opere operato*. Para os protestantes, o Espírito Santo, e não a água, une, somente pela fé, as pessoas a Cristo.[81]

Socinianismo

Os teólogos socinianos tinham uma visão ímpar sobre a doutrina da união com Cristo. A teologia sociniana cresceu para muito além do corpo de escritos e ensinamentos de Fausto Socino, embora ele tenha escrito muito pouco para as massas. No entanto, o espírito de sua teologia foi, com o tempo, capturado e codificado no Catecismo Racoviano (1605). Os socinianos eram teólogos antitrinitarianos, o que significa que não criam na deidade de Cristo ou do Espírito Santo, portanto, desde o nascedouro, é evidente que a visão deles diferia significativamente da que era defendida por teólogos católicos romanos, luteranos e reformados, os quais abraçaram e promoveram a doutrina da Trindade. No entanto, isso não significa que a teologia sociniana seja desprovida de uma doutrina da união com Cristo.

O Catecismo Racoviano, por exemplo, afirma que Jesus, que não é divino, está em união com Deus:

> A união é discernível nisto: que Deus, desde o início da nova aliança, fez, por meio da instrumentalidade de Cristo, e, depois de tudo, finalmente completará todas as coisas que de alguma forma se relacionam com a salvação da humanidade e, também, consequentemente, com a destruição dos ímpios.[82]

Portanto, o catecismo afirma que Cristo está em união com Deus pelo Espírito Santo, que não é a terceira pessoa divina da Trindade, mas uma "virtude ou energia fluindo de Deus para os homens e comunicada a eles".[83] Num contexto extensional, aqueles que creem em Cristo também estão em união com ele: "Porque ninguém é membro desta igreja que não tenha verdadeira fé em Cristo e verdadeira piedade; pois pela fé somos enxertados no corpo de Cristo, e pela fé e pela piedade permanecemos nele".[84]

A negação sociniana da Trindade não significa que eles careçam de uma doutrina de união com Cristo. Os cristãos estão unidos a Cristo por crer nele, e, juntos,

---

[81] Veja, por exemplo, o Catecismo de Heidelberg, perg. 65,66; a Confissão Belga, arts. 33,34; a Segunda Confissão Helvética, 19.11; "The Augsburg Confession", art. 13. In: Kolb e Wengert, *Book of Concord*, 47; "Apology of the Augsburg Confession", art. 4. In: Kolb e Wengert, *Book of Concord*, p. 140.
[82] Thomas Rees (ed.-trad.). *The Racovian Catechism: With Notes and Illustrations, Translated from the Latin; to Which Is Prefixed a Sketch of the History of Unitarianism in Poland and the Adjacent Countries*. Londres: Longman, Hurst, Orme, and Brown, 1818, 4.1.
[83] Ibid., 5.6.
[84] Ibid., 8.4.

Cristo e seu corpo estão unidos a Deus pelo poder e pela energia que fluem dele para ambos. Eles não são habitados pela terceira pessoa da Trindade; antes, mantêm-se assim pelo poder impessoal de um deus unitarista. Esse tipo de construção obviamente tem efeitos na maneira como os socinianos articulam justificação e santificação, dois temas que são denominados dupla bênção da união com Cristo por teólogos luteranos e reformados. Nas formulações protestantes, a união com Cristo concede ao cristão a habitação de Cristo mediante o Espírito Santo e a justiça imputada de Cristo, mas, nas formulações socinianas, o cristão não recebe a justiça imputada de Cristo. Socino cria que Cristo não alcançara recompensa nem para si nem para os outros.[85] Isso significa que qualquer pessoa unida a Cristo tem de prestar sua própria obediência para assegurar a justificação.

Em contraste com o ensino clássico da Reforma, que define a fé como a confiança em Cristo, Socino cria que a obediência é a substância e a forma da fé, e defendeu esse ponto em termos inequívocos: "A fé que justifica é isto: a obediência a Deus".[86] Portanto, os cristãos recebem o perdão dos pecados por meio de "penitência e de uma vida transformada".[87]

No entendimento sociniano, a união com Cristo dá ao cristão a oportunidade de se apoderar do poder impessoal de Deus, pelo qual ele pode levar uma vida transformada de penitência e, assim, garantir sua justificação e a vida eterna. Existem algumas semelhanças entre as opiniões sociniana e protestante, mas as diferenças são muito mais significativas. Para os reformadores, Cristo salva; para os socinianos, Cristo apenas aponta para uma porta através da qual os crentes devem entrar e salvar-se por sua própria obediência. Mas tanto os reformadores protestantes quanto os socinianos discutem, no entanto, suas opiniões amplamente divergentes sob a rubrica de união com Cristo.

Arminianismo

Armínio representa outra variante da doutrina da união com Cristo, que tem grandes semelhanças com as visões da Reforma, mas também contrasta com elas. De modo muito parecido com o que fizeram teólogos luteranos e reformados, Armínio argumentou que a união é uma categoria teológica chave: "A teologia pode ser, com a máxima propriedade, chamada união de Deus com o homem".[88] Os seres

---

[85] Alan W. Gomes, "Faustus Socinus' *De Jesu Christo Servatore*, Part III: Historical Introductions, Translation, and Critical Notes". Dissertação (PhD, Fuller Theological Seminary, 1990, 3.5. Daqui em diante citado como Socino, *De Jesu Christo Servatore*.
[86] Fausto Socino, *Tractatus Justificatione*. In: *Opera Omnia in Duos Tomos Distincta*. Amsterdam, 1656, 1:610.
[87] Socino, *De Jesu Christo Servatore*, 3.2
[88] Jacó Armínio, "Oration II: The Author and End of Theology". In: *The Works of James Arminius* (1825–1875). Grand Rapids: Baker, 1996, 1:362,263. Todas as citações subsequentes de Armínio vêm da tradução inglesa e

humanos entram em união com Deus por meio do Redentor, por meio de Jesus. Armínio definiu, portanto, a união com Cristo da seguinte maneira:

> Essa conjunção espiritual e mais estrita, e, portanto, misticamente essencial, pela qual os cristãos, sendo imediatamente conectados, por Deus Pai e Jesus Cristo por intermédio do Espírito de Cristo e de Deus, com o próprio Cristo, e também por meio de Cristo com Deus, tornam-se um com ele e o Pai, e são feitos participantes de todas as bênçãos dele para a própria salvação e a glória de Cristo e de Deus.[89]

Nessa fase, Armínio defendeu uma definição e uma formulação comuns da união com Cristo. Como os teólogos luteranos e reformados, ele também apresentou a justificação e a santificação como o duplo benefício da união com Cristo.[90] Mas, para Armínio, a justificação não era um julgamento indefectível, pois um cristão poderia perder sua posição de justificado. Ele afirmou que "era possível que os cristãos, ao final, caíssem ou se afastassem da fé e da salvação".[91] A esse respeito, Armínio acreditava que "se Davi tivesse morrido no momento em que pecou contra Urias por adultério e assassinato, ele teria sido condenado à morte eterna".[92]

Armínio, portanto, manteve o duplo benefício da união com Cristo, justificação e santificação, mas, em sua opinião, a justificação era defectível e dependente da perseverança final do cristão, e isso era um processo, não uma declaração definitiva, como afirmavam Lutero e outros teólogos protestantes.[93] Armínio acreditava que a justificação era dupla e, portanto, incompleta até o juízo final:

> Mas o fim e a conclusão da justificação estarão perto dos últimos momentos da vida, quando Deus concederá, aos que terminam seus dias na fé de Cristo, encontrar sua misericórdia, absolvendo-os de todos os pecados que tinham sido perpetrados ao longo de toda vida deles. A declaração e manifestação da justificação serão no futuro juízo geral.[94]

A formulação de Armínio era semelhante aos desenvolvimentos luteranos posteriores no que diz respeito à eleição, à perseverança dos santos e a uma justificação defectível, mas contrasta com Lutero e a tradição confessional reformada.[95]

---

listarão o nome do tratado seguido pela localização em *Works*.
[89] Jacó Armínio, *Private Disputations*, 45.3. In: *Works*, 2:402.
[90] Ibid., 48.1. In: *Works*, 2:405.
[91] Jacó Armínio, *The Apology or Defense of James Arminius*, art. 2. In: *Works*, 1:741.
[92] Jacó Armínio, *Certain Articles*, 20.8. In: *Works*, 2:725.
[93] Veja, por exemplo, Daphne Hampson, *Christian Contradictions: The Structures of Lutheran and Catholic Thought*. Cambridge: Cambridge University Press, 2001, p. 9–55.
[94] Armínio, *Private Disputations*, 48.12. In: *Works*, 2:407.
[95] Cf., por exemplo, "Solid Declaration", art. 11. In: Kolb e Wengert, *Book of Concord*, p. 640–656; cf. Arand, Nestingen e Kolb, *Lutheran Confessions*, p. 201–216; Theodor Mahlmann, "Die Stellung der unio cum Christo in der lutherischen Theologie des 17 Jahrhunderts". In: Matti Repo e Rainer Vinke (ed.). *Unio: Gott*

CONCLUSÃO

De acordo com teólogos da Reforma, a união com Cristo é uma doutrina-chave, que envolve uma série de ensinamentos, como a encarnação, a soteriologia (justificação e santificação), a eclesiologia (incluindo os sacramentos) e a escatologia. Mas, apenas porque alguém invoca esse conceito em toda a sua amplitude, isso não significa que implique automaticamente os mesmos compromissos doutrinários. Os teólogos católicos romanos, luteranos, reformados e até mesmo socinianos defendiam doutrinas de união com Cristo. Todos concordaram que a doutrina é bíblica e, portanto, necessária, mas nem todos concordaram com os detalhes. Todos concordaram que há uma floresta, mas nem todos viram as mesmas árvores. Dependendo do ponto de vista o Diabo literalmente está nos detalhes.

FONTES PARA ESTUDO ADICIONAL

Fontes primárias

AQUINO, Tomás de. *Suma Teológica* (9 vols.). São Paulo: Edições Loyola, 2001–2006.
ARMÍNIO, Jacó. Coleção *As Obras de Armínio* (3 vols.). São Paulo, SP: Editora CPAD, 2015.
CALVINO, João. *As institutas – Edição clássica* (1985). *As institutas – Edição especial* (2006). 4. vols. São Paulo: Editora Cultura Cristã.
Catechism of the Council of Trent [Catecismo do Concílio de Trento]. Rockford: Tan Books, 1982.
CHEMNITZ, Martin. *Chemnitz's Works* [Obras de Chemnitz]. 8 vols. St. Louis: Concordia, 2007.
GERSON, Jean. *Selections from A Deo Exivit, Contra Curiositatem Studentium, and De Mystica Theologia Speculativa* [Seleções de *A Deo Exivit, Contra Curiositatem Studentium* e *De Mystica Theologia Speculativa*]. Editado e traduzido por Steven E. Ozment. Textus Minores 38. Leiden: Brill, 1969.
LOMBARDO, Pedro. *The Sentences* [As sentenças]. 4 vols. Mediaeval Sources in Translation 42, 43, 45, 48. Toronto: Pontifical Institute of Medieval Studies, 2007–2010.
LUTERO, Martinho. *Lectures on Galatians* [Pregações sobre Gálatas] (1535). Vols. 26,27. In: Jaroslav Pelikan (ed.). Luther's Works [Obras de Lutero]. St. Louis: Concordia, 1963.
MELANCHTHON, Philip. "Confutation of Osiander (September 1555)" [Confrontação de Osiandro (Setembro de 1555)]. In: Eric Lund (ed.). *Documents from the History of Lutheranism 1517–1750* [Documentos da história do luteranismo 1517–1750]. Minneapolis: Fortress, 2002.
MUSCULUS, Wolfgang. *Common Places of Christian Religion* [Lugares comuns da religião cristã]. Londres: R. Wolfe, 1563.
———. *Loci Communes Sacrae Theologiae* [Lugares comuns da teologia sagrada]. Basileia: Johannes Hervagius, 1567.
OSIANDRO, André. *Disputatio de Iustificatione* (1550). Em *Gesamtausgabe*, 9:422–47. Güttersloh: Güttersloh Verlagshaus, 1994.

---

und Mensch in der nachreformatorischen Theologie. Helsinki: Luther-Agricola-Gesellschaft, 1996, p. 72–199. Sou grato a Robert Kolb por indicar-me sobre a última fonte aqui citada.

REES, Thomas (ed.-trad.). *The Racovian Catechism: With Notes and Illustrations, Translated from the Latin; to Which Is Prefixed a Sketch of the History of Unitarianism in Poland and the Adjacent Countries* [O Catecismo Racoviano: com notas e ilustrações, traduzido do latim; que é precedido de um esboço da história do unitarismo na Polônia e nos países adjacentes]. Londres: Longman, Hurst, Rees, Orme, and Brown, 1818.

SALVARD, Jean-François. *The Harmony of Protestant Confessions: Exhibiting the Faith of the Churches of Christ, Reformed after the Pure and Holy Doctrine of the Gospel, throughout Europe* [A harmonia das confissões protestantes: Expondo a fé das igrejas de Cristo, reformadas de acordo com a pura e santa doutrina do evangelho, em toda a Europa]. Editado por Peter Hall. Londres: John F. Shaw, 1842.

STAUPITZ, Johann von. "Eternal Predestination and Its Execution in Time" [Predestinação eterna e sua execução no tempo]. Em *Forerunners of the Reformation: The Shape of Late Medieval Thought* [Precursores da Reforma: a forma do pensamento do final da era medieval], editado por Heiko A. Oberman e traduzido por Paul L. Nyhus, p. 175–203. Library of Ecclesiastical History. Cambridge: James Clark, 1967.

VERMIGLI, Pedro Mártir. "Vermigli to Beza" [Vermigli para Beza]. In: John Patrick Donnelly (ed.-trad.). *The Peter Martyr Library* [A biblioteca Pedro Mártir]. Vol. 5, *Life, Letters, and Sermons* [Vida, cartas e sermões], p. 134–137. Sixteenth Century Essays & Studies 42. Kirksville: Thomas Jefferson University Press, 1999.

―――. "Vermigli to Calvin" [Vermigli para Calvino]. Em *Gleanings of a Few Scattered Ears during the Period of the Reformation in England and of the Times Immediately Succeeding, A.D. 1553 to A.D. 1588* [Respiga de algumas espigas dispersas durante o período da Reforma na Inglaterra e das épocas que imediatamente a sucederam, de 1553 a 1588]. Editado e traduzido por George C. Gorham. London: Bell and Daldy, 1857.

ZANCHI, Girolamo. *De Religione Christiana Fides – Confession of Christian Religion* [Confissão da religião cristã]. Editedado por Luca Baschera e Christian Moser. 2 vols. Studies in the History of Christian Traditions 135. Leiden: Brill, 2007.

―――. *An Excellent and Learned Treatise, of the Spiritual Marriage Betweene Christ and the Church, and Every Faithfull Man* [Um excelente e culto tratado sobre o matrimônio espiritual entre Cristo e a Igreja, e cada homem fiel]. Cambridge: John Legate, 1592.

FONTES SECUNDÁRIAS

ARAND, Charles P., James A. Nestingen e Robert Kolb (eds.). *The Lutheran Confessions: History and Theology of the Book of Concord* [As confissões luteranas: História e teologia do Livro de Concórdia]. Minneapolis: Fortress, 2012.

BILLINGS, J. Todd. "The Contemporary Reception of Luther and Calvin's Doctrine of Union with Christ: Mapping a Biblical, Catholic, and Reformational Motif" [A recepção contemporânea da doutrina de Lutero e de Calvino sobre a união com Cristo: mapeando um motivo bíblico, católico e reformacional]. In: R. Ward Holder (ed.). *Calvin and Luther: The Continuing Relationship* [Calvino e Lutero: o relacionamento duradouro], p. 165–182. Refo500 Academic Studies 12. Göttingen: Vandenhoeck & Ruprecht, 2013.

FESKO, J. V. *Beyond Calvin: Union with Christ and Justification in Early Modern Reformed Theology (1517–1700)* [Além de Calvino: União com Cristo e justificação no início da teologia reformada moderna (1517–1700)]. Reformed Historical Theology 20. Göttingen: Vandenhoeck & Ruprecht, 2012.

HAMPSON, Daphne. *Christian Contradictions: The Structures of Lutheran and Catholic Thought* [Contradições cristãs: as estruturas dos pensamentos luterano e católico]. Cambridge: Cambridge University Press, 2001.

JEDIN, Hubert. *A History of the Council of Trent* [A história do Concílio de Trento]. Vol. 2. *The First Sessions at Trent, 1545–1547* [As primeiras sessões em Trento, 1545–1547]. Londres: Thomas Nelson and Sons, 1961.

MATTES, Mark. "Luther on Justification as Forensic and Effective" [Lutero a respeito da justificação como forense e efetiva]. In: Robert Kolb, Irene Dingel e L'ubomír Batka (eds.). *The Oxford Handbook of Martin Luther's Theology* [O manual Oxford sobre a teologia de Martinho Lutero], editado por, p. 264–273. Oxford: Oxford University Press, 2014.

MULLER, Richard A. *Calvin and the Reformed Tradition: On the Work of Christ and the Order of Salvation* [Calvino e a tradição reformada: Sobre a obra de Cristo e a ordem da salvação]. Grand Rapids: Baker Academic, 2012.

WENGERT, Timothy J. *Defending the Faith: Lutheran Responses to Andreas Osiander's Doctrine of Justification, 1551–1559* [Defendendo a fé: as respostas luteranas à doutrina da justificação defendida por André Osiandro, 1551–1559]. Spätmittelalter, Humanismus, Reformation 65. Tübingen: Mohr Siebeck, 2012.

———. "Philip Melanchthon and John Calvin against Andreas Osiander: Coming to Terms with Forensic Justification" [Philip Melanchthon e João Calvino contra André Osiandro: Chegando aos termos da justificação forense]. In: R. Ward Holder (ed.). *Calvin and Luther: The Continuing Relationship* [Calvino e Lutero: o relacionamento duradouro], p. 63–88. Refo500 Academic Studies 12. Göttingen: Vandenhoeck & Ruprecht, 2013.

Capítulo 13
A ESCRAVIDÃO E A LIBERTAÇÃO DA VONTADE

Matthew Barrett

RESUMO

A primeira e a segunda geração de reformadores, como Martinho Lutero, João Calvino e Pedro Mártir Vermigli, eram fortes defensores do monergismo, argumentando que a vontade do homem está escravizada pelo pecado e, portanto, Deus tem de trabalhar sozinho para efetivamente chamar e regenerar seus eleitos. O pecador não é ativo, cooperando nesse evento salvífico, mas é passivo, morto no pecado e escravizado à sua natureza corrupta. Com o tempo, no entanto, Philip Melanchthon introduziu ênfases que seus colegas reformadores interpretaram como sinergistas, sugerindo que, embora a capacitação do Espírito seja necessária, mesmo o Espírito é dependente da cooperação e do consentimento da vontade. Este capítulo explora os debates que esses reformadores tiveram não só com seus inimigos católicos e humanistas, mas também, como no caso de Melanchthon, com seus colegas reformadores e discípulos sobre como definir o livre-arbítrio, a necessidade divina, a contingência e o chamado de Deus aos pecadores.

INTRODUÇÃO

É "uma mistura infeliz" (*unglückliches Machwerk*). Essa avaliação de Albrecht Ritschl da obra *De servo arbitrio*, de Martinho Lutero,[1] certamente, teria a concordância de numerosos católicos no século XVI. No entanto, onde Ritschl viu uma "mistura infeliz", Lutero e muitos outros reformadores viram doutrina bíblica. Em outras palavras, os reformadores afirmaram a escravidão da vontade porque criam que a Escritura a ensinava, e a Escritura era sua autoridade final (*sola Scriptura*). No entanto, apesar de apelarem em primeiro lugar à Escritura, eles também criam que sua afirmação de uma vontade escravizada estava bem fundamentada na tradição de Agostinho, particularmente em seus escritos antipelagianos. Em seu núcleo, os reformadores viram-se resgatando o agostinianismo.

---

[1] Albrecht Ritschl, *Die christliche Lehre von der Rechtfertigung und Versöhnung*. Bonn: Marcus, 1870, 1:221.

No entanto, as tradições que evoluíram após Agostinho e precederam a Reforma foram diversas. Enquanto a *via moderna* (Guilherme de Ockham, Pierre d'Ailly, Robert Holcot e Gabriel Biel) mantinha uma visão otimista das habilidades do homem, a *schola Augustiniana moderna* (Tomás Bradwardine, Gregório de Rimini e Hugolino de Orvieto) era muito mais pessimista, expondo a incapacidade do homem sem a graça soberana.

A *via moderna*, contudo, teve um impacto incalculável na igreja do final da era medieval, particularmente entre os leigos, à medida que formas de sinergismo se enraizavam no contexto de uma teologia sacramental. Com um tom pactual, a *via moderna* cantava: "Deus não negará graça a quem faz o que está dentro de si" (*facienti quod in se est Deus non denegat gratiam*).[2] Em contrapartida, os reformadores acenderam um renascimento agostiniano impulsionado pela soteriologia, que mais uma vez revelou a incapacidade espiritual do homem e a total dependência da graça eficaz de Deus e da soberania divina na salvação.

DE SERVO ARBITRIO, DE MARTINHO LUTERO

Talvez nenhuma disputa tenha sintetizado a essência deste debate ocorrido tão cedo na história da Reforma do que o embate entre Martinho Lutero e Erasmo.[3] Nos anos que antecederam o debate entre eles, Erasmo estava sendo pressionado para falar em favor ou contra Lutero e sua reforma, e tinha conseguido de certo modo resistir a tais petições, o que lhe agradou, uma vez que desejava permanecer neutro. Apesar de Lutero ter escrito a Erasmo em 1519 a fim de persuadi-lo a juntar-se à sua causa, Erasmo insistiu em que não deveria tomar partido.

Todavia, com o tempo, Erasmo tornou-se cada vez menos simpático e acima de tudo irritado com os ataques de Lutero contra Roma, até que por fim decidiu que deveria dissociar-se dele e, ao mesmo tempo, não prejudicar a causa da reforma que os dois desejavam.[4] Dado seu desacordo com os pontos de vista de Lutero sobre a graça e o livre-arbítrio em *Uma declaração de todos os artigos de Martinho Lutero condenados pela última bula de Leão X* (1520), Erasmo acreditava ter encontrado a oportunidade certa de criticar Lutero e de distanciar-se dele.[5] Assim, em 1524, ele publicou sua diatribe, *De libero arbitrio* [A liberdade da vontade], na qual argumentava que a negação de Lutero com relação ao livre-arbítrio e a afirmação de

---

[2] Tendo em vista que *a via moderna* é abordada no capítulo de Korey Maas (Capítulo 14), não vou me aprofundar nesse assunto.
[3] Para um estudo muito mais detalhado do que é possível aqui, veja Gerharde O. Forde, *The Captivation of the Will: Luther vs. Erasmus on Freedom and Bondage*, editado por Steven Paulson, Lutheran Quarterly Books. Grand Rapids: Eerdmans, 2005.
[4] Veja Philip S. Watson, "Introduction", *LW* 33:8.
[5] Martinho Lutero, *Assertio omnium articulorum M. Lutheri per bullam Leonis X. novissimam damnatorum*. Dezembro de 1520, *WA* 7:94–151.

que todas as coisas acontecem por necessidade contradizem as crenças da Igreja em épocas passadas. Lutero respondeu a Erasmo com *De servo arbitrio* [A escravidão da vontade], em 1525, argumentando, tanto a partir da Escritura como da tradição, que a vontade se encontra escravizada e é totalmente dependente da graça de Deus para a libertação. Como resultado dessas publicações, a postura de Erasmo com relação ao Reformador e a percepção de Lutero sobre o humanista não mais permaneceram em segredo. Agora todos sabiam que Erasmo não apoiaria a reforma de Lutero nem tomaria partido dele contra Roma; pelo contrário, preferindo opor-se à teologia da graça soberana elaborada por Lutero.

Livre-arbítrio, contingência e necessidade

A fim de compreender plenamente como o entendimento de Lutero sobre a vontade diferiu da visão erasmiana, devemos começar com a definição de livre escolha apresentada Erasmo, que disse: "Por livre escolha aqui queremos denotar um poder da vontade humana pelo qual um homem pode se aplicar às coisas que conduzem à salvação eterna ou se afastar delas".[6] Erasmo, sem dúvida, defendeu o poder da vontade de escolher contrariamente, e tal definição parece excluir a necessidade divina. Ele também torna o homem ativo e cooperativo (ou resistivo) no processo de conversão, já que é capaz de se aplicar à salvação ou de se afastar dela.

Se quisermos compreender por que Lutero achava a definição de Erasmo insustentável, devemos rever o seu ponto de vista sobre contingência e necessidade quando o assunto eram as escolhas humana e divina. Na mente de Lutero, o argumento do "relâmpago", que refuta o livre-arbítrio como Erasmo o entendia, era a presciência imutável e eterna de Deus, o qual "não conhece nada contingentemente", mas sim "prevê e propõe, e faz todas as coisas por sua vontade imutável, eterna e infalível".[7] Segue-se, portanto, que, se Deus nada conhece contingentemente, a humanidade não pode possuir uma liberdade de escolha contrária, pois tudo o que o homem faz não apenas foi previsto por Deus, como também acontecerá exatamente como Deus propôs, na eternidade passada, que aconteceria.

Outra maneira de apresentar isso é dizer que Deus "necessariamente conhece de antemão", e, portanto, o homem não pode possuir a capacidade de escolher outra coisa senão aquilo que Deus necessariamente conhece de antemão e deseja.[8] Sem rodeios, Lutero afirma: "Se Deus conhece de antemão uma coisa, essa coisa

---

[6] Como citado em Martinho Lutero, *The Bondage of the Will*, LW 33:103 [*Da vontade cativa*, em *Obras selecionadas, Volume 4: Debates e controvérsias II*. Comissão Interluterana de Literatura. São Leopoldo: Editora Sinodal; Porto Alegre: Editora Concórdia, s/d.

[7] Ibid., LW 33:37.

[8] Ibid. Para uma apresentação mais extensa, por parte de Lutero, do pré-conhecimento e da necessidade, veja *LW* 33:184–192.

necessariamente acontece". Portanto, "não há tal coisa como livre escolha".[9] Note que Lutero se recusou a divorciar presciência e vontade de Deus com respeito a todas as coisas, pois as duas são inseparáveis. "Se ele conhece de antemão assim como deseja", disse Lutero, "então, sua vontade é eterna e imutável (porque sua natureza é assim), e, se ele deseja assim como conhece de antemão, então, seu conhecimento é eterno e imutável (porque sua natureza é assim)".[10] Lutero antecipou a seguinte conclusão:

> Daí decorre irrefutavelmente que tudo o que fazemos, tudo o que acontece, mesmo que nos pareça que ser de maneira mutável e contingente, na realidade acontece necessariamente e de maneira imutável, se você considerar a vontade de Deus, pois a vontade de Deus é eficaz e não pode ser impedida, visto que é o poder da própria natureza divina.[11]

De que maneira, então, Lutero preferiu relacionar as escolhas voluntárias do homem à presciência e ao decreto de Deus? Embora tenha usado o termo "necessidade", ele lamentou que não fosse o ideal, uma vez que poderia erroneamente transmitir a ideia de uma "espécie de compulsão", que Lutero claramente negou. Evidentemente, Lutero rejeitava qualquer opinião que, de modo fatalista, dissesse que a vontade de Deus ou do homem ocorre por compulsão e não por "prazer ou desejo" (duas palavras que, para Lutero, descreviam a "verdadeira liberdade").[12] Ao negar a coerção, Lutero não pretendia de modo nenhum negar que a vontade de Deus é imutável e infalível. Não devemos perder o contraste que ele propõe: embora a vontade de Deus permaneça imutável, nossa vontade permanece mutável, e a primeira governa (ou mesmo controla) a segunda. Como Boécio poeticamente observa: "Permanecendo imutável, tu fizeste todas as coisas se moverem". Certamente, a vontade do homem está incluída: "Nossa vontade, especialmente quando é má, não pode, por si mesma, fazer o bem".[13] Em resumo, a vontade de Deus opera por necessidade, mas não por coerção. A distinção de Lutero tinha implicações óbvias para a vontade do homem, a qual ocorre no espectro da necessidade divina, embora não por coerção. Então, ele inevitavelmente quer, mas não pela força. Como muitas passagens confirmam, "todas as coisas acontecem por necessidade".[14]

---

[9] Ibid., *LW* 33:195.
[10] Ibid., *LW* 33:37.
[11] Ibid., *LW* 33:195, 37.
[12] Ibid., *LW* 33:39.
[13] Ibid.
[14] Ibid., *LW* 33:39, 60. Lutero também pretendeu estabelecer seu argumento apelando a Romanos 9:18–22 ("Deus [...] endurece a quem ele quer" e "Deus, querendo mostrar a sua ira"), bem como as palavras de Jesus em Mateus 22:14 ("Muitos são chamados, mas poucos são escolhidos") e em João 13:18 ("Conheço os que escolhi"). Além disso, a Escritura diz que "todas as coisas subsistem ou caem pela escolha e autoridade de Deus, e toda a

Além disso, a necessidade não está somente sobre nós do lado de fora (isto é, Deus), mas é também um efeito devido a algo dentro de nós (isto é, a escravidão ao pecado). Antes do divino poder de conversão, o homem encontra-se ligado ao pecado e ao Diabo num estado de escravidão. A salvação, portanto, "está além de nossos próprios poderes e recursos, e depende apenas da obra de Deus". Se Deus "não está presente e trabalhando em nós", Lutero observou, "tudo o que fazemos é mau, e necessariamente fazemos o que não tem proveito para a salvação". "Pois, se não somos nós, mas somente Deus, que opera a salvação em nós, então, antes que ele trabalhe, não podemos fazer nada de significado salvífico, quer queiramos, quer não".[15] A escravidão do homem, em outras palavras, demanda um trabalho interior monergista de Deus.

Lutero, no entanto, acrescentando novamente uma importante qualificação, esclareceu que essa necessidade não é o mesmo que coerção. Aqui chegamos ao cerne da questão, quando ele articulou uma liberdade de inclinação. Necessidade, em outras palavras, não impede o desejo, mas realmente requer o desejo do homem. Note quão cuidadosamente Lutero trabalhou para evitar a compulsão. Ele poderia dizer que o homem peca por necessidade, e não por compulsão, precisamente porque tal necessidade é de inclinação e desejo, não coerção. Ele explicou:

> Quando um homem está sem o Espírito de Deus, ele não faz o mal contra sua vontade, como se fosse levado pelo pescoço e forçado a isso, como um ladrão levado contra a vontade para o castigo, mas ele o faz por sua própria decisão e com uma vontade pronta. E essa prontidão ou vontade de agir ele não pode, por seus próprios poderes, omitir, restringir ou mudar, mas continua disposto e pronto.[16]

Lutero só promoveu sua argumentação a favor de uma liberdade de inclinação compatível com a necessidade quando explicou como o Espírito trabalha dentro do pecador. Antes do agir do Espírito, a vontade está em escravidão, e, ainda assim, é uma escravidão voluntária e desejada. No entanto, quando o Espírito opera dentro do pecador escravizado, a "vontade é mudada" e "suavemente inspirada pelo Espírito de Deus". Essa obra pelo Espírito aniquila ou coage a vontade do homem, uma vez que é irresistível? De jeito nenhum. O Espírito opera sobre a vontade, de modo que a vontade age

> por pura disposição e inclinação, e por vontade própria, não por compulsão, de modo que não pode ser desviada de outro modo por qualquer oposição, nem ser superada ou obrigada

---

terra deve ficar em silêncio perante o Senhor [Habacuque 2:20]". Lutero, *Da vontade cativa*, *LW* 33:60. Como pode a necessidade, disse Lutero, ser removida dessas passagens? (Ele também apelou para Isaías 46:10.)
[15] Ibid., *LW* 33:64.
[16] Ibid.

mesmo pelas portas do inferno, mas continua a querer, a deliciar-se e a amar o bem, assim como antes desejou o mal, deleitou-se nele e o amou.[17]

Para reiterar o argumento de Lutero, a vontade é livre não porque tenha um poder de escolha contrária, mas porque necessariamente escolhe o que mais deseja, aquilo a que se inclina. Antes do trabalho do Espírito, a vontade pecará necessariamente porque se encontra escravizada pelo pecado, e não é uma escravidão forçada, mas desejada por ela mais do que qualquer outra coisa. No entanto, quando o Espírito chega aos eleitos de Deus, a vontade é transformada, recebendo novos desejos. Novamente, entra em cena a necessidade, pois o Espírito opera eficazmente na vontade.[18] No entanto, tal eficácia não é coerção, uma vez que as novas inclinações do pecador agora o levam a desejar mais a Cristo do que a qualquer outra coisa. Em suma, enquanto antes ele necessariamente desejava o mal, agora necessariamente deseja o bem, considerando-o seu maior deleite.

A ESCRAVIZAÇÃO DA VONTADE

Deveria ser evidente agora que, ao contrário de Roma e de muitos pais do final da Idade Média, Lutero não hesitou em afirmar a escravidão da vontade e a incapacidade espiritual do pecador em questões de salvação antes da obra de novo nascimento e de conversão feita pelo Espírito.

Essa escravidão, no entanto, tinha múltiplas fontes. Lutero identificou duas: o Diabo e o mundo. Tendo em mente 2Timóteo 2:26, Lutero demonstrou que cada homem está sob o deus deste mundo, cativo à vontade deste. Esse cativeiro a Satanás envolve necessidade? Completamente. "Não podemos desejar nada, a não ser o que ele deseja".[19] A partir de Lucas 11:18–21, Lutero ensinou que é preciso um "mais forte" (Cristo) para vencer o Diabo, e Cristo faz exatamente isso por meio do Espírito. Somos transferidos de uma escravidão para outra, embora nossa

---

[17] Ibid., *LW* 33:65.
[18] Ao analisar a expressão "necessidade absoluta", de Lutero, deve-se considerar que ele a usou, como demonstra este capítulo, no contexto de sua disputa com Erasmo. No entanto, parece que Lutero não se apoiou nessa linguagem em seus escritos depois de 1525. Mais tarde (por exemplo, em seus sermões sobre Gênesis), ele advertiu contra a compreensão equivocada de seu *De servo arbitrio*, embora nunca tenha se retratado do que escreveu. Em minha correspondência pessoal com Robert Kolb, estudioso de Lutero, ele observa que, depois de 1525, Lutero se apoiou na promessa dada na Palavra (oral e escrita) e nos sacramentos a fim de prover o povo de Deus com segurança, a qual ele buscava reforçar por apelar à eleição em seu *De servo arbitrio*. Talvez isso possa ser rastreado até a ênfase crescente de Lutero na lei e no evangelho. Enquanto a lei revela que somos culpados por nossa própria condenação, o evangelho revela que Deus recebe o crédito por nossa salvação. Lutero não tentou resolver logicamente a tensão entre essas verdades gêmeas; no entanto, cria que ambas eram críticas no cuidado pastoral. Lutero, portanto, pregava a lei e estava ciente de que pregar a predestinação à condenação poderia ter o efeito infeliz de criar presunção ou libertinagem entre aqueles que poderiam se aventurar em usar a eleição como desculpa ou criar desespero naqueles que não ouviram a promessa do evangelho. Para Lutero, portanto, a predestinação destinava-se a apoiar a promessa do evangelho.
[19] Lutero, *Da vontade cativa*, em *LW* 33:65.

escravidão a Cristo seja realmente uma "liberdade régia" que nos permite "prontamente desejar e fazer o que ele quiser".[20]

É famosa a figura usada por Lutero para retratar a vontade situada entre Deus e o Diabo como uma besta de carga: "Se Deus a cavalga, ela quer e vai para onde Deus quer, como diz o salmista: 'Minha atitude para contigo era a de um animal irracional. Contudo, sempre estou contigo;'"[21] mas se Satanás a cavalga, "ela quer e vai para onde Satanás quer". Poder-se-ia pensar, então, que a vontade só deve correr para (ou escolher) quem a cavalgará. Lutero respondeu: "Nem pode [a vontade] optar por correr para qualquer um dos dois cavaleiros ou procurá-lo, mas os próprios cavaleiros disputam a posse e o controle dela".[22]

O MONERGISMO DE LUTERO

Lutero era monergista? Como já é evidente, sim, ele era mesmo. Mas também é preciso considerar o apelo que Lutero faz a partir de 1Pedro 5:5. Ele cria que "Deus certamente prometeu sua graça aos humildes". Mas quem são os humildes? Aqueles que "lamentam por si mesmos e se desesperam de si mesmos". Caso o leitor pense que esse arrependimento não é de Deus, Lutero rapidamente acrescentou: "Mas nenhum homem pode ser completamente humilhado até que saiba que sua salvação está absolutamente além de seus próprios poderes, de seus recursos, de seus esforços, de sua vontade e de suas obras, e depende inteiramente da escolha, da vontade e da obra de outro, ou seja, somente de Deus". Lutero prosseguiu eliminando o sinergismo, mesmo o mais discreto:

> Enquanto [o homem] estiver persuadido de que ele mesmo pode fazer o mínimo por sua salvação, ele mantém alguma autoconfiança e não se desespera de si mesmo, e, portanto, não se humilha diante de Deus, mas presume que haja – ou pelo menos espera ou deseja que possa haver – algum lugar, tempo e obra para ele, pelos quais possa alcançar a salvação.

Qual é, então, a solução para a situação do homem? "Quando um indivíduo não tem dúvida de que tudo depende da vontade de Deus, então ele se desespera

---

[20] Ibid., *LW* 33:65.
[21] Salmos 73:22b,23a.
[22] Ibid., *LW* 33:65,66. Nessa luz, Lutero desejava que os teólogos simplesmente evitassem a expressão *livre-arbítrio*. Não é útil, mas acrescenta enorme confusão (e é mesmo perigosa, disse Lutero). Uma vez que "fazemos tudo por necessidade, e nada por livre escolha", a expressão "livre-arbítrio" deve ser abandonada para que não dê às pessoas a impressão oposta, ou seja, que a livre escolha é um "poder que pode girar livremente em qualquer direção, sem estar sob influência ou controle de ninguém" (Ibid., *LW* 33:68). No entanto, Lutero era razoável ao perceber que a expressão *livre-arbítrio* se recusa a desaparecer. Então, ele insistiu que, se ela tivesse de ser usada, a pessoa deveria ter certeza de que fosse usada corretamente. Se o termo for usado com honestidade, isso significaria que a livre escolha só é aplicada ao homem "com relação ao que está debaixo dele, e não ao que está acima dele", isto é, assuntos relativos a Deus, salvação e condenação (Ibid., 33:70). Para os leitores do século XXI, deve ser óbvio que Lutero rejeitou francamente o que filósofos e teólogos denominam *liberdade libertária*.

completamente e não escolhe nada para si, mas espera que Deus trabalhe; então, ele terá se aproximado da graça e pode ser salvo".²³

Em suma, o primeiro sinal de que o homem está no caminho certo é quando ele reconhece que nada pode vir de si mesmo, mas que tudo deve vir de Deus. Dito de outra maneira, o homem deve entender o fato de que ele é total e absolutamente dependente da graça e da misericórdia de Deus, e nada pode fazer, mesmo o mínimo, para se salvar: "A livre escolha sem a graça de Deus não é livre, mas imutavelmente cativa e escrava do mal, já que não pode por si só voltar-se para o bem".²⁴ Lutero reconheceu, no entanto, quão comum é para os homens resistirem a uma visão tão humilhante de si mesmos. Eles condenam "esse ensinamento de autodesespero, desejando que algo, ainda que pequeno, lhes seja deixado para fazerem; assim, permanecem secretamente orgulhosos e inimigos da graça de Deus".²⁵

A fim de ressaltar mais o monergismo de Lutero, em contraste com o sinergismo erasmiano, seria sábio voltar à definição de Erasmo mais uma vez: "Por livre escolha, neste lugar, referimo-nos a um poder da vontade humana pelo qual um homem pode se aplicar às coisas que conduzem à eterna salvação ou se afastar delas".²⁶ Comentando essa definição, Lutero elabora o significado dela: "Sobre a autoridade proposta por Erasmo, então, a livre escolha é um poder da vontade capaz de querer e de não querer a Palavra e a obra de Deus, pela qual ela é levada àquelas coisas que excedem tanto sua compreensão quanto sua percepção."²⁷ Lutero acrescentou que se, para Erasmo, o homem pode "querer ou não querer", então ele pode também "amar e odiar", o que também significa que ele pode, "em certo grau, fazer as obras da lei e crer no evangelho".²⁸ Qual foi a crítica de Lutero? Se essa é a definição de livre-arbítrio, então nada na salvação é deixado para a graça de Deus e ao Espírito Santo! "Isso claramente significa atribuir divindade à livre escolha, pois querer a lei e o evangelho, não querer o pecado e querer a morte, pertencem ao poder divino apenas, como Paulo diz em mais de uma passagem".²⁹

Por outro lado, Lutero estava convencido, a partir da Escritura, de que o Espírito opera dentro de nós sem nossa ajuda (ou seja, monergismo): "Antes que o homem seja transformado em uma nova criatura do Reino do Espírito, ele não faz nada e não tenta nada com a intenção de preparar para essa renovação e esse Reino".³⁰

---

²³ Ibid., *LW* 33:61,62.
²⁴ Ibid., *LW* 33:67.
²⁵ Ibid., *LW* 33:62.
²⁶ Como citado em ibid., *LW* 33:103.
²⁷ Ibid., *LW* 33:106.
²⁸ Ibid., *LW* 33:106,107.
²⁹ Ibid., *LW* 33:107.
³⁰ Ibid., *LW* 33:243.

Em outro trecho, Lutero também protegia seus leitores do semipelagianismo e do semiagostinianismo. Ao contrário de Erasmo, ele sustentou que não é como se o homem precisasse apenas de um pouco de ajuda de Deus e, então, poderia "preparar-se para o favor divino por meio de obras moralmente boas". Ao contrário, "se, por meio da lei, o pecado abunda, como é possível que um homem seja capaz de se preparar por obras morais para o favor divino? Como as obras podem ajudar quando a lei não ajuda?"[31]

Em resumo, Lutero não daria sequer um lugar, ainda que mínimo, para o livre-arbítrio no novo nascimento e na conversão do homem. Para citar Lutero, devemos evitar a tentação de encontrar uma "via média" que concederia até mesmo "um lugarzinho" ao livre-arbítrio.[32] Era tudo ou nada para ele: "Portanto, devemos fazer tudo o que está ao nosso alcance e negar completamente a livre escolha, atribuindo tudo a Deus; então, não haverá contradições nas Escrituras".[33] É difícil imaginar uma afirmação mais forte do monergismo divino.

Lei e Evangelho

Se Lutero estava certo, então, o que se deve fazer dos muitos mandamentos da Bíblia? Esses imperativos e leis não implicam habilidade por parte do homem em cumpri-los? *Dever* não significa *poder*? Na verdade, esse era um argumento a que Erasmo se apegava em sua defesa do livre-arbítrio. No entanto, Lutero acreditava que Erasmo tinha entendido mal o propósito da lei em referência ao incrédulo.

Os imperativos de Deus jamais pretenderam sugerir que o homem tem algo dentro de si para cumpri-los. Em vez disso, Deus conduz o homem à lei a fim de revelar sua impotência, como Paulo afirma em Romanos 3:20. "A natureza humana", disse Lutero, "é tão cega que não conhece seus próprios poderes, ou melhor, suas doenças, e tão orgulhosa de imaginar que sabe e que pode fazer tudo; e, para esse orgulho e essa cegueira, Deus não tem remédio mais imediato do que propor sua lei".[34] Longe de demonstrar a liberdade do homem, os imperativos bíblicos expõem sua corrupção e seu cativeiro, para não mencionar seu orgulho, seu desprezo e sua ignorância. Portanto, quando encontramos preceitos na lei, devemos reconhecer que eles não são o mesmo que promessas. Por exemplo, Deus pode ordenar aos pecadores não terem outros deuses ou cometerem adultério, mas esses mandamentos não prometem ao homem que ele não pecará ou que não quebrará os preceitos de Deus, ou mesmo que o homem tenha dentro de si capacidade de cumprir essas ordens.

---

[31] Ibid., *LW* 33:219.
[32] Ibid., *LW* 33:245.
[33] Ibid.
[34] Ibid., LW 33:121.

A mesma cautela se aplica também aos convites divinos. Por exemplo, Deus diz em Deuteronômio 30:15, 19: "Vejam que hoje ponho diante de vocês vida e prosperidade, ou morte e destruição. [...] Agora escolham a vida". Erasmo pensou que tais versículos provavam seu ponto de vista, afinal, Deus deixa isso para o homem, pois este tem liberdade de escolher. Todavia, Lutero discordava. Passagens como Deuteronômio 30 oferecem a vida, mas Deus nunca diz que o homem tem a capacidade de escolher a vida nem garante que lhe dará a vida. Certas condições devem ser atendidas, e, embora Deus sinceramente coloque dois caminhos diante do homem (vida e morte), as Escrituras mostram que o homem não regenerado sempre escolhe a morte, e não a vida. Assim, a lei só mostra ao homem como os preceitos divinos são impossíveis [de serem obedecidos], não porque haja alguma falha nas ordenanças de Deus, mas porque o homem é corrupto e foi aprisionado pelo pecado, pelo mundo e pelo Diabo. A menos que Deus envie o Espírito, esse é o estado no qual o homem permanecerá.[35] Como Lutero expressou sucintamente: "O homem peca perpétua e necessariamente e erra até que seja endireitado pelo Espírito de Deus".[36]

É precisamente nesse ponto no debate de Lutero com Erasmo que a distinção que aquele faz entre lei e evangelho desempenhou um papel fundamental. Quando se opõe à lei, a incapacidade do homem é visível; então, o evangelho brilha como sua única esperança. Se revertermos essa ordem bíblica, como Lutero acreditava que Erasmo havia feito, então, transformaremos lei em evangelho e evangelho em lei. Portanto, entender a lei *como* lei é essencial.[37]

Não devemos nos esquecer de que, para Lutero, a lei desempenhou um papel crucial em preparar pecadores para o evangelho. A lei "expõe claramente a situação do homem para ele", quebrando-o e confundindo-o com "autoconhecimento, a fim de prepará-lo para a graça e enviá-lo a Cristo para que seja salvo".[38] Se a lei mostrasse ao homem sua capacidade espiritual em vez de seu cativeiro, então ela não levaria ao evangelho e à graça, mas, em vez disso, conduziria o homem de volta para si mesmo como aquele que pode desejar e alcançar a própria justiça. Mas, se a lei expuser o cativeiro e a depravação do homem, este deve depender inteiramente do que Cristo fez por ele e perceber sua dependência dos dons do Espírito do novo nascimento, da fé e do arrependimento. Sob esse enfoque, Lutero permaneceu inflexível para que seus leitores não cometessem o erro de Erasmo de confundir o evangelho com a lei e a lei com o evangelho.

---

[35] Ibid., *LW* 33:126.
[36] Ibid., *LW* 33:177.
[37] Ibid., *LW* 33:127, 132,133.
[38] Ibid., *LW* 33:130,131. Lutero também mostrou como a lei e Satanás diferem nesse aspecto: enquanto Satanás engana o homem para fazê-lo pensar que é livre (quando, na verdade, ele está à mercê de Satanás), Moisés e o legislador usam a lei para mostrar ao homem que ele não é livre, mas aprisionado e condenado.

PHILIP MELANCHTHON E A CONTROVÉRSIA SOBRE O SINERGISMO

Lutero está no centro das atenções ao se falar da Reforma, enquanto Philip Melanchthon fica à sua sombra. Mas, ainda que de nossa parte este não seja colocado em destaque, às vezes Lutero realmente desloca a atenção para Melanchthon, até mesmo elogiando os escritos deste mais do que os seus próprios. Foi isso que ele fez ao elogiar as *Loci Communes* [Lugares-comuns], de Melanchthon. Por exemplo, em sua *Table Talk* [Conversa à mesa], Lutero deu uma receita muito clara sobre como alguém poderia se tornar um teólogo. Primeiro, ler a Bíblia; "depois ele deveria ler *Loci Communes*, de Filipe". Se alguém der esses dois passos, então, nada poderá impedi-lo de ser teólogo, nem mesmo "o diabo" ou um "herege" poderão "sacudi-lo"![39]

Lutero elogiou essa obra de Melanchthon não por causa da mera amizade, mas por causa da utilidade do livro na teologia e na igreja. Como ele próprio explicou:

> Não há livro sob o sol no qual a teologia seja tão compactamente apresentada como em *Loci Communes*. Se você ler todos os pais e os sentenciários [comentaristas do final da Idade Média sobre os *Quatro livros de sentenças*, de Pedro Lombardo], nada terá. Não há livro melhor escrito à parte das Sagradas Escrituras do que o de Philip. Ele se expressa mais concisamente do que eu quando argumenta e instrui.[40]

De modo semelhante, Lutero reservou grandes elogios aos *Lugares-comuns* de Melanchthon no início de *Da vontade cativa*. Em um esforço para desacreditar os argumentos de Erasmo sobre o livre-arbítrio, Lutero disse que tais argumentos haviam sido "refutados já tantas vezes por mim, e derrotados e completamente pulverizados em *Lugares-comuns*, de Philip Melanchthon, um pequeno livro inquestionável que, em minha opinião, merece não só ser imortalizado, mas até mesmo canonizado".[41] É difícil pensar em um louvor mais elevado!

Esses elogios ao texto de Melanchthon não são sem importância, pois demonstram que, na etapa inicial do pensamento de Lutero, ele estava de acordo com a teologia de Melanchthon esboçada em *Lugares-comuns*, de 1521, quando tratou de pecado, da necessidade e do livre-arbítrio.[42] No entanto, em edições subsequentes

---
[39] Lutero, *Table Talk*, *LW* 54:439,340.
[40] Ibid., *LW* 54:440.
[41] Ibid., *LW* 33:16.
[42] Alguém pode perguntar, então, por que Lutero não repreendeu Melanchthon por mais tarde se voltar ao livre-arbítrio. Alguns argumentariam que o silêncio de Lutero demonstra que Melanchthon foi mal interpretado, que nunca se tornou sinergista. No entanto, esse é um argumento do silêncio (embora não seja um argumento sem a devida consideração, visto que Lutero não hesitava em confrontar até mesmo seus amigos mais próximos), e parece imprudente determinar a posição de Melanchthon com base na reação de Lutero ou na falta dela. Drickamer reconhece o silêncio peculiar, mas pode ter uma solução melhor para esse enigma: "É intrigante que Lutero não tenha falado sobre essa ideia em desenvolvimento. O próprio Melanchthon podia não estar ciente das implicações do rumo que estava seguindo, mas, nesse período [década de 1530], ele já estava fazendo declarações que

de *Lugares-comuns*, o desacordo de Melanchthon com Lutero e as simpatias por Erasmo se tornaram evidentes.⁴³ Por exemplo, Melanchthon afirmou três causas (ou fatores) de conversão: o Espírito Santo, a Palavra de Deus e a vontade do homem.⁴⁴ E, no lugar 4, seu afastamento de Lutero se tornou ainda mais transparente: "A livre escolha no homem é a habilidade de aplicar a graça a si mesmo" (*facultas applicandi se ad gratiam*).⁴⁵ Essa frase difere pouco da definição de livre-arbítrio feita por Erasmo, anteriormente examinada, e tal ênfase na livre escolha acabou resultando na questão tratada pela Fórmula de Concórdia. Naquela época, os luteranos já debatiam o assunto há quase cinquenta anos, no entanto, como observa J. A. O. Preus, a questão foi resolvida, e "o luteranismo já não fala de três causas, apenas das duas causas da conversão".⁴⁶

Dito isso, vamos começar com a edição de 1521 de Melanchthon e, em seguida, avançar para seu trabalho na Confissão de Augsburgo, de 1530, e na Apologia da Confissão de Augsburgo, seguindo, por fim, para *Lugares-comuns*, de 1543. Neste último, descobriremos que a visão de Melanchthon a respeito do livre-arbítrio sofreu uma revisão significativa que pelo menos deixou a porta aberta para que outros o interpretem como advogando o sinergismo, criando assim uma futura controvérsia entre os luteranos.⁴⁷

LUGARES-COMUNS, DE MELANCHTHON (1521)

No início de seu comentário sobre o livre-arbítrio de 1521, Melanchthon admitiu não gostar dessa expressão, porque ela era "completamente estranha à Escritura divina e ao sentido e ao juízo do Espírito".⁴⁸ Ao tratar da questão de saber se a vontade é livre, respondeu negativamente, pois acreditava que a predestinação

---

fortemente favoreceram o erro do sinergismo" (John M. Drickamer, "Did Melanchthon Become a Synergist?", *The Springfielder* 40, n. 2, 1976, p. 98). Outra possibilidade, embora meramente especulativa, é que a amizade de Lutero por Melanchthon (que era muito forte) poderia tê-lo impedido de ver mudanças sutis na linguagem do amigo para uma ênfase no livre-arbítrio.

⁴³ Preus nota que Melanchthon manteve oculta sua concordância com Erasmo (J. A. O. Preus, "Translator's Preface". In: Philip Melanchthon, *Loci Communes 1543*. St. Louis: Concordia, 1992], p. 11. Deve-se, entretanto, ressaltar que, nas décadas anteriores, Melanchthon se opôs a Erasmo. Para uma excelente história de seu conflito com Erasmo, veja Timothy J. Wengert, *Human Freedom, Christian Righteousness: Philip Melanchthon's Exegetical Dispute with Erasmus of Rotterdam*. Oxford Studies in Historical Theology. Nova York: Oxford University Press, 1998.

⁴⁴ Para ser historicamente preciso, deve ser dito que *conversão* pode se referir àquela conversão inicial a Cristo ou ao arrependimento contínuo na vida do cristão. Considerando assim, às vezes é difícil decifrar qual dos dois significados está em uso. No entanto, nas citações que se seguem, parece que Melanchthon muitas vezes tem a conversão inicial em vista, especialmente porque no contexto ele se refere a outros indicadores, como o novo nascimento e o não regenerado.

⁴⁵ Preus, "Translator's Preface", p. 11.

⁴⁶ Ibid., p. 11,12.

⁴⁷ Se Melanchthon poderia ser chamado de "sinergista" não era controverso apenas em sua época, mas continua a ser uma questão controversa entre os luteranos ainda hoje.

⁴⁸ Philip Melanchthon, *Commonplaces: Loci Communes 1521*. St. Louis: Concordia, 2014), p. 26.

divina implica que tudo acontece por necessidade. Uma vez que "tudo o que sucede acontece necessariamente de acordo com a predestinação divina, nossa vontade não tem liberdade".[49]

As provas bíblicas de Melanchthon para essa posição são numerosas, incluindo textos como Efésios 1:11, que diz que o deus "faz todas as coisas segundo o propósito da sua vontade".[50] Melanchthon voltou-se também para Romanos 9 e 11, em que Paulo atribui "tudo o que acontece à predestinação divina"; Provérbios (14:12,27; 16:4,11,12,33; 20:24); Eclesiastes 9:1, em que Salomão acredita que "todas as coisas acontecem pela vontade de Deus"; e Lucas 12:7, em que Jesus afirma com "grande ênfase" que "todos os cabelos da tua cabeça estão contados".[51]

À luz dessas passagens, Melanchthon então perguntou se "contingência" realmente existe (acaso, sorte). Resposta: "As Escrituras ensinam que tudo acontece por necessidade". O que se pode concluir senão que "a Escritura nega qualquer liberdade à nossa vontade pela necessidade da predestinação". As coisas "não acontecem por causa de planos ou esforços humanos, mas de acordo com a vontade de Deus".[52]

Melanchthon reagiu contra a "teologia ímpia dos sofistas" (isto é, teólogos escolásticos), que consideravam a predestinação "muito dura" e, consequentemente, "enfatizavam para nós a contingência das coisas e a liberdade de nossa vontade" de tal forma que "nossos sensíveis ouvidos agora rechaçavam a verdade da Escritura".[53] Apesar disso, Melanchthon tomou o cuidado de não ignorar as apropriadas distinções teológicas. Por exemplo: ele reconheceu que, se estamos apenas discutindo a liberdade da vontade no campo da "capacidade natural", então, é apropriado afirmar a "liberdade em obras externas". O que Melanchthon tinha em mente, em outras palavras, eram as mais básicas funções humanas na sociedade, como dizer olá a alguém na rua, decidir o que vestir pela manhã ou sentar-se para jantar. Entretanto, se estamos nos referindo às "afeições interiores", então, o homem possui o poder da vontade.[54] Melanchthon lembrou a seus leitores que a vontade é a fonte dos afetos da pessoa, tanto que a palavra "coração" poderia ser usada em seu lugar. Ele, mais uma vez, retorquiu contra os sofistas que pensavam que a "vontade naturalmente se opõe às afeições ou pode não dar importância à afeição, desde que o

---

[49] Ibid., p. 29.
[50] Cf. Gênesis 15:16; 1Samuel 2:25,26; 1Reis 12:15; Provérbios 16:4,9; 20:24; Jeremias 10:23; Mateus 10:29; Romanos 11:36.
[51] Melanchthon, *Commonplaces: Loci Communes 1521*, p. 30. A tradução dos versículos nesse parágrafo é de Melanchthon.
[52] Ibid., p. 30,31.
[53] Ibid., p. 31.
[54] "Pois a experiência prática nos mostra que nossa vontade não pode, por seu próprio poder, não dar importância ao amor, ao ódio ou a afeições semelhantes, mas uma anula a outra, para que, por exemplo, você pare de amar uma pessoa porque ela lhe fere". Ibid, p. 32.

intelecto a aconselhe e recomende isso". Não, disse Melanchthon; as afeições fluem da vontade ou do coração, este último chamado pelas Escrituras de a "mais elevada faculdade do homem" e aquela "parte do homem da qual brotam as afeições".[55] Mais tarde, Melanchthon estendeu-se sobre esse ponto quando negou que "existe no homem qualquer poder que possa seriamente opor-se a suas afeições".[56] Em sua opinião, a vontade é impulsionada pelas afeições do coração.

Tal foco no coração leva o leitor de Melanchthon para o problema central: o coração é corrupto e, portanto, segue-se que a vontade está em escravidão ao pecado. Na "seleção externa de coisas há certa liberdade", isto é, nas responsabilidades civis. No entanto, o coração é uma questão completamente diferente. Melanchthon proclamou: "Eu rejeito por completo a ideia de que nossas afeições interiores estão sob nosso poder. Também não aceito que qualquer vontade tenha o poder genuíno de se opor a suas afeições".[57] E como Deus requer pureza de coração, o homem natural está em sérios problemas, pois seu coração está corrompido, como afirma Jeremias 17:9. Portanto, "assim que as afeições começam a se irar e se agitarem, elas não podem ser controladas e irrompem."[58] São a raiva e a agitação que nos levam à doutrina de pecado estabelecida por Melanchthon, pelo menos como ele a articulou em 1521.

O que é pecado? Mais especificamente, o que é o pecado original? "O pecado original", ele afirmou, "é uma propensão inata e um impulso natural que nos obriga ativamente a pecar, originando-se em Adão e estendendo-se a toda sua posteridade". Melanchthon objetivava ilustrar o poder inato do homem para pecar comparando-o ao fogo que queima mais fortemente por causa de um poder inato dentro dele ou a um ímã que atrai o ferro para si por um poder inato. Portanto, concluiu Melanchthon, o pecado é uma "disposição [*afetus*] interior corrupta e uma agitação depravada do coração contra a Lei de Deus".[59]

A fim de provar essa doutrina, Melanchthon apelou a uma série de textos bíblicos (Gênesis 6:3; Romanos 8:5,7), bem como aos escritos de Agostinho contra os pelagianos (por exemplo: *Sobre o Espírito e a letra, Contra duas cartas dos pelagianos, Contra Juliano*). Melanchthon não hesitou em concordar com Paulo, que diz, em Efésios 2:3, que o homem é por natureza um filho da ira. Para que não houvesse qualquer dúvida, Melanchthon interpretou que Paulo queria dizer que "se somos por natureza filhos da ira, certamente nascemos filhos da ira. [...] Pois o que mais diz Paulo aqui, exceto que nascemos com todos os nossos poderes sujeitos ao

---

[55] Curiosamente, nesse ponto Melanchthon assemelha-se a Lutero que, em *Da vontade cativa*, viu o livre-arbítrio como fazendo o que a pessoa mais deseja. Ibid., p. 33.
[56] Ibid., p. 35.
[57] Ibid.
[58] Ibid., p. 36.
[59] Ibid., p. 38,39.

pecado e que não existe nenhum bem nos poderes humanos?"⁶⁰ Certamente, a escravidão da vontade do homem resulta dessa submissão inata da vontade ao pecado.

Melanchthon também citou Romanos 5, onde Paulo ensina "que o pecado foi transmitido a todos os homens". Ele negou que Paulo só tivesse em mente os pecados pessoais e atuais de alguém. Em vez disso, Paulo tinha em mente o pecado original, pois, caso contrário, ele não poderia dizer "que muitos morreram por causa da transgressão de um homem".⁶¹

Melanchthon encontrou mais apoio para o pecado original em 1Coríntios 15:22, onde Paulo escreve: "Pois, da mesma forma como em Adão todos morrem, em Cristo todos serão vivificados". Melanchthon comentou: "Agora, se todos nós somos abençoados em Cristo, segue-se necessariamente que somos amaldiçoados em Adão". Do mesmo modo, em Salmos 51:5, Davi reconhece: "Sei que sou pecador desde que nasci, sim, desde que me concebeu minha mãe". O que devemos concluir senão que o homem "nasce com o pecado" (cf. Gênesis 6:5)?⁶² Melanchthon acreditava que Jesus havia destacado o ponto com precisão em João 3:6: "O que nasce da carne é carne". Portanto, à luz do pecado original, cada pecador precisa desesperadamente de um novo nascimento pelo Espírito, nascimento este que se opõe ao primeiro, da carne em culpa e corrupção.⁶³

Voltando-se para passagens como Romanos 8, Melanchthon também mostrou que, de acordo com a carne, o homem não regenerado não pode cumprir a lei de Deus. Por quê? Porque "os que são da carne desejam as coisas da carne".⁶⁴ Ele, portanto, concluiu adequadamente, assim como Paulo, que estar na carne é inimizade contra Deus e sujeitar-se à lei. A falta de obediência à lei é pecado, e "todo movimento e impulso da alma contra a Lei é pecado".⁶⁵ Ou, ao olhar para nosso estado de outro ângulo, "uma vez que nos falta vida, não há nada em nós senão pecado e morte" (cf. Efésios 2:3). À parte do Espírito, tudo o que está dentro de nós é apenas "escuridão, cegueira e erro".⁶⁶

Em vista da depravação de que todo homem é escravo, Melanchthon estava de acordo com Agostinho, que negou que o início do arrependimento está no

---

⁶⁰ Ibid.
⁶¹ Ibid., p. 39.
⁶² Ibid.
⁶³ Ibid., p. 40. Em Melanchthon, o contraste entre "carne" e "Espírito" é central para todo o seu argumento. Ele passou por Romanos e Gálatas, por exemplo, bem como pelo Evangelho de João. "Carne" designava o "velho homem" e "significava todos os poderes pertencentes à natureza humana". O argumento de Melanchthon aqui era negar que "no homem não regenerado, em um homem que não foi lavado pelo Espírito, exista algo que não pode ser chamado carne e, portanto, vicioso". Não, a carne "inclui tudo em nós que seja estranho ao Espírito Santo" (Ibid., p. 46,47).
⁶⁴ Ibid., p. 47.
⁶⁵ Ibid., p. 48.
⁶⁶ Ibid.

homem.⁶⁷ Afinal, o próprio Jesus disse em João 6:44: "Ninguém pode vir a mim, se o Pai, que me enviou, não o atrair". Mas os mandamentos das Escrituras não supõem que temos a capacidade interior de ir a Jesus? De modo nenhum, respondeu Melanchthon:

> Só porque ele nos ordena voltar-nos para ele não significa que está em nosso poder arrepender-nos ou voltar-nos para ele. Deus também nos ordena que o amemos acima de todas as coisas. Mas não podemos concluir que temos o poder de fazê-lo simplesmente porque ele ordena. Pelo contrário, é precisamente porque ele ordena que isso não está em nosso próprio poder. Por ordenar o impossível, ele nos ordena sua misericórdia.⁶⁸

Como Zacarias 10:6 explica, Deus é quem converte, não o homem.

No final de sua apresentação da doutrina do pecado, Melanchthon ajudou a identificar o cerne da questão. As afeições pecaminosas e corruptas "estão tão enraizadas no homem que ocupam toda a sua natureza e a mantêm cativa". Essa depravação não se limita a uma parte do homem, mas permeia todo o seu ser íntimo. As Escrituras nos ensinam que essas "afeições carnais não podem ser superadas senão pelo Espírito de Deus, pois somente aqueles a quem o Filho libertou são verdadeiramente livres (João 8[:36])."⁶⁹

A CONFISSÃO DE AUGSBURGO, DE 1530, E SUA APOLOGIA

Certamente, outras obras de Melanchthon na década de 1520 poderiam ser consultadas, mas são a Confissão de Augsburgo, de 1530, bem como a apologia de Melanchthon a ela, que devem prender nossa atenção agora.⁷⁰ A Confissão de Augsburgo foi corajosamente apresentada em 25 de junho de 1530 por teólogos e leigos luteranos, liderados por Philip Melanchthon, em resposta ao imperador Carlos V, com o objetivo de defender suas crenças luteranas e distinguir seus pontos de vista daqueles defendidos por Roma, anabatistas e zuinglianos.⁷¹ Depois, os luteranos

---

⁶⁷ Ibid., p. 54.
⁶⁸ Ibid., p. 55.
⁶⁹ Ibid., p. 56.
⁷⁰ O espaço não permite explorar a exposição que Melanchthon faz de Colossenses em 1527/1528, mas Kolb observa que, nesse trabalho, Melanchthon "declara que a vontade não tem nenhum poder para escolher voltar-se para Deus". "A lei pode coagir alguma obediência externa por parte dos incrédulos, mas esse tipo de obediência, à parte da fé, é fatalmente falha por causa do pecado original, que habita interiormente". Veja Robert Kolb, *Bound Choice, Election, and Wittenberg Theological Method: From Martin Luther to the Formula of Concord*. Lutheran Quarterly Books. Grand Rapids: Eerdmans, 2005, p. 80.
⁷¹ A ala radical da Reforma não é o foco deste capítulo. Contudo, para conhecer seus diversos pontos de vista sobre predestinação, graça, pecado original, livre-arbítrio, veja Michael W. McDill, "Balthasar Hubmaier and Free Will", em *The Anabaptists and Contemporary Baptists: Restoring New Testament Christianity: Essays in Honor of Paige Patterson*, editado por Malcolm Yarnell. Nashville: B&H Academic, 2013, p. 137–154; Meic Pearse, *The Great Restoration: The Religious Radicals of the 16th and 17th Centuries*. Carlisle: Paternoster, 1998, p. 144,145;

esperaram para ver como o imperador responderia. Em 3 de agosto, ele emitiu sua resposta, a *Confutação Pontifícia da Confissão de Augsburgo*, que seria seguida, nos meses subsequentes, por ameaças e exigências de que os luteranos recuassem. Mas, com o apoio moral de Lutero, os luteranos não o fizeram. Em resposta à *Confutação Pontifícia* do imperador, Melanchthon escreveu sua Apologia (ou defesa), que é uma completa refutação dos pontos de vista de Roma, por exemplo, em sua afirmação de *sola gratia, sola fide* e *solus Christus*.

Os artigos 2º e 18º da Confissão de Augsburgo são especialmente relevantes para nossos propósitos. Primeiro, considere o artigo 2, sobre o pecado original:

> Depois da queda de Adão, todos os homens que se reproduzem segundo a natureza nascem com pecado, isto é, sem temor de Deus, sem confiança em Deus e com concupiscência. E ensinam que essa enfermidade ou vício original [*vitium originis*] verdadeiramente é pecado, que condena e traz morte eterna ainda agora aos que não renascem pelo batismo e pelo Espírito Santo.[72]

Aqui a Confissão ensina que o pecado de Adão é herdado por sua posteridade. Nascer em pecado significa que o homem, desde o início, é inclinado a pecar.

A Confissão não é insignificante ao mencionar a concupiscência humana, pois, ao fazê-lo, evita o erro de pensar o pecado como mera ação, e não como uma doença interior que corrompe e leva o homem a se inclinar para o mal. Por essa razão, a Apologia de Melanchthon afirma que a concupiscência em si é pecado.[73] A concupiscência, que todos os que nascem segundo a carne têm por natureza, é a "tendência contínua de nossa natureza", e porque essa natureza tem sua origem em Adão, Melanchthon negou "a capacidade da natureza humana", isto é, o "dom e o poder necessários para produzir temor e fé em Deus". Para esclarecer, a concupiscência significa que as pessoas não só carecem de "temor e fé em Deus", mas "são incapazes de produzir verdadeiros temor e confiança nele".[74] O pecado original, portanto, não pode ser separado da incapacidade espiritual e da natureza corrupta do homem.

No final, a Apologia de Melanchthon rejeita explicitamente qualquer pessoa que diga que o pecado original não é "uma falha ou corrupção na natureza humana,

---

Thor Hall, "Possibilities of Erasmian Influence on Denck and Hubmaier in Their Views on the Freedom of the Will", *MQR* 35, n. 2, 1961, p. 149–170; Werner O. Packull, "An Introduction to Anabaptist Theology". In: David Bagchi e David C. Steinmetz (eds.). *The Cambridge Companion to Reformation Theology*. Nova York: Cambridge University Press, 2004, p. 203–207.

[72] "A Confissão de Augsburgo", art. 2, em www.mluther.org.br/Luteranismo/Confissao%20de%20Augsburgo.htm,. Acesso em 1.mar.2017.

[73] E.g., "[Nossos oponentes] defendem que concupiscência é punição, não pecado. Lutero sustenta que ela é pecado." Em apoio a isso, é mencionado Romanos 7:7,23. "The Apology of the Augsburg Confession", art. 2, em Robert Kolb e Timothy J. Wengert, eds., *The Book of Concord: The Confessions of the Evangelical Lutheran Church*, trad. Charles P. Arand et al. Minneapolis: Fortress, 2000, p. 118.

[74] Ibid., p. 112.

mas apenas uma sujeição ou uma condição de mortalidade".[75] Ao contrário, o pecado original é a ausência de justiça original, assim como a corrupção da natureza do homem. Naturalmente, tanto a Confissão como a Apologia negam que qualquer coisa no homem contribua para sua justificação. Enquanto os "escolásticos trivializam tanto o pecado quanto sua penalidade quando ensinam que os indivíduos, por seu próprio poder, são capazes de guardar os mandamentos de Deus", os luteranos encontram apoio nas Escrituras para afirmar que "a natureza humana se encontra escravizada e mantida cativa pelo diabo". Portanto, assim "como o diabo não é derrotado sem a ajuda de Cristo, também nós, por nossos próprios poderes, somos incapazes de nos libertar daquela escravidão".[76] Portanto, Cristo e o Espírito são absolutamente necessários, uma vez que aquele remove nosso pecado e castigo, e também destrói o Diabo, o pecado e a morte, e este dá novo nascimento.[77]

Em segundo lugar, a confissão trata do "livre-arbítrio" no artigo 18. Como as *Loci Communes* de Melanchthon, de 1521, a Confissão distingue entre liberdade no âmbito da sociedade e liberdade no âmbito do coração. Embora "a vontade humana [tenha] certa liberdade para operar justiça civil e escolher entre as coisas sujeitas à razão", não temos "a força para operar, sem o Espírito Santo, a justiça de Deus, ou a justiça espiritual".[78] Sua base bíblica para essa afirmação da escravidão da vontade é 1Coríntios 2:14: "Quem não tem o Espírito não aceita as coisas que vêm do Espírito de Deus".[79]

Novamente, a confissão coloca a culpa nos "pelagianos e outros" (isto é, Gabriel Biel), mas realmente inclui qualquer um que ensinasse que "sem o Espírito Santo, somente pelos poderes da natureza, conseguimos amar a Deus acima de todas as coisas e podemos também guardar os mandamentos de Deus 'segundo a substância dos atos'."[80] Embora a natureza do homem possa externamente abster-se, digamos, de assassinato ou roubo, ela "não pode produzir movimentos internos, como o temor de e a confiança em Deus, a paciência etc".[81] Para que isso aconteça, a graça de Deus deve intervir, pois, sem ela, o homem não pode fazer nada espiritualmente bom. Como Melanchthon disse em sua Apologia, somos ímpios, pois não pode "a

---

[75] Ibid., p. 112,113.
[76] Ibid., p. 119.
[77] Ibid., p. 118,119.
[78] "A Confissão de Augsburgo", art. 18.
Disponível em: <www.mluther.org.br/Luteranismo/Confissao%20de%20Augsburgo.htm>. Acesso em: 1 mar 2017.
[79] A Confissão também apela para *Hypognosticon* (Livro III), de Agostinho, para enfatizar o mesmo ponto: embora o homem seja livre para "querer trabalhar no campo, querer comer e beber, querer ter um amigo, querer possuir vestimenta, querer construir uma casa, querer esposa, criar gado" e coisas assim, isso não significa que sejamos capazes de, "nas coisas que dizem respeito a Deus, a começá-las sem Deus ou seguramente completá-las". Ibid. p. 51
[80] Ibid, p. 53.
[81] Ibid, p. 53.

árvore ruim dar frutos bons [Mateus 7:18], e 'sem fé é impossível agradar a Deus' [Hebreus 11:6]'". Portanto, não devemos "atribuir ao livre-arbítrio essas capacidades espirituais". Assim, a necessidade que o Espírito Santo atue no novo nascimento é grande. Embora a justiça civil seja "atribuída ao livre-arbítrio", a retidão espiritual é "atribuída à operação do Espírito Santo no regenerado".[82]

LOCI COMMUNES (1543), DE MELANCHTHON, E O LIVRE-ARBÍTRIO

Até agora, em nossa visão geral da teologia de Melanchthon, bem como em seu contexto mais amplo na Confissão de Augsburgo, vimos muita consistência sobre o pecado original, o livre-arbítrio e a graça divina. Entretanto, é justo dizer que a teologia de Melanchthon mostrou sinais substanciais de mudança, de modo que suas descrições teológicas posteriores a respeito do livre arbítrio difeririam visivelmente de suas afirmações anteriores.[83] Talvez isso seja mais bem visto se examinarmos sua obra *Lugares-comuns*, de 1543.[84]

Conforme já percebido, em *Loci Communes*, de 1521, Melanchthon colocou muita ênfase na escravidão e no cativeiro da vontade à luz da doutrina do pecado original. No entanto, a edição de 1543, ele enfatiza a liberdade da vontade e sua participação e cooperação ativas com a graça divina. Isso não quer dizer que ele tenha eliminado toda a discussão sobre a escravidão da vontade, mas sim que ocorreu uma *mudança* na ênfase. Tal mudança é notável, e sua motivação pode ser vista, pelo menos em parte, na reação de Melanchthon contra o fatalismo e o determinismo do estoicismo e do maniqueísmo. Kolb também se pergunta se Melanchthon pode ter tido em mente os pontos de vista de João Calvino, uma vez que os dois começaram a se corresponder, e "a doutrina de Calvino sobre a predestinação e a tentativa de Genebra de alistar Melanchthon na defesa dela perturbou

---

[82] "The Apology of the Augsburg Confession", art. 18. In: Kolb e Wengert, *The Book of Concord*, p. 234.

[83] Para uma cronologia útil da mudança de Melanchthon em direção ao sinergismo, veja Gregory B. Graybill, *Evangelical Free Will: Philipp Melanchthon's Doctrinal Journey on the Origins of Faith*. Oxford Theological Monographs. Nova York: Oxford University Press, 2010.

[84] No entanto, deve-se notar que, já na década de 1530, Melanchthon estava rejeitando a visão de Lutero sobre a necessidade. A "repugnância de Melanchthon com relação à afirmação de Lutero de que todas as coisas acontecem por absoluta necessidade divina começou a se manifestar abertamente graças a seu entendimento da contingência nos assuntos humanos, no contexto de uma *necessitas consequentiae*, que Melanchthon distinguiu da *necesitas consequentis*, a distinção escolástica a que Lutero tinha se oposto". Além disso, "expandindo seu novo entendimento da necessidade, a contingência deve existir e não pode haver nenhuma necessidade absoluta", o que era um "repúdio de sua posição em 1521, bem como à de Lutero em 1525" (Kolb, *Bound Choice*, p. 87, 88). Veja também Timothy J. Wengert, "'We Will Feast Together in Heaven Forever': The Epistolary Friendship of John Calvin and Philip Melanchthon". In: Karin Maag (ed.). *Melanchthon in Europe: His Work and Influence beyond Wittenberg*. Texts and Studies in the Reformation and Post-Reformation Thought. Grand Rapids: Baker, 1999, p. 26–33; Anthony N. S. Lane, "The Influence upon Calvin of His Debate with Pighius". In: Leif Grane, Alfred Schindler e Markus Wriedt (eds.). *Auctoritas Patrum II. Neue Beiträge zur Rezeption der Kirchenväter im 15. Um 16. Jahrhundert*. Mainz: Zabern, 1998, p. 125–139.

Wittenberger e lançou uma sombra pesada sobre sua correspondência em 1543 (e outra vez em 1552)."[85] Como veremos, embora muitos aspectos de *Lugares-comuns* de Melanchthon tenham permanecido inalterados, parece claro que, embora a edição de 1521 parecia afirmar o monergismo, a edição de 1543 transitou para o que poderia ser interpretado como sinergismo, embora possa ser debatido em que grau isso se deu.[86]

Três observações a considerar. Primeira: em *lócus* 3, Melanchthon gastou bastante espaço para argumentar que Deus não é a causa do pecado nem jamais pecará. Por exemplo, ele citou Êxodo 7:3 ("Endurecerei o coração de Faraó"), mas disse que "na expressão hebraica, ele [Deus] está se referindo à promessa dessas coisas, não à sua vontade efetiva".[87] Embora Melanchthon tenha enfatizado a necessidade em sua versão de 1521, aqui ele sustentou a contingência: "Quando esta declaração é estabelecida, de que Deus não é a causa do pecado e que ele não pecará, segue-se que o pecado ocorre pela contingência, isto é, que nem todas as coisas que se sucedem acontecem por necessidade".[88] Qual é a "causa" dessa contingência? A vontade do homem. A "causa da contingência de nossas ações é a liberdade de nossa vontade".[89] Certamente, essa afirmação da contingência diferia da posição anterior de Melanchthon sobre a necessidade.

No entanto, e em segundo lugar, Melanchthon não acreditava que a contingência deveria ser deixada à solta, como se fosse absoluta. Mesmo a contingência tem limites, ele disse: "Por um lado, Deus estabelece limites para as coisas que ele quer, e, por outro, para as coisas que ele não quer. Além disso, ele limita as coisas que dependem inteiramente de sua vontade e as coisas que ele mesmo faz em parte e que a vontade do homem faz em parte". No argumento posterior de Melanchthon, ele procurou mostrar que há algum grau de "liberdade de escolha para a vontade humana". Portanto, ele insistiu, "todas as coisas boas e más da necessidade vêm de Deus".[90]

Em terceiro lugar, sob essa perspectiva, a questão-chave passa a ser esta: algumas coisas acontecem fora da vontade de Deus? Melanchthon cuidadosamente matizou sua resposta (distinguindo entre necessidade absoluta e necessidade de consequência, bem como causas primárias e secundárias), mas ele concluiu que, embora certos eventos "dependam e surjam da vontade de Deus", outros "vêm de

---

[85] Kolb, Bound Choice, p. 88. Veja também Barbara Pitkin, "The Protestant Zeno: Calvin and the Development of Melanchthon's Anthropology", *JR* 84, n. 3, 2004, p. 345–378.
[86] Drickamer acredita que a mudança de Melanchthon para o sinergismo possa ter acontecido em 1535. As razões apresentadas para isso podem ser vistas em Drickamer, "Did Melanchthon Become a Synergist?", p. 98.
[87] Melanchthon, *Loci Communes 1543*, p. 36.
[88] Ibid., p. 37.
[89] Ibid.
[90] Ibid., p. 38.

alguma outra fonte".⁹¹ Por um lado, Melanchthon não queria negar a necessidade, entretanto, ele também não estava disposto a dizer que todas as coisas acontecem por necessidade, pois isso negaria a contingência. Isso se torna muito claro quando ele, com o objetivo de combater o estoicismo, pergunta criticamente: "Por que o homem pode orar a Deus quando afirma que todas as coisas acontecem por necessidade?"⁹² Para demonstrar que a vontade do homem pode agir independentemente de Deus (portanto, negando a necessidade de todas as coisas), Melanchthon usou Eva. Em certo sentido, deve-se dizer que Eva, ao se afastar de Deus, o fez de forma independente: "Assim, a vontade de Eva em se afastar de Deus é uma causa pessoal e independente de sua ação".⁹³

Essa discussão abstrata sobre a necessidade e a contingência tem alguma relação com o livre-arbítrio no que diz respeito à salvação? Em *lócus* 4, "Poderes humanos ou livre escolha", Melanchthon mostrou que sim. Novamente em oposição com o estoicismo, ele começou por rejeitar a necessidade de todas as coisas para afirmar a contingência. Melanchthon mostrou-se preocupado em não tirar do homem seu livre-arbítrio. Nós "não devemos importar ideias estoicas para a igreja ou defender a necessidade fatalista de todas as coisas; mas sim admitir que há algum lugar para a contingência".⁹⁴

Melanchthon não desistiu de sua distinção entre liberdade em obras civis e liberdade em obras religiosas. Embora o homem possa ter certa liberdade nas primeiras, Melanchthon continuou a afirmar que o homem é corrompido pelo pecado, o que sem dúvida tem impacto sobre as últimas. Mas até que ponto? Ele acreditava que, se o homem não tivesse sido corrompido pelo pecado, então, teria um "conhecimento mais claro e firme de Deus", para não mencionar "temor verdadeiro" e "confiança em Deus". Certamente o homem seria capaz de obedecer à lei se não fosse por tal corrupção de sua natureza. Assim, Melanchthon continuou a afirmar que a "natureza do homem está sob a opressão da doença de nossas origens".⁹⁵ Ele não pode "satisfazer a lei de Deus".⁹⁶

Mas a questão permanece – usando as próprias palavras de Melanchthon: "O que e quanto pode a vontade do homem fazer?"⁹⁷ Melanchthon confessou que "a natureza humana é oprimida pelo pecado", que os homens "não têm a liberdade de superar essa depravação que nasce dentro de nós" e que a "liberdade da vontade é diminuída". "Pois a vontade não pode expulsar a depravação que nasce em nós,

---

⁹¹ Ibid., p. 39.
⁹² Ibid.
⁹³ Ibid., p. 40.
⁹⁴ Ibid., p. 41.
⁹⁵ Ibid.
⁹⁶ Ibid.
⁹⁷ Ibid.

tampouco pode satisfazer a lei de Deus. [...] Por isso, essa vontade é cativa, e não livre para remover a morte e a depravação da natureza humana".[98] Melanchthon também afirmou a necessidade do Espírito: "A vontade humana sem o Espírito Santo não pode produzir os desejos espirituais que Deus exige".[99] Assim, argumentou, o pelagianismo está fora de questão.

Se alguém parasse aqui, poderia pensar que Melanchthon permaneceu um monergista comprometido. Mas o que ele disse a seguir levantou a suspeita entre seus intérpretes. Ao afirmar a necessidade do Espírito para libertar o homem de seu estado de corrupção, Melanchthon não descartou completamente a atividade da vontade, como se o homem fosse absolutamente passivo. Alguma atividade permanece no poder da vontade, mesmo que seja pequena e acompanhada pelo Espírito.

O ponto de vista de Melanchthon, entretanto, é cheio de nuances. A princípio, ele pareceu afirmar o monergismo: "Devemos saber que o Espírito Santo é eficaz por meio da voz do Evangelho tal como o ouvimos e meditamos sobre ele, como Gálatas 3:2 e seguintes afirma". Mas ele então especificou ao dizer que, quando o Espírito vem e somos guiados pela Palavra, permanecem três causas: a Palavra, o Espírito "e a vontade humana que concorda e não contende com a Palavra de Deus".[100] Em outras palavras, o Espírito e a Palavra estão operando, mas a vontade do homem deve optar por não resistir e, em vez disso, cooperar: "Porque a vontade pode desconsiderar a Palavra de Deus, como Saul fez por sua própria vontade. Todavia, quando a mente, ouvindo e sustentando a si mesma, não resiste ou se dá à hesitação, mas, com a ajuda do Espírito Santo, tenta assentir, nessa disputa a vontade não é ociosa".[101] Em suma, o homem não é passivo, mas ativo, mesmo que seja uma atividade acompanhada pelo Espírito. A vontade do homem deve assentir e abster-se de resistir.

Kolb observa vivamente que aqui a "menção ao Espírito Santo não é suficientemente clara para assegurar que a atividade da vontade é realmente determinada por uma nova ação criativa do Espírito". Consequentemente, alguns "estudantes acreditavam que seu preceptor estava presumindo um compromisso da vontade *antes*, e, portanto, como *causa*, de sua regeneração pelo Espírito".[102] A observação de Kolb é importante. Embora as três causas dadas por Melanchthon para a boa ação (Palavra, Espírito e vontade humana) possivelmente possam ser interpretadas como dando à vontade um papel passivo (pelo menos se as categorias de causalidade

---

[98] Ibid., p. 42.
[99] Ibid.
[100] Ibid., p. 43.
[101] Ibid.
[102] Kolb, *Bound Choice*, p. 94, grifos nossos.

de Aristóteles forem aplicadas), tantas "outras frases nos escritos de Melanchthon" (como o anterior, sobre a vontade não estar ociosa) dão à vontade um "papel ativo e contributivo" como a "causa material na conversão".[103]

Essa ênfase de Melanchthon tornou-se ainda mais evidente quando ele descreveu como a graça de Deus opera em conexão com a vontade do homem e identificou tanto uma "graça precedente" como uma "vontade assentida": "Deus, que previamente se voltou para nós, nos chama, nos adverte e nos ajuda; mas devemos cuidar para não resistirmos a ele, pois é manifesto que o pecado brota de nós, e não pela vontade de Deus. Crisóstomo diz: 'Aquele que atrai, atrai a vontade'". E então vem a frase-chave de Melanchthon: "Mas como a luta é grande e difícil, a vontade não é ociosa, mas assente fracamente".[104]

A preservação do livre-arbítrio por parte de Melanchthon tornou-se ainda mais evidente na resposta que ele deu à seguinte pergunta: "Como posso esperar ser recebido em graça, já que não sinto que nova luz ou novas virtudes me foram transfundidas? Além disso, se a livre escolha não tiver nada a fazer até que eu sinta que aconteceu esse novo nascimento do qual você está falando, vou continuar em minha rebelião e em outras atividades perversas". Em resposta, Melanchthon negou que não podemos fazer nada até que o novo nascimento ocorra. Em vez disso, argumentou que "a livre escolha faz alguma coisa".[105] A ênfase de Melanchthon no papel ativo da vontade não poderia ser mais forte do que quando ele concluiu:

> Saibam que Deus deseja que, dessa maneira, nos convertamos, quando orarmos e lutarmos contra nossa rebeldia e outras atividades pecaminosas. Portanto, alguns dos antigos colocam isso desta maneira: a livre escolha no homem é a habilidade de se aplicar na graça, isto é, nossa livre escolha ouve a promessa, tenta assentir a ela e rejeita os pecados que são contrários à consciência.[106]

A FÓRMULA DE CONCÓRDIA (1577)

Nos últimos anos de vida, Melanchthon persistiu em seu esforço para se separar da doutrina de Lutero sobre a necessidade absoluta, bem como da afirmação de

---

[103] Ibid., p. 93.
[104] Melanchthon, *Loci Communes 1543*, p. 43. É realmente muito difícil dizer quando Melanchthon está falando sobre o não regenerado e quando está se referindo ao regenerado. Com respeito à discussão citada anteriormente, que começa descrevendo a conversão, pergunta-se em que ponto ele está falando sobre santificação. Uma vez que a discussão anterior diz respeito ao "homem natural", parece que ele ainda está falando sobre a conversão.
[105] Ibid.
[106] Ibid., p. 44. Melanchthon usou frequentemente a palavra "efetivo" ou "eficaz", todavia, esse termo não assumiu a mesma conotação quando usado por Lutero ou Calvino. Em vez disso, Melanchthon aprovou a eficácia do Espírito, desde que correspondesse à vontade que assentia com ele, a vontade não resistente do homem. É, portanto, uma eficácia condicional.

Calvino sobre a dupla predestinação.[107] "Há contingência", declarou Melanchthon sem reservas, "e a fonte da contingência em nossas ações é a liberdade da vontade".[108]

Entretanto, seu posicionamento encontrou oposição. Melanchthon insistiu que "a graça precede" (separando-se, assim, do pelagianismo e do semipelagianismo), no entanto, "a vontade vai junto com ela, e Deus atrai, mas atrai a pessoa cuja vontade está funcionando".[109] A vontade, em outras palavras, é ativa e cooperativa no processo da regeneração. Alguns dos alunos de Melanchthon "não poderiam erradicar os temores de que a descrição dele a respeito da ação do ser humano comprometeria sua insistência na exclusividade da graça de Deus e de seu dom de fé".[110] Em contraste, eles argumentaram que a vontade do pecador é totalmente passiva, aguardando o novo nascimento do Espírito, o qual traz novas inclinações à vontade. A imagem do novo nascimento retrata tal passividade, pois, como a mãe dá à luz o bebê, assim o Espírito faz nascer o não regenerado pelo poder da Palavra.[111]

No entanto, o debate monergismo-sinergismo continuou nas décadas de 1560 e 1570 com luteranos em ambos os lados.[112] Kolb apontou o ponto principal de toda a divisão entre os dois grupos:

> No calor da batalha [...] os filipistas permaneceram convencidos de que os gnésio-luteranos eram estoicos e maniqueístas em sua insistência de que a vontade humana se opõe ativamente a Deus até que o Espírito Santo vença essa oposição, e os gnésio-luteranos não podiam deixar de lado suas suspeitas de que a insistência dos filipistas na integridade humana levou a expressões que deram um papel de controle na vinda à fé nos poderes da vontade de fazer algum movimento, mesmo que muito pequeno, em direção a Deus.[113]

Como a Fórmula de Concórdia se encaixou nesse acalorado debate? "A Fórmula de Concórdia", diz Kolb, "produziu um ajuste que agradou à maioria dos gnésio-luteranos, com exceção dos discípulos mais devotados de Flácio e também da maioria dos filipistas".[114] No entanto, ao mesmo tempo, ela explicitamente tomou

---

[107] Sobre esse ponto, veja Kolb, *Bound Choice*, p. 99.
[108] Philip Melanchthon, *Melanchthons Werke in Auswahl [Studien-Ausgabe]*, editado por Robert Stupperich. Gütersloh: Bertelsmann, 1955, 6:312,313.
[109] *CR* 9:769. Veja Kolb, *Bound Choice*, p. 113.
[110] "Da mesma forma, o preceptor deles não podia escutar com atenção suficiente para responder às preocupações que tinham, em vez de ridicularizar a posição deles de modo que pudesse repudiá-la sem comprometer-se com ela". Eles acreditavam que Melanchthon estava em conflito direto com os argumentos de Lutero contra Erasmo, bem como em conflito com a sua própria Confissão de Augsburgo e sua Apologia a ela. Kolb, *Bound Choice*, p. 113 (cf. p. 116). Para um estudo extenso sobre o debate entre os que vieram após Melanchthon, veja p. 118–134, 135–169.
[111] Kolb, *Bound Choice*, p. 117.
[112] A melhor visão geral sobre esse debate é ibid., p. 103–243.
[113] Ibid., p. 287,288.
[114] Ibid., p. 288.

partido pela postura de Lutero sobre o livre-arbítrio como a encontramos articulada em *Da vontade cativa*.

Considere, por exemplo, os dois primeiros artigos da Fórmula. O artigo 1 afirma que o pecado original não é "uma corrupção superficial", mas algo "tão profundo que não há nada são ou não corrompido deixado no corpo ou na alma do homem, em seus poderes interiores ou exteriores".[115] Entre as muitas coisas contra as quais se coloca, a Fórmula rejeita o pelagianismo, o qual alega que, "mesmo depois da queda, a natureza humana permaneceu incorrupta e, especialmente em assuntos espirituais, continua completamente boa e pura em sua *naturalia*, isto é, em seus poderes naturais".[116] Ela também nega qualquer ponto de vista que diga que o pecado original é apenas "uma mancha leve e insignificante que foi besuntada sobre a natureza humana, uma mancha superficial, sob a qual a natureza humana mantém seus bons poderes, mesmo em assuntos espirituais".[117] Rejeita também o ensino de que o pecado original é "apenas um obstáculo exterior para esses bons poderes espirituais, e não uma perda ou falta deles".[118] Essas afirmações não apenas excluem o semipelagianismo, mas qualquer ponto de vista que diga que a natureza humana e sua essência não são "completamente corrompidas, mas que as pessoas ainda têm algo de bom nelas, mesmo em assuntos espirituais, como poder, aptidão, habilidade ou capacidade para iniciar ou efetuar alguma coisa em assuntos espirituais ou de cooperar com essas ações".[119] Essa negação exaustiva e detalhada parece inviabilizar até mesmo a mínima abertura para o sinergismo.

O artigo 2 sobre o "Livre-arbítrio" é ainda mais importante para nossa discussão. Dado o quadro devastador do homem pintado no artigo anterior, o artigo 2 prossegue naturalmente para fazer esta pergunta: "Que tipo de poderes os seres humanos têm depois da queda de nossos primeiros pais, antes do novo nascimento, por si mesmos, em assuntos espirituais?" E novamente: "Eles podem, com seus próprios poderes, antes de receberem o novo nascimento pelo Espírito de Deus, dispor-se favoravelmente em direção à graça de Deus e preparar-se para aceitar a graça oferecida pelo Espírito Santo na Palavra e nos sacramentos?"[120]

A Fórmula nada tem de obscuro em sua resposta. Por exemplo: ela começa afirmando, sem reservas, a completa depravação e incapacidade espiritual do homem a partir de textos como 1Coríntios 2:14. "A razão e a compreensão humanas" são "cegas em assuntos espirituais e não entendem nada com base em seus

---

[115] "The Epitome of the Formula of Concord", art. 1, tese afirmativa 3. In: Kolb e Wengert, *Book of Concord*, p. 488.
[116] Ibid., art. 1, tese negativa 3, In: Kolb e Wengert, *Book of Concord*, p. 489.
[117] Ibid., art. 1, tese negativa 4, In:Kolb e Wengert, *Book of Concord*, p. 489.
[118] Ibid., art. 1, tese negativa 5, In:Kolb e Wengert, *Book of Concord*, p. 489.
[119] Ibid., art. 1, tese negativa 6, In:Kolb e Wengert, *Book of Concord*, p. 489,490.
[120] Ibid., art. 2, *Status controversiae*, In:Kolb e Wengert, *Book of Concord*, p. 491.

próprios poderes".[121] E, para que ninguém pense que o homem está apenas ferido, mas ainda é capaz de cooperar, a Fórmula exclui essa noção desde o início. Apelando a Gênesis 8:21 e Romanos 8:7, ela afirma que a "vontade humana não regenerada não está apenas afastada de Deus, mas também se tornou inimiga de Deus", e "tem apenas o desejo e a vontade de fazer o mal e o que é oposto a Deus".[122] A linguagem monergista da Fórmula emerge inclusive em sua descrição negativa do homem: "Tanto quanto um cadáver pode fazer-se vivo para a vida corporal e terrena, também pode a pessoa que, por causa do pecado, está espiritualmente morta ressuscitar-se para uma vida espiritual" (Efésios 2:5; 2Coríntios 3:5).[123] Portanto, certamente o homem é passivo, e não ativo, antes da obra regeneradora do Espírito.

À luz da escravidão da vontade e da morte espiritual, o Espírito, por meio da Palavra (Salmos 95:8; Romanos 1:16), abre corações (Atos 16:14) para que os pecadores possam "ouvi-lo e, assim, se converterem unicamente por meio da graça e do poder do Espírito Santo, que sozinho realiza a conversão do ser humano".[124] O Espírito, e somente o Espírito, opera nos mortos espirituais.

> Pois, à parte de sua graça, nosso desejo e esforço [Romanos 9:16], nosso plantio, nossa semeadura e nossa rega nada produzirá se Deus não efetuar o crescimento [1Coríntios 3:7]. Como diz Cristo: "Sem mim vocês não podem fazer coisa alguma" [João 15:5]. Com essas palavras breves, ele nega ao livre-arbítrio seus poderes e atribui tudo à graça de Deus, para que ninguém tenha motivos para se vangloriar diante de Deus (1Coríntios [9:16]).[125]

A Fórmula não deixa espaço algum para o livre-arbítrio. Tudo é atribuído à graça de Deus (*sola gratia*).

A Fórmula também contrapõe o sinergismo em suas "Teses Negativas". Não apenas o chama sem rodeios de pelagianismo e semipelagianismo, mas também rejeita qualquer outro tipo de mínimo sinergismo que visaria atribuir algo, mesmo a menor cooperação, ao homem antes da regeneração. Em outras palavras, na afirmação a seguir, a Fórmula nega inclusive o sinergismo *iniciado por Deus* ou *habilitado por Deus*, rejeitando o ensino de que

> embora os seres humanos sejam fracos demais para iniciar a conversão com seu livre-arbítrio antes do novo nascimento e, assim, converterem a si mesmos a Deus com base em seus próprios poderes naturais e serem obedientes à lei de Deus de todo o coração, todavia, uma vez que o Espírito Santo comece a operar pela pregação da Palavra e, por meio dela, ofereça

---

[121] Ibid., art. 2, tese afirmativa 1, In: Kolb e Wengert, *Book of Concord*, p. 491.
[122] Ibid., art. 2, tese afirmativa 2, In: Kolb e Wengert, *Book of Concord*, p. 492.
[123] Ibid., art. 2, teses afirmativas 1-2, In: Kolb e Wengert, *Book of Concord*, p. 492.
[124] Ibid., art. 2, tese afirmativa 2, In: Kolb e Wengert, *Book of Concord*, p. 492.
[125] Ibid., art. 2, teses afirmativas 2-3, In: Kolb e Wengert, *Book of Concord*, p. 492.

sua graça, *a vontade humana é capaz de – sem o uso de seus próprios poderes naturais, até certo ponto, mesmo o menor e mais débil –, fazer algo, ajudar e cooperar, dispor-se e preparar-se para a graça, agarrar essa graça, aceitá-la e crer no evangelho.*[126]

A Fórmula também rejeita a citação de Crisóstomo que Melanchthon usou para sustentar seu ponto de vista: "Deus atrai, mas atrai os que estão dispostos" (*Deus trahit, sed volentem trahit*), bem como a afirmação do próprio Melanchthon de que "a vontade humana não está ociosa na conversão, mas também está fazendo algo" (*hominis voluntas in conversion non est otiose, sed aliquid*).[127] Essas afirmações, argumenta a Fórmula, devolvem algo ao livre-arbítrio do homem (mesmo que em pequena medida) e vão contra a graça de Deus.[128]

A Fórmula conclui sua declaração sobre o livre-arbítrio ao esclarecer a declaração de Lutero (às vezes mal-entendida) de que a vontade é puramente passiva, acreditando posicionar-se ao lado do reformador:

> Quando o dr. Lutero escreveu que a vontade humana se comporta de modo *puramente passivo* (isto é, que não faz absolutamente nada), isso deve ser entendido *respectu divinae gratiae in accendendis novis motibus* ["puramente passiva com relação à graça divina na criação de novos movimentos"], ou seja, na medida em que o Espírito de Deus se apodera da vontade humana mediante a Palavra que é ouvida ou pelo uso dos sacramentos e produz novo nascimento e conversão. Pois, quando o Espírito Santo efetuou e realizou o novo nascimento e a conversão e alterou e renovou a vontade humana unicamente por meio de seu poder divino e de sua atividade, *então* a nova vontade humana é instrumento e ferramenta de Deus Espírito Santo, em que a vontade não só aceita a graça, mas também coopera com o Espírito Santo nas obras que dele procedem.[129]

"Puramente passiva" e "não faz absolutamente nada" são frases-chave que demonstram que o monergismo é afirmado nesse apelo que o patriarca faz da Fórmula. No entanto, a Fórmula se empenha em mostrar que, ao dizer "puramente

---

[126] Ibid., art. 2, tese negativa 4, em Kolb e Wengert, *Book of Concord*, p. 493, grifos nossos.
[127] Ibid., art. 2, tese negativa 8, em Kolb e Wengert, *Book of Concord*, p. 493.
[128] Isso significa, então, que a Fórmula não dá lugar à vontade do homem? De modo nenhum. Em vez disso, a questão é se a vontade do homem é entendida corretamente. Embora o homem seja passivo antes do novo nascimento, na regeneração e na conversão, o Espírito faz com que o pecador espiritualmente morto ganhe vida. É "correto dizer que, na conversão, Deus muda pessoas recalcitrantes e relutantes em pessoas dispostas por meio do poder de atração do Espírito Santo" (Ibid., art. 2, tese negativa 8, In: Kolb e Wengert, *Book of Concord*, p. 494). Portanto, após o novo nascimento, a vontade, anteriormente obstinada e escravizada, é livre, isto é, é livre para seguir a Cristo. De fato, a Fórmula continua explicando que, após a conversão, na santificação (o processo de ser conformado à imagem de Cristo), há uma cooperação entre o cristão regenerado e o Espírito para mais santidade e piedade por meio do arrependimento.
[129] Ibid., art. 2, tese negativa 9, In: Kolb e Wengert, *Book of Concord*, p. 493. Observe que essa menção à cooperação com o Espírito é em referência às boas obras que seguem o novo nascimento e a conversão, não às que os precedem.

passiva", Lutero não pretendia excluir a obra do Espírito para mudar a vontade mediante a instrumentalidade da Palavra. Ou seja, a Fórmula tem como objetivo evitar a noção fatalista de que Deus se move mecanicamente, como se agindo sobre uma mera rocha ou um bloco de madeira. Em vez disso, argumenta, ele se move de tal maneira que cria fé e um relacionamento pessoal com o pecador.[130] Assim, a Fórmula pode concluir que o pecador é deixado com uma vontade renovada, e, não nos deixa esquecer, que essa obra de renovação é operada unicamente pelo Espírito.

Mas talvez a afirmação que mais destaca a ênfase monergista pode ser vista no parágrafo conclusivo. Embora Melanchthon tenha afirmado três causas para o novo nascimento e a conversão (a Palavra, o Espírito e o livre-arbítrio do homem), a Fórmula só reconheceu duas "causas eficientes": o Espírito Santo e a Palavra de Deus.[131] O livre arbítrio está completamente ausente da equação.

A ESCRAVIDÃO E A LIBERTAÇÃO DA VONTADE NA PERSPECTIVA DE JOÃO CALVINO

A REAÇÃO DE JOÃO CALVINO A MELANCHTHON

Como os reformadores (mesmo os de segunda geração), particularmente os que não são do ambiente luterano, lidaram com a posição de Melanchthon? Na tradição reformada, o ponto de vista de João Calvino sobre Melanchthon é revelador.

Entre 1538 e 1558, Calvino se correspondeu com Melanchthon, e, na maior parte do tempo, foi cordial. No final da década de 1530, porém, notou o silêncio de Melanchthon sobre a predestinação e o livre-arbítrio, o que Calvino assinalou, embora graciosamente, em seu *Comentário a Romanos*, de 1539.[132] No entanto, após a publicação, em 1543, de *Lugares-comuns*, de Melanchthon, em que o afastamento deste em relação a Lutero é facilmente perceptível, era impossível para Calvino calar-se. Na verdade, não poderia haver melhor momento. Como discutiremos em breve, Alberto Pio havia escrito um livro defendendo o livre-arbítrio, ao mesmo tempo em que refutava as opiniões de Calvino. Pio estava determinado a criticar Calvino, mas também censurou Melanchthon por ter-se afastado de Lutero e de Calvino. Propositadamente, Calvino dedicou a Melanchthon sua resposta a Pio! Graybill ressalta que Calvino "estava fazendo uma sutil observação sarcástica a Melanchthon sobre suas recém-mudadas formulações",[133] embo-

---

[130] Devo essa percepção a Robert Kolb em uma correspondência pessoal.
[131] "Epitome of the Formula", art. 2, tese negativa 9, In: Kolb e Wengert, *Book of Concord*, p. 494.
[132] João Calvino, *Calvin's Commentaries*, v. 19, *Commentaries on the Epistle of Paul the Apostle to the Romans*, editado e traduzido por John Owen. Grand Rapids: Baker, 1979, p. xxv, xxvi [*Comentário de Romanos*. 3. ed. São José dos Campos: Editora Fiel, p. 2014].
[133] Graybill, *Evangelical Free Will*, p. 247.

ra ele talvez também estivesse tentando fazer com que Melanchthon o apoiasse publicamente.

Na correspondência que ocorreu entre os dois, ficou claro que Melanchthon não concordava com a distinção de Calvino entre um chamado geral do evangelho e um chamado especial e eficaz. Para Melanchton, apenas este último era viável. Isso significava, então, que, em última instância, a obra do Espírito dependia da decisão do livre-arbítrio do homem. É difícil melhorar o resumo que Graybill faz da posição de Melanchthon contra o entendimento de Calvino:

> Todas as pessoas, quando ouviram a Palavra de Deus (que é *sempre* iluminada pelo Espírito Santo), tiveram, naquele momento, a livre escolha de ter ou não fé em Cristo. A predestinação não está envolvida nisso de modo nenhum. A eficácia do chamado do Espírito estava condicionada à livre resposta da vontade humana individual.[134]

Talvez devêssemos atenuar essa afirmação de Melanchthon reconhecendo que ele acreditava que era o Espírito Santo que movia a vontade humana para dar essa resposta. No entanto, o sucesso do chamado do Espírito parece ser contingente à vontade, mesmo sendo uma vontade habilitada pelo Espírito, e isso foi suficiente para consternar Calvino, bem como os colegas monergistas luteranos de Melanchthon.

Embora não tenha entrado em discussão aberta com Melanchton, como fez com Pio, Calvino ocasionalmente deu indícios de sua desaprovação. Por exemplo, em 1546, Calvino escreveu o prefácio da edição francesa de *Loci Communes*, de Melanchthon. Lá, ele indicou que Melanchthon mudara de posição sobre o livre-arbítrio. Mesmo assim ambos evitaram o debate público, uma vez que nenhum deles desejava criar uma barreira desnecessária para uma reforma posterior.[135]

Melanchthon morreu em 1560. Ainda assim, mesmo depois de sua morte, a controvérsia que sua visão causou continuou a provocar críticas. Apesar de seu histórico de cordialidade, nessa época Calvino condenou as opiniões de Melanchthon, no púlpito, usando linguagem muito forte para demonstrar quão perturbado estava por este ter associado um predestinarianismo/determinismo cristão com o estoicismo.[136] Para Calvino, Melanchton havia deturpado e comprometido a visão bíblica que o próprio Calvino havia defendido em seus escritos contra Pio.

---

[134] Ibid., p. 249.
[135] Wengert, "Epistolary Friendship of John Calvin and Philip Melanchthon", p. 32; Graybill, *Evangelical Free Will*, p. 249.
[136] João Calvino, *Traité de la predestination éternelle de Dieu, par laquelle les uns sont éleuz à salut, les autres laissez en leur condemnation*. Genebra, 1560; Calvino, "An Answer to certain slanders and blasphemies, wherewith certain evil disposed persons have gone about to bring the doctrine of God's everlasting Predestination into hatred", In: Ernie Springer (ed.). *Sermons on Election and Reprobation*. Audobon: Old Paths, 1996, p. 305–1717.

Pio e o debate com Calvino (1542–1543)

Como se iniciou o debate entre Pio e Calvino?[137] Em 1536, a primeira edição das *Institutas da religião cristã*, de Calvino, foi impressa. Em 1539, uma segunda edição apareceu, três vezes maior. Isso é relevante por causa de dois novos capítulos: "O conhecimento da humanidade e a livre escolha" (Capítulo 2) e "A predestinação e a providência de Deus" (Capítulo 8). Naturalmente, essa edição chamou a atenção do bispo católico romano de Aquila, Bernardo Cíncio, o qual a enviou, então, ao cardeal Marcelo Cervini, que partilhava da aversão de Cíncio, concordando que a obra era mais perigosa do que as produzidas pelos luteranos. Em sua indignação, os dois se aproximaram de Alberto Pio (1490–1542), um teólogo católico romano holandês, que prontamente escreveu *Ten Books on Human Free Choice and Divine Grace* [Dez livros sobre a livre escolha humana e a graça divina] (1542).

Calvino sentiu que a necessidade de responder era urgente. No entanto, como queria que sua resposta estivesse pronta para a feira do livro de 1543, em Frankfurt, Calvino só podia responder aos primeiros seis livros de Pio sobre o livre-arbítrio. Seu tratado foi intitulado *Defence of the Sound and Orthodox Doctrine of the Bondage and Liberation of Human Choice against the Misrepresentations of Albert Pighius of Kampen* [Defesa da sã e ortodoxa doutrina da escravidão e da libertação da escolha humana contra as distorções de Albert Pio, de Carpi]. A resposta de Calvino aos outros quatro livros sobre providência e predestinação teriam sido lançados na feira do livro no ano seguinte, mas Pio morreu, e o ímpeto de Calvino para responder evaporou-se.

Tudo mudou quando a controvérsia irrompeu mais uma vez, dessa vez com Jerome Bolsec em Genebra, em 1551. Os ataques de Bolsec contra a doutrina de Calvino sobre a predestinação foram respondidos por este em *Eternal Predestination of God* [A eterna predestinação por parte de Deus], em 1552. Nessa obra, Calvino não só respondeu a Bolsec, como também aproveitou a oportunidade para também dar sequência à sua crítica inacabada da obra de Pio. Em 1559, Calvino havia completado sua edição final das *Institutas*, na qual rearticulava sua compreensão sobre graça e livre-arbítrio, mas dessa vez com toda a experiência de seus debates com Pio.

Embora o debate Erasmo–Lutero seja em muitos aspectos muito diferente do embate Pio–Calvino, existem semelhanças quando se considera a aversão de Pio ao controle divino e sua defesa do livre-arbítrio na conversão.[138] Como nosso propósito

---

[137] O pano de fundo que se segue pode ser encontrado, com mais profundidade, em Lane's "Introduction", a quem sou devedor: A. N. S. Lane, "Introduction". In: João Calvino, *The Bondage and Liberation of the Will: A Defence of the Orthodox Doctrine of Human Choice against Pighius*, editado por A. N. S. Lane. Texts and Studies in Reformation and Post-Reformation Thought. Grand Rapids: Baker, 1996, p. xii-xxxiv.

[138] Para uma resenha de semelhanças e contrastes, veja Lane, "Introduction", In: *Calvin, Bondage*, p. xxvii–xxix.

aqui é concentrar-nos na escravidão e na libertação da vontade, pretendemos nos limitar à resposta de Calvino a Pio em 1543 e às *Institutas* de 1559.

Depravação generalizada e a escravidão da vontade[139]

Calvino começou com o primeiro pecado de Adão e, como Paulo o fez em Romanos 5, traçou a conexão de Adão com toda a humanidade. Quando pecou, Adão "enredou e imergiu sua prole nas mesmas misérias".[140] Calvino definiu o pecado original como "uma depravação hereditária e uma corrupção de nossa natureza, difundida em todas as partes da alma, o que primeiramente nos torna sujeitos à ira de Deus e, depois, também produz em nós os atos que a Escritura chama de 'obras da carne'".[141] Segundo ele, o resultado de descender da "semente impura" de Adão e de ter "nascido infectado com o contágio do pecado" é a corrupção generalizada da natureza do homem.[142] Calvin explicou:

> Aqui quero sugerir apenas brevemente que o homem inteiro é sobrepujado, como por um dilúvio, da cabeça aos pés, de tal modo que nenhuma parte está imune do pecado e tudo o que procede dele deve ser imputado ao pecado. Como Paulo diz, todas as inclinações dos pensamentos para a carne são inimizade contra Deus [Romanos 8:7] e são, portanto, morte [Romanos 8:6].[143]

Calvino concluiu:

> Portanto, se é correto declarar que o homem, por causa de sua natureza corrompida, é naturalmente abominável para Deus, também é apropriado dizer que o homem é naturalmente depravado e defeituoso. Por isso, Agostinho, em vista da natureza corrompida do homem,

---

[139] Esta seção e as duas seguintes são adaptadas de "John Calvin: Theologian of Sovereign Grace", seção em "Monergism in the Calvinist Tradition", cap. 2, de Matthew Barrett, *Reclaiming Monergism: The Case for Sovereign Grace in Effectual Calling and Regeneration*. Phillipsburg: P&R, 2013. Usadas com permissão P&R Publishing.

[140] Calvino, *Institutas*, 2.1.1. Em 2.1.6, Calvino explicou mais detalhadamente seu entendimento de Romanos 5, bem como sua rejeição ao pelagianismo, acusando Pio de tê-lo adotado, chamando-o de filho espiritual de Pelágio. Sobre as tendências pelagianas de Pio, veja L. F. Schulze, "Calvin's Reply to Pighius – A Micro and a Macro View", In: Richard C. Gamble (ed.). *Calvin's Opponents*, vol. 5 de *Articles on Calvin and Calvinism*. Nova York: Garland, 1992, p. 179.

[141] Calvino, *Institutas*, 2.1.8. "Desse modo, Calvino defende o pecado original no sentido de ser tanto culpa original (recém-nascidos não são inocentes diante de Deus) quando depravação original" (Anthony N. S. Lane, "Anthropology". In: Herman J. Selderhuis (ed.). *The Calvin Handbook*. Grand Rapids: Eerdmans, 2008, p. 278).

[142] Calvino, *Institutas*, 2.1.6. Cf. Eberhard Busch, "God and Humanity". In: *The Calvin Handbook*, p. 231.

[143] Calvino, *Institutas*, 2.1.9 (cf. 2.3). Lane afirma: "A totalidade da natureza humana está corrompida, não só a parte sensual, mas também a mente e a vontade" (Lane, "Anthropology", p. 278). Veja também Suzanne Selinger, *Calvin against Himself: An Inquiry in Intellectual History*. Hamden: Archon Books, 1984, p. 42; Lanier Burns, "From Ordered Soul to Corrupted Nature: Calvin's View of Sin". In: Sung Wook Chung (ed.). *John Calvin and Evangelical Theology*. Louisville: Westminster John Knox, 2009, p. 90, 91, 97–101.

não tem medo de chamar de "naturais" os pecados que necessariamente reinam em nossa carne, onde quer que a graça de Deus esteja ausente.[144]

Em outro lugar, Calvino declarou: "A natureza [do homem] é tão depravada que ele só pode ser movido ou impulsionado para o mal".[145] Se o homem foi corrompido como por um dilúvio, e se o pecado permeia cada recesso de seu ser de modo que "nenhuma parte está imune ao pecado", então, segue-se que a vontade do homem é escrava do pecado. Calvino, contra Pio, escreveu: "Pois a vontade é tão dominada pela maldade e tão impregnada pelo vício e pela corrupção que não pode, de modo algum, escapar para o exercício honroso ou devotar-se à justiça".[146]

Calvino rejeitou os filósofos medievais com respeito ao que hoje é chamado de liberdade libertária, ou o poder da escolha contrária:

> Ora, dizem eles, se é de nossa escolha fazer isto ou aquilo, logo também é não fazer nem isto nem aquilo. Por outro lado, se é de nossa escolha o não fazer, logo é também fazer algo. Mas parecemos fazer de livre escolha as coisas que fazemos e abster-nos daquelas das quais nos abstemos. Portanto, se fazemos algo bom quando nos apraz, podemos igualmente deixar de fazê-lo; se algo mau perpetramos, podemos também evitá-lo.[147]

No entanto, os filósofos não estavam sozinhos, pois alguns dos primeiros pais da igreja, afirmou Calvino, tinham ainda pouca clareza em sua compreensão do livre-arbítrio.[148] Por exemplo, Crisóstomo disse:

> Porquanto Deus pôs em nosso poder o bem e o mal, garantiu-nos a livre decisão de escolha e, quando não queremos, não nos força; quando, porém, queremos, nos abraça. Igualmente: Não raro, aquele que é mau, se desejar, muda-se em bom; e aquele que é bom, por inércia, cai e se torna mau, porquanto o Senhor nos fez com uma natureza dotada do livre-arbítrio.[149]

Jerônimo aparentemente concordava: "Nosso é o começar, a Deus, porém, pertence o terminar; nosso, oferecer o que podemos, dele, prover o que não podemos".[150] No entanto, Calvino opôs-se a esse pensamento, alinhando-se a Agos-

---

[144] Calvino, *Institutas*, 2.2.12. Veja também T. H. L. Parker, *Calvin: An Introduction to His Thought*. Louisville: Westminster John Knox, 1995, p. 51,52.

[145] João Calvino, *Institutas da religião cristã* (1539), 2.3.5, *CR* 29. Lane comenta: "Nossa natureza é depravada, e é fútil procurar qualquer bem nela" (Lane, "Anthropology", p. 278,279). Veja também Williston Walker, *John Calvin: The Organiser of Reformed Protestantism, 1509–1564*. Nova York: Schocken Books, 1969, p. 412.

[146] Calvino, *Bondage*, p. 77. Veja também Wilhelm Niesel, *The Theology of Calvin*. Filadélfia: Westminster, 1956, p. 82; Arthur Dakin, *Calvinism*. Filadélfia: Westminster, 1946, p. 33–40.

[147] Calvino, *Institutas*, 2.2.3.

[148] Ibid., 2.2.4.

[149] Como citado em ibid., 2.2.4.

[150] Como citado em ibid.

tinho, que não hesitou em dizer que a vontade é "escrava".[151] Como Agostinho argumentou, sem o Espírito, a vontade não é livre, mas algemada e subjugada por seus desejos.[152] Calvino elaborou o argumento:

> Da mesma forma, quando a vontade foi vencida pela depravação em que caiu, a natureza humana começou a perder sua liberdade. Também, o homem, usando mal o livre-arbítrio, perdeu tanto a si mesmo como seu arbítrio. Igualmente, o livre-arbítrio foi tão escravizado que não tem nenhum poder para a prática da justiça. Ainda, o que a graça de Deus não libertou não será livre. Ademais, a justiça de Deus não é cumprida quando a lei assim ordena e o homem o faz como por sua própria força, mas quando o Espírito ajuda e a vontade do homem, não por ser livre, mas por ter sido libertada por Deus, obedece. E ele dá um breve relato de tudo isso quando escreve em outro trecho: o homem, quando foi criado, recebeu grandes poderes de livre-arbítrio, mas os perdeu ao pecar.[153]

Isso não significa, no entanto, que o homem é coagido. Pelo contrário, o homem peca voluntariamente, por *necessidade*, sim, mas não por *compulsão*.[154] Essa distinção era um dos pontos principais de Calvino em seu tratado contra Pio, que argumentou que *necessitas* (necessidade) implica *coactio* (coação). No entanto, como explica Paul Helm, para Calvino "não vem da negação do livre-arbítrio que aquilo que uma pessoa escolhe é o resultado da coação".[155] Para Calvino, a coação anula a

---

[151] Calvino observou como Agostinho nesse ponto reagiu contra aqueles que dizem que a vontade é "escrava", mas explica que era somente porque procuravam negar o arbítrio da vontade "que dessa forma queira escusar o pecado". Ibid., 2.2.7.

[152] Pio teria, naturalmente, rejeitado tal afirmação, argumentando que "dever" implica "poder" ou "habilidade". Em outras palavras, Deus ordena que sua lei seja obedecida ("dever"); portanto, o homem deve ser capaz de obedecer-lhe ("poder"); caso contrário, tal comando é falso. Como Calvino reagiu? Para ele, "dever" não exige "habilidade", e, ao mesmo tempo, Deus permanece justo ao exigir a lei. Calvino explicou: "Pois não devemos medir por nossa própria capacidade o dever a que estamos vinculados nem investigar as capacidades do homem com esse poder de raciocínio sem auxílio. Pelo contrário, devemos manter a seguinte doutrina. Em primeiro lugar, mesmo que não possamos cumprir ou mesmo começar a cumprir a justiça da lei, contudo, ela é de modo justo exigida de nós, e não somos desculpados por nossa fraqueza ou pela falha de nossa força. Pois, como a culpa é nossa, então, a culpa deve ser imputada a nós. Em segundo lugar, a função da lei é diferente daquela normalmente suposta pelas pessoas. Pois ela não pode tornar [pecadores] bons, mas apenas pode convencê-los de culpa, primeiro por remover a escusa da ignorância e, em seguida, por refutar sua opinião equivocada de que são justos e suas reivindicações vazias sobre as próprias forças. Assim, dá-se que não há desculpa para os ímpios que os impeçam de serem convencidos pela própria consciência e, gostem ou não, conscientizados de sua culpa. [...] Portanto, ao emitir ordens e exortações, Deus não leva em conta nossa força, já que ele dá a mesma coisa que exige, e a dá porque nós mesmos somos desamparados". Calvino, *Bondage*, p. 41,42 (cf. p. 141,142).

[153] Calvino, *Institutas*, 2.2.7. Calvino, assim como Agostinho, usa 2Coríntios 3:17, onde Paulo diz: "Onde está o Espírito do Senhor, ali há liberdade". Essa passagem implica que, onde o Espírito do Senhor não é encontrado (isto é, no homem depravado), não há liberdade. Semelhantemente, Jesus afirma em João 15:5 que "sem mim vocês não podem fazer coisa alguma".

[154] Ibid. O entendimento de Calvino sobre necessidade não é como o estoico. Veja Charles Partee, "Calvin and Determinism". In: *An Elaboration of the Theology of Calvin*, v. 8 de Gamble, *Articles on Calvin and Calvinism*, p. 351–368.

[155] Paul Helm, *John Calvin's Ideas*. Nova York: Oxford University Press, 2004, p. 162. Veja também Niesel, *Theology of Calvin*, p. 87.

responsabilidade, mas a *necessidade* é "coerente com ser responsável pela ação e ser louvado ou culpado por ela".[156] Portanto, Calvino podia afirmar que o homem "age mal por vontade, não por coação" (*male voluntate agit, non coactione*).[157]

O que então se pode pensar sobre o termo livre-arbítrio (*liberum arbitrium*)? Calvino, assim como Lutero antes dele, preferia ter abolido o termo.[158] Para que propósito serve rotular uma "coisa de tão reduzida importância" com um "título tão pomposo"? Calvino brincou: "Uma nobre liberdade, de fato, seria se o homem não fosse forçado a servir ao pecado, ainda que seja um escravo tão voluntário [*ethelodoulos*] que sua vontade é mantida presa pelos grilhões do pecado!"[159] Além disso, o termo é dado a mal-entendidos, pois os homens pecadores estão propensos a ouvi-lo e pensarem que são seu próprio mestre, tendo o poder de voltarem-se para o bem ou para o mal.[160] Portanto, é melhor evitar o termo. No entanto, isso não significa que Calvino não acreditasse no "livre-arbítrio".[161] Se por liberdade se entende – como Lombardo, os papistas e Pio argumentaram – que a vontade do homem de modo nenhum está determinada, mas que o homem tem o poder em si de querer o bem ou o mal com relação a Deus, para que, por sua própria força, possa igualmente fazer qualquer um dos dois, então Calvino rejeitou o livre-arbítrio. Mas se por livre-arbítrio pode-se entender, como Agostinho sustentou, que o homem deseja por *necessidade voluntária* (não por coação), então, a escolha intencional pode ser afirmada.[162] No entanto, mesmo que o homem deseje por necessidade, esta é, antes da aplicação da graça eficaz, apenas a necessidade de pecar: "Pois não dizemos que o homem é arrastado involuntariamente ao pecado, mas que, porque sua vontade é corrupta, ele é mantido cativo sob o jugo do pecado e, portanto, da necessidade de desejar de maneira má. Pois, onde há escravidão, há necessidade".[163] Portanto, a escravidão da vontade ao pecado permanece, e, ainda assim, essa escravidão é um cativeiro voluntário e intencional (*voluntariae suae electioni*). Como

---

[156] Calvino, *Bondage*, p.150. Veja também John H. Gerstner, "Augustine, Luther, Calvin, and Edwards on the Bondage of the Will". In: Thomas R. Schreiner e Bruce A. Ware (eds.). *The Grace of God, the Bondage of the Will*, v. 2, *Historical and Theological Perspectives on Calvinism*. Grand Rapids: Baker, 1995, p. 287.

[157] Calvino, *Institutas*, 2.2.7; cf. 3.5. "Não podemos nos libertar da direção errada de nossa vontade. Somos libertados dela somente por meio da bondade de Deus. Somente essa bondade liberta". Busch, "God and Humanity", p. 232.

[158] Hugh T. Kerr (ed.). *A Compend of Luther's Theology*. Filadélfia: Westminster, 1943, p. 88, 91.

[159] Calvino, *Institutas*, 2.2.7.

[160] Ibid. Calvino reafirmou seu ponto de vista em *Bondage*, p. 68.

[161] "Como as *Institutas* testemunham, eu sempre disse que não tenho objeção de que a escolha humana seja chamada livre, desde que uma definição saudável da palavra seja acordada entre nós". Calvino, *Bondage*, p. 311. Veja também Calvino, *Institutas*, 2.2.7,8.

[162] Calvino, Institutas, 2.3.5. Veja também Niesel, *Theology of Calvin*, p. 87; John H. Leith, *John Calvin's Doctrine of the Christian Life*. Louisville: Westminster John Knox, 1989, p. 141,142. Para uma apresentação de Calvino como compatibilista, veja Helm, *John Calvin's Ideas*, p. 157–183.

[163] Calvino, *Bondage*, p. 69. E novamente: "A vontade desprovida de liberdade é necessariamente atraída ou conduzida ao mal". *Institutas* (1539), 2.3.5, *CR* 29. "Introduction". In: Calvino, *Bondage*, p. xix–xx.

Calvino tornou evidente em seu Catecismo de 1538, que contém uma de suas definições mais claras e mais precisas de *livre-arbítrio*, o homem não peca por causa de uma "necessidade violenta" (*violenta necessitate*), mas transgride "por causa de uma vontade totalmente propensa ao pecado" (a "necessidade de pecar"):

> As Escrituras repetidamente testificam que o homem é escravo do pecado. Isso significa que sua natureza está tão distanciada da justiça de Deus que ele não concebe, não deseja e nem luta por nada que não seja ímpio, distorcido, mau ou impuro. Pois um coração profundamente impregnado no veneno do pecado só pode produzir frutos do pecado. Contudo, não devemos supor, por essa razão, que o homem seja conduzido pela violenta necessidade de pecar, mas ele transgride por causa de uma vontade totalmente propensa ao pecado. Entretanto, por causa da corrupção de seus sentimentos, ele detesta profundamente toda a justiça de Deus e se inflama para toda sorte de iniquidade, e isso nega que ele é dotado da livre capacidade de escolher o bem e o mal, a qual os homens chamam de "livre-arbítrio".[164]

Para esclarecer esse ponto, Calvino distinguia entre necessidade e compulsão (ou coação):

> O ponto principal dessa distinção, então, deve ser que o homem, ao ser corrompido pela Queda, pecou voluntariamente, não involuntariamente ou por compulsão; pela inclinação mais ansiosa de seu coração, não por compulsão forçada; pelo impulso de sua própria luxúria, não por compulsão exterior. No entanto, sua natureza é tão depravada que ele só pode ser movido ou impelido para o mal, mas, se isso é verdade, então, é claramente expresso que o homem está por certo sujeito à necessidade de pecar.[165]

Calvino ilustrou como um agente pode ser livre e estar sob a necessidade usando o exemplo do Diabo. O Diabo só pode fazer o mal todo o tempo e, ainda assim, é totalmente culpado por suas ações e as comete voluntariamente, mesmo que por necessidade. Portanto, o pecado é simultaneamente necessário e voluntário.[166]

Embora Calvino tenha afirmado a escravidão da vontade (ou, como ele a chamou, a "depravação da vontade"), ele não reduziu os homens a "bestas brutas", mas reconheceu que, como a vontade é inseparável da natureza humana, ela "não morreu, mas está tão ligada aos desejos maus que não pode lutar pelo que é correto".[167] O mesmo ocorre com a mente: apesar de o homem ainda possuir o entendimento

---

[164] "Catechism 1538". In: I. John Hesselink, *Calvin's First Catechism: A Commentary*, Columbia Series in Reformed Theology. Louisville: Westminster John Knox, 1997, p. 9,10 (cf. p. 69).
[165] Calvino, *Institutas*, 2.3.5. Lane resume de modo útil: "A necessidade de pecar significa que pecadores não podem fazer outra coisa senão pecar, mas sua necessidade é imposta pela corrupção da vontade e pela perversidade humana inata. Pecadores não são coagidos ou forçados por qualquer impulso exterior, mas pecam voluntariamente". Lane, "Anthropology", p. 279.
[166] Calvino, *Institutas*, 2.3.5; Calvino, *Bondage*, p. 149,150.
[167] Calvino, *Institutas*, 2.2.12. Cf. Niesel, *Theology of Calvin*, p. 81.

humano, ele permanece escravizado pela perversidade de sua mente.[168] Note-se que, na edição de 1539 das *Institutas*, a linguagem de Calvino era muito forte, dizendo que a vontade fora abolida. No entanto, quando Pio, em 1542, colocou Calvino contra Agostinho por ter entendido mal Calvino, como se este houvesse dito que não há substância para a vontade desde que ela foi abolida, Calvino respondeu em *Bondage* [Escravidão] (1543) e *Institutas* (1559), esclarecendo o que queria dizer. O que ocorre na conversão do homem não é uma destruição da *substância* ou da *faculdade* de nossa vontade e mente, como Pio entendeu o dizer de Calvino, mas a destruição e a remoção do *hábito* ou das *qualidades* da vontade, que, é claro, são maus.[169] Portanto, Calvino especificou que a natureza não é completamente destruída e sim reparada e feita nova (*nova creari*), no sentido de que a natureza corrupta deve ser radicalmente transformada.[170] A vontade é "mudada de uma vontade má para uma vontade boa".[171]

De acordo com Calvino, quão total é a depravação do homem? Como visto nas afirmações dele apresentadas anteriormente, uma vez que o homem ainda "possui o entendimento humano", e como a natureza do homem não pereceu, deve-se concluir que, para Calvino, a depravação não era total em *intensidade*, mas em *extensão*.[172] Michael Horton explica:

> Em outras palavras, não há base firme de bondade em qualquer lugar em nós – em nossa mente, em nossa vontade, em nossas emoções ou em nosso corpo – sobre a qual pudéssemos nos levantar para Deus. O pecado corrompeu a pessoa por inteiro, como um veneno que funciona em maior ou menor intensidade ao longo de todo o fluxo. No entanto, apesar de nós mesmos, isso não elimina a possibilidade de refletirmos a glória de Deus. A humanidade, portanto, não é tão ruim quanto poderia ser, mas é tão necessitada quanto poderia ser. Não há resíduo de piedade obediente em nós, mas apenas um *sensus divinitatis* que exploramos para a idolatria, a autojustificação e a superstição. Assim, os mesmos

---

[168] Calvino, *Institutas*, 2.2.12. Cf. ibid., 2.2.19–21; 2.3.1,2. Veja também Anthony N. S. Lane, *A Reader's Guide to Calvin's Institutes*. Grand Rapids: Baker, 2009, p. 67,68.

[169] Calvino, *Institutas*, 2.3.5. "A faculdade da vontade é permanente na humanidade, mas a vontade má vem da Queda e a vontade boa, da regeneração. A vontade permanece como criada; a mudança ocorre em seu hábito, não em sua substância". Lane, "Anthropology", p. 284. Veja também Euan Cameron, *The European Reformation*. Oxford: Oxford University Press, 1991, p. 113.

[170] Veja Calvino, *Institutas*, 2.3.6. Cf. Lane, "Anthropology", p. 283. Lane observa que, "na edição de 1539 das *Institutas*, Calvino chegou perigosamente perto de ensinar a destruição da vontade". No entanto, "o desafio de Pio sobre esse ponto, tão veementemente rejeitado por Calvino, fez com que ele especificasse seu ensino, primeiro em *A escravidão e a libertação da vontade* e, mais tarde, na edição de 1559 das *Institutas*. A razão pela qual ele se deixou levar nessa direção é que o debate dizia respeito ao ensinamento de Agostinho, por quem ele tinha muita consideração". Veja também Leith, *Calvin's Doctrine*, p. 141.

[171] Calvino, *Institutas*, 2.3.6.

[172] T. F. Torrance, *Calvin's Doctrine of Man*. Londres: Lutterworth, 1949, p. 83,84. No entanto, é precisamente nesse ponto que vários estudiosos parecem interpretar mal Calvino e colocá-lo contra os calvinistas posteriores, como se ele nunca houvesse afirmado a depravação total e a necessidade da graça irresistível. Por exemplo, veja Charles Partee, *The Theology of John Calvin*. Louisville: Westminster John Knox, 2008, p. 133.

remanescentes da justiça original que permitem aos próprios pagãos criar uma ordem cívica razoavelmente equitativa nas coisas terrenas provocam-nos em sua corrupção à religião falsa nas coisas celestiais.[173]

É evidente, neste ponto no pensamento de Calvino, que o homem, à parte do Espírito, nada pode fazer de bom com relação a Deus (ou seja, incapacidade espiritual).[174] Em virtude da depravação do homem, ele é voluntariamente escravo do pecado. Por conseguinte, nenhum ato intencional em direção a Deus precede a "graça do Espírito".[175] Sendo assim, a única esperança do homem é a graça soberana.

VOCAÇÃO ESPECIAL E GRAÇA EFETIVA

Pelo que vimos até aqui, está claro que, para Calvino, a graça é necessária para a libertação da vontade do homem.[176] Tal graça vem antes da vontade do homem (ou seja, ela é preveniente), a fim de libertá-lo de modo efetivo da escravidão, em vez de simplesmente colocar-se ao lado da vontade do homem para ajudá-lo (o que é semipelagianismo).[177] Como Lane explica: "O corolário é que a graça é preveniente: a graça de Deus precede qualquer boa vontade humana. Mas Calvino quer dizer mais do que isso: *graça preveniente não apenas torna possível às pessoas responderem, mas também é eficiente e produz conversão*".[178] Em outras palavras, ao contrário do semiagostinianismo e do arminianismo que viria depois de Calvino, no século XVII, a graça não é preveniente no sentido de que ela simplesmente torna a salvação uma possibilidade se o homem decidir cooperar com ela. Pelo contrário, a graça preveniente da qual Calvino fala é eficaz, de modo que a conversão dos eleitos necessariamente se segue a ela. Lane, citando Calvino, explica:

> [Para Calvino,] a graça preveniente não é meramente suficiente, trazendo à vontade humana "liberdade de escolha contrária". Calvino está ciente e rejeita o que mais tarde seria conhecido como *a visão arminiana*: de que Deus "oferece luz às mentes humanas e está no poder

---

[173] Michael Horton, "A Shattered Vase: The Tragedy of Sin in Calvin's Thought". In: David W. Hall e Peter A. Lillback (eds.). *A Theological Guide to Calvin's Institutes*. Calvin 500 Series. Phillipsburg: P&R, 2008, p. 160,161. Veja também Torrance, *Calvin's Doctrine of Man*, p. 106; James Edward McGoldrick, "Calvin and Luther: Comrades in Christ". In: David W. Hall (ed.). *Tributes to John Calvin: A Celebration of His Quincentenary*. Calvin 500 Series. Phillipsburg: P&R, 2010, p. 179.

[174] "A vontade, por ser inseparável da natureza do homem, não pereceu, mas foi cingida de desejos depravados, de sorte que não pode inclinar-se para nada que seja reto". Calvino, *Institutas*, 2.2.12. Veja Leith, *Calvin's Doctrine*, p. 141.

[175] Calvino, *Institutas*, 2.2.27.

[176] "A vontade se mantém acorrentada por essa servidão do pecado, e não pode voltar-se, muito menos aplicar-se ao bem, pois um movimento dessa natureza é o princípio da conversão a Deus, que, nas Escrituras, é inteiramente atribuída à graça de Deus" (Ibid., 2.3.5).

[177] Lane, "Introduction". In: Calvino, *Bondage*, p. xx

[178] Ibid., grifos nossos.

delas escolher aceitá-la ou recusá-la, e ele move a vontades delas de tal forma que está no poder delas seguir ou não o movimento de Deus" (DSO [*Bondage*], p. 204). Deus não nos oferece apenas graça e deixa conosco a decisão de aceitá-la ou resistir a ela. Em vez disso, a conversão é "uma obra inteiramente da graça", e *Deus não só nos dá a habilidade de desejar o bem, mas também traz aquilo que nós desejamos* (DSO [*Bondage*], p. 252s).[179]

Ou, como Calvino argumentou em seu tratado contra Pio, uma vez que a vontade humana é sempre má e precisa de transformação e renovação para desejar o bem, a graça de Deus "não é apenas uma ferramenta que pode ajudar uma pessoa se ela se agradar em estender a mão para alcançar [a graça]". Calvino desenvolveu: "Ou seja, [Deus] não se limita a oferecê-la, deixando [ao homem] a escolha entre recebê-la e rejeitá-la, mas ele dirige a mente para escolher o que é certo, ele move a vontade também efetivamente à obediência, ele desperta e desenvolve esse esforço até que a conclusão real dessa operação seja alcançada".[180] Citando Agostinho, ele concluiu: "A vontade humana não obtém a graça por meio de sua liberdade, mas a liberdade [é obtida] por meio da graça".[181]

A natureza eficaz da graça também revela a particularidade da escolha de Deus. Calvino argumentou que o livre-arbítrio "não é suficiente para capacitar o homem a fazer boas obras, a menos que seja ajudado pela graça, na verdade, por uma graça especial, que somente os eleitos recebem por meio da regeneração".[182] Calvino explicou: "Logo, deixo de levar em conta os fanáticos que bradam que a graça é distribuída a todos de modo igual e de forma indistinta".[183] Contra Pio, ele afirmou:

> Além disso, essa graça não é dada a todos sem distinção ou em geral, mas somente àqueles a quem Deus deseja [dar]; os demais, a quem não é dada, permanecem maus e não têm absolutamente nenhuma habilidade para atingir o bem, pois pertencem à massa que está perdida e condenada e são deixados para sua condenação. Além disso, essa graça não é do tipo que dê [a seus destinatários] o poder de agir bem com a condição de que eles desejem fazer, de modo que tenham a opção de querer ou de não querer. Mas ela efetivamente os move a querer; na verdade, ela faz o mal deles desejar o bem, de modo que eles necessariamente desejarão o bem.[184]

Portanto, Calvino certamente teria rejeitado o que os arminianos posteriores quiseram dizer ao defender uma graça preveniente universal. Ao contrário disso, a

---

[179] Lane, "Anthropology", p. 283. DSO sustenta a *Defensio sanae et orthodoxae doctrinae de servitute et liberatione humani arbitrii adversus calumnias Alberti Pighii Campensis*, de Calvino.
[180] Calvino, *Bondage*, p. 114.
[181] Ibid., p. 114, 130.
[182] Calvino, *Institutas*, 2.2.6.
[183] Ibid. Cf. ibid., 3.22.10.
[184] Calvino, *Bondage*, p. 136.

graça especial de Deus é discriminatória, particular e eficaz. A ira de Calvino contra o sinergismo torna-se especialmente evidente não só em seus argumentos contra Pio, mas também em sua oposição a Pedro Lombardo ("O Mestre das Sentenças"), que utilizou a distinção medieval entre graça "operante" e graça "cooperante". De acordo com Lombardo, a graça operante garante que nós efetivamente faremos o bem, enquanto a graça cooperante acompanha "a boa vontade como uma ajuda".[185] Calvino não estava satisfeito. O que lhe desagradava era que, embora Lombardo "atribui à graça de Deus o eficaz desejo do bem, dá a entender que, já de sua própria natureza, de certo modo, ainda que ineficazmente, o homem deseja o bem".[186] Em suma, trata-se de semipelagianismo no seu melhor momento. Parker formulou a insatisfação de Calvino da seguinte maneira:

> Calvino tem aversão a essa distinção. Embora atribua à graça a eficácia de qualquer desejo pelo bem, [esse ponto de vista] implica que o homem tem um desejo pelo bem de sua própria natureza, mesmo que esse desejo seja ineficaz. Ele também não gosta nem um pouco da segunda parte, que sugere que está dentro do próprio poder do homem tornar a primeira graça vã por rejeitá-la ou confirmá-la pela obediência.[187]

A frustração de Calvino aumentou ainda mais quando Lombardo "fingiu" estar seguindo Agostinho em tal distinção.[188] Em vez disso, na avaliação de Calvino, Lombardo sempre obscurecia o que Agostinho dissera claramente. Embora seja verdade que Agostinho fez a distinção, a interpretação medieval dela diferiu consideravelmente, permitindo a Lombardo interpretar Agostinho segundo uma lente semipelagiana, uma atitude comum entre teólogos medievais. Calvino insistia que Agostinho nunca teria afirmado tal cooperação ou sinergia.[189] Ele protestou: "Ofende-me a ambiguidade [da segunda parte], a qual tem gerado interpretação pervertida. Pois pensaram que cooperamos com a segunda dessas modalidades da graça de Deus, visto ser nosso direito ou de tornar inútil a primeira graça, rejeitando-a, ou de confirmá-la, seguindo-a obedientemente".[190] Portanto, Calvino rejeitou o ponto de vista de Lombardo porque (1) a graça cooperante sugere que a graça não é eficaz, (2) a cooperação com a graça resulta em mérito humano e (3) a cooperação com a graça significa que a perseverança é um dom dado apenas com base na

---

[185] Calvino, *Institutas*, 2.2.6. "Inicialmente a graça (operante) converte a vontade do mal para o bem. Os convertidos, então, desejam o bem e assim trabalham juntos com a graça (cooperante)" (Lane, "Anthropology", p. 286).

[186] Calvino, *Institutas*, 2.2.6.

[187] Parker, *Calvin*, p. 53.

[188] Calvino, *Institutas*, 2.2.6.

[189] Parker, *Calvin*, p. 56. Sobre a interpretação de Agostinho e de outros pais da igreja feita por Calvino, veja Anthony N. S. Lane, *John Calvin: Student of the Church Fathers*. Edinburgh: T&T Clark, 1999.

[190] Calvino, *Institutas*, 2.2.6.

forma como escolhemos cooperar com ele, coisas que Pio afirmou. Como Lane explica, para Calvino a consequência era que isso "nos faria mestres de nosso próprio destino em vez de somente Deus [ser o mestre]".[191] Calvino procurou interpretar adequadamente Agostinho, argumentando que a graça cooperante não se refere à nossa capacidade de determinar se a graça inicial de Deus será aceita ou resistida, mas, em vez disso, se refere à vontade do homem *subsequente* e *depois* de este ter sido efetivamente chamado e despertado para a nova vida, a partir da qual ele trabalha com Deus em santificação e perseverança final.[192]

Contrariamente ao sinergismo de Lombardo, Calvino defendeu a particularidade e à natureza efetiva da graça em sua exegese de Ezequiel 36, onde Deus remove o coração de pedra e implanta um coração de carne, fazendo com que o pecador morto caminhe em uma nova vida:

> Se porventura numa pedra existe tal plasticidade, a qual, tornada mais mole por algum meio, recebe algum tipo de inflexão, não negarei que o coração do homem pode tornar-se flexível à obediência do que é reto, desde que o que é nele imperfeito seja suprido pela graça de Deus. Mas, se com essa comparação o Senhor quis mostrar que nada de bom jamais será extraído do coração, a não ser que ele se faça inteiramente outro, *não dividamos entre ele e nós o que vindica exclusivamente para si*. Portanto, quando Deus nos converte ao zelo pelo que é reto, uma pedra se transforma em carne e está *eliminado tudo quanto é de nossa própria vontade. O que toma seu lugar procede inteiramente de Deus*. Digo que a vontade é suprimida, não até onde é vontade, pois na conversão do homem permanece íntegro o que é da primeira natureza. Digo ainda que a vontade é feita nova, não no sentido em que comece a existir, mas que ela é mudada de vontade má em boa. Eu afirmo ser isto feito inteiramente por Deus, porque, segundo o próprio apóstolo testifica [2Coríntios 3:5], na verdade não somos capazes nem sequer de pensar.[193]

Referindo-se às palavras de Paulo em Efésios 2, Calvino continuou dizendo que nessa "segunda criação", que alcançamos em Cristo, Deus opera sozinho. A salvação é um dom gratuito; portanto, "se até mesmo a menor habilidade veio de nós, também teríamos alguma parte do mérito".[194] Com Salmos 100:3 em mente, Calvino observou: "Além disso, vemos como, não contente simplesmente por ter dado a Deus louvores por nossa salvação, ele expressamente nos exclui de toda participação nela. É como se ele estivesse dizendo que não resta nada do que o homem se glo-

---

[191] Com relação à primeira razão, Lane afirma: "Foi assim que Pio apresentou a questão, sustentando que já cooperamos no ponto de conversão e que Deus dá a graça inicial somente àqueles que cooperam com ela (DSO, p. 275s.). Contra isso, Calvino enfatiza a graça preveniente e eficaz que, nas palavras de Agostinho, 'trabalha sem nós para nos fazer querer' (DSO, p. 195)" (Lane, "Anthropology", p. 286).
[192] Calvino, *Institutas*, 2.3.11.
[193] Ibid., 2.3.6. Grifos nossos.
[194] Ibid.

riar, pois a salvação vem inteiramente de Deus".[195] Se a salvação vem inteiramente de Deus, incluindo o primeiro momento da vida nova, então, a cooperação humana com a graça de Deus é inaceitável e não bíblica.

No entanto, Calvino antecipou uma objeção: "Talvez alguns reconheçam que a vontade é afastada do bem por sua própria natureza e convertida apenas pelo poder do Senhor, mas de tal modo que, tendo sido preparada, ela tem participação na ação".[196] Essa objeção vem do ponto de vista semiagostiniano, o qual argumenta que, embora Deus inicie a graça e prepare a vontade para os atos de graça subsequentes, o homem deve, em última instância, fazer sua parte para que tal graça finalmente alcance seu objetivo. Ao contrário desse entendimento, Calvino respondeu que a própria atividade da vontade de exercer a fé é um dom gratuito de Deus,[197] eliminando qualquer possível participação da vontade do homem.[198] Como formulado em seu Catecismo de 1538: "Se ponderarmos devidamente sobre quanto nossa mente está cega no que diz respeito aos mistérios celestiais de Deus e com quanta infidelidade nosso coração trabalha em todas as coisas, não teremos dúvida de que a fé ultrapassa em muito todos os nossos poderes naturais e é um dom excelente de Deus".[199] Portanto, segue-se que, "quando nós, que por natureza somos inclinados para o mal com todo o nosso coração, começamos a desejar o bem, nós o fazemos por mera graça".[200] Depois de expor Ezequiel 36:26 e Jeremias 32:39,40, Calvino explicou: "Pois daí se segue que nenhuma coisa boa pode proceder de nossa vontade, enquanto esta não for reformada; e que, depois disso concretizado, tudo o que é bom vem de Deus, e não de nós mesmos".[201] Ele concluiu:

---

[195] Ibid.
[196] Ibid., 2.3.7.
[197] Victor A. Shepherd, *The Nature and Function of Faith in the Theology of John Calvin*. Macon: Mercer University Press, 1983, p. 80,81; Timothy George, *Theology of the Reformers*. Nashville: B&H, 1988, p. 223–228. Sobre a relação entre fé e intelecto para Calvino, veja Richard A. Muller, "*Fides* and *Cognitio* in Relation to the Problem of Intellect and Will in the Theology of John Calvin", *CTJ* 25, n. 2, 1990, p. 207–224.
[198] Calvino tinha muito a dizer sobre exatamente como o Espírito utiliza a Palavra para criar fé no coração dos eleitos. É o Espírito Santo que toma a Palavra e a torna eficaz, produzindo fé como um dom gratuito. Em virtude da opacidade e da cegueira do homem, é absolutamente necessário que o Espírito ilumine a mente e desperte o coração para a nova vida. Calvino citou numerosas passagens em sua defesa, incluindo Lucas 24:27, 45; João 6:44,45; 16:13; Romanos 11:34; 1Coríntios 2:10–16 (Calvino, *Institutas*, 2.2.33,34). Segundo ele, não só a fé, mas também o arrependimento é um dom de Deus. Calvino apoiou essa afirmação com passagens como Isaías 63:17; Atos 11:18; 2Coríntios 7:10; Efésios 2:10; 2Timóteo 2:25,26; Hebreus 6:4–6. Por argumentar que tanto a fé como o arrependimento são dons de Deus, Calvino novamente reafirmou o monergismo e exaltou a soberana vontade de Deus em vez da escolha voluntária do homem (Ibid., 2.3.21).
[199] Hesselink, *Calvin's First Catechism*, p. 18.
[200] Calvino, *Institutas*, 2.3.8. A implicação óbvia para Calvino é que o Espírito deve mudar a vontade do homem pecador para que ele possa ter fé. Como Muller explica: "Não podemos querer o bem, nem podemos ter fé. Ambos resultam apenas da atividade graciosa do Espírito que muda a vontade do mal para o bem" (Richard Muller, *The Unaccommodated Calvin: Studies in the Foundation of a Theological Tradition*, Oxford Studies in Historical Theology. Nova York: Oxford University Press, 2000, p. 166,167).
[201] Calvino, *Institutas*, 2.3.8,9.

Ele [Deus] não move a vontade do modo como tem sido ensinado e crido por muitos séculos – que seja de nossa escolha em seguida *obedecer ou resistir à operação [de Deus]* –, *mas por dispô-la eficazmente*. Portanto, deve-se negar essa declaração de Crisóstomo muitas vezes repetida: "A quem ele [Deus] atrai, o faz querendo". Com isso, ele significa que o Senhor apenas espera, de mão estendida, se porventura teremos prazer em receber sua ajuda.[202]

Contrário ao sinergismo de Crisóstomo, Calvino rejeitou a noção de que a graça de Deus só é eficaz se a aceitarmos ("A quem ele atrai, o faz querendo"). Pelo contrário, Deus deseja operar em seus eleitos de tal maneira que sua graça especial seja sempre eficaz: "Isso não significa outra coisa senão que o Senhor, por seu Espírito, dirige, inclina, governa nosso coração e nele reina como em sua própria possessão".[203] Citando Agostinho, Calvino explicou que, embora queiramos, é Deus quem nos faz querer o bem. A menos que Deus primeiro crie em nós um novo coração, fazendo com que desejemos o bem, permaneceremos mortos no pecado. Calvino apelou não somente para Ezequiel 11:19,20 e 36:27, mas também para o Evangelho de João:

> Agora, a palavra de Cristo ("Todos os que ouvem o Pai [...] vêm a mim" [João 6:45]) não pode ser entendida de outra maneira senão que *a graça de Deus por si só é eficaz*. Agostinho entende do mesmo modo. O Senhor não julga indiscriminadamente todos dignos dessa graça, como diz o ditado comum de Ockham (a menos que eu me engane): "A graça não é negada a ninguém que faz o que nele está". De fato, deve ser ensinado aos homens que a bondade amorosa de Deus é oferecida para todos os que a buscam, sem exceção. Mas, uma vez que são aqueles sobre quem a graça celestial foi soprada que, por fim, começam a buscá-la, eles não devem reivindicar para si a menor parte de seu louvor. Obviamente, é privilégio dos eleitos que, regenerados pelo o Espírito de Deus, sejam movidos e governados por sua liderança. Por essa razão, Agostinho ridiculariza com justiça aqueles que reivindicam para si qualquer parte do ato de desejar, assim como repreende outros que pensam que ela é dada a todos indiscriminadamente, o que é testemunho especial da eleição gratuita. "A natureza", diz ele, "é comum a todos, não a graça." A visão de que o que Deus concede a quem quer que seja geralmente se estende a todos, Agostinho chama de sutil delicadeza frágil como vidro, que brilha de mera vaidade. Em outro trecho ele diz: "Como você veio? Pela fé. Tema que, enquanto você está vindicando que encontrou sozinho o caminho justo, pereça do caminho justo. Eu vim, você diz, por minha própria livre escolha; eu vim por minha própria vontade. Por que você está inflado? Deseja saber que isso também lhe foi dado? Ouça-o dizendo: 'Ninguém pode vir a mim, se o Pai, que me enviou, não o atrair'" [João 6:44].[204]

---

[202] Ibid., 2.3.10. Ênfase adicionada. Cf. Calvino, *Bondage*, p. 174.
[203] Calvino, *Institutas*, 2.3.10. Cf. Lane, "Anthropology", p. 284. Veja também Christian Link, "Election and Predestination", em *John Calvin's Impact on Church and Society, 1509–2009*, ed. Martin Ernst Hirzel e Martin Sallmann. Grand Rapids, MI: Eerdmans, 2009, p. 116.
[204] Calvino, *Institutas*, 2.3.10. Grifos nossos.

Calvino era enfático: a menos que o homem seja atraído eficazmente pela vocação especial do Espírito, falta-lhe a esperança, pois sua vontade de nada servirá.

Calvino novamente usou linguagem bíblica similar no meio de sua exposição sobre predestinação. Ele considerava o chamado especial do Espírito como o fluir da eleição incondicional de Deus:

> Portanto, Deus designa como seus filhos aqueles a quem ele escolheu e se nomeia a eles como Pai. Além disso, *ao chamá-los*, ele os recebe em sua família e os une a si, a fim de que, juntos, sejam um. Mas quando o chamamento é ligado à eleição, dessa forma a Escritura sugere suficientemente que nele nada deve ser buscado, a não ser a livre misericórdia de Deus. Pois, se perguntamos a quem ele chama e a razão pela qual o faz, ele responde: "A quem ele havia escolhido".[205]

Calvino elaborou essa "vocação" em sua exegese de Mateus 22:14:

> A declaração de Cristo "Muitos são chamados, mas poucos são escolhidos" [Mateus 22:14] é, deste modo, muito mal-entendida. Nada será ambíguo se nos apegarmos ao que deve ser claro a partir do que precede: que há *dois tipos de vocação*. Há a vocação *geral*, pela qual Deus convida todos igualmente a virem a ele mediante a pregação exterior da Palavra – mesmo aqueles a quem ele apresenta como um sabor de morte [cf. 2Coríntios 2:16] e como ocasião para severa condenação. *O outro tipo de vocação é especial*, que ele digna principalmente a dar somente aos cristãos, quando, pela iluminação interior de seu Espírito, ele faz com que a Palavra pregada habite no coração deles.[206]

Como observa Muller, não só as *Institutas*, mas os comentários de Calvino sobre Amós e Isaías têm essa mesma distinção entre a vocação geral e a especial.[207] Por exemplo, comentando Isaías 54:13, Calvino observou como o apóstolo João cita Isaías para demonstrar a eficácia do chamamento de Deus aos eleitos: "O evangelho é pregado indiscriminadamente aos eleitos e aos réprobos; mas apenas os eleitos vêm a Cristo, porque foram 'ensinados por Deus', e, portanto, o profeta indubitavelmente se refere a eles".[208] Comentando sobre a "eficácia do Espírito", Calvino concluiu: "Além disso, somos ensinados por essa passagem que o chamado de Deus é eficaz nos eleitos".[209] Em seu comentário sobre o Evangelho de João, Calvino

---

[205] Ibid., 3.24.1. Grifos nossos. Calvino também traçou a conexão entre eleição e vocação em 3.24.2.
[206] Ibid., 3.24.8. Grifos nossos.
[207] Muller, *The Unaccommodated Calvin*, p. 151.
[208] João Calvino, *Calvin's Commentaries*, v. 8, *Commentary on the Book of the Prophet Isaiah, Chapters 33–66*, traduzido e editado por William Pringle. Grand Rapids: Baker, 2005, p. 146.
[209] Ibid., p. 146,147. Cameron comenta, com razão, que, para Calvino, uma vez que "a fé foi dada e inspirada, em vez de alcançada, Deus, por razões inescrutáveis, escolheu dar fé a algumas pessoas e a outras, não" (Cameron, *The European Reformation*, p. 119). O mesmo ponto é apresentado por Vermigli: "De modo nenhum podemos dizer que a graça é comum a todos os homens, mas é dada a alguns; e, a outros, de acordo com o prazer

voltou mais uma vez ao chamamento eficaz do Espírito. Com relação a João 6:44, ele explicou primeiro que, embora o evangelho seja pregado a todos, nem todos o acolhem, pois "são necessários um novo entendimento e uma nova percepção".[210] Calvino, então, descreveu o que significa o Pai atrair pecadores para si:

> Para vir a Cristo, aqui usado metaforicamente para crer, o evangelista, com vistas a fazer valer a metáfora na cláusula apropriada, diz que essas pessoas atraídas são aquelas cujo entendimento Deus ilumina e cujo coração ele inclina e forma para a obediência de Cristo. As declarações equivalem a isto: que não devemos nos maravilhar se muitos se recusam a acolher o evangelho, pois nenhum homem nunca, por si mesmo, foi capaz de vir a Cristo, mas Deus deve primeiramente se aproximar dele por seu Espírito; e, assim, concluímos que nem todos são atraídos, mas Deus concede essa graça àqueles a quem elegeu. Na verdade, quanto ao tipo de atração, ela não é violenta de modo a forçar os homens pela força externa, mas ainda é um impulso poderoso do Espírito Santo, que torna dispostos [e interessados] homens que anteriormente eram indispostos e relutantes. É uma afirmação falsa e profana, portanto, que só são atraídos aqueles que estão dispostos a tal, como se o homem se fizesse obediente a Deus por seus próprios esforços; pois a voluntariedade com que os homens seguem a Deus é aquela que já possuem, que lhes formou o coração para obedecer-lhe.[211]

Calvino passou a explicar que essa atração não consiste em uma mera voz externa, mas é a operação secreta do Espírito Santo, pela qual Deus interiormente ensina mediante a iluminação do coração.[212] Calvino revelou seu monergismo

---

de Deus, não é dada" (Pedro Mártir Vermigli, *The common places of the most famous and renowned diuine Doctor Peter Martyr*. Londres: Henry Denham and Henry Middleton, 1583, 31.38). Cf. David Neelands, "Predestination and the *Thirty-Nine Articles*". In: Torrance Kirby, Emidio Campi e Frank A. James III (eds.). *A Companion to Peter Martyr Vermigli*. Brill's Companions to the Christian Tradition 16. Leiden: Brill, 2009, p. 364.

[210] João Calvino, *Calvin's Commentaries*, v. 17, *Commentary on the Gospel according to John*, traduzido e editado por William Pringle. Grand Rapids: Baker, 2005, p. 257 [*Comentários bíblicos: O Evangelho segundo João*, vols. 1 e 2. São José dos Campos: Editora Fiel, 2015].

[211] Mas o que dizer da frase "Todos serão ensinados por Deus" (João 6:45)? Isso não se refere a todas as pessoas? Calvino discordava: "A palavra *todos* deve ser limitada aos eleitos, os únicos que são os verdadeiros filhos da Igreja". Ibid., p. 258.

[212] Calvino não estava sozinho nessa distinção entre uma vocação geral e uma vocação eficaz ou especial. Como observa David Steinmetz, alguns dos contemporâneos de Calvino, como Martin Bucer, também distinguiram entre a *vocatio congrua* e a *vocatio incongrua*. A *vocatio congrua* "é a pregação do evangelho aos eleitos, que são movidos por Deus a acolhê-lo". A *vocatio incongrua* é a pregação do evangelho aos não eleitos, "que não são assistidos pela misericórdia de Deus e, por isso, são deixados em seus pecados". Enquanto a *vocatio incongrua* é ineficaz ou resistível, a *vocatio congrua* é eficaz ou irresistível. Naturalmente, essa distinção não se originou com Bucer ou Calvino (como o termo calvinismo parece sugerir), mas originou-se realmente com Agostinho. Como Steinmetz explica, calvinistas posteriores utilizariam a distinção entre chamado eficaz e ineficaz. A *vocatio* aos eleitos é sempre *efficax* (eficaz), mas o chamado ao não eleito é designado para ser *inefficax* (ineficaz), porque não é acompanhado pelo Espírito. Portanto, como relembra Muller, os reformados asseveram haver uma *vocatio specialis* (vocação especial), também chamada de *vocatio interna* (vocação interior), porque o Espírito opera interiormente, o que torna a *vocatio externa* (vocação exterior) *efficax*. Essas distinções entre os reformados não eram novas, mas, como demonstrado acima, são evidentes no pensamento de Calvino em um esforço tanto para permanecer fiel à linguagem da Escritura com respeito a diversas *vocatio* e ao mesmo tempo para refutar alguns, como Pio, que

quando concluiu dizendo que o homem não está apto para crer até que tenha sido atraído e que tal atração pela graça de Cristo seja "eficaz, de modo que ele necessariamente creia".[213]

SOLA GRATIA E SOLI DEO GLORIA

Como visto anteriormente, a graça de Deus, de acordo com Calvino, não depende da vontade humana, pelo contrário, esta é que depende da graça de Deus. Citando Agostinho, Calvino expôs a questão central do debate: "Este é o ponto principal sobre o qual a questão gira: esta graça precede ou segue a vontade humana – para ser mais claro, ela é dada a nós porque a desejamos ou por meio dela Deus também traz aquilo que desejamos?"[214] Segundo Calvino, o pecador depravado não coopera com a graça de Deus, mas Deus opera sozinho, chamando o pecador para si mesmo de maneira eficaz, produzindo uma nova vida interior por meio de seu Espírito.

Por que Calvino achava que esse debate era tão crucial? Para ele, dependendo do modo como se entende a graça, o que se coloca em jogo é a glória de Deus. Hesselink argumenta: "Se essa graça for rebaixada por alguma forma de cooperação (sinergismo) entre um ser humano 'livre' semiautônomo e o Senhor soberano, a glória de Deus é comprometida, conforme entende Calvino".[215] Comprometer a glória de Deus assim era, para Calvino, não apenas antibíblico, mas também um ataque ao próprio Deus. Calvino, em sua controvérsia com Jerome Bolsec, em 1551, tornou isso bastante claro. Quando perguntado por que alguns criam e outros, não, Bolsec respondeu que era porque alguns exerciam seu livre-arbítrio, enquanto outros, não. Calvino considerou que tal resposta contradizia as Escrituras, particularmente Romanos 3:10,11, que diz: "Não há nenhum justo, nem um sequer; não há ninguém que entenda, ninguém que busque a Deus". A vontade não regenerada não tem capacidade de se voltar para Deus. Pelo contrário, é somente Deus quem deve salvar os pecadores depravados e, ao fazê-lo, só ele recebe a glória.

---

procuravam minimizar a *vocatio* a um simples, universal, resistível e ineficaz ato de graça (David C. Steinmetz, *Calvin in Context* (Nova York: Oxford University Press, 1995), p. 149; cf. Richard Muller, "vocatio", em *Dictionary of Latin and Greek Theological Terms: Drawn Principally from Protestant Scholastic Theology*. Grand Rapids, MI: Baker, 2004, p. 329.

[213] Calvino, *Commentary on John*, 256 (cf. 258,259) [*Comentários bíblicos: O Evangelho segundo João*, vols. 1 e 2]. Veja também Paul Helm, *Calvin: A Guide for the Perplexed*. Londres: T&T Clark, 2008, p. 84; Edward A. Dowey Jr., *The Knowledge of God in Calvin's Theology*. Nova York: Columbia University Press, 1952, p. 150, 175, 176.

[214] Calvino, *Bondage*, p. 176. Cf. ibid., p. 188.

[215] Hesselink, *Calvin's First Catechism*, p. 72. Veja tambem Alister E. McGrath, *A Life of John Calvin: A Study in the Shaping of Western Culture*. Cambridge: Basil Blackwell, 1990, p. 145–173. Warfield podia dizer com confiança: "O ponto central do calvinismo é a glória de Deus". Benjamin Breckenridge Warfield, *Calvin as a Theologian and Calvinism Today*. Grand Rapids: Evangelical Press, 1969, p. 26. Ou, no dizer de Cameron: "Na exposição de Calvino, um tema se destaca: a soberania e a majestade de Deus, ilimitadas e únicas. Deve-se deixar Deus ser Deus no sentido mais pleno possível". Cameron, *The European Reformation*, p. 129.

Godfrey explica bem o contraste entre Calvino e Bolsec: "A religião de Bolsec é centrada no homem. Deus fez tudo o que pôde para salvar, mas a decisão final sobre a salvação está na resposta humana. Para Calvino, tal religião tira de Deus a glória da salvação e banaliza a obra de Cristo".[216]

PEDRO MÁRTIR VERMIGLI E A REFORMA EDUARDIANA DE THOMAS CRANMER

Não podemos nos esquecer de que, enquanto Calvino tenda a ocupar a atenção central em muitos estudos da ala reformada da Reforma na literatura contemporânea, no século XVI ele era uma voz entre vários outros impressionantes pastores e teólogos reformados. Embora muitos exemplos possam ser dados, vamos nos concentrar no erudito bíblico Pedro Mártir Vermigli (1499–1562), cujos comentários deram origem à sua notoriedade.

Nosso foco tem gravitado entre Wittenberg e Genebra, mas com Vermigli somos transportados para a Inglaterra, pelo menos por um tempo.[217] A Reforma iniciada por Lutero se espalhou para a Inglaterra quando os livros do reformador foram contrabandeados por comerciantes alemães. O impacto que os livros e panfletos de Lutero tiveram pode ser visto pelo fato de que foram queimados em praça pública em 1521.

No entanto, não devemos ter a impressão de que a única influência era alemã ou luterana; de fato, a Reforma na Inglaterra também foi influenciada pela Suíça e pela tradição reformada. Por exemplo, o Arcebispo Thomas Cranmer se correspondia com Martin Bucer, de Estrasburgo,[218] e Frank James III observa como essa

> relação com a Suíça se manifestou em um plano malogrado de formar uma aliança teológica entre a igreja inglesa e os protestantes suíços e alemães do sul no continente. [...]

---

[216] W. Robert Godfrey, *John Calvin: Pilgrim and Pastor*. Wheaton, IL: Crossway, 2009, p. 116,117. Godfrey salienta que essa mesma questão brotou novamente em 1552, com John Trolliet. Sobre o sinergismo de Bolsec, veja Richard A. Muller, "The Use and Abuse of a Document: Beza's *Tabula Preaedestinationis*, the Bolsec Controversy, and the Origins of Reformed Orthodoxy", em *Protestant Scholasticism: Essays in Reassessment*, ed. Carl R. Trueman e R. Scott Clark. Carlisle: Paternoster, 1999, p. 45, 49,50.

[217] Para um estudo mais aprofundado sobre os pontos de vista de Vermigli, veja John Patrick Donnelly, *Calvinism and Scholasticism in Vermigli's Doctrine of Man and Grace*, Studies in Medieval and Reformation Thought 18. Leiden: Brill, 1976; Neelands, "Predestination and the Thirty-Nine Articles", p. 364; Frank A. James III, *Peter Martyr Vermigli and Predestination: The Augustinian Inheritance of an Italian Reformer*, Oxford Theological Monographs. Oxford: Clarendon, 1998.

[218] Bucer também contribuiu com os tópicos predestinação, eleição, pecado original, vocação e livre-arbítrio. Veja Martin Bucer, *The Common Places of Martin Bucer*, traduzido e editado por D. F. Wright, Courtenay Library of Reformation Classics 4. Appleford: Sutton Courtenay, 1972, especialmente as páginas 96–157. Para a contribuição de Bucer ao *Livro de oração comum* de 1549 e de 1552, veja especialmente as páginas 25,26 de "Introduction", de Wright. Sobre a vida e a teologia de Bucer, veja Martin Greschat, *Martin Bucer: A Reformer and His Times*, trad. Stephen E. Buckwalter. Louisville: Westminster John Knox, 2004.

Com grande parte do protestantismo continental em desordem após a vitória de Carlos V na Guerra Esmalcalda, Cranmer acreditava que a Inglaterra poderia ser o ponto de partida para um protestantismo ressurgente. Ele inclusive traçou planos para compor uma declaração doutrinal comum e para realizar um "sínodo piedoso" com protestantes continentais e ingleses para enfrentar os efeitos do Concílio de Trento (1545–1563), conferenciando com teólogos como João Calvino, Philip Melanchthon e Heinrich Bullinger sobre a proposta.[219]

Com elevadas esperanças de reforma na Inglaterra em mente, Cranmer convidou o italiano Vermigli, de quem provavelmente soube por intermédio de Bucer, para vir à Inglaterra em 1547, onde Vermigli permaneceu até 1553, servindo como Regius Professor de Divindade em Oxford.[220] Embora seu tempo na Inglaterra tenha sido curto em virtude da morte súbita do rei Eduardo VI, argumentou-se que, de "todos os reformadores continentais, Mártir foi o que exerceu a maior influência".[221] Sem dúvida, o "crescente consenso acadêmico é que Vermigli foi uma das influências teológicas mais importantes, se não inesperada, sobre Cranmer e, por intermédio deste, sobre a Reforma eduardiana".[222] Se tais afirmações forem verdadeiras, então é justo que demos atenção ao ponto de vista teológico desse teólogo reformado.

Vermigli foi compreensivelmente celebrado por seu comentário sobre Romanos. No entanto, não devemos deixar de perceber que, embora fosse antes de tudo um estudioso bíblico, Vermigli também escreveu teologia, incluindo estudos sobre as doutrinas da predestinação e da justificação. Charles Schmidt argumentou que a doutrina reformada da predestinação deve sua proeminência mais substancialmente, depois de Calvino, a Vermigli.[223] Embora não possamos dedicar nossa atenção a tais debates históricos, deve-se notar que Vermigli defendeu uma visão reformada da predestinação em várias disputas. Por exemplo, em 1553 e 1554, ele encontrou oposição de certos luteranos, e escreveu a Calvino que eles haviam "espalhado relatos muito sujos e falsos sobre a eterna eleição de Deus, contra a verdade e contra seu [de Calvino] nome". Não obstante, Vermigli garantiu a Calvino que ele e

---

[219] Frank A. James III, "Translator's Introduction". In: Frank A. James III (trad.-ed.).Peter Martyr Vermigli, *The Peter Martyr Library*, v. 8, *Predestination and Justification: Two Theological Loci*. Sixteenth Century Essays & Studies 68. Kirksville: Truman State University Press, 2003, p. xvii.

[220] Falta-me espaço para explorar a Reforma inglesa em profundidade, bem como os debates que se seguiram, mas veja Dewey D. Wallace Jr., *Puritans and Predestination: Grace in English Protestant Theology, 1525–1695*. Chapel Hill: University of North Carolina Press, 1982; Philip E. Hughes, *Theology of the English Reformers*. Londres: Hodder and Stoughton, 1965, p. 54–76; Carl R. Trueman, *Luther's Legacy: Salvation and English Reformers, 1525-1556*. Oxford: Clarendon, 1994; Peter White, *Predestination, Policy and Polemic: Conflict and Consensus in the English Church from the Reformation to the Civil War*. Nova York: Cambridge University Press, 1992; Peter Newman Brooks, "The Theology of Thomas Cranmer". In: Bagchi e Steinmetz, *Cambridge Companion to Reformation Theology*, p. 150–160; Carl R. Trueman, "The Theology of the English Reformers". In: Bagchi e Steinmetz, *Cambridge Companion to Reformation Theology*, p. 161–173.

[221] James, "Translator's Introduction", p. xviii.

[222] Ibid., p. xviii, xix.

[223] Citado em James, *Peter Martyr Vermigli and Predestination*, p. 31.

Girolamo Zanchi, que se converteu por meio de Vermigli, "defendem suas [de Calvino] qualidades e a verdade tanto quanto podemos".²²⁴

Assim como outros aliados reformados, Vermigli confirmou a tradição de Agostinho quando chegou à estrutura envolvendo a depravação do homem e a graça de Deus, bem como a defesa do agostinianismo feita no final da era medieval por Gregório de Rimini (cerca de 1300–1358). Isso pode explicar por que os reformadores de Estrasburgo, em 1542, "reconheceram em Vermigli um espírito afim e um protestante pouco original".²²⁵ Sendo assim, Vermigli e Calvino tinham muito em comum, pois ambos refutavam o teólogo holandês Alberto Pio. Não devemos nos surpreender, portanto, que Vermigli tenha algo significativo a dizer em termos de como a graça opera sobre a vontade escravizada.²²⁶

A PARTICULARIDADE DA GRAÇA DIVINA

De modo semelhante a outros teólogos reformados, Vermigli não hesitou em afirmar a total depravação do homem, que inclui a escravização de sua vontade, significando que o homem é totalmente dependente da graça salvadora de Deus. Mas de que tipo de graça Vermigli falava? Era uma graça universal, dada a todas as pessoas de igual modo? Ele reconheceu que alguns imaginavam que a predestinação de Deus é comum a todos. Vermigli afirmou, contudo, que, se assim fosse, então "estaria no próprio poder deles [dos homens] ou em suas próprias mãos" serem predestinados, "de modo que receberiam a graça quando ela fosse oferecida".²²⁷

Em contraste, Vermigli negou que "a graça é comum a todos", e argumentou, em vez disso, que ela "é dada a alguns, e não a outros, de acordo com o prazer de Deus". Ele apelou a Jesus para apoiar tal particularidade em seu ensino sobre a vocação eficaz: "Ninguém pode vir a mim, se o Pai, que me enviou, não o atrair" (João 6:44). Vermigli perguntou retoricamente: "Eu me pergunto por que os oponentes dizem que todos são atraídos a Deus, mas que nem todos virão? [...] Então eles dizem que todos são atraídos por Deus, mas, além de serem atraídos por Deus, é necessário que estejam dispostos e concordem; de outro modo, não somos trazidos a Cristo".²²⁸ Vermigli demonstrou como esse ponto de vista está em contradição

---

²²⁴ Peter Martyr Vermigli, *Locorum Communium Theologicorum ex ipsius scriptis sincere decerptorum*. Basel: P. Perna, 1582, p. 231,232. Veja James, "Translator's Introduction", p. xxiv.

²²⁵ James, "Translator's Introduction", p. xxx, xxxi.

²²⁶ Focalizaremos especificamente no Locus de Vermigli sobre a predestinação (mas apenas em sua visão da vocação eficaz e da conversão), que pode ser encontrado no final de sua exegese de Romanos 9 em seu comentário de Romanos, de 1558, publicado em Basileia por Peter Perna. Veja James, "Translator's Introduction", p. xliii. No entanto, deve-se notar que, embora o comentário de Vermigli sobre Romanos tenha sido publicado em 1558, as pregações em que foi baseado foram entregues em Oxford entre 1550 e 1552. Ver James, *Peter Martyr Vermigli and Predestination*, p. 62.

²²⁷ Vermigli, *Predestination and Justification*, p. 53.

²²⁸ Ibid.

com as palavras de Jesus não apenas em João 6:44, mas também em João 3:5: "Ninguém pode entrar no Reino de Deus, se não nascer da água e do Espírito". Se seguíssemos a lógica daqueles que afirmam a graça universal, então, teríamos de dizer que "todos nascem de novo da água e do Espírito". Mas é evidente que não é esse o caso; então, por que leríamos João 6:44 para dizer que todos os homens são atraídos pelo Pai? Vermigli, apelando a Agostinho, concluiu que "nem todos são atraídos por Deus", porque ele não dá esse dom a todos, mas somente aos eleitos, a quem só o Pai atrai irresistivelmente. O pensamento conclusivo de Vermigli sobre esse assunto resume-o bem:

> Está escrito no mesmo capítulo: "Todo o que o Pai me der virá a mim" [João 6:37]. Se todos fossem atraídos, todos viriam a Cristo. No mesmo lugar, está escrito: "Todos os que ouvem o Pai e dele aprendem vêm a mim" [v. 45]. Visto que muitos não vêm a Cristo, diz-se que muitos não ouviram nem aprenderam. E, no Capítulo 10, quando Cristo disse que é o pastor e tem suas próprias ovelhas, ele diz, entre outras coisas: "Aqueles que meu Pai me deu, ninguém pode arrebatar de minhas mãos" [10:28,29]. Vemos que muitos se afastam da salvação, e por isso devemos concluir que eles não foram dados pelo Pai a Cristo.[229]

A EFICÁCIA DA GRAÇA DIVINA

É fundamental notar a irresistibilidade dessa atração, e não apenas sua particularidade. Seguindo Agostinho em seus escritos a Simpliciano, Vermigli distinguiu entre duas vocações na Escritura. Por um lado, existe uma *vocação comum, geral, do evangelho* a todas as pessoas. Nesse chamamento, que acompanha a proclamação do evangelho, "os homens são chamados em comum, mas não de modo a serem movidos e convertidos".[230] A classificação de Vermigli é a chave. Embora os homens em todo lugar recebam essa vocação geral do evangelho, esse não é o chamamento pelo qual o Espírito opera para converter os homens. Pelo contrário, é uma vocação que as pessoas em toda parte ouvem, um chamado para vir a Cristo. Como disse Vermigli: "Deus chama a todos os homens por uma vocação exterior, isto é, por intermédio de seus profetas, apóstolos, pregadores e das Escrituras. Um homem não é mais excluído das promessas ou dos avisos do que outro, porque são anunciados para todos da mesma forma, embora nem todos sejam predestinados a alcançar seu fruto".[231]

---

[229] Ibid., p. 54. Mais tarde, Vermigli demonstrou essa particularidade novamente quando apelou para Mateus 11:25–27 e 13:11, bem como para Isaías 6:9, para mostrar que a revelação salvífica não é dada a todos, mas apenas aos eleitos. Vermigli também recorreu a Romanos 9:15 (cf. Êxodo 33:19) para mostrar que "a graça não é oferecida igualmente a todos" (Ibid., p. 55,56).

[230] Ibid., p. 58.

[231] Ibid., p. 60.

Vermigli advertiu, no entanto, contra a suposição de que tais convites gerais nas Escrituras, enraizados nesse chamado do evangelho, significam que o homem pode converter a si mesmo: "Deus convida universalmente todos os homens, os profetas foram enviados indiscriminadamente a todos e as Escrituras são dadas a todos, mas isso não nada diz sobre a eficácia da graça, de que falamos".[232] Embora o evangelho se espalhe, chamando todos a olhar para Jesus, há um enorme problema: o homem é espiritualmente incapaz de voltar-se e crer devido à depravação e à escravidão da vontade. Portanto, é necessária uma vocação interior do Pai pelo poder do Espírito, pelo qual os eleitos são atraídos para Cristo.

A segunda vocação, pela qual o Espírito trabalha para converter, é um chamamento diferente (embora não divorciado do geral). Mesmo não tendo Vermigli lhe dado um nome preciso, podemos denominá-lo *vocação específica, especial ou eficaz*. É por ela que os eleitos "são chamados assim como são inclinados a serem movidos". Essas duas vocações são significativas, porque são um lembrete de que nem todos os homens são "movidos e atraídos para Deus da mesma maneira".[233]

Quando o Pai atrai, ele o faz de modo eficaz; essa é a intenção do segundo chamamento. Essa eficácia é aparente em João 6:37,44, como observado anteriormente, assim como em João 3:8,27. Por exemplo, versículos em João 3 afirmam que "uma pessoa só pode receber o que lhe é dado do céu" (v. 27) e que o Espírito "sopra onde quer" (v. 8). Aqui está uma referência ao poder onipotente do Espírito, "que regenera" tão fortemente quanto o vento sopra. É claro que Jesus mostra que o "símile é extraído da natureza do vento para mostrar o poder do Espírito Santo".[234] Como é evidente no abrir do coração de Lídia (Atos 16:14), o Espírito é livre para trabalhar soberanamente em uma pessoa e em outra, não.

Além disso, tal eficácia se manifesta não apenas na regeneração (João 3), mas também na conversão que se segue, pois mesmo a fé e o arrependimento são dons da graciosa mão de Deus. Quando lemos sobre o arrependimento em 2Timóteo 2:25, por exemplo, entendemos que "até o arrependimento é um dom de Deus". Devemos concluir, portanto, "que não está nas mãos de todos os homens retornarem ao caminho correto, a menos que isso lhes seja dado por Deus".[235]

---

[232] Ibid., p. 66. Vermigli também gastou tempo respondendo a objeções que apelam para textos como Mateus 23:37 ("Quantas vezes eu quis reunir os seus filhos, como a galinha reúne os seus pintinhos debaixo das suas asas, mas vocês não quiseram"). Apelou à distinção entre as vontades precedente e efetiva de Deus: "Aqui também é a vontade precedente ao gesto que se deseja significar. Deus, por meio de seus profetas, pregadores, apóstolos e por meio das Escrituras, convidou os judeus a se lançarem a ele pelo arrependimento, mas eles recusaram, no entanto, por sua vontade efetiva, que se chama consequente, ele sempre atraiu para si aqueles que eram seus" (Ibid., p. 64,65).
[233] Ibid., p. 58.
[234] Ibid., p. 55.
[235] Ibid., 56.

O entendimento de Vermigli está em conflito direto com aqueles que dizem não só que a graça é comum a todos, mas também que "está no poder de todos receber a graça quando lhes é oferecida".²³⁶ Mas tal suposição mais uma vez despreza as Escrituras, disse Vermigli. Por exemplo, Paulo diz: "Portanto, isso não depende do desejo ou do esforço humano, mas da misericórdia de Deus" (Romanos 9:16). Vermigli concluiu que isso "não poderia ser verdade se estivesse na nossa vontade o poder de receber a graça quando oferecida".²³⁷ Ele entendeu que Jesus defendia o mesmo ponto de vista em sua ilustração da árvore e os frutos:

> Cristo ensinou claramente que uma árvore má não pode dar frutos bons; portanto, enquanto os homens não são regenerados, eles não podem produzir frutos bons o suficiente para lhes permitir assentir à graça de Deus quando esta bate à porta. É necessário primeiro que a árvore seja mudada, e que as árvores más se tornem boas. Como na geração humana, ninguém que é procriado contribui com coisa alguma. Assim também é na regeneração, pois nela também nascemos de novo por Cristo e em Cristo.²³⁸

Para concluir, o apelo de Vermigli a Cristo expõe vividamente sua defesa do monergismo na regeneração. Por isso, quando oramos pela regeneração dos não regenerados, disse Vermigli, "fazemos isso porque cremos que está na mão de Deus abrir os corações, se ele quiser".²³⁹

CONCLUSÃO: CONTINUIDADE NOTÁVEL

Não é nada menos que notável que, em uma era de controvérsias doutrinárias, a maioria dos reformadores estivesse absolutamente de acordo em sua afirmação a respeito da escravidão da vontade e da eficácia da graça de Deus. Melanchthon naturalmente se destaca como alguém que pode ter nadado contra essa maré, embora se debata entre seus sucessores luteranos até que ponto ele se afastou de Lutero. No entanto, a maioria dos reformadores estava unida na defesa do monergismo. Levando em consideração a distância geográfica entre os reformadores e, às vezes, como estavam doutrinariamente distantes em outros assuntos (por exemplo, a Ceia do Senhor), e à luz de quantas vezes Roma procurou destacar a divisão que viu dentro das fileiras protestantes, tal concordância sobre o monergismo não apenas fortaleceu a causa da Reforma, mas também mostrou que sua convicção no *sola gratia* não era de menos importância; em vez disso, ela constituiu o núcleo de sua missão de encontrar um Deus gracioso.

---

²³⁶ Ibid.
²³⁷ Ibid., 57.
²³⁸ Ibid.
²³⁹ Ibid., 58.

FONTES PARA ESTUDO ADICIONAL

Fontes primárias

BUCER, Martin. *The Common Places of Martin Bucer* [Os lugares-comuns de Martin Bucer]. Traduzido e editado por David F. Wright. Courtenay Library of Reformation Classics 4. Appleford: Sutton Courtenay, 1972.

CALVINO, João. *The Bondage and Liberation of the Will: A Defence of the Orthodox Doctrine of Human Choice against Pighius* [A escravidão e a libertação da vontade: uma defesa da doutrina ortodoxa sobre a escolha humana contra Pio]. Editado por A. N. S. Lane. Texts and Studies in Reformation and Post-Reformation Thought 2. Grand Rapids: Baker, 1996.

———. *Concerning the Eternal Predestination of God* [Com respeito à eterna predestinação de Deus]. Traduzido por J. K. S. Reid. Londres: James Clarke, 1961.

KOLB, Robert e TIMOTHY, J. Wengert, (eds.) *The Book of Concord: The Confessions of the Evangelical Lutheran Church.* [O Livro de Concórdia: as confissões de fé da Igreja Evangélica Luterana]. Minneapolis: Fortress, 2000.

LUTERO, Martinho. *Da vontade cativa.* In: *Obras selecionadas, Volume 4: Debates e controvérsias II.* Comissão Interluterana de Literatura. São Leopoldo: Editora Sinodal; Porto Alegre: Editora Concórdia, s/d.

MELANCHTHON, Philip. *Commonplaces:* Loci Communes *1521* [Lugares-comuns: *Loci Communes* 1521]. Traduzido por Christian Preus. St. Louis: Concordia, 2014.

———. *Loci Communes 1543.* St. Louis: Concordia, 1992.

RUPP, E. Gordon e WHATSON, Philip S. (eds.). *Luther and Erasmus: Free Will and Salvation* [Lutero e Erasmo: Livre-arbítrio e salvação]. Library of Christian Classics 17. Filadélfia: Westminster 1969.

VERMIGLI, Pedro Mártir. *The Peter Martyr Library* [A biblioteca Pedro Mártir]. v. 8, *Predestination and Justification: Two Theological Loci* [Predestinação e justificação: dois locus teológicos]. Traduzido e editado por Frank A. James III. Sixteenth Century Essays & Studies 68. Kirksville, Truman State University Press, 2003.

Fontes secundárias

DONNELLY, John Patrick. *Calvinism and Scholasticism in Vermigli's Doctrine of Man and Grace* [Calvinismo e escolasticismo na doutrina defendida por Vermigli sobre o homem e a graça]. Studies in Medieval and Reformation Thought 18. Leiden: Brill, 1976.

FORDE, Gerhard O. *The Captivation of the Will: Luther vs. Erasmus on Freedom and Bondage* [O cativeiro da vontade: Lutero versus Erasmo a respeito de liberdade e escravidão]. Editado por Steven Paulson. Lutheran Quarterly Books. Grand Rapids, MI: Eerdmans, 2005.

GRAYBILL, Gregory B. *Evangelical Free Will: Philipp Melanchthon's Doctrinal Journey on the Origins of Faith* [Livre-arbítrio evangélico: a jornada doutrinária de Philip Melanchthon a respeito das origens da fé]. Oxford Theological Monographs. Nova York: Oxford University Press, 2010.

HOLTROP, Philip C. *The Bolsec Controversy on Predestination from 1551–1555* [A controvérsia de Bolsec a respeito da predestinação, de 1551–1555]. Lewiston: Edwin Mellen, 1993.

HUGHES, Philip E. *Theology of the English Reformers* [A teologia dos reformadores ingleses]. Londres: Hodder and Stoughton, 1965.

JAMES, Frank A., III. *Peter Martyr Vermigli and Predestination: The Augustinian Inheritance of an Italian Reformer* [Pedro Mártir Vermigli e a predestinação: a herança agostiniana de um reformador italiano]. Oxford Theological Monographs. Nova York: Oxford University Press, 1998.

KOLB, Robert. *Bound Choice, Election, and Wittenberg Theological Method: From Martin Luther to the Formula of Concord* [Escolha escravizada, eleição e o método teológico de Wittenberg: de Martinho Lutero à Fórmula de Concórdia]. Lutheran Quarterly Books. Grand Rapids: Eerdmans, 2005.

———. "Human Nature, the Fall, and the Will" [Natureza humana, a queda e a vontade]. Em *T&T Clark Companion to Reformation Theology* [Livro de bolso T&T Clark sobre a teologia da Reforma], editado por David M. Whitford, p. 14-31. Nova York: T&T Clark, 2012.

LANE, A. N. S. "Did Calvin Believe in Free Will?" [Calvino cria no livre-arbítrio?] *Vox Evangelica* 12, 1981, p. 72–90.

SLENCZKA, Notger. "Luther's Anthropology" [Antropologia de Lutero]. Em *The Oxford Handbook of Martin Luther's Theology* [Manual Oxford sobre a teologia de Martinho Lutero], editado por Robert Kolb, Irene Dingel e L'ubomír Batka, p. 212–232. Oxford: Oxford University Press, 2014.

TRUEMAN, Carl R. *Luther's Legacy: Salvation and English Reformers, 1525–1556* [O legado de Lutero: a salvação e os reformadores ingleses, 1525–1556]. Oxford: Clarendon, 1994.

WALLACE, Dewey D., Jr. *Puritans and Predestination: Grace in English Protestant Theology, 1525–1695* [Puritanos e predestinação: a graça na teologia protestante inglesa, 1525–1695]. Chapel Hill: University of North Carolina Press, 1982.

WENGERT, Timothy J. *Human Freedom, Christian Righteousness: Philip Melanchthon's Exegetical Dispute with Erasmus of Rotterdam* [Liberdade humana, justiça cristã: a disputa exegética de Philip Melanchthon com Erasmo de Roterdã]. Oxford Studies in Historical Theology. Nova York: Oxford University Press, 1998.

———. "Philip Melanchthon's Contribution to Luther's Debate with Erasmus over the Bondage of the Will" [A contribuição de Philip Melanchthon ao debate de Lutero com Erasmo a respeito da escravidão da vontade]. In: *By Faith Alone: Essays on Justification in Honor of Gerhard O. Forde* [Apenas pela fé: ensaios sobre a justificação, em honra a Gerhard O. Forde], editado por Joseph A. Burgess e Marc Kolden, p. 110–124. Grand Rapids: Eerdmans, 2004.

WHITE, Peter. *Predestination, Policy and Polemic: Conflict and Consensus in the English Church from the Reformation to the Civil War* [Predestinação, política e polêmica: Conflito e consenso na igreja inglesa, da Reforma à Guerra Civil]. Nova York: Cambridge University Press, 1992.

Capítulo 14
JUSTIFICAÇÃO SOMENTE PELA FÉ

Korey D. Maas

RESUMO

Em meio à confusão doutrinária, os reformadores alcançaram rápido consenso sobre a natureza fundamental e os meios da justificação. A justificação somente pela graça por meio somente da fé por conta somente da justiça imputada de Cristo veio a ser adotada e consagrada igualmente pelas confissões luteranas e reformadas. Quando, posteriormente, esclareceu sua própria soteriologia, Roma condenaria essa doutrina. Embora a erudição moderna tente reduzir a divisão a respeito da justificação, implícita ou explicitamente esses esforços abandonam a doutrina da Reforma. As controvérsias resultantes e a centralidade da justificação para a teologia da Reforma revelam que, mesmo quinhentos anos depois, a Reforma ainda não está finalizada.

INTRODUÇÃO

De modo a apresentar e – com o perdão do trocadilho – justificar seu exame histórico abrangente da doutrina cristã da justificação, Alister McGrath estabeleceu a proposição de que ela "constitui o verdadeiro centro do sistema teológico da igreja cristã".[1] Entretanto, as exceções e objeções a tal entendimento são certamente conhecidas.[2] O teólogo jesuíta Avery Dulles, por exemplo, observou que "a justificação não é uma categoria central na dogmática católica contemporânea".[3] Menos como observação e mais como afirmação, o teólogo católico Hans Küng já havia declarado mais claramente que "a justificação não é o dogma central do cristianismo".[4] Talvez de forma mais sutil, mas com implicações ainda maiores, um comentário

---

[1] Alister E. McGrath, *Iustitia Dei: A History of the Christian Doctrine of Justification*, 2. ed. Cambridge: Cambridge University Press, 1998, p. 1.
[2] Na verdade, o próprio McGrath desiste dessa afirmação a partir da terceira edição (2005) de *Iustitia Dei*.
[3] Avery Dulles, "Justification in Contemporary Catholic Theology". In: H. George Anderson, T. Austin Murphy e Joseph A. Burgess (eds.). *Justification by Faith*. Lutherans and Catholics in Dialogue 7. Minneapolis: Augsburg, 1985, p. 256. Na mesma página, Dulles observa ainda que esse assunto "raramente é discutido longamente, exceto em polêmicas contra, ou em diálogo com, protestantes".
[4] Hans Küng, *Justification: The Doctrine of Karl Barth and a Catholic Reflection*. Londres: Burns and Oates, 1964, p. 118.

moderno sobre Gálatas chega ao ponto de extirpar completamente os conceitos justificativos do texto paulino, traduzindo o *dikaioō* grego e seus cognatos em termos de "retificar" em vez de "justificar".[5]

Na condição de uma simples descrição do lugar da justificação na história do pensamento cristão, então, uma afirmação como a de McGrath é discutível. No entanto, não é possível fazer essa avaliação sobre o lugar da justificação na teologia dos reformadores protestantes do século XVI. A figura mais imponente da primeira geração da Reforma, Martinho Lutero, foi bastante enfática em sua exclamação de que a justificação era "o primeiro e o principal artigo" da teologia cristã.[6] Seu colega de Wittenberg, Philip Melanchthon, não foi menos insistente em que esse era "o tema mais importante do ensinamento cristão".[7] Vale ressaltar também que essas declarações, bem características de seus autores, eram consideradas mais do que opiniões particulares; as obras em que cada uma aparece seriam adotadas como confissões formais das igrejas luteranas. E tais sentimentos não eram únicos dos reformadores luteranos. João Calvino, inquestionavelmente a figura mais influente da segunda geração da Reforma, falou igualmente da justificação como "o ponto principal sobre o qual a religião se sustém".[8] Da mesma forma, foi na tradição reformada que a primeira clara enunciação da justificação como "o artigo sobre o qual a igreja permanece em pé ou cai" foi evidenciado.[9]

Muito mais significativo do que a concordância recíproca das confissões sobre a centralidade da doutrina da justificação, porém, é a ampla concordância dos reformadores sobre uma compreensão, explicação e confissão particulares dessa doutrina central. Quaisquer que fossem as diferenças entre católicos e protestantes no século XVI em seu entendimento do lugar ocupado pela justificação no quadro geral do dogma cristão, eles não condenavam mutuamente as doutrinas uns dos outros simplesmente porque as percebiam como tendo recebido importância demais ou muito pouca importância. No entanto, reconhecer que nenhum deles julgou ser a justificação um tema periférico serve para explicar não apenas a intensidade dos debates da Reforma, mas também as ansiedades potencialmente provocadas pelas confusões do fim da Idade Média que, em alguma medida, precipitaram esses debates. A fim de contextualizar a definição e o desenvolvimento da doutrina dos reformadores sobre a justificação, voltemos primeiramente às controvérsias anteriores à Reforma.

---

[5] J. Louis Martyn, *Galatians: A New Translation with Introduction and Commentary*, Anchor Bible 33A. Nova York: Doubleday, 1997.
[6] "The Smalcald Articles", pt. 2, art. 1. In: Robert Kolb e Timothy J. Wengert (eds.). *The Book of Concord: The Confessions of the Evangelical Lutheran Church*. Minneapolis: Fortress, 2000, p. 301.
[7] "Apology of the Augsburg Confession", art. 4.2. In: Kolb e Wengert, *Book of Concord*, p. 120.
[8] Calvino, *Institutas*, 3.11.1.
[9] O uso mais antigo da frase, muitas vezes atribuída a Lutero, parece ter sido de João Henrique Alsted, *Theologia scholastica didactica*. Hanover: Conradi Eifridi, 1618, p. 711; veja McGrath, *Iustitia Dei*, 448n3.

JUSTIFICAÇÃO EM SEU CONTEXTO DO FINAL DA ERA MEDIEVAL

Para os acostumados a professar a justificação como "o ponto principal" ou "o artigo principal" do cristianismo, pode parecer estranho que a igreja do final da Idade Média não confessasse nenhuma doutrina dogmaticamente definida sobre como os indivíduos são salvos. Isso talvez pareça menos estranho, no entanto, quando visto à luz das doutrinas igualmente importantes que, na época, também permaneceram indefinidas. Ninguém, por exemplo, questionou a importância central da Sagrada Escritura, e, durante toda a Idade Média, os conteúdos precisos do cânon bíblico nunca foram consagrados em um decreto oficial da igreja. A razão, nesse caso, é simplesmente que um consenso implícito sobre o cânon tornou qualquer definição dogmática desnecessária. Com relação a algumas doutrinas, no entanto, ocorreu exatamente o oposto: a própria falta de consenso impediu qualquer identificação clara do que "a igreja" confessava.

É a essa segunda explicação para a ausência de qualquer afirmação dogmática que mais claramente pertence a doutrina da justificação. Como McGrath observou de maneira precisa: "Em certas áreas da doutrina, sobretudo a doutrina da justificação, parece haver uma considerável confusão durantes as primeiras décadas do século XVI sobre o ensino oficial da igreja".[10] A razão para isso, ele observa, é que "uma espantosa diversidade de pontos de vista sobre a justificação do homem diante de Deus estava em circulação".[11] Em especial, duas merecem uma breve explicação pela luz que lançam sobre o meio intelectual em que a doutrina da Reforma surgiu.

A escola medieval de pensamento que mais se aproxima da soteriologia que veio a ser definida por Roma no Concílio de Trento é a *via antiqua* (caminho antigo), mais frequentemente associada à teologia madura de Tomás de Aquino. Esquematicamente, a ordem da salvação encontrada na magistral *Suma Teológica* de Tomás de Aquino pode ser resumida como um processo de três etapas. Iniciando o processo pelo qual uma pessoa é salva, Deus livremente outorga graça ao indivíduo. Assim dotado, o indivíduo é, desse modo, capacitado a cooperar com a graça de Deus. Por fim, essa cooperação meritória combinada com a graça e tornada possível por ela é recompensada com a vida eterna.[12]

Embora adotando e abraçando em grande parte cada aspecto da ordem tomista de salvação, a *via moderna*, ou "caminho [ou maneira] novo", representada por teólogos como Guilherme de Ockham e Gabriel Biel, alterou radicalmente o sistema de Tomás, introduzindo um quarto, e anterior, passo. De acordo com os teólogos

---

[10] Alister E. McGrath, *The Intellectual Origins of the European Reformation*. Grand Rapids: Baker, 1995, p. 16.
[11] Ibid., p. 26.
[12] Tomás de Aquino, *Summa Theologica*, traduzido pelos Padres da Província Dominicana Inglesa. Notre Dame: Christian Classics, 1981, 1a2ae, p. 113,114 [Santo Tomás de Aquino, *Suma Teológica*, 9 vols. São Paulo: Edições Loyola, 2006].

"modernos", a cooperação meritória não apenas dava seguimento à graça divina e dela fluía, mas era possível mesmo sem ela. Na verdade, esse esforço é que foi recompensado com o primeiro derramar da graça de Deus. Assim, essa moderna escola de soteriologia passou a ser identificada com sua proposição de que "Deus não negará graça àqueles que fazem o que lhes é possível".[13]

Mesmo esse claro contraste entre as duas escolas mais proeminentes do final da Idade Média, entretanto, não realça o suficiente a confusão a que tais diferenças podem levar. Uma das razões para isso é encontrada na referência à teologia "madura" de Aquino, descrita anteriormente. No início de sua carreira, principalmente em seu comentário sobre as *Sentenças*, de Pedro Lombardo, Tomás também havia adotado o "fazer o que pode fazer" tipicamente associado à escola de Ockham e Biel. Além disso, apesar de alguns que argumentaram que a *Suma* de um Tomás mais velho era a versão definitiva de seu pensamento, muitos teólogos do fim da era medieval continuaram a reconhecer seu comentário sobre as *Sentenças* como sendo repleto de autoridade.[14] Isso, de certo modo, não é nada surpreendente, uma vez que a obra de Lombardo continuou a ser o livro-texto padrão para a teologia universitária no século XVI.

A autoridade permanente das *Sentenças*, de Lombardo, também provou ser potencialmente confusa em outro aspecto. Apesar da associação de Aquino com o "caminho antigo" da teologia escolástica, o próprio Lombardo representava uma tradição soteriológica medieval ainda mais antiga. Para Aquino e a *via antiqua*, a graça necessária no processo de justificação era entendida como uma qualidade criada dentro do indivíduo ou a ele transmitida. Lombardo tinha anteriormente levantado essa possibilidade, mas de imediato a rejeitou. O dom que efetua a salvação, ele concluiu, não é uma qualidade adquirida que um indivíduo poderia então considerar sua; antes, é a presença ativa do próprio Espírito Santo.[15] Especialmente digno de nota não é apenas o fato de que Aquino rejeitasse essa visão, mas também sua razão para fazê-lo: ela implicaria que o amor de Deus tornado possível pela graça "deixaria de ser voluntário e meritório".[16]

Foi também com respeito à questão da graça que a *via moderna* abriu a porta para mais confusão, mesmo dentro de seu próprio sistema. Enquanto Tomás e seus seguidores sustentavam que a graça é necessária para efetuar a salvação, Ockham

---

[13] Veja, por exemplo, Gabriel Biel, "Doing What Is in One". In: Carter Lindberg (ed.). *The European Reformations Sourcebook*. Oxford: Blackwell, 2000, p. 17.

[14] Veja Heiko A. Oberman, "'*Iustitia Christi*' and '*Iustitia Dei*': Luther and the Scholastic Doctrines of Justification". In: *The Dawn of the Reformation: Essays in Late Medieval and Early Reformation Thought*. Edinburgh: T&T Clark, 1992, p. 108.

[15] Pedro Lombardo, *The Sentences, Book 1: The Mystery of the Trinity*, Mediaeval Sources in Translation 42. Toronto: Pontifical Institute of Mediaeval Studies, 2007, 17.1–6.

[16] Aquino, *Suma Teológica* 2a2ae.23.2.

apenas afirmou que esse é normalmente o caso. Temendo que mencionar a necessidade restringisse a liberdade divina, Ockham e seus seguidores sustentaram que "tudo o que Deus pode produzir por meio de causas secundárias, pode diretamente produzir e preservar sem elas".[17] Assim, pelo menos em tese, Deus poderia justificar pecadores mesmo sem conceder sua graça e a subsequente cooperação deles. Além disso, e mais preocupante, o oposto também foi entendido como sendo possível: não sendo obrigado por qualquer necessidade, Deus pode negar a salvação mesmo para aqueles que cooperam com a graça que ele proveu. O raciocínio de Ockham, seguindo o de seu antecessor Duns Scotus, era que "nada das coisas criadas deve, por razões intrínsecas a elas, ser aceito por Deus".[18] Ou seja, nem a graça nem a cooperação de alguém com ela merecem a salvação; elas são aceitas e recompensadas apenas porque Deus voluntariamente concordou em fazê-lo. Por fim, entendeu-se que a salvação dependia não apenas da graça divina com a cooperação humana, mas também, e mais fundamentalmente, de que Deus mantivesse sua promessa de considerar os homens como merecedores da vida eterna.

Mesmo esses breves resumos de apenas duas proeminentes teologias da justificação destacam a confusão inerente ao contexto medieval final e as ansiedades potenciais que ele produziu. Não ficou claro se a "velha" ou a "nova" soteriologia deveria ser considerada correta, se era preferível àquele que permanecia o "livro-texto" de teologia, de Pedro Lombardo. Não ficou claro para os seguidores de Tomás de Aquino se a teologia de seu comentário de *Sentenças* ou se a teologia da *Suma* era a definitiva. E se alguém acatou Ockham, não ficou claro como determinar se um indivíduo havia suficientemente "feito o que podia fazer" para merecer a graça e se um Deus radicalmente livre de fato cumpriria sua promessa de recompensar a cooperação com a graça.

Entretanto, antes de nos voltarmos para a doutrina da Reforma que se desenvolve no ambiente do fim da era medieval, e a ele reage, é necessário destacar um aspecto soteriológico sobre o qual praticamente todos os teólogos medievais concordaram. Embora os desentendimentos descritos anteriormente girassem em torno da *maneira* como a justificação ocorre, permaneceu uma concordância fundamental sobre a *natureza* da justificação: consistia em uma mudança moral e ontológica verdadeira no indivíduo. Uma leitura literal e etimológica do termo latino *iustificare*, um composto de *iustum* (justo, correto) e *facere* (fazer), implicava uma compreensão do pecador sendo feito justo no processo de justificação. Ou seja, a mudança entendida como ocorrendo no justificado não era meramente uma mudança declarada

---

[17] Guilherme de Ockham, *Quodlibeta* 6, pergunta 6. In: Philotheus Boehner (ed.). *Ockham: Philosophical Writings*. Edimburgo: Thomas Nelson and Sons, 1957, p. 26.
[18] Citado em Steven Ozment, *The Age of Reform, 1250–1550: An Intellectual and Religious History of Late Medieval and Reformation Europe*. New Haven: Yale University Press, 1980, p. 33.

de posição; os pecadores eram aceitos por Deus não só porque ele os *considerava* justos. Pelo contrário, eles eram aceitos porque, de fato, em um grau suficiente, *tornaram-se* justos. Uma distinção firme entre *justificação* e *santificação* permaneceu desconhecida para os teólogos medievais. Essa distinção, no entanto, é a que de modo especial chamamos de "característica essencial" da soteriologia da Reforma.[19] É para as origens dessa soteriologia que nos voltaremos agora.

A "GRANDE DESCOBERTA" LUTERANA

Assim como não havia uma doutrina medieval única sobre a justificação, também devemos ser cautelosos ao falar *da* soteriologia de Martinho Lutero. De fato, como Tomás de Aquino, Lutero modificaria sua teologia ao longo de sua carreira e observaria regularmente que suas percepções da Reforma não foram descobertas de uma só vez, mas se desenvolveram lentamente.[20] Como foi bem observado, "a doutrina de Lutero sobre a justificação era uma em 1513 e tornou-se outra em 1536. Esse desenvolvimento, e o fracasso (ou recusa) em observá-lo com cuidado, também contribuiu para a confusão".[21] Então, antes de explicar a teologia "madura" de Lutero sobre a justificação, será necessário traçar sua evolução da doutrina medieval final que ele inicialmente abraçou.

Desenvolvimentos iniciais na soteriologia de Lutero

A educação acadêmica de Lutero foi dominada por professores que seguiam a *via moderna*.[22] Não é de surpreender, portanto, que, em sua nomeação para a faculdade da Universidade de Wittenberg, o primeiro ciclo de palestras de Lutero (1513–1515) refletisse as opiniões de seus professores. O teor modernista dessas opiniões é especialmente claro em sua afirmação de que "os professores dizem corretamente que a um homem que faz o que lhe é possível Deus dá graça sem falha".[23] Em conformidade com a teologia medieval mais amplamente aceita, ele sempre falou de justificação como um processo de renovação pelo qual alguém se torna justo.[24] O fato de Lutero ter permanecido completamente dentro da órbita da doutrina medieval consagrada nesse período é tido como certo inclusive para alguns de seus críticos modernos mais ásperos. No século XX, o jesuíta Hartmann Grisar, por

---

[19] McGrath, *Iustitia Dei*, p. 186.
[20] Cf., por exemplo, Martinho Lutero, *Table Talk*, *LW* 54:50 (n. 352); 54:442,443 (n. 5518); e Lutero, "Preface to the Complete Edition of Luther's Latin Writings", *LW* 34:327,328.
[21] R. Scott Clark, "*Iustitia Imputata Christi*: Alien or Proper to Luther's Doctrine of Justification?", *CTQ* 70, n. 3/4, 2006, p. 273.
[22] Martin Brecht, *Martin Luther*, v. 1, *His Road to Reformation, 1483–1521*. Filadélfia: Fortress, 1985, p. 34–38, 91–95.
[23] Martinho Lutero, *First Lectures on the Psalms II*, *LW* 11:396.
[24] Ibid., LW 10:191-92; cf. Martinho Lutero, *Lectures on Romans: Glosses and Scholia*, *LW* 25:260.

exemplo, podia admitir não só que essas palestras não revelam desvios da teologia romana, mas também que seu conteúdo estava em completa contradição com o que ele considerava os erros posteriores de Lutero.[25]

O desenvolvimento da teologia de Lutero ficou evidente, porém, em sua próxima série de palestras, nos anos de 1515 e 1516, sobre a Epístola de Paulo aos Romanos, em que ele rejeitou o modernista "fazer o que é possível fazer" e insistiu que a graça de Deus é recebida de modo inteiramente passivo.[26] Enfatizando sua dívida com Agostinho, ele identificou a "justiça de Deus" como a causa da salvação e definiu essa justiça não como a justiça inerente de Deus, mas como aquela pela qual ele justifica os pecadores pela fé.[27] À luz da coletânea posterior que Lutero fez sobre sua "grande descoberta" teológica, essas palestras sobre Romanos têm sido lidas como um resultado óbvio. As observações autobiográficas de 1545 descrevem realmente essa descoberta como implicando uma compreensão nova e passiva da expressão "justiça de Deus" e enfatizam que esse entendimento foi encontrado em Agostinho.[28] Contudo, mesmo com suas conferências anteriores sobre Salmos, os críticos católicos de Lutero ressaltaram que o "novo" ensinamento do reformador sobre esse ponto não é outro senão o "velho" ensinamento dos mestres medievais.[29] Isto é, embora as palestras sobre Romanos tenham evidenciado a ruptura de Lutero com a soteriologia da *via moderna*, essa ruptura simplesmente o alinhou com as ênfases agostinianas que sempre prevaleceram na *via antiqua*; isso não revelou nada parecido com sua doutrina madura da justificação; além disso, uma leitura cuidadosa dessas palestras e a percepção de como dependem de Agostinho apoiam tal conclusão.

De fato, Agostinho havia definido a justiça de Deus como aquela pela qual ele justifica os pecadores[30] – como fizeram os teólogos posteriores da *via antiqua*. Mas essa justificação, de acordo com Agostinho, consiste em ser "feito justo" de modo que a pessoa ímpia "pudesse se tornar piedosa".[31] Novamente, assim como os medievais, Agostinho considerava a justificação em termos sanativos. É certamente iniciada e tornada possível pela graça divina, mas a graça é compreendida – mais uma vez, como pelos herdeiros medievais de Agostinho – como uma substância curadora transmitida

---

[25] Hartmann Grisar, *Luther*, editado por Luigi Cappadelta. Londres: Kegan Paul, Trench, Trübner, 1913, 1:74.
[26] Lutero, *Lectures on Romans*, *LW* 25:496.
[27] Ibid., *LW* 25:151,152.
[28] Lutero, "Preface to the Complete Edition of Luther's Latin Writings", *LW* 34:337.
[29] Por exemplo, em *Luther und Luthertum. Ergänzungen*, vol. 1, *Quellenbelege: Die abendländischen Schriftausleger bis Luther über Justitia Dei (Rm 1:17) und Justificatio*. Mainz: Kirchheim, 1905, Heinrich Denifle demonstrou extensamente que a interpretação de Lutero da "justiça de Deus" era de todo típica de seus predecessores católicos.
[30] Agostinho, *On the Spirit and the Letter*, 15, NPNF, 1ª. série, v. 5, editado por Philip Schaff. Grand Rapids: Eerdmans, 1956, p. 89.
[31] Ibid., p. 45, NPNF, 1ª. série, v. 5, p. 102.

ao homem. Lutero concordou com tudo isso em 1515-1516; desse modo, ele podia descrever o cristão como doente e são ao mesmo tempo: doente de fato, mas são por conta da promessa de saúde do médico.[32] Ou, de modo mais claro, o cristão é pecador e justo ao mesmo tempo: parcialmente pecaminoso e parcialmente justo.[33]

As palestras de Lutero sobre Romanos representaram um desenvolvimento teológico significativo, uma vez que evidenciaram uma clara ruptura com a soteriologia do final da era medieval que ele, como estudante, havia absorvido. Mas elas ainda não revelavam a doutrina distintamente "protestante" que somente começou a florescer quando se desvinculou do esquema progressista e sanativo formulado por Agostinho que fora abraçado por praticamente todos os teólogos medievais. Que ele não o fez antes de 1518 é evidente, por exemplo, em suas palestras sobre Hebreus daquele ano. Ainda entendendo que a cooperação com a graça era um aspecto essencial da justificação, ele explicou que os cristãos são chamados justos "não porque o sejam, mas porque começaram a ser e devem se tornar pessoas desse tipo por fazer progressos constantes".[34] Em 1518, no entanto, o jovem humanista Philip Melanchthon ingressou na faculdade de Wittenberg e, não por coincidência, pouco depois a soteriologia de Lutero sofreu mudanças dramáticas em direção ao que viria a ser sua doutrina madura.

INFLUÊNCIA DE MELANCHTHON NA SOTERIOLOGIA DE LUTERO

A relação entre a soteriologia de Melanchthon e a de Lutero tornou-se uma fonte de controvérsia sem fim.[35] Antes do século XX, o ponto de vista predominante sustentava que as doutrinas deles eram essencialmente idênticas e que essa doutrina compartilhada fora formulada no último dos documentos confessionais luteranos, a Fórmula de Concórdia de 1577. Mas, começando com o "renascimento de Lutero" do início do século XX, provocado em parte pela redescoberta das palestras sobre Romanos discutidas anteriormente, muitas tentativas foram feitas para criar uma divisão entre os dois. Em tais casos, os primeiros trabalhos de Lutero foram frequentemente vistos como definitivos no que diz respeito à sua soteriologia, dos quais partiram Melanchthon e os subsequentes luteranos confessionais. Embora

---

[32] Lutero, *Lectures on Romans*, *LW* 25:260.
[33] Ibid., *LW* 25:434. Assim, na mesma obra, Lutero pôde afirmar mais claramente que "Deus ainda não nos justificou, isto é, ele não nos tornou perfeitamente justos ou declarou nossa justiça perfeita, mas começou algo para nos tornar perfeitos" (Ibid., *LW* 25:245).
[34] Martinho Lutero, *Lectures on Hebrews*, *LW* 29:139.
[35] Cf., por exemplo, Mark A. Seifrid, "Luther, Melanchthon and Paul on the Question of Imputation: Recommendations on a Current Debate". In: Mark A. Husbands e Daniel J. Treier (ed.). *Justification: What's at Stake in the Current Debates*. Downers Grove: InterVarsity Press, 2004, p. 137–152; Aaron O'Kelley, "Luther and Melanchthon on Justification: Continuity or Discontinuity?". In: Michael Parsons (ed.). *Since We Are Justified by Faith: Justification in the Theologies of the Protestant Reformations,*. Milton Keynes: Paternoster, 2012, p. 30–43.

possa ser justo descrever certas articulações soteriológicas como melanctônicas em sua origem ou ênfase, a insinuação de que essas ideias eram desconhecidas ou mesmo rejeitadas por Lutero é inteiramente injustificada. Se a frase seguinte for aceita como uma afirmação concisa da doutrina madura da Reforma sobre a justificação – uma pessoa é justificada somente pela graça por meio somente da fé com base unicamente na justiça imputada de Cristo –, ficará claro que isso não representa um afastamento melanctônico de Lutero. Lutero não só abraçou essa confissão, mas também o fez em grande parte seguindo a liderança inicial de Melanchthon.

Com relação à *graça*, o primeiro termo-chave na fórmula apresentada anteriormente, Roma naturalmente nunca negou seu papel necessário na justificação, tampouco Lutero o fez. Mas, em 1518, ele ainda concebia a graça como os teólogos medievais "velhos" e "novos" haviam feito: como uma qualidade ou substância inerente pela qual alguém é preparado para se tornar justo. Três anos mais tarde, porém, ele abandonou inteiramente essa visão tradicional, redefinindo a graça simplesmente como o "favor de Deus".[36] Tendo rejeitado a noção de graça como uma qualidade que torna possível a progressiva "cura" do pecador, ele pôde ser ousado ao ponto de dizer: "A graça é um bem maior do que a saúde da justiça. [...] Todo mundo preferiria, se fosse possível, estar sem a saúde da justiça em vez de estar sem a graça de Deus".[37] O significado dessa mudança torna-se ainda mais evidente quando se observa que dois anos antes esta não era a definição de graça assumida por Lutero e, não apenas isso, ele também a havia explicitamente rejeitado.[38]

Provavelmente, o impulso para essa mudança repentina se deu por causa de Melanchthon, recentemente chegado, que, pelo menos desde 1520, estava defendendo a compreensão da graça como favor ou boa vontade de Deus.[39] No mesmo ano em que Lutero começou a aceitar essa definição, Melanchthon talvez tenha feito isso de modo mais patente na primeira edição de seus *Loci Communes* [Lugares-comuns], em que escreveu que "a palavra 'graça' não significa uma qualidade em nós, mas sim a própria vontade de Deus ou a boa vontade dele para conosco".[40] Essa formulação nos *Loci* de Melanchthon é significativa não só porque essa obra pode justificadamente ser considerada a primeira "teologia sistemática" da Reforma, mas também porque influenciou profundamente Lutero, o qual constantemente

---

[36] Martinho Lutero, *Against Latomus*, LW 32:227 [*Refutação do parecer de Látomo* (1521). In: *Obras selecionadas, Volume 3: Debates e Controvérsias I*. Comissão Interluterana de Literatura. São Leopoldo: Editora Sinodal; Porto Alegre: Editora Concórdia, s/d, p. 96–191].

[37] Ibid., *LW* 32:227.

[38] Martinho Lutero, *Lectures on Galatians*, 1519, LW 27:252.

[39] Veja Lowell C. Green, *How Melanchthon Helped Luther Discover the Gospel: The Doctrine of Justification in the Reformation*. Fallbrook: Verdict, 1980, p. 159.

[40] Philip Melanchthon, *Loci Communes Theologici* (1521). In: Wilhelm Pauck (ed.). *Melanchthon and Bucer*. Lowell J. Satre, LCC 19. Filadélfia: Westminster, 1969, p. 87.

expressou sua concordância sem reservas com ela, chegando a afirmar de forma hiperbólica que ela merecia ser canonizada.⁴¹

Durante esse mesmo período, ao desenvolver sua compreensão madura da fé, Lutero foi ainda mais explícito sobre sua dívida com Melanchthon. Usando a tradução da Vulgata para Hebreus 11:1, onde a fé é definida como "a substância [*substantia*] das coisas esperadas" (cf. KJV),⁴² Lutero, em harmonia com os medievais, há muito tempo entendia a fé como uma qualidade presente naqueles que estão sendo feitos justos. De modo similar à graça, ela desempenhava um papel necessário na justificação, mas somente quando se tornava adequadamente "formada". Assim, a fórmula medieval "fé formada pelo amor" serviu para distinguir o mero assentimento intelectual da fé unida ao amor, assim contribuindo para a justiça. Talvez derivando sua interpretação de uma nota do humanista Erasmo Desidério em Hebreus 11:1, Melanchthon, pelo menos a partir de 1519, começou a ler o grego *pistis* (fé) como sinônimo do latim *fiducia* (confiança).⁴³ Na época em que redigiu a primeira edição de *Loci*, ele insistia em que, de acordo com o uso antigo, os usos bíblicos de *pistis* e de sua forma verbal quase sempre significam "confiança".⁴⁴ Lutero não só adotou essa definição, como também creditou a Melanchthon a correção de sua interpretação tradicional anterior. Melanchthon, ele explicou, indicou que o termo grego traduzido por "substância" em Hebreus 11 é mais bem entendido como "essência" ou "existência".⁴⁵ Assim, ele compreendeu a fé justificadora não apenas como confiança, mas como confiança de que a justiça "pela qual se espera", por causa do favor de Deus, já existe. Desse modo, Lutero podia agora falar de justificação no tempo presente, não meramente como o resultado futuro de um processo contínuo.⁴⁶ O mais revelador dessa nova ênfase foi o reaproveitamento radical do conceito que ele usara já em suas palestras anteriores sobre Romanos: que o cristão é ao mesmo tempo justo e pecador. Essa fórmula não expressava mais a ideia de que alguém era parcialmente pecador e parcialmente justo, ou um pecador presente com a esperança futura de ser feito justo; ela indica que o cristão permanece completamente pecador, porém, por meio da fé e aos olhos de Deus, completamente justo.⁴⁷

---

⁴¹ Martinho Lutero, *The Bondage of the Will*, *LW* 33:16 [*Da vontade cativa*, em *Obras selecionadas, Volume 4: Debates e controvérsias II*. Comissão Interluterana de Literatura. São Leopoldo, RS: Editora Sinodal; Porto Alegre, RS: Editora Concórdia, s/d., 11–216].

⁴² Note que a NVI usa "certeza" em vez de "substância".

⁴³ Veja Green, *How Melanchthon Helped Luther*, p. 144.

⁴⁴ Melanchthon, *Loci Communes*, p. 92–102.

⁴⁵ Lutero, *Lectures on Galatians*, 1519, *LW* 27:377.

⁴⁶ Martinho Lutero, "Two Kinds of Righteousness", *LW* 31:298,299 [*Sermão sobre as duas espécies de justiça* (1519). In: *Obras selecionadas, Volume 1: Os primórdios. Escritos de 1517 a 1519*. Comissão Interluterana de Literatura. São Leopoldo: Editora Sinodal; Porto Alegre: Editora Concórdia, s/d., p. 241–248].

⁴⁷ Cf., por exemplo, Lutero, *Against Latomus*, *LW* 32:172,173 [*Refutação do parecer de Látomo* (1521). In: *Obras selecionadas, Volume 3*]; Lutero, *The Private Mass and the Consecration of Priests*, *LW* 38:158.

Lutero insistiu que, uma vez que o cristão permanece pecaminoso, a justiça recebida pela fé deve ser entendida como necessariamente extrínseca. Da mesma forma, uma vez que não é meramente uma justiça parcial, mas completa no presente, ela só poderia ser concebida como uma justiça imputada ao cristão. Nem a graça nem a fé, portanto, poderiam permanecer como abstrações. O favor de Deus é expresso em sua imerecida imputação da justiça de Cristo ao cristão, e é nisso que este confia para sua justificação.[48]

Nesse entendimento, Lutero poderia afirmar com segurança que "nossa justiça não é outra coisa senão a imputação de Deus".[49] Ao fazer isso, ele seguiu novamente a liderança de Melanchthon, que já dizia em 1519 que "toda a nossa justiça é a gratuita imputação de Deus".[50] Há uma pequena ironia no fato de Lutero ter ressaltado esse ponto em sua controvérsia com Erasmo, pois é provável que a própria compreensão inicial de Melanchthon sobre a imputação tenha derivado de sua leitura de Erasmo. Na passagem de Romanos 4:5 de sua tradução latina revisada do Novo Testamento, Erasmo substituiu *imputatum* pelo *reputatum* da Vulgata, explicando que isso deveria ser entendido como a remissão de uma dívida não paga como se tivesse sido paga.[51] Essa compreensão "forense" é precisamente aquilo que Melanchthon subsequentemente defendeu amplamente em sua *Apologia da Confissão de Augsburgo*. Foi ali, por exemplo, que ele deu *status* confessional à doutrina forense da justificação: "'Justificar' é usado de forma judicial [*forensi*] para significar 'absolver um culpado e declará-lo justo', e fazê-lo por causa da justiça de outro, ou seja, a de Cristo, que nos é comunicada pela fé".[52]

É especialmente evidente que Lutero estava totalmente de acordo com Melanchthon sobre essa compreensão da justificação à luz de duas breves controvérsias contemporâneas. No mesmo ano em que Melanchthon escreveu a *Apologia*, ele percebeu que o colega reformador Johannes Brenz ainda abraçava a visão sanativa da justificação pela qual alguém se tornava inerentemente justo. Não apenas Melanchthon escreveu uma carta para Brenz defendendo a doutrina forense e imputativa, como também Lutero anexou a essa carta seu próprio posfácio, expressando concordância com Melanchthon.[53] Cinco anos depois, em 1536, quando alguns suspeitavam de um desacordo entre os dois, foi organizado um diálogo

---

[48] Por exemplo, Martinho Lutero, *Lectures on Galatians* (1535), *LW* 26:132: "Estas três coisas estão unidas: fé, Cristo e aceitação ou imputação".

[49] Martinho Lutero, *Lectures on Isaiah*, WA, v. 31, livro 2, p. 439. Cf. Lutero, *Bondage, LW* 33:271 [*Da vontade cativa*. In: *Obras selecionadas, Volume 4*].

[50] Philip Melanchthon, *Baccalaureatsthesen*. In: *Melanchthons Werke*, editado por Robert Stupperich. Gütersloh: Bertelsmann, 1951, 1:24.

[51] Veja McGrath, *Iustitia Dei*, p. 211, 218.

[52] "Apology of the Augsburg Confession", 4. ed., art. 4.305. In: Theodore G. Tappert (ed.-trad.), *The Book of Concord: The Confessions of the Evangelical Lutheran Church*. Filadélfia: Fortress, 1959, p. 154.

[53] Philip Melanchthon e Martinho Lutero, "Letter to Johann Brenz", 1531, WABr 6:98–101.

formal no qual Melanchthon apresentou a Lutero a pergunta precisamente formulada: "Uma pessoa é justa pela renovação, como em Agostinho, ou pela livre imputação de algo fora de nós, pela fé, entendida como confiança?" Expressando mais uma vez sua harmonia com Melanchthon, Lutero ratificou a imputação da justiça de Cristo.[54]

À luz da discussão anterior, emergem duas importantes ênfases, a saber, que a soteriologia madura de Lutero não emergiu instantaneamente, mas se desenvolveu de modo gradual ao longo da segunda e da terceira décadas do século XVI, e que a doutrina à qual ele eventualmente chegou, e que manteve ao longo do restante de sua carreira, desenvolveu-se em concordância com a de Melanchthon e foi confessada de acordo com ela. Ou seja, em meados da década de 1520 não se podia falar apenas da doutrina de Lutero sobre a justificação, mas também de uma doutrina "luterana" consistente. Essa é uma observação relevante e cada vez mais evidente à medida que nos voltamos para examinar a soteriologia dos reformadores não luteranos. Se é o caso de até mesmo os principais articuladores das confissões luteranas discordarem fundamentalmente sobre esse "artigo principal", como sugerem alguns estudiosos modernos, encontrar um terreno comum entre as alas luterana e reformada da Reforma pareceria altamente improvável. No entanto, uma harmonia fundamental luterano-reformada sobre a justificação somente pela graça apenas por meio da fé por conta unicamente da justiça imputada de Cristo é precisamente o que encontramos.

ADOÇÃO E ADAPTAÇÃO DA JUSTIFICAÇÃO *SOLA FIDE*

As tentativas de encontrar um conflito entre as doutrinas de justificação reformadas e luteranas, como a tentativa de separar a doutrina de Lutero da doutrina de Melanchthon, em grande parte giram em torno de questões relacionadas à natureza forense da justificação tendo apenas a fé como meio. Certamente é correto observar que nem todos os teólogos reformados do século XVI definiram uma doutrina de imputação tão claramente quanto Melanchthon (ou mesmo Lutero) e que talvez alguns ainda tenham defendido uma doutrina de justificação progressiva e intrínseca mais próxima da teologia de Roma do que da apresentada em Wittenberg.[55] No entanto, a corrente mais substancial e representativa do pensamento reformado – a de seu teólogo preeminente, João Calvino, e formulada nas várias confissões

---

[54] Martinho Lutero, "Answer to Melanchthon's Question", 1536, WABr 12:191, 194nc.
[55] Como até mesmo alguns teólogos luteranos fizeram, como Johannes Brenz (citado anteriormente) e André Osiandro. A doutrina deste último, por exemplo, foi resumida sucintamente por Calvino como professando "que ser justificado é não apenas ser reconciliado com Deus, em virtude de seu gracioso perdão, mas ainda ser feito justo, de modo que a justiça é não a imputação graciosa, mas a santidade e a integridade que inspira a essência de Deus que em nós reside" (Calvino, *Institutas*, 3.11.6).

reformadas – defende clara e firmemente a imputação da justiça como sendo a natureza da justificação, a justiça extrínseca de Cristo fornecendo seus fundamentos e somente a fé como seus meios.

Ao contrário de seu antecessor suíço Ulrico Zuínglio, que prontamente sustentou "Eu não aprendi de Lutero os ensinamentos de Cristo",[56] Calvino, que apareceu em cena mais de uma década depois, não hesitou em reconhecer sua dívida com o reformador de Wittenberg. Como se costuma notar, algo dessa dívida é evidente já no esboço da primeira edição das *Institutas*, modelado de acordo com o *Catecismo Menor*, de Lutero.[57] Calvino também incentivou os compositores tipográficos a publicar as obras de Lutero.[58] Calvino tornou esse endosso implícito mais explícito, mesmo no que diz respeito à soteriologia, quando elogiou a "eficiência e o poder da declaração doutrinal" de Lutero, especialmente em suas tentativas de "difundir para os de longe e os de perto a doutrina da salvação".[59] Assim, Calvino, mais de uma vez, entrou na briga contra ataques dirigidos especificamente à teologia de Lutero. De modo muito revelador, ele o fez em refutação a certos "Artigos" da Faculdade de Teologia de Paris, que se opuseram ao que foi chamado de doutrina "luterana" e defendiam a necessidade de boas obras para a justificação. Embora não se sentisse pessoalmente atacado, Calvino respondeu em defesa da justificação "unicamente pela fé em Cristo".[60]

É curioso, então, que alguns tenham considerado a doutrina da justificação *sola fide* uma doutrina luterana não confessada pelos reformados,[61] ou afirmem, por exemplo, que "para Lutero, era 'somente pela fé'; para os reformados, era 'a fé que opera pelo amor'".[62] Em contrapartida, W. Stanford Reid destaca de modo correto que, "se a justificação pela fé é uma doutrina especificamente luterana, devemos

---

[56] Ulrico Zuínglio, *Exposition of the Sixty-Seven Articles*. In: E. J. Furcha (ed.). *Huldrych Zwingli: Writings*, v. 1, *The Defense of the Reformed Faith*. Allison Park: Pickwick, 1984, p. 119.

[57] Veja, por exemplo, Karla Wübbenhost, "Calvin's Doctrine of Justification: Variations on a Lutheran Theme". In: Bruce L. McCormack (ed.). *Justification in Perspective: Historical Developments and Contemporary Challenges*. Grand Rapids: Baker, 2006, p. 99.

[58] Como ele fez com o comentário de Lutero sobre Gênesis. Veja *CO* 12:317 (n. 781).

[59] João Calvino, "Letter to Heinrich Bullinger" (1544). In: Henry Beveridge e Jules Bonnet (eds.). *Selected Works of John Calvin: Tracts and Letters*. Grand Rapids: Baker, 1983, 4:433. Lutero também elogiou a soteriologia de Calvino; quando ele falou do prazer de ler um dos trabalhos de Calvino, certamente estava se referindo à resposta calvinista *Reply to Sadoleto* [Resposta a Sadoleto], a qual defendeu a graça, a fé e a justiça imputada em termos praticamente idênticos à teologia luterana. Veja Martinho Lutero, "Letter do Martin Bucer", 1539, WABr 8:569, n. 3394.

[60] João Calvino, *Articles Agreed upon by the Faculty of Sacred Theology of Paris, with the Antidote*. In: Beveridge and Bonnet, *Selected Works*, 1:82. Calvino respondeu de modo semelhante à reimpressão da *Defesa dos sete sacramentos*, do rei Henrique VIII, que fora escrito contra *O cativeiro babilônico da igreja*, de Lutero. Veja *CO* 9:421–456.

[61] W. Stanford Reid destaca essa curiosidade especialmente para desafiá-la. "Justification by Faith according to John Calvin", *WTJ* 42, n. 2, 1980, p. 290.

[62] Peter A. Lillback, *The Binding of God: Calvin's Role in the Development of Covenant Theology*, Texts and Studies in Reformation and Post-Reformation Thought. Grand Rapids: Baker Academic, 2001, p. 125.

colocar Calvino no campo luterano, e não no reformado".[63] De fato, uma coleção recente de ensaios sobre a doutrina da justificação não contém uma perspectiva claramente luterana porque, segundo o editor, "a visão reformada tradicional é funcionalmente idêntica em todos os aspectos teológicos significativos à visão luterana tradicional".[64] Com certeza, Calvino, Lutero e seus colegas de confissão revelaram certas diferenças em nuances e ênfases, e sem dúvida diferiram em assuntos importantes intimamente relacionados com o artigo principal, o mais famoso, aquele que toca a predestinação e o lugar dos sacramentos na justificação.[65] Um olhar mais atento à soteriologia de Calvino, porém, não revela ruptura fundamental com aquela que é apresentada pelos teólogos de Wittenberg.

A apresentação feita por Calvino da justificação pela fé

Calvino expôs sua doutrina da justificação de forma mais sistemática na edição final das *Institutas*, em que, mais de uma vez, também apresentou definições concisas da doutrina. Duas dessas definições, vistas em conjunto, destacam os temas e as ênfases sempre presentes na soteriologia de Calvino. No livro 3, capítulo 17, ele escreveu:

> Definimos a justificação da seguinte maneira: que, recebido à comunhão de Cristo, o pecador é pela graça reconciliado com Deus, enquanto, purificado por seu sangue, obtém a remissão dos pecados, e, vestido da justiça de Cristo, como se fosse a sua própria, seguro se mantém diante do tribunal celestial.[66]

Antes, no capítulo 11 do mesmo livro, ele havia apresentado o seguinte:

> Explicamos a justificação simplesmente como a aceitação com a qual Deus nos recebe em sua graça como justos. E dizemos que ela consiste na remissão dos pecados e na imputação da justiça de Cristo.[67]

Embora cada definição empregue um vocabulário ligeiramente diferente, a do capítulo 11 explica, de modo útil, a do capítulo 17. No último capítulo, por exemplo, Calvino disse que a reconciliação é efetuada pela graça de Deus. A definição anterior deixa claro que essa graça deve ser entendida não como uma qualidade,

---

[63] Reid, "Justification by Faith", p. 296. Cf. Thomas Coates, "Calvin's Doctrine of Justification", *CTM* 34, n. 6, 1963, p. 33, que também conclui que "pode-se dizer que, de modo geral, em seu tratamento da justificação, Calvino era 'luterano'".
[64] James K. Beilby e Paul Rhodes Eddy (eds.). *Justification: Five Views*. Downers Grove: IVP Academic, 2011, p. 10.
[65] Para estudo de uma diferença sutil, veja, por exemplo, Phillip Cary, "*Sola Fide*: Luther and Calvin", *CTQ* 71, n. 3/4, 2007, p. 265-281.
[66] Calvino, *Institutas*, 3.17.8.
[67] Ibid., 3.11.2.

mas, assim como entenderam Lutero e Melanchthon, como favor de Deus. Ainda mais claramente, Calvino sinalizou seu acordo com a compreensão luterana sobre a graça em relação à compreensão medieval, rejeitando a visão agostiniana, que "atribui a graça à santificação".[68]

A definição de Calvino no capítulo 11 também serviu como comentário à menção do capítulo 17 sobre a justiça com a qual o pecador está "vestido". O pecador pode ver essa justiça justificadora "como se fosse sua", não porque ela intrinsecamente o seja, mas, como o capítulo 11 esclarece, porque foi imputada como tal. Embora reconhecendo que Calvino tenha empregado o vocabulário de imputação, alguns argumentam que ele não enfatizou o conceito, revelando uma clara diferença entre sua soteriologia e, por exemplo, a de Melanchthon.[69] Outros chegaram a sugerir que, para Calvino, qualquer imputação da justiça de Cristo teria sido "redundante", uma vez que "a justificação não requer nenhuma transferência ou imputação de nada".[70] Essas conclusões não são corroboradas, no entanto, por uma leitura simples da explicação constante de Calvino sobre a doutrina da justificação.

Ele foi claro e enfático, por exemplo, quando escreveu:

> Somos justificados diante de Deus unicamente pela intercessão da justiça de Cristo. Isso é equivalente a dizer que o homem não é inerentemente justo; pelo contrário, visto que a justiça de Cristo é comunicada a ele por imputação, o que é digno de acurada consideração.

É digno de "cuidadosa consideração", ele continuou, porque a "noção frívola" segundo a qual o homem é justificado "porque pela justiça de Cristo ele recebe o Espírito de Deus, com o qual é feito justo" [...] é "tão contrário à doutrina exposta, que jamais poderá estar de acordo com ela".[71] Nesse caso, não é de estranhar que o próprio Calvino tenha considerado cuidadosamente a natureza forense da justificação não só nas *Institutas*, mas também em seus comentários sobre a Escritura e em seus tratados polêmicos.[72]

---

[68] Ibid., 3.11.15.
[69] Veja, por exemplo, Stephen Strehle, *The Catholic Roots of the Protestant Gospel: Encounter between the Middle Ages and the Reformation*. Studies in the History of Christian Thought 60. Leiden: Brill, 1995, p. 66.
[70] Rich Lusk, "A Response to 'The Biblical Plan of Salvation'". In: E. Calvin Beisner (ed.). *The Auburn Avenue Theology, Pros and Cons: Debating the Federal Vision*. Fort Lauderdale: Knox Theological Seminary, 2004, p. 142.
[71] Calvino, *Institutas*, 3.11.23.
[72] Por exemplo, João Calvino descreveu a justiça justificadora existindo "como uma propriedade em Cristo"; assim, "o que propriamente pertence a Cristo é imputado a nós" (*The Epistles of Paul the Apostle to the Romans and to the Thessalonians*, editado por David W. Torrance e Thomas F. Torrance. Grand Rapids: Eerdmans, 1960, p. 118) [João Calvino, *Comentário de Romanos*. São José dos Campos: Editora Fiel, 3. ed., 2014]. Na controvérsia com o cardeal católico Jacó Sadoleto, ele também defendeu a proposição de que não há justificação senão "na mera bondade de Deus, pela qual o pecado é perdoado e a justiça, imputada a nós" (Calvino, *Reply to Sadoleto*. In: John C. Olin (ed.). *A Reformation Debate: Sadoleto's Letter to the Genevans and Calvin's Reply*. Grand Rapids: Baker, 1976, p. 67.

Além disso, ele não apenas a ela se referiu como sua própria doutrina, mas também explicava com frequência por que ela devia ser reconhecida como a doutrina bíblica – e ele não era nem hesitante nem ambíguo ao fazê-lo. Ao explicar, como Melanchthon, que o termo *justificação* "foi extraído do uso jurídico", ele observou que "qualquer pessoa moderadamente versada na língua hebraica, desde que pense com sobriedade, não ignora o fato de que a frase surgiu dessa fonte e dela tirou sua tendência e implicação".[73] A título de ilustração, ele apontou para aquelas passagens bíblicas em que o termo só poderia ser entendido de forma forense ou declarativa, em vez de denotar qualquer imputação transformadora de justiça, a saber, em descrições de homens "justificando" Deus.[74] Ele observou ainda que a justiça de Cristo sendo imputada aos pecadores na justificação simplesmente espelhava o pecado humano sendo imputado a Cristo na expiação; assim, o pecador se torna justo diante de Deus "da mesma maneira que Cristo se tornou pecador".[75]

Tais afirmações claras, longe de evidenciar uma falta de compromisso com a doutrina forense, apoiam as conclusões de que a imputação é fundamental para a doutrina de justificação defendida por Calvino e que ela é clara e exatamente assim.[76] As objeções a essa leitura de Calvino sobre a natureza da justificação são muitas vezes baseadas na mesma preocupação que levou alguns a minimizar a clara confissão que ele faz de que a fé é o único meio de justificação. A preocupação é que uma justiça exclusivamente extrínseca, da qual alguém se apropria apenas pela fé, falha em explicar de modo adequado a ênfase também nítida de Calvino na regeneração (tratada por ele nas *Institutas* antes mesmo da justificação) e a justiça intrínseca concomitante evidenciada nas obras do cristão. Com certeza, Calvino deu grande ênfase à "natureza inseparável da 'justiça inerente' e à justificação", mas isso não é evidência da justiça inerente efetuando justificação nem, como foi sugerido, que "Lutero e Calvino estão em profundo desacordo" sobre esse ponto.[77]

Calvino insistiu que "não há na justificação lugar algum para as obras",[78] e que "somente a fé justifica".[79] E, no entanto, ele tinha igual clareza de que a fé não se justificava "por si mesma ou por algum poder intrínseco"; antes disso, ela é sim-

---

[73] Calvino, *Institutas*, 3.11.11.
[74] Ibid., 3.11.3.
[75] João Calvino, *The Second Epistle of Paul the Apostle to the Corinthians and the Epistles to Timothy, Titus and Philemon*, editado por David W. Torrance e Thomas F. Torrance. Grand Rapids: Eerdmans, 1964, p. 81 [João Calvino, *Comentário de 2Coríntios*, 2008; *Comentário Pastorais*, 2009].
[76] Para um detalhamento maior de algumas das questões e autores tratados nesta seção, ver especialmente J. V. Fesko, "Calvin on Justification and Recent Misinterpretations of His View", *MAJT* 16, 2005, p. 83–114.
[77] Lillback, *Binding of God*, p. 190.
[78] Calvino, *Institutas*, 3.11.6.
[79] João Calvino, *Canons and Decrees of the Council of Trent, with the Antidote*. In: Beveridge e Bonnet, *Selected Works*, 3:152.

plesmente "uma espécie de vaso".⁸⁰ Como tal, a fé justificadora não é aquilo que é formado ou efetivado pelo amor, mas "é algo meramente passivo".⁸¹ Sendo um vaso ou um instrumento passivo, o valor e o benefício da fé são encontrados somente em seu objeto, Cristo e sua justiça.⁸²

Embora Calvino tenha assim claramente adotado a justificação *sola fide*, não é difícil ver como alguma confusão pode surgir sobre esse ponto. Usando uma linguagem que não é dele, pode-se dizer que, para Calvino, apenas a fé justifica, mas ela não só justifica.⁸³ Assim, por exemplo, ele falou não apenas de "reconciliação gratuita", mas também de "novidade de vida" sendo "alcançada por nós mediante a fé".⁸⁴ Portanto, ele podia sustentar firmemente que "a justificação não está separada da regeneração", embora sempre insistindo, ao mesmo tempo, em que "elas são coisas distintas" e que "a justificação deve ser muito diferente da reforma em novidade de vida".⁸⁵ Para esclarecer sua própria formulação concisa desse ponto centralmente importante – "É, portanto, apenas a fé que justifica e, no entanto, a fé que justifica não está só" –, Calvino, assim como Lutero, ofereceu a ilustração do calor do sol que, sozinho, aquece a terra, embora o calor do sol permaneça "constantemente ligado à luz".⁸⁶

A esses efeitos distintos e inseparáveis da fé Calvino descrevia como uma "graça dupla" ou um dom com dois aspectos: o primeiro, da justificação, e o segundo, da santificação.⁸⁷ Em outro trecho, ele tratou do mesmo tema sob a terminologia de "dois tipos de justiça", uma formulação popularizada por Lutero já em 1519.⁸⁸ Calvino e Lutero empregaram a mesma fraseologia e as mesmas ilustrações nesse contexto, o que indica que não havia descontinuidade radical entre eles acerca das naturezas distintamente diferentes da justificação e da santificação, embora haja uma relação inseparável entre elas. Na verdade, essas interpretações compartilhadas

---

⁸⁰ Calvino, *Institutas*, 3.11.7.
⁸¹ Ibid., 3.13.5.
⁸² Cf. ibid., 3.11.7, 17. A analogia que Calvino empregou em 3.11.7, de um vaso cheio de ouro, é praticamente a mesma usada por Martinho Lutero em "Sermons on John 6", *LW* 23:28.
⁸³ Ou, mais precisamente, somente o Cristo cuja justiça é recebida pela fé justifica, mas Cristo não apenas justifica. Calvino observou isso em sua *Reply to Sadoleto*, p. 68: "Se você entender devidamente como a fé e as obras são inseparáveis, olhe para Cristo, que, como o apóstolo ensina (1Coríntios 1:30), nos foi dado para justificação e para santificação."
⁸⁴ Calvino, *Institutas*, 3.3.1.
⁸⁵ Ibid., 3.11.11. Cf. 3.3.1: "O homem é justificado somente pela fé e singelo perdão; no entanto, a real santidade de vida, por assim dizer, não está separada da graciosa imputação de justiça".
⁸⁶ Calvino, *Canons and Decrees*. In: Beveridge e Bonnet, *Selected Works*, 3:152. Veja também *Institutas*, 3.11.6. Cf. Martinho Lutero, "Preface to the Epistle of St. Paul to the Romans", *LW* 35:371: "É impossível separar obras da fé tanto quanto é impossível separar calor e luz do fogo". [*Prefácio à Epístola de S. Paulo aos Romanos* (1546). In: *Obras selecionadas, Volume 8: Interpretação bíblica. Princípios.*]
⁸⁷ Calvino, *Institutas*, 3.11.1.
⁸⁸ Por exemplo, ibid., 3.11.12. Cf. Lutero, "Two Kinds of Righteousness", *LW* 31:293–306 [*Sermão sobre as duas espécies de justiça* (1519). In: *Obras selecionadas, Volume 1: Os primórdios. Escritos de 1517 a 1519*].

não são surpreendentes à luz do fato de ambos reformadores terem sido forçados a responder à acusação de que sua doutrina de justificação somente pela fé poderia ser considerada antinomianismo. Respondendo, por exemplo, à acusação romana de que "atribuindo tudo à fé, não deixamos espaço para as obras", Calvino esclareceu que "negamos que as boas obras têm qualquer participação na justificação, mas reivindicamos plena autoridade para elas na vida dos justos"; na verdade, continuou ele, "é óbvio que a justiça gratuita está necessariamente ligada à regeneração".[89]

Calvino em comparação com posições luteranas e reformadas

Precisamente a mesma resposta às mesmas objeções foi dada por Lutero e pelos reformadores luteranos, apesar das contínuas sugestões, até mesmo por parte de companheiros protestantes, de que "os luteranos advertem o cristão contra a santificação".[90] Na verdade, os de Wittenberg insistiram com firmeza apenas nisso, como Calvino, insistindo de forma igualmente inflexível que a justificação não está de modo algum condicionada a ela. Tão sem rodeios como Calvino, se não mais, Lutero poderia até mesmo dizer que "as obras são necessárias à salvação, mas elas não causam a salvação, porque somente a fé vivifica".[91] Lutero estava bem ciente da confusão que poderia vir a ocorrer por essa sutil, porém crucial, distinção entre a ideia de as boas obras serem necessárias (relação de *consequência*) à justificação, e a de não serem uma *condição para a* justificação. Ele reconheceu francamente que, diante dos erros gêmeos do legalismo e do antinomianismo, "é difícil e perigoso ensinar que somos justificados pela fé sem obras e ainda exigir, ao mesmo tempo, obras".[92] Mas foi precisamente isso que ele ensinou de modo constante a partir do início dos anos 1520. Melanchthon mostrava-se, portanto, compreensivelmente descontente ao afirmar que passados dez anos "nosso povo é falsamente acusado de proibir boas obras".[93] Falando não apenas por si, mas como um representante da teologia luterana, ele reiterou que "a fé é obrigada a produzir bons frutos e que ela deve fazer boas obras ordenadas por Deus", no entanto, "não para que possamos confiar nessas obras para merecer justificação".[94]

Pode ser o caso de Lutero, temendo mais o legalismo do que o antinomianismo, ter colocado menos ênfase sobre a regeneração do que Calvino; porém, permaneceram em harmonia no que é fundamental sobre a justificação e a santificação

---

[89] Calvino, *Reply to Sadoleto*, p. 66, 68. Cf. *Institutas*, 3.16.
[90] P. Andrew Sandlin, "Lutheranized Calvinism: Gospel or Law, or Gospel and Law", *R&R* 11, n. 2, 2002, p. 124.
[91] Martinho Lutero, *Disputation concerning Justification*, *LW* 34:165 [*Debate acerca da justificação* (1536), em *Obras selecionadas, Volume 3: Debates e Controvérsias I*].
[92] Lutero, *Lectures on Galatians* (1535), *LW* 27:62.
[93] "The Augsburg Confession", art. 20.1, em Kolb e Wengert, *Book of Concord*, 53.
[94] Ibid., art. 6.1, em Kolb e Wengert, *Book of Concord*, 41.

serem claramente distintas, ainda que inseparáveis. Talvez também seja verdade que alguns teólogos reformados, à exceção de Calvino e de alguns luteranos do século XVI, tenham obscurecido essa distinção em seus próprios escritos.[95] Esses escritos confessionais que se tornaram definitivos da teologia reformada, no entanto, não apenas refletem a soteriologia de Calvino, mas também, em atitude semelhante a ela, não se desviam substancialmente da defendida por Lutero, Melanchthon e os escritos luteranos confessionais.

Embora nenhum destes se tornasse definitivo da teologia reformada, os documentos confessionais de meados do século, como a Francesa (1559), a Belga (1561), a Segunda Confissão Helvética (1566) e o Catecismo de Heidelberg (1563) são representativos dela. Cada um deles fundamenta a justificação explicitamente na imputação da justiça de Cristo.[96] Cada um professa que a fé é o único meio de salvação,[97] muitas vezes definindo o termo explicitamente como "confiança"[98] e esclarecendo seu papel meramente passivo e instrumental.[99] E, ao distinguir claramente a justificação da regeneração e suas obras, cada um claramente enfatiza sua inseparabilidade.[100]

REAÇÕES E RESPOSTAS ROMANAS

Em parte pela demora de Lutero em chegar às conclusões apresentadas anteriormente, as primeiras respostas católicas à teologia da Reforma centraram-se muito mais em questões como a autoridade eclesiástica do que na doutrina específica da justificação. Como alguém bem observou, "a coisa surpreendente sobre a resposta

---

[95] McGrath sugere, por exemplo, que João Ecolampádio subordinou justificação à regeneração e que o ensinamento de Bucer sobre uma "dupla justificação" também confundiu as distinções feitas por Calvino (*Iustitia Dei*, 220–222). Essas interpretações, no entanto, foram questionadas. Veja, e.g., Jeff Fisher, "The Doctrine of Justification in the Teaching of John Oecolampadius (1482–1531)", em Parsons, *Since We Are Justified by Faith*, 44–57; Carl R. Trueman, *Luther's Legacy: Salvation and English Reformers, 1525–1556* (Oxford: Clarendon, 1994), 78,79, e as referências adicionais em cada uma dessas obras.

[96] "A Confissão Francesa", 18 (147), "A Confissão Belga", 22 (437), "O Catecismo de Heidelberg", 60 (783) e "A Segunda Confissão Helvética", 15 (839-840). Cada uma delas é encontrada em inglês em James T. Dennison Jr. (ed.). *Reformed Confessions of the 16th and 17th Centuries in English Translation*, v. 2, *1552–1566*. Grand Rapids: Reformation Heritage Books, 2010. Aqui e nas demais, as citações são por artigo ou por número de questão com o número da página dessa edição entre parênteses. [Os documentos citados podem ser encontrados em português, respectivamente, em <www.monergismo.com/textos/credos/Confissao_Franca_Rochelle.pdf>, <www.monergismo.com/textos/credos/confissao_belga.htm>, <www.heidelberg-catechism.com/pdf/lords-days/O%20CATECISMO%20DE%20HEIDELBERG%20(Portuguese).pdf> e <www.monergismo.com/textos/credos/seg--confissao-helvetica.pdf>. Acesso em: 12 mar 2017.]

[97] "A Confissão Francesa", 20 (147); "A Confissão Belga", 22 (437); "O Catecismo de Heidelberg", 60 (782); "A Segunda Confissão Helvética", 15 (839).

[98] "O Catecismo de Heidelberg", 21 (774); "A Segunda Confissão Helvética", 16 (841).

[99] "A Confissão Belga", 22 (437); "O Catecismo de Heidelberg", 61 (783); "A Segunda Confissão Helvética", 15 (840).

[100] "A Confissão Francesa", 22 (148); "A Confissão Belga", 24 (438); "O Catecismo de Heidelberg", 64 (783); "A Segunda Confissão Helvética", 16 (842-844).

católica inicial à Reforma foi que essa doutrina simplesmente não figurava de forma proeminente na controvérsia".[101] Mesmo na Confissão de Augsburgo, de 1530, Melanchthon pôde assim sintetizar a doutrina luterana em apenas duas frases[102] e sugerir que "não há nada aqui que se afaste das Escrituras ou da igreja católica, ou da igreja romana, no que podemos dizer de seus escritores".[103] No entanto, embora ele sinceramente acreditasse nisso, de forma rápida e cabal, Roma deixou claro que não partilhava desse entendimento. A Confutação Romana da Confissão de Augsburgo, que logo se seguiu, era inequívoca: a "atribuição da justificação à fé é diametralmente oposta à verdade do Evangelho segundo a qual as obras não estão excluídas", e "a atribuição da justificação à fé não é admitida, uma vez que ela pertence à graça e ao amor". A Confutação concluiu não só que "a fé por si só não justifica", mas que "o amor é a virtude principal".[104]

Na década seguinte, porém, foram feitas tentativas para chegar a um consenso sobre a justificação, e, tendo em vista o colóquio protestante-católico em Regensburgo, em 1541, Melanchthon poderia novamente proclamar que "não temos doutrina diferente daquela da Igreja Romana".[105] Os participantes do colóquio concordaram com uma redação aceitável para todos; os grupos da igreja que eles representavam, no entanto, rejeitaram a formulação como sendo ambígua e, portanto, potencialmente enganosa.[106] O ponto-chave nessa questão foi a confissão de que o pecador é justificado por meio de uma "fé viva e eficaz", que Lutero, por exemplo, temia não excluir falar de "fé formada pelo amor".[107] E, de fato, Melanchthon relatou que alguns envolvidos entendiam que a justificação ocorria não somente pela fé, mas somente pelo amor.[108] Embora essa não fosse a conclusão a ser alcançada no Concílio de Trento, o fracasso em chegar a um consenso sobre a soteriologia

---

[101] David Bagchi, "Luther's Catholic Opponents". In: Andrew Pettegree (ed.). *The Reformation World*. Londres: Routledge, 2000, p. 106.

[102] "A Confissão de Augsburgo", art. 4. In: Kolb e Wengert, *Book of Concord*, 38, 40.

[103] Ibid., conclusão do ponto pt. 1, art. 1. In: Kolb e Wengert, *Book of Concord*, 59.

[104] *Confutatio Pontificia*, 1.6. In: J. M. Reu (ed.). *The Augsburg Confession: A Collection of Sources*. Chicago: Wartburg, 1930, p. 352. Em Augsburgo, Eck afirmou ainda mais claramente que, para a justificação, o amor é mais necessário do que a fé. Ver George Spalatin, *Annales Reformationis*. Leipzig: Gleditsch, 1718, p. 163. De acordo com o cardeal romano Jacó Sadoleto, o qual também afirmou que, pelo fato de a fé incluir e ser formada pelo amor, "o amor é essencialmente compreendido como a causa principal e primária de nossa salvação" (*Letter to the Genevans*. In: Olin, *A Reformation Debate*, p. 36). Calvino confessou estar espantado quando leu essa afirmação (*Resposta a Sadoleto*, p. 69). Lutero, mais desapaixonadamente, mas não de forma imprecisa, observou que "onde eles falam de amor, nós falamos de fé" (*Lectures on Galatians* (1535), *LW* 26:129).

[105] Philip Melanchthon, "Letter to Cardinal Campeggio", 1541, *CR* 2:170 (n. 761).

[106] Para um resumo dos acontecimentos em Regensburgo, bem como para ter uma tradução do artigo sobre a justificação, veja Anthony N. S. Lane, "A Tale of Two Cities: Justification at Regensburg and Trent (1546–1547)". In: McCormack, *Justification in Perspective*, p. 119–145.

[107] Veja, por exemplo, sua correspondência em WABr 9:406–410 (n. 3616); 9:436–445 (n. 3629); 9:459–463 (n. 3637).

[108] Veja, por exemplo, Melanchthon, "Opinion", *CR* 4:430 (n. 2279), e "Response", *CR* 4:485 (n. 2301).

significava que esclarecer a doutrina romana da justificação e condenar a doutrina protestante se tornaria um foco central do Concílio, que se iniciou apenas quatro anos após as negociações fracassadas de Regensburgo.

Que os próprios padres tridentinos perceberam a seriedade da divisão com respeito à doutrina da justificação é evidente em seu relatório de junho de 1546 a Roma, em que reconheceram que "a importância do concílio, no que diz respeito ao dogma, depende principalmente do artigo de justificação".[109] Nesse caso, o decreto de Trento sobre a justificação, que teve mais de uma dezena de rascunhos durante sete meses, recebeu mais atenção do que qualquer outro produzido pelo concílio. Um rascunho do decreto deixava especialmente explícito o motivo dessa atenção prolongada: "Nesse momento, nada é mais irritante e perturbador para a igreja de Deus do que uma doutrina nova, perversa e errônea sobre a justificação".[110] Embora Lutero tivesse morrido na época em que o concílio se iniciou, e embora os cânones e os decretos de Trento não identifiquem nenhum reformador pelo nome, é bastante óbvio que os de Wittenberg estavam especialmente em destaque. Como observa um comentarista católico, "Lutero estabeleceu a agenda para o concílio".[111]

Apesar de vários membros proeminentes do concílio não serem inteiramente antipáticos à doutrina "luterana" da justificação, os pontos de vista desses homens, nenhuma surpresa aqui, eram consistentemente marginalizados.[112] No entanto, a rejeição final da soteriologia dos reformadores não pode ser atribuída, como o é cada vez mais, a um simples mal-entendido de vocabulário ou ao diálogo de surdos entre as partes envolvidas. Tem sido muitas vezes observado que, ao expedir as definições dos termos cruciais em soteriologia, os teólogos tridentinos poderiam muito bem ter concordado com a definição luterana confessional da justificação; diferentemente de Regensburgo, porém, rejeitaram essa formulação precisamente porque entendiam que esses termos eram definidos de maneira muito diferente pelos reformadores.[113]

Embora Trento tenha se afastado da *via moderna*, confessando claramente que "o princípio dessa justificação deve proceder da graça predisponente de Deus",[114]

---

[109] *Concilium Tridentinum*, editado pela Societas Goerresiana (Freiburg: Herder, 1901–2001), 10:532 (n. 444).
[110] Ibid., 5:420 (n. 179).
[111] John W. O'Malley, *Trent: What Happened at the Council*. Cambridge: Belknap, 2013, p. 12.
[112] Veja, por exemplo, Hubert Jedin, *A History of the Council of Trent*, v. 2, *The First Sessions at Trent: 1545–1547*. Edimburgo: Thomas Nelson, 1961, p.172, 173, 181, 190, 191, 279.
[113] Cf. Robert Preus, *Justification and Rome*. St. Louis: Concordia, 1997, p. 27; Louis A. Smith, "Some Second Thoughts on the Joint Declaration", *Lutheran Forum* 31, 1997, p. 8.
[114] *Canons and Decrees of the Council of Trent*. Rockford: Tan Books, 1978, 6ª. sessão, "Concerning Justification", cap. 5 (p. 31). Daqui por diante, as citações a Trento referem-se à sexta sessão, "Com respeito à justificação"; capítulos de decretos e cânones são citados com o número de página da tradução apresentada anteriormente incluído entre parênteses. [Uma versão em português pode ser encontrada em <www.montfort.org.br/bra/documentos/concilios/trento/>. Acesso em: 13 mar 2017.]

o concílio foi igualmente claro ao anatemizar todos os que dissessem que "a graça pela qual somos justificados é apenas a boa vontade de Deus".[115] Mantendo a compreensão da graça como uma qualidade no homem, o decreto sobre a justificação fala da graça concedida e obtida, e de pecadores sendo "feitos" justos.[116] Além disso, a distinção entre "graça predisponente" e "graça de justificação" permite a insistência de que a primeira é recebida sem qualquer mérito por parte do homem, enquanto a segunda é obtida por meio da cooperação humana.[117]

Por causa dessa insistência acerca da cooperação humana na justificação, quaisquer afirmações de que os decretos de Trento "não são necessariamente incompatíveis com a doutrina luterana de *sola fide*" permanecem altamente questionáveis.[118] Novamente, os padres tridentinos bem entenderam o que os reformadores queriam dizer ao falar de fé justificadora como "confiança na misericórdia divina", e eles condenavam especificamente esse significado.[119] Mais acentuadamente rejeitada foi a fórmula de "somente fé, o que significa que não era necessário nenhuma outra cooperação para se obter a graça da justificação".[120] Certamente, Trento falou de modo bastante claro tanto de fé quanto de graça, mas novamente apenas em um forma qualificada. Assim como a graça apenas, sem a cooperação humana, foi considerada insuficiente para a justificação, Trento declarou que a fé não pode justificar sem as virtudes da esperança e da caridade.[121] Mantendo o entendimento de que a justificação era progressivamente sanativa, o concílio só podia aceitar que a fé constituísse "o início da salvação humana".[122]

Foi também essa compreensão sanativa da justificação que conduziu Trento à condenação final de qualquer um que diga que "os homens são justificados ou somente pela imputação da justiça de Cristo ou somente pela remissão dos pecados".[123] Certamente, o concílio não condenou a proposição de que Deus de fato considera ou reputa os homens justos; ao contrário dos reformadores, porém, sustentou-se que alguém é considerado justo quando e porque se tornou inerentemente assim,[124] não apenas como resultado de uma infusão divina de justiça, mas

---

[115] Ibid., cânon 11 (43).
[116] Cf., por exemplo, ibid., cap. 3 (31); cânon 9 (43).
[117] Cf., por exemplo, ibid., cânones 4 (42) e 9 (43).
[118] "Justification by Faith (Common Statement)", §56. In: Anderson, Murphy e Burgess, *Justification by Faith*, p. 35.
[119] *Canons and Decrees of the Council of Trent*, cânone 12 (43).
[120] Ibid., cânone 9 (43).
[121] Ibid., cap. 7 (34).
[122] Ibid., cap. 8 (35). Os luteranos, à semelhança de Calvino, rejeitaram esse ponto de vista. "Apology of the Augsburg Confession", art. 4.71–72. In: Kolb e Wengert, *Book of Concord*, 132; Calvin, *Canons and Decrees*. In: Beveridge e Bonnet, *Selected Works*, 3:114.
[123] *Canons and Decrees of the Council of Trent*, cânone 11 (43).
[124] Cf. ibid., caps. 7 (33) e 16 (41).

também, uma vez mais, com base na cooperação humana.¹²⁵ Isso talvez seja mais óbvio na condenação de Trento à insistência dos reformadores de que, em vez de serem uma condição para a justificação, as boas obras são simplesmente "frutos e sinais da justificação obtida".¹²⁶

Tais anátemas não eram pronunciados a indivíduos sem importância; os padres do concílio compreendiam bem os princípios fundamentais da doutrina protestante da justificação. E, se havia alguma confusão sobre a doutrina romana oficial antes de Trento, após o concílio seus traços centrais tornaram-se igualmente claros para os reformadores. Não é, portanto, surpresa que eles não tenham demorado para responder a sua formalização. O próprio Calvino rapidamente o fez em seu breve *Antídoto* aos atos do concílio, em que observou com precisão que "toda a disputa é sobre a Causa da Justificação. Os padres de Trento", resumiu ele, "fingem que ela é dupla, como se fôssemos justificados em parte pelo perdão dos pecados e em parte pela regeneração espiritual". Desse modo, Calvino pôde rejeitar concisamente as conclusões soteriológicas de Trento ao escrever que o "todo pode ser assim resumido: o erro deles consiste em compartilhar a obra [de salvação] entre Deus e nós".¹²⁷

Duas décadas depois, Martin Chemnitz, teólogo luterano e coautor da Fórmula de Concórdia, chegou à mesma conclusão em seu multivolume *Examination of the Council of Trent* [Exame do Concílio de Trento], no qual ele sugeriu que o "argumento principal" de Trento contra a doutrina da Reforma foi a alegação de que, uma vez que a renovação espiritual é iniciada ao mesmo tempo em que os pecados são remidos, a justificação deve ser atribuída a ambos.¹²⁸ Para explicar a diferença fundamental entre as doutrinas católica e protestante, Chemnitz observou que os teólogos romanos

> entendem a palavra "justificar" de acordo com a forma de composição latina como significando "fazer justos" por meio de uma qualidade doada ou infundida de justiça inerente, de onde procedem as obras de justiça. Os luteranos, porém, aceitam a palavra "justificar" segundo a maneira hebraica de falar; portanto, eles definem a justificação como a absolvição dos pecados, ou a remissão dos pecados por meio da imputação da justiça de Cristo.¹²⁹

Essa "maneira hebraica de falar", Chemnitz demonstrou de modo minucioso, é precisamente a mesma maneira segundo a qual o termo "justificar" é usado com

---

¹²⁵ Veja, por exemplo , ibid., cap. 7 (33,34). Para um comentário breve, veja também Anthony N. S. Lane, *Justification by Faith in Catholic-Protestant Dialogue: An Evangelical Assessment*. Nova York: T&T Clark, 2002, p. 71,72, 74,75.
¹²⁶ *Canons and Decrees of the Council of Trent*, cânone 24 (45).
¹²⁷ Calvino, *Canons and Decrees*. In: Beveridge e Bonnet, *Selected Works*, 3:116, 113.
¹²⁸ Martin Chemnitz, *Examination of the Council of Trent*, vol. 1, *Sacred Scripture, Free Will, Original Sin, Justification, and Good Works*. St. Louis: Concordia, 1971, p. 579,580.
¹²⁹ Ibid., 1:467.

frequência na antiguidade grega, tanto na literatura sagrada quanto na profana.¹³⁰ "Entre os autores gregos, portanto, a palavra 'justificar' não é usada nesse sentido que os papistas argumentam", ele concluiu; de fato, "seu significado forense, como comumente dizemos, é tão manifesto" que até mesmo os defensores de Trento acharam difícil negá-lo.¹³¹

AS CONTROVÉRSIAS CONTINUAM

Dado o grande esforço feito por Roma e pelos reformadores para formular, explicar e defender sua doutrina da justificação, bem como pela evidência de que cada parte compreendia bem os fundamentos da doutrina que estavam criticando e condenando, merece ser repetido que as disputas soteriológicas do século XVI não eram simplesmente o resultado infeliz de mal-entendidos não percebidos. Isso ocorreu especialmente assim porque, nas últimas décadas, mais de uma escola de pensamento tornou supostos mal-entendidos centrais para sua interpretação da teologia da Reforma a respeito da justificação. Os diálogos ecumênicos que resultaram na *Declaração conjunta sobre a doutrina da justificação* (1999), por exemplo, tipificam a crença de que as soteriologias luterana e católica são essencialmente compatíveis, mesmo que os próprios reformadores (e seus críticos) não entendessem assim. Um mal-entendido de um tipo diferente é apresentado pela "escola finlandesa" de interpretação de Lutero, ao sugerir que mesmo os herdeiros imediatos deste compreenderam mal e de modo muito firme distorceram sua doutrina da justificação, que ficou mais assemelhada à soteriologia da ortodoxia oriental do que à defendida em confissões luterana ou reformada. Talvez como eco mais próximo dos debates da era da Reforma, os proponentes da interpretação que veio a ser chamada de "Nova perspectiva sobre Paulo" postularam que os reformadores fundamentalmente não entenderam a doutrina da justificação do apóstolo Paulo, a própria doutrina que eles alegavam estar revivendo e defendendo. É claro que, se alguma dessas interpretações estiver correta, garantir-se-ia o repensar radical sobre a soteriologia da Reforma. Se essas leituras revisionistas podem ou não ser comprovadas é a questão a ser tratada nesta seção final.

DECLARAÇÃO CONJUNTA SOBRE A DOUTRINA DA JUSTIFICAÇÃO (1999)

Embora a *Declaração conjunta sobre a doutrina da justificação* seja uma declaração estritamente luterano-católica, que já não recebe a atenção que recebeu quando

---

¹³⁰ Veja, por exemplo, ibid., 1:470–476.
¹³¹ Ibid., 1:471. Robert Preus também observa que, "com o passar do tempo, Roma não contestou seriamente que a palavra *dikaioō* fosse um termo forense. A evidência maciça para esse fato trazido por Chemnitz e pelos luteranos posteriores era absolutamente contundente" (*Justification and Rome*, p. 68). Em outro trecho, ele também observa a confirmação filológica moderna da interpretação de Chemnitz. Veja Robert D. Preus, "The Doctrine of Justification in the Theology of Classical Lutheran Orthodoxy", *The Springfielder* 29, n. 1, 1965, p. 29.

foi assinada, merece aqui uma menção breve por uma série de razões. Ela não só é o fruto de quase duas décadas de discussão ecumênica especificamente dedicada às doutrinas que mais dividiram a igreja do século XVI, como também afirma ter, por fim, articulado um "entendimento comum" e "consenso sobre as verdades básicas acerca da doutrina da justificação", de modo que as "condenações doutrinárias do século XVI não se aplicam" aos grupos da igreja subscritores.[132] Não surpreende, portanto, que o documento tenha sido anunciado como tendo provocado "o fim da Reforma".[133]

Embora reconhecendo que as soteriologias católica e luterana do século XVI eram, de fato, "diferentes em caráter", a *Declaração conjunta* proclama que "nossas igrejas chegam a novas percepções".[134] Entretanto, se isso é totalmente verdade em ambas as igrejas, é posto em dúvida tanto pelo texto da *Declaração conjunta* como por outros documentos contemporâneos. Avery Dulles, por exemplo, um católico participante nos diálogos que levaram à produção da *Declaração conjunta*, admitiu que, em seu curso, "a teologia da justificação no ensino católico romano não sofreu mudanças consideráveis desde o Concílio de Trento".[135] Essa constatação é parcialmente corroborada pela forma como o *Catecismo da Igreja Católica* define a justificação: Ela "inclui a remissão dos pecados, a santificação e a renovação do homem interior".[136] Na própria *Declaração conjunta*, a justificação definida tanto como "perdão dos pecados e ser feito justo" é descrita com precisão como o "entendimento católico".[137] Mas essa é também a definição que os signatários luteranos afirmam agora "confessar juntamente" com Roma.[138] Em contrapartida, em nenhum lugar o documento

---

[132] Federação Luterana Mundial e Igreja Católica Romana, *Joint Declaration on the Doctrine of Justification*. Grand Rapids: Eerdmans, 2000, 5, 13 [Versão em português disponível em: www.vatican.va/roman_curia/pontifical_councils/chrstuni/documents/rc_pc_chrstuni_doc_31101999_cath-luth-joint-declaration_po.html#top>.] Deve-se observar, no entanto, que a resposta católica oficial ao texto da *Declaração conjunta* assinala que a explicação do documento sobre como o luteranismo entende o justificado como *simul justus et peccator* (ao mesmo tempo justo e pecador) "não é aceitável" e, portanto, "continua difícil ver como [isso ...] não é tocado pelos anátemas do decreto tridentino sobre o pecado original e a justificação" ("Response of the Catholic Church to the Joint Declaration of the Catholic Church and the Lutheran World Federation on the Doctrine of Justification"), clarification 1. O texto está disponível no site do Vaticano: <www.vatican.va/roman_curia/pontifical_councils/chrstuni/documents/rc_pc_chrstuni_doc_01081998_off-answer-catholic_en.html#top>. Acessos em 13.mar.2017).
[133] Matthias Gierth, "A Time to Embrace", *The Tablet*, 20 de novembro de 1999, p. 6.
[134] *Declaração conjunta*, 1, 7.
[135] Dulles, "Justification in Contemporary Catholic Theology", p. 256.
[136] *Catechism of the Catholic Church*. Nova York: Image, 1995, p. 2019; cf. ibid., 2027: "Movidos pelo Espírito Santo, nós podemos merecer, por nós mesmos e por outros, todas as graças necessárias para obter a vida eterna." [Versão em português disponível em: <www.vatican.va/archive/cathechism_po/index_new/prima-pagina-cic_po.html>. Acesso em: 13 mar 2017.]
[137] *Declaração conjunta*, 27.
[138] *Declaração conjunta*, "Anexo à *Declaração conjunta sobre a doutrina da justificação*", 2A; *Declaração conjunta*, 4.2. É o que ocorre, mesmo que a resposta católica oficial ao documento, que é "destinada a completar alguns dos parágrafos que explicam a doutrina católica", afirme claramente que "a vida eterna é, ao mesmo tempo, graça e recompensa dada por Deus para boas obras e para méritos" ("Response of the Catholic Church", clarificações 5

confronta, nem muito menos afirma, a definição de justificação como sendo a imputação da distinta justiça de Cristo. É difícil ver a "omissão grave" desse conceito central da soteriologia da Reforma como não tendo sido intencional.[139]

O emprego ambíguo de outras palavras-chave parece ser intencional. O termo *graça*, por exemplo, é frequentemente invocado, mas a *Declaração conjunta* nunca indica se ela deve ser entendida como favor de Deus ou como uma qualidade na alma. Assim, a transposição de preposições ao descrever a justificação como ocorrendo "por meio da fé e pela graça", e não na tradicional forma luterana, "por meio da graça e pela fé", permite a impressão de que a graça é o meio instrumental da justificação, ao passo que a fé é sua causa real.[140] Essa leitura é ainda mais plausível pela definição que o documento faz da fé justificadora como *incluindo* esperança e amor [caridade].[141]

Tais formulações levaram alguns comentaristas a caracterizarem a *Declaração conjunta* como "Regensburgo Redivivo"[142] e a descrever suas conclusões como "muito semelhantes às de Regensburgo, em que a substância protestante foi aceita em troca da aceitação de uma medida de ambiguidade".[143] Mesmo isso, porém, pode exagerar o caso, uma vez que grande parte da "substância protestante" de Regensburgo, que frequentemente se referia ao justificado ser "reconhecido" justo, está ausente da *Declaração conjunta*, que "opta por usar a palavra 'justificação' no sentido católico".[144] Não é inteiramente injustificado, então, acreditar que a *Declaração conjunta* fala com precisão quando diz que "o ensino das igrejas luteranas apresentado nesta Declaração não está sob as condenações do Concílio de Trento", mas apenas porque o ensinamento luterano "apresentado nesta Declaração" não é o de Lutero, tampouco o das confissões luteranas ou o do protestantismo da era da Reforma, de modo mais geral.[145]

A ESCOLA FINLANDESA DE INTERPRETAÇÃO DE LUTERO

Quaisquer que sejam as deficiências da *Declaração conjunta*, a premissa de que há tempos luteranos e católicos vêm compreendendo mal a teologia uns dos outros não é intrinsecamente implausível. A julgar pelas aparências, porém, é menos provável

---

e 3). [A versão em português do *Anexo* está em www.vatican.va/roman_curia/pontifical_councils/chrstuni/documents/rc_pc_chrstuni_doc_31101999_cath-luth-annex_po.html. Acesso em 13.mar.2017.]
[139] Lane, *Justification by Faith in Catholic-Protestant Dialogue*, p. 126, 158.
[140] Departmento de Teologia Sistemática, Seminário Concordia, St. Louis, "A Response to the Joint Declaration on the Doctrine of Justification", em *The Joint Declaration on the Doctrine of Justification in Confessional Lutheran Perspective* (St. Louis, MO: Lutheran Church – Missouri Synod, 1999), 48n9.
[141] *Declaração conjunta*, 25.
[142] Paul McCain, "Regensburg Redivivus?", *CTQ* 63, n. 4 (1999): p. 305–309.
[143] Lane, *Justification by Faith in Catholic-Protestant Dialogue*, p. 226.
[144] Ibid., p. 157.
[145] *Declaração conjunta*, 41; veja Departmento de Teologia Sistemática, "A Response to the Joint Declaration", p. 45.

que os próprios colegas de Lutero e seus sucessores imediatos tenham entendido tão equivocadamente a soteriologia luterana de modo a propor uma doutrina radicalmente diferente sob seu nome. Essa é, no entanto, uma alegação central do que veio a ser conhecida como a interpretação "finlandesa" de Lutero. Assim, Tuomo Mannermaa, o teólogo mais intimamente associado a essa interpretação, fala desdenhosamente da "doutrina unilateral forense da justificação adotada pela Fórmula de Concórdia e pelo luteranismo subsequente", e argumenta que "a ideia de *theosis* pode ser encontrada no âmago da teologia de Martinho Lutero".[146] Outros, como indicado anteriormente, argumentam que a imputação nunca foi enfatizada por Lutero (ou por Calvino), mas só veio à proeminência com a teologia posterior de Melanchthon.[147] Muito do que foi apresentado anteriormente sobre Lutero e Melanchthon serve, mesmo que de maneira abreviada, para destacar os problemas que tais teses envolvem. Mesmo que se possa dizer, em certo sentido, que a doutrina da Reforma sobre a imputação era de origem melanchthoniana, ela não só foi formulada no início de sua carreira, mas também foi subsequente e claramente abraçada por Lutero, por Calvino e também pelos herdeiros [do pensamento] de ambos.

Na discussão sobre esse entendimento há muito estabelecido, a escola finlandesa afirma que a ênfase central e primordial da própria doutrina de Lutero sobre a justificação não é a noção forense da recepção passiva pela fé da justiça exterior e imputada de Cristo, mas sim uma verdadeira "participação ontológica na essência de Deus em Cristo".[148] Assim, entende-se que Lutero confessava que "a justiça que está diante de Deus está baseada na habitação de Cristo" e que essa justiça intrínseca é "a condição necessária para o favor de Deus".[149] A escola finlandesa está inquestionavelmente correta ao observar que esse não é o ensino luterano apresentado na Fórmula de Concórdia;[150] todavia, se a Fórmula pode ser tão facilmente colocada contra o próprio Lutero não é algo de que se pode ter tanta clareza. Além de citar regularmente Lutero, por exemplo, os autores da Fórmula concluem o artigo relevante indicando aos leitores a "maravilhosa e magnífica exposição do dr. Lutero da Epístola de São Paulo aos Gálatas" para "qualquer outra explicação ne-

---

[146] Tuomo Mannermaa, "Justification and *Theosis* in Lutheran-Orthodox Perspective". In: Carl E. Braaten e Robert W. Jenson (eds.). *Union with Christ: The New Finnish Interpretation of Luther*. Grand Rapids: Eerdmans, 1998, p. 28, 25.
[147] Strehle, *Catholic Roots of the Protestant Gospel*, p. 66.
[148] Tuomo Mannermaa, *Christ Present in Faith: Luther's View of Justification*, editado por Kirsi Stjerna. Minneapolis: Fortress, 2005, p. 17.
[149] Simo Peura, "Christ as Favor and Gift (*donum*): The Challenge of Luther's Understanding of Justification". In: Braaten e Jenson, *Union with Christ*, p. 66.
[150] Isso não nega, de modo nenhum, a união ou a habitação de Cristo, mas insiste que "essa habitação de Deus não é a justiça da fé [...] por causa da qual somos declarados justos diante de Deus. Pelo contrário, essa habitação é resultado da justiça da fé que a precede" ("The Solid Declaration of the Formula of Concord", art. 3, par. 54. In: Kolb e Wengert, *Book of Concord*, p. 572).

cessária desse elevado e sublime artigo sobre justificação".[151] E é sobretudo no comentário de Gálatas de 1535 que Lutero argumentou com mais intensidade que "só podemos obtê-la [isto é, a justiça justificadora] mediante a livre imputação e o dom indescritível de Deus".[152]

Com certeza, Lutero frequentemente explicava a justificação em termos de uma união mística ou ontológica com Cristo e da justiça inerente resultante; tais explicações, entretanto, estão concentradas em suas primeiras publicações. Ao argumentar especialmente com base nessas obras "pré-Reforma",[153] a escola finlandesa frequentemente deixa de prestar atenção suficiente ao desenvolvimento da teologia de Lutero.[154] Talvez o contexto em que essa interpretação surgiu explique parcialmente a escolha finlandesa de ênfase: diálogos ecumênicos entre as igrejas finlandesa luterana e ortodoxa russa. Como admite Robert Jenson, defensor da academia finlandesa, no curso de seus diálogos os teólogos finlandeses "foram buscando [...] algum espaço para ajustes".[155] Por mais admirável que possa ser o objetivo ecumênico do consenso doutrinário sobre a justificação, para Roma ou para os ortodoxos orientais esse objetivo não pode ser alcançado de forma responsável minimizando ou ignorando evidências importantes de diferenças reais.

A Nova perspectiva sobre Paulo

O que viria a ser chamado de Nova perspectiva sobre Paulo também surgiu a partir de reflexões sobre uma espécie de ecumenismo, nesse caso o antigo e não o contemporâneo. Trabalhos seminais de Krister Stendahl e E. P. Sanders, por exemplo, argumentaram que o ensinamento de Paulo sobre a justificação e a lei foi formulado sem levar em conta a questão de como os pecadores individuais, judeus ou gentios, poderiam ser salvos, mas em resposta à questão de como os gentios poderiam ser incluídos na comunidade já estabelecida pela aliança de Deus.[156] N. T. Wright, o

---

[151] "Solid Declaration", art. 3, par. 67, em Kolb e Wengert, *Book of Concord*, p. 573.
[152] Lutero, *Lectures on Galatians* (1535), *LW* 26:6.
[153] Para alguns exemplos e críticas citados, veja, por exemplo, Carl R. Trueman, "Is the Finnish Line a New Beginning? A Critical Assessment of the Reading of Luther Offered by the Helsinki Circle", *WTJ* 65, n. 2, 2003, p. 235,236.
[154] Às vezes, citam passagens do próprio comentário de Lutero a Gálatas, de 1535 (e outras obras de sua maturidade), mas a tendência é com frequência ler essas passagens pela lente de suas obras anteriores e ignorar não apenas a ênfase claramente imputativa dos parágrafos imediatamente seguintes, mas também o prefácio paradigmático da obra. Novamente, veja Trueman, "Is the Finnish Line a New Beginning?", p. 238,239.
[155] Robert Jenson, "Response to Mark Seifrid, Paul Metzger, and Carl Trueman on Finnish Luther Research", *WTJ* 65, n. 2, 2003, p. 245. Em outro trecho, Jenson indica sua própria motivação ecumênica para abraçar a interpretação finlandesa: "Posso fazer muito pouco com o Lutero usualmente interpretado" (Robert W. Jenson, "Response to Tuomo Mannermaa, 'Why Is Luther So Fascinating?'". In: Braaten e Jenson, *Union with Christ*, p. 21.
[156] Veja, por exemplo, Krister Stendahl, "The Apostle Paul and the Introspective Conscience of the West", *HTR* 56, n. 3, 1963, p. 199–215; E. P. Sanders, *Paul and Palestinian Judaism: A Comparison of Patterns of Religion*. Filadélfia: Fortress, 1977.

representante mais proeminente da nova perspectiva, resumiu energicamente que a justificação para Paulo "não tem tanta relação com a salvação como o tem com a igreja";[157] essa é, portanto, "a doutrina ecumênica original".[158] Ao compreender a doutrina de justificação de Paulo principalmente em termos eclesiológicos, e não soteriológicos, Wright pôde ir ao ponto de traduzir o uso que o apóstolo faz da palavra "justiça" (*dikaiosynē*) como "adesão à aliança".[159]

Os defensores da Nova perspectiva consideram que o mal-entendido radical da doutrina de Paulo foi supostamente introduzido por Agostinho, mas reafirmado, e com consequências mais amplas, pelos reformadores protestantes, especialmente Lutero. Ou seja, que o mal-entendido não foi apenas causado pela leitura de Paulo por Agostinho no calor de suas disputas com o pelagianismo e sua alegação de que alguém poderia ser salvo pelos próprios méritos sem a ajuda da graça divina, mas também pelo fato de Lutero e seus sucessores entenderem as brigas de Paulo com o judaísmo pela lente distorcida de seus próprios embates com Roma. Mais uma vez, Wright descreve de forma concisa esse ponto de vista quando fala de intérpretes que "transportam Pelágio para a Galácia".[160] O principal problema com essas interpretações, de acordo com a Nova perspectiva, é que o judaísmo dos dias de Paulo não acolheu de modo nenhum uma soteriologia "pelagiana" legalista. Portanto, Paulo não poderia ter tentado refutar tal teologia em favor de uma doutrina de salvação somente pela graça por meio somente da fé.

Da mesma forma que a interpretação finlandesa prestou atenção à teologia reformada da união com Cristo – mesmo que os reformadores não compreendessem que essa união fosse o fundamento ou a causa da justificação –, também a Nova perspectiva corrigiu algumas apresentações imprecisas judaísmo do primeiro século como uma forma inicial da religião pelagiana da justiça pelas obras. Enfatizando a importância da adesão à aliança, por exemplo, Sanders demonstrou quão universalmente os rabinos destacavam que a eleição divina era a consequência da livre graça de Deus.[161] Ao fazer isso, porém, ele também prioriza a distinção entre o que

---

[157] N. T. Wright, *What Saint Paul Really Said: Was Paul of Tarsus the Real Founder of Christianity?* Grand Rapids, Eerdmans, 1997, p. 119. De modo ainda mais claro, ele afirma que a "justificação não diz respeito a 'como alguém se torna um cristão'" (N. T. Wright, "New Perspectives on Paul". In: McCormack, *Justification in Perspective*, p. 260.

[158] Wright, "New Perspectives on Paul", p. 261. Na mesma página, ele explica ainda que essa realocação da justificação, da categoria de soteriologia para a eclesiologia, continua a oferecer "um poderoso incentivo para trabalhar em conjunto além de barreiras denominacionais".

[159] Veja, por exemplo, N. T. Wright, "The Letter to the Romans: Introduction, Commentary, and Reflections". In: Leander E. Keck (ed.). *The New Interpreters Bible*. Nashville: Abingdon, 2002, 10:491; Wright, *What Saint Paul Really Said*, p. 124. Para uma crítica breve dessa interpretação, veja Simon Gathercole, "The Doctrine of Justification in Paul and Beyond". In: McCormack, *Justification in Perspective*, p. 236,237.

[160] Wright, *What Saint Paul Really Said*, p. 121.

[161] Veja, por exemplo, Sanders, *Paul and Palestinian Judaism*, p. 106, onde Sanders observa esse ponto, mas também reconhece que os rabinos recorreram "às vezes ao conceito de mérito". O engajamento subsequente com as

coloquialmente chama de "entrar" e "permanecer" na aliança.¹⁶² É nesse contexto que Sanders cunha o termo "nomismo de aliança" (ou pactual) para descrever o judaísmo do primeiro século. Alguém "entra" somente pela graça (aliança), mas "permanece" por cumprir a lei (nomismo). Embora o próprio Sanders evite descrever a teologia de Paulo como nomismo de aliança,¹⁶³ outros defensores da Nova perspectiva afirmam muito mais claramente que, mesmo para Paulo, "a obediência humana como resposta à graça divina é uma condição necessária para a salvação".¹⁶⁴

As implicações dessas interpretações para a doutrina da Reforma sobre a justificação são claras. A Nova perspectiva "diminui a distância entre Paulo e o judaísmo de seus dias, ao mesmo tempo em que amplia a lacuna entre Paulo e a Reforma".¹⁶⁵ Mas o faz, em parte, por entender de modo equivocado as preocupações reais dos reformadores.¹⁶⁶ As seções anteriores destacaram que Roma nunca abraçou uma negação "pelagiana" da necessidade de graça para a salvação, nem os reformadores entenderam que o fizeram.¹⁶⁷ Em vez disso, estes últimos opuseram-se à insistência de Roma — a mesma encontrada no judaísmo do primeiro século — em uma subsequente cooperação com a graça divina ser necessária para a salvação. A razão, como um crítico da nova perspectiva aponta de forma concisa, é que, seja no primeiro ou no décimo sexto século, "o nomismo da aliança é ainda nomismo".¹⁶⁸ Como tal, contrasta profundamente com a doutrina da Reforma sobre a justificação pela graça somente por meio da fé, por conta somente da justiça imputada de Cristo.¹⁶⁹

CONCLUSÃO

A doutrina da Reforma da justificação não é nem a única peculiaridade de Melanchthon nem a conclusão tardia e redutora de um documento como a Fórmula

---

fontes literárias do judaísmo do primeiro século demonstrou que Sanders talvez minimize a diversidade de opiniões rabínicas e que a obediência era, de fato, muitas vezes entendida como um pré-requisito para a entrada na aliança. Ver especialmente D. A. Carson, Peter T. O'Brien e Mark A. Seifrid (eds.). *Justification and Variegated Nomism*, v. 1, *The Complexities of Second Temple Judaism*. Grand Rapids: Baker Academic, 2001.

¹⁶² Por exemplo, Sanders, *Paul and Palestinian Judaism*, p. 17.
¹⁶³ Ibid., p. 543.
¹⁶⁴ Francis Watson, *Paul, Judaism and the Gentiles: A Sociological Approach*, Society for New Testament Studies Monograph Series 56. Cambridge: Cambridge University Press, 1986, p. 179.
¹⁶⁵ Richard B. Gaffin, "Paul the Theologian", *WTJ* 62, 2000, p. 121.
¹⁶⁶ E, como argumentam muitos dos críticos da Nova perspectiva, a teologia do próprio Paulo. Para uma introdução a esse debate, veja, por exemplo, D. A. Carson, Peter T. O'Brien e Mark A. Seifrid (eds.). *Justification and Variegated Nomism*, v. 2, *The Paradoxes of Paul*. Grand Rapids: Baker Academic, 2004.
¹⁶⁷ Veja, por exemplo, Paul F. M. Zahl, "Mistakes of the New Perspective on Paul", *Themelios* 27, n. 1, 2001, p. 5–11.
¹⁶⁸ Charles A. Gieschen, "Paul and the Law: Was Luther Right?". In: Charles A. Gieschen (ed.). *The Law in Holy Scripture: Essays from the Concordia Theological Seminary, Symposium on Exegetical Theology*. St. Louis: Concordia, 2004, p. 126.
¹⁶⁹ Para críticas à nova perspectiva de uma soteriologia forense de imputação, veja, por exemplo, Sanders, *Paul and Palestinian Judaism*, p. 506; Wright, "New Perspectives on Paul", p. 252,253.

de Concórdia. Sua formulação e o entendimento específico de seus termos-chave estavam sendo claramente articulados já no início da década de 1520, foram adotados e assumidos por Lutero e Calvino, e consagrados em numerosos documentos confessionais que foram e continuam a ser representativos e definitivos das tradições luterana e reformada. Assim, permanece possível, com apenas pequenas qualificações, falar *da* doutrina da Reforma sobre a justificação.

Embora as objeções e os desafios à confissão dessa doutrina continuem, sejam eles articulados nos cânones e decretos ainda normativos do Concílio de Trento ou em empreendimentos acadêmicos e ecumênicos mais recentes, a Reforma certamente não está "finalizada". Nem – poderá alguém aconselhar – devia estar; pois, como o próprio Lutero nunca deixou de insistir: "Se perdemos a doutrina da justificação, perdemos simplesmente tudo".[170]

FONTES PARA ESTUDO ADICIONAL

FONTES PRIMÁRIAS

CALVINO, João. *As institutas – Edição clássica* (1985). *As institutas – Edição especial* (2006). 4. vols. São Paulo: Editora Cultura Cristã.

——. *Joannis Calvini Opera Quae Supersunt Omnia.* Editado por Guilielmus Baum, Eduardus Cunitz e Eduardus Reuss. 59 vols. Corpus Reformatorum 29–88. Brunswick and Berlin: Schwetschke, 1863–1900.

——. *Selected Works of John Calvin: Tracts and Letters* [Obras selecionadas de João Calvino: Tratados e cartas]. Editado por Henry Beveridge e Jules Bonnet. 7 vols. 1844–1858. Grand Rapids: Baker, 1983.

CALVINO, João e SADOLETO, Jacó. *A Reformation Debate: Sadoleto's Letter to the Genevans and Calvin's Reply* [Um debate na Reforma: a carta de Sadoleto para os genebrinos e a resposta de Calvino]. Editado por John C. Olin. Grand Rapids: Baker, 1976.

DENNISON, James T., Jr. (ed.). *Reformed Confessions of the 16th and 17th Centuries* [Confissões reformadas dos séculos XVI e XVII]. 4 vols. Grand Rapids: Reformation Heritage Books, 2008–2014.

KOLB, Robert e WENGERT, Timothy J. (eds.). *The Book of Concord: The Confessions of the Evangelical Lutheran Church.* [O Livro de Concórdia: as confissões de fé da Igreja Evangélica Luterana]. Minneapolis: Fortress, 2000.

LUTERO, Martinho. *D. Martin Luthers Werke, Kritische Gesamtausgabe, Schriften.* 62 vols. Weimar: Böhlau, 1833–1986.

——. *Luther's Works* [Obras de Lutero]. Editado por Jaroslav Pelikan e Helmut Lehman. Edição americana. 75 vols. Filadélfia: Fortress; St. Louis: Concordia, 1955-.

——. *Obras selecionadas.* Comissão Interluterana de Literatura. 14 vols. (prev.). São Leopoldo: Editora Sinodal; Porto Alegre: Editora Concórdia, s/d.

MELANCHTHON, Philip. *Loci Communes Theologici* (1521). In: Wilhelm Pauck (ed.). *Melanchthon and Bucer* [Melanchthon e Bucer], p. 3–152. Library of Christian Classics 19. Philadelphia: Westminster, 1969.

---

[170] Lutero, *Lectures on Galatians* (1535), *LW* 26:26.

———. *Philippi Melanthonis Opera Quae Supersunt Omnia*. Editado por C. G. Bretschneider e H. E. Bindseil. 28 vols. Corpus Reformatorum 1–28. Halle and Brunswick: Schwetschke, 1834–1860.

SCHROEDER, H. J. (ed.-trad.). *The Canons and Decrees of the Council of Trent* [Os cânones e decretos do Concílio de Trento]. Rockford: Tan Books, 1978.

FONTES SECUNDÁRIAS

ANDERSON, H. George, MURPHY, T. Austin e BURGESS, Joseph A. (eds.). *Justification by Faith* [Justificação pela fé]. Lutherans and Catholics in Dialogue 7. Minneapolis: Augsburg, 1985.

BRAATEN, Carl E. e JENSON, Robert W. (eds.). *Union with Christ: The New Finnish Interpretation of Luther* [União com Cristo: a nova interpretação finlandesa de Lutero]. Grand Rapids: Eerdmans, 1998.

CARY, Phillip. "*Sola Fide*: Luther and Calvin" [*Sola fide*: Lutero e Calvino]. *Concordia Theological Quarterly* 71, n. 3/4, 2007, p. 265–281.

CLARK, R. Scott. "*Iustitia Imputata Christi*: Alien or Proper to Luther's Doctrine of Justification?" [*Iustitia Imputata Christi*: estranha à ou própria da doutrina de Lutero sobre a justificação?] *Concordia Theological Quarterly* 70, n. 3/4, 2006, p. 269–310.

Federação Luterana Mundial e Igreja Católica Romana, *Declaração conjunta sobre a doutrina da justificação*. Disponível em: <www.vatican.va/roman_curia/pontifical_councils/chrstuni/documents/rc_pc_chrstuni_doc_31101999_cath-luth-joint-declaration_po.html#top>. Acesso em 27 mar. 2017.

FESKO, J. V. "Calvin on Justification and Recent Misinterpretations of His View" [Calvino a respeito da justificação e recentes interpretações equivocadas de seu ponto de vista]. *Mid-America Journal of Theology* 16, 2005, p. 83–114.

GREEN, Lowell C. *How Melanchthon Helped Luther Discover the Gospel: The Doctrine of Justification in the Reformation* [Como Melanchthon ajudou Lutero a descobrir o evangelho: a doutrina da justificação na Reforma]. Fallbrook: Verdict: 1980.

HAMM, Berndt. "What Was the Reformation Doctrine of Justification?" [O que era a doutrina da justificação segundo a Reforma?]. In: *The German Reformation: The Essential Readings* [A Reforma alemã: as leituras essenciais], editado por C. Scott Dixon, p. 53–90. Blackwell Essential Readings in History. Oxford: Blackwell, 1999.

HUSBANDS, Mark A. e TREIER, Daniel J. (eds.). *Justification: What's at Stake in the Current Debates?* [Justificação: o que está em jogo nos debates atuais?] Downers Grove: InterVarsity Press, 2004.

LANE, Anthony N. S. *Justification by Faith in Catholic-Protestant Dialogue: An Evangelical Assessment* [Justificação pela fé no diálogo católico-protestante: uma avaliação evangélica]. Nova York: T&T Clark, 2002.

LEHMANN, Karl (ed.). *Justification by Faith: Do the Sixteenth-Century Condemnations Still Apply?* [Justificação pela fé: as condenações do século XVI ainda se aplicam?]. Nova York: Continuum, 1997.

MCCORMACK, Bruce L. (ed.). *Justification in Perspective: Historical Developments and Contemporary Challenges* [Justificação em perspectiva: Desenvolvimentos históricos e desafios contemporâneos]. Grand Rapids: Baker, 2006.

MCGRATH, Alister E. Iustitia Dei: *A History of the Christian Doctrine of Justification* [Iustitia Dei: uma história da doutrina cristã da justificação]. 2. ed. Cambridge: Cambridge University Press, 1998.

PARSONS, Michael (ed.). *Since We Are Justified by Faith: Justification in the Theologies of the Protestant Reformations* [Uma vez que somos justificados pela fé: Justificação nas teologias das reformas protestantes]. Milton Keynes: Paternoster, 2012.

REID, W. Stanford. "Justification by Faith according to John Calvin" [Justificação pela fé de acordo com João Calvino]. *Westminster Theological Journal* 42, n. 2, 1980, p. 290–307.

TRUEMAN, Carl R. "Is the Finnish Line a New Beginning? A Critical Assessment of the Reading of Luther Offered by the Helsinki Circle" [A linha finlandesa é um novo começo? Uma avaliação crítica da leitura de Lutero feita pelo círculo de Helsinki]. *Westminster Theological Journal* 65, n. 2, 2003, p. 231–244.

———. "Justification" [Justificação]. In: David M. Whitford (ed.). *T&T Clark Companion to Reformation Theology* [Livro de bolso T&T Clark sobre a teologia da Reforma], p. 57–71. Nova York: T&T Clark, 2012.

WATERS, Guy Prentiss. *Justification and the New Perspective on Paul: A Review and Response* [Justificação e a nova perspectiva sobre Paulo: Revisão e resposta]. Phillipsburg, NJ: P&R, 2004.

WESTERHOLM, Stephen. *Perspectives Old and New on Paul: The "Lutheran" Paul and His Critics* [Novas e velhas perspectivas sobre Paulo: o Paulo "luterano" e seus críticos]. Grand Rapids: Eerdmans, 2003.

Capítulo 15
SANTIFICAÇÃO, PERSEVERANÇA E SEGURANÇA

Michael Allen

RESUMO

As teologias reformadas da santificação nas tradições luterana e reformada não eram nem completamente iconoclastas nem reacionárias contra a tradição católica de discipulado. Examinando as abordagens luterana e reformada da santificação, este capítulo mostra como elas procuraram reformar a fé e a prática patrística e medieval, reorientando a doutrina cristologicamente, aprofundando o caráter gracioso da doutrina por avançar no caminho agostiniano, repriorizando a natureza do bem por enfatizar o papel focal da fé (indo, assim, além do caminho agostiniano), limitando a definição de santidade e discipulado àquela que tem fundamento bíblico, e observando como a lei de Deus desempenha uma série de papéis no processo de santificação (não apenas como um lembrete de nossa necessidade de Cristo, mas também como um guia para o viver santo).

INTRODUÇÃO: PENSANDO BEM SOBRE A REFORMA DA IGREJA CATÓLICA

Os reformadores não lamentaram as bases da fé e da prática patrística e medieval com relação à formação cristã. O Credo continuou a ser confessado e exposto, a Oração do Senhor ainda era enunciada e analisada, e o Decálogo era lido regularmente e recebia extensa reflexão. No entanto, os reformadores reconfiguraram algumas das maneiras pelas quais esses recursos fundamentais foram colocados em prática na vida cotidiana e na estrutura eclesiástica. Ao fazê-lo, os reformadores não sugeriram uma forma individualista ou bíblica de piedade, mas promoveram uma forma eclesiástica de discipulado que sempre foi enraizada nos princípios bíblicos e, portanto, sujeita à argumentação exegética. Eles procuravam exemplificar uma catolicidade reformada com relação à busca da santidade e à forma da vida cristã a ser praticada em conjunto.

Os mal-entendidos sobre a Reforma podem levar a uma de duas direções. Em primeiro lugar, eles podem classificar os reformadores como iconoclastas por princípios, fugindo o mais longe possível do *status quo* religioso. Em segundo lugar, eles podem deixar de notar as maneiras pelas quais os reformadores pressionaram por uma mudança genuína e, ao fazê-lo, acreditavam estar chamando a igreja católica para aprofundar-se mais em suas próprias raízes e modo católico de ser. É certo que existem razões para que esses mal-entendidos surjam. Em muitos aspectos, os reformadores não deixaram um legado simples. Considere Martinho Lutero como o exemplo mais óbvio. Jaroslav Pelikan comentou:

> Martinho Lutero foi o primeiro protestante, e, ainda assim, era mais católico do que muitos de seus oponentes católicos romanos. Esse paradoxo está no centro da Reforma de Lutero. Ele alegava que sua teologia era derivada das Escrituras, como se os pais da igreja nunca tivessem vivido, ainda que a teologia que ele afirmava derivar "da Escritura somente" tivesse uma semelhança familiar impressionante com a tradição dos pais da igreja. Ele falou de "odiar" os termos teológicos abstratos na linguagem dogmática tradicional sobre a Trindade e a pessoa de Cristo, mas o dogma tradicional da Trindade era de fato básico para toda a sua teologia. Ele atacava a distinção entre clero e laicato como uma distorção da instituição de Cristo; não obstante, exaltou o ministério da pregação como "o ofício supremo da cristandade". Ele soava totalmente individualista em seus pronunciamentos sobre questões morais, pedindo aos cristãos que fizessem suas escolhas éticas por conta própria; ao mesmo tempo, também reconhecia que a maioria dos cristãos não era muito heroica em suas escolhas éticas e precisava do apoio moral e da disciplina da igreja e do Estado. Às vezes, ele soava como um iconoclasta; às vezes, como um tradicionalista.[1]

Uma leitura criteriosa de Lutero, muito menos do que da Reforma protestante em sentido mais amplo, exigirá um trabalho sintético cuidadoso para evitar transformar os reformadores em defensores da iconoclastia pura ou do tradicionalismo *blasé*. Podemos entender definições de pessoas "rebeldes" e podemos imaginar pessoas "obedientes", mas, "rebeldes obedientes"? Essa é uma caracterização complexa, e discernir essa realidade é tarefa da historiografia reformacional. Talvez em nenhum lugar isso seja mais difícil e necessário do que no que diz respeito à doutrina da santificação e à forma como os reformadores imaginaram que a vida cristã deveria se manifestar pessoal e publicamente.

O que se torna evidente é que as preocupações historiográficas podem estar fazendo outro trabalho quando alguém está ostensivamente contando a história da Reforma. Patrick Collinson identificou a tendência de contar uma "história Whig" ou algo parecido ao tratar das gerações que se seguiram ao período de tempo do Estabelecimento Religioso Elisabetano e a era puritana.[2] Os esforços de refor-

---

[1] Jaroslav Pelikan, *Obedient Rebels: Catholic Substance and Protestant Principle in Luther's Reformation*. Nova York: Harper & Row, 1964, p. 11.

[2] Patrick Collinson, *The Reformation: A History*. Londres: Weidenfeld & Nicolson, 2003.

ma podem facilmente se tornar ideais paradigmáticos, bons ou maus, e é preciso permanecer disciplinado para avaliar os dados de forma justa, especialmente quando são complexos. Aqui, devemos ter cuidado para que as leituras da reflexão reformacional sobre a santificação não se tornem uma litania de razões pelas quais as práticas e crenças romanistas eram deploráveis e nada mais, ou um relato contextualizado de ocorrências localizadas e contingentes que não tinham nenhuma relação abrangente de oposição em relação ao *status quo* na igreja católica do final da era medieval. Pelikan vai afirmar em seu estudo de Lutero que os reformadores viam-se como "rebeldes obedientes" e estavam preocupados igualmente com Roma e com a ameaça anabatista. Essas preocupações são fluidas e dinâmicas, variando de questão para questão, de época para época e de lugar para lugar com base em preocupações concretas, realidades político-religiosas e interações literárias. Embora se possa reconhecer que estar ciente dessas dinâmicas não garanta que alguém avaliará com precisão sua aparência concreta em determinado ponto, deve ser, no entanto, uma orientação preliminar para uma boa historiografia.

No objetivo de refletir sobre os reformadores do século XVI e seus pontos de vista sobre a doutrina da santificação, consideraremos as duas principais correntes da reforma eclesiástica em seu desenvolvimento histórico – luterano e reformado – antes de considerar alguns juízos sintéticos.

SANTIFICAÇÃO E A IGREJA LUTERANA

O DESENVOLVIMENTO DO PENSAMENTO DE LUTERO SOBRE SANTIFICAÇÃO

A reforma de Martinho Lutero começou com preocupações relativas à santificação. Uma leitura sóbria das 95 *Teses* nos faz perceber que elas falam muito pouco sobre justificação e conversão e que, em vez disso, concentram-se nos assuntos da vida cristã e no processo contínuo de tornar-se santo.[3] Por exemplo, elas se detêm sobre as indulgências e o papel que elas desempenham na piedade cristã. Não devemos nos esquecer de que Lutero protestou contra o que considerava o abuso das indulgências, e não contra seu uso legítimo de acordo com os ensinamentos da igreja da época. Lutero não sugeriu que o papado, ou o purgatório, eram noções erradas. De fato, as teses são, em geral, notavelmente conservadoras, mas tinham como alvo a cultura religiosa (mesmo que não fossem contra a teologia escolástica) de seu tempo.[4] Lutero ali procurou uma reforma bíblica de certas práticas que desempenhavam um papel fundamental no exercício e no aprofundamento da santidade pessoal.

---

[3] Martinho Lutero, *Ninety-Five Theses* (1517), *LW* 31:17–34 [Versão em português disponível em: <www.luteranos.com.br/lutero/95_teses.html>. Acesso em: 14 mar 2017].

[4] Para um relato esclarecedor do sistema penitencial e da piedade leiga naquele tempo, veja Thomas N. Tentler, *Sin and Confession on the Eve of the Reformation*. Princeton: Princeton University Press, 1977.

Lutero, no entanto, não pensou sobre a santificação por muito tempo sem relacioná-la com a justificação, e seus protestos rapidamente se voltaram para a teologia escolástica, bem como para a cultura religiosa popular. Além disso, ele não achava que era possível a alguém buscar de fato a santidade sem pensar primeiro em por que deveria fazê-lo, e isso quase sempre o impeliu a refletir sobre a justificação. Na verdade, seu pensamento sobre essa conexão é claramente exibido em seu "Sermão sobre as duas espécies de justiça", que, acredita-se, foi pregado no Domingo de Ramos de 1519, com base em Filipenses 2:5,6 e no qual ele distinguia entre justiça alheia e justiça apropriada. A justiça inicial é chamada de "primária, pois é a base, a causa, a fonte de toda a nossa própria justiça real". A justiça, então, vem de fora para dentro, assim como o pecado veio de Adão para dentro de nós: "Portanto, essa justiça alheia, inculcada em nós sem nossas obras, somente pela graça – enquanto o Pai, com certeza, interiormente nos atrai para Cristo, – está em oposição ao pecado original, igualmente alheio, que adquirimos sem nossas obras somente pelo nascimento".[5] No entanto, a segunda justiça é "nossa própria justiça, não porque trabalhamos sozinhos, mas porque trabalhamos com essa primeira e exterior justiça". É nossa obra, mas nossa ação é coparticipante do movimento da justiça de Cristo que permanece exterior a nós:

> O justo segue o exemplo de Cristo nesse aspecto [1Pedro 2:21] e é transformado em sua semelhança [2Coríntios 3:18]. É precisamente isso que Cristo requer. Assim como ele mesmo fez todas as coisas por nós, não buscando seu próprio bem, mas apenas o nosso – e nisso ele foi o mais obediente a Deus, o Pai –, assim ele deseja que também demos o mesmo exemplo a nossos semelhantes.[6]

Então, a justiça humana é fundamentalmente um dom, e apenas secundariamente uma realização pela graça. A teologia de Lutero fornece um caminho para a garantia profunda e duradoura se as pessoas buscarem em Cristo sua identidade espiritual e posição judicial diante de Deus, em vez de sua própria história de guardar ou de quebrar a lei. Ele pretendia protestar diretamente contra a noção tomista de "fé formada" (*fides formata*), em que a função da fé é dependente e inoperante até que a fé tenha sido completada no ato do amor. No pensamento de Lutero, a justiça alheia é dada na própria incipiência do exercício da fé; é seguida por atos de amor, que podem ser chamados de justiça apropriada, mas não por obrigação nem por expectativa até que apareçam.

---

[5] Martinho Lutero, "Two Kinds of Righteousness", *LW* 31:298, 299. [*Sermão sobre as duas espécies de justiça*, em *Obras selecionadas, Volume 1: Os primórdios. Escritos de 1517 a 1519*. Comissão Interluterana de Literatura. São Leopoldo: Editora Sinodal; Porto Alegre: Editora Concórdia, s/d., p. 35–54. Disponível em: <www.monergismo.com/textos/justificacao/duas_justicas.htm>. Acesso em: 14 mar 2017.]

[6] Ibid., *LW* 31:300.

Ao descrever a forma da fé, Lutero frequentemente se voltava para o primeiro mandamento. Talvez mais claramente em seu tratado *Das boas obras*, ele disse que todas as falhas em guardar a lei decorrem de termos outros deuses.[7] Em seu *Catecismo maior*, ele apresentou um esboço paradigmático do *status* axiomático do primeiro mandamento:

> "Vocês não terão outros deuses." Isto é, "vocês devem me considerar como seu único Deus". O que isso significa e como deve ser entendido? O que significa "ter um deus" ou o que é Deus?
> Resposta: Um "deus" é o termo no qual devemos procurar todo o bem e em que devemos encontrar refúgio em toda a necessidade. Portanto, ter um deus não é nada mais do que confiar e acreditar nisso de todo o coração. Como tenho dito muitas vezes, é somente a confiança e a fé do coração que fazem ambos Deus e um ídolo. Se sua fé e sua confiança estão certas, então seu Deus é o verdadeiro. Por outro lado, se sua confiança é falsa e errada, você não tem o Deus verdadeiro, pois fé e Deus andam juntos. Qualquer coisa em que seu coração descanse e de que dependa, eu digo, é realmente seu Deus.[8]

O relato de Lutero sobre o Decálogo em *Das boas obras* esboçou a maneira pela qual o primeiro mandamento é o caminho para manter cada uma das outras leis. Ele tratou de mandamento por mandamento, mostrando como cada um fluía do ato de confiar a si mesmo ao Deus do evangelho. Nesse sentido, Lutero sempre apontou o caráter evangélico das boas obras e da vida santa: a obediência cristã deve sempre ser derivada diretamente da fé no Deus triúno.

Por exemplo, Lutero insistia no dever de falar a verdade. Ele notou que o oitavo mandamento exige não apenas que evitemos mentir, mas que até mesmo façamos declarações sobre os outros da melhor maneira possível. A fé alimenta um compromisso com a verdade: "Onde há tal fé e confiança há também um coração ousado, desafiador e destemido, que arrisca tudo e permanece na verdade, não importa o custo, seja contra o papa ou o rei, como fizeram os queridos mártires." Por quê? "Porque tal coração está satisfeito e serenamente certo de que tem um Deus gracioso, gentilmente disposto. Portanto, ele despreza todos os favores, graça, bens e honra dos homens, e não atribui nenhum valor a essas coisas transitórias". E essa ligação entre fé e obediência não é exclusiva desse mandamento: "Pois, como ninguém cumpre esse mandamento a menos que seja firme e inabalável em sua confiança no favor divino, ele também não cumpre nenhum

---

[7] Martinho Lutero, *Treatise on Good Works*, LW 44:15–114. [*Das boas obras* (1520). In: *Obras selecionadas, Volume 2: O Programa da Reforma. Escritos em 1520*, p. 97–170.]

[8] Martinho Lutero, "The Large Catechism". In: Robert Kolb e Timothy J. Wengert (eds.). *The Book of Concord: The Confessions of the Evangelical Lutheran Church*. Minneapolis: Fortress, 2000, p. 386. [*Catecismo Maior do Dr. Martinho Lutero* (1529), em *Obras selecionadas, Volume 7: Vida em comunidade – Ministério – Culto – Sacramentos – Visitação – Catecismos – Hinos*, p. 325-446.]

dos outros mandamentos sem essa mesma fé".⁹ A ética de Lutero é fixada aqui no poder formativo da fé.

TRÊS EPISÓDIOS DECISIVOS

Três episódios trouxeram clareza sobre a forma da vida santa, cujas raízes estão em Cristo e cuja recepção é encontrada nesta fé cristã. Primeiro, os Profetas de Zwickau (três influentes itinerantes chamados Nícolas Storch, Tomás Drechsel e Marcos Tomé) acreditavam que as pessoas deveriam ser ensinadas pelo Espírito sem conexão com a Bíblia, e Tomás Müntzer (c. 1489–1525) também alegou receber revelação extrabíblica. Sebastião Franck professou esse tipo de abordagem experiencial e carismática à vida cristã: "Creio que a igreja exterior de Cristo, incluindo todos os seus dons e sacramentos, por causa da quebra e destruição do Anticristo logo após a morte dos apóstolos, subiu ao céu e está oculta no Espírito e na verdade".[10] Ao defender uma experiência imediata da orientação do Espírito, esses entusiastas também trataram de modo polêmico a piedade de Lutero e de outros protestantes, referindo-se ironicamente à adesão deles ao ensino das Escrituras como um foco em "Bíblia, Babel, Bolha" (*Bibel, Babel, Babbel*). Quando Müntzer disse que Lutero "não sabe nada de Deus, embora tenha engolido cem Bíblias", Lutero respondeu: "Eu não ouviria Tomás Müntzer nem se ele engolisse o Espírito Santo, com penas e tudo!" Assim, Lutero ligou inextricavelmente santificação à Escritura.

Em segundo lugar, Lutero passou muito tempo na década de 1520 opondo-se às práticas espirituais e religiosas do final da era medieval que se concentravam no *contemptus mundi* (desprezo do mundo) e à divisão religioso/secular. Durante a Idade Média, a distinção entre homens e mulheres religiosos (sacerdotes, monges e freiras) e homens e mulheres seculares (todos os outros) expandiu-se em seu significado por várias razões. Não surpreendentemente, uma compreensão de que os religiosos exerciam um chamamento mais santo veio a manter uma influência significativa entre a população. Um dos protestos mais marcantes de Lutero foi, então, estourar essa bolha de espiritualidade dualista, e ele o fez casando-se com uma antiga freira e tendo muitos filhos, escolhas escandalosas na época para um padre. Ele também pregou e refletiu, no entanto, sobre a relação do modo de viver mundano relacionado com a fé cristã. Em *Do cativeiro babilônico da igreja*, de 1520, ele havia afirmado que as vocações religiosas não eram mais santas do que outras, e, ao longo dos anos 1520 e 1530, ele expandiu essa reflexão detalhadamente.[11]

---

[9] Lutero, *Treatise on Good Works*, LW 44:112, 113 [*Das boas obras* (1520), em *Obras selecionadas, Volume 2*].
[10] Sebastião Franck, "A Letter to John Campanus". In: George Huntston Williams e Angel M. Mergal (ed.). *Spiritual and Anabaptist Writers*. LCC 25. Filadélfia: Westminster, 1957, p. 149.
[11] Martinho Lutero, *The Babylonian Captivity of the Church* (1520), LW 36:78 [*Do cativeiro babilônico da igreja* (1520). In: *Obras selecionadas, Volume 2*, p. 341–424].

Lutero observou que o casamento era uma herança piedosa (exaltando a vida familiar), que o governo do reino secular era um chamado de Deus (exaltando o governo e a participação cívica) e que todos os homens e mulheres recebiam chamados de Deus (exaltando uma mais abrangente doutrina da vocação).[12] Isso é ilustrado pela conhecida história da resposta de Lutero à pergunta sobre o que ele faria no dia seguinte se soubesse antecipadamente que Jesus voltaria. Ele respondeu que plantaria uma macieira, já que Katie, sua esposa, lhe havia designado essa tarefa. Até mesmo uma tarefa aparentemente tola (quem pensa que uma macieira crescerá em um dia?) tem significado, porque é parte da vocação humana. Ela não precisa ser medida pelo valor supostamente espiritual ou pela lógica utilitarista, mas é avaliada por meio de sua adequação com a fé em Deus e o amor ao próximo. Mais tarde, em suas palestras sobre Gênesis na década de 1530, Lutero também comentou que esse comportamento se encaixa com nossa natureza criativa e com nosso chamamento.

Terceiro, Lutero foi compelido a ser ainda mais específico quanto à forma do ensino bíblico sobre a vida santa. Embora seu envolvimento com os entusiastas estava centrado em ser bíblico e sua oposição a um dualismo típico do final da era medieval tratasse das necessidades humanas, seus encontros com antinomistas exigiram que ele falasse do lugar de mandamentos e leis na economia salvífica de Deus. Lutero cria que uma falsa antropologia estava sob o erro antinomista:

> Estamos tão seguros, sem medo e preocupação; o diabo está longe de nós, e não temos nada daquela carne em nós que estava em Paulo e da qual ele se queixa em Romanos 7[:23], exclamando que não podia livrar-se dela como gostaria, mas que era cativo a ela. Não; somos os heróis que não precisam se preocupar com nossa carne e nossos pensamentos. Somos puro espírito, levamos cativa nossa própria carne juntamente com o diabo, de modo que nossos pensamentos e nossas ideias são sem dúvida e de fato inspirados pelo Espírito Santo – o que mais ele desejaria? Portanto, tudo tem um final bastante agradável: a saber, que tanto corcel quanto cavaleiro quebram o pescoço.[13]

Lutero acreditava que as leis eram necessárias porque as pessoas não tinham fé perfeita; o autor do conhecido texto *Da vontade cativa* não teve tempo para a antropologia dos antinomistas.[14] Na década de 1530, ele insistiu que os mandamentos foram dados por Deus para moldar a vida moral dos cristãos; Lutero normalmente se referia a eles como "mandamentos" em vez de "leis", restringindo esse termo para

---

[12] O texto mais importante sobre esses tópicos continua sendo Gustaf Wingren, *Luther on Vocation*. Eugene: Wipf & Stock, 2004.
[13] Martinho Lutero, *Against the Antinomians* (1539), *LW* 47:119 [*Seis séries de teses contra os antinomistas* e *Primeiro debate contra os antinomistas*, em *Obras selecionadas, Volume 4: Debates e controvérsias II*, p. 376–393, 394–428].
[14] Lutero, *Treatise on Good Works*, *LW* 44:34,35 [*Das boas obras* (1520). In: *Obras selecionadas, Volume 2*].

a função acusatória dos imperativos escriturísticos.[15] A teologia moral de Lutero é evidente em várias de suas exposições bíblicas, das pregações sobre o Sermão da Montanha às palestras sobre o salmo 119.[16] Embora a justificação dê liberdade ao cristão, os mandamentos de Deus dão a forma para a santidade.

A tradição luterana, em grande parte sob a influência de Philip Melanchthon, iria ainda mais longe, afirmando um terceiro uso da lei, um avanço retórico que Lutero nunca fez. Ele havia reduzido o uso bíblico do termo "lei" e focado em apenas no uso sistemático: lei como acusador. Ele usou o termo "mandamento" para falar dos imperativos morais dados para moldar a vida dos cristãos libertados por Cristo e capacitados pelo Espírito. Posteriormente, Melanchthon levou os luteranos a adotar o termo "lei" para se referir a essas exortações e a não fazer distinção entre "lei" e "mandamento", mas sim uma distinção entre o segundo e o terceiro usos da lei, este último exclusivamente cristão.[17] Enquanto Melanchthon impulsionava a igreja luterana a confessar essas exortações à santidade como "lei" para os cristãos, Lutero agia de forma semelhante, lendo os mandamentos bíblicos como imperativos obrigatórios para os cristãos (embora não os catalogasse analiticamente como "lei").[18]

Na tradição luterana do século XVI, vimos que sua teologia da santificação começou considerando o caráter distintivo da justificação somente em Cristo e sua ligação com ela, bem como a ênfase no *sola fide*. Os luteranos foram então forçados a refletir sobre a forma externa da santidade, desenvolvendo gradualmente uma teologia bíblica, incorporada e engajada no mundo, e também um alerta para a forma específica dos mandamentos de Deus (inclusive em Melanchthon e na "Declaração Sólida" da lei de Deus) como a bússola moral para a vida cristã hoje.

A SANTIFICAÇÃO E AS IGREJAS REFORMADAS

A segunda grande corrente da Reforma protestante foi a das igrejas reformadas. Mesmo em suas primeiras formas, lideradas por Ulrico Zuínglio, elas foram posteriores aos primeiros protestos de Martinho Lutero e seus seguidores. E, ao longo

---

[15] Veja Martinho Lutero, *Only the Decalogue Is Eternal: Martin Luther's Complete Antinomian Theses and Disputations*, editado por Holger Sonntag. Minneapolis: Lutheran Press, 2008.
[16] Martinho Lutero, *Commentary on the Sermon on the Mount, LW* 21:1–294, esp. 21:72,73; Lutero, *Lectures on Psalm 119, LW* 11:414–534.
[17] Para essa distinção na discussão sobre o terceiro uso da lei, veja "The Solid Declaration of the Formula of Concord", art. 6. In: Kolb e Wengert, *Book of Concord*, p. 587–591. Veja também Timothy J. Wengert, *Law and Gospel: Philip Melanchthon's Debate with John Agricola of Eisleben over Poenitentia*, Texts and Studies in Reformation and Post-Reformation Thought. Grand Rapids: Baker, 1997), esp. p. 177–210, em que o debate e o desenvolvimento de sua terminologia são traçados de 1525 a 1537.
[18] Por exemplo: ele fala do salmo 119, "em que a lei não é mais a lei" (Martinho Lutero, *On the Councils and the Church* (1539), WA 50:565 [*Dos concílios e da igreja*, em *Obras selecionadas, Volume 3: Debates e Controvérsias I*, 300–432]).

de sua história, as igrejas reformadas consideravam estar compartilhando com Lutero e os luteranos seus princípios soteriológicos fundamentais. Não vamos tomar tempo mencionando os aspectos em que eles concordaram, e sim continuar a destacar algumas maneiras pelas quais os teólogos reformados aprofundaram a reflexão protestante sobre a santificação e a vida cristã. A teologia e o ministério de Martinho Lutero dominam a teologia luterana confessional e, por isso, ele tem se destacado em nosso relato da visão luterana sobre santificação. Embora as preocupações teológicas materiais fossem muito semelhantes na tradição reformada, o aspecto formal dessa tradição era bastante diferente, e apesar de João Calvino ter grande influência, nem ele nem qualquer outra figura significativa (Zuínglio, Bucer, Bullinger, Vermigli ou Ursino) exerceria a influência e a autoridade de Lutero no universo luterano. Assim, consideraremos, em primeiro lugar, duas relações doutrinárias que os reformados destacam ao falar sobre santidade: cristologia e eclesiologia. Em seguida, consideraremos como as confissões reformadas trataram a natureza das boas obras, os atos de obediência que podem ser chamados de fruto da santidade ou da santificação de Deus.

SANTIDADE E CRISTOLOGIA

A primeira forma em que as igrejas reformadas aprofundaram a reflexão reformacional sobre a santidade foi esboçando sua relação com duas doutrinas: cristologia e eclesiologia. Primeiramente, a santificação foi estabelecida dentro de nossa união com Cristo. Como João Calvino disse: "Toda a substância de nossa salvação não deve ser buscada em qualquer outro lugar, senão em Cristo".[19] Ao tentar examinar as formas pelas quais "toda a substância" é encontrada em Cristo, Calvino falou de uma graça dupla (*duplex gratia*): "Partindo dele, nós [...] recebemos uma dupla graça: isto é, que, sendo reconciliados com Deus por meio da inocência de Cristo, já temos nos céus, em vez de um Juiz, um Pai propício, e, em segundo lugar, santificados pelo Espírito de Cristo, podemos cultivar inocência e pureza de vida".[20] Lutero havia falado da relação entre Cristo e a fé, e havia usado a linguagem da imputação para tratar desse vínculo, focalizando com mais frequência no tópico da justificação. Calvino concordou, e entendeu que a união com Cristo moldava a segurança cristã. Ao comentar 1Coríntios 1:9, por exemplo, ele disse:

> Em suma, quando olha para si mesmo, o cristão só pode ter motivo para ficar ansioso, ou mesmo desesperado, mas, por ser chamado à comunhão com Cristo, pode pensar em si

---

[19] João Calvino sobre João 3:16. In: *CNTC* 4:73. Aqui, Calvino utilizou um enfoque agostiniano para conectar cristologia e ética; veja, por exemplo, Agostinho, *On Faith and Works*, Ancient Christian Writers 48. Nova York: Newman, 1988, p. 20.

[20] Calvino, *Institutas*, 3.11.1

mesmo, no que diz respeito à segurança da salvação, de nenhuma outra maneira a não ser como membro de Cristo, fazendo assim com que todas as bênçãos de Cristo sejam suas.[21]

Calvino e teólogos reformados criam que essa "comunhão com Cristo" trazia a segurança como uma de suas muitas bênçãos, porque realmente trouxe a substância de Cristo ao cristão.[22]

Foi ele quem claramente descreveu de que modo a santificação também foi buscada em Cristo como uma graça, um equivalente do segundo aspecto desta "dupla graça" desfrutada em união com Cristo. O texto de 1Coríntios 1:30 tornou-se um clássico para apontar nessa direção. Como Calvino observou: "A fé assegura a regeneração tanto quanto assegura o perdão dos pecados em Cristo".[23] Certamente é digno de nota o fato de que Lutero falou metaforicamente ao tratar disso e fez comentários indiretos nessa linha de pensamento, todavia, foram Calvino e outros teólogos reformados que fizeram deste um princípio estruturante para todas as facetas do evangelho, em particular para a santificação e a glorificação. Como Paulo ensina: "Pois quantas forem as promessas feitas por Deus, tantas têm em Cristo o 'sim'" (2Coríntios 1:20) – a união com ele traz reconciliação e também renovação.

A "dupla graça" ajuda a esclarecer o modo como a Escritura fala da fé e do arrependimento como respostas distintas, mas relacionadas, do homem à graça de Deus:

> Deus opera em nós essas duas coisas ao mesmo tempo, de modo que somos renovados pelo arrependimento e libertados da escravidão do pecado, e também justificados pela fé e libertados da maldição. Esses são os dons inseparáveis da graça e, em virtude do vínculo imutável entre eles, o arrependimento pode ser chamado correta e apropriadamente de o início do caminho que leva à salvação, porém mais como acompanhamento do que como causa. Não se trata de subterfúgios sutis, mas de uma explicação simples da dificuldade de a Escritura ensinar que nunca obtemos o perdão de nossos pecados sem arrependimento e, ao mesmo tempo, também ensinar em muitos lugares que o único fundamento de nosso perdão é a misericórdia de Deus.[24]

Porque são encontrados em Cristo tanto o perdão como a renovação, ambos podem ser caracterizados como decorrentes da graça, aguardados por meio da promessa de Deus e, também, podem ser seguramente "acompanhamentos", pois são verdadeiramente "inseparáveis dons da graça". Os teólogos reformados não

---

[21] João Calvino sobre 1Coríntios 1:9, em *CNTC* 9:24.
[22] Calvino não hesitou em usar a linguagem da participação de substância em Cristo. Veja J. Todd Billings, *Calvin, Participation, and the Gift: The Activity of Believers in Union with Christ*, Changing Paradigms in Historical and Systematic Theology. Nova York: Oxford University Press, 2007, p. 61–65.
[23] Calvino sobre 1Coríntios 1:30. In: *CNTC* 9:46.
[24] Ibid., 100.

encontraram obstáculo conceitual para falar de arrependimento e obediência como sendo condições para a bênção de Deus, embora insistissem que não são causas materiais dessa bênção, mas sim sinais de união com Cristo, que é a única causa inicial e aperfeiçoadora de nossa salvação.[25]

Um grande debate com André Osiandro eclodiu mais tarde na carreira de Calvino. Osiandro, que morreu em 1552, foi uma figura controversa criticada por seus companheiros luteranos. Ele ensinou a importância não só da união com Cristo, mas também da participação em Deus por meio de Cristo. Ele fez uma enérgica leitura de 2Pedro 1:4 ("participantes da natureza divina") para denotar que os cristãos foram infundidos com a vida divina. Para Osiandro, essa infusão significava que a justificação era baseada na habitação e na transmissão da vida divina, e não na base forense do perdão e da imputação da justiça alheia de Cristo.[26] Calvino foi acusado por alguns luteranos de ser "osiandrino" e respondeu extensamente a isso na edição final das *Institutas* (1559), observando que o pensamento reformado sobre a união com Cristo não significava que a vida divina havia sido infundida em nós ou que a obra substitutiva do Filho encarnado fosse discutível. Em vez disso, a união com Cristo envolveu a participação em Deus por intermédio da mediação encarnada de Jesus (ser unido ao Deus-homem, e não diretamente com o divino como tal), e a união com Cristo trouxe consigo os benefícios do Justo, como sermos justos e santos. Contra Osiandro, Calvino manteve as ênfases luterana e reformada sobre nossa necessidade de santidade humana, não de posse de propriedades divinas como tais.[27] A união com Cristo, para Calvino e para a tradição reformada, trouxe o habitar do Deus triúno pelo poder do Espírito, mas o fez em conjunto com trazer a justificação dos ímpios. A santificação pelo habitar divino em Cristo nunca foi justaposta a uma explicação radicalmente forense da justificação nem confundida com ela, mas baseada na obra de Jesus Cristo fora de nós e trazida a nós pela gloriosa união que agora temos com ele.

SANTIDADE E ECLESIOLOGIA

Em segundo lugar, os teólogos reformados ligaram santidade à doutrina da igreja. Os "67 Artigos" de Zuínglio, de 1523, fizeram forte uso da metáfora do corpo, extraída dos ensinamentos de Paulo aos Coríntios. A tese 8 observa que "todos os

---

[25] Para a análise de como outros teólogos reformados do século XVI – de Viret, Vermigli e Musculus a Zanchi, Beza e Oleviano – relacionaram a união com Cristo à aplicação da salvação, veja Richard A. Muller, "Union with Christ and the Ordo Salutis: Reflections on Developments in Early Modern Reformed Thought". In: *Calvin and the Reformed Tradition: On the Work of Christ and the Order of Salvation*. Grand Rapids: Baker Academic, 2012, p. 202–243, esp., p. 212–226.

[26] Sobre a teologia de Osiandro, veja especialmente Patricia Wilson-Kastner, "Andreas Osiander's Theology of Grace in the Perspective of the Influence of Augustine of Hippo", *SCJ* 10, n. 2, 1979, p. 73–91.

[27] Para uma análise da resposta de Calvino a Osiandro, veja Billings, *Calvin, Participation, and the Gift*, p. 53–61.

que habitam na Cabeça são seus membros e filhos de Deus. E esta é a Igreja ou comunhão dos santos".[28] Zuínglio claramente identificou a igreja como os "santos" tanto quanto o fato de estarem em Cristo. Ao mesmo tempo, em várias teses (7, 9 e 10) Zuínglio também insistiu que a identidade como santos é impossível à parte da Cabeça desse corpo, Jesus Cristo. De fato, a Confissão Tetrapolitana [ou das Quatro Cidades], de 1530, tornou-se ainda mais específica e afirmou que da igreja "Cristo nunca está ausente, mas a santifica para apresentá-la a si mesmo inteiramente irrepreensível, sem mancha nem rugas".[29] Cristo torna santa uma igreja, não apenas um agregado de indivíduos, mas uma congregação de santos. Para os teólogos reformados, a eleição era individual, porém pessoal e específica dentro de um propósito corporativo mais amplo: homens e mulheres são eleitos para estar no corpo de Cristo, onde desfrutam dessa união com a Cabeça encarnada e florescem em harmonia com sua orientação. Como diz a Confissão Belga: "Todos os homens têm o dever de ligar-se e unir-se a ela [...] unir-se a essa congregação, onde quer que Deus a tenha estabelecido".[30]

Os teólogos reformados também atestam que o lugar de crescer na graça estava ligado à prática contínua de certos meios de graça: a leitura e a pregação da Palavra e a administração correta dos sacramentos. A teologia reformada insistia em que os sacramentos exigiam a ordem senhorial do mandamento específico de Cristo. Outras práticas espirituais podem ser boas e proveitosas (como confissão e arrependimento do pecado), mas não merecem o título de *sacramento*, a menos que sejam perpetuamente ordenadas pelo próprio Senhor, isto é, práticas "que Cristo, nosso Senhor, tenha instituído".[31]

Um desenvolvimento particularmente distinto foi o lugar da disciplina na visão reformada da vida cristã. Martin Bucer foi fundamental com respeito a isso, observando que a disciplina era uma terceira marca da igreja cristã (ao lado da pregação da Palavra e da administração correta dos sacramentos). A igreja sempre foi vista como um projeto escatológico, a caminho da glória, mas ainda não lá.[32] Bucer cria que Deus havia dado três meios de graça, a serem administrados pelo clero, para edificação e amadurecimento dos santos: a dispensação da doutrina de Cristo, a administração dos sacramentos e a disciplina "da vida [... ,] dos costumes", da peni-

---

[28] "Zwingli's Sixty-Seven Articles" (1523). In: Arthur C. Cochrane (ed.). *Reformed Confessions of the Sixteenth Century*. Louisville: Westminster John Knox, 2003, p. 37 [Versão em português dos artigos disponível em: <www.academia.edu/2419171/As_67_Conclus%C3%B5es_de_Ulrich_Zwingli>. Acesso em: 15 mar 2017].

[29] "The Tetrapolitan Confession" (1530). In: Cochrane, *Reformed Confessions*, p. 73.

[30] "The Belgic Confession" (1561). In: Cochrane, *Reformed Confessions*, p. 209 [Versão em português da Confissão está disponível em: <www.monergismo.com/textos/credos/confissao_belga.htm>. Acesso em 15.mar.2017].

[31] Ibid., p. 213.

[32] Veja especialmente Heinrich Bullinger, "Of the Holy Catholic Church". In: G. W. Bromiley (ed.). *Zwingli and Bullinger: Selected Translations with Introductions and Notes*. LCC 24. Louisville: Westminster John Knox, 2006, p. 288–325, esp. p. 314–317.

tência e da adoração da congregação.³³ A ênfase de Bucer nas três marcas da igreja verdadeira tornou-se padrão entre as comunhões reformadas, enquanto as igrejas luteranas focaram mais especialmente na pregação da Palavra e na administração dos sacramentos.³⁴ Enquanto as igrejas luteranas mantiveram uma cadência aparentemente mais altiva para descrever a vocação pastoral (empregando a terminologia de sacerdotes e bispos, ambos tendendo a ser descartados nos círculos reformados, com exceção das igrejas reformadas na Inglaterra), foram as igrejas reformadas que viram o exercício da disciplina pastoral (tanto pelo clero ordenado quanto pelos consistórios) como uma genuína marca da verdadeira igreja ao lado da pregação e dos sacramentos. O exercício dessa disciplina era considerado cristologicamente uma maneira pela qual o corpo é governado por sua Cabeça.

O CARÁTER DAS BOAS OBRAS

Tendo considerado a maneira pela qual o tratamento teológico reformado ligava a santificação à pessoa de Cristo e a seu corpo, a Igreja, estamos agora em posição de considerar como os teólogos reformados do século XVI descreveram o caráter de atos santos ou boas obras. O *Catecismo de Heidelberg* apresenta uma opinião sintética sobre as crenças compartilhadas pelas igrejas reformadas no Palatinado sobre os atos santos aos quais o cristão é chamado:

> Pergunta 91: O que são boas obras?
> Resposta: Somente aquelas que são produzidas pela verdadeira fé, estão em conformidade com a lei de Deus e são feitas para a glória de Deus; e não aquelas baseadas em nossa própria opinião ou tradição humanas.³⁵

Refletiremos sobre essa definição tomando-a na ordem inversa. Há quatro princípios encontrados aqui, e eles derivam uma teologia moral mais abrangente do que foi discutido quando consideramos o ensinamento luterano sobre a santificação. Mais importante ainda, esses princípios representam uma reflexão reformada mais ampla sobre a forma da santidade e o alcance da teologia moral à luz do evangelho.

Primeiro, as boas obras não são meramente "aquelas baseadas em nossa própria opinião ou tradição humanas". As igrejas reformadas compartilhavam preocupações reformacionais com os luteranos sobre a necessidade de julgar toda fé e prática pela Palavra de Deus: "A Igreja de Cristo não faz leis ou mandamentos sem

---

³³ Martin Bucer, *De Regno Christi*. In: *Melanchthon and Bucer*, editado por Wilhelm Pauck, LCC 19. Louisville: Westminster John Knox, 2006, p. 232–255.
³⁴ "The Belgic Confession". In: Cochrane, *Reformed Confessions*, p. 210,211.
³⁵ "The Heidelberg Catechism" (1563). In: Cochrane, *Reformed Confessions*, p. 322 [Versão em português do Catecismo disponível em: <http://www.heidelberg-catechism.com/pdf/lords-days/O%20CATECISMO%20DE%20HEIDELBERG%20(Portuguese).pdf>. Acesso em: 15 mar 2017].

a Palavra de Deus. Portanto, todas as tradições humanas, chamadas mandamentos eclesiásticos, só devem ser cumpridas na medida em que são baseadas na Palavra de Deus e por ela ordenadas".[36] Esta segunda das Dez Teses [ou Conclusões] de Berna fala de "tradições humanas" que têm autoridade "somente na medida em que são baseadas na Palavra de Deus e por ela ordenadas".[37] "Tradição humana" veio a ser um termo técnico para qualquer prática que se torna vinculativa sem aval bíblico. Os "67 Artigos" de Zuínglio, de 1523, dizem que, "no Evangelho, aprendemos que doutrinas e tradições humanas não servem para a salvação"; a Primeira Confissão Helvética, de 1536, afirma que "consideramos todas as outras doutrinas e artigos humanos que nos afastam de Deus e da verdadeira fé como vãos e ineficazes", e a Confissão de Genebra, de 1536, declara que "todas as leis e todos os regulamentos tornam subjugada a consciência que obriga os fiéis a coisas não ordenadas por Deus ou estabelecem outro serviço a Deus além daquele por ele exigido" são tradições humanas e "doutrinas perversas de Satanás".[38] Nesse vocabulário técnico, as "tradições humanas" são justapostas com "tradições divinas".[39]

Contudo, as confissões reformadas não se opunham à necessidade da tradição humana como tal, contanto que não fossem meras tradições humanas. Em outro trecho, as confissões atestam a autoridade necessária da igreja, de seus sínodos e concílios, de seus pastores e anciãos e de sua tradição confessional. A Confissão Belga afirma:

> Cremos, embora seja útil e benéfico, que aqueles que são governantes da Igreja podem instituir e estabelecer certas ordenanças entre si para manter o corpo da Igreja; contudo, devem zelosamente cuidar para que não se afastem das coisas que Cristo, nosso único mestre, instituiu. E, portanto, rejeitamos todas as invenções humanas e todas as leis que o homem possa introduzir na adoração de Deus, para assim coagir e obrigar a consciência em qualquer assunto.[40]

Da mesma forma, a Confissão Escocesa, de 1560, sugere que não "condenamos precipitadamente" nem "recebemos sem crítica" o que é feito na assembleia legal dos líderes da igreja.[41] A autoridade confessional deve ser recebida com cuidado e atenção, nem "precipitadamente" nem "sem crítica", porque tem valor instrumental como desenvolvimento de autoridade eclesiástica do ensino bíblico. Assim, as

---

[36] "The Ten Theses of Berne" (1528). In: Cochrane, *Reformed Confessions*, p. 49.
[37] Os termos "tradições humanas" ou "mandamentos de homens" derivam de Mateus 15:6,9.
[38] "Zwingli's Sixty-Seven Articles" (1523). In: Cochrane, *Reformed Confessions*, p. 37; "The First Helvetic Confession" (1536). In: Cochrane, *Reformed Confessions*, p. 101; "The Geneva Confession" (1536). In: Cochrane, *Reformed Confessions*, p. 124.
[39] Veja "The Tetrapolitan Confession" (1530). In: Cochrane, *Reformed Confessions*, p. 71,72.
[40] "The Belgic Confession". In: Cochrane, *Reformed Confessions*, p. 212.
[41] "The Scots Confession" (1560). In: Cochrane, *Reformed Confessions*, p. 178 [Versão em português da Confissão disponível em: <www.crco.com.br/downloads/credos/17.pdf>. Acesso em 15.mar.2017].

confissões reformadas indicam como devemos nos relacionar com os ensinamentos da igreja católica: "Naquilo em que os pais da Igreja e os primeiros mestres, que explicaram e expuseram a Escritura, não se afastaram dessa regra, queremos reconhecê-los e considerá-los não apenas como expositores das Escrituras, mas como instrumentos eleitos através dos quais Deus falou e operou".[42] Esses "instrumentos eleitos" devem ser respeitados com gratidão, tendo em vista que ministram a Palavra.

Em segundo lugar, as boas obras são "feitas para a glória de Deus". Até aqui consideramos a base epistemológica das boas obras: como podemos saber que algo é santo, ou seja, que é feito pela autoridade suprema de Deus expressa na Sagrada Escritura, sua Palavra, e por meio dela, e como é fielmente administrado pelas autoridades eclesiásticas. As confissões reformadas são igualmente insistentes em que o fim da santidade merece nossa atenção. Os atos santos devem ser feitos por razões santas – o Catecismo de Heidelberg usa o termo "glória de Deus" para enfatizar esse ponto. A obediência e o serviço caridoso não devem ser feitos como atos de amor próprio, mas por amor a Deus. Essa ênfase na glória de Deus remonta a um período ainda anterior, sendo evidenciada por sua inclusão no primeiro artigo da *Confissão de fé usada na congregação inglesa em Genebra*, de 1556, o qual atesta que Deus fez a humanidade "segundo sua própria imagem para que, nela, ele possa ser glorificado".[43]

Naturalmente, a declaração mais famosa da tradição reformada sobre a glória de Deus seria escrita quase um século mais tarde. O *Breve catecismo de Westminster* começa definindo a principal finalidade da humanidade: "Glorificar a Deus e deleitar-se nele para sempre". No entanto, isso não era novidade nas igrejas reformadas, nas quais viver para a glória de Deus era regularmente professado como sua ordem principal. A passagem de 1Coríntios 10:31 exerceu especial importância a esse respeito, moldando o pensamento reformado sobre como todo comportamento moral deve resultar na glorificação do Deus triúno. A teleologia é importante para a ética; a intenção subjetiva (nesse caso, a glória de Deus, e não a glória do agente moral) molda o valor moral de uma ação. Não basta fazer algo que seja objetivamente válido; esse fazer deve ser dirigido para o propósito certo (a glória de Deus).

Terceiro, as boas obras "conforme a lei de Deus". As igrejas reformadas criam que as boas obras devem ser não somente escriturais (ao contrário de serem meramente atestadas pelos costumes sociais de determinada tribo humana), mas também especificamente ordenadas pela lei divina encontrada nas Sagradas Escrituras. Pensadores reformados geralmente falavam de três usos da lei (juntando-se à tradição luterana confessional posterior, de Melanchthon em diante): a lei mostra-nos

---

[42] "The First Helvetic Confession" (1536). In: Cochrane, *Reformed Confessions*, 101. Veja também Ulrico Zuínglio, *An Exposition of the Faith*. In: Bromiley, *Zwingli and Bullinger*, p. 266.
[43] "The Confession of Faith Used in the English Congregation at Geneva" (1556). In: Cochrane, *Reformed Confessions*, p. 131.

nosso pecado, ajuda a manter a ordem cívica e orienta a vida cristã. No culto cristão, as igrejas reformadas fizeram uso do Decálogo tanto durante o período de confissão e após o sermão e o sacramento quanto durante o lembrete ou direcionamento para a resposta à presença de Deus. Em outras palavras, a liturgia reformada enfatizava tanto o primeiro como o terceiro usos da lei (enquanto a liturgia luterana se inclinava a manter o foco de Lutero no primeiro uso da lei). A leitura da lei era vista pelas confissões reformadas como um grande dom (como atestado, por exemplo, por seus sermões sobre Salmos 119), porque os seres humanos atormentados pelo pecado precisam da ajuda de uma recalibração moral, conscientes de que em si mesmos e de si mesmos, pecadores, falta um barômetro nativo para a tomada de decisão moral que se ajuste às exigências justas de Deus. A lei de Deus é um dom, então, por ser um guia.

Em quarto lugar, as boas obras são somente "aquelas produzidas pela verdadeira fé". Lutero já enfatizara a importância do primeiro mandamento e do chamado à fé, e a tradição reformada fez o mesmo, destacando que todas as boas obras verdadeiras fluem da confiança em Deus. A expressão "santidade evangélica" foi usada para transmitir esse ponto. A obediência justa não era meramente uma conformidade externa com as santas leis de Deus (embora isso fosse importante), mas um comportamento exterior que derivava de uma postura subjetiva apropriada de fé. Tal como ocorre na busca da glória de Deus, esse quarto ponto trata da natureza motivacional e educada do ato moral. Nossa busca da glória de Deus deve tomar esta forma: viver dependente dele, voltando-se a ele para nosso bem, como aquele que nos guia e nos orienta para viver de acordo com sua lei. Por isso, esse tipo de vida dependente assume a forma de obediência a seus mandamentos. Não há apenas um vínculo perfeito, mas também interpenetrante, entre essas várias descrições, já que, por exemplo, respeitar o mandamento de Deus é uma manifestação da confiança em sua orientação moral. Essas não são caracterizações díspares da ação santa dadas no Catecismo de Heidelberg, embora sejam descrições distintas apresentando argumentos ligeiramente diferentes (mas complementares e unidos).

A reflexão reformada sobre a santificação compartilhou muitas coisas com as igrejas luteranas no século XVI. A teologia reformada pesquisou mais profundamente a relação entre santificação, união com Cristo e eclesiologia, e, ao fazê-lo, apresentou uma forma de piedade eclesiástica e, também, uma que enfatizava o papel não só da proclamação da Palavra e das práticas sacramentais do povo de Deus, mas também da disciplina pastoral. Esses são os contextos nos quais a santidade se enraíza. A tradição reformada também pensou nos frutos da santidade, observando sua forma bíblica, seu propósito de dar glória a Deus, sua concordância com a lei divina e seu impulso conferido pela própria fé. Tendo considerado alguns aspectos doutrinários distintivos do luteranismo e do movimento reformado sobre santificação, estamos agora em condições de oferecer algumas opiniões sintéticas sobre o movimento protestante do século XVI como um todo.

JUÍZOS SINTÉTICOS SOBRE A SANTIFICAÇÃO E O EVANGELHO

Anteriormente, vimos que as igrejas luterana e reformada tinham muitos pontos em comum sobre a doutrina da santificação, uma vez que a natureza da vida cristã e o lugar das boas obras no modelo do evangelho foram questões centrais na Reforma protestante do século XVI. Ao concluir nosso estudo, fazemos bem em ver como o pensamento dessas igrejas sobre a santificação se relacionava com algumas das características do pensamento e da prática reformacionais mais amplos.

SOMENTE CRISTO

A marca mais definitiva do pensamento protestante sobre a santificação na era da Reforma do século XVI foi seu foco em Cristo apenas como fonte e sustentador da santidade: "Reconhecemos que ele está, contudo, presente com sua Igreja, até ao fim do mundo; que ele a renova e santifica, e também a adorna, como sua única noiva amada, com todos os tipos de ornamento de virtudes".[44] Cristo atua aqui não apenas como um fundamento ou um baluarte, mas como uma pessoa que manifesta constante interesse pela igreja, que continua a renová-la, a santificá-la e a adorná-la com graça sobre graça. A centralização de Cristo no ensinamento da Reforma não era meramente focada em sua obra consumada, mas também estava ciente da necessidade de que exercesse de modo contínuo seu tríplice ofício como Profeta, Sacerdote e Rei.[45]

Embora a obra de Cristo no cristão não estivesse de todo concluída, o fato de a santificação ser, em última análise, obra dele era uma fonte de profunda e estabelecida segurança. Os reformadores estavam trabalhando pastoralmente em uma situação de grande ansiedade, como atestam os relatos historiográficos do final da era medieval e do início da era moderna.[46] Eles não apenas colocaram a justificação somente em Cristo, mas também formularam um entendimento da santificação igualmente centrada em Cristo. O texto de 1Coríntios 1:30 foi crucial a esse respeito, na medida em que Cristo é reconhecido por Paulo sendo não apenas "justiça", mas também "santificação" para os santos que estão nele. Cristo é a esfera na qual se vive e a identidade da qual a santidade flui para os afazeres cotidianos dos cristãos comuns. Assim,

---

[44] "The Tetrapolitan Confession". In: Cochrane, *Reformed Confessions*, p. 57.
[45] Veja, por exemplo, "The Heidelberg Catechism" (1563). In: Cochrane, *Reformed Confessions*, p. 310. O catecismo usa três vezes o tempo presente ao descrever tanto a posse de seus ofícios quanto a maneira pela qual ele os cumpre. Em nenhum caso a resposta fala de maneira a indicar algo concluído no passado.
[46] Sobre a piedade leiga e a ansiedade no final da era medieval nas cidades alemãs e suíças, veja Stephen E. Ozment, "Lay Religious Attitudes on the Eve of the Reformation". In: *The Reformation in the Cities: The Appeal of Protestantism to Sixteenth-Century Germany and Switzerland*. New Haven: Yale University Press, 1975, p. 15–46.

a santificação foi vista não apenas como um lembrete (de fato era, e, poderíamos acrescentar, do tipo severo), mas também como uma promessa do próprio Salvador.

O fato de essa santidade estar apenas em Cristo também nos lembra o caráter escatológico de nossa santidade. Aqui, a tradição reformada enfatizou a natureza da igreja que se assemelha a Israel. Embora possamos ser tentados a ver-nos como vivendo em algum plano superior de existência espiritual e moral, as confissões reformadas nos convidam a nos imaginarmos como israelitas modernos. Calvino tratou dessa questão ao comentar o argumento bíblico introduzido por Paulo em 1Coríntios 10: "Paulo diz, antes de tudo, que não há ponto de diferença entre os israelitas e nós, o que colocaria toda a nossa situação numa categoria diferente da deles. [...] Ele começa assim: Não se orgulhe de algum privilégio especial, como se sua posição com Deus fosse melhor do que a deles".[47]

SOMENTE A GRAÇA

Os reformadores formularam a natureza cristocêntrica da santificação e da vida cristã, ampliando o ensinamento posterior de Agostinho e da tradição agostiniana sobre a graça e a ação humana. Portanto, o ensino reformacional enfatizava não só a importância da ação da Palavra, mas também a necessidade de que a obra do Espírito regenerasse, iluminasse e capacitasse os santos juntamente com o caminho da Palavra. As doutrinas da eleição e da predestinação serviram para salvaguardar a ênfase colocada somente na graça pela teologia de Lutero, Zuínglio e outros dos primeiros reformadores.

A tradição luterana não formulava essa noção sempre da mesma maneira que Martinho Lutero o fez. Mais tarde, Melanchthon enfraqueceu o ensino sobre a predestinação da Igreja Luterana de tal maneira que a ênfase de Lutero na graça não era mais defendida exatamente da mesma forma. As igrejas reformadas, no entanto, foram mais firmes em manter o forte ensino agostiniano dos primeiros reformadores durante todo o século XVI, e não apenas pensadores reformados de segunda geração, como Calvino ou Bullinger, mas também teólogos e confissões posteriores mantiveram a ênfase vigorosa na soberania e na graça de Deus como sustentada pelos mais antigos teólogos reformados, como Zuínglio.[48]

SOMENTE A FÉ

Uma área em que os reformadores foram além da herança agostiniana que tanto valorizavam foi sobre o papel da fé na salvação. Em seu tratado *Sobre fé e obras*,

---

[47] Calvino sobre 1Coríntios 10. In: *CNTC* 9:200.
[48] Para um estudo mais completo sobre esses tópicos, veja o cap. 13, "A escravidão e a libertação da vontade", de Matthew Barrett.

Agostinho disse: "Devemos aconselhar os fiéis sobre o fato de que colocariam a salvação de sua alma em perigo se agissem mediante a falsa certeza de que a fé sozinha é suficiente para a salvação ou que eles não precisam realizar boas obras para serem salvos".[49] Os reformadores foram além de Agostinho ao insistir que somente a fé justifica, no entanto, eles concordaram com seu pai norte-africano com relação ao fato de que essa fé que justifica não pode e não estará sozinha, mas será acompanhada por boas obras ou comportamento santificado. Os reformadores insistiram, contudo, em que essas duas respostas sejam distinguidas em termos de justificação e santificação; a esse respeito, ultrapassaram o aparato conceitual de Agostinho, que não as distinguia tanto. A distinção conceitual entre justificação e santificação foi crucial no pensamento reformacional não só para proporcionar segurança a santos imperfeitos, mas também para honrar toda a amplitude da obra de Deus em Cristo fora e dentro de nós. As igrejas reformacionais convocaram seus fiéis a confiar em toda a obra de Cristo, tanto a de nos reconciliar com Deus quanto a de nos tornar santos.

A santificação também é por fé, como visto anteriormente no tratado *Das boas obras*, de Lutero, e na descrição que o Catecismo de Heidelberg faz das boas obras. A fé não é meramente nocional ou noética na tradição reformada. Calvino a definiu assim: "Agora possuiremos uma definição correta de fé, se a chamarmos de conhecimento firme e certo da benevolência de Deus para conosco, fundada na verdade da promessa livremente dada em Cristo, revelada a nossa mente e selada em nosso coração por meio do Espírito Santo".[50] Calvino mais tarde notou uma ênfase dupla em sua definição: o Espírito Santo deve fazer a "mente ser iluminada" e o "coração [...] fortalecido".[51] A fé é uma questão de confiança que envolve coração e mente, não só conhecendo a Deus como sendo bom, mas confiando a si mesmo e seu bem somente a Deus. A santificação – a transformação progressiva do cristão – era vista como uma realidade dependente das boas ações de Deus e, por isso, era uma questão de fé ou confiança.

SOMENTE A ESCRITURA

Talvez nada tenha prendido mais a atenção dos reformadores do que a questão da autoridade. O sermão de despedida de Martinho Lutero falou desse tema de modo comovente:

---

[49] Agostinho, *On Faith and Works*, p. 28.
[50] Calvino, *Institutas*, 3.2.7. Calvino nunca abandonou essa definição, de acordo com Barbara Pitkin, *What Pure Eyes Could See: Calvin's Doctrine of Faith in Its Exegetical Context*, Oxford Studies in Historical Theology. Oxford: Oxford University Press, 1999, p. 29.
[51] Calvino, *Institutas*, 3.2.33; ver também 3.2.36, onde essas duas ênfases são explicitamente ligadas às duas faculdades, do cérebro e do coração.

Temos a ideia de que Deus não poderia reinar se ele não tivesse pessoas sábias e compreensivas para ajudá-lo. [...] [Os sábios e entendidos] estão sempre se exercitando; eles fazem coisas na igreja cristã da maneira que querem para si. Tudo o que Deus faz, eles devem melhorar, de modo que não há nenhum discípulo mais pobre, mais insignificante e menosprezado na terra do que Deus; ele deve ser o aluno de todos, todo mundo quer ser seu professor. [...] Eles não estão satisfeitos com o que Deus tem feito e instituído, e não podem deixar as coisas serem como foram ordenados a ser. [...] Esses são os verdadeiros sabichões, dos quais Cristo está falando aqui, que sempre têm de ter e de fazer algo especial para que o povo diga: "Ah, nosso pastor ou pregador não é nada; ali está um homem de verdade, ele vai fazer as coisas acontecerem!" [...] Deveria Deus estar muitíssimo satisfeito com esses companheiros, todos tão inteligentes e sábios para ele, sempre querendo mandá-lo de volta para a escola? [...] Podemos dizer que as coisas certamente chegaram a um estado delicado quando o ovo quer ser mais sábio do que a galinha.[52]

A doutrina do *Sola Scriptura* não se destinava a repreender toda a tradição, mas era como uma declaração sobre o tipo de tradição bíblica que foi legitimamente exercido na comunhão dos santos. No domínio da moral e da santificação, o ensinamento cristão sobre a virtude às vezes corre o risco de desviar-se ao exaltar certos hábitos e práticas culturalmente valorizados, mas não biblicamente ensinados. Além disso, certos entendimentos sacramentais e pietistas da vida cristã entraram na vida da igreja. Os reformadores acreditavam que as virtudes eram necessárias, que os sacramentos eram um dom e a piedade era um chamamento elevado, mas insistiam em que cada um deles fosse definido biblicamente. Foi Lutero quem disse: "A primeira coisa a saber é que não há boas obras senão aquelas que Deus ordenou, assim como não há pecado senão o que Deus proibiu. Portanto, quem quer saber o que são boas obras, assim como fazê-las, precisa saber nada mais do que os mandamentos de Deus".[53]

A regra da Escritura não é uma crítica à ação humana, mas sim uma fonte geradora de comportamento humano moral: "Por sua Palavra, só Deus santifica templos para si para uso legítimo. E, se tentarmos precipitadamente algo sem seu endosso, invenções estranhas vão se agarrar imediatamente ao mau começo e propagar o mal desmesuradamente".[54] Calvino e os outros reformadores insistiram em que a Palavra é "viva e ativa", como dito pelo autor anônimo de Hebreus (4:12). Por se inclinarem para a Palavra de Deus, os cristãos e as igrejas estão vivendo em meio ao poder do evangelho de dar vida ao dirigir-se a essas pessoas e comunidades. Assim, fazemos bem em não pensar nas Escrituras meramente como um índice ou

---

[52] Martinho Lutero, "The Last Sermon, Preached in Eisleben, Matt. 11:25–30, February 15, 1546", *LW* 51:383,384.

[53] Lutero, *Treatise on Good Works*, *LW* 44:23 [*Das boas obras* (1520). In: *Obras selecionadas, Volume 2*]. Assim, Lutero tinha a prática de criticar os apelos romanos para o celibato sacerdotal já em seu tratado de 1520, *À nobreza cristã da nação alemã, acerca da melhoria do estamento cristão*, em *Obras selecionadas, Volume 2*.

[54] Calvino, *Institutas*, 4.1.5.

uma regra para a fé e a prática; os reformadores as viam como um meio de graça e, como tal, como uma regra. É uma regra porque é ali, e somente ali, que Cristo promete falar com perfeito equilíbrio e autoridade infalível.

A Lei

Os temas anteriores tratam de todos os principais temas da historiografia reformacional. E é fundamental lembrar que esses *slogans* só são úteis se perguntarmos como várias doutrinas e práticas se relacionam com cada tema, sem separá-los uns dos outros, mas tratando-os como uma teia de compromissos bíblicos e espirituais que se reforçam mutuamente. Mais uma vez, porém, é importante lembrar que eles foram corretivos oferecidos em meio a uma vasta herança católica que não foi ignorada ou descartada, mas refinada e reformada. Um aspecto desse consenso clássico foi o papel da lei divina em dar forma ou estrutura ao viver santo. Martinho Lutero não afirmou explicitamente que a lei molda a vida cristã, e não o fez porque sua maneira de fazer a distinção entre lei e evangelho exigia que ele sempre usasse *lei* sob uma luz negativa, deixando-a religiosamente como um instrumento para a condenação do pecado. Mas, se nos aprofundarmos e perguntarmos se Lutero fez ou não uso do Decálogo e da Torá do Antigo Testamento como forma de moldar a ética cristã, a resposta é um sonoro *sim*![55]

Os teólogos reformados eram muito mais diretos e firmes ao notar que a lei não apenas aponta para a necessidade que alguém tem de Cristo, mas também se dirige ao cristão como um chamado para uma vida santa e um guia para o comportamento moral. Enquanto as liturgias luteranas normalmente se concentravam na recitação dos Dez Mandamentos como um chamado para a confissão de pecados,

---

[55] Para tentativas de pensar sobre a teologia moral de Lutero sem se sujeitar unicamente à distinção lei-evangelho como princípio estruturante, mas lendo-a como uma correção de uma compreensão clássica mais ampla da santidade, veja David S. Yeago, "Gnosticism, Antinomianism, and Reformation Theology: Reflections on the Costs of a Construal", *ProEccl* 2, n. 1, 1993, p. 37–49; David S. Yeago, "'A Christian, Holy People': Martin Luther on Salvation and the Church". In: L. Gregory Jones e James J. Buckley (eds.). *Spirituality and Social Embodiment. Directions in Modern Theology*. Oxford: Blackwell, 1997, p. 101–120; e Reinhard Hütter, "The Twofold Center of Lutheran Ethics: Christian Freedom and God's Commandments". In: Karen Bloomquist e John Stumme (eds.). *The Promise of Lutheran Ethics*. Minneapolis: Fortress, 1998, p. 31–54.

O ensino de Lutero sobre o uso cristão da lei tem suscitado um debate contínuo nas últimas décadas. Em face do ensino do século XX que às vezes se aproximava de dizer que a liberdade cristã é equivalente ao juízo privado e à autonomia interpretativa pessoal, vários "católicos evangélicos" no mundo luterano tentaram reavivar o centro duplo da ética de Lutero: liberdade e mandamento. Ao mesmo tempo, alguns "luteranos radicais" tentaram minimizar essa faceta do ensino de Lutero. É difícil ler a análise deles sem pensar que, por vezes, eles estão buscando outro Lutero no próprio Lutero, em particular por ler o jovem Lutero contra o velho Lutero e por ler o Lutero mais hiperbólico contra a tradição luterana confessional. Gerhard Forde e seus alunos Stephen Paulson e Mark Mattes exemplificam essa tendência de forma bem clara, contudo, o argumento "católico evangélico" certamente aponta para práticas legítimas no próprio ministério de Lutero que são confessionalmente atestadas na igreja luterana posterior e na prática pastoral do próprio Lutero (mesmo que não teologicamente apresentadas com clareza pelo reformador).

as igrejas reformadas também os empregaram como uma leitura responsiva destinada a guiar o culto da congregação a Deus à luz do dom da leitura e da pregação da Palavra de Deus. Embora a fé no Deus triúno seja o modo de viver santo e a glória de Deus seja a motivação para ele, a lei de Deus continua a ser tratada como uma forma objetiva pela qual a santidade é identificada. Isso é atestado pelos muitos comentários sobre o Decálogo, por seu contínuo uso catequético e por sua posição na liturgia nas tradições reformada e luterana.

CONCLUSÃO

Assim, voltamos à questão da obediência reformacional e a rebelião católica: de que maneira podemos acessar fiel e honestamente o ensinamento dos reformadores do século XVI sobre a doutrina da santificação? Seríamos negligentes se não enfatizássemos ainda mais a forma eclesial de santidade: guiada pela disciplina pastoral da igreja, alimentada pelo ministério sacramental de Cristo e ordenada pelos pontos morais da tradição cristã (o Decálogo, mais especialmente, mas também o Credo dos Apóstolos e a Oração do Senhor).

Ao mesmo tempo, houve uma recalibração com relação ao modo como essas realidades católicas foram vivenciadas por certos homens e certas mulheres: a glória de Deus era a referência de todos eles, a Escritura era a autoridade final e a fé pessoal era necessária para os atos serem verdadeiramente santos. Como é visível na vida de Lutero, Calvino, Bucer, Cranmer e outros, os teólogos reformacionais acreditavam que a fé e a prática corretas com relação à santidade e à piedade cristã tinham duas fragilidades: o catolicismo romano, por um lado, e o anabatismo ou o entusiasmo, por outro. A busca de uma via média não foi o resultado de uma calculada manobra política, mas da crença baseada em princípios de que um foco cristológico exigia um compromisso eclesiológico, pois Cristo promete trabalhar por meio de sua igreja. Assim, esses reformadores estavam comprometidos com o evangelho e com a igreja. Assim como Jaroslav Pelikan, portanto, podemos dizer não apenas de Martinho Lutero ou de João Calvino, mas também do movimento reformacional mais amplo, que suas reflexões sobre a santidade e a vida cristã foram esforços liderados por "rebeldes obedientes" e, na maior parte, eles certamente constituíram movimentos em direção a uma catolicidade reformada.

FONTES PARA ESTUDO ADICIONAL

FONTES PRIMÁRIAS

CALVINO, João. *As institutas – Edição clássica* (1985). *As institutas – Edição especial* (2006). 4. vols. São Paulo, SP: Editora Cultura Cristã.
COCHRANE, Arthur C. (ed.). *Reformed Confessions of the Sixteenth Century* [Confissões reformadas do século 16]. Louisville: Westminster John Knox, 2003.

KOLB, Robert e WENGERT, Timothy J. (eds.). *The Book of Concord: The Confessions of the Evangelical Lutheran Church* [O Livro de Concórdia: as confissões da Igreja Evangélica Luterana]. Minneapolis: Fortress, 2000.

LUTERO, Martinho. *Das boas obras* (1520). In: *Obras selecionadas, Volume 2: O Programa da Reforma. Escritos em 1520.* Comissão Interluterana de Literatura. São Leopoldo: Editora Sinodal; Porto Alegre: Editora Concórdia, s/d., p. 97–170.

Fontes Secundárias

ALLEN, Michael. *Sanctification* [Santificação]. New Studies in Dogmatics. Grand Rapids: Zondervan Academic, 2017.

BARTH, Karl. *The Theology of the Reformed Confessions* [A teologia das confissões reformadas]. Columbia Series in Reformed Theology. Louisville: Westminster John Knox, 2002.

BILLINGS, J. Todd. *Calvin, Participation, and the Gift: The Activity of Believers in Union with Christ* [Calvino, participação e o dom: a atividade dos cristãos na união com Cristo]. Changing Paradigms in Historical and Systematic Theology. Nova York: Oxford University Press, 2007.

NULL, Ashley. *Thomas Cranmer's Doctrine of Repentance: Renewing the Power to Love* [A doutrina de Thomas Cranmer sobre o arrependimento: renovando o poder do amor]. Nova York: Oxford University Press, 2000.

YEAGO, David S. "Gnosticism, Antinomianism, and Reformation Theology: Reflections on the Costs of a Construal" [Gnosticismo, antinomianismo e teologia da Reforma: Reflexões sobre os custos de uma interpretação]. *Pro Ecclesia* 2, n. 1, 1993, p. 37–49.

Capítulo 16
A IGREJA

Robert Kolb

RESUMO

Todos os reformadores protestantes rejeitaram a definição de igreja de Cristo que prevaleceu na teologia e na piedade medievais, a saber, aquela centrada em ritos e controlada hierarquicamente. Antes, eles a definiram como criação de Deus por meio de sua Palavra. Eles caracterizaram a relação entre os sacramentos e a Palavra de Deus de várias maneiras, mas todos enfatizaram o lugar dos sacramentos como marcas da igreja. O termo *marcas* também foi usado de maneiras variadas entre os reformadores, sempre tendo a Palavra de Deus como conceito central. Os protestantes organizaram a igreja com diferentes formas de governo: os luteranos, com alguma variedade; os calvinistas, com os quatro ofícios de Calvino em forma presbiteriana; os anglicanos, com um sistema episcopal, e os anabatistas, com um sistema congregacional. Todos centravam o culto na pregação, com ritos sacramentais como parte importante da vida pública da congregação. Cada um insistiu na disciplina de pessoas cujos pecados se tornaram públicos, e praticada com graus variados de seriedade. Com exceção dos anabatistas, os protestantes associavam suas igrejas a governos seculares, os quais exercem diferentes graus de controle sobre suas igrejas territoriais.

A REFORMA E AS DOUTRINAS MEDIEVAIS DA IGREJA

A publicação das *95 teses sobre as indulgências*, de Martinho Lutero, no final de 1517, provocou reações que alimentaram anseios mais amplos pela reforma da cristandade. Contudo, as censuras dos oficiais da igreja ocidental trouxeram consequências letais sobre Lutero e todos os que compartilhavam de suas opiniões. A doutrina e a prática envolvendo as indulgências, que visavam satisfazer as penas temporais que a igreja medieval impusera aos pecadores, ainda não haviam sido bem definidas àquela época[1] e, portanto, o desafio de Lutero não deveria ter causado controvérsia. Mas as teses de Lutero fizeram mais do que isso: elas implicitamente desafiavam a estrutura da autoridade na igreja ocidental. "A primeira resposta literária católi-

---

[1] Bernhard Alfred R. Felmberg, *Die Ablasstheologie Kardinal Cajetans (1469–1534)*, Studies in Medieval and Reformation Thought 66. Leiden: Brill, 1998.

ca a Lutero pode ser mais bem caracterizada por sua preocupação com a autoridade", particularmente a autoridade eclesiástica ou papal.[2] Em sua defesa diante de seus irmãos agostinianos em Heidelberg, em abril de 1518, Lutero rapidamente demonstrou que ele pensava em uma reforma centralizada na relação entre Deus e os pecadores,[3] enquanto seus opositores definiam a eclesiologia como a questão central a ser resolvida.[4]

Os profissionais de estudos religiosos comparados sugerem que os sistemas religiosos são constituídos por seis elementos: doutrina, narrativa, ritual, ética, comunidade (incluindo governo) e tudo o que interliga esses elementos (por exemplo, fé, submissão, anseio pela insignificância). Cada sistema religioso constrói as relações entre esses elementos de forma diferente, colocando um ou mais deles em uma posição central, reguladora.[5] No centro da relação entre Deus e os pecadores, o cristianismo ocidental medieval havia colocado a realização ritual humana de cerimônias e ritos sagrados (sobretudo, da Missa) e a governança da igreja por meio do bispo de Roma e dos bispos subservientes a ele. A forma precisa dessa política reguladora suscitara divisões críticas dentro da cristandade ocidental em reação ao Grande Cisma do Ocidente dos séculos XIV e XV e às provocações a essa eclesiologia promovida por defensores conciliares e por João Huss, o reformador boêmio queimado na fogueira pelo Concílio de Constança, em 1415.[6] Durante o século XV, as forças que apoiavam a posição de que o bispo de Roma exercia o poder supremo na igreja triunfaram sobre aquelas que defendiam limitações ao poder papal por meio de concílios ecumênicos. A crítica dos humanistas alemães se juntou àqueles que estavam lutando para determinar o lugar apropriado da autoridade dentro da igreja à parte da completa dominação papal.[7]

---

[2] David V. N. Bagchi, *Luther's Earliest Opponents: Catholic Controversialists, 1518–1525*. Minneapolis: Fortress, 1991, p. 265.

[3] Martinho Lutero, "Heidelberg Disputation", WA 1:353–374; *LW* 31:35–70 [*O debate de Heidelberg*, em *Obras selecionadas, Volume 1: Os primórdios. Escritos de 1517 a 1519*. Comissão Interluterana de Literatura. São Leopoldo: Editora Sinodal; Porto Alegre: Editora Concórdia, s/d., p. 35–54].

[4] Nessa época, a discussão ocidental sobre a doutrina da igreja ainda era significativamente moldada pela disputa entre conciliaristas [defensores da doutrina que considerava o concílio universal a autoridade suprema da Igreja, sobrepondo-se ao papado] e curiais [oficiais da cúria pontifícia e defensores de sua autoridade]. Os conciliaristas haviam promovido uma função poderosa para os concílios no governo da igreja e, sob sua liderança, o Grande Cisma Ocidental foi encerrado no Concílio de Constança, de 1414 a 1418. O governo papal reunido apoiou a posição curial, que defendia a concentração de poder no papado e em sua cúria. Ao longo do século XV, os curiais silenciaram em grande parte os conciliaristas, mesmo que Lutero inicialmente tenha tentado promover seu apelo à reforma com um apelo a um concílio.

[5] Ninian Smart, *Worldviews: Crosscultural Explorations of Human Beliefs*. Nova York: Scribner, 1983, esp. p. 79–95.

[6] Matthew Spinka, *John Hus' Concept of the Church*. Princeton: Princeton University Press, 1966; Antony Black, *Council and Commune: The Conciliar Movement and the Fifteenth Century Heritage*. Londres: Burns & Oates, 1979; Karl Binder, *Konzilsgedanken bei Kardinal Juan de Torquemada O.P.* Viena: Dom, 1976.

[7] Kurt Stadtwald, *Roman Popes and German Patriots: Antipapalism in the Politics of the German Humanist Movement from Gregor Heimburg to Martin Luther*. Genebra: Droz, 1996; Götz-Rüdiger Tewes, *Die römische Kurie*

Lutero cresceu no contexto desse debate. Seu estudo da Escritura como novel instrutor universitário e sua própria experiência o haviam convencido de que a definição de ser cristão expressa em termos de ritual e de governo não correspondia à maneira como Deus se apresentava na Escritura. Ele formulou uma nova definição de ser cristão que era fundamentada na narrativa da ação salvífica de Deus, culminando na morte e na ressurreição de Jesus Cristo, e também na estrutura doutrinária derivada dessa narrativa bíblica. De fato, todos os reformadores do século XVI consideravam vital para a vida da igreja tanto a adaptação de rituais apropriados para expressar essa fé em Cristo quanto um meio de proclamá-la. O ritual biblicamente fiel poderia ajudar a comunicar o evangelho. Lutero acreditava que Deus exercia sua autoridade e seu poder na igreja por intermédio de sua Palavra, dada na Escritura e transmitida em uma variedade de formas orais, escritas e sacramentais, inclusive na liturgia.

ENSINAMENTOS LUTERANOS DO SÉCULO XVI SOBRE A IGREJA

DEFINIÇÃO DA IGREJA E SUAS MARCAS

Nos Artigos de Esmalcalde (1537), que eram a agenda de Lutero para negociar com os teólogos católicos romanos no concílio convocado pelo papa, Lutero definiu a igreja simplesmente como "santos cristãos e as ovelhinhas que ouvem a voz de seu pastor" (cf. João 10:3). Contrastando sua própria definição da assembleia de fiéis baseada na Palavra com a definição medieval que se fundamentava na realização do ritual sob a obediência clerical, Lutero explicou o que significam as palavras do Credo dos apóstolos "Creio na santa igreja cristã": "Essa santidade não consiste em sobrepelizes, tonsuras, alvas longas ou em outras cerimônias deles, por eles inventadas indo além das Sagradas Escrituras. Sua [da igreja] santidade existe na Palavra de Deus e na verdadeira fé".[8]

Lutero refletia o resumo da eclesiologia de Wittenberg na Confissão de Augsburgo, que seu colega Philip Melanchthon compusera sete anos antes:

> [A] única igreja santa e cristã [...] é a assembleia de todos os cristãos entre os quais o evangelho é puramente pregado e os santos sacramentos são administrados de acordo com o evangelho. Pois isso é suficiente para a verdadeira unidade da igreja cristã: que ali o evangelho seja pregado harmoniosamente, de acordo com um entendimento puro, e os sacramentos sejam administrados de acordo com a Palavra divina. Não é necessário, para a verdadeira

---

und die europäischen Länder am Vorabend der Reformation. Tübingen: Niemeyer, 2001.

[8] *BSELK* 777; Robert Kolb e Timothy J. Wengert (eds.). *The Book of Concord: The Confessions of the Evangelical Lutheran Church.* Minneapolis: Fortress, 2000, p. 324,325. Para uma visão geral da eclesiologia de Lutero, veja David P. Daniel, "Luther on the Church". In: Robert Kolb, Irene Dingel e L'ubomír Batka (eds.). *The Oxford Handbook of Martin Luther's Theology.* Oxford: Oxford University Press, 2014, p. 333–352.

unidade da igreja cristã, que cerimônias uniformes, instituídas pelos seres humanos, sejam observadas em toda parte.[9]

Tanto Lutero como Melanchthon buscaram fervorosamente a unidade dos cristãos, mas somente em conformidade com a Palavra de Deus e o coração de sua mensagem de justificação pela fé em Cristo.[10]

Os dois critérios de Melanchthon para definir a igreja – a correta pregação do evangelho e a adequada administração dos sacramentos – refletiam nessa confissão seu desejo de defender a legitimidade e a validade da afirmação de Wittenberg de fazer parte da igreja católica, pois eles adaptaram a definição legal de ser cristão no Código Justiniano, o padrão legal predominante do império.[11] O direito civil e a teologia coincidiram muito bem, pois a compreensão de Wittenberg sobre a igreja fluía de seu Criador, o Espírito Santo, trabalhando pela Palavra de Deus em suas formas oral, escrita e sacramental. Para evitar acusações de donatismo, Melanchthon reiterou a insistência de Wittenberg de que, dentro da comunidade de cristãos, aqueles que estão fora da fé permanecem como joio no meio do trigo. Sendo assim, somente aqueles que verdadeiramente confiam em Cristo são salvos.[12]

Em sua obra *Loci Communes*, de 1543, Melanchthon enfatizou que a igreja é o povo escolhido de Deus e que ela não é uma entidade espiritual indefinível, mas sim o povo reunido em torno da voz do evangelho. O compromisso de Deus com sua promessa de vida e salvação por meio do perdão proclamado na assembleia dos cristãos deve estar em consonância com o compromisso do cristão com essa assembleia. Os *Loci* reiteraram que o Espírito Santo trabalha por sua Palavra na congregação.[13]

O próprio Lutero não desenvolveu uma eclesiologia abrangente em nenhuma de suas obras, mas, em 1539, com a possibilidade de haver um concílio convocado pelo papa, escreveu *Dos concílios e da igreja*. Ele abraçou a tradição sustentada pelos

---

[9] BSELK 102-3; Kolb e Wengert, *Book of Concord*, p. 42,43.

[10] Com relação às tentativas de Melanchthon de promover a unidade cristã, veja Irene Dingel, "Melanchthon's Paraphrases of the Augsburg Confession, de 1534 e 1536, in the Service of the Smalcald League". In: Irene Dingel, Robert Kolb, Nicole Kuropka e Timothy J. Wengert, *Philip Melanchthon: Theologian in Classroom, Confession, and Controversy*, Refo500 Academic Studies 7. Göttingen: Vandenhoeck & Ruprecht, 2012, p. 104–122.

[11] Robert C. Schultz, "An Analysis of the Augsburg Confession, Article VII, 2 in Its Historical Context, May and June 1530", *SCJ* 11, n. 3, 1980, p. 25–35.

[12] BSELK 102/103, 408–417; Kolb e Wengert, *Book of Concord*, 42/43, 179. Em *Loci Communes* (1543), Melanchthon dedicou uma longa seção a refutar a rejeição donatista à objetividade da Palavra de Deus à parte da qualificação moral ou doutrinária do ministro da Palavra. *Melanchthons Werke in Auswahl*, editado por Robert Stupperich, v. 2, livro 1, Gütersloh: Gerd Mohn, 1951–1975), p. 487–492; *Loci Communes 1543*. St. Louis: Concordia, 1992, p. 135–137.

[13] Melanchthon, *Melanchthons Werke in Auswahl*, v. 2, livro 1 (Gerd Mohn), p. 474–497, *Loci Communes 1543*, p. 131–138.

credos da antiga igreja, particularmente o Niceno, como um guia fiel ao testemunho bíblico. Esse trabalho apresentou oito "marcas da igreja". Teólogos medievais haviam usado ocasionalmente o termo *marca da igreja*, mas nenhuma categoria dogmática única como tal foi assim identificada.[14] Lutero não tentou criar tal categoria dogmática ao descrever como identificar a assembleia de cristãos que estava ouvindo Cristo. Sua orientação para a Palavra de Deus era clara em sua insistência de que o Espírito Santo gera a igreja perdoando o pecado e, assim, conferindo confiança em Cristo a seu povo escolhido que, sob a orientação do Espírito, produz os frutos da fé. As atividades do Espírito trazem força e conforto às consciências atribuladas, levando as pessoas a temer e a amar a Deus acima de todas as coisas. Esse amor por Deus, por sua vez, produz uma vida de serviço e um amor pelos outros cristãos e pelo mundo.

A proclamação da Palavra de Deus é a primeira marca que identifica a verdadeira igreja. A partir dela e acompanhando sua proclamação, outras formas da Palavra marcam a igreja: o batismo, a Ceia do Senhor e o exercício público do ofício das chaves [do reino dos céus], ou confissão e absolvição, que Lutero considerava o coração da vida de arrependimento que os cristãos praticam ao longo da existência. Embora não tenha desenvolvido nenhum plano detalhado para a disciplina congregacional, Lutero presumiu que, no exercício das chaves, a disciplina pessoal surgiria de pastores e outros cristãos que chamam os pecadores dispostos ao arrependimento. Essa vida nas várias formas da Palavra de Deus tem lugar sob o cuidado e a orientação de pastores, sendo o cargo pastoral a quinta marca da igreja. A resposta dos fiéis à Palavra de Deus é expressa na sexta marca da igreja: "oração, louvor público e ação de graças a Deus" e instrução na fé. Além disso, a igreja é identificada por seu sofrimento, a "cruz sagrada", à medida que o Diabo, o mundo e os desejos interiores pecaminosos infligem "tristeza, timidez, medo de dentro e de fora, pobreza, desprezo, doença e fraqueza" nos cristãos coletiva e individualmente. Lutero acreditava que a perseguição era apenas uma parte (mas uma parte significativa) da batalha escatológica de Satanás contra Deus e sua verdade, na qual a igreja e os cristãos individuais estavam emaranhados. A oitava "marca pública", as boas obras de amor que o Espírito Santo produz em vidas santificadas, não era um sinal único da existência da igreja, pois Lutero cria que os falsos cristãos poderiam realizar obras que exteriormente se conformam à lei de Deus. No entanto, Lutero percebeu que, sem a prática do amor, a igreja não se torna perceptível.[15] Em apre-

---

[14] Gordon W. Lathrop e Timothy J. Wengert, *Christian Assembly: Marks of the Church in a Pluralistic Age*. Minneapolis: Fortress, 2004, p. 20,21.
[15] Martinho Lutero, *On the Councils and the Church* (1539), *WA* 50:625.33, 643.37; *LW* 41:145–167 [*Dos concílios e da igreja* (1539). In: *Obras selecionadas, Volume 3: Debates e Controvérsias I*. Comissão Interluterana de Literatura. São Leopoldo: Editora Sinodal; Porto Alegre: Editora Concórdia, s/d, p. 300–432].

sentações semelhantes das marcas da igreja, ele mencionou que a igreja é composta de "pessoas que amam a Palavra e confessam-na diante dos outros"[16] e é o espaço [simbólico] "onde os cristãos creem em Cristo, são salvos pela fé e humildemente se dão uns aos outros".[17]

Em outras obras, Lutero acrescentou às oito marcas em *Dos concílios e da Igreja* o uso do Credo dos Apóstolos como um resumo da fé, a recitação da Oração do Senhor, a estima dos governantes seculares, a honra ao casamento e o não derramamento de sangue de outros cristãos – os últimos três indicam uma crítica à igreja papal.[18] A exposição que Melanchthon fez das marcas da igreja centrou-se, de modo geral, na transmissão do perdão pela Palavra de Deus em suas várias formas. Ele também rejeitou outros sinais que marcaram a igreja na teologia medieval, especialmente "a sucessão regular de bispos e a obediência às tradições humanas", e, acima de tudo, a pretensão dos bispos de interpretar as Escrituras e estabelecer novas leis e práticas de adoração para a igreja.[19]

Martin Chemnitz fez uma ponte de Melanchthon e Lutero ao ensino do século XVII, especialmente em seu comentário sobre os *Loci* de Melanchthon, mas também em outras obras, como seu *Examination of the Council of Trent* [Exame do Concílio de Trento]. Nessa última obra, ele ancorou o ensino da igreja e a autoridade de seus concílios na "regra e norma das Sagradas Escrituras", a única autoridade irrevogável para os cristãos.[20] Intercâmbios com as definições de igreja de católicos e de anabatistas serviram de orientação para que Chemnitz repetisse as ideias de Lutero e Melanchthon. Ele afirmou que qualquer definição de "igreja" deve "aplicar-se tanto a igrejas verdadeiras particulares em lugares particulares e à igreja verdadeiramente católica espalhada por todo o mundo, que é um corpo".[21] É uma assembleia, e, como uma cidade edificada sobre um monte (Mateus 5:14), ela faz o evangelho de Cristo brilhar no mundo mediante a proclamação fiel de sua Palavra e do uso apropriado dos sacramentos.[22] Mas ela não deve ser equiparada a uma instituição, como o papado; ela permanecia, como Melanchthon disse, "o rebanho de tais ovelhas, como são conhecidos por Cristo e, por sua vez, o conhecem, [...] nunca estando fora de suas mãos (João 10:14,28)".[23]

---

[16] Martinho Lutero, *Lectures on Psalm 90* (1534), WA, vol. 40, livro 3, 506.7–31; *LW* 13:90.

[17] Martinho Lutero, "Maundy Thursday Sermon" (1538), WA 46:285.7–10.

[18] Martinho Lutero, *Against Hans Wurst*, WA 51:477.28–486.22; *LW* 41:194–198.

[19] *Melanchthons Werke in Auswahl*, v. 2, livro 1 (Gerd Mohn), p. 492–497, *Loci Communes*, p. 137–138.

[20] Martin Chemnitz, *Examination of the Council of Trent, Part I*. St. Louis: Concordia, 1971, p. 31.

[21] Martin Chemnitz, *Loci Theologici, Parts 2,3*, v. 8 de *Chemnitz's Works*. St. Louis: Concordia, 2008, p. 695.

[22] A acusação de que os luteranos do século XVI não tinham o senso de missão da igreja para outras nações não é verdadeira. Cf. Robert Kolb, "Late Reformation Lutherans on Mission and Confession", *LQ* 20, n. 1, 2006, p. 26–43.

[23] Chemnitz, *Loci Theologici*. In: *Chemnitz's Works*, 8:695–698.

O SISTEMA DE IGREJA E O ESTADO

A distinção que Lutero fez entre os dois reinos ou dimensões da vida humana, vertical e horizontal, colocou a proclamação evangélica da igreja no primeiro deles, mas a maioria de suas estruturas e ações mundanas no segundo, no qual as decisões são tomadas em grande parte pela razão. Assim, seus pontos de vista sobre o sistema de igreja eram bastante abertos. Ele usou o termo "igreja" para algo parecido com a "igreja invisível", que ainda não tinha entrado na terminologia técnica de Wittenberg. Lutero descreveu a comunhão dos santos em todo o mundo como "a igreja oculta",[24] que se torna não só visível, mas, sobretudo audível e perceptível, à medida que o povo se reúne em torno da Palavra de Deus nas formas oral, escrita e sacramental. Seu uso de "igreja" também incluía igrejas territoriais e nacionais de tipo institucional, como na Saxônia ou na Inglaterra, em seu mundo geralmente associado à administração pelas autoridades seculares ou em estreita cooperação com elas (por exemplo, na França, onde, desde a Pragmática Sanção de Bourges, em 1438, o rei havia assegurado significativamente mais poder na igreja do que o papa, paralelo a arranjos semelhantes em terras ibéricas e alguns principados italianos). Mais especificamente, no entanto, "igreja" designava aqueles reunidos fisicamente em torno da Palavra de Deus nas formas pregada e sacramental nas comunidades locais dos fiéis.

Lutero acreditava que a forma episcopal medieval de governo da igreja poderia servir eficazmente ao evangelho de Cristo se promovesse o ensino bíblico; ele aprovou que seu colega Nikolaus von Amsdorf assumisse um ofício de bispo em Naumburg-Zeitz.[25] Pelo menos no início de sua carreira, Lutero também promoveu o exercício da responsabilidade de uma congregação local[26] e, embora relativamente aberto a várias formas de governo, ele rejeitou firmemente as reivindicações do papado para governar a igreja por direito divino. Scott Hendrix localizou a crítica do reformador a essas reivindicações desde a "ambivalência" com relação ao papa e a seu ofício nos primeiros anos de Lutero – uma atitude compartilhada por muitos na época – aos "protestos" após as primeiras reações ásperas às suas *95 teses* no final de 1517 e em 1518. À medida que as ameaças de execução por heresia tornavam-se cada vez mais frequentes e, por fim, oficiais, o professor de Witten-

---

[24] Para o desenvolvimento da eclesiologia de Lutero nos anos iniciais de sua carreira, veja Scott H. Hendrix, *Ecclesia in Via: Ecclesiological Developments in the Medieval Psalms Exegesis and the Dictata super Psalterium (1513–1515) of Martin Luther*. Londres: Brill, 1974; e Carl-Axel Aurelius, *Verborgene Kirche: Luthers Kirchenverständnis in Streitschriften und Exegese, 1519–1521*. Hannover: Lutherisches Verlags-Haus, 1983.

[25] Peter Brunner, *Nikolaus von Amsdorf als Bischof von Naumburg: Eine Untersuchung zur Gestalt des evangelischen Bischofamtes in der Reformationszeit*. Gütersloh: Mohn, 1961.

[26] Martinho Lutero, *That a Christian Assembly or Congregation Has the Right and Power to Judge All Teaching and to Call, Appoint, and Dismiss Teachers [...]* (1523), WA 11:408–416; LW 39:305–314 [*Direito e autoridade de uma assembleia ou comunidade cristã de julgar toda doutrina, chamar, nomear e demitir pregadores – Fundamento e razão da Escritura*, em *Obras selecionadas, Volume 7: Vida em comunidade – Ministério – Culto – Sacramentos – Visitação – Catecismos – Hinos*, p. 25–36].

berg passou da "resistência" em 1518 ao "desafio" às reivindicações papais no ano seguinte e à total oposição em 1520.

Em 1521, a convicção de Lutero de que o papado como instituição cumpriu as profecias do Novo Testamento a respeito da vinda do anticristo no fim dos tempos começou a dominar suas críticas ao papado e a seus seguidores, respondendo na mesma moeda a ameaças, escárnio e denúncia.[27] Entretanto, se formas específicas de governo não interferissem na pregação do evangelho, Lutero acreditava que muitas delas poderiam ser apropriadas em diferentes situações para apoiar essa proclamação que, segundo ele, forma e sustenta a igreja. Luteranos nos reinos nórdicos, Dinamarca-Noruega-Islândia e Suécia-Finlândia tinham extensivo controle régio por muito tempo no início período moderno. Nos reinos polonês e húngaro, a Contrarreforma suprimiu as igrejas luteranas mediante uma variedade de meios; ali as igrejas luteranas se conservaram em pequenos grupos, muitas vezes lideradas por leigos, usando a Bíblia, o catecismo e o hinário.

Em terras alemãs, a Reforma de Lutero foi possível em parte por governantes que o apoiaram e protegeram os líderes da causa. Lutero e Melanchthon consideravam o governo secular como o membro principal da igreja e cooperavam estreitamente com muitos governos alemães e nórdicos e os aconselhavam,[28] embora Lutero fosse geralmente mais rápido que Melanchthon para criticar governantes e chamá-los ao arrependimento.[29] Depois da derrota dos príncipes e das cidades evangélicas na Guerra de Esmalcalda (1547), uma divisão se abriu no círculo de Wittenberg com relação à "Proposta de Leipzig", de 1548, que Melanchthon ajudou a idealizar para garantir púlpitos luteranos a pregadores luteranos. Esse documento ofereceu o compromisso de usar adiáfora para convencer o imperador Carlos V de que o eleitorado da Saxônia estava se conformando com os costumes e ensinamentos medievais que ele queria retornar. A solução da disputa evitou tratar da relação entre a igreja e o governo secular, e os luteranos continuaram a trabalhar em estreita colaboração com os governos amigáveis, enquanto repetidamente se metiam em problemas com seus senhores seculares por criticar políticas governamentais de vários tipos.[30]

A IGREJA REUNIDA

Embora Lutero se revoltasse contra a dominação do ritualismo na compreensão medieval do modo da salvação, ele sustentou que o culto público, tanto em sua liturgia

---

[27] Scott H. Hendrix, *Luther and the Papacy: Stages in a Reformation Conflict*. Filadélfia: Fortress, 1981.
[28] Eike Wolgast, "Luther's Treatment of Political and Societal Life". In: Kolb, Dingel e Batka, *Oxford Handbook of Luther's Theology*, p. 397–413; James M. Estes, *Peace, Order, and the Glory of God: Secular Authority and the Church in the Thought of Luther and Melanchthon, 1518–1559*, Studies in Medieval and Reformation Traditions 111. Leiden: Brill, 2005.
[29] Robert Kolb, "Luther on Peasants and Princes", *LQ* 23, n. 2, 2009, p. 125–146.
[30] W. D. J. Cargill Thompson, *The Political Thought of Martin Luther*. Sussex: Harvester, 1984, p. 119–154.

como em sua pregação, desempenhava um papel significativo na modelagem da vida cristã.³¹ Nos cultos regulares, a congregação expressava a fé de seu povo como aquela alimentada pela Palavra de Deus nas formas oral, escrita e sacramental. O batismo e a Ceia do Senhor transmitiam a promessa de Deus como parte da manifestação multifacetada do Espírito Santo, não mediante qualquer poder que repousava nos elementos materiais ou na ação ritual, mas por causa da promessa do evangelho transmitida com os elementos. O sermão era o centro do culto litúrgico para Lutero, que insistiu: "Pregar e ensinar a Palavra de Deus [é] a parte mais importante do culto a Deus",³² juntamente com a absolvição pública de pecados dos adoradores, "a verdadeira voz do evangelho anunciando a remissão dos pecados".³³ A Ceia do Senhor também devia trazer o evangelho de perdão e vida aos cristãos a cada semana, à medida que o corpo e o sangue de Cristo vinham de forma única e misteriosa aos que recebiam os elementos.³⁴ A liturgia proporcionava às pessoas a oportunidade de se unirem a outros para responder à Palavra de Deus com alegria em louvor e ações de graças. Lutero acreditava que a forma ideal era de pequenos grupos de cristãos se encontrando para o consolo mútuo, estudo e oração.³⁵

Embora muitos sugiram que os pontos de vista de Lutero sobre o ofício pastoral e sua relação com os leigos tenham mudado ao longo do tempo, de fato, ele nunca deixou de insistir que Deus havia ordenado que as congregações tivessem pastores em um ofício formalmente encarregado da proclamação pública da Palavra de Deus e da administração dos sacramentos.³⁶ Ele nunca abandonou sua crença de que Deus comissionou todos os cristãos batizados para serem seus sacerdotes a fim de compartilhar a Palavra de Deus com os outros, tanto aqueles que ainda não creem como aqueles que creem e precisam ouvir a admoestação ou o conforto da Palavra.³⁷ Na Confissão de Augsburgo e no seu "Tratado sobre o poder e a primazia do papa", Melanchthon definiu o ofício pastoral em termos do ofício das chaves, o poder confiado por Cristo a sua igreja para perdoar ou reter pecados: bis-

---

³¹ Vilmos Vajta, *Luther on Worship: An Interpretation*. Filadélfia: Muhlenberg, 1958; Carter Lindberg, "Piety, Prayer, and Worship in Luther's View of Daily Life". In: Kolb, Dingel e Batka, *Oxford Handbook of Luther's Theology*, p. 414–426.

³² Martinho Lutero, "The German Mass" (1526), WA 19:78.26,27; *LW* 53:68 [*Missa alemã e ordem do culto*, em *Obras selecionadas, Volume 7*, p. 173–205].

³³ Martinho Lutero, "An Order of Mass and Communion" (1523), WA 12:213.9–11; *LW* 53:28 [*Formulário da missa e da comunhão para a igreja de Wittenberg*, em *Obras selecionadas, Volume 7*, p. 155–172].

³⁴ Ibid., WA 12:206.15-209.10; *LW* 53:20–23.

³⁵ Lutero, "The German Mass" (1526), WA 19:75.3–30; *LW* 53:63,64.

³⁶ Robert Kolb, "Ministry in Martin Luther and the Lutheran Confessions". In: Todd Nichol e Marc Kolden (eds.). *Called and Ordained: Lutheran Perspectives on the Office of the Ministry*. Minneapolis: Fortress, 1990, p. 49–66.

³⁷ Martinho Lutero, "Sermon on Matthew 9:1–8" (1526), WA, v. 10, livro 1, p. 412–414; John Nicholas Lenker (ed.). *Sermons of Martin Luther*, 1905. Grand Rapids: Baker, 1983, 5:209; cf. WA 19:13–15; *LW* 36:359; WA 45:540.14–23; *LW* 24:87,88; WA 47:297.36–298.14; WA 44:712.33–36, 713.5–8; *LW* 8:183; WA 44:95.41–46; *LW* 6:128.

pos, como todos os outros pastores, têm "um poder e uma ordem de Deus para pregar o evangelho, perdoar ou reter o pecado e para administrar e distribuir os sacramentos".[38] No "Tratado", ele acrescentou que esses homens tinham o poder de "excomungar o ímpio sem o uso de força física".[39] Particularmente contra os anabatistas e os espiritualistas, que defendiam que o Espírito Santo chamava as pessoas para pregar e ministrar publicamente à parte das estruturas estabelecidas para a conduta ordenada da vida da igreja, os teólogos de Wittenberg defendiam os que deviam ser "corretamente chamados" de ministros da Palavra.[40]

Os mestres luteranos do século XVI legaram a seus sucessores uma eclesiologia centrada na Palavra de Deus expressa nas Escrituras nas formas oral, escrita e sacramental, todas sob a liderança daqueles que foram chamados por Deus para o ministério público da igreja.

ENSINAMENTOS REFORMADOS SOBRE A IGREJA

MARTIN BUCER SOBRE A IGREJA

A apresentação que Lutero fez de sua "teologia da cruz" a seus irmãos agostinianos em Heidelberg, em 1518, ganhou a mente de um jovem ouvinte dominicano, Martin Bucer, que se tornou líder da igreja em Estrasburgo, e as circunstâncias da cidade moldaram sua compreensão da igreja, especialmente com relação à sua forma e governança. Na Dieta de Augsburgo, em 1530, Bucer e outros pastores de quatro cidades do sul da Alemanha confessaram, na Confissão Tetrapolitana, que a igreja de Cristo, "frequentemente chamada de reino dos céus, [é] a comunhão dos que se alistaram sob Cristo com o compromisso de nele crer inteiramente [...] com quem, no entanto, até o fim do mundo, estão misturados àqueles que fingem fé em Cristo, mas não a possuem verdadeiramente". No sentido estrito, contudo, somente aqueles em quem "o Salvador verdadeiramente reina" são adequadamente

---

[38] *BSELK* 186-91; Kolb e Wengert, *Book of Concord*, p. 92,93.
[39] *BSELK* 489,490, 822–825; Kolb e Wengert, *Book of Concord*, p. 340–341.
[40] Veja, por exemplo, *Luther's Against Infiltrating and Clandestine Preachers* (1532), WA, v. 30, livro 3, 518–527; *LW* 40:383–394 [*Carta do Dr. Martinho Lutero sobre os intrusos e pregadores clandestinos*. In: *Obras selecionadas, Volume 7*, p. 114–124], e artigo 14 da Confissão de Augsburgo, de Melanchthon, *BSELK* 108–111; Kolb e Wengert, *Book of Concord*, p. 46,47. Comparar também com a opinião de Chemnitz sobre o assunto, *Loci Theologici, Parts 2,3*. In: *Chemnitz's Works*, 8:698, cf. 8:698–719; e *Ministry, Word, and Sacraments: An Enchiridion*. St. Louis: Concordia, 1981. Melanchthon inventou esse gênero com seu *Examen ordinandum* (1552), *Melanchthons Werke in Auswahl* (Gerd Mohn), 6:168–259; veja 6:212–221 sobre "The Church". Chemnitz não havia abandonado o sacerdócio de todos os cristãos, mas, contra aqueles que afirmavam ser capazes de pregar publicamente sem um chamamento ordenado da igreja, explicou 1Pedro 2:9: "Todos os cristãos são sacerdotes, mas não para que todos cumpram a função de ministério público promiscuamente, sem um chamamento específico, mas para que ofereçam sacrifícios espirituais" (alusão a 1Pedro 2:5 e descrito em Romanos 12:1; Hebreus 13:15,16). Eles devem falar a Palavra de Deus no lar e entre amigos, confortando-se mutuamente e confessando o evangelho, mas não assumindo os deveres públicos do ofício pastoral.

chamados igreja. O Espírito Santo a governa, e isso se revela nos frutos da fé, embora ela não possa ser vista.[41]

A Confissão Tetrapolitana enfatizou a necessidade de ministério dentro da igreja, por ministros que proclamam o evangelho sem erro. As ovelhas de Cristo não seguem a voz de nenhum estranho.[42] Os ministros não têm poder a não ser para edificar ouvintes com a Palavra de Deus. Eles servem à igreja em resposta ao chamamento do Espírito Santo, que lhes dá a sabedoria e a disposição de pregar a Palavra de Deus corretamente e de cuidar do povo. O Espírito age pelos ministros da igreja para realizar seu objetivo de salvar seu povo, contudo, eles são encarregados de exercer disciplina no lugar de Cristo para que as almas sejam renovadas.[43] Como ministro responsável pelo bem-estar espiritual de toda a população de Estrasburgo, Bucer reconheceu que aqueles que rejeitam o Espírito Santo permanecem na comunhão exterior dos cristãos e que estes ainda lutam contra seus desejos pecaminosos. Esses temas permeiam a compreensão de Bucer sobre a igreja como centrada na Palavra de Deus, por meio da qual o Espírito Santo a faz surgir, com Cristo como seu Cabeça. O Espírito reúne o povo de Cristo em torno de sua Palavra e do sacramento para que seus membros recebam o perdão dos pecados; assim, a igreja serve como instrumento do Espírito na criação e na manutenção do povo de Deus. Palavra, sacramento e disciplina marcam a igreja.[44]

Os esforços de Bucer em prol do restabelecimento da unidade da igreja ocidental demonstram seu compromisso com aquela unidade e sua insistência em que ela só era possível com a reforma maciça tanto da doutrina como da prática medievais.[45] Para ele, a unidade da igreja repousava em uma definição da igreja com base na Palavra. A reformulação de Lutero da doutrina da igreja ajudou a moldar o compromisso de Bucer de restaurar a unicidade da igreja em sua proclamação e vida.

Ulrico Zuínglio e Heinrich Bullinger sobre a Igreja

Ulrico Zuínglio também formulou sua doutrina da igreja em um ambiente municipal, em Zurique. Ele tinha trabalhado em prol da reforma antes de aclamar Lutero como o terceiro Elias, em 1520, e sua doutrina refletia tanto as preocupações comuns dos dois reformadores quanto sua própria compreensão da natureza da igreja. Zuínglio estabeleceu as origens da igreja com base na aliança de Deus com

---

[41] "Confession Tetrapolitan". In: James T. Dennison Jr. (ed.). *Reformed Confessions of the 16th and 17th Centuries in English Translation*, v. 1, *1523–1552*. Grand Rapids: Reformation Heritage Books, 2008, p. 154–158.

[42] Ibid., 1:156–158.

[43] Ibid., 1:154–156.

[44] W. P. Stephens, *The Holy Spirit in the Theology of Martin Bucer*. Cambridge: Cambridge University Press, 1970, p. 156–166.

[45] Volkmar Ortmann, *Reformation und Einheit der Kirche: Martin Bucers Einigungsbemühungen bei den Religionsgesprächen in Leipzig, Hagenau, Worms und Regensburg, 1539–1541*. Mainz: Zabern, 2001.

os eleitos.⁴⁶ As assembleias locais, em conjunto, constituem a igreja universal.⁴⁷ Sua teologia madura é expressa em sua *Exposição da fé*, composta em 1530, mas publicada postumamente em 1536, a qual é um apelo ao rei Francisco I, da França, para a reforma da igreja, e também em seu *Relato da fé* apresentado ao imperador Carlos V, em 1530, na Dieta de Augsburgo.

A *Exposição* começa seu estudo da igreja centrando-se na igreja invisível, "que conhece e acolhe Deus pela iluminação do Espírito Santo", e que é universal; seus membros não são invisíveis, mas a percepção humana não pode identificá-los fielmente como cristãos. A igreja visível, Zuínglio insistiu, não é a igreja sujeita ao pontífice romano e outros bispos, mas é composta por aqueles que abertamente professam a fé, embora entre eles possam estar alguns que não têm fé interior.⁴⁸ O *Relato* repetiu os temas da *Exposição*, definindo a igreja mais claramente como a reunião dos eleitos, que têm o Espírito Santo como penhor da salvação, a quem Deus dá fé e assim cria a igreja.⁴⁹ Somente Cristo é o Cabeça da igreja; ele concede a esta sua pureza e santidade. Pertencem a Deus aqueles que aderem à Palavra de Deus e vivem para Cristo, no entanto, dentro da assembleia dos fiéis, permanecem hipócritas e infiéis – isso se tornou um ponto de disputa entre Zuínglio e os anabatistas locais.

Embora, como outros reformadores, ele rejeitasse os entendimentos medievais sobre a ordenação como um sacramento, Zuínglio insistia em pastores chamados e treinados como parte necessária da igreja, e considerava a pregação da Palavra de Deus a tarefa principal deles.⁵⁰ A meta de Zuínglio de purificar a igreja de usos supersticiosos exigia a simplificação do culto matinal de domingo aos elementos básicos de ouvir a Palavra de Deus, oração e louvor.⁵¹

Zuínglio limitou a disciplina de pecadores àqueles que cometeram ofensas públicas, prescreveu uma série de admoestações de acordo com Mateus 18:15–17 e, em seguida, colocou a execução da excomunhão nas mãos do governo secular. O sistema de governo da igreja de Zurique ganha a designação de "berço do erastianismo", em homenagem a Thomas Erasto, professor de Heidelberg, discípulo de Zuínglio, que, em 1558, desenvolveu o argumento de que os governos seculares têm o direito e o dever de exercer jurisdição nos assuntos eclesiásticos, incluindo a disciplina da igreja. Em 1530, Zuínglio postulou a posição "erastiana" em sua *Exposição*:

---

[46] J. Wayne Baker, *Heinrich Bullinger and the Covenant: The Other Reformed Tradition*. Athens: Ohio University Press, 1980, p. 1–19.
[47] W. P. Stephens, *The Theology of Huldrych Zwingli*. Oxford: Clarendon, 1986, p. 260–270.
[48] Ulrico Zuínglio, *An Exposition of the Faith*. In: G. W. Bromiley *Zwingli and Bullinger: Selected Translations with Introductions and Notes*. LCC 24. Filadélfia: Westminster, 1953, p. 265–266.
[49] *BSRK*, p. 84–86.
[50] Stephens, *Theology of Zwingli*, p. 274–281.
[51] Charles Garside, *Zwingli and the Arts*. New Haven: Yale University Press, 1966.

a presença do insolente e hostil dentro da irmandade externa cria "a necessidade do governo para o castigo de pecadores flagrantes, seja o governo de príncipes ou da nobreza. [...] Há pastores na igreja, e entre esses podemos enumerar os príncipes. [...] Sem governo civil, uma igreja é mutilada e impotente".[52] Robert Walton atribui o fato de Zuínglio ter dado poder significativo aos governantes seculares na igreja a seu "desejo de assegurar ao evangelho seu lugar legítimo na vida da comunidade", bem como a seu desânimo com a "capacidade da igreja de se reformar".[53]

O sucessor de Zuínglio como líder da igreja de Zurique, Heinrich Bullinger, tratou o tema da "igreja católica" em seus sermões catequéticos, publicados de 1549 a 1552. No sermão sobre a igreja ele a definiu como "toda a companhia e multidão dos fiéis [...] parcialmente no céu e em parte [...] sobre a terra [...] em unidade de fé ou de verdadeira doutrina e na lícita participação dos sacramentos".[54] O dom de Deus de um relacionamento de aliança com seu povo escolhido e predestinado estabelece a igreja, e a aliança é dada ao povo de Deus como um todo.[55] Sua universalidade ou catolicidade se estende sobre a igreja triunfante no céu e a igreja militante na terra, que permanece presa na batalha contra os desejos pecaminosos, o mundo e Satanás. Essa igreja militante contém tanto os "fiéis e eleitos de Deus, membros vivos, unidos a Cristo [...] em espírito e fé" como a noiva escolhida de Cristo e conhecidos somente por Deus, mas, no sentido mais amplo, ela também inclui pessoas perversas e hipócritas.[56]

Bullinger enfatizou o papel essencial da Palavra de Deus, que cria e preserva a igreja. Seus ministros devem ser fiéis à Palavra, uma vez que não possuem nenhuma autoridade que não proceda dela. A igreja invisível não erra, mas a igreja visível às vezes pode cair em falsos ensinamentos.[57] Essas posições foram afirmadas em sua *Segunda Confissão Helvética* (1562, 1566), em que Bullinger distinguiu a igreja universal das igrejas particulares de épocas e lugares específicos, coletando designações bíblicas para a igreja, tais como casa do Deus vivo, virgem e noiva de Cristo, rebanho de ovelhas e corpo de Cristo, do qual ele é o Cabeça. Bullinger compartilhou da convicção de todos os reformadores de que fora da igreja não há salvação, ao passo que dentro da igreja visível há muitos hipócritas que não estão entre os salvos. Sendo assim, concluímos que os ritos externos não determinam a legitimidade da igreja.[58]

---

[52] Zuínglio, *Exposition of the Faith*, em *Zwingli and Bullinger*, p. 266; cf. Stephens, *Theology of Zwingli*, p. 270–274.
[53] Robert C. Walton, *Zwingli's Theocracy*. Toronto: University of Toronto Press, 1967, p. 291, e *passim*.
[54] Bullinger, "Of the Holy Catholic Church". In: *Zwingli and Bullinger*, p. 289.
[55] Baker, *Bullinger and the Covenant*, p. 27–106.
[56] Bullinger, "Holy Catholic Church" em *Zwingli and Bullinger*, p. 288–299. Veja Peter Opitz, *Heinrich Bullinger als Theologe: Eine Studie zu den "Dekaden"*. Zurique: TVZ, 2004, p. 417–461.
[57] Bullinger, "Holy Catholic Church". In: *Zwingli and Bullinger*, p. 314–325.
[58] *BSRK*, p. 195–199.

Bullinger considerou que o magistrado civil exerce um "papel fundamental como o supremo poder governante na ordenação da religião no reino". Suas opiniões não só continuaram o modelo desenvolvido sob Zuínglio em Zurique, mas também influenciaram o desenvolvimento do exercício do poder régio dentro da igreja anglicana.[59]

Embora Zuínglio e Bullinger tenham recomendado que as autoridades municipais exercessem a disciplina da igreja, incluindo a excomunhão, Bullinger não incluiu disciplina entre as marcas exteriores da igreja. Na obra *Décadas*, ele somente citou duas formas, a saber, "pregação sincera da Palavra de Deus e participação lícita dos sacramentos de Cristo". Ele observou que alguns acrescentariam "o estudo da piedade e da unidade, a paciência na aflição e a invocação do nome de Deus por Cristo".[60] Aqueles que confiam em Cristo, mas são privados da participação na pregação e nos sacramentos, permanecem, no entanto, na companhia da igreja. Bullinger também ensinou que os cristãos possuem marcas internas: "a comunhão do Espírito de Deus, uma fé sincera e caridade dúplice", que os ligam a Cristo, Cabeça [da Igreja], e a todos os membros do corpo de Cristo.[61] Na *Segunda Confissão Helvética*, Bullinger tratou em detalhes do ministério pastoral, fundamentando-o na instituição de Cristo e concentrando seu trabalho em transmitir a Palavra de Deus e em exercer o ofício das chaves, ao mesmo tempo em que rejeitava o ensino papal sobre o ofício de sacerdote e monge.[62]

JOÃO CALVINO SOBRE A IGREJA

A Reforma paralela que se desenvolveu em Genebra moldou sua própria compreensão da igreja, sem dúvida com influência de Zurique e Wittenberg. O ensinamento de João Calvino sobre a igreja veio de seu estudo da Escritura e de sua compreensão da aliança que Deus faz com as criaturas humanas.[63] Tomando formas distintas em ambos os Testamentos, essa aliança foi fundamentada em Cristo e executada pela eleição feita por Deus de seu povo escolhido. A aliança estabeleceu o povo de Deus, sua igreja, desde o início, mas a renovação da promessa de Deus tanto a Abraão quanto no êxodo constituiu desenvolvimentos especiais em seus tratos com seu povo.[64]

---

[59] W. J. Torrance Kirby, *The Zurich Connection and Tudor Political Theology*, Studies in the History of Christian Traditions 131. Leiden: Brill, 2007, p. 25–57, 203–233. Kirby mostra a contínua influência do círculo de Zurique também nas obras de Pedro Mártir Vermigli. Ibid., p. 59–202.
[60] Bullinger, "Holy Catholic Church", em *Zwingli and Bullinger*, p. 299–304.
[61] Ibid., p. 304–307.
[62] BSRK, p. 200–205.
[63] Veja Georg Plasger, "Kirche", e Robert M. Kingdon, "Kirche und Obrigkeit", em *Calvin Handbuch*, ed. Herman J. Selderhuis (Tübingen: Mohr Siebeck, 2008), p. 317–325, 349–355.
[64] Benjamin Charles Milner Jr., *Calvin's Doctrine of the Church*, Studies in the History of Christian Thought 5. Leiden: Brill, 1970, p. 71–98. Para uma visão geral sobre os debates concernentes ao conceito de Calvino a respeito de aliança, veja Baker, *Bullinger and the Covenant*, p. 193–215.

Definindo as marcas da igreja

Ao apresentar seu manifesto doutrinal da Reforma, que provavelmente foi preparado com a ajuda de Calvino, Guilherme Farel confessou que:

> Embora haja apenas uma igreja de Jesus Cristo [...] a necessidade exige que as companhias dos fiéis sejam distribuídas em diferentes lugares. [...] A marca própria pela qual alguém pode discernir corretamente a igreja de Jesus Cristo é que seu santo evangelho seja pregado, proclamado, ouvido e mantido pura e fielmente, que seus sacramentos sejam devidamente administrados, mesmo que haja algumas imperfeições e falhas, como sempre haverá entre os seres humanos.[65]

Nove anos mais tarde, Calvino escreveu em seu *Catecismo da Igreja de Genebra* que era necessário crer nesse ensinamento para evitar que a morte de Cristo fosse ineficaz. A santidade da igreja consiste na justificação que Deus dá com base no sacrifício redentor de Cristo. Essa santidade ainda não é perfeita, pois "nunca está completamente purgada dos vestígios do vício". Os sinais visíveis marcam a igreja, mas a igreja invisível consiste, de fato, na "companhia dos que, por eleição secreta, ele [Deus] adotou para a salvação".[66]

Calvino vinculou a igreja do Novo Testamento intimamente ao Israel do Antigo Testamento, continuando o relacionamento de aliança daqueles a quem Deus escolhe como sua possessão.[67] Ele vinculou a igreja intimamente à Palavra de Deus e ao ministério dos meios da graça. "Igreja" aqui é tanto a igreja visível quanto a invisível, sendo esta última a eleita de Deus. Calvino acentuou a natureza invisível da assembleia dos santos de Deus por colocá-la no contexto da luta desta contra o Diabo. Nesse contexto, Satanás ataca não só com falsos ensinamentos e práticas enganosas e idólatras, mas também com perseguição física, que os seguidores de Cristo experimentaram e estavam vivenciando na França, nos Países Baixos, nas Ilhas Britânicas, na Itália e na Europa Central.[68] Assim, os martirológios, um gênero muito menos importante para os luteranos (que, de fato, enfrentaram perseguição em algumas áreas, mas tinham refúgio relativamente seguro em muitas partes das terras alemãs e dos reinos nórdicos), desempenharam um papel signifi-

---

[65] *BSRK*, p. 115; *Calvin: Theological Treatises*. LCC 22. Filadélfia: Westminster, 1961, p. 31. Cf. Milner, *Calvin's Doctrine*, p. 99–133.

[66] *BSRK*, p. 125,126; *Calvin: Theological Treatises*, p. 102,103. Cf. David Foxgrover (ed.). *Calvin and the Church: Papers Presented at the 13th Colloquium of the Calvin Studies Society, 24–26 maio, 2001*. Grand Rapids: CRC, 2002; Richard C. Gamble (ed.). *Calvin's Ecclesiology: Sacraments and Deacons*, v. 10 de *Articles on Calvin and Calvinism*. Nova York: Garland, 1992. Cf. também Jan Rohls, *Theologie reformierter Bekenntnisschriften: Von Zürich bis Barmen*. Göttingen: Vandenhoeck & Ruprecht, 1987, p. 198–210.

[67] Hermann J. Selderhuis, "Church on Stage: Calvin's Dynamic Ecclesiology". In: Foxgrover, *Calvin and the Church*, p. 46–64.

[68] Calvino, *Institutas*, 4.1.1–4.

cativo na formação da consciência e na fidelidade dos cristãos reformados a suas igrejas.[69] No entanto, Calvino não incluiu a perseguição em suas marcas da igreja, pois para ele a Palavra e os sacramentos identificavam a igreja, e ele advertiu contra o engano daqueles que afirmavam ser a igreja à parte dessas duas marcas.[70] Onde essas marcas estão presentes na igreja visível, os cristãos devem permanecer mesmo se reconhecerem pessoas ímpias dentro da comunhão exterior, pois a igreja não se torna totalmente pura no mundo pecaminoso. Em vez disso, ela existe para trazer a mensagem de perdão aos pecadores nesse mundo.[71]

Embora não fosse uma marca da igreja na visão de Calvino, a disciplina, ou o exercício do poder das chaves, desempenhava um papel necessário na vida da igreja, pois proporcionava um vínculo que unia a congregação e preservava as pessoas na fé. Ela começa com a admoestação particular dos irmãos que praticam pecado. Quando tais admoestações são rejeitadas, as testemunhas devem ser chamadas, e, se isso falhar, a assembleia dos anciãos [ou presbíteros] deve tentar trazer o pecador ao arrependimento. Se isso também falhar, a instrução de Cristo, de acordo com Mateus 18:15–17, para remover da igreja os que desprezam a congregação, deve ser obedecida.[72] Três preocupações governam a prática dessa disciplina: a primeira é a honra de Deus e de sua igreja e a integridade da Ceia do Senhor, que pode ser profanada por ser administrada indiscriminadamente; a segunda é prevenir que as pessoas boas na igreja se corrompam, e terceira, o arrependimento até mesmo dos pecadores obstinados.[73]

O contexto de Calvino exigia que os críticos católicos romanos o acusassem de estabelecer uma igreja falsa. Jacó Sadoleto, cardeal e bispo de Carpentras, no sul da França, fez um convite ao conselho da cidade de Genebra para que voltasse à obediência romana visto que a Reforma estava sendo introduzida ali (1539); a resposta de Calvino apresentou sua crítica à igreja papal,[74] um tema que aparece muitas vezes em seus escritos, incluindo as *Institutas*. Ele explicou em detalhes por

---

[69] Os mais importantes: Jean Crespin, *Actiones et Monumenta Martyrum [...]* (Genebra: Crespin, 1560); John Foxe, *Commentarii rerum ecclesia gestarum [...]* (Estrasburgo: Rihel, 1554); Foxe, *Rerum in ecclesia gestarum [...]* (Basel: Brylinger and Oporinus, 1559); Foxe, *O livro dos mártires*. São Paulo: Editora Mundo Cristão, 2003, e Adrian van Haemstede, *De Geschiedenesse ende de doot der vromer Martelanen [...]* (Emden?, 1559). Cf. Jean François Gilmont, *Jean Crespin, un éditeur réformé du XVIe siècle* (Genebra: Droz, 1981), J. F. Mozley, *John Foxe and His Book*. Londres: SPCK, 1940; William Haller, *The Elect Nation: The Meaning and Relevance of Foxe's Book of Martyrs*. Nova York: Harper & Row, 1963; Fredrik Pijper, *Martelaarsboek* ('s Gravenhage: Nijhoff, 1924). Para os anabatistas, martirológio foi uma forma de expressão de piedade muito significativa; veja Brad S. Gregory, "Anabaptist Martyrdom: Imperatives, Experience and Memorialization". In: John D. Roth e James M. Stayer (eds.). *A Companion to Anabaptism and Spiritualism, 1521–1700*. Brill's Companion to the Christian Tradition 6. Leiden: Brill, 2007, p. 467–506. Para uma visão geral, veja Brad Gregory, *Salvation at Stake: Christian Martyrdom in Early Modern Europe*. Cambridge: Harvard University Press, 1999.

[70] Calvino, *Institutas*, 4.1.7–13.

[71] Ibid., 4.1.14–25.

[72] Ibid., 4.1.4–6.

[73] Ibid., 4.12.5; 4.12.10,11.

[74] *CR* 33:385–416; *Calvin: Theological Treatises*, p. 221–256.

que a obediência a Roma tinha se afastado da verdadeira doutrina e da adoração adequada, usando essas duas marcas da igreja como critérios fundamentais para o que constitui a verdadeira igreja. Roma havia substituído o ministério fiel da Palavra de Deus por um conjunto de mentiras,

> que em parte extingue a luz pura, em parte a estrangula. O mais terrível sacrilégio foi introduzido no lugar da Ceia do Senhor. A adoração a Deus foi deformada por uma quantidade diversa e insuportável de superstições. A doutrina, à parte da qual o cristianismo não pode subsistir, foi inteiramente enterrada e expulsa.

Isso resultou em "idolatria, impiedade, ignorância de Deus e outros tipos de mal".[75] Calvino criticou especificamente as práticas associadas ao celibato clerical e aos votos monásticos.[76]

O governo da igreja e o Estado

O ensinamento bíblico sobre a ordem que Deus tinha tecido em toda a sua criação formou um quadro vital para a compreensão de Calvino a respeito da igreja e do ministério que ela exerce.[77] Ele enfatizou a importância do ministério público para a vida da igreja. A dispensação pelos ministros dos meios de graça, sob a disciplina da Palavra de Deus nas Escrituras, estava no centro de tudo o que a igreja é e faz.[78] A autoridade conciliar repousava apenas na Escritura, logo, quando os conselhos ensinavam contrariamente às Escrituras, seus decretos deviam ser ignorados.[79] Cristo é realmente o Cabeça da igreja, mas ele designa seus embaixadores a servirem como um vínculo para a congregação. Como o principal tendão do corpo de Cristo e os principais servos em seu reino,[80] os ministros mantêm a igreja unida dispensando e distribuindo os dons recebidos do Espírito, preservando, assim, sua unidade na Palavra de Deus.[81]

A igreja de Genebra criou uma forma específica de governo eclesiástico que caracterizou muitas (embora não todas) igrejas reformadas, uma forma que fluía de sua atividade missionária. Deus chamou pastores para "proclamar a Palavra de Deus, instruir, admoestar, exortar e censurar, tanto em público como em privado, administrar os sacramentos e encorajar correções fraternais juntamente com os anciãos

---

[75] Calvino, *Institutas*, 4.2.2; cf. 4.2.1–11.16. Calvino expandiu sua crítica à igreja romana e, acima de tudo, ao papado em *Institutas*, 4.5.1–11.16.
[76] Ibid., 4.12.22–13.21.
[77] Milner, *Calvin's Doctrine*, p. 7–70, 134–163; Alexandre Ganoczy, *Ecclesia Ministrans: Dienende Kirche und Kirchlicher Dienst bei Calvin* (Freiburg: Herder, 1968).
[78] Calvino, *Institutas*, 4.1.4–6.
[79] Ibid., 4.9.1–14.
[80] Milner, *Calvin's Doctrine*, p. 168–175, 179–189.
[81] Calvino, *Institutas*, 4.3.1–3.

e colaboradores". A segunda ordem de governança era a dos mestres, que deveriam instruir os fiéis "na verdadeira doutrina, a fim de que a pureza do evangelho não seja corrompida nem pela ignorância nem pelas más opiniões". Esse ofício incluía os palestrantes de teologia (particularmente os estudos bíblicos) e aqueles que "ensinam os filhinhos". "A supervisão da vida de todos", a admoestação e a correção fraternal eram deveres dos anciãos [ou presbíteros], a terceira ordem de governo da igreja. Os diáconos, a quarta ordem, deviam "receber, dispensar e manter bens para os pobres, não apenas esmolas diárias, mas também bens, aluguéis e pensões [e] cuidar e zelar dos doentes e administrar subsídios aos pobres".[82]

A forma genebrina de governar a igreja enfrentou resistência em 1562, ocasião em que Jean Morély, senhor de Villiers, leigo francês, começou a argumentar que a autoridade para exercer a verdadeira disciplina repousa em todo o corpo de cristãos, não nos anciãos e no consistório. O debate durou uma década no calvinismo francês,[83] e, embora a maioria das igrejas calvinistas tenha adotado o modelo de Genebra com modificações adequadas às situações específicas, alguns discípulos da teologia genebrina viveram dentro de outros sistemas, como a hierarquia episcopal da Igreja da Inglaterra. À exceção do território alemão, as igrejas calvinistas desenvolveram estruturas maiores, organizando-se em presbitérios e sínodos.[84]

Em contraste com Zurique, que colocou o poder para executar a disciplina e administrar os assuntos da igreja nas mãos do governo municipal, Genebra, sob a orientação de Calvino, reservou o poder sobre o ensino e a disciplina ao consistório da igreja, embora tenha procurado manter um relacionamento consensual entre a igreja e o governo secular,[85] que, conforme cria Calvino, Deus havia ordenado, ao estabelecer dois reinos ou governos, um para a administração dos assuntos deste mundo e o outro para proclamar a Palavra de Deus e atender as necessidades espirituais de seu povo escolhido.[86] Embora criticasse severamente o exercício tirânico do poder político, ele insistia que as pessoas obedecessem a uma autoridade legitimamente estabelecida, mesmo quando os governantes abusavam do poder,[87] compartilhando a preocupação, comum àquela época, com a ordem pública.

---

[82] Como especificado no rascunho de *Ecclesiastical Ordinances of Geneva*, 1541. In: *Calvin: Theological Treatises*, p. 58-66. Cf. Calvino, *Institutas*, 4.3.4-15.
[83] Robert M. Kingdon, *Geneva and the Consolidation of the French Protestant Movement, 1564-1572*. Madison: University of Wisconsin Press, 1967, p. 37-137.
[84] Calvino deu liberdade para que a teologia genebrina fosse pregada de outras formas. Cf. Kingdon, "Kirche und Obrigkeit", p. 350.
[85] Veja Robert M. Kingdon, Thomas A. Lambert, Isabella M. Watt e Jeffrey R. Watt (ed.). *Registers of the Consistory of Geneva in the Time of Calvin*. Grand Rapids: Eerdmans, 2000-.
[86] David VanDrunen, *Natural Law and the Two Kingdoms: A Study in the Development of Reformed Social Thought*. Grand Rapids: Eerdmans, 2010, esp., p. 67-99.
[87] Calvino, *Institutas*, 4.20.1-32; cf. William G. Naphy, "Calvin and State in Calvin's Geneva". In: Foxgrover, *Calvin and the Church*, p. 13-28.

À medida que as igrejas reformadas foram sendo estabelecidas além de Zurique e Genebra, elas revelaram diferentes combinações das ênfases de Bullinger e de Calvino, mas a influência das doutrinas da igreja sustentadas por cada um deu forma à confissão sobre esse artigo de fé, com várias ênfases tiradas das tradições suíças. A Palavra de Deus produziu a única igreja universal; Cristo e o Espírito Santo a governam e preservam, mesmo quando parece que apenas um remanescente persiste em fidelidade, pois membros infiéis da igreja e seus oponentes diretos lutam contra a sua verdade. Deus designa servos de sua Palavra, embora as confissões diferissem sobre a prescrição da ordem completa de quatro ofícios.[88]

As igrejas reformadas prestaram especial atenção às formas de governo, mas todas ancoraram sua eclesiologia na proclamação adequada da Palavra de Deus e no uso correto dos sacramentos. Portanto, o ministério público da igreja e seu estilo de culto ganharam atenção cuidadosa em seu ensino público como elementos necessários da vida comum do povo de Deus.

ENSINAMENTOS ANGLICANOS SOBRE A IGREJA

Quando o rei Henrique VIII declarou a independência da igreja inglesa em relação a Roma, em 1532, sua ação se assemelhava a proteger as igrejas nacionais do poder papal, em vários pontos da Idade Média, na Inglaterra, na França e em outras terras. No contexto da Reforma Protestante no continente, no entanto, sua ação acabou por assumir uma forma mais radical e permanente, embora essa direção futura não fosse imediatamente aparente e até contrária às intenções do rei. Henrique procurou tanto quanto possível uma mudança substancial mínima no ensino e na vida da igreja, satisfeito que estava, em geral, com a piedade e a doutrina com que tinha sido instruído.[89] À época da declaração de independência de Henrique VIII, as nomeações de bispos pelo rei asseguraram que a coroa desempenhasse um papel importante na vida eclesiástica inglesa, embora os assim chamados puritanos tivessem garantido que vívidas atividades piedosas continuassem no limite do controle episcopal ou fora dele nas últimas décadas do século XVI.[90] Com a ascensão de Eduardo VI, em 1547, a definição pública da fé e do ensino cristãos mudou dramaticamente, embora a forma episcopal de governo eclesiástico e o controle régio da igreja, assim como de muitos elementos na liturgia e no ritual não tenham mudado. Os *42 Artigos*, de 1552 a 1553, definiram igreja como "uma congregação de homens fiéis em que a pura Palavra de Deus é pregada e os

---

[88] BSRK 229 (*Confessio gallicana*, 1559), p. 243 (*Confessio belgica*), p. 256–258 (*Confessio Scotiae*, 1561), p. 426–444 (*Confessio ungarica*, 1562), p. 936,937 (*Corte Belydinghe des Gheloofs*, 1566).

[89] G. W. Bernard, *The King's Reformation: Henry VIII and the Remaking of the English Church*. New Haven: Yale University Press, 2005.

[90] Leo F. Solt, *Church and State in Early Modern England, 1509–1640*. Nova York: Oxford University Press, 1990.

sacramentos, devidamente administrados de acordo com a ordenança de Cristo".[91] O *Livro de oração comum*, que rapidamente se tornou o documento definidor da Igreja da Inglaterra, reformou a liturgia, mas deixou sua estrutura intocada.[92] Após Isabel ascender ao trono, seu redesenho da vida da igreja legou à igreja oficial inglesa um tom moderado e inclusivo, estabelecido pelos bispos, centrado no *Livro de oração comum* e voltado para a proclamação do evangelho de Jesus Cristo e de uma vida cristã ordenada para o bem de toda a nação.

Talvez em nenhum lugar as tensões entre manter a integridade doutrinária da igreja e suas conexões íntimas com a sociedade, e especialmente sua posição política, desempenham um papel mais importante na reconfiguração da reforma do que na Inglaterra. Os defensores da unidade e da instituição da Igreja da Inglaterra entraram em confronto com os "puritanos", como eram apelidados por seus oponentes.[93] Os puritanos representavam um amplo espectro daqueles que pressionavam por reformas posteriores ao Estabelecimento Religioso Isabelino [ou Elisabetano], encorajando, de modo geral, a uma prática mais rigorosa da fé, a adoção de um sistema doutrinário mais rigorosamente calvinista e a abolição de vários elementos da prática medieval, incluindo o governo episcopal e uma série de usos litúrgicos.[94]

Na Controvérsia da Admoestação[95], iniciada em 1572, John Whitgift, então mestre do Trinity College, de Cambridge, defendeu o estabelecimento moderado que tinha restabelecido a Igreja da Inglaterra sob Isabel I (Elizabeth) contra a convocação puritana para um retorno à estrita adesão às leis do Antigo Testamento, ao mesmo tempo descartando todos os vestígios das práticas medievais que parecessem supersticiosas. Thomas Cartwright liderou a crítica puritana, assistido especialmente por Walter Travers, ambos sendo amigos de Teodoro Beza. Eles propuseram que o controle da vida da igreja fosse colocado nas mãos de ministros ordenados para formar um presbitério regional, e, assim, pela excomunhão dos

---

[91] Gerald L. Bray (ed.). *Documents of the English Reformation*. Cambridge: Clarke, 1994, p. 296.
[92] Brian Cummings (ed.). *The Book of Common Prayer, The Texts of 1549, 1559, and 1562*. Oxford: Oxford University Press, 2011; Charles Hefling e Cynthia Shattuck (eds.). *The Oxford Guide to the Book of Common Prayer: A Worldwide Survey*. Oxford: Oxford University Press, 2006; Francis Procter e Walter Howard Frere, *A New History of the Book of Common Prayer*. Londres: Macmillan, 1949.
[93] Patrick Collinson, *Richard Bancroft and Elizabethan Anti-Puritanism*. Cambridge Studies in Early Modern British History. Cambridge: Cambridge University Press, 2013, p. 1–5.
[94] Veja, por exemplo, Patrick Collinson, *The Elizabethan Puritan Movement*. Nova York: Methuen, 1982; Collinson, *The Religion of Protestants: The Church in English Society, 1559–1625*. Oxford: Clarendon, 1982; Collinson, *Godly People: Essays on English Protestantism and Puritanism*. Londres: Hambledon, 1983.
[95] *Admoestação ao Parlamento* foi um manifesto puritano, publicado anonimamente em 1572, mas de autoria de dois clérigos de Londres, John Field e Thomas Wilcox. Ele exigia que a rainha Elizabeth [Isabel] I restaurasse a pureza do culto na Igreja da Inglaterra e eliminasse os elementos católicos romanos que ainda permaneciam, incluindo seu governo episcopal. Whitgift publicou uma resposta à *Admoestação*, que era defendida por Cartwright. (N. do T.)

malfeitores, uma igreja pura se desenvolveria. Discípulos fiéis de Calvino, Cartwright e Travers permaneceram na igreja estabelecida, embora outros puritanos formassem grupos independentes. Entre as mais devastadoras das críticas incessantes ao estabelecimento estavam os "Tratados de Marprelate" (1588–1589), que eram sátiras anônimas sobre a extravagância e as fraquezas do alto clero anglicano, a exigir uma estrita reforma da doutrina e da vida em uma igreja purificada.[96] Embora a maioria dos puritanos permanecesse na Igreja da Inglaterra e ali se empenhasse pela purificação e vida reformada, o puritanismo continha as sementes do separatismo e das igrejas independentes.[97]

Os puritanos se opuseram em diferentes graus ao *Livro de oração comum*. Todos encontraram nele certos acréscimos medievais ao culto puro a Deus, mas muitos aceitaram sua forma geral e, pelo menos em princípio, suas orações prescritas. Outros defenderam a oração livre e o direito dos ministros individuais de determinar a forma de culto para suas congregações, rejeitando qualquer coisa que pudesse alimentar a supersticiosa dependência do desempenho ritualista da prática medieval. A organização de pequenos grupos para oração e estudo da Bíblia, uma forma de igreja em casa, também despertou feroz oposição da igreja instituída.[98]

Os puritanos sustentavam intensamente a crença anglicana geral de que

> a Igreja foi constituída, não pelos cristãos dos quais ela foi composta, nem pela sinceridade da profissão de fé deles, mas pela pureza da doutrina pregada publicamente e confirmada pela autoridade, e pela sincera administração e pela recepção dos sacramentos, salvaguardadas pelo exercício da disciplina da igreja. [...] O evangelho é uma boa-nova de salvação, mas também deve ser obedecido, e obedecido universalmente.

Os puritanos não buscavam meramente estar em paz com a própria consciência, mas a pureza e a conclusão da reforma de toda a igreja.[99] Associada a essa pureza estava o governo da igreja, não pelos bispos, mas por um sistema presbiteriano, que indicava significativa influência de Genebra.[100] Em 1645, um *Livro de disciplina* apareceu impresso, uma obra supostamente encontrada em manuscrito na biblioteca de Thomas Cartwright. O conteúdo do livro já havia circulado nas décadas de 1570 e 1580, no grupo ao redor de Travers e Cartwright, propondo, em contraste com o sistema episcopal, uma forma sinodal de governo da igreja, independente do trono, administrando os assuntos da igreja por intermédio de uma organização presbiteriana no nível congregacional, com reuniões de pastores representati-

---

[96] Collinson, *Elizabethan Puritan Movement*, p. 391–418.
[97] Collinson, *Religion of Protestants*, p. 242–283.
[98] Collinson, *Elizabethan Puritan Movement*, p. 356–382.
[99] Ibid., p. 25,26.
[100] Collinson, *Religion of Protestants*, p. 81–91, 177–188.

vos e anciãos em categorias para lidar com os assuntos de toda a igreja nacional.¹⁰¹ A igreja instituída reagiu vigorosamente contra sua crítica.

Nas décadas de 1580 e de 1590, Ricardo Hooker surgiu como o defensor da política episcopal, do *Livro de oração comum* e de uma estreita relação de trabalho entre a Igreja e o Estado. Ele distinguiu as dimensões visíveis da igreja de suas dimensões místicas. O corpo místico de Cristo, disse ele, não pode ser identificado por meio de especulação sobre a eleição. Deus conhece os eleitos, mas os cristãos devem considerar os que participam da adoração e dos sacramentos como verdadeiros irmãos e irmãs em Cristo.¹⁰²

As tensões não resolvidas e deterioradas eclodiram em confrontações entre os puritanos e outros anglicanos sob o arcebispo Laud e culminaram em uma guerra civil em meados do século XVII. Esses desenvolvimentos resultaram gradualmente na abertura da tolerância e da aceitação social para um círculo de igrejas livres ao lado da igreja estabelecida, alterando, desse modo, a face pública da igreja na era moderna.

ENSINAMENTOS ANABATISTAS E ESPIRITUALISTAS SOBRE A IGREJA

Os anabatistas mantiveram uma ampla gama de posições em muitos assuntos, mas a maioria afirmou que a igreja era apenas um remanescente e consistia naqueles que se haviam comprometido com Deus e permanecido fiéis a ele em obediência à sua lei na vida diária.¹⁰³ Dennis Bollinger conclui que "as comunidades eclesiais anabatistas dão prioridade a seu desenvolvimento da eclesiologia implícita. [...] Eles concentraram-se, com a virtual exclusão da maioria das outras doutrinas, na discussão da natureza, da função e da estrutura da igreja local".¹⁰⁴ Ao usar muito da terminologia dos antigos credos e das eclesiologias luterana e reformada, os anabatistas toleravam o joio entre o trigo com muito menos alegria – o exercício mais rigoroso da disciplina marcava suas comunidades. Os Artigos de Schleitheim [ou A confissão de fé de Schleitheim], redigidos por Miguel Sattler e compostos em fevereiro de 1527, resumem as primeiras crenças daqueles, do sul da Alemanha e da Suíça, que continuavam uma tradição de protestos baseada em uma definição bí-

---

¹⁰¹ Collinson, *Elizabethan Puritan Movement*, p. 291-316; para detalhes da organização e da vida congregacional, veja p. 333–355.

¹⁰² Paul Avis, *Anglicanism and the Christian Church: Theological Resources in Historical Perspective*, 2. ed. Nova York: T&T Clark, 2002.

¹⁰³ Veja os ensaios em *A Companion to Anabaptism*, p. 39, 47, 61, 66, 67, 71, 78, 90, 96, 352, 359, e George Huntston Williams, *The Radical Reformation*, 3. ed., Sixteenth Century Essays and Studies 15. Kirksville: Sixteenth Century Journal Publishers, 1992, p. 92, 93, 147, 48, 575–582, 687–690, 913, 1017–1023, 1076–1078, 1178–1183, 1262, 1263.

¹⁰⁴ Dennis E. Bollinger, *First-Generation Anabaptist Ecclesiology, 1525–1561: A Study of Swiss, German, and Dutch Sources*. Lewiston: Mellen, 2008, p. 241.

blica, moralista, antissacramental, anticlerical e milenarista do cristianismo. Seus sete artigos não trataram da doutrina da igreja como tal, mas ensinaram que aqueles que foram chamados por Deus à fé, ao batismo, ao Espírito e a um corpo (Efésios 4:3-6) devem separar-se do mal e da perversidade. Os infiéis são "uma grande abominação diante de Deus", e, portanto, Cristo deve ser separado de Belial, incluindo "toda adoração e todas as obras papistas e antipapistas, reuniões e cultos, chás nas casas, assuntos cívicos, compromissos assumidos na incredulidade [...] toda a injustiça que está no mundo". Os filhos de Deus também devem se retirar da Babilônia e do Egito, "para que não sejamos partícipes no tormento e sofrimento que Deus trará sobre eles". Os pastores devem "ler, admoestar, ensinar, advertir, disciplinar, excomungar, conduzir em oração para a promoção de todos os irmãos e irmãs, erguer o pão quando estiver para ser partido, e em todas as coisas cuidar do corpo de Cristo". Esse ensinamento estabeleceu a congregação local como uma "comunidade interpretativa, em que as Escrituras devem ser lidas e explicadas" – e vividas.[105] A eclesiologia revolucionária do reino münsterita, que presumia abraçar toda a população da cidade, foi uma singular exceção à organização anabatista da igreja.[106]

A disciplina desses cristãos verdadeiros compunha uma parte importante da vida da comunidade. Aqueles que "se entregaram ao Senhor, andam em seus mandamentos e são batizados no corpo de Cristo e são chamados irmãos ou irmãs" devem ser duas vezes advertidos em segredo se forem inadvertidamente vencidos pelo pecado. Se não se arrependerem, devem ser abertamente disciplinados e, então, banidos de acordo com o mandamento de Cristo em Mateus 18. Isso deve ser feito "para que possamos partir e comer um pão com uma só mente e em um só amor".[107]

O *Registro da fé* (1528), de Baltazar Hubmaier, contemporâneo de Sattler, também enfatizou a disciplina no âmago da vida congregacional. Sem usar os termos "visível" e "invisível", ele distinguiu "todos os que estão reunidos e unidos em um só Deus, um só Senhor, uma só fé, um só batismo e confessam esta fé, [...] a igreja cristã corporativa universal e a comunidade de santos reunidos somente no Espírito de Deus" do "grupo, ajuntamento ou paróquia particular e exterior, que pertence a um pastor ou bispo, que se reúne corporativamente para o ensino, o batismo e a ceia". Ambos são chamados para manter e exonerar pecados, todavia, a igreja particular pode errar, como ocorreu com a igreja papal. A confissão verbal de que Jesus é o Cristo é o fundamento da igreja. Na comunidade dos cristãos, todos

---

[105] Werner O. Packull, "An Introduction to Anabaptist Theology". In: David Bagchi e David C. Steinmetz (ed.). *The Cambridge Companion to Reformation Theology*. Cambridge: Cambridge University Press, 2004, p. 196.
[106] James M. Stayer, *Anabaptists and the Sword*. Lawrence: Coronado, 1967; Williams, *Radical Reformation*, p. 553-588.
[107] Mark Noll (ed.). *Confessions and Catechisms of the Reformation*. Grand Rapids: Baker, 1991, p. 52-54.

devem exercer "o poder da correção fraterna", admoestando os irmãos que caíram no pecado.[108] Aqueles que se recusam a se arrepender devem ser excluídos, cortados da comunidade, e os cristãos não devem ter nenhuma associação com aqueles que são contra reconciliar-se com a igreja ou renunciar ao pecado. Nesse sentido, aqueles que se arrependem devem ser alegremente recebidos de volta à comunhão.[109] Aqueles que permanecem fiéis consideram seu batismo com água como a confirmação de sua fé dada pela igreja, e esta tem a obrigação de chamar os cristãos ao arrependimento quando os votos de fé são quebrados.[110]

Outra expressão da ênfase em afastar a igreja da sociedade, especialmente dos governos seculares, pois tal associação corromperia os cristãos (embora Deus tenha ordenado tal poder coercitivo para preservar o pecaminoso mundo), é encontrada na obra de Pedro Riedemann, que sintetizou a teologia dos huteritas. Ele compôs um argumento e um programa rígidos e incisivos com a finalidade de separar os membros da igreja das influências perversas da sociedade e ajudar sua prática da vida cristã devota.[111]

Em sua maior parte, os anabatistas não formaram organizações eclesiásticas maiores facilmente, embora huteritas e menonitas, por exemplo, tenham formado comunidades ligando as pessoas com modo de pensar semelhante que mantiveram substancial quantidade de membros ao longo dos séculos.

CONCLUSÃO

Embora os reformadores do século XVI diferissem em questões eclesiológicas significativas, todos concordaram que a Palavra de Deus estava no centro da vida da igreja, determinando sua natureza e prescrevendo suas atividades. Concordaram com o significado dos sacramentos, embora tivessem entendimentos radicalmente diferentes da relação do batismo e da Ceia do Senhor com a fé dos cristãos e a Palavra de Deus. Suas diferenças com relação à política levaram a debates acentuados, e consideraram a relação entre a igreja e a sociedade, particularmente o governo secular, de maneiras consideravelmente divergentes, de modo especial no que se refere à assistência da igreja à matéria em questões como a disciplina. No entanto, todos eles definiram a natureza da igreja como a assembleia de cristãos que escutam a Cristo e confiam nele, vivendo em obediência a seu plano para a vida

---

[108] Baltazar Hubmaier, *Schriften*, editado por Gunnar Westin e Torsten Bergsten. Gütersloh: Mohn, 1962, p. 478,479; cf. Denis Janz (trad.). *Three Reformation Catechisms: Catholic, Anabaptist, Lutheran*, Texts and Studies in Religion 13. Nova York: Mellen, 1982, p. 151–156.
[109] Hubmaier, *Schriften*, p. 485,486.
[110] Ibid., p. 315,316.
[111] Andrea Chudaska, *Peter Riedemann: Konfessionsbildendes Täufertum im 16. Jahrhundert*. Gütersloh: Gütersloher Verlagshaus, 2003, p. 273-330.

humana. Todos professavam que a Palavra de Deus governava a comunidade dos fiéis a Cristo. Essas convicções governaram as reações protestantes contra a definição medieval da igreja em termos de ritual, centrada na missa, e em termos de hierarquia, governada pelo papa e por bispos leais a ele. A partir dessa crítica da crença e da prática medievais e da convicção complementar da centralidade da proclamação do evangelho de Cristo surgiram as doutrinas da igreja que moldaram as percepções modernas da igreja e da vida cristã.

FONTES PARA ESTUDO ADICIONAL

Fontes Primárias

BRAY, Gerald L. (ed.). *Documents of the English Reformation* [Documentos da Reforma inglesa]. Cambridge: Clarke, 1994.

BROMILEY, G. W. (ed.). *Zwingli and Bullinger: Selected Translations with Introductions and Notes* [Zuínglio e Bullinger: Traduções selecionadas, com introduções e notas]. Library of Christian Classics 24. Londres: SCM, 1953.

CHEMNITZ, Martin. *Examination of the Council of Trent, Part I* [Exame do Concílio de Trento, Parte I]. St. Louis: Concordia, 1971.

CUMMINGS, Brian (ed.). *The Book of Common Prayer, The Texts of 1549, 1559, and 1562* [O Livro de Oração Comum, os textos de 1549, 1559 e 1562]. Oxford: Oxford University Press, 2011.

HUBMAIER, Baltazar. *Schriften*. Editado por Gunnar Westin e Torsten Bergsten. Gütersloh: Mohn, 1962.

JANS, Denis (trad.). *Three Reformation Catechisms: Catholic, Anabaptist, Lutheran* [Três catecismos da Reforma: Católico, anabatista, luterano]. Texts and Studies in Religion 13. Nova York: Mellen, 1982.

MELANCHTHON, Philip. *Loci theologici*. St. Louis: Concordia, 1989.

NOLL, Mark A. (ed.). *Confessions and Catechisms of the Reformation* [Confissões e catecismos da Reforma]. Grand Rapids: Baker, 1991.

Fontes Secundárias

AVIS, Paul. *Anglicanism and the Christian Church: Theological Resources in Historical Perspective* [Anglicanismo e a igreja cristã: Fontes teológicas em perspectiva histórica]. 2. ed. Nova York: T&T Clark, 2002.

BAGCHI, David V. N. *Luther's Earliest Opponents: Catholic Controversialists, 1518–1525* [Os primeiros oponentes de Lutero: Controversistas católicos, 1518–1525]. Minneapolis: Fortress, 1991.

BERNARD, G. W. *The King's Reformation: Henry VIII and the Remaking of the English Church* [A Reforma do rei: Henrique VIII e a recriação da igreja inglesa]. New Haven: Yale University Press, 2005.

BLACK, Antony. *Council and Commune: The Conciliar Movement and the Fifteenth-Century Heritage* [Concílio e comunidade: o movimento conciliar e a herança do século XV]. Londres: Burns & Oates, 1979.

BOLLINGER, Dennis E. *First-Generation Anabaptist Ecclesiology, 1525–1561: A Study of Swiss, German, and Dutch Sources* [A primeira geração da eclesiologia anabatista, 1525–1561: um estudo de fontes suíças, alemãs e holandesas]. Lewiston: Mellen, 2008.

COLLINSON, Patrick. *The Religion of Protestants: The Church in English Society, 1559–1625* [A religião dos protestantes: a igreja na sociedade inglesa, 1559–1625]. Oxford: Clarendon, 1982.

DANIEL, David P. "Luther on the Church" [Lutero sobre a igreja]. Em *The Oxford Handbook of Martin Luther's Theology* [O manual Oxford sobre a teologia de Martinho Lutero], editado por Robert Kolb, Irene Dingel e L'ubomír Batka, p. 333–352. Oxford: Oxford University Press, 2014.

ESTES, James M. *Peace, Order, and the Glory of God: Secular Authority and the Church in the Thought of Luther and Melanchthon, 1518–1559* [Paz, ordem e a glória de Deus: Autoridade secular e a igreja no pensamento de Lutero e de Melanchthon, 1518–1559]. Studies in Medieval and Reformation Traditions 111. Leiden: Brill, 2005.

FOXGROVER, David (ed.). *Calvin and the Church: Papers Presented at the 13th Colloquium of the Calvin Studies Society, May 24–26, 2001* [Calvino e a igreja: Trabalhos apresentados no 13°. Colóquio da Sociedade de Estudos sobre Calvino, 24 a 26 de maio de 2001]. Grand Rapids: CRC, 2002.

GAMBLE, Richard C. (ed.). *Calvin's Ecclesiology: Sacraments and Deacons* [Eclesiologia de Calvino: Sacramentos e diáconos]. Vol. 10 de *Articles on Calvin and Calvinism* [Artigos sobre Calvino e calvinismo]. Nova York: Garland, 1992.

HENDRIX, Scott H. *Ecclesia in Via. Ecclesiological Developments in the Medieval Psalms Exegesis and the* Dictata super Psalterium *(1513–1515) of Martin Luther* [Igreja no caminho. Desenvolvimentos eclesiológicos na exegese medieval dos salmos e no *Dictata super Psalterium* (1513–1515), de Martinho Lutero]. Londres: Brill, 1974.

——. *Luther and the Papacy: Stages in a Reformation Conflict* [Lutero e o papado: estágios em um conflito da Reforma]. Filadélfia: Fortress, 1981.

KINGDON, Robert M. *Geneva and the Consolidation of the French Protestant Movement, 1564–1572* [Genebra e a consolidação do movimento protestante francês, 1564–1572]. Madison: University of Wisconsin Press, 1967.

KIRBY, W. J. Torrance. *The Zurich Connection and Tudor Political Theology* [A conexão Zurique e a teologia política Tudor]. Studies in the History of Christian Traditions 131. Leiden: Brill, 2007.

KOLB, Robert. "Luther on Peasants and Princes" [Lutero sobre camponeses e príncipes]. *Lutheran Quarterly* 23, n. 2, 2009, p. 125–146.

——. "Ministry in Martin Luther and the Lutheran Confessions" [Ministério em Martinho Lutero e nas confissões luteranas]. In: Todd Nichol e Marc Kolden (eds.). *Called and Ordained: Lutheran Perspectives on the Office of the Ministry* [Chamado e ordenado: perspectivas luteranas sobre o ofício do ministro], p. 49–66. Minneapolis: Fortress, 1990.

LATHROP, Gordon W. e WENGERT, Timothy J. *Christian Assembly: Marks of the Church in a Pluralistic* Age [Assembleia cristã: Marcas da igreja numa era pluralista]. Minneapolis: Fortress, 2004.

LINDBERG, Carter. "Piety, Prayer, and Worship in Luther's View of Daily Life" [Piedade, oração e adoração na visão de Lutero a respeito da vida diária]. In: Robert Kolb, Irene Dingel e L'ubomír Batka (eds.). *The Oxford Handbook of Martin Luther's Theology* [O manual Oxford sobre a teologia de Martinho Lutero], p. 414–426. Oxford: Oxford University Press, 2014.

PROCTER, Francis e FRERE, Walter Howard. *A New History of the* Book of Common Prayer [Uma nova história do *Livro de Oração Comum*]. Londres: Macmillan, 1949.

SOLT, Leo F. *Church and State in Early Modern England, 1509–1640* [Igreja e Estado no início da moderna Inglaterra, 1509–1640]. Nova York: Oxford University Press, 1990.

SPINKA, Matthew. *John Hus' Concept of the Church* [O conceito de João Huss sobre a igreja]. Princeton: Princeton University Press, 1966.

STADTWALD, Kurt. *Roman Popes and German Patriots: Antipapalism in the Politics of the German Humanist Movement from Gregor Heimburg to Martin Luther* [Papas romanos e patriotas alemães: Antipapismo nas políticas do movimento humanista alemão, de Gregório Heimburg a Martinho Lutero]. Genebra: Droz, 1996.

THOMPSON, W. D. J. Cargill. *The Political Thought of Martin Luther* [O pensamento político de Martinho Lutero]. Sussex: Harvester, 1984.

VAJTA, Vilmos. *Luther on Worship: An Interpretation* [Lutero a respeito de adoração: uma interpretação]. Filadélfia: Muhlenberg, 1958.

VANDRUNEN, David. *Natural Law and the Two Kingdoms: A Study in the Development of Reformed Social Thought* [Lei natural e os dois reinos: um estudo sobre o desenvolvimento do pensamento social reformado]. Grand Rapids: Eerdmans, 2010.

WALTON, Robert C. *Zwingli's Theocracy* [A teocracia de Zuínglio]. Toronto: University of Toronto Press, 1967.

WOLGAST, Eike. "Luther's Treatment of Political and Societal Life" [O tratamento dado por Lutero à vida política e em sociedade]. In: Robert Kolb, Irene Dingel e L'ubomír Batka (eds.). *The Oxford Handbook of Martin Luther's Theology* [O manual Oxford sobre a teologia de Martinho Lutero], 397–413. Oxford: Oxford University Press, 2014.

Capítulo 17
BATISMO

Aaron Clay Denlinger

RESUMO

Este capítulo explora as diferenças acerca do batismo – sua natureza, sua eficácia e quem deveria adequadamente recebê-lo – as quais vieram a definir as diferenças identitárias entre católicos romanos, protestantes e anabatistas no período da Reforma. Primeiramente, dá-se atenção a Martinho Lutero e a Ulrico Zuínglio, reformadores da primeira geração que criticaram de modo semelhante a compreensão particular de Roma sobre a eficácia batismal, mas expressaram entendimentos muito diferentes a respeito do sacramento. Enquanto Lutero sustentava que o batismo é principalmente uma palavra divina de promessa que, juntamente com a fé, comunica as realidades espirituais que ele representa, Zuínglio reconheceu o batismo como sendo principalmente uma palavra humana de compromisso que significa de modo estrito os benefícios salvíficos da obra de Cristo. Veremos a seguir a insistência dos anabatistas de que o batismo fosse administrado apenas a indivíduos maduros que professassem sua intenção de seguir a Cristo, bem como as respectivas respostas de Lutero e Zuínglio a esse ensino. Em seguida, estudaremos os esforços de reformadores da segunda geração (como João Calvino e Heinrich Bullinger) para alcançar um consenso protestante sobre o batismo e para conter a maré do anabatismo. Apesar das semelhanças entre os argumentos desses pensadores reformados a favor do pedobatismo (isto é, o batismo infantil), persistia uma discordância fundamental entre Calvino, que, como Lutero, reconhecia o batismo como um instrumento das realidades que ele representava, e Bullinger, que sustentava que o batismo expressava e selava as promessas salvadoras de Deus aos cristãos sem lhes comunicar realidades de salvação. A seção final deste capítulo explora as declarações confessionais do início da era moderna que esclareceram várias perspectivas batismais e o consolidado desacordo entre as identidades católica romana, luterana, reformada e batista no que diz respeito ao sacramento.

INTRODUÇÃO

Poucos temas suscitaram tanta controvérsia no século XVI quanto os sacramentos. Desacordo quanto à sua quantidade, eficácia e quem deveria recebê-los figurou criticamente no surgimento gradual das identidades distintamente protestante, católica romana e radical (anabatista). O desacordo quanto à relação precisa dos sacramentos com as realidades salvíficas que supostamente significavam estendeu-se aos próprios reformadores magistrais e, assim, se mostrou instrumental no desenvolvimento das distintivas identidades protestantes luterana e reformada. A sacramentologia emergiu como o único obstáculo de um protestantismo unificado, para o deleite dos apologistas romanos, que defendiam a unidade como marca da igreja genuína e alegremente espalharam o fracasso dos reformadores em chegar a um consenso sobre uma questão de tamanho significado.

É tarefa deste capítulo e do próximo explorar doutrinas conflitantes sobre os sacramentos na era da Reforma, tratando não apenas das diferentes opiniões protestantes, mas também as perspectivas tridentinas católicas romanas e anabatistas, e também acompanhar os conflitos maiores, bem como as tentativas ocasionalmente bem-sucedidas de aproximação que ocorreram, entre pessoas com diferentes crenças. Como pano de fundo, algumas considerações gerais sobre o ensino sacramental do final da Era Medieval e uma breve consideração sobre as principais características da ressalva inicial de Lutero contra a sacramentologia medieval são preliminarmente apresentadas.

OS SACRAMENTOS NA PERSPECTIVA DO FINAL DA ERA MEDIEVAL

O espaço dedicado aos sacramentos nas *Sentenças*, de Pedro Lombardo (42 das cinquenta distinções no quarto e último livro), indica quão significativa se tornara a teologia sacramental para os teólogos ocidentais em meados do século XII.[1] Lombardo definiu um sacramento como "um sinal da graça [*gratia*] de Deus e uma forma de graça invisível"; isto é, um ritual que "carrega [a] imagem" da graça e "é sua causa".[2] Com essa definição, Lombardo identificou duas características constitutivas de um sacramento: primeira, um sacramento anuncia certa graça; segunda, ele comunica a graça que anuncia.

Os teólogos medievais subsequentes discutiram sobre a natureza precisa da relação entre a causa sacramental (ritual) e o efeito (graça), mas foram unânimes em afirmar o duplo caráter de um *sacramentum* como símbolo e, de uma forma ou de outra, fonte de graça salvadora. "Um sacramento", escreveu Duns Escoto, "é um sinal sensível, ordenado para a salvação do ser humano itinerante, *representando eficazmente*, por instituição divina, a graça de Deus".[3] Da mesma forma, Tomás de

---

[1] Pedro Lombardo, *The Sentences*. Mediaeval Sources in Translation, p. 42, 43, 45, 48. Toronto: Pontifical Institute of Mediaeval Studies, 2007–2010. As oito distinções finais do livro 4, à guisa de comparação, tratam da ressurreição e do julgamento final.
[2] Lombardo, *The Sentences, Book 4: On the Doctrine of Signs*, 1.4.2.
[3] João Duns Escoto, *Ordinatio* 4.1.2n9, citado em Richard Cross, *Duns Scotus, Great Medieval Thinkers*. Nova York: Oxford University Press, 1999, p. 136. Grifos nossos.

Aquino definiu "um sacramento" como "o sinal de uma coisa sagrada [*res sacra*]" ou "um sinal de graça" que "torna os homens santos" por servir como "uma causa instrumental da graça".[4]

Os teólogos medievais também concordaram, lembrando os escritos de Agostinho contra os donatistas, que os sacramentos comunicam a graça em virtude de sua promulgação como tal (*ex opere operato*), em oposição a qualquer virtude do sacerdote que os administre ou de quem os recebe (*ex opere operantis*). Contudo, eles especificaram esse ponto ao reconhecer que quem recebe um sacramento deve possuir, pelo menos, nas palavras de Tomás, a "intenção de receber o sacramento" para receber graça dele.[5] Ou seja, quem recebe um sacramento não pode, de acordo com a visão medieval, torná-lo eficaz pela fé pessoal ou por qualquer outra virtude, mas pode tornar o sacramento *in*eficaz por falta de intenção real de recebê-lo.

Lombardo identificou sete rituais que cumprem os critérios para o *status* sacramental: batismo, confirmação, eucaristia, penitência, extrema-unção, ordenação e casamento. A desproporcional atenção que dava especificamente à penitência e ao casamento em suas *Sentenças* refletia a necessidade que sentia de reforçar as credenciais sacramentais desses ritos particulares em seu tempo.[6] Somente o batismo e a eucaristia foram universalmente reconhecidos como sacramentos desde os primeiros dias da reflexão teológica dos pais da Igreja da Tradição Latina, e alguns rituais além dos sete de Lombardo haviam sido considerados candidatos à posição sacramental nos séculos anteriores. No entanto, no século XII a lista de Lombardo se tornou definitiva. Tomás apresentou uma variedade de argumentos em defesa do reconhecimento da lista exata de Lombardo, e seu argumento mais convincente, se implícito, foi reconhecer, fazendo fronteira com a definição posterior de um sacramento como tal, que os sacramentos corretos "são instituídos pelo próprio Cristo", quer conheçamos isso a partir da Escritura quer da tradição extrabíblica.[7]

Esses aspectos básicos do ensino sacramental do final do período medieval foram sancionados pelo Concílio de Trento em março de 1547. Em sua sétima sessão, afirmou-se que os sacramentos "contêm a graça que eles representam [e] conferem essa graça àqueles que não colocam obstáculo a isso". As pessoas que negavam que "qualquer um dos sete" sacramentos tivesse sido "instituído por Jesus Cristo" ou que eram "verdadeira e adequadamente sacramento" foram anatematizadas.[8]

---

[4] Tomás de Aquino, *Summa Theologiae* 3a.60.2, 4 [*Suma Teológica* (9 vols.). São Paulo: Edições Loyola, 2001–2006].
[5] Ibid., 3a.68.7. Veja também 3a.68.8.
[6] Veja Thomas M. Finn, "The Sacramental World in the Sentences of Peter Lombard", *Theological Studies* 69, 2008, p. 557–582.
[7] Aquino, *Summa Theologiae* 3a.64.2; veja também 3a.65.1.
[8] *CCFCT* 2:840.

ATAQUE DE LUTERO À SACRAMENTOLOGIA MEDIEVAL

No final de 1520, Martinho Lutero, em grande parte já resignado a sua iminente excomunhão, lançou um ataque em grande escala ao ensino sacramental medieval em *Do cativeiro babilônico da igreja*.[9] A polêmica de Lutero baseava-se em uma redefinição do próprio termo *sacramentum*, que, por sua vez, baseava-se nas convicções relativas à autoridade e ao conteúdo da Sagrada Escritura que recentemente atingiram a maturidade em seu pensamento.

"Tudo na Escritura", Lutero observa, "é um mandamento ou uma promessa".[10] Os mandamentos divinos servem para fazer com que os pecadores tomem consciência de duas coisas: seu fracasso em cumprir o padrão justo de Deus e sua incapacidade de reparar as próprias transgressões. As promessas divinas direcionam aos pecadores à morte sacrificial de Cristo e à sua ressurreição em prol deles, estendendo-lhes o perdão e a vida eterna com base na obra de Cristo. A resposta adequada à oferta de Deus de perdão gratuito, por parte dos pecadores, é a fé de que Deus genuinamente entrega o que promete. A fé "une a alma com Cristo como uma noiva é unida a seu noivo". Essa união serve como base para o feliz intercâmbio que a alma faz de seus "pecados, de sua morte e de sua condenação" para a "justiça, a vida e a salvação" de Cristo.[11] Uma vez que a fé serve como meio instrumental de justificação "toda a Escritura se preocupa em provocar-nos à fé".[12] Entretanto, as promessas de Deus desempenham um papel peculiar na obtenção da fé por parte daqueles que necessitam de reconciliação com Deus.

Referindo-se ao papel que, desse modo, os mandamentos e as promessas desempenham no processo de salvação, Lutero atribuiu "o nome de sacramento às promessas que têm sinais ligados a elas", diferenciando-as assim das "promessas simples".[13] São nebulosas as definições medievais de *sacramentum* como sinal e causa da "graça" (*gratia*) ou uma "coisa" (*res*) santa em comparação com a definição de Lutero, para quem o sinal deve apontar especificamente para a *promissio* de perdão de Deus, ou mais precisamente para a obra de Cristo (sua morte e ressurreição) e a incorporação de um pecador em Cristo e sua obra pela qual a *promissio* se realiza.[14] Os sinais que se qualificam como sacramentos, além disso, devem ter sido instituídos pessoalmente por Cristo como registram as Escrituras.[15]

---

[9] Martinho Lutero, *The Babylonian Captivity of the Church*, LW 36:3–126 [*Do cativeiro babilônico da Igreja*. In: *Martinho Lutero Obras selecionadas, Volume 2: O programa da Reforma. Escritos em 1520*. Comissão Interluterana de Literatura. São Leopoldo: Editora Sinodal; Porto Alegre: Editora Concórdia, s/d., p. 341–424].

[10] Ibid., *LW* 36:124.

[11] Martinho Lutero, *The Freedom of a Christian*, LW 31:351,352 [*Tratado de Martinho Lutero sobre a liberdade cristã*, em *Martinho Lutero Obras selecionadas, Volume 2*].

[12] Lutero, *Babylonian Captivity*, LW 36:124.

[13] Ibid., *LW* 36:124.

[14] Ibid.

[15] Ibid., *LW* 36:118.

Brandindo essa definição, Lutero simplificou o catálogo medieval de sacramentos. Os rituais de confirmação e de ordenação falham no teste sacramental porque lhes falta o ingrediente de uma promessa divina de perdão.[16] O casamento e a confissão privada (um elemento de penitência) são práticas boas e apropriadas como tais, mas não incluem o ingrediente de ser um sinal necessário para um sacramento.[17] A extrema-unção – isto é, a unção com óleo descrita em Tiago 5, que a igreja tinha, muito "em detrimento de todos os outros doentes", cada vez mais "administrado a ninguém, a não ser aos moribundos" – não foi pessoalmente instituída por Cristo.[18]

A redefinição de Lutero de um sacramento como uma "promessa de perdão" acompanhada por um "sinal divinamente instituído" também teve profundas implicações sobre seu entendimento dos ritos que ele reconheceu como sacramentos genuínos: o batismo e a Ceia do Senhor. Seu ensinamento exigia que os sinais instituídos fossem acompanhados por uma declaração clara e compreensível das promessas que eles encarnavam. Exigiu também uma restrição crítica da doutrina medieval da eficácia sacramental *ex opere operato*. Assim como "toda a Escritura" geralmente se preocupa em "provocar-nos à fé", "os sacramentos" foram peculiarmente "instituídos para alimentar a fé". De fato, "toda a eficácia deles [...] consiste em fé".[19] Lutero rejeitou, assim, a noção de que os sacramentos poderiam comunicar graça salvífica independentemente da fé, bastando uma simples intenção de receber o sacramento. Um sacramento permanece *válido* – isto é, continua a ser uma promessa legítima – mesmo quando encontra incredulidade por parte de quem o recebe, mas, ao mesmo tempo, permanece inteiramente *ineficaz*. Onde "a fé está inconfundivelmente presente", no entanto, os sacramentos "certa e eficazmente infundem graça".[20]

O modo como Lutero tratou os sacramentos produziu implicações adicionais e mais específicas para a doutrina do batismo e da eucaristia, respectivamente. Passemos agora à consideração do primeiro desses sacramentos no pensamento da Reforma. As várias teologias do batismo na era da Reforma serão estudadas em quatro etapas. Primeiramente, pelo exame do ensinamento dos reformadores magistrais da primeira geração, observando especificamente pontos de concordância e de divergência nas doutrinas de Lutero e de Ulrico Zuínglio. Em segundo lugar, considerando o surgimento de ensinamentos radicais (anabatistas) sobre o batismo e a

---

[16] Ibid., *LW* 36:91, 106,107.
[17] Ibid., *LW* 36:92, 124. Note que Lutero, anteriormente nessa obra, havia incluído a penitência entre os verdadeiros sacramentos; veja *LW* 36:18, 81–90.
[18] Ibid., *LW* 36:117–119, citação em 119.
[19] Ibid., *LW* 36:124, 61, 65.
[20] Ibid., *LW* 36:67.

resposta dos reformadores magistrais às questões que eles levantaram. Na terceira etapa, pelo exame das tentativas dos reformadores de segunda geração para lidar com as diferenças entre os reformadores de primeira geração e criar um consenso protestante sobre o sacramento do batismo. Por fim, examinaremos a consolidação dos pontos de vista batismais que ocorreram no processo de confessionalização peculiar aos últimos anos da Reforma.

O ENSINO DO BATISMO NO INÍCIO DA REFORMA

MARTINHO LUTERO

"A *primeira* coisa a ser considerada sobre o batismo é a promessa divina".[21] Assim, em *Do cativeiro babilônico*, Lutero trouxe sua compreensão a respeito dos sacramentos como "promessas que têm sinais ligados a elas" para apoiar a doutrina do batismo. Com o tempo, ele definiria o batismo como "água usada de acordo com o mandamento de Deus e conectada com sua palavra", enfatizando a natureza promissória da aplicação ritualística da água aos cristãos e as palavras divinas da instituição estabelecendo a prática (Mateus 28:19).[22] Lutero defendia a imersão total, mesmo para bebês, como o modo correto de batismo com base tanto no significado do termo grego *baptismos* como na correspondência apropriada entre o ritual e seu principal significado.[23] Ele identificou Deus como o agente final desse ritual; quem recebia o batismo deveria "considerar a pessoa que o administra simplesmente como o instrumento vicário de Deus, pelo qual o Senhor sentado no céu o coloca sob a água com as próprias mãos e lhe promete o perdão de seus pecados".[24] Ao reconhecer que Deus era o apropriado agente do batismo, Lutero, seguindo Agostinho, reconheceu a validade dos batismos administrados por pessoas profanas ou mesmo apóstatas ou heréticas.[25]

A promessa incluída no batismo – de modo geral denominada "perdão de pecados" ou "justificação plena e completa" – ganha um realce mais acentuado por considerar-se a dupla importância do ritual, que, unido à palavra promissória, constitui o batismo.[26] O batismo significa, antes de tudo, o "lavar dos pecados", isto é, o perdão divino que torna "verdadeiramente puro, sem pecado e totalmente sem

---

[21] Ibid., *LW* 36:58. Para um estudo completo sobre a posição de Lutero a respeito do batismo, veja Jonathan D. Trigg, *Baptism in the Theology of Martin Luther*. Leiden: Brill, 2001.

[22] *CCFCT* 2:40.

[23] Martinho Lutero, *The Holy Sacrament of Baptism* (1519), *LW* 35:29 [*Um sermão sobre o santo, venerabilíssimo sacramento do batismo* (1519). In: *Obras selecionadas, Volume 1: Os primórdios. Escritos de 1517 a 1519*. Comissão Interluterana de Literatura. São Leopoldo: Editora Sinodal; Porto Alegre: Editora Concórdia, s/d., p. 35–54]; Lutero, *Babylonian Captivity*, *LW* 36:64, 68.

[24] Lutero, *Babylonian Captivity*, *LW* 36:62.

[25] Martinho Lutero, *Concerning Rebaptism* (1528), *LW* 40:250.

[26] Lutero, *Babylonian Captivity*, *LW* 36:58–64 *passim*.

culpa" aqueles que abraçam com fé a promessa incluída no batismo.²⁷ A realidade do pecado e o exercício de seu poder persistem nos cristãos batizados, mas Deus "se compromete a não lhes imputar os pecados que permanecem em sua natureza depois do batismo".²⁸

Em segundo lugar, embora de primeira importância, o batismo significa "um abençoado morrer para o pecado e um ressurgir na graça de Deus, de modo que o velho, concebido e nascido no pecado, encontra-se ali afogado, e um novo homem, nascido na graça, surge".²⁹ As consequências da união com Cristo estendem-se além do mero perdão: "O pecador não precisa tanto ser lavado quanto precisa morrer, a fim de ser totalmente renovado e tornado em nova criatura, e conformado à morte e à ressurreição de Cristo, com quem ele morre e ressuscita por meio do batismo".³⁰ Lutero denominou essa "morte e ressurreição" em e com Cristo de "a nova criação, a regeneração e o nascimento espiritual". Isso não diz respeito apenas ao início, mas a todo o curso da vida cristã: "Enquanto vivermos, estaremos continuamente fazendo aquilo que o batismo representa". De fato, "toda a nossa vida deve ser o batismo e o cumprimento do sinal ou sacramento do batismo, uma vez que fomos libertados de tudo o mais e entregues somente ao batismo, isto é, à morte e ressurreição".³¹

Com base nessa compreensão, Lutero desenvolveu duas críticas fundamentais sobre o ensino acerca do batismo do final da Era Medieval. Ele criticou os escolásticos, primeiro, por reduzir "o poder do batismo a dimensões tão pequenas e mirradas que, embora digam que a graça é realmente infundida por ele, sustentam que depois é jogada fora novamente pelo pecado".³² Os teólogos medievais haviam ensinado que "todo pecado [é] tirado" quando o batismo é recebido, mas que os pecados cometidos após o batismo requerem graça subsequente (sacramental), obtida especialmente pela penitência.³³ Na opinião de Lutero, nenhum pecado, a não ser o da incredulidade final, poderia erradicar a promessa e o efeito duradouros do batismo de alguém, e, portanto, os cristãos deveriam olhar constantemente para seu batismo, mais do que para outros meios de graça, a fim de receber conforto e inspiração para cumprir o morrer e o ressuscitar que o batismo significa.

Em segundo lugar, Lutero culpou os escolásticos por ensinar que o batismo comunica seu próprio significado independentemente da fé. Em sua avaliação, os sacramentos como um todo "mantêm ligado a eles uma palavra de promessa que

---

[27] Ibid., *LW* 36:68; Lutero, *Holy Sacrament*, *LW* 35:32.
[28] Lutero, *Holy Sacrament*, *LW* 35:34.
[29] Ibid., *LW* 35:30.
[30] Lutero, *Babylonian Captivity*, *LW* 36:68.
[31] Ibid., *LW* 36:70.
[32] Ibid., *LW* 36:69.
[33] Aquino, *Summa Theologiae* 3a.69.1.

requer fé, e eles não podem ser cumpridos por nenhuma outra obra"; portanto, em última análise, "devemos tudo à fé e nada aos rituais".³⁴ Somente onde a promessa de Deus e a fé humana "se encontram" o batismo possui "eficácia real e mais certa".³⁵ Lutero criticou diretamente, no tocante a isso, a definição medieval dos sacramentos como "'sinais efetivos' de graça" – "tudo isso é dito em detrimento da fé", que serve, sem necessidade de nada mais, como o instrumento apropriado pelo qual os pecadores se apoderam da graça salvadora de Deus.³⁶

A ênfase de Lutero na necessidade da fé para a compreensão adequada (ou cumprimento) do batismo requer atenção cuidadosa, principalmente por causa de seus comentários que aparentemente atribuíam poder regenerativo ao batismo: "O batismo realmente salva em qualquer maneira que seja administrado"; o batismo "efetua o perdão dos pecados, livra da morte e do diabo e concede a salvação eterna".³⁷ Lutero via os sacramentos como palavras *divinas* de promessas (em vez de palavras ou obras *humanas*), e sua declaração de que "o batismo realmente salva" era meramente uma afirmação de que a palavra de promessa de Deus realmente salva. E isso recebeu uma especificação adicional: falando de modo preciso, é a fé que responde à promessa de Deus no sacramento, o qual fixa aquelas realidades que estão representadas no batismo. Assim, em última instância, "o batismo não justifica nem beneficia ninguém, mas sim a fé na palavra de promessa à qual se acrescenta o batismo".³⁸ E também: "Não é a água que produz esses efeitos, mas a palavra de Deus conectada à água e, também, nossa fé que depende da palavra de Deus conectada à água".³⁹

A virtude batismal, em última instância atribuída à fé na promessa de Deus, estabelece a possibilidade de que o batismo se torne efetivo em algum momento posterior à sua administração, ou mesmo, no caso de alguém que se crê falsamente batizado, inteiramente à parte de sua administração.⁴⁰ No caso de bebês, a quem alguns poderiam reivindicar que "não podem ter a fé do batismo", Lutero sugeriu que "a fé de outros, ou seja, daqueles que os levam ao batismo", torna esses batismos eficazes, apelando por analogia ao "paralítico no Evangelho, que foi curado pela fé de outros" (Marcos 2:3–12). Lutero insinuou, além disso, a possibilidade de que a própria fé, que em última análise é um dom divino, possa ser comunicada aos bebês mediante o batismo, tornando-lhes efetivo o sacramento e deixando--os "mudados, purificados e renovados".⁴¹

---

³⁴ Lutero, *Babylonian Captivity*, LW 36:64,65.
³⁵ Ibid., LW 36:67.
³⁶ Ibid., LW 36:66.
³⁷ Ibid., LW 36:63; CCFCT 2:40.
³⁸ Lutero, *Babylonian Captivity*, LW 36:66.
³⁹ CCFCT 2:41.
⁴⁰ Lutero, *Concerning Rebaptism*, LW 40:246, 260.
⁴¹ Lutero, *Babylonian Captivity*, LW 36:73.

Em anos posteriores, Lutero demonstrou zelo crescente para esclarecer seu entendimento batismal com relação ao ensino anabatista e, assim, deu maior ênfase na *promissio* objetiva no batismo e menos na resposta subjetiva da *fides*. Todavia, as principais características de sua doutrina permaneceram constantes, com a exceção mencionada anteriormente, de sua justificativa para o batismo infantil.

ULRICO ZUÍNGLIO

Em 1525, Ulrico Zuínglio, o Reformador de Zurique, desenvolveu convicções pessoais e um pouco diferentes em relação ao batismo em duas obras: *Comentário sobre a religião verdadeira e a falsa* e *Sobre batismo, rebatismo e batismo infantil*.[42] A teologia batismal de Zuínglio, tal como aparece nessas obras, talvez seja mais facilmente compreendida ao destacarmos dois pontos fundamentais de contraste entre ela e o ensinamento de Lutero.

Primeiro, diferentemente de Lutero, que reconhecia o batismo como uma palavra *divina* de promessa, Zuínglio inicialmente considerava o batismo, isto é, a "imersão em água",[43] como uma palavra *humana* de promessa: "O batismo é um sacramento iniciático pelo qual aqueles que mudarão sua vida e seus caminhos [identificarão] a si mesmos e se inscreverão entre os arrependidos".[44] O reconhecimento do batismo como uma promessa humana de "arrepender-se da velha vida" e de "começar uma nova" seguiu a definição mais ampla de Zuínglio sobre os sacramentos como "sinais ou cerimoniais [...] pelos quais um homem prova à Igreja que quer ser ou é um soldado de Cristo".[45] Na condição de palavra essencialmente humana, o batismo não possibilita propriamente um suporte para a fé salvadora que "olha com firmeza" – e sem a ajuda de rituais – "para a morte de Cristo e encontra repouso ali".[46]

Em segundo lugar, diferentemente da admissão de Lutero de que o batismo, quando recebido em fé como a promessa que é, comunica a "lavagem dos pecados [e o] nascimento espiritual" que representa, Zuínglio afirmou com firmeza que a "imersão nada opera".[47] No entendimento de Zuínglio, embora a noção escolástica de *ex opere operato* atribuísse grosseiramente "poder purificador" à água, a doutrina de Lutero não era muito melhor ao supor que "a coisa significada pelos sacramentos

---

[42] Ulrico Zuínglio, *Commentary on True and False Religion*, ed. Samuel Macauley Jackson e Clarence Nevin Heller (1929; reimpressão, Durham, NC: Labyrinth, 1981). Uma tradução parcial para o inglês de *On Baptism, Rebaptism, and Infant Baptism* pode ser encontrada em *Zwingli and Bullinger: Selected Translations with Introductions and Notes*, ed. G. W. Bromiley, LCC 24 (Filadélfia: Westminster, 1953), 129–175. Para um estudo completo da teologia batismal de Zuínglio, veja W. P. Stephens, *The Theology of Huldrych Zwingli* (Oxford: Clarendon, 1986), 194–217.
[43] Zuínglio, *On Baptism, Rebaptism, and Infant Baptism*, p. 132.
[44] Zuínglio, *True and False Religion*, p. 186.
[45] Ibid., p. 184, 186.
[46] Ibid., p. 182.
[47] Ibid., p. 189.

[é aplicada] imediatamente" à pessoa que recebe o sacramento pela fé.[48] Essa associação muito próxima de *signum* (sinal) e *res significata* (a coisa significada), mesmo quando se assume haver fé na promessa de Deus, só pode servir, Zuínglio acreditava, para substituir a fé pela "reverência supersticiosa da água" e prejudicar "a liberdade do Espírito divino", tornando Deus "absolutamente aprisionado pelos sinais".[49] Zuínglio exortou seus leitores a "deixar os sacramentos serem reais" e não a "descrevê-los como sinais que na verdade são as coisas as quais representam".[50]

Os pontos de vista de Zuínglio acerca do batismo mostraram-se menos rígidos do que os de Lutero, talvez por causa de um maior envolvimento com a doutrina anabatista. Em particular, seu crescente emprego de temas da aliança na defesa específica do pedobatismo prejudicou sua identificação do rito batismal no sentido exclusivo de uma palavra humana. Zuínglio designou o batismo de "o sinal da aliança que Deus estabeleceu conosco por meio de seu Filho", e viu refletido nesse sinal a iniciativa divina apropriada para a aliança. Ele assim reconhecia cada vez mais que o batismo era, pelo menos em certo nível, uma palavra *divina* de promessa, um ritual que simboliza, sem jamais efetuar ou comunicar, benefícios espirituais que Deus concede na salvação.[51] A partir disso, veio a crescente admissão de que o batismo poderia pelo menos reforçar a fé dos cristãos, um desenvolvimento refletido na vontade de Zuínglio de subscrever em Marburgo (1529) a declaração de que o batismo é "sinal e obra de Deus pela qual nossa fé cresce".[52]

Em Marburgo, Lutero e Zuínglio expressaram concordância notável acerca do batismo, apesar das diferenças muito reais que persistiram entre eles. Em parte, esse acordo pode refletir a simples verdade de que a concordância em qualquer frente é mais fácil quando duas partes enfrentam um adversário comum. Em 1529, os reformadores magistrais possuíam um inimigo comum na questão do batismo, a saber, aqueles tipicamente rotulados de anabatistas.

O ENSINO ANABATISTA E A RESPOSTA DOS REFORMADORES

As perguntas sobre a legitimidade do batismo infantil, estimuladas pelo menos em parte pelo ímpeto da Reforma em testar as crenças e práticas tradicionais à luz da Escritura, surgiram no início da década de 1520, tanto na Saxônia, de Lutero, como em Zurique, de Zuínglio. Na Saxônia, a longa prática do pedobatismo foi criticada por Tomás Müntzer e André Karlstadt, Profetas de Zwickau. Em Zurique, pessoas que vieram a ser conhecidas como "irmãos suíços" se separaram de Zuínglio

---

[48] Ibid., 182,183.
[49] Ibid.
[50] Zuínglio, *On Baptism, Rebaptism, and Infant Baptism*, p. 131.
[51] Stephens, *Theology of Zwingli*, p. 206, 215.
[52] CCFCT 2:794.

por causa da adequação do pedobatismo, apesar de o próprio Zuínglio não ter, por algum tempo, uma posição definida sobre a questão no início de 1520.[53]

George Huntston Williams observou: "Existe [de fato] uma grande lacuna entre o antipedobatismo e o anabatismo", isto é, o efetivo *re*batismo das pessoas batizadas na infância.[54] Tendo isso em vista, devemos ter cuidado para não rotular os primeiros críticos do batismo infantil como anabatistas propriamente ditos. Com certeza, eles tentaram manter o batismo de crianças em seu âmbito eclesiástico, tendo-se convencido de que o sacramento pertencia somente a pessoas que se comprometeram com Cristo e sua igreja por escolha *própria* e instruída. Entretanto, não declararam imediatamente inválido o batismo que eles próprios e outros receberam quando crianças, tampouco procuraram receber ou administrar um segundo (válido) batismo.

A "lacuna entre antipedobatismo e anabatismo" foi estabelecida em Zurique, em 21 de janeiro de 1525, quando o leigo Conrado Grebel rebatizou por aspersão o ex-padre George Blaurock na casa de Félix Mantz. Os três homens se tornaram líderes do movimento anabatista suíço; os três foram encarcerados por sua doutrina, e Mantz foi executado por autoridades da cidade em 1527, inaugurando assim a perseguição generalizada e prolongada aos cristãos anabatistas nos cantões suíços e em outras cidades por parte das autoridades civis protestantes e católicas romanas. Vários fatores denunciaram os maus-tratos sofridos pelos anabatistas, mas foi sua prática de rebatismo deu a justificativa para sua perseguição, tendo em vista que uma antiga lei romana incorporada ao Código Justiniano prescrevia pena de morte para ambos, rebatizador e rebatizado.

À medida que crescia e se espalhava, o movimento anabatista assumia formas divergentes, tornando difícil, senão impossível, identificar convicções firmes sobre a natureza e a eficácia do batismo entre aqueles tradicionalmente chamados de anabatistas.[55] A percepção do rito batismal pelos anabatistas suíços e alemães do sul acompanhava o parecer de Zuínglio em seus escritos de meados de 1520, entendendo o batismo como uma palavra *humana* de testemunho e como compromisso com Deus ou com outros cristãos. Assim, por exemplo, Baltazar Hubmaier, em um catecismo completado um ano antes de ser queimado na fogueira, em Viena, por seu entendimento anabatista, denominou o "batismo em água [um] testemunho exterior e público do batismo interior no Espírito, um compromisso feito a Deus pública e oralmente [...] em que o batizado renuncia a Satanás" e faz um voto à "igreja de aceitar obedientemente a disciplina fraternal dela e de seus membros".[56]

---

[53] Veja Stephens, *Theology of Zwingli*, p. 194,195.
[54] George Huntston Williams, *The Radical Reformation*. Filadélfia: Westminster, 1975, p. 126.
[55] Uma visão geral sobre os pontos de vista radicais a respeito do batismo está em ibid., p. 300–319.
[56] *CCFCT* 2:678,679.

Como indicado nas palavras de Hubmaier, o batismo pode ser considerado "eclesiologicamente constitutivo" por aqueles que enfatizam sua função testemunhal, mas de nenhuma maneira era considerado um veículo de graça salvífica.[57]

Em contrapartida, Miguel Serveto – o mais notório antitrinitário espanhol, executado em Genebra em 1553, cujas opiniões sobre o batismo foram aparentemente forjadas em diálogo com os anabatistas de Estrasburgo no início de 1530 – relegou o aspecto testemunhal do batismo a uma posição insignificante e atribuiu eficácia regenerativa e até mesmo deificante ao sacramento.[58] Serveto defendeu sua doutrina da regeneração batismal recorrendo a textos paralelos no Antigo Testamento, como a purificação do leproso Naamã ao lavar-se no Jordão, e defendeu sua doutrina de deificação batismal citando certos pais da igreja, por exemplo, Clemente de Alexandria, que supostamente ensinou que "sendo batizados, nós somos [...] feitos deuses".[59]

O que esses exemplos díspares de ensino anabatista – e, aliás, em todas as outras áreas de ensino anabatista – tinham em comum era a rejeição do pedobatismo em favor da administração do sacramento a pessoas mais maduras. A doutrina de Hubmaier considerava que aqueles que recebiam o batismo possuíam o nível necessário de desenvolvimento cognitivo e espiritual para prestarem testemunho público e se comprometerem com Deus e com os outros. Serveto, de maneira semelhante, embora não inteiramente óbvia, cria que os bebês careciam da maturidade necessária para se apropriarem dos benefícios regenerativos ou deificantes do batismo e que Jesus Cristo, de qualquer forma, pelo próprio exemplo, havia "estabelecido a idade apropriada para o batismo".[60]

Os reformadores, portanto, dedicaram-se a enfrentar o ensino anabatista com o propósito de defender a prática de batizar os bebês. Lutero, em *Sobre o rebatismo*, de 1528, defendeu o pedobatismo com base em sua instituição divina, a qual ele deduziu a partir de várias linhas de evidência: a antiguidade e o aparente sucesso da prática (inúmeras pessoas batizadas na infância que claramente possuíam o Espírito na idade adulta), a improbabilidade de que a igreja tenha negado o batismo *válido* de seus membros por mais de um milênio (desse modo, efetivamente, fazendo-a não ser a verdadeira igreja) e os textos bíblicos ordenando o batismo sem indicação explícita da idade (Mateus 28:19) ou, de modo positivo, evidenciando a preocupação de Cristo com crianças (18:10).[61] A maior parte do argumento de Lutero, no entanto, foi direcionada para questionar o pressuposto

---

[57] Williams, *Radical Reformation*, 302.
[58] Veja ibid., 311–318.
[59] Miguel Serveto, *Restitutio Christianismi* (1553). Nuremberg: Christoph Gottlieb von Murr, 1790, p. 209–212; veja Williams, *Radical Reformation*, p. 312.
[60] Serveto, *Restitutio*, p. 90, citado em Williams, *Radical Reformation*, p. 313.
[61] Martinho Lutero, *Concerning Rebaptism*, LW 40:254–258.

anabatista de que as crianças não têm fé. Ele colocou em seus oponentes o ônus de apresentarem "um único versículo da Escritura que prove que as crianças não podem crer".[62] Além disso, ele observou que, se a *certeza* quanto à presença da fé era um pré-requisito para administrar ou receber o batismo, nem mesmo os adultos podiam ser batizados.[63]

O embate de Lutero com o anabatismo resultou no desenvolvimento de sua visão doutrinária. Anteriormente, ele abraçara o ensino medieval que justificava o pedobatismo com base na fé daqueles que levavam a criança ao batismo (*fides aliena*). A partir de 1528, ele justificou o pedobatismo, na medida em que exigia justificação à luz de sua instituição divina, com base em uma fé presumida presente na criança batizada (*fides infantium*) ou transmitida a ela. Ambas as posições eram consistentes com sua ênfase na eficácia que a fé confere ao sacramento, embora a última posição fosse indiscutivelmente mais consistente com sua doutrina de justificação unicamente pela fé pessoal.[64]

Zuínglio tratou da questão do pedobatismo mais extensivamente do que Lutero, especialmente para responder aos escritos anabatistas de Hubmaier e de Gaspar Schwenkfeld. Sua primeira defesa do pedobatismo foi gerada por sua percepção pessoal dos sacramentos como palavras humanas de compromisso: "O batismo é a iniciação tanto daqueles que já creram como dos que vão crer".[65] Os bebês são comprometidos a seguir a Cristo antes de qualquer experiência pessoal da fé assim como os que receberam o batismo de João (que Zuínglio se recusava a distinguir do batismo cristão) se comprometeram a seguir a Cristo antes que tivessem qualquer conhecimento específico do Salvador. Quando pressionado para que apresentasse fundamento para batizar crianças, Zuínglio usou, citando Colossenses 2:11,12, a analogia entre a circuncisão e o batismo, observando que a circuncisão testificava uma fé existente em Abraão, mas precedeu a fé real dos filhos deste (cf. Romanos 4:11,12).[66]

Nos escritos posteriores de Zuínglio, sua ênfase na analogia entre a circuncisão e o batismo foi reforçada pela discussão da unidade essencial entre as antigas e as novas alianças. Os cristãos de todas as épocas – ele insistiu – pertencem a uma e a mesma aliança da graça. O batismo é cada vez mais reconhecido como o "sinal" desse pacto divinamente iniciado – e, portanto, uma promessa de perdão para aqueles que cumprem sua obrigação de pacto de crer – mais do que uma palavra humana de testemunho ou compromisso. A singularidade essencial da

---

[62] Ibid., *LW* 40:243.
[63] Ibid., *LW* 40:239–241.
[64] Veja, por exemplo, ibid., *LW* 40:241–245.
[65] Citado em Stephens, *Theology of Zwingli*, p. 196.
[66] Stephens, *Theology of Zwingli*, p. 196.

aliança graciosa de Deus sugere a prática contínua de aplicar o sinal da aliança aos filhos dos membros desta, pois, no batismo, então, os bebês se tornam herdeiros das promessas da aliança de Deus, para serem realizados por uma fé futura. Sua recusa em reconhecer o batismo como, em qualquer sentido, um instrumento ou causa daquilo que ele indica permaneceu intacta ao longo dos escritos de Zuínglio sobre pedobatismo.[67]

ENSINO POSTERIOR DA REFORMA SOBRE O BATISMO

Os reformadores de segunda geração herdaram dois problemas relacionados à doutrina do batismo: primeiro, o desacordo entre seus antecessores quanto à eficácia adequada do batismo, se houvesse; em segundo lugar, a maré crescente do anabatismo, a qual os reformadores da primeira geração não tiveram êxito em estancar. Ao explorar seus esforços para lidar com esses problemas, nosso foco estará sobre aqueles teólogos que, com o tempo, viriam a ser reconhecidos como a tradição reformada protestante, especialmente Heinrich Bullinger e João Calvino. Esses reformadores demonstraram maior interesse do que seus correligionários luteranos tanto na obtenção de um protestantismo unido quanto no desenvolvimento do argumento doutrinário contra o anabatismo (talvez em virtude de uma maior exposição aos anabatistas). Os pensadores luteranos de segunda geração demonstraram, de modo geral, toda intenção de permanecerem acima de tudo leais ao ensino batismal de Lutero.[68]

HEINRICH BULLINGER

Embora inicialmente empenhado em buscar a unidade protestante a respeito dos sacramentos (e, assim, por maior consenso sobre o batismo), Heinrich Bullinger, que sucedeu a Zuínglio como *antistes* (ou chefe da igreja) em Zurique, também se dedicou a defender a reputação muito difamada de seu antecessor mantendo pelo menos algumas de suas distinções sacramentais. Bullinger deu um pequeno passo em direção a seus colegas protestantes ao reconhecer que o batismo era *principalmente* uma palavra divina para os pecadores. Embora os cristãos "pelo batismo professem e testemunhem estar sob a bandeira de Cristo, [seu] capitão", o batismo é principalmente um "testemunho celestial e público [...] pelo qual o Senhor testifica que [ele] nos faz partícipes e herdeiros de toda a sua bondade".[69]

---

[67] Ibid., p. 203–211.
[68] Veja Robert Kolb, "The Lutheran Theology of Baptism". In: Gordon L. Heath e James D. Dvorak (eds.). *Baptism: Historical, Theological, and Pastoral Perspectives*. McMaster Theological Study Series 4. Eugene: Pickwick, 2011, p. 53–75.
[69] Heinrich Bullinger, *The Decades of Henry Bullinger*, editado por Thomas Harding (1849–1852). Grand Rapids: Reformation Heritage Books, 2004, 2:236, p. 316 (de acordo com a nova diagramação).

Como uma palavra de testemunho divino, o batismo, uma "ação santa instituída por Deus [...] pela qual o povo de Deus é mergulhado na água em nome do Senhor", serve a dois propósitos fundamentais. Em primeiro lugar, ele representa simbolicamente realidades salvíficas para a humanidade, isto é, a purificação do pecado, a regeneração e a contínua "mortificação e vivificação dos cristãos".[70] Em segundo lugar, serve para "selar [ou] confirmar" as promessas divinas de perdão e renovação àqueles que creem e, consequentemente, funciona para reforçar a fé humana nas promessas de Deus.

Bullinger mostrou-se menos flexível na questão de saber se o ritual do batismo de alguma maneira provoca as realidades que ele representa. Sua teologia batismal, assim como sua teologia eucarística, foi formada pelo princípio de que *signum* (sinal) e *res significata* (a coisa significada) "conservam suas naturezas distintas, não comunicando propriedades". Os sacramentos, então, não conferem as realidades por eles indicadas, uma verdade evidenciada pelo fato de que "muitos participam do sinal e, no entanto, são excluídos da coisa significada".[71] Em resposta às acusações de que assim ele roubava do batismo qualquer força ou eficácia real, Bullinger respondeu que o batismo era, de acordo com sua doutrina, completamente "eficaz e não sem força", produzindo aquele "efeito e fim" estabelecidos para ele por Deus: a confirmação da fé e a lembrança do dever no batizado.[72]

A defesa que Bullinger faz do pedobatismo, assim como a de Zuínglio, fundamentava-se no reconhecimento da unidade essencial da aliança de Deus com os pecadores ao longo da história da salvação e da correspondência essencial entre o batismo e a circuncisão. Os filhos dos membros da aliança pertencem à aliança em todas as eras; assim, o batismo, tendo sucedido a circuncisão como "um selo" da promessa de Deus de ser o Deus de (e para) seu povo, "é devido a eles".[73]

Bullinger não teve receio de reconhecer que os "filhos de cristãos" trazidos para o batismo "não criam".[74] À medida que o batismo permanece distinto das realidades salvíficas nele representadas, ele é válido, independentemente da presença da fé. O batismo apenas estabelece a posição de um bebê na aliança de Deus e o direito de reivindicar as promessas divinas se ele exercer fé quando amadurecer.[75]

---

[70] Ibid., 2:352, 329.
[71] Ibid., 2:279, 270.
[72] Ibid., 2:314.
[73] Ibid., 2:344. Bullinger desenvolveu esse tema especialmente no livro *De testament seu foedere Dei unico et aeterno*, de 1534, uma obra importante na evolução da teologia de aliança da Reforma. Veja a tradução em inglês, *A Brief Exposition of the One and Eternal Testament or Covenant of God*. In: Charles S. McCoy e J. Wayne Baker, *Fountainhead of Federalism: Heinrich Bullinger and the Covenantal Tradition*. Louisville: Westminster John Knox, 1991, p. 99–138.
[74] Bullinger, *Decades*, 2:323.
[75] Ibid., 2:323.

Martin Bucer e João Calvino

Enquanto Bullinger seguia de perto os passos de Zuínglio em sua teologia do batismo, Calvino – pelo menos de seu tempo em Estrasburgo (1538–1541) em diante – prosseguiu num caminho proclamado especialmente pelo reformador de primeira geração Martin Bucer, que desde cedo tentou manter-se em um terreno intermediário entre Zurique e Wittenberg no que diz respeito aos sacramentos.[76] Em 1536, Bucer havia feito progressos significativos pela unidade do protestantismo ao convencer os reformadores de Wittenberg e os evangélicos do sul da Alemanha (embora não os líderes da igreja de língua alemã de Zurique) a assinarem uma declaração conjunta sobre os sacramentos (a Concórdia de Wittenberg).[77] A seção da Concórdia de Wittenberg sobre o batismo tratava exclusivamente da questão de quem deveria, de modo apropriado, receber o sacramento (talvez assumindo um acordo sobre a *natureza* do batismo à luz da assinatura conjunta dos partidos envolvidos com os Artigos de Marburgo). Ela defendia o pedobatismo com base no fato de que as crianças são suscetíveis à obra regeneradora de Deus e, em virtude dessa obra, possuem pelo menos "inclinações para crer em Cristo e amar a Deus", "inclinações" estas que justificam a afirmação de que "as crianças têm fé".[78] Essa doutrina de *fides infantium* naturalmente era contrária ao ensino de Zuínglio e de Bullinger, mas encontrava expressão na doutrina de Calvino, assim como no esforço mais geral de Bucer para distinguir sem separar totalmente os sinais sacramentais das realidades que eles representam.[79]

A doutrina de Calvino sobre o batismo

"Um sacramento", na definição de Calvino, era "uma palavra visível, ou escultura e imagem dessa graça de Deus, que a palavra ilustra mais plenamente".[80] Assim, na compreensão deste reformador, o batismo é principalmente uma "palavra" de Deus para os pecadores cristãos: Deus "nos promete no batismo e nos mostra por um sinal dado que [...] fomos tirados e libertados [...] da servidão do pecado".[81] Mas, como fez Bullinger (e, presumivelmente, em deferência parcial a Zuínglio), Calvino estava feliz em reconhecer que o batismo poderia servir secundariamente

---

[76] Sobre a doutrina de Bucer com relação ao batismo, veja David F. Wright, *Martin Bucer: Reforming Church and Community*. Cambridge: Cambridge University Press, 1994, p.95–106 (cf. p. 97–100).
[77] Veja o texto com introdução em *CCFCT* 2:796–801.
[78] *CCFCT* 2:801.
[79] A respeito da teologia batismal de Calvino, veja J. V. Fesko, *Word, Water, and Spirit: A Reformed Perspective on Baptism*. Grand Rapids: Reformation Heritage Books, 2010, p. 79–94; e Wim Janse, "The Sacraments". In: Herman J. Selderhuis (ed.). *The Calvin Handbook*. Grand Rapids: Eerdmans, 2009, p. 348–351.
[80] Citado em Fesko, *Word, Water, and Spirit*, p. 80.
[81] Calvino, *Institutas*, 4.15.9.

como palavra humana de testemunho a Deus e à igreja: "O batismo [...] é a marca pela qual nós [...] afirmamos publicamente nossa fé".[82]

Na condição de "imagem" da graça salvífica, o batismo representa, em primeiro lugar, a "purificação" que de fato ocorre quando os cristãos são lavados no "sangue de Cristo" e, assim, são perdoados de seus pecados. À semelhança de Lutero, Calvino enfatizou a contínua garantia de que o batismo dava a esse respeito: "Sempre que caímos, devemos trazer nosso batismo à memória e fortalecer nossa mente com ele, para estarmos sempre seguros e confiantes do perdão dos pecados".[83] O batismo significa, em segundo lugar, o enxerto em Cristo e, sobretudo, a participação na morte e na ressurreição de Cristo, nas quais se fundam os benefícios justificativos e santificadores da obra de Cristo aos fiéis quando, no batismo, "o perdão gratuito dos pecados e a imputação da justiça são, primeiramente, prometidos a nós, e, então, [vem-nos] a graça do Espírito Santo, a fim de nos transformar para a novidade de vida".[84]

Ao examinar a relação entre *signum* e *res significata* na teologia batismal de Calvino e, assim, em que grau o batismo podia ser considerado um veículo de graça salvadora, surgem diferenças com relação à posição de Bullinger. Ambos os reformadores, com certeza, trabalharam para *distinguir* o ritual do batismo daquilo que ele significa, observando nesse processo que os incrédulos que recebem o batismo não possuem nenhuma das realidades salvadoras significadas por ele. Mas Calvino mostrou-se de igual modo preocupado em não *separar* completamente o batismo das realidades que ele representa e, por isso, estava inclinado a, dadas certas condições, reconhecê-lo como um instrumento dessas realidades. Para Calvino, preservar uma união real (sacramental) entre *signum* e *res significata* era uma questão de manter a integridade de Deus: "[Deus] purifica os pecados [...] tão verdadeira e certamente como vemos nosso corpo exteriormente lavado, submerso e cercado de água. [...] Ele não alimenta nossos olhos com uma mera aparência, mas nos conduz à realidade presente e eficazmente efetua o que simboliza".[85]

Esse vínculo mais forte entre o signo sacramental e as coisas significadas na doutrina de Calvino (em relação à proposta de Bullinger) produz afirmações que, como foi observado no tocante a declarações semelhantes de Lutero, podem parecer equivalentes a uma doutrina de regeneração batismal: "Em qualquer tempo em que somos batizados, somos de uma vez lavados e purificados para toda a vida"; "por meio do batismo, Cristo nos faz partícipes em sua morte, para que sejamos enxertados nela".[86] No entanto, como Lutero, Calvino especificou tais afirmações.

---

[82] Ibid., 4.15.13.
[83] Ibid., 4.15.3.
[84] Ibid., 4.15.5.
[85] Ibid., 4.15.14.
[86] Ibid., 4.15.3, 5.

Ele insistiu, por exemplo, em que Deus é o agente apropriado do sacramento do batismo, que "deve ser recebido como da mão do próprio autor". Assim, "é *ele* quem purifica e lava os pecados, e limpa a lembrança deles; [...] é *ele* quem nos torna partícipes em sua morte".[87] Além disso, Calvino observou que, falando de modo correto, não é a água, mas o "sangue de Cristo" (o primeiro relacionado com o último como *signum* à *res significata*) que purifica os batizados. O reconhecimento do "sangue de Cristo" como a "verdadeira e única ablução"[88] na qual os cristãos são lavados de maneira salvífica deve, na opinião de Calvino, servir para impedir opiniões supersticiosas ou idólatras a respeito da água batismal.

Calvino também se esforçou consideravelmente para realçar a indispensabilidade da verdadeira fé na recepção de qualquer benefício real do batismo: "Não é minha intenção minimizar a eficácia do batismo por não unir realidade e verdade ao signo, na medida em que Deus trabalha mediante meios exteriores. Mas, desse sacramento, como de todos os outros, obtemos apenas tanto quanto recebemos pela fé". Receber o batismo sem fé, acrescentou Calvino, é um fracasso em crer na promessa especificamente incorporada *no* batismo.[89]

Essa ênfase na necessidade de fé para receber qualquer benefício do rito batismal estabelece a possibilidade de que houvesse um intervalo de tempo entre o recebimento do batismo e das realidades salvíficas significadas neste sacramento.[90] Assim, há aqueles que, ao fim, compreendem a promessa de Deus e exercem a fé salvadora nessa promessa depois de terem sido batizados. Calvino apontou para si e para outros que foram batizados na igreja romana do fim do período medieval a fim de ilustrar essa possibilidade. O batismo – ou seja, a promessa de Deus de "perdão de pecados" – administrado aos que posteriormente romperam com Roma foi de todo válido quando feito, mas "permaneceu por muito tempo enterrado [e] negligenciado", e dele se apropriaram quando nasceu a verdadeira fé na promessa de Deus.[91]

Embora alguns recebam as realidades representadas algum tempo depois do sinal, outros – e aqui talvez surja uma diferença significativa em relação a Lutero – recebem as realidades representadas *antes* de receberem o sinal. Há, em outras palavras, pessoas que creem, obtendo assim todos os benefícios que a fé adequadamente proporciona em algum momento antes do batismo. De acordo com Calvino, esse era o caso de Cornélio, o centurião de Atos 10, que "já havia recebido o perdão dos pecados e as graças visíveis do Espírito Santo" antes de ser batizado.[92] Calvino enfatizou que nenhum "perdão mais amplo dos pecados" é oferecido aos

---

[87] Ibid., 4.15.14. Grifos nossos.
[88] Ibid., 4.15.2.
[89] Ibid., 4.15.14.
[90] Veja ibid., 4.15.15, 17.
[91] Ibid., 4.15.17.
[92] Ibid., 4.15.15.

que são batizados em algum momento posterior à fé; o perdão dos pecados que segue imediatamente a fé na obra consumada de Cristo é perfeito e, assim, impérvio ao aperfeiçoamento. Para essas pessoas, então, o batismo comunica principalmente um "aumento de segurança" com relação ao perdão que já receberam por meio da fé nas promessas de Deus.[93]

Ao responder ao "frenesi de certos espíritos loucos [que] perturbaram gravemente a igreja sobre o batismo infantil", Calvino, assim como Lutero, defendeu a adequação do pedobatismo com base, acima de tudo, na instituição divina dessa prática.[94] "Ao batizar os bebês, estamos obedecendo à vontade do Senhor".[95] Todavia, Calvino manteve-se mais próximo de Zuínglio e de Bullinger ao dar uma justificativa teológica para o pedobatismo. Assim, ele enfatizou a singularidade da graciosa aliança feita com os cristãos em todas as épocas: "Se a aliança [...] permanece firme e imutável, não se aplica hoje menos aos filhos dos cristãos do que [...] pertencia aos filhos dos judeus".[96] E, em conexão com sua insistência na unidade da aliança de Deus com os cristãos de todas as eras, ele enfatizou a correspondência entre a circuncisão e o batismo: "Fora a diferença na cerimônia visível, aquilo que pertence à circuncisão pertence também ao batismo".[97]

Calvino admitiu francamente que, ao contrário dos "homens crescidos", as crianças são iniciadas na aliança de Deus antes de terem qualquer "compreensão [real das] disposições da aliança".[98] A ausência de "entendimento", portanto, não se traduz necessariamente em ausência de fé. Na primeira edição das *Institutas da religião cristã*, Calvino falou com confiança sobre a presença da fé em (alguns) recém-nascidos batizados: "O batismo [...] corretamente se aplica aos bebês, que possuem fé em comum com os adultos".[99] Nas edições posteriores da obra, ele falou com mais circunspecção sobre a "semente" da fé (ou, do mesmo modo, a "pequena faísca [do] conhecimento de Deus") que "está escondida dentro delas por meio da operação secreta do Espírito".[100] Ao mesmo tempo, ele especulava mais livremente em escritos posteriores sobre a regeneração de (alguns) filhos de cristãos na infância: "É perfeitamente claro que aqueles bebês que são salvos (como alguns são certamente salvos desde aquela idade) são previamente regenerados pelo Senhor".[101] Calvino argumentou a favor desse ponto de vista a partir da convicção de que as

---

[93] Ibid.
[94] Ibid., 4.16.1.
[95] Citado em Fesko, *Word, Water, and Spirit*, p. 92.
[96] Calvino, *Institutas*, 4.16.5.
[97] Ibid., 4.16.4.
[98] Ibid., 4.16.24.
[99] Citado em Fesko, *Word, Water, and Spirit*, p. 91.
[100] Calvino, *Institutas*, 4.16.19,20.
[101] O termo "regeneração" em Calvino compreende tanto o que mais tarde os teólogos reformados designavam pelo termo bem como o que normalmente chamavam de "santificação".

pessoas devem ser regeneradas "antes de serem admitidas no reino de Deus" (cf. João 3:5), em conjunto com a afirmação de Cristo de que as crianças de fato foram admitidas nesse reino (Mateus 19:14). Ele descobriu um exemplo bíblico-histórico de regeneração infantil no caso de João, o Batista, que era "cheio do Espírito Santo" ainda no ventre da mãe (Lucas 1:15).[102]

Embate de luteranos e reformados com a doutrina sacramental de Calvino

É necessário, antes de concluir nossa consideração acerca da doutrina de Calvino, ressaltar certa tensão que existia em sua teologia batismal – uma tensão que seus antagonistas luteranos dos anos 1550 facilmente perceberam e exploraram. Calvino, mais do que Bullinger, como antes observado, estava desejoso de manter uma união sacramental entre o ritual do batismo e as realidades salvíficas representadas por esse ritual. Para Calvino, *signum* e *res significata* são *distinctio sed non separatio* (distintos, mas não separados).[103] Consequentemente, ele afirmava que o batismo, em que a fé está presente, comunica as realidades espirituais que ele indica, no entanto, como fica evidente em sua defesa do pedobatismo, Calvino cria que, pelo menos na maioria dos casos, os bebês eleitos, bem como o centurião Cornélio, já haviam recebido as realidades significadas pelo batismo quando foram batizados. Se o perdão dos pecados de que se apropriaram pela (semente de) fé não podia ser ampliado e se a regeneração e o enxerto de uma criança eleita em Cristo ocorreram, pelo menos potencialmente, antes do batismo, parecia não haver sobrado nada para o batismo comunicar aos batizandos além da confirmação daquilo que já lhes pertencia pela fé. Assim, os antagonistas luteranos de Calvino dos anos 1550 o acusaram, assim como acusaram Bullinger (e, por fim, Zuínglio), de reduzir o batismo ao *status* de sinal de graça salvífica e, pelo menos por implicação, negando que fosse um *instrumento* genuíno de graça.[104]

Ao responder aos críticos a esse respeito, Calvino se recusou, por um lado, a desistir de afirmar uma conexão verdadeira (sacramental) entre o batismo e as realidades significadas por ele e, portanto, reservou ao batismo um papel instrumental na comunicação dessas realidades salvíficas. Assim, Calvino insistiu, na ocasião em que defendeu seu ensinamento sacramental contra Joachim Westphal, o luterano de Hamburgo, que "Deus realiza e efetua verdadeiramente pelo batismo o que ele designa", que "é a função característica do batismo nos [enxertar] no corpo de

---

[102] Calvino, *Institutas*, 4.16.17.
[103] Veja Fesko, *Word, Water, and Spirit*, p. 85; Jill Raitt, "Three Inter-Related Principles in Calvin's Unique Doctrine of Infant Baptism", *SCJ* 11, n. 1, 1980, p. 51–62.
[104] Veja especialmente a resposta de Calvino à crítica de Westphal a respeito de sua teologia batismal em Henry Beveridge e Jules Bonnet (ed.). *Selected Works of John Calvin: Tracts and Letters* (1849). Grand Rapids: Baker, 1983, 2:336–245.

Cristo" e que as pessoas (cristãos) "são regeneradas pelo batismo".[105] Por outro lado, Calvino insistiu que não necessariamente o batismo sempre "funciona de modo efetivo no exato momento em que é realizado" (ou, no que diz respeito ao assunto, necessariamente "funciona" onde a fé não está presente). "É errôneo", ele observou, "inferir que o livre curso da graça divina está preso a instantes de tempo". Aparentemente, Calvino não via nada de problemático em afirmar tanto que o batismo representa *e* apresenta (para usar a linguagem sacramental que ele empregou em outro trecho) as realidades por ele significadas e que o faz em algum momento distante, em maior ou menor grau, da recepção real do sacramento.[106] Seus oponentes podem, talvez, ser perdoados por terem pensado que Calvino estava querendo obter o melhor dos dois mundos – em relação à tal doutrina sacramental.

A admissão por parte de Calvino de que as coisas significadas pelo batismo poderiam ser – na verdade, simbolicamente eram – apropriadas em algum momento que não fosse o da ocasião própria do batismo pelo menos tornava sua doutrina mais próxima da que fora exposta por Bullinger. Isso facilitou o acordo que Calvino e Bullinger expressaram formalmente sobre os sacramentos com o Consenso de Zurique, de 1549.[107] O artigo 20 desse documento afirmava que "o benefício que recebemos dos sacramentos não deve ser limitado ao tempo em que são administrados a nós. [...] Pois aqueles que são batizados na primeira infância, Deus os regenera na infância ou no início da adolescência, ou mesmo, às vezes, na velhice".[108] Essa linguagem poderia ser ampliada para acomodar a suposição de Calvino de que a regeneração normalmente precede o batismo infantil e a suposição de Bullinger de que a regeneração (como a fé) segue-se ao batismo infantil.[109]

Em geral, o Consenso de Zurique deixou de atribuir explicitamente aos sinais sacramentais um papel instrumental na comunicação de realidades salvíficas, ainda que insistisse em que "não separamos a verdade dos sinais".[110] A expressão mais próxima do entendimento de Calvino sobre a união sacramental entre *signa* e *res significata* aparece na definição do Consenso de sacramentos como "órgãos [*organa*] pelos quais Deus age de maneira eficaz". Mesmo essa afirmação, no entanto, permanece vaga porque não detalha com exatidão o que Deus "eficazmente" *faz* por meio dos "órgãos" do batismo e da Ceia do Senhor. É válido indagar se

---

[105] Calvino, *Selected Works*, 2:337, 339, 340.

[106] "Deus, sempre que considera adequado, cumpre e exibe com efeito imediato o que ele simboliza no sacramento. Mas nenhuma necessidade deve ser imaginada de modo a impedir que sua graça às vezes preceda o uso do sinal, às vezes o preceda. O Autor da dispensação da [graça] assim ajustou para não separar a virtude de seu Espírito do símbolo sagrado" (Calvino, *Selected Works*, 2:342).

[107] *CCFCT* 2:802–815.

[108] *CCFCT* 2:811.

[109] Isso discutivelmente também sugere que a "regeneração" é, de modo particular, o "benefício" do batismo, o que refletiria mais a posição de Calvino do que a de Bullinger.

[110] *CCFCT* 2:808.

Deus, segundo acreditava Calvino, comunicava "de maneira eficaz" as realidades representadas pelos sacramentos, ou como Bullinger insistia, Deus "eficazmente" confirmava a fé dos cristãos ao ilustrar e selar simbolicamente sua promessa de realidades salvíficas (as quais são devidamente comunicadas à parte dos sacramentos).[111]

Quaisquer que sejam as ambiguidades da sacramentologia articulada no Consenso de Zurique, o documento alcançou seu propósito de conduzir Genebra e Zurique a uma aliança teológica duradoura e, por fim, estabeleceu os limites do ensino "reformado" (em oposição ao católico romano, luterano ou radical) sobre o batismo e a Ceia do Senhor. Os polemistas luteranos enxergaram uma oportunidade na publicação do Consenso (em 1551) para renovar a crítica aos líderes evangélicos de Zurique, que, a seu ver, permaneciam comprometidos com a redução que Zuínglio fez dos dois sacramentos a meros símbolos de realidades salvíficas. Eles também enxergaram uma oportunidade de chamar de "desonestos" os líderes de igrejas de outras cidades que, em tese, estavam comprometidos com a Concórdia de Wittenberg, mas haviam assinado o Consenso, interpretando sua aliança com Zurique e o compromisso com uma declaração que, a seu ver, negava a eficácia salvífica dos sacramentos como uma violação de suas alianças anteriores.

O batismo ocupou uma posição menos importante que a Ceia do Senhor nos renovados conflitos entre pensadores reformados e luteranos nos anos 1550. Nesse período posterior, o ponto central em questão entre os grupos reformado e luterano sobre o batismo era saber se o sacramento realmente servia como um instrumento das realidades as quais significava.[112] Sem negar a ênfase de Lutero na eficácia que a fé confere ao batismo, os luteranos estavam empenhados em deixar claro que o batismo *comunica* as realidades que ele representa e, assim, permanece indispensável à salvação. A insistência de Westphal de que os bebês moribundos *deviam* ser batizados para serem regenerados e ganhar entrada no reino eterno de Deus ilustra bem a postura luterana. A resposta de Calvino de que as pessoas eleitas que morrem na infância são regeneradas e admitidas no reino de Deus, independentemente de terem recebido ou não o batismo, não capta com clareza as nuances de sua teologia batismal *in toto*. Mas os luteranos descobriram nessa resposta a prova de que os pensadores reformados, quando pressionados, dispensavam a necessidade do batismo para a salvação como um princípio geral.[113] A afirmação posterior de Calvino de que os bebês *sobreviventes* eram tipicamente regenerados *antes* do batismo,

---

[111] Veja Paul E. Rorem, "The Consensus Tigurinus (1549): Did Calvin Compromise?". In: Wilhelm H. Neuser (ed.). *Calvinus Sacrae Scripturae Professor: Calvin as Confessor of Holy Scripture; Die Referate Des Congrès Internationel Des Recherches Calviniennes Vom 20. Bis 23. August 1990 in Grand Rapids*. Grand Rapids: Eerdmans, 1994, p. 72–90.

[112] Veja especialmente Wim Janse, "The Controversy between Westphal and Calvin on Infant Baptism, 1555–1556", *Perichoresis* 6, n. 1, 2008, p. 1–43.

[113] Ibid., p. 13, 20, 21.

mesmo quando ao mesmo tempo insistia que eles eram regenerados *pelo* batismo, chegou a Westphal e seus correligionários como ambígua e não assegurava que os pensadores reformados concederiam ao batismo um papel instrumental genuíno na comunicação da graça salvífica.

POSIÇÕES CONFESSIONAIS SOBRE O BATISMO

As controvérsias entre pensadores luteranos e reformados dos anos 1550 serviram de impulso para serem esclarecidos e solidificados vários pontos de vista sacramentais em declarações oficiais de fé. Roma já havia definido sua posição sobre os sacramentos em relação às doutrinas protestantes e anabatistas na sétima sessão do Concílio de Trento (1547). No final da década de 1550 e início da de 1560, as igrejas reformadas, em um número significativo de confissões, definiram sua doutrina com relação não apenas ao ensino romano e anabatista, mas também ao ensino protestante luterano. E, na década seguinte, teólogos luteranos responderam do mesmo modo, acrescentando a Fórmula de Concórdia a seus já existentes catecismos e confissões como uma declaração oficial de sua fé, clarificando assim a teologia sacramental luterana em confronto com as doutrinas romanas, anabatistas e protestantes reformadas. Como resumo e conclusão deste capítulo, serão delineadas várias posições confessionais sobre o batismo. Também abordaremos brevemente certos desenvolvimentos do século XVII relacionados a essas declarações.

DOUTRINA TRIDENTINA CATÓLICA ROMANA

O Concílio de Trento, que lidou com a sacramentologia em sua sétima sessão, formalizou o ensino do final do período medieval sobre o batismo e publicou anátemas contra as teologias batismais evangélica e anabatista. Foi declarado que o batismo "contém a graça" que ele representa e "confere essa graça", "mediante a ação sacramental em si" (*ex opere operato*), "sobre aqueles que não colocam obstáculo a esse respeito".[114] Pessoas que alegavam que "a graça da justificação" é recebida de modo correto "somente pela fé" ou que o batismo "não é necessário para a salvação" foram anatematizadas.[115] Trento também insistiu em que a graça que o batismo confere corretamente *pode* ser perdida por causa do pecado mortal e condenou aqueles que estenderam a graça do batismo – ou melhor, a fé na promessa presente no batismo – para cobrir todos os pecados futuros.[116] Ao insistir em que o benefício do batismo poderia ser perdido, Trento reforçou o caráter sacramental (e, portanto,

---

[114] *CCFCT* 2:840.
[115] Ibid.
[116] Ibid., 2:841.

indispensável) da penitência e, do mesmo modo, estabeleceu a função distintiva da penitência de recuperar a "graça da justificação" nos casos em que esta tivesse sido perdida pelo pecado mortal. Os cânones finais de Trento sobre o batismo tratavam de quem deveria adequadamente receber o sacramento, anatemizavam as pessoas que recusavam o batismo a crianças ou rebatizavam aqueles que quando bebês haviam sido batizados em anos posteriores.[117]

AS CONFISSÕES REFORMADAS

A Confissão Reformada Francesa (1559), a Confissão Escocesa (1560) e a Confissão Belga (1561) desenvolveram afirmações muito semelhantes sobre a sacramentologia em geral e sobre o batismo em particular. As três confissões revelam uma dívida com Calvino no uso da linguagem que – mais do que aquela descoberta no Consenso de Zurique – enfatizava a união sacramental entre o batismo e as realidades significadas por ele, e, portanto, o papel instrumental que o batismo desempenha na comunicação da graça salvífica aos cristãos. A Confissão Francesa declara: "[Pelo batismo] somos enxertados no corpo de Cristo, para sermos lavados e purificados por seu sangue e então renovados na pureza de vida por seu Espírito Santo", enquanto a Confissão Escocesa afirma: "Por meio do batismo, somos enxertados em Cristo Jesus, para sermos participantes de sua justiça, pela qual nossos pecados são cobertos e remidos".[118] Essas declarações são premissas de uma relação cuidadosamente definida entre *signa* sacramental e *res significata*. Sinais e coisas significadas não podem ser separados; assim, a Confissão Francesa assevera: "Com esses sinais é dada a verdadeira possessão e o verdadeiro gozo daquilo que eles nos apresentam".[119] No entanto, como expõe a Confissão Escocesa, os sinais e as coisas significadas não devem ser confundidos: "[Não] iremos adorar os sinais em lugar daquilo que é indicado por eles".[120]

Contrariamente ao credo romano, a necessidade de fé para receber qualquer benefício do batismo é enfatizada nessas confissões. O mesmo vale para a permanência do benefício espiritual que o batismo comunica aos cristãos que o recebem, como captado na Confissão Belga: "Esse batismo é proveitoso não só quando a água está sobre nós e quando o recebemos, mas durante toda a nossa vida".[121] A adequação de batizar os filhos recém-nascidos de cristãos é estabelecida com base em sua participação na igreja e na aliança, e, pelo menos na Confissão Belga, em sua participação nos benefícios espirituais que o batismo indica

---

[117] Ibid., 2:842.
[118] Ibid., 2:384, 400.
[119] Ibid., 2:385.
[120] Ibid., 2:401.
[121] Ibid., 2:422.

e comunica: "Cristo derramou seu sangue para lavar igualmente os filhos pequenos dos fiéis e os adultos".[122]

Em 1566, a Segunda Confissão Helvética, escrita inteiramente por Bullinger, embora posteriormente aprovada por várias igrejas nacionais, foi publicada. Mesmo sendo semelhante em conteúdo às confissões reformadas que acabamos de assinalar, a de Bullinger foi caracterizada por uma discussão mais profunda da relação entre *signa* e *res significata* nos sacramentos, e sem dúvida reduziu esse relacionamento ao de mera significação.[123] Ele evitou cuidadosamente linguagem que sugerisse que o batismo poderia comunicar as bênçãos espirituais que ele representa e enfatizou a *certeza* de bênçãos espirituais que, como sinal e selo da aliança de Deus, o batismo disponibiliza aos cristãos: "Interiormente somos regenerados, purificados e renovados por Deus mediante o Espírito Santo; e exteriormente recebemos a garantia desses dons na água, pela qual também [esses] grandes benefícios são representados, e, por assim dizer, colocados diante de nossos olhos para serem vistos".[124]

Embora nosso estudo do batismo neste capítulo tenha sido amplamente limitado ao século XVI, é necessário, antes de deixar as confissões reformadas, tomar conhecimento de dois textos do século XVII e de suas doutrinas de batismo. O primeiro deles é a Confissão de Fé de Westminster, concluída em 1646, que merece atenção simplesmente por causa da posição que veio a ocupar como padrão teológico para muitas denominações presbiterianas em todo o mundo. A Confissão de Westminster começa sua consideração sobre o batismo detalhando o significado do ritual e prossegue em delinear a forma e o modo adequados ("derramando ou aspergindo água sobre a pessoa") de realizá-lo. Afirma a conveniência de batizar aqueles "que realmente professam fé" bem como "os bebês de um, ou de ambos, pais cristãos".[125] Embora condene o desprezo pelo batismo, a confissão reconhece que "a graça e a salvação não estão tão inseparavelmente ligadas a ele [...] que nenhuma pessoa possa ser regenerada, ou salva, sem ele", e observa que incrédulos que foram batizados não recebem nenhum benefício salvífico do sacramento.[126] Sobre a questão crítica de saber se o batismo, dadas certas condições (particularmente a presença da fé), comunica as bênçãos que ele representa, a Confissão de Westminster conclui:

> A eficácia do batismo não se limita ao momento em que é administrado; contudo, pelo devido uso dessa ordenança, a graça prometida é não somente oferecida, mas realmente

---

[122] Ibid., 2:423.
[123] Ibid., 2:504–508.
[124] Ibid., 2:509.
[125] Ibid., 2:641.
[126] Ibid., 2:641,642.

manifestada e conferida pelo Espírito Santo àqueles a quem ele pertence, adultos ou crianças, segundo o conselho da vontade de Deus, em seu tempo apropriado.[127]

Encontra-se refletida nessa afirmação a tensão na doutrina de Calvino mencionada anteriormente: ela admite algum espaço de tempo entre a aplicação do batismo e a apropriação das realidades espirituais significadas por ele, mas identifica o batismo como um instrumento de graça salvífica.

O século XVII testemunhou o surgimento de grupos que, pela primeira vez, casaram a rejeição ao pedobatismo ao princípio bíblico do protestantismo e à ênfase soteriológica na justificação *sola fide*.[128] Os protestantes batistas em Londres produziram uma série de confissões doutrinárias de acordo com esse desenvolvimento. A segunda delas, publicada em 1677 e adotada por uma assembleia de Igrejas Batistas Particulares em 1689, foi em grande parte modelada pela Confissão de Westminster, mas afastou-se dela, naturalmente, no que diz respeito ao ensino da Confissão sobre o tema do batismo. Três pontos de contraste entre a Confissão de Westminster e a Segunda Confissão Batista de Londres devem ser observados. Primeiro, esta última insistia em que "aqueles que realmente professam arrependimento para com Deus, fé em nosso Senhor Jesus Cristo e obediência a ele são os únicos objetos apropriados dessa ordenança", negando, assim, o sacramento do batismo aos bebês. Em segundo lugar, afirmou que "imersão" era o modo correto de batismo, e, por fim, identificou o batismo estritamente como "um sinal" de união com Cristo, da "remissão de pecados" e de "novidade de vida", evitando desse modo (sem negar explicitamente) qualquer sugestão de que o batismo, em virtude de uma união sacramental entre *signum* e *res significata*, poderia servir de alguma forma para comunicar as realidades salvíficas que ele significa.[129]

AS CONFISSÕES LUTERANAS

A Fórmula de Concórdia (1577) resolveu as diferenças entre os luteranos que haviam surgido após a morte de Lutero, em 1546. Com relação à sacramentologia, a Fórmula focou-se principalmente na Ceia. O significado da Fórmula para nosso estudo reside principalmente na autoridade que ela imputou a declarações anteriores

---

[127] Ibid., 2:642.
[128] Eu diria que os grupos anabatistas do século XVI rejeitaram em grande parte o *sola Scriptura* e o *sola fide* na forma em que aqueles princípios eram compreendidos pelos reformadores magistrais. Tal afirmação tem influência na questão das origens dos batistas atuais, a respeito do que veja David W. Bebbington, *Baptists through the Centuries: A History of a Global People*. Waco: Baylor University Press, 2010.
[129] William J. McGlothlin (ed.). *Baptist Confessions of Faith*. Filadélfia: American Baptist Publication Society, 1911, p. 269,270. O fracasso da Confissão Batista de Londres de 1689 em atribuir explicitamente a eficácia ao batismo não impediu alguns batistas do século XVII (ou mais tarde) de reconhecê-la. Veja o argumento de Stanley K. Fowler em *More than a Symbol: The British Recovery of Baptismal Sacramentalism*, Studies in Baptist History and Thought 2. Eugene: Wipf and Stock, 1997.

da fé luterana que contêm explicações mais completas do batismo, incluindo a Confissão de Augsburgo, a Apologia de Melanchton à Confissão de Augsburgo, os catecismos de Lutero e os Artigos de Esmalcalde.

Entre essas primeiras declarações de fé luteranas, o Catecismo Maior de Lutero contém a apresentação mais completa do batismo, identificando-o como prática divinamente instituída e, portanto, como "obra de Deus", cujos "poder, efeito, benefício, fruto e propósito" são "salvar".[130] O "poder" do batismo para libertar os pecadores "do pecado, da morte e do diabo" e de trazê-los para o "reino de Cristo", de acordo com o catecismo, não põe em perigo a verdade de que os pecadores são justificados somente pela fé. Somente a fé apreende o benefício que o batismo comunica, e, sendo assim, a doutrina de Roma sobre a eficácia batismal é rejeitada. Mas a fé deve ter um objeto. Na medida em que Deus acrescentou sua promessa à água do batismo, a fé corretamente "se apega à água [...] em que há pura salvação e vida".[131] O nervosismo que se descobre nas confissões reformadas sobre a idolatria aos elementos sacramentais está faltando aqui. Os pecadores exercem fé (salvífica) de modo correto no compromisso de Deus para salvá-los *pela* "água compreendida na Palavra de Deus", isto é, na promessa de Deus de que "quem crer e for batizado será salvo" (Marcos 16:16).[132] O Catecismo Maior conclui suas considerações sobre o batismo defendendo a legitimidade do pedobatismo e enfatizando a durabilidade da graça que o batismo concede aos cristãos.[133]

A Fórmula de Concórdia não inclui nenhuma seção discreta sobre o batismo, contudo, trata de questões relacionadas ao batismo em suas observações sobre "facções e seitas". Em sintonia com os padrões confessionais luteranos anteriores, a Fórmula condena o que percebe ser o erro anabatista de negar o sacramento aos filhos de cristãos. É de se destacar que a Fórmula também condena (entre as doutrinas "heréticas" dos anabatistas) a opinião de que "os filhos dos cristãos, desde que nascem cristãos e de pais, são santos e filhos de Deus mesmo sem o batismo e *antes dele*".[134] Isso poderia ser visto como um golpe no ensinamento de Calvino tanto quanto, senão mais do que, à doutrina anabatista. Se, de fato, a doutrina de Calvino estava em evidência, isso apenas refletiria a tendência dos luteranos do final do século XVII de unir protestantes reformados com sectários radicais, mesmo quando os protestantes reformados persistiam em reconhecer os luteranos como irmãos cristãos e promover a intercomunhão entre suas respectivas irmandades.

---

[130] Theodore G. Tappert (ed.-trad.) *The Book of Concord: The Confessions of the Evangelical Lutheran Church*. Filadélfia: Muhlenberg, 1959, p. 439.
[131] Ibid., 440.
[132] Ibid., 437,438.
[133] Ibid., 442–446.
[134] Ibid., 634. Grifos nossos

CONCLUSÃO

"Façam todo o esforço para conservar a unidade do Espírito pelo vínculo da paz. Há um só corpo e um só Espírito, assim como a esperança para a qual vocês foram chamados é uma só; há um só Senhor, uma só fé, um só batismo, um só Deus e Pai de todos, que é sobre todos, por meio de todos e em todos" (Efésios 4:3–6). Comentando esse texto no final da década de 1540, Calvino descobriu no reconhecimento bíblico de "um só batismo", não um argumento contra o rebatismo (por mais tentadora que essa interpretação deva ter sido em seu contexto histórico), mas a doutrina de que há "um batismo [...] comum a todos, [...] por meio do qual começamos a formar um corpo e uma alma". O reformador dificilmente poderia ter escrito essas palavras sem uma consciência profunda de que o batismo se tornara, em sua época, algo que aparentemente dividia em vez de unir o corpo de Cristo. Contudo, a especificação subsequente de "um só Deus e Pai de todos" os verdadeiros cristãos aparentemente deu esperança a Calvino, mesmo no meio de uma era definida por conflitos teológicos. "Como pode ser que", ele questiona em seus escritos, "sejamos unidos pela fé, pelo batismo ou mesmo pelo governo de Cristo, senão porque Deus Pai, estendendo a cada um de nós sua graciosa presença, emprega esses meios para nos reunir a si?"[135] Ao contrário de todas as aparências, concluiu Calvino, o batismo une, em vez de dividir, verdadeiros cristãos, apesar de suas divergências sobre ele, porque é simplesmente a única ferramenta verdadeira de Deus para fazer exatamente isso. Dada a realidade de que as diferenças sobre o batismo que surgiram no século XVI estão muito presentes conosco hoje, a perspectiva de Calvino parece uma conclusão que vale a pena tomar emprestado e reafirmar a serviço deste capítulo.

FONTES PARA ESTUDO ADICIONAL

FONTES PRIMÁRIAS

AQUINO, Tomás de. *Suma Teológica* (9 vols.). São Paulo: Edições Loyola, 2001–2006.
BROMILEY, G. W. (ed.). *Zwingli and Bullinger: Selected Translations with Introductions and Notes* [Zuínglio e Bullinger: Traduções selecionadas, com introduções e notas]. Library of Christian Classics 24. Filadélfia: Westminster, 1953.
BULLINGER, Heinrich. *A Brief Exposition of the One and Eternal Testament or Covenant of God* [Uma breve exposição do único e eterno testamento ou aliança de Deus]. In: McCoy e Baker, *Fountainhead of Federalism: Heinrich Bullinger and the Covenantal Tradition* [Origem do federalismo: Heinrich Bullinger e a tradição aliancista], p. 99–138. Louisville: Westminster John Knox, 1991.
——. *The Decades of Heinrich Bullinger* [As décadas, de Heinrich Bullinger]. Editado por Thomas Harding. 2 vols. 1849–1852. Grand Rapids: Reformation Heritage Books, 2004.

---

[135] João Calvino, *Commentaries on the Epistles of Paul to the Galatians and Ephesians*. Edimburgo: Thomas Clark, 1841, p. 251 [*Comentário de Efésios*. São José dos Campos: Editora Fiel, 2007, p. 88].

CALVINO, João. *As institutas – Edição clássica* (1985). *As institutas – Edição especial* (2006). 4. vols. São Paulo: Editora Cultura Cristã.

———. *Second Defence of the Pious and Orthodox Faith concerning the Sacraments* [Segunda defesa da pia e ortodoxa fé concernente aos Sacramentos]. Em *Selected Works of John Calvin: Tracts and Letters* [Obras selecionadas de João Calvino: Tratados e cartas], editado por Henry Beveridge e Jules Bonnet. 2:245-345. 1849. Grand Rapids: Baker, 1983.

LOMBARDO, Pedro. *The Sentences* [As sentenças]. Traduzido por Giulio Silano. 4 vols. Mediaeval Sources in Translation 42, 43, 45, 48. Toronto: Pontifical Institute of Medieval Studies, 2007-2010.

LUTERO, Martinho. *Do cativeiro babilônico da Igreja*, em *Martinho Lutero Obras selecionadas, Volume 2: O programa da Reforma. Escritos em 1520*. Comissão Interluterana de Literatura. São Leopoldo: Editora Sinodal; Porto Alegre: Editora Concórdia, s/d., p. 341-424.

———. *Concerning Rebaptism* [Concernente ao rebatismo]. In: *Luther's Works* [Obras de Lutero]. Vol. 40, *Church and Ministry II* [Igreja e ministério II], editado por Conrad Bergendoff, p. 225-262. Filadélfia: Fortress, 1959.

MCGLOTHLIN, William J. (ed.) *Baptist Confessions of Faith* [Confissões batistas de fé]. Filadélfia: American Baptist Publication Society, 1911.

MELANCHTHON, Philip. *Commonplaces:* Loci Communes 1521 [Lugares-comuns: *Loci Communes* 1521]. St. Louis: Concordia, 2014.

PELIKAN, Jaroslav; e HOTCHKISS, Valerie Hotchkiss (eds.). *Creeds and Confessions of Faith in the Christian Tradition* [Credos e confissões de fé na tradição cristã]. Vol. 2, parte 4, *Creeds and Confessions of the Reformation Era* [Credos e confissões da era da Reforma]. New Haven: Yale University Press, 2003.

TAPPERT, Theodore G. (ed.-trad.). *The Book of Concord: The Confessions of the Evangelical Lutheran Church* [O Livro de Concórdia: As confissões da Igreja Evangélica Luterana]. Filadélfia: Fortress, 1959.

ZUÍNGLIO, Ulrico. *Commentary on True and False Religion* [Comentário sobre a religião verdadeira e a falsa]. Editado por Samuel Macaulay Jackson e Clarence Nevin Heller. 1929. Durham: Labyrinth, 1981.

Fontes secundárias

FESKO, J. V. *Word, Water, and Spirit: A Reformed Perspective on Baptism* [Palavra, água e Espírito: uma perspectiva reformada sobre o batismo]. Grand Rapids: Reformation Heritage Books, 2010.

HEATH, Gordon L.; DVORAK, James D. (eds.). *Baptism: Historical, Theological, and Pastoral Perspectives* [Batismo: Perspectivas históricas, teológicas e pastorais]. McMaster Theological Study Series 4. Eugene: Pickwick, 2011.

JANSE, Wim. "The Controversy between Westphal and Calvin on Infant Baptism, 1555-1556" [A controvérsia entre Westphal e Calvino sobre o batismo infantil, 1555-1556] *Perichoresis* 6, n. 1, 2008, 1-43.

RAITT, Jill. "Three Inter-Related Principles in Calvin's Unique Doctrine of Infant Baptism" [Três princípios inter-relacionados na singular doutrina de Calvino sobre o batismo infantil]. *Sixteenth Century Journal* 11, n. 1, 1980, p. 51-62.

RIGGS, John W. *Baptism in the Reformed Tradition* [Batismo na tradição reformada]. Columbia Series in Reformed Theology. Louisville: Westminster John Knox, 2002.

STEPHENS, W. Peter. *The Theology of Huldrych Zwingli* [A teologia de Ulrico Zuínglio]. Oxford: Clarendon, 1986.
TRIGG, Jonathan D. *Baptism in the Theology of Martin Luther* [Batismo na teologia de Martinho Lutero]. Leiden: Brill, 2001.
WILLIAMS, George Huntston. *The Radical Reformation* [A Reforma radical]. 3. ed. Sixteenth Century Essays and Studies 15. Kirksville: Truman State University Press, 1992.
WRIGHT, David F. *Martin Bucer: Reforming Church and Community* [Martin Bucer: Reformando a igreja e a comunidade]. Cambridge: Cambridge University Press, 1994.

Capítulo 18
A CEIA DO SENHOR

Keith A. Mathison

RESUMO

Os debates do século XVI sobre a natureza da Ceia do Senhor resultaram em divisões que ainda persistem. Os reformadores concordaram que a doutrina católica romana, a qual entendia a Ceia como representação ou repetição do sacrifício de Cristo, era antibíblica. Embora também concordassem em rejeitar a doutrina católica romana da transubstanciação, entretanto, quando pressionados para dar sua própria explicação a respeito da presença de Cristo na Ceia, não conseguiram chegar a um acordo. Martinho Lutero insistiu que as palavras de Cristo "Isto é o meu corpo" significam que o pão é seu corpo, mas André Karlstadt, Ulrico Zuínglio, João Ecolampádio e outros discordaram, argumentando que as palavras de Cristo devem ser entendidas simbolicamente, e a consequência desse desacordo foi uma longa e amarga controvérsia. Pelos esforços de Martin Bucer, que com o tempo veio a tomar uma posição mediadora, um mínimo de paz foi alcançado com a Concórdia de Wittenberg, de 1536. Quando o protegido de Bucer, João Calvino, e o colega mais novo de Zuínglio, Heinrich Bullinger, esforçaram-se para alcançar o Consenso de Zurique, em 1549, uma segunda controvérsia começou porque alguns luteranos viram isso como a capitulação para uma doutrina totalmente simbólica da Ceia. Os debates escritos entre reformados e luteranos, particularmente João Calvino e Joachim Westphal, consolidaram ainda mais as divisões entre esses ramos da igreja. No final do século XVI, as linhas doutrinárias que existem até hoje haviam sido traçadas pelas confissões reformadas e luteranas, bem como o Concílio de Trento.

INTRODUÇÃO

No final do século XVI, o corpo de Cristo mostrava-se fragmentado em virtude de seus desacordos e debates sobre a Ceia do Senhor. Vários teólogos já haviam começado a sistematizar os argumentos a favor e contra os diferentes pontos de vista, e as confissões das igrejas católica, luterana e reformada haviam estabelecido as fronteiras [doutrinárias]. As linhas de batalha foram definidas para um conflito que está longe de terminar. Para entender o quadro atual, devemos analisar os vários pontos de vista sobre a eucaristia daqueles que estiveram envolvidos nos grandes debates do século XVI, e, para compreender essas perspectivas, devemos primeiro dar um passo atrás e olhar para seu contexto histórico medieval.

O CONTEXTO MEDIEVAL

Os conflitos sobre a Ceia do Senhor no período da Reforma não ocorreram num vácuo histórico.[1] Suas raízes podem ser encontradas nos ensinamentos e nas práticas da igreja latina primitiva e medieval. Durante os primeiros oitocentos anos de existência da igreja, a maioria dos escritores falou dos elementos sacramentais do pão e do vinho como corpo e sangue de Cristo, mas sem maiores explicações. Nisso, eles estavam simplesmente seguindo o exemplo de Jesus quando, acerca do pão da Páscoa, afirmou: "Isto é o meu corpo" (Mateus 26:26). No entanto, como é o caso das palavras de Cristo ao instituir a Ceia, este dito pela boca dos cristãos primitivos podia ter mais de uma interpretação.

Alguns pais da igreja (por exemplo, Gregório de Nissa, Cirilo de Alexandria) parecem ter usado essa linguagem em um sentido mais literal, enquanto outros (por exemplo, Orígenes, Agostinho) parecem ter tido uma intenção mais figurativa. Para dificultar um pouco mais as coisas, poucos pais da igreja tentaram apresentar qualquer tipo de explicação doutrinária de sua linguagem, e, embora alguns historiadores tenham tentado classificar as opiniões dos pais da igreja como "realistas" ou "simbólicas", esses termos são simplesmente inadequados para fazer jus à natureza do corpus patrístico sobre o sacramento.[2]

A despeito das diferentes ênfases encontradas nos escritos dos primeiros pais da igreja, não houve controvérsias eucarísticas conhecidas nos primeiros oitocentos anos da história eclesiástica. A primeira discussão eucarística que se aproximou de ser um verdadeiro debate só viria a ocorrer no nono século, quando Pascásio Radberto e Ratramo, dois monges da abadia de Corbie, escreveram tratados descrevendo conceitos diferentes da presença de Cristo na Ceia.[3]

Radberto apresentou um entendimento enfatizando que o pão e o vinho consagrados se tornavam o mesmo corpo que nasceu da virgem Maria, e que o pão e o vinho visíveis apontam para essa realidade interior e invisível. Sua visão era

---

[1] Para uma discussão mais ampla sobre os sacramentos na perspectiva medieval, veja a introdução de Aaron Denlinger ao capítulo 17 deste livro, intitulado "Batismo".

[2] J. N. D. Kelly, *Early Christian Doctrines*. Edição revista. San Francisco: Harper Collins, 1978, p. 440–449. Kelly usa a palavra "realista" aqui para se referir à forma como alguns falam do pão e do vinho como o corpo e o sangue de Cristo sem necessariamente especificar como ou por que essa identificação é feita. Ao usar a palavra "simbólica" refere-se à maneira pela qual outros às vezes indicam especificamente que os elementos são símbolos ou sinais. Os termos são inadequados porque, entre outras razões, muitos dos primeiros pais da igreja usaram simultaneamente tanto a linguagem "realista" como a "simbólica".

[3] Para uma tradução em inglês de ambos os livros, veja George E. McCracken (trad.-ed.). *Early Medieval Theology*, LCC 9. Filadélfia: Westminster, 1957, p. 90–147.

precursora da doutrina católica romana da transubstanciação, que seria desenvolvida mais tarde. Ratramo, por outro lado, argumentou que o pão e o vinho são o corpo e o sangue "espirituais" de Cristo; existe, portanto, uma diferença entre o corpo nascido da virgem Maria e o corpo presente na Ceia.[4] Nos séculos que se seguiram, a opinião de Radberto prevaleceu.[5]

No século XI, o teólogo Berengário de Tours levantou objeções à visão radbertiana que havia se tornado dominante na igreja durante aquele período, porém não sem resistência. A controvérsia de trinta anos que se seguiu acabou resultando na declaração dogmática de Roma "Ego Berengarius" (1079),[6] de acordo com a qual o pão e o vinho são "substancialmente transformados" (*substantialiter converti*) nos verdadeiros e próprios corpo e sangue de Cristo.[7] Pedro Lombardo, teólogo do século XII (c. 1090–1160), manteve essa tradição: "Quando estas palavras [de instituição] são pronunciadas, ocorre a mudança do pão e do vinho para a substância do corpo e do sangue de Cristo".[8] Em 1215, o Quarto Concílio de Latrão declarou: "Seu corpo e sangue estão verdadeiramente contidos no sacramento do altar sob a aparência do pão e do vinho, sendo, pelo poder divino, o pão transubstanciado no corpo e o vinho, no sangue".[9] O mero uso da palavra "transubstanciação", porém, não resolveu completamente a disputa. Os teólogos continuaram a debater o que a transubstanciação realmente implicava.[10]

Coube a Tomás de Aquino (1225-1274) dar à igreja romana uma doutrina abrangente da transubstanciação,[11] e ele o fez usando categorias metafísicas aristotélicas.[12] Em síntese, na obra *Metafísica* de Aristóteles, a palavra "substância" (do grego, *ousia*) descreve a realidade ou a natureza fundamental de uma coisa, aquilo que faz com que algo seja o que é. A palavra "acidente", por outro lado, refere-se a atributos não essenciais, como altura, peso e cor.[13] De acordo com Tomás,

---

[4] Para uma boa visão geral da controvérsia e dos ensinamentos de Radberto e Ratramo, veja John F. Fahey, *The Eucharistic Teaching of Ratramn of Corbie*. Mundelein: Saint Mary of the Lake Seminary, 1951.

[5] Patricia McCormick Zirkel, "The Ninth-Century Eucharistic Controversy: A Context for the Beginnings of Eucharistic Doctrine in the West". *Worship* 68, 1994, p. 2–23.

[6] Giulio D'Onofrio, *History of Theology*, v. 2, *The Middle Ages*. Collegeville: Liturgical Press, 2008, p. 132–135.

[7] Veja o texto completo em DH §700.

[8] Pedro Lombardo, *The Sentences, Book 4: On the Doctrine of Signs*, Mediaeval Sources in Translation 48. Toronto: Pontifical Institute of Mediaeval Studies, 2010, 8.4.

[9] DH §802.

[10] Gary Macy, "The Dogma of Transubstantiation in the Middle Ages", *JEH* 45, n. 1, 1994, p. 11–41; Macy, "The Medieval Inheritance". In: Lee Palmer Wandel (ed.). *A Companion to the Eucharist in the Reformation*. Brill's Companions to the Christian Tradition 46, Leiden: Brill, 2014, p. 15–38.

[11] Sou tentado a dizer que Tomás foi o primeiro a "dar corpo" ao significado da palavra *transubstanciação*.

[12] Veja Brian Davies, *The Thought of Thomas Aquinas*. Oxford: Clarendon, 1992, p. 364–376.

[13] A definição metafísica de "substância" não deve ser confundida com a definição encontrada nos livros científicos modernos, nos quais "substância" é geralmente entendida como "matéria com propriedades específicas". Em Aristóteles e Tomás, "substância" não é igual a "matéria".

o milagre da transubstanciação envolve uma mudança na substância do pão e do vinho sem uma mudança nos acidentes.[14]

Enquanto a doutrina da presença corporal de Cristo na Ceia se desenvolvia, a Igreja Romana, em conexão com essa ideia, elaborava sua doutrina da Ceia do Senhor como uma repetição ou representação do sacrifício de Cristo. As raízes dessa ideia também podem ser encontradas na igreja primitiva,[15] mas, no início do século XVI, a missa veio a ser entendida por muitos teólogos romanos influentes como um sacrifício propiciatório oferecido pelos sacerdotes por meio do qual o arrependido poderia obter misericórdia.[16]

PRECURSORES DA REFORMA

Nem todos os cristãos medievais estavam contentes com a doutrina católica romana da transubstanciação ou com a ideia do sacrifício da missa. Um dos oponentes mais significativos da doutrina romana foi John Wycliffe (1328–1384), o qual, em seu tratado *Sobre a eucaristia*, expressou muitas ideias que seriam usadas mais tarde pelos reformadores. Wycliffe argumentou, por exemplo, que as palavras de Cristo "Isto é o meu corpo" devem ser tomadas em sentido figurado.[17] O pão não é literalmente o corpo de Cristo – ele afirmou; em vez disso, o pão é o "sinal eficaz" do corpo de Cristo.[18] Além disso, não comemos fisicamente o corpo de Cristo; em vez disso, nossa alma se alimenta de Cristo pela fé.[19] Em última análise, as opiniões de Wycliffe foram condenadas no Concílio de Constança, em 1415.[20]

---

[14] Tomás de Aquino, *Summa Theologiae*, vols. 13–20 de *The Latin/English Edition of the Works of St. Thomas Aquinas*, editado por John Mortensen e Enrique Alarcón. Lander: Aquinas Institute for the Study of Sacred Doctrine, 2012, 3a.75.1–8; veja também 3a.77.1. Nem todos os teólogos medievais concordavam com a interpretação de Tomás; veja, por exemplo, James F. McCue, "The Doctrine of Transubstantiation from Berengar through Trent: The Point at Issue", *HTR* 61, n. 3, 1968, p. 393–402.

[15] Bengt Hägglund, *History of Theology*. St. Louis: Concordia, 1968, p. 155; Kelly, *Early Christian Doctrines*, p. 449–455.

[16] O cardeal Tomás Cajetan (1469–1534), por exemplo, apresentava esse ponto de vista, o qual, posteriormente, foi declarado dogma pelo Concílio de Trento. Para um resumo da doutrina defendida por Cajetan, veja Edward J. Kilmartin, *The Eucharist in the West: History and Theology*, editado por Robert J. Daly. Collegeville: Liturgical Press, 2004, p. 163,164.

[17] John Wyclif, *On the Eucharist*. In: Matthew Spinka (ed.). *Advocates of Reform: From Wyclif to Erasmus*. LCC 14. Filadélfia: Westminster, 1953, p. 82.

[18] Ibid., p. 70.

[19] Ibid., p. 62–66.

[20] Este concílio também condenou e executou João Huss (c. 1369–1415) por uma série de alegadas heresias. Uma das exigências que Huss e seus seguidores faziam era que a Ceia fosse administrada "com ambos os elementos". Em outras palavras, Huss insistia que os leigos recebessem tanto o pão como o vinho, e não apenas o pão, como se tornara o costume. Suas exigências foram rejeitadas. Veja Steven Ozment, *The Age of Reform, 1250–1550: An Intellectual and Religious History of Late Medieval and Reformation Europe*. New Haven: Yale University Press, 1980, p. 166.

Uma figura do final da Idade Média que influenciou indiretamente os debates do século XVI foi o teólogo holandês Wessel Gansfort (1419–1489), cujo tratado *O sacramento da eucaristia* é uma bela peça literária de teologia devocional. Ao contrário de Wycliffe, Gansfort aceitava a transubstanciação, mas sua ênfase na comunhão espiritual seria o catalisador de uma reação em cadeia de eventos com repercussões que ele não poderia ter previsto.[21] Para Gansfort, "a lembrança do que nosso Senhor fez e sofreu para nossa salvação" era a verdadeira eucaristia.[22] Uma vez que podemos nos lembrar de Cristo a qualquer momento, o benefício de sua Ceia nos está disponível a qualquer momento; no entanto, se um homem come os elementos visíveis, mas não tem fé, ele não come espiritualmente, pois, para comer espiritualmente, ele deve se lembrar de Cristo e de tudo o este fez. Em outras palavras, ele deve crer.[23]

PRELÚDIO DA PRIMEIRA CONTROVÉRSIA EUCARÍSTICA (1520–1524)

Uma das dificuldades mais significativas enfrentadas por qualquer estudante da doutrina da Ceia do Senhor na época da Reforma é o fato de que as opiniões de quase todos os principais envolvidos mudaram em maior ou menor grau. A mudança de alguns envolveu poucos esclarecimentos daquilo que se pensava e um fortalecimento de argumentos; em outros casos, as mudanças de pontos de vista envolviam grandes construções ideológicas. Por conseguinte, é insuficiente falar apenas do ponto de vista de Lutero ou do ponto de vista de Zuínglio, por exemplo. É necessário olhar o que cada teólogo pensava no contexto de seu próprio desenvolvimento progressivo. Nos anos que antecederam o surgimento das controvérsias entre os reformadores, os escritos de quatro dessas figuras são de particular importância: Martinho Lutero, Philip Melanchthon, André Karlstadt e Cornélio Hoen.

Em Martinho Lutero, notamos que vários temas-chave dominaram seus três primeiros escritos sobre a Ceia do Senhor.[24]

---

[21] George Huntston Williams, *The Radical Reformation*. Filadélfia: Westminster, 1975, p. 30,31.
[22] Wessel Gansfort, "The Sacrament of the Eucharist". In: Edward W. Miller, *Wessel Gansfort: Life and Writings*. Nova York: G. P. Putnam's Sons, 1917, 2:4.
[23] Ibid., 17, 24, 25, 31.
[24] Martinho Lutero, *The Blessed Sacrament of the Holy and True Body of Christ* (1519), LW 35:45–73 [*Um sermão sobre o venerabilíssimo sacramento do santo verdadeiro corpo de Cristo e sobre as irmandades* (1519), em *Obras selecionadas, Volume 1: Os primórdios. Escritos de 1517 a 1519*. Comissão Interluterana de Literatura. São Leopoldo: Editora Sinodal; Porto Alegre: Editora Concórdia, s/d., 425–444]; Lutero, *A Treatise on the New Testament, That Is, the Holy Mass* (1520), LW 35:75–111 [*Um sermão a respeito do Novo Testamento, isto é, a respeito da santa missa* (1520). In: *Obras selecionadas, Volume 2: O Programa da Reforma. Escritos em 1520*, 253–275]; Lutero, *The Babylonian Captivity of the Church* (1520), LW 36:3–126 [*Do cativeiro babilônico da igreja*, em *Obras selecionadas, Volume 2*, 341–424]. Mesmo entre os primeiros escritos de Lutero, há uma perceptível mudança de ênfase entre a redação do *Sermão sobre o venerabilíssimo sacramento* e o *Sermão a respeito do Novo Testamento*. O primeiro enfatiza fortemente a dimensão horizontal da eucaristia, ou seja, a comunhão e o carregar o fardo uns dos outros, ao passo que o segundo enfatiza a dimensão vertical, a promessa de perdão feita por Deus ao homem.

Em primeiro lugar, a ideia de que o sacramento é um testamento no qual Cristo promete perdão de pecados e vida eterna a seu povo.²⁵ A maior parte dos sacramentos é de "palavras e promessas de Deus, sem as quais os sacramentos estão mortos e nada são".²⁶ Pelo fato de a Ceia ser uma promessa ou um testamento, não pode ser um sacrifício, como Roma ensina, pois, se for sacrifício ou obra, perde-se o evangelho.²⁷ Além disso, a natureza promissória da Ceia significa que a resposta adequada e necessária é fé, não obras.²⁸

O segundo tema principal que dominou os primeiros escritos de Lutero sobre a Ceia foi a doutrina da verdadeira presença de Cristo no pão e no vinho. Ele argumentou que essa crença é exigida pelas palavras de Cristo: "Isto é o meu corpo". Ele cria que a igreja não deveria exigir que ninguém aceitasse a doutrina da transubstanciação como a única explicação ortodoxa sobre como Cristo está corporalmente presente na Ceia.²⁹ Lutero nunca rejeitou, no entanto, a verdadeira presença corporal de Cristo nos elementos.³⁰

Um terceiro tema-chave nos primeiros escritos de Lutero sobre a Ceia foi a relação entre a palavra e o sinal. Ele explicou que "em cada promessa de Deus duas coisas são apresentadas a nós: a palavra e o sinal, para que entendamos a palavra como o testamento e o sinal, como o sacramento".³¹ Em outras palavras, testamento é a promessa de Cristo, e o sacramento é o pão e o vinho, em que estão o corpo e o sangue de Cristo. Compreender esse aspecto do pensamento de Lutero nos ajudará a captar melhor as razões de alguns dos desentendimentos posteriores entre ele e os outros reformadores.³² Embora a distinção primária de Lutero estivesse entre a palavra e o sinal (a promessa e o sinal da promessa), a distinção primária enfatizada por muitos dos outros reformadores estava entre o sinal (o pão e o vinho) e a coisa significada (o corpo e o sangue de Cristo). Em outras palavras, para Lutero, o corpo e o sangue de Cristo no pão e no vinho são os sinais da promessa; para muitos outros, o pão e o vinho são os sinais do corpo e do sangue de Cristo.

---

[25] Lutero, *Holy Mass*, *LW* 35:86,87; Lutero, *Babylonian Captivity*, *LW* 36:37–40; Lutero, *The Misuse of the Mass* (1521), *LW* 36:179. Veja Carter Lindberg, *The European Reformations*. Malden: Blackwell, 1996, p. 188; cf. também David C. Steinmetz, "Scripture and the Lord's Supper in Luther's Theology", *Int* 37, n. 3, 1983, p. 258.

[26] Lutero, *Holy Mass*, *LW* 35:91.

[27] Ibid., *LW* 35:97.

[28] Lutero, *Blessed Sacrament*, *LW* 35:63; Lutero, *Misuse of the Mass*, *LW* 36:169. Por causa da necessidade de fé na promessa, o sacramento também não justifica *ex opere operato*. Veja Gordon A. Jensen, "Luther and the Lord's Supper". In: Robert Kolb, Irene Dingel e Ľubomír Batka (eds.). *The Oxford Handbook of Martin Luther's Theology*. Oxford: Oxford University Press, 2014, p. 323.

[29] Lutero, *Holy Mass*, *LW* 35:86,87; Lutero, *Babylonian Captivity*, *LW* 36:29–34.

[30] Lutero, *Blessed Sacrament*, *LW* 35:60,61; Lutero, *Holy Mass*, *LW* 35:86,87; Lutero, *Babylonian Captivity*, *LW* 36:29, 33-34. Veja Hermann Sasse, *This Is My Body: Luther's Contention for the Real Presence in the Sacrament of the Altar*. Minneapolis: Augsburg, 1959, p. 100.

[31] Lutero, *Babylonian Captivity*, *LW* 36:44.

[32] Agradeço a meu colega Aaron Denlinger por essa percepção.

Em dezembro de 1521, Philip Melanchthon, colega e discípulo mais devotado de Lutero, publicou a primeira edição de sua obra *Loci Communes*,[33] que é um resumo básico da teologia de Lutero. O próprio Lutero elogiou o livro como "digno não só de imortalidade, mas também do cânon da Igreja".[34] À semelhança de Lutero, Melanchthon enfatizou a natureza promissória dos sacramentos. Nas Escrituras, "os sinais são acrescentados às promessas como selos, tanto para nos lembrar das promessas quanto para servir como testemunhos seguros da boa vontade de Deus conosco, confirmando que certamente receberemos o que Deus prometeu".[35] A Ceia certamente não é um sacrifício, como Roma ensina; em vez disso, é um "testemunho do evangelho prometido".[36] Com relação à verdadeira presença do corpo e do sangue de Cristo, Melanchthon assumiu a doutrina de Lutero sem maior aperfeiçoamento.[37] Por fim, ele observou que o propósito desse sacramento é "nos fortalecer sempre que nossa consciência vacilar e duvidarmos da boa vontade de Deus para conosco".[38]

André Karlstadt era outro dos colegas de Lutero em Wittenberg, e sua doutrina da Ceia, como a de muitos outros reformadores, foi-se desenvolvendo ao longo do tempo.[39] Em seus primeiros escritos, ele expressou pontos de vista que eram praticamente indistinguíveis dos de Lutero,[40] além de enfatizar a natureza do sacramento como testamento ou promessa. Ele afirmou também a verdadeira presença do corpo e do sangue de Cristo no pão e no vinho, bem como afirmou que a principal distinção no sacramento é entre a palavra/promessa de Deus e o sinal (o corpo e o sangue de Cristo no pão e no vinho).[41] A doutrina de Karlstadt sobre a Ceia, no entanto, não demorou a sofrer uma transformação radical.

Por volta de 1521, o mais tardar, os reformadores de Wittenberg já estavam cientes das interpretações da Ceia que implicavam a rejeição da presença corporal de Cristo no pão e no vinho.[42] O holandês Hinne Rode havia levado os escritos de Wessel Gansfort e uma carta de um advogado chamado Cornélio Hoen para

---

[33] Philip Melanchthon, *Commonplaces: Loci Communes 1521*. St. Louis: Concordia, 2014.
[34] Martinho Lutero, *The Bondage of the Will*, *LW* 33:16 [*Da vontade cativa* (1525). In: *Obras selecionadas, Volume 4: Debates e controvérsias II*, p. 11–216].
[35] Melanchthon, *Commonplaces*, p. 167.
[36] Ibid., p. 182.
[37] Ibid.
[38] Ibid., p. 183.
[39] As obras de Karlstadt sobre a eucaristia foram traduzidas para o inglês em *The Eucharistic Pamphlets of Andreas Bodenstein von Karlstadt*, traduzido e editado por Amy Nelson Burnett, Early Modern Studies 6. Kirksville: Truman State University Press, 2011.
[40] Amy Nelson Burnett, *Karlstadt and the Origins of the Eucharistic Controversy: A Study in the Circulation of Ideas*, Oxford Studies in Historical Theology. Oxford: Oxford University Press, 2011, p. 23.
[41] Karlstadt, *Eucharistic Pamphlets*, p. 24, 30, 43, 45, 52, 62, 63.
[42] Burnett, *Karlstadt and the Origins*, p. 56.

Wittenberg em algum momento da última parte de 1521.⁴³ Os teólogos de Wittenberg provavelmente leram a carta de Hoen nessa ocasião, e, em virtude de sua importância para o subsequente desenvolvimento dos debates eucarísticos, devemos examinar brevemente o pano de fundo e o conteúdo dessa carta.⁴⁴

Um contato com *O sacramento da eucaristia*, de Wessel Gansfort, parece ter inspirado a reinterpretação que Hoen fez da Ceia mais do que qualquer outro evento.⁴⁵ A ênfase de Gansfort na comunhão espiritual central tornou-se seu próprio ponto de vista. A percepção exegética-chave de Hoen foi sua insistência em que as palavras de Cristo na instituição, "Isto é meu corpo", deviam ser interpretadas como "Isto *significa* meu corpo".⁴⁶ Portanto, não há presença física do corpo e do sangue de Cristo nos elementos do pão e do vinho. Hinne Rode levou a carta de Hoen para Wittenberg em 1521 e, em janeiro de 1523, viajou para Basileia e encontrou-se com João Ecolampádio, que o incitou a compartilhar a carta com Ulrico Zuínglio, com a concordância de Rode. Em 1524, encontrou-se com Martin Bucer em Estrasburgo.⁴⁷ As reações à carta variaram. Lutero rejeitou os pontos de vista de Hoen;⁴⁸ Zuínglio, por outro lado, foi persuadido por ela e, em 1525, publicou-a. A carta de Hoen também influenciou Karlstadt, e muitos dos argumentos de Hoen encontraram caminho nos escritos deste, apesar de sua rejeição à interpretação específica de Hoen das palavras de instituição.

A PRIMEIRA CONTROVÉRSIA EUCARÍSTICA (1524–1536)

Caso desejássemos singularizar o ponto de partida da primeira controvérsia eucarística, esse evento seria o acalorado intercâmbio entre Lutero e Karlstadt na Hospedaria do Urso Negro, em Jena, em 22 de agosto de 1524.⁴⁹ No início do dia, Lutero havia pregado em Jena contra algumas das reformas radicais em que Karlstadt estava envolvido, o qual pediu para se encontrar com Lutero e, nessa reunião, ao ouvir a resposta de Karlstadt a seu sermão, Lutero descalçou sua luva lançando-a para desafiar Karlstadt a apresentar seus argumentos por escrito. Karlstadt estava mais do que disposto a fazê-lo, e em outubro publicou cinco tratados separados expressando seu novo entendimento sobre a Ceia do Senhor.⁵⁰ Ele foi o primeiro

---

⁴³ Ibid., p. 16, 56. A carta de Hoen foi provavelmente escrita antes de 1521, mas só foi publicada em 1525.
⁴⁴ Veja Bart Jan Spruyt, *Cornelius Henrici Hoen (Honius) and His Epistle on the Eucharist (1525): Medieval Heresy, Erasmian Humanism, and Reform in the Early Sixteenth-Century Low Countries*, Studies in Medieval and Reformation Traditions 119. Leiden: Brill, 2006.
⁴⁵ Williams, *Radical Reformation*, p. 35,36.
⁴⁶ Cornelisz Hoen, "A Most Christian Letter". In: Heiko A. Oberman (ed.). *Forerunners of the Reformation: The Shape of Late Medieval Thought*. Library of Ecclesiastical History. Cambridge: James Clarke, 1967, p. 269.
⁴⁷ Williams, *Radical Reformation*, p. 86–89.
⁴⁸ Martinho Lutero, *The Adoration of the Sacrament* (1523), *LW* 36:279,280.
⁴⁹ Burnett, *Karlstadt and the Origins*, p. 3.
⁵⁰ Ibid. Veja também Lindberg, *The European Reformations*, p. 137,138.

dos associados ao movimento da Reforma a manifestar-se publicamente com um ponto de vista sobre a Ceia do Senhor que diferia significativamente de Lutero,[51] mas não seria o último.

A FASE POLÊMICA

Em quatro de seus cinco panfletos, Karlstadt apresentou seu argumento principal para rejeitar a presença corpórea de Cristo na Ceia. No tratado *Se alguém pode provar pela Sagrada Escritura que Cristo está no sacramento com corpo, sangue e alma*, ele respondeu a sete argumentos para a presença corpórea de Cristo e os rejeitou.[52] Por exemplo, Karlstadt argumentou que, mesmo que Cristo tivesse usado as palavras de consagração para mudar os elementos, isso não significa que os sacerdotes possam fazer o mesmo repetindo essas palavras. Se assim for, ele disse, deixe-os ler estas palavras: "'Disse Deus: Ajuntem-se num só lugar as águas que estão debaixo do céu, e apareça a parte seca'. E assim foi' [Gênesis 1:9]. E veja se por meio do poder de tais palavras poderosas e santas eles podem criar o céu e a terra, água e fogo, peixe e animais".[53]

No tratado seguinte, ele considerou as palavras de instituição e argumentou que em nenhum lugar elas afirmam que o pão *é* o corpo de Cristo.[54] De fato, segundo Karlstadt, a gramática grega proíbe essa interpretação. Em seu *Diálogo*, ele colocou na boca de um leigo imaginário a ideia de que Cristo estava apontando para seu próprio corpo quando disse: "Isto é o meu corpo".[55] Essa é a ideia a que Karlstadt é mais comumente associado, mas ela não era sua preocupação central. Sua convicção central era "que o sacramento foi instituído para que os cristãos se lembrassem do sofrimento e da morte de Cristo como o cumprimento da profecia do Antigo Testamento".[56] A defesa pública de Karlstadt de um entendimento simbólico encorajou outros, como Ulrico Zuínglio, a escrever.

O ponto de vista de Zuínglio desenvolveu-se muito cedo em sua carreira como reformador. Por algum tempo, ele pensou de modo semelhante a Lutero. Por volta de 1523 ou 1524, porém, adotou um ponto de vista radicalmente simbólico,[57] e sua mudança de pensamento parece ter resultado, pelo menos em parte, da leitura da carta de Hoen. A publicação dos folhetos violentamente antiluteranos de

---

[51] Bernhard Lohse, *The Theology of Martin Luther: Its Historical and Systematic Development*. Minneapolis: Fortress, 1999, p. 170. Relembrando que a carta de Hoen só foi publicada em 1525.
[52] Karlstadt, *Eucharistic Pamphlets*, p. 116–143.
[53] Ibid., p. 123.
[54] Ibid., p. 144–162.
[55] Ibid., p. 175.
[56] Ibid., p. 3.
[57] Carrie Euler, "Huldrych Zwingli and Heinrich Bullinger". In: Wandel, *Companion to the Eucharist in the Reformation*, p. 58,59.

Karlstadt forçou Zuínglio a expressar de modo claro seu próprio entendimento, distinguindo-o da posição de Karlstadt. Zuínglio escreveu sua *Carta a Mateus Alber sobre a Ceia do Senhor* em novembro de 1524, na qual apresentou João 6 como seu ponto de partida teológico e exegético, e neste texto permaneceria aferrado em todos os seus escritos subsequentes sobre a doutrina da eucaristia.

Zuínglio argumentou que João 6 provê o contexto teológico no qual as palavras de instituição proclamadas por Cristo devem ser interpretadas. Jesus apresenta-se lá como o "pão da vida" e distingue "alimento espiritual" do alimento corporal.[58] As palavras de Cristo nessa passagem, portanto, indicam claramente que, quando ele explica aos que o escutam a necessidade de "comer sua carne", está de fato falando da necessidade da fé. *Comer* Cristo é *crer* nele.[59] Tendo em mente as palavras de Jesus em João 6, interpretar suas palavras de instituição se torna muito menos difícil. Ao concordar com a visão de Hoen em vez de com Karlstadt, Zuínglio argumentou que "Isto é o meu corpo" deve ser interpretado como sendo "Isto significa o meu corpo".[60] A palavra "é" tem de ser interpretada como "significa", ou então o sinal *é* a coisa que ele significa e já não é um sinal.[61] Embora ele tenha acrescentado mais argumentos a seu ponto de vista em escritos posteriores, essas ideias básicas caracterizariam o ensino de Zuínglio até sua morte.

Como havia prometido, Lutero respondeu a Karlstadt, abordando a questão em seu tratado de duas partes intitulado *Contra os profetas celestiais*, concluído no início de 1525.[62] Neste trabalho, ele se dirigiu à exegese feita por Karlstadt das palavras de instituição. Ele argumentou que a interpretação de Karlstadt fez com que Jesus falasse sobre o pão ("Tomem e comam") e, então, mudando repentinamente o assunto, falasse do próprio corpo ("Isto é o meu corpo") e, depois, voltasse ao assunto do pão ("Façam isso em memória de mim"). Essa interpretação, de acordo com Lutero, era absurda: "Como soaria se eu desse a alguém um pedaço de pão e dissesse: 'Tome e coma', e ao oferecer e pedir que ele comesse, eu imediatamente dissesse: 'Isto é uma libra de ouro no meu bolso'?"[63] De acordo com Lutero, não devemos tentar explicar as palavras de Cristo, mas sim crer que o pão é o corpo de Cristo simplesmente porque foi isso que Jesus disse que é. Para Lutero, o ponto de partida foi sempre a nítida declaração de Cristo: "Isto é o meu corpo".[64]

---

[58] Ulrico Zuínglio, *Letter to Alber*. In: Zuínglio, *Writings*, v. 2, *In Search of True Religion: Reformation, Pastoral, and Eucharistic Writings*. Allison Park: Pickwick, 1984, p. 132,133.
[59] Ibid., p. 136.
[60] Ibid., 138,139.
[61] W. P. Stephens, *The Theology of Huldrych Zwingli*. Oxford: Clarendon, 1986, p. 185.
[62] Martinho Lutero, *Against the Heavenly Prophets in the Matter of Images and Sacraments* (1525), *LW* 40:75–143, 144–223.
[63] Ibid., *LW* 40:169.
[64] Ibid., *LW* 40:216.

Durante o restante de 1525, várias respostas a Lutero foram escritas. Zuínglio publicou o *Comentário sobre a religião verdadeira e a falsa* em março, e, nessa obra, ele expandiu os temas básicos que havia introduzido na *Carta a Mateus Alber*. Os sacramentos nada mais são do que cerimônias iniciais pelas quais um homem se compromete a ser um soldado de Cristo,[65] e, na Ceia do Senhor, ele argumentou, "damos provas de que confiamos na morte de Cristo".[66] O ponto de partida para Zuínglio foi novamente João 6.[67] Ele apelou repetidamente às palavras do versículo 63 em particular: "A carne não produz nada que se aproveite".[68] Essas palavras nos ajudam a compreender o que Cristo quer dizer com "Isto é o meu corpo". Segundo Zuínglio, a "expressão ['A carne não produz nada que se aproveite'] é suficientemente forte para provar que 'é' nesta passagem corresponde a 'significa' ou 'é um símbolo de'".[69] Karlstadt respondeu a Lutero em dois tratados. Recorrendo a 1Coríntios 10:3, ele novamente afirmou que a única maneira de comer e beber o corpo e o sangue de Cristo é por meio da fé.[70]

Em setembro de 1525, Ecolampádio deu sua participação ao publicar *Sobre a genuína exposição das palavras do Senhor*. Seu trabalho diferia dos outros por se concentrar principalmente em evidência patrística a fim de demonstrar que uma compreensão simbólica da Ceia não podia ser considerada uma heresia. Embora seu entendimento fosse, em muitos aspectos, semelhante ao de Zuínglio, algumas de suas ênfases mais significativas devem ser mencionadas.[71] Quanto às palavras da instituição, Ecolampádio acreditava que a figura de linguagem estava no predicado (corpo) e não no verbo (é). Ele argumentou que a frase deveria ser lida: "Isto é um sinal do meu corpo".[72] Em segundo lugar, Ecolampádio sugeriu que os que participam da Ceia pela fé participam de um comer espiritual de Cristo que ocorre paralelamente ao comer o pão. Uma terceira ênfase importante foi sua afirmação de que o objetivo da Ceia é elevar nosso coração a Cristo, que está sentado à direita de Deus.[73] Encontraremos essas ideias novamente nos escritos de reformadores posteriores.

Em agosto de 1525, Zuínglio publicou seu *Ensaio subsidiário sobre a eucaristia*, a fim de aprofundar seus argumentos no *Comentário*. A novidade exegética mais

---

[65] Ulrico Zuínglio, *Commentary on True and False Religion*, ed. Samuel Macauley Jackson e Clarence Nevin Heller (1929; reimpressão, Durham, NC: Labyrinth, 1981), 181, 184.
[66] Ibid., 184.
[67] Ibid., 200.
[68] Ibid., 212, 219, 220, 248.
[69] Ibid., 231.
[70] Karlstadt, *Eucharistic Pamphlets*, p. 222,223.
[71] Para um resumo útil da doutrina de Ecolampádio, veja Ian Hazlett, "The Development of Martin Bucer's Thinking on the Sacrament of the Lord's Supper in Its Historical and Theological Context, 1523–1534". Dissertação (Doutorado em teologia), Universität Münster, 1975, p. 112,113.
[72] Nicholas Piotrowski, "Johannes Oecolampadius: Christology and the Supper", *MAJT* 23, 2012, p. 134.
[73] Hazlett, "Development of Martin Bucer's Thinking", p. 112,113.

significativa por ele acrescentada foi recorrer a Êxodo 12:11 para ajudar a esclarecer as palavras da instituição. Ele explicou os paralelos entre as duas passagens:

> Uma comemoração é instituída em ambos os casos. Naquele, é de libertação na carne; no outro, de reconciliação com o Deus Altíssimo. No primeiro caso, o símbolo de comemoração foi instituído antes que a coisa tivesse sido cumprida, da qual seria o símbolo nas eras fugazes. Assim, no outro foi instituído o símbolo da morte de Cristo por nós antes que ele fosse morto, que ainda viria a ser o símbolo de sua morte. À noite foi instituída a figura da libertação que se cumpriu no dia seguinte.[74]

Esses paralelos indicam que as palavras de Jesus devem ser interpretadas simbolicamente da mesma maneira. Zuínglio argumentou que o termo "é" na afirmação "É a páscoa do Senhor" é o paralelo exato do termo "é" na afirmação "Isto é o meu corpo". Em ambos os casos, "é" quer dizer "significa".[75]

Em março de 1526, Martin Bucer, pastor e teólogo de Estrasburgo, deu sua primeira contribuição escrita significativa ao debate com a obra *Apologia*. Embora Bucer tivesse pontos de vista muito semelhantes aos de Lutero nos primeiros anos da Reforma, em 1526 ele adotara uma visão fortemente influenciada por Hoen, Zuínglio e Ecolampádio, apresentada na *Apologia*, onde ele argumentou que a Ceia é um memorial, nada mais do que uma comemoração da morte de Cristo.[76] Nesse trabalho, Bucer também introduziu uma ideia que manteve com firmeza ao longo de sua carreira: a negação a que os incrédulos participem do corpo e do sangue de Cristo em qualquer sentido.[77]

A contribuição seguinte de Lutero desencadeou uma amarga fase do debate. Em *The Sacrament of the Body and Blood of Christ – Against the Fanatics* [O sacramento do corpo e sangue de Cristo – Contra os fanáticos], ele respondeu a vários argumentos de Karlstadt, Zuínglio e Ecolampádio e desenvolveu vários novos argumentos para sua própria visão. Ele reafirmou que as palavras da instituição são claras: "Estas são as palavras em que tomamos nossa posição".[78] Então, respondeu a várias objeções, incluindo a alegação de que é desnecessário que o corpo e o sangue de Cristo estejam no pão e no vinho. Ele lembrou aos leitores que não decidimos o que é necessário; Deus decide.[79]

Lutero também apresentou várias analogias para provar que é possível que Cristo esteja presente no pão e no vinho. Ele argumentou, por exemplo, que se sua

---

[74] Ulrico Zuínglio, *Subsidiary Essay*, In: *Writings*, 2:212.
[75] Ibid., p. 209–212.
[76] Martin Bucer, *Apologia*, em *Common Places of Martin Bucer*, traduzido e editado por David F. Wright, Courtenay Library of Reformation Classics 4. Appleford: Sutton Courtenay, 1972, p. 319–321.
[77] Ibid., p. 331.
[78] Martinho Lutero, *The Sacrament of the Body and Blood of Christ – Against the Fanatics*, LW 36:335–337.
[79] Ibid., *LW* 36:338–344.

pequena voz pudesse estar presente nos ouvidos de muitas pessoas, certamente o corpo de Cristo poderia estar presente em muitos lugares diferentes. Além disso, por meio da pregação da Palavra, muitos indivíduos separados têm Cristo no coração. Se Cristo pode fazer isso mediante a pregação da Palavra, Lutero perguntou, por que não poderia também fazê-lo na promessa associada com o pão?[80] Por fim, ele apresentou a ideia de que o corpo de Cristo pode estar presente em tantos lugares diferentes porque a natureza humana de Cristo "está presente em toda parte".[81] Essa noção de ubiquidade de Cristo se tornaria mais tarde uma fonte de controvérsia entre luteranos e reformados.[82]

Duas grandes obras sobre a Ceia, uma de Zuínglio e outra de Lutero, apareceram simultaneamente em fevereiro de 1527. *Exegese amigável, isto é, a exposição da matéria da eucaristia a Martinho Lutero*, de Zuínglio, foi seu livro mais importante sobre o assunto. Ele o inicia respondendo aos argumentos de Lutero, e, em seguida, delineia todos os argumentos para sua própria compreensão das palavras de Cristo. Sua interpretação das palavras da instituição permanecia a mesma, e ele continuou a interpretá-las à luz de João 6. Ele argumentou que Lutero evitou a questão por recorrer às palavras de Cristo quando era o significado daquelas mesmas palavras que estava sendo considerado.[83] Lutero disse que as palavras de instituição são claras como se uma pessoa entregasse a outra um rolo e dissesse: "Tome, coma. Isto é um rolo". Zuínglio respondeu que a analogia seria mais relevante para o debate atual se Lutero desse a outra pessoa um rolo e dissesse: "Tome, coma. Isto é uma melancia".[84]

Zuínglio também introduziu um argumento cristológico a favor de seu ponto de vista ao argumentar que o corpo humano de Cristo é um corpo humano verdadeiro e, portanto, finito. O corpo humano finito de Cristo está à direita de Deus no céu até a segunda vinda, de acordo com os antigos credos, e, portanto, não pode estar presente no pão e no vinho.[85] Afirmar, como Lutero, que o corpo humano de Cristo pode estar em toda parte conduz inevitavelmente a uma visão docetista de Cristo, de acordo com Zuínglio.

O livro de Lutero *That These Words of Christ, "This Is My Body", Still Stand Firm against the Fanatics* [Que estas palavras de Cristo, "Isto é o meu corpo", ainda continuem firmes contra os fanáticos] foi uma reafirmação e defesa de seus pontos de vista.[86] Ele insistiu que todo o debate dizia respeito ao entendimento correto das

---

[80] Ibid., *LW* 36:339,340.
[81] Ibid., *LW* 36:342.
[82] Para entender o raciocínio cristológico de Lutero (isto é, *communicatio idiomatum*), veja o cap. 9, "A Pessoa de Cristo", de Robert Letham.
[83] Ulrico Zuínglio, *Friendly Exegesis*. In: *Writings*, 2:282,283.
[84] Ibid., 2:309,310.
[85] Ibid., 2:319–336.
[86] Martinho Lutero, *That These Words of Christ, "This Is My Body", Still Stand Firm against the Fanatics*, *LW* 37:3–150.

palavras usadas por Cristo na instituição. Sobre esse assunto, não há meio termo: "Um lado deve ser do diabo e inimigo de Deus".[87] Ele argumentou que seus adversários não podem provar que "corpo" significa "sinal do corpo" ou que "é" queira dizer "significa" nas palavras ditas por Cristo na instituição.[88] Ele também rejeitou o argumento cristológico de Zuínglio, alegando que a mão direita de Deus não é um lugar, mas o poder de Deus. A mão direita de Deus está em toda parte, e, onde ela está, ali está também o corpo de Cristo.[89]

A última grande obra de Lutero sobre o assunto foi *Da santa ceia de Cristo – confissão*, publicada em fevereiro de 1528. Nela, Lutero reafirmou mais uma vez todos os argumentos para seu ponto de vista, enfatizando as palavras da instituição. Ele também tentou esclarecer o que entendia à luz das críticas que havia recebido, e um dos argumentos mais significativos foi afirmar que Cristo não está presente na Ceia "de modo visível, mortal e terreno".[90] Para explicar o que pretendeu dizer, ele usou a distinção escolástica entre presença local, presença definitiva e presença abundante. Algo está presente localmente se pode ser medido em termos espaciais. O corpo de Cristo pode estar presente dessa maneira como esteve no passado e estará no último dia. A presença definitiva não é mensurável espacialmente. Anjos e almas humanas estão presentes definitivamente. Essa é também a maneira pela qual o corpo de Cristo estava presente durante o breve período de tempo em que ele passou através da pedra que cobria seu túmulo. Essa, de acordo com Lutero, é a maneira pela qual Cristo está substancialmente presente no pão e no vinho. A presença abundante é um tipo de presença que é verdade somente em relação a Deus. É onipresença. De acordo com Lutero, é possível que o corpo de Cristo esteja presente dessa maneira em virtude da unidade das duas naturezas na única pessoa.[91]

Para explicar de que modo a substância do pão e a substância do corpo de Cristo podem ser ditos como um único objeto, Lutero também elaborou sua ideia de união sacramental (*unio sacramentalis*).[92] Embora duas substâncias diferentes não possam ser uma só, as palavras de Cristo "Isto é o meu corpo" falam das duas como uma só.[93] O pão está presente e o corpo está presente nesse único sacramento, e isso é precisamente chamado de união sacramental. Por causa da união sacramental, o que é feito ao pão é de modo correto atribuído ao corpo de Cristo. Se

---

[87] Ibid., *LW* 37:26.
[88] Ibid., *LW* 37:35.
[89] Ibid., *LW* 37:57, 63,64.
[90] Martinho Lutero, *Confession concerning Christ's Supper*, *LW* 37:197 [*Da santa Ceia de Cristo – Confissão* (1528), em *Obras selecionadas, Volume 4*, p. 217–375].
[91] Ibid., LW 37:207–216.
[92] De acordo com Bernhard Lohse, essa ideia descreve o ponto de vista de Lutero do que a palavra consubstanciação Veja Lohse, *Theology of Martin Luther*, p. 309.
[93] Lutero, *Confession concerning Christ's Supper*, *LW* 37:295.

alguém come o pão, come o corpo de Cristo, mas não da mesma maneira que comeria qualquer outro tipo de carne.[94]

Embora a *Confissão* tenha sido a última grande contribuição de Lutero para a fase polêmica da controvérsia, não foi a última coisa que ele escreveu sobre o assunto. Em 1529, escreveu o *Catecismo menor* e o *Catecismo maior*. Ambos discutem o "Sacramento do altar", que ele definiu no *Catecismo menor* como "os verdadeiros corpo e sangue de nosso Senhor Jesus Cristo, sob o pão e o vinho, dados a nós, cristãos, para comer e beber".[95] O benefício do sacramento é encontrado nas palavras "em favor de vocês" e "para perdão de pecados" (Lucas 22:19; Mateus 26:28).[96] As palavras de promessa, quando acompanhadas por comer e beber, "são as principais coisas no sacramento, e quem crê nessas palavras tem o que elas dizem e declaram: o perdão dos pecados".[97]

A FASE (PRINCIPALMENTE) CONCILIATÓRIA

Um momento de mudança na primeira controvérsia eucarística ocorreu em 1529, no Colóquio de Marburgo. Depois de ler a *Confissão* de Lutero sobre a Ceia de Cristo, Martin Bucer havia se convencido de que algum tipo de acordo era possível, e ele passou os anos seguintes trabalhando com esse objetivo.[98] Por causa de seus esforços, Lutero e Melanchthon encontraram-se com Zuínglio, Ecolampádio e o próprio Bucer em Marburgo, em outubro de 1529. As discussões ocorreram por quatro dias e, quando chegaram a um consenso em certo número de assuntos, os participantes não conseguiram concordar sobre como se dava a presença de Cristo na Ceia.[99] Lutero compôs quinze artigos, e ambos os partidos foram capazes de concordar em catorze deles, mas o artigo quinze indicou que ainda havia áreas de profundo desacordo:

> Todos cremos e defendemos a ceia de nosso querido Senhor, Jesus Cristo [...] que o sacramento do altar é um sacramento do verdadeiro corpo e sangue de Jesus Cristo, e que a participação espiritual desse corpo e sangue é especialmente necessária para todo verdadeiro cristão. [...] E, embora não estejamos de acordo se os verdadeiros corpo e sangue estão presentes no pão e no vinho, cada parte deve mostrar amor cristão à outra, na medida em que

---

[94] Ibid., *LW* 37:300.
[95] "The Small Catechism", art. 6.2. In: Theodore G. Tappert (ed.-trad.). *The Book of Concord: The Confessions of the Evangelical Lutheran Church*. Filadélfia: Fortress, 1959, p. 351 [*Enquirídio – Catecismo menor para os pastores e pregadores doutos* (1529). In: *Obras selecionadas, Volume 7: Vida em comunidade - Ministério - Culto - Sacramentos - Visitação - Catecismos - Hinos*, p. 447–470].
[96] Ibid., 6.6. In: Tappert, *Book of Concord*, p. 352.
[97] Ibid., 6.8, In: Tappert, *Book of Concord*, p. 352.
[98] David F. Wright, "Martin Bucer (1491–1551): Ecumenical Theologian". In: Wright, *Common Places of Martin Bucer*, p. 33,34.
[99] Sobre a história do Colóquio de Marburgo, veja Sasse, *This Is My Body*, p. 187–294.

a consciência possa permitir, e ambas devem orar fervorosamente ao Deus Todo-poderoso para que ele, por seu Espírito, nos confirme no entendimento correto. Amém.[100]

Os quinze artigos foram assinados por todos os presentes, incluindo Lutero e Zuínglio. A incapacidade de chegar a um acordo completo em Marburgo foi um retrocesso, mas não impediu Bucer de continuar a trabalhar com vistas a esse objetivo.

Em 1530, Carlos V, imperador do Sacro Império Romano, anunciou a Dieta de Augsburgo. Ele exigiu explicações dos reformadores, o que gerou um alvoroço de atividades entre as várias cidades protestantes. Em 25 de junho, Melanchthon submeteu a Confissão de Augsburgo em nome dos luteranos; em 8 de julho, Zuínglio apresentou a *Fidei Ratio* em defesa de sua opinião; e, em 11 de julho, as cidades alemãs do sul alinhadas com Estrasburgo apresentaram a Confissão Tetrapolitana, escrita por Bucer e Wolfgang Capito.

O artigo 10 da Confissão de Augsburgo sobre a Ceia do Senhor é muito breve; ele apresenta o núcleo do entendimento de Lutero sobre a presença de Cristo na Ceia: "Ensina-se entre nós que os verdadeiros corpo e sangue de Cristo estão realmente presentes na Ceia do Senhor sob a forma de pão e vinho e são distribuídos e recebidos". A confissão não tenta explicar como Cristo está presente. O artigo sobre a Ceia na Confissão Tetrapolitana, de Bucer, é mais longo, mas não muito mais detalhado, simplesmente afirmando que:

> A todos aqueles que sinceramente têm seu nome entre seus discípulos e receberem essa Ceia de acordo com a instituição dele, ele se digna a dar seu verdadeiro corpo e verdadeiro sangue para ser verdadeiramente comido e bebido, para alimento e bebida da alma, para seu alimento à vida eterna, para que agora ele possa viver e permanecer neles, e eles nele, a fim de serem ressuscitados por ele no último dia para a vida nova e imortal.

A confissão também rejeita a ideia de que "nada mais do que meros pão e vinho é administrado em nossa Ceia".[101] A *Fidei Ratio*, de Zuínglio, reafirmava a doutrina que ele ensinara em todos os seus escritos anteriores: o corpo de Cristo está presente apenas "pela contemplação da fé" – não há presença real.[102]

Embora o imperador se recusasse a apresentar as duas últimas confissões à Dieta, pediu aos teólogos católicos que a todas refutassem. O imperador católico romano não foi persuadido a adaptar-se aos protestantes e, em 22 de setembro, ordenou-lhes voltarem à fé católica em 15 de abril de 1531. A Reforma havia

---

[100] Jaroslav Pelikan, *Credo: Historical and Theological Guide to Creeds and Confessions of Faith in the Christian Tradition*. New Haven: Yale University Press, 2003, p. 213.
[101] Essa tradução é encontrada em James T. Dennison Jr. (ed.). *Reformed Confessions of the 16th and 17th Centuries in English Translation*. Grand Rapids: Reformation Heritage Books, 2008, 1:159.
[102] Ibid., 1:126.

atingido um estágio crítico, e muitos consideraram que, naquele momento, era necessário chegar a um acordo sobre a Ceia para a sobrevivência da Reforma. Bucer intensificou suas tentativas de alcançar esse acordo, encontrando-se com muitos, incluindo Melanchthon, Lutero e Zuínglio. A essa altura, como Bucer se afastara da opinião de Zuínglio, Melanchthon e Lutero estavam se tornando muito mais receptivos a suas propostas.[103]

Em fevereiro de 1531, uma liga defensiva protestante foi formada. A adesão à Liga de Esmalcalda originalmente exigia a subscrição da Confissão de Augsburgo, embora por um breve período de tempo a assinatura da Confissão Tetrapolitana também fosse permitida. A própria cidade de Bucer, Estrasburgo, conseguiu juntar-se a essa Liga defensiva, composta em grande parte por cidades luteranas, mas ele não conseguiu convencer os suíços a aderir. Nesse momento, Zuínglio estava frustrado com Bucer, acreditando que ele havia feito concessões demais a Lutero. Na segunda reunião da Liga de Esmalcalda, em março e abril de 1531, muitos luteranos exigiram que a adesão fosse condicionada à aceitação somente da Confissão de Augsburgo. Os suíços leais a Zuínglio estavam se tornando mais isolados, e, no dia 11 de outubro, na segunda Batalha de Kappel, católicos suíços atacaram e derrotaram os exércitos de Zurique, batalha na qual Zuínglio foi morto.[104] Um mês depois, em 24 de novembro, Ecolampádio morreu vítima da peste. Assim, os dois mais poderosos representantes da visão simbólica da Ceia foram então silenciados.

Os acontecimentos políticos avançaram rapidamente, e Bucer continuou a trabalhar de modo incansável nas tentativas de chegar a um acordo entre os protestantes. Seus encontros com os pontos de vista anabatistas sobre a Ceia haviam-no despertado para os perigos de um entendimento excessivamente simbólico, e sua doutrina da Ceia do Senhor havia se desenvolvido em uma direção mais próxima da de Lutero e de Melanchthon.[105] Bucer escreveu três de suas obras mais importantes sobre a Ceia durante esse período. Em 1532, escreveu a *Confissão de Schweinfurt*, que Ian Hazlett chama de "um dos resumos mais belos e mais coerentes que Bucer escreveu sobre o assunto".[106] Em 1534, ele escreveu *Relatório da Sagrada Escritura* e *defesa contra os axiomas católicos*. Essas obras deram-lhe audiência entre os luteranos.

---

[103] Martin Greschat, *Martin Bucer: A Reformer and His Times*. Louisville: Westminster John Knox, 2004, p. 96,97.
[104] Ibid., p. 97,98.
[105] Hazlett, "Development of Martin Bucer's Thinking", p. 197,198. Não há uma doutrina anabatista única sobre a eucaristia. Na verdade, há tantas doutrinas quanto há anabatistas. Veja John D. Rempel, *The Lord's Supper in Anabaptism: A Study in the Christology of Balthasar Hubmaier, Pilgram Marpeck, and Dirk Philips*, Studies in Anabaptist and Mennonite History 33. Waterloo: Herald, 1993; Rempel, "Anabaptist Theologies of the Eucharist". In: Wandel, *A Companion to the Eucharist*, p. 115–137.
[106] Hazlett, "Development of Martin Bucer's Thinking", p. 366.

Por causa das tentativas contínuas de alcançar algum tipo de consenso entre os protestantes, Bucer foi, por vezes, acusado de duplicidade. No entanto, Nicholas Thompson observa que "temos de nos lembrar de que ele trabalhou e escreveu enquanto fronteiras confessionais estavam *começando* a se endurecer".[107] Ele não considerava a divisão protestante um fato consumado, como fazemos hoje, e sua singular teologia da Ceia ocupava uma posição mediadora entre Lutero e Zuínglio, sendo significativa por seus próprios méritos e caracterizada por vários motivos. Inicialmente, Bucer tomou emprestado de Lutero o conceito de união sacramental sem adotar a explicação completa deste sobre o assunto, e tal conceito permitiu que Bucer se concentrasse na relação entre a Ceia e a união com Cristo.[108] Ele também falou repetidamente da "apresentação" (*exhibitio*) do corpo e do sangue de Cristo com o pão e o vinho. Com o uso dessa palavra, ele queria atribuir o significado de "a entrega real de Cristo ao cristão comungante, e não meramente o valor representativo do pão e do vinho".[109]

De importância central para a doutrina de Bucer sobre a Ceia era a ideia de que há uma "conjunção temporal" entre os sinais e ações terrestres e as realidades celestiais que eles significam. Ao mesmo tempo em que come o pão e o vinho, o fiel participa do corpo e do sangue de Cristo na dimensão celestial.[110] É possível que Bucer tenha sido influenciado por Ecolampádio, que também havia falado de um paralelismo entre o comer físico e o comer espiritual no sacramento. Seja qual for sua fonte, essa ideia nos ajuda a entender o que ele quis dizer quando afirmou que o corpo e o sangue de Cristo estão juntos "com" o pão e o vinho. Bucer insistiu em usar a palavra "com", pois ela lhe permitia afirmar que, quando o pão é comido, o corpo de Cristo é comido sem afirmar a inclusão local do corpo de Cristo no próprio pão.[111] Esse paralelismo dualista e o "duplo comer" resultante eram centrais para a teologia eucarística de Bucer.[112]

Os incansáveis esforços de Bucer para chegar a um acordo foram compensados em outubro de 1535, quando Lutero finalmente sugeriu que todos os lados se reunissem na cidade de Eisenach a fim de discutir suas diferenças doutrinais, particularmente com relação à Ceia do Senhor.[113] No entanto, apesar dos melhores esforços de Bucer para convencê-los a vir, os suíços decidiram não participar. Bucer esperava mais deles, já que a Primeira Confissão Helvética (publicada em fevereiro de 1536 e fortemente influenciada por seu próprio envolvimento na composição)

---

[107] Nicholas Thompson, "Martin Bucer". In: Wandel, *A Companion to the Eucharist*, p. 95.
[108] Wright, "Martin Bucer (1491–1551)", p. 35.
[109] Ibid.
[110] Ibid.
[111] Jensen, "Luther and the Lord's Supper", p. 328,329.
[112] Hazlett, "Development of Martin Bucer's Thinking", p. 187,188.
[113] Greschat, *Martin Bucer*, 135,136.

afirmava, no artigo 21, que os sacramentos não são "meros sinais". Essa confissão chegou a dizer que, "como os sinais são recebidos pela boca do corpo, também as coisas espirituais [são recebidas] pela fé".[114] Apesar de Bucer perceber ali uma oportunidade real, os suíços não foram persuadidos.

Como Lutero estava doente no momento em que a reunião estava para acontecer, os delegados alemães do sul viajaram para Wittenberg, chegando em 21 de maio de 1536.[115] Lutero abriu a reunião interrogando seus convidados sobre a doutrina deles. Quando a reunião continuou no dia seguinte, a discussão centrou-se na questão de se os incrédulos recebem o corpo de Cristo na Ceia. Lutero afirmou isso, e Bucer negou. Um dos delegados luteranos encontrou uma solução sugerindo uma distinção que o próprio Bucer usara no passado. Os participantes concordaram que os "indignos" (cristãos imperfeitos) participam de Cristo, mas deixaram sem resposta a questão dos incrédulos.[116] Por fim, chegaram a um acordo. Lutero reconheceu publicamente a comunhão deles como irmãos cristãos, e Melanchthon pôs o acordo por escrito.

A Concórdia de Wittenberg, de 1536, foi uma conquista notável, dada a natureza vitriólica do debate nos anos anteriores. Foi um testemunho da perseverança de Bucer. Os luteranos basearam o acordo no entendimento de que os alemães do sul acreditavam que "com o pão e o vinho, o corpo e o sangue de Cristo estão verdadeira e substancialmente presentes, oferecidos e recebidos".[117] Além disso, a Concórdia afirmou que, embora os alemães meridionais não cressem que o corpo de Cristo estava localmente incluído no pão, afirmavam que "pela união sacramental, o pão é o corpo de Cristo; isto é, eles sustentam que, quando o pão é apresentado, o corpo de Cristo está ao mesmo tempo presente e é verdadeiramente oferecido".[118] Depois de o documento ser assinado, Lutero incentivou Bucer a continuar suas tentativas de chegar a um acordo com os suíços e a fazê-lo com base na Concórdia de Wittenberg, mas os suíços nunca a aceitaram ou rejeitaram formalmente.[119]

CESSAR-FOGO SOBRE A CEIA DO SENHOR (1536–1549)

A Concórdia de Wittenberg marcou o fim da primeira controvérsia eucarística. Representantes das várias opiniões continuaram a escrever sobre o assunto, mas, em comparação com a década anterior, os treze anos seguintes foram marcados

---

[114] Dennison, *Reformed Confessions*, 1:349.
[115] Greschat, *Martin Bucer*, p. 137.
[116] Ibid., p. 137,138.
[117] *CCFCT* 2:799.
[118] Ibid.
[119] Greschat, Martin Bucer, p. 139–142; veja também Gordon A. Jensen, "Luther and Bucer on the Lord's Supper", *LQ* 27, 2013, p. 167–187. Quero agradecer a Robert Kolb por chamar minha atenção para esse artigo.

por relativa calma. O desenvolvimento mais importante relacionado com a doutrina da Ceia do Senhor a ocorrer durante esses anos foi a entrada em cena do jovem teólogo francês João Calvino. Como é verdade com quase todos os outros protestantes durante esse período, a compreensão de Calvino da Ceia do Senhor mostrou uma evolução ao longo do tempo. Suas obras que datam da primeira estada em Genebra (1536–1538), incluindo a primeira edição das *Institutas*, revelam uma ênfase distintamente simbólica. Seu colega mais velho, o reformador genebrino Guilherme Farel, também adotou um entendimento mais simbólico da Ceia, mas parece que ambos chegaram separadamente a um ponto de vista semelhante.[120]

Na primavera de 1538, Calvino e Farel foram expulsos de Genebra. Calvino, por fim, estabeleceu-se em Estrasburgo, onde trabalhou ao lado de Martin Bucer. Bruce Gordon observa que "as influências zuinglianas detectáveis nas *Institutas* de 1536 evaporaram-se durante a estada de Calvino em Estrasburgo entre 1538 e 1541".[121] Isso foi, em grande medida, resultado da influência de Bucer sobre seu colega mais novo.[122] Quanto à doutrina da Ceia, Calvino seguiu em grande parte os passos de Bucer.[123] Em 1541, quando Calvino voltou a Genebra, sua doutrina sobre a Ceia estava basicamente definida, e continuou a esclarecê-la e a explicá-la pelo resto da vida, mas a doutrina permaneceu substancialmente a mesma.[124]

---

[120] Veja Farel, *Summary* (1529). In: Dennison, *Reformed Confessions*, 1:51–111; cf. também Bruce Gordon, *Calvin*. New Haven: Yale University Press, 2009, p. 70.

[121] Gordon, *Calvin*, p. 167.

[122] Bucer não inspirou apenas o entendimento teológico de Calvino, mas também seus contínuos esforços em unir os protestantes alemães e suíços. Veja David C. Steinmetz, *Calvin in Context*. Nova York: Oxford University Press, 1995, p. 172; veja também Joseph N. Tylenda, "The Ecumenical Intention of Calvin's Early Eucharistic Teaching". In: B. A. Gerrish (ed.). *Reformatio Perennis: Essays on Calvin and the Reformation in Honor of Ford Lewis Battles*. Pittsburgh: Pickwick, 1981, p. 27,28.

[123] A influência de Melanchthon também é detectável, e alguns até sugerem que ele era uma influência mais forte do que Bucer. Veja Richard A. Muller, "From Zurich or from Wittenberg? An Examination of Calvin's Early Eucharistic Thought", *CTJ* 45, n. 2, 2010, p. 255. Muller argumenta que Calvino frequentemente usou a linguagem da *Apologia da Confissão de Augsburgo*, de 1531, e da *Concórdia de Wittenberg*, de Melanchthon. Melanchthon e Bucer estiveram envolvidos em numerosas discussões teológicas nos anos que antecederam a *Concórdia de Wittenberg* e influenciaram mutuamente o pensamento um do outro. Não é surpresa, portanto, encontrar a influência de Melanchthon na obra de Calvino sobre a Ceia do Senhor, considerando que ela seja direta ou indireta. Vale a pena notar, entretanto, que Calvino também influenciou os pontos de vista de Melanchthon. Veja, por exemplo, Wim Janse, "Calvin's Doctrine of the Lord's Supper", *Perichoresis* 10, n. 2, 2012, p. 146,147. Para saber mais sobre o relacionamento entre Calvino e Melanchthon, veja Timothy Wengert, "'We Will Feast Together in Heaven Forever': The Epistolary Friendship of John Calvin and Philip Melanchthon". In: Karin Maag (ed.). *Melanchthon in Europe: His Work and Influence beyond Wittenberg*. Texts and Studies in Reformation and Post-Reformation Thought. Grand Rapids: Baker, 1999, p. 19–44.

[124] Sugerir que seu ponto de vista continuou a sofrer mudanças substanciais, como alguns argumentaram, parece ser exagero. O argumento mais forte para o desenvolvimento e a mudança substanciais foi feito por Thomas J. Davis em *The Clearest Promises of God: The Development of Calvin's Eucharistic Teaching*, AMS Studies in Religious Tradition 1. Nova York: AMS, 1995; cf. também Wim Janse, "Calvin's Eucharistic Theology: Three Dogma-Historical Observations". In: Herman J. Selderhuis (ed.). *Calvinus Sacrarum Literarum Interpres: Papers of the International Congress on Calvin Research*. Göttingen: Vandenhoeck & Ruprecht, 2008, p. 39.

Assim como fez Bucer, Calvino associou diretamente sua doutrina da Ceia com sua doutrina da união com Cristo.[125] No entanto, ele concebeu três tipos de união com Cristo, e essa união tríplice pode ser inferida em muitos de seus escritos, mas é explicada mais claramente em sua correspondência de 1555 com Pedro Mártir Vermigli.[126] Nela, Calvino descreveu o que Duncan Rankin denomina uma união encarnacional, uma união mística e uma união espiritual.[127] A encarnacional é a união singular entre a natureza divina e a natureza humana na única pessoa de Jesus Cristo. A mística é a união de uma vez por todas com Cristo que ocorre quando os cristãos são regenerados e enxertados em seu corpo, já a união espiritual é o efeito e o fruto da união mística. É uma união contínua e progressiva, e que pode crescer e ser fortalecida ao longo da vida do cristão.[128] Calvino explicitamente associou esse terceiro tipo de união com a Ceia do Senhor, que é dada para nos alimentar e fortalecer nossa união mística com Cristo.

Referindo-se às palavras de instituição de Cristo, Calvino argumentou que a expressão "Isto é o meu corpo" deve ser compreendida figurativamente. O nome da realidade é aqui dado ao sinal.[129] Portanto, os cristãos devem distinguir o sinal da realidade, todavia, o sinal, ainda que distinto da realidade, nunca deve ser separado dela. O sinal e a realidade estão conectados. Calvino escreveu: "Considero, além de toda controvérsia, que a realidade está aqui unida ao sinal".[130] Calvino, seguindo Bucer, também viu um paralelismo entre a ação sacramental terrena e a ação celestial correspondente. Como ele explicou: "Se é verdade que o sinal visível nos é oferecido para selar o dom da coisa invisível, devemos ter essa indubitável confiança de que, ao tomar o sinal do corpo, também recebemos o corpo".[131]

O que isso significa, de acordo com Calvino, é que os cristãos realmente participam do corpo de Cristo: "Para ter nossa vida em Cristo, nossa alma deve ser alimentada em seu corpo e seu sangue, como o alimento apropriado para ela".[132] Cristo é aquele a quem somos unidos e, portanto, o objeto de nossa participação. Mas o que significa realmente participar do corpo de Cristo? Segundo Calvino,

---

[125] Veja B. A. Gerrish, *Grace and Gratitude: The Eucharistic Theology of John Calvin*. Minneapolis: Augsburg Fortress, 1993, p. 133.

[126] Uma tradução em inglês da parte relevante das cartas de Calvino é encontrada em Teodoro Beza, *The Life of John Calvin*. Filadélfia: J. Whetham, 1836, p. 309–311.

[127] W. Duncan Rankin, "Calvin's Correspondence on Our Threefold Union with Christ". In: Robert L. Penny (ed.). *The Hope Fulfilled: Essays in Honor of O. Palmer Robertson*. Phillipsburg: P&R, 2008, p. 250.

[128] "Letter to Peter Martyr", em Beza, *Life of John Calvin*, p. 311.

[129] Calvino, *Institutas*, 4.17.20–25.

[130] Calvino, *Calvin's Commentaries*, vol. 20, *Commentary on the Epistles of Paul the Apostle to the Corinthians*, ed. John Pringle (Grand Rapids, MI: Baker, 2003), p. 378 (1Coríntios 11:24) [*Comentário de 1Coríntios*. Trad. Valter Graciano Martins (São José dos Campos, SP: Editora Fiel, 1a. ed., 2003)].

[131] João Calvino, *Institutes of the Christian Religion: 1541 French Edition*. Grand Rapids: Eerdmans, 2009, p. 557.

[132] João Calvino, "Short Treatise on the Supper of Our Lord". In: J. K. S. Reid (ed.). *Calvin: Theological Treatises* LCC 22. Louisville: Westminster John Knox, 2006, 2:147.

"comemos a carne [de Cristo] quando, por meio dela, recebemos vida".[133] A Ceia, portanto, está associada à nossa união espiritual com Cristo porque, por meio dela, os cristãos que já estão enxertados em Cristo "crescem cada vez mais com ele, até que ele nos une perfeitamente consigo na vida celestial".[134] Assim, segundo Calvino, participamos (ou seja, estamos a ele unidos e recebemos dele a vida) do verdadeiro corpo de Cristo. O entendimento de Calvino, assim como o de Bucer, deve, portanto, ser distinguido do modo como Lutero e Zuínglio entendiam o assunto.[135]

Durante esses mesmos anos de relativa paz, Heinrich Bullinger, colega mais novo de Zuínglio, continuou a defender a doutrina de seu mentor falecido, mas também avançou para além dela. Uma das mais extensas apresentações de seus pontos de vista é encontrada em *Décadas*, sermões publicados entre 1549 e 1551, no período em que a segunda controvérsia eucarística estava se aquecendo. Em *Décadas*, Bullinger apresentou uma compreensão zuingliana modificada da Ceia, definindo os sacramentos como "testemunhas e selos da pregação do Evangelho".[136] Bullinger argumentou que o sinal e a coisa significada estão unidos "pela contemplação fiel". Isso significava que "os fiéis têm *em si* ambos, que são distintos, juntos, os quais, por outro lado, no sinal ou com o sinal são *unidos sem vínculo*".[137] Os sinais dirigem nossos olhos para as coisas espirituais, mas não estão conectados com essas coisas. Sua explicação da Ceia do Senhor, portanto, fazia eco a Zuínglio em muitas de suas características essenciais.[138]

---

[133] Calvino, *Calvin's Commentaries*, v. 17, *Commentary on a Harmony of the Evangelists, Matthew, Mark, and Luke*, editado por William Pringle. Grand Rapids: Baker, 1996, p. 210 (Mateus 26:26).

[134] Calvino, *Institutas*, 4.17.33.

[135] Para um estudo mais completo sobre o ponto de vista de Calvino sobre os sacramentos em geral e sobre a Ceia do Senhor em particular, veja o capítulo que escrevi em: Derek Thomas e John Tweeddale (eds.). *John Calvin: For a New Reformation*. Wheaton: Crossway, no prelo). A doutrina de Calvino sobre a Ceia do Senhor ocasionalmente tem sido fonte de controvérsia dentro das igrejas reformadas. Um debate importante entre Charles Hodge e John Williamson Nevin ocorreu em meados do século XIX. Nevin tinha escrito um livro intitulado *The Mystical Presence*, em que lamentou o fato de que a maioria das igrejas reformadas de seu tempo tinham adotado um entendimento da Ceia que era mais zuingliano do que calvinista. Hodge respondeu argumentando que aspectos da doutrina de Calvino eram elementos estranhos ao sistema de teologia reformada. Discuti esse debate com alguma profundidade em meu livro *Given for You: Reclaiming Calvin's Doctrine of the Lord's Supper*. Phillipsburg: P&R, 2002, p. 136–156. Creio que Nevin tinha uma melhor compreensão da doutrina de Calvino, mas deve ser observado que ele leu Calvino através de lentes idealistas alemãs e que isso afetou sua interpretação. Hodge parece ter mal interpretado Calvino quase completamente. Todas as fontes primárias desse debate foram republicadas recentemente na Mercersburg Theology Study Series, editada por W. Bradford Littlejohn. Veja John Williamson Nevin, *The Mystical Presence and the Doctrine of the Reformed Church on the Lord's Supper*, editado por Linden J. DeBie, Mercersburg Theology Study Series 1. Eugene: Wipf & Stock, 2012; e John Williamson Nevin e Charles Hodge, *Coena Mystica: Debating Reformed Eucharistic Theology*, editado por Linden J. DeBie, Mercersburg Theology Study Series 2. Eugene: Wipf & Stock, 2013.

[136] Heinrich Bullinger, *The Decades of Heinrich Bullinger*, editado por Thomas Harding (1849–1852). Grand Rapids: Reformation Heritage Books, 2004, 2:234.

[137] Ibid., 2:279. Grifos nossos.

[138] Ibid., 2:401–478.

A SEGUNDA CONTROVÉRSIA EUCARÍSTICA (1549-1561)

A segunda controvérsia eucarística foi iniciada em 1549, quando Calvino e Bullinger elaboraram uma declaração de consenso sobre a Ceia do Senhor, conhecida como Consenso de Zurique (ou Consenso Tigurino).[139] Depois da assinatura da Concórdia de Wittenberg, em 1536, Lutero havia incentivado Bucer a continuar suas tentativas de chegar a um acordo com os suíços. Calvino compartilhava do desejo de Bucer de chegar a um acordo, e, depois de muita correspondência e debates frequentemente acalorados, ele e Bullinger concordaram com o Consenso de Zurique.[140]

O Consenso de Zurique não representa completamente nem a teologia de Bullinger nem a de Calvino. Cada um deles fez concessões a fim de produzir uma formulação que ambos os lados pudessem assinar.[141] Calvino estava aparentemente disposto a omitir certas frases que usava em outros lugares, mas não ficou inteiramente satisfeito com o resultado. Em uma carta a Bucer sobre o Consenso, ele disse: "Na verdade, não foi minha culpa que esses itens não fossem mais completos. Vamos, portanto, suportar com um suspiro que aquilo não possa ser corrigido".[142] Apesar da decepção com a forma final, Calvino defenderia o Consenso nos próximos anos, interpretando-o de acordo com sua própria doutrina da Ceia. Ele foi forçado a defendê-lo porque sua publicação disparou uma segunda controvérsia eucarística. A vontade de Calvino de omitir certas frases permitiu que os suíços o assinassem, mas os luteranos interpretaram o acordo como uma grosseira capitulação ao zuinglianismo.

Joachim Westphal, pastor luterano de Hamburgo, disparou os primeiros tiros com três livros publicados entre 1552 e 1555, nos quais ele defendeu uma versão endurecida da doutrina de Lutero. Luteranos como Melanchthon, que tinham adotado uma versão modificada da doutrina de Lutero, nem sempre ficaram satisfeitos com a linguagem de Westphal. Calvino, por fim, respondeu com *Defesa da sã e ortodoxa doutrina dos sacramentos* (1555).[143] Westphal e Calvino continuaram trocando ataques nos anos seguintes. Outros teólogos luteranos e reformados também contribuíram para o debate. Calvino contribuiu com seu trabalho final sobre o assunto quando respondeu às críticas do luterano Tileman Heshusius, em

---

[139] O texto está em *CCFCT* 2:802-815.

[140] Paul Rorem, *Calvin and Bullinger on the Lord's Supper*. Nottingham: Grove Books, 1989.

[141] Paul Rorem, "The Consensus Tigurinus (1549): Did Calvin Compromise?". In: Wilhelm H. Neuser (ed.). *Calvinus Sacrae Scripturae Professor: Calvin as Confessor of Holy Scripture; Die Referate Des Congrès International Des Recherches Calviniennes Vom 20. Bis 23. August 1990 in Grand Rapids*. Grand Rapids: Eerdmans, 1994, p. 90.

[142] Citado em Rorem, *Calvin and Bullinger on the Lord's Supper*, p. 49.

[143] Veja Joseph N. Tylenda, "The Calvin-Westphal Exchange: The Genesis of Calvin's Treatises against Westphal", *CTJ* 9, n. 2, 1974, p. 182-209; Steinmetz, *Calvin in Context*, p. 172-183; Wim Janse, "Joachim Westphal's Sacramentology", *LQ* 22, n. 2, 2008, p. 137-160; Esther Chung-Kim, "Use of the Fathers in the Eucharistic Debates between John Calvin and Joachim Westphal", *Reformation* 14, n. 1, 2009, p. 101-125.

1561.¹⁴⁴ À época em que essa controvérsia se estabeleceu, qualquer esperança de reconciliação entre os luteranos e os reformados sobre a doutrina da Ceia tinha quase desaparecido.

CONSOLIDAÇÃO E CONFISSÕES

As confissões das igrejas ajudaram a consolidar as várias doutrinas eucarísticas que se desenvolveram na primeira metade do século XVI. No Concílio de Trento (1545–1563), a Igreja Católica Romana respondeu às críticas dos protestantes e reafirmou sua própria posição, defendendo a transubstanciação, a adoração da hóstia e a doutrina do sacrifício da missa.¹⁴⁵ Anátemas solenes foram declarados contra aqueles que negassem a doutrina católica romana da Ceia.

As confissões reformadas do século XVI refletem a gama de opiniões encontradas entre os teólogos da época. B. A. Gerrish observa que algumas dessas opiniões refletem os entendimentos zuinglianos modificados por Bullinger, ao passo que outras ensinam uma visão de acordo com os ensinamentos de Bucer e Calvino.¹⁴⁶ Por exemplo, a *Confissão francesa*, de 1559, a *Confissão escocesa*, de 1560, e a *Confissão belga*, de 1561, são bucerianas e calvinistas em sua linguagem sobre a Ceia. A *Segunda confissão helvética*, de 1566, por outro lado, reflete a doutrina eucarística de seu autor, Heinrich Bullinger. No entanto, à época em que Bullinger completou essa confissão, uma influência calvinista tornou-se detectável. Vemos sinais dela quando lemos as seguintes palavras no capítulo 21 da confissão: "Portanto, os fiéis recebem o que é dado pelo ministro do Senhor e comem o pão do Senhor e bebem do cálice do Senhor. Mas ainda, pela obra de Cristo, por meio do Espírito Santo, eles recebem também a carne e o sangue do Senhor e se alimentam deles para a vida eterna".¹⁴⁷

Os padrões confessionais das igrejas luteranas estão contidos no *Livro de Concórdia* (1580). Essa obra foi compilada a fim de terminar debates internos que estavam trazendo problemas às igrejas luteranas. Além do Credo dos Apóstolos, do Credo Niceno e do Credo Atanasiano, o *Livro de Concórdia* também contém a Confissão de Augsburgo, bem como a Apologia da Confissão de Augsburgo (uma defesa contra condenações feitas por Roma), de Melanchton, e seu *Tratado sobre o poder e a primazia do papa*. Ele contém os Catecismos Menor e Maior de Lutero,

---

[144] As contribuições de Calvino para esse debate são encontradas em Henry Beveridge and Jules Bonnet (eds.). *Tracts, Part 2*, v. 2, de *John Calvin: Tracts and Letters* (1849). Edimburgo: Banner of Truth, 2009.

[145] A 13ª. Sessão (1551) tratou do sacramento da eucaristia; a 22ª (1562) tratou com o sacrifício da missa . Veja H. J. Schroeder (ed.-trad.). *The Canons and Decrees of the Council of Trent*. Charlotte: Tan Books, 1978, p. 72–80, 146–154.

[146] B. A. Gerrish, *The Old Protestantism and the New: Essays on the Reformation Heritage*. Edimburgo: T&T Clark, 1982, p. 118–130.

[147] Essa tradução é encontrada em Dennison, *Reformed Confessions*, 2:866.

bem como seus Artigos de Esmalcalde (1536). Por fim, contém a Fórmula de Concórdia (1577), uma reformulação e explicação de certas doutrinas que se tornaram fonte de discordância entre luteranos. O *Livro de Concórdia* adota a doutrina de Lutero sobre a Ceia e se posiciona firmemente contra a doutrina eucarística de Roma e os vários pontos de vista sustentados nas igrejas reformadas.

CONCLUSÃO

Há algo inerentemente trágico no fato de o sacramento chamado por Calvino de "vínculo de amor" ter-se tornado fonte de tanta luta e divisão na igreja.[148] Havia uma razão para que Bucer, Melanchthon, Calvino e outros trabalhassem tão arduamente na tentativa de chegar a um consenso. Não terem alcançado seu objetivo não significa que seus esforços tenham sido equivocados. Hoje não parece provável que os desentendimentos sejam resolvidos até que Cristo volte e todos os que confiam nele sentem-se a uma mesa e festejem juntos. No entanto, mesmo que a resolução não seja humanamente possível, talvez seja possível uma melhor compreensão dos fatores que levaram à divisão, e minha esperança é que essa discussão tenha contribuído de alguma forma para esse objetivo.

FONTES PARA ESTUDO ADICIONAL

FONTES PRIMÁRIAS

BUCER, Martin. *The Common Places of Martin Bucer* [Os lugares-comuns de Martin Bucer]. Traduzido e editado por David F. Wright, p. 313–353. Courtenay Library of Reformation Classics 4. Appleford: Sutton Courtenay, 1972.[149]

CALVINO, João. *As institutas – Edição clássica* (1985). *As institutas – Edição especial* (2006). 4. vols. São Paulo: Editora Cultura Cristã.

——. "Short Treatise on the Supper of Our Lord" [Pequeno tratado sobre a Ceia de nosso Senhor]. In: J. K. S. Reid (ed.). *Calvin: Theological Treatises* [Calvino: Tratados teológicos], p. 142–166. Library of Christian Classics 22. Louisville: Westminster John Knox, 2006.

HOEN, Cornelisz. "A Most Christian Letter" [Uma carta mais cristã]. In: *Forerunners of the Reformation: The Shape of Late Medieval Thought* [Precursores da Reforma: o delineamento do pensamento do final da Era Medieval], editado por Heiko Oberman, p. 268–278. Library of Ecclesiastical History. Cambridge: James Clarke, 1967.

KARLSTADT, Andreas Bodenstein von. *The Eucharistic Pamphlets of Andreas Bodenstein von Karlstadt* [Os panfletos eucarísticos de Andreas Bodenstein von Karlstadt]. Traduzido e editado por Amy Nelson Burnett. Early Modern Studies 6. Kirksville: Truman State University Press, 2011.

LUTERO, Martinho. *Da Santa Ceia de Cristo – Confissão*. In: *Martinho Lutero Obras selecionadas, vol. 4: Debates e controvérsias II*. Comissão Interluterana de Literatura. São Leopoldo: Editora Sinodal; Porto Alegre: Editora Concórdia, s/d, p. 217–375.

---

[148] Calvino, *Institutas*, 4.17.38.

[149] Muito das obras de Bucer a respeito da eucaristia estão em processo de tradução para o inglês pela primeira vez como parte da série sobre Bucer a ser lançada pela Truman State University Press.

SCHROEDER, H. J. (ed.-trad.). *The Canons and Decrees of the Council of Trent* [Os cânones e decretos do Concílio de Trento]. Rockford: Tan Books, 1978.

TAPPERT, Theodore G. (ed.-trad.). *The Book of Concord: The Confessions of the Evangelical Lutheran Church* [O Livro de Concórdia: as confissões da Igreja Evangélica Luterana]. Filadélfia: Fortress, 1959.

ZUÍNGLIO, Ulrico. *Commentary on True and False Religion* [Comentário sobre a religião verdadeira e a falsa]. Editado por Samuel Macaulay Jackson e Clarence Nevin Heller. 1929. Durham: Labyrinth, 1981.

——. *Writings* [Escritos]. Vol. 2, *In Search of True Religion: Reformation, Pastoral, and Eucharistic Writings* [Em busca da verdadeira religião: Escritos sobre a Reforma, pastorais e eucarísticos]. Allison Park: Pickwick, 1984.

Fontes secundárias

BURNETT, Amy Nelson. *Karlstadt and the Origins of the Eucharistic Controversy: A Study in the Circulation of Ideas* [Karlstadt e as origens da controvérsia eucarística: um estudo sobre a circulação de ideias]. Oxford Studies in Historical Theology. Oxford: Oxford University Press, 2011.

DAVIS, Thomas J. *The Clearest Promises of God: The Development of Calvin's Eucharistic Teaching* [As mais claras promessas de Deus: o desenvolvimento do ensinamento eucarístico de Calvino]. AMS Studies in Religious Tradition 1. Nova York: AMS, 1995.

——. *This Is My Body: The Presence of Christ in Reformation Thought* [Isto é o meu corpo: a presença de Cristo no pensamento da Reforma]. Grand Rapids: Baker Academic, 2008.

GERRISH, B. A. *Grace and Gratitude: The Eucharistic Theology of John Calvin* [Graça e gratidão: a teologia eucarística de João Calvino]. Minneapolis: Augsburg Fortress, 1993.

JANSE, Wim. "Calvin's Eucharistic Theology: Three Dogma-Historical Observations" [A teologia eucarística de Calvino: três observações dogmático-históricas]. Em Calvinus Sacrarum Literarum Interpres: *Papers of the International Congress on Calvin Research* [*Calvinus Sacrarum Literarum Interpres*: Ensaios do Congresso Internacional de Pesquisa em Calvino], editado por Herman J. Selderhuis, p. 37–69. Göttingen: Vandenhoeck & Ruprecht, 2008.

JENSEN, Gordon A. "Luther and the Lord's Supper" [Lutero e a Ceia do Senhor]. In: Robert Kolb, Irene Dingel e L'ubomír Batka (ed.). T*he Oxford Handbook of Martin Luther's Theology* [Manual Oxford sobre a teologia de Martinho Lutero]. Oxford: Oxford University Press, 2014, p. 322–332.

MCDONNELL, Kilian. *John Calvin, the Church, and the Eucharist* [João Calvino, a igreja e a eucaristia]. Princeton: Princeton University Press, 1967.

SASSE, Hermann. *This Is My Body: Luther's Contention for the Real Presence in the Sacrament of the Altar* [Isto é o meu corpo: a argumentação de Lutero a favor da presença real no sacramento do altar]. Minneapolis: Augsburg, 1959.

THOMPSON, Nicholas. *Eucharistic Sacrifice and Patristic Tradition in the Theology of Martin Bucer, 1534-1546* [Sacrifício eucarístico e a tradição patrística na teologia de Martin Bucer, 1534–1546. Studies in the History of Christian Traditions 119. Leiden: Brill, 2005.

WANDEL, Lee Palmer (ed.). *A Companion to the Eucharist in the Reformation* [Livro de bolso sobre a eucaristia na Reforma]. Brill's Companions to the Christian Tradition 46. Leiden: Brill, 2014.

——. *The Eucharist in the Reformation: Incarnation and Liturgy* [A eucaristia na Reforma: encarnação e liturgia]. Cambridge: Cambridge University Press, 2006.

Capítulo 19
A Relação entre Igreja e Estado

Peter A. Lillback

RESUMO

Na Reforma, a Igreja e o Estado foram moldados pelo cesaropapismo e pelo primado papal. A Era Medieval legou conciliarismo, populistas e movimentos sociais, enquanto a teologia de Lutero enfraqueceu o poder da igreja. O erastianismo, a soberania da esfera e as teorias de separação total desenvolveram-se conforme os reformadores recorriam à Escritura, a teorias políticas clássicas e à experiência. Impulsionados pela perseguição, os protestantes se apropriaram do pensamento pactual para ajudar a formar teorias de resistência à tirania. A resistência por parte do magistrado inferior levou a teorias de resistência popular à tirania. Luteranos, calvinistas, huguenotes e católicos contribuíram para esse processo. Rutherford, Altúsio (ou Johannes Althusius) e Grócio expressaram uma teoria madura sobre a resistência popular, e a fusão entre lei natural e lei bíblica produziu um impacto permanente no pensamento ocidental.

INTRODUÇÃO

No século XVI, as lutas entre poderes terrenos, potentados, papas e povos protestantes criaram significativos problemas, propostas e promessas políticos. De fato, a Era da Reforma manifesta que as crenças cristãs podem influenciar grandemente o governo e a política.[1] John T. McNeill observa:

> Os nomes que enchem as histórias da teoria política não são os de políticos ou estadistas, mas os de filósofos, estudiosos de direito e teólogos. [...] Os que contribuíram para ela, de fato, incluíam praticamente todas as figuras eminentes entre os pais da igreja, escolásticos e reformadores.[2]

---

[1] J. H. Burns (ed.). *The Cambridge History of Political Thought*, 1450–1700, com a assistência de Mark Goldie. Cambridge: Cambridge University Press, 1991, p. 159–253; Quentin Skinner, *The Foundations of Modern Political Thought*, 2 vols. Cambridge: Cambridge University Press, 1978; Jean Touchard et al., *Histoire des idées politiques*. Paris: Presses Universitaires de France, 1959.
[2] John T. McNeill, "Calvinism and European Politics in Historical Perspective". In: George L. Hunt (ed.). *Calvinism and the Political Order*. Filadélfia: Westminster, 1965, p. 11.

As instituições da Igreja e do Estado são diferentes, mas às vezes têm objetivos comuns.³ Ainda assim, o governo humano está voltado para o exercício do poder, enquanto a igreja está voltada a destinos eternos quando a sétima trombeta soar e as vozes no céu proclamarem: "O reino do mundo se tornou de nosso Senhor e do seu Cristo, e ele reinará para todo o sempre" (Apocalipse 11:15).

Há uma tensão inerente entre os dois, evidente no nascimento do cristianismo quando, em Mateus 22:21, Jesus distinguiu os direitos legítimos de Deus e de César sem demarcar seus limites.⁴ Os apóstolos ensinaram a subordinação ao governo (Romanos 13:1–7; 1Pedro 2:13–25), mas o Novo Testamento também mostra a tensão entre os reinos terrestres e o reino vindouro (Mateus 6:10). A submissão cristã ao Estado tem limites. Pedro declarou, em Atos 5:29, que o homem deve obedecer a Deus e não ao homem, e Paulo insistiu em que o magistrado deve administrar a justiça (Romanos 13:3,4). Mas isso não resultaria na proibição de um magistrado seguir um programa político que leva à tirania?

Se a obediência é devida a Deus e não aos homens, então, algumas dúvidas levavam reis cristãos e terrenos à confrontação, produzindo controvérsia – e a era da Reforma não foi exceção.⁵ Os debates entre os reformadores procuraram responder às questões de política e religião em praça pública,⁶ e seus resultados continuam a influenciar a civilização ocidental.⁷ Os temas que preocupam a Igreja e Estado permanecem⁸ e resultaram na pesquisa chamada teologia política,⁹ um campo vasto.¹⁰

---

³ Para pesquisas proveitosas sobre o entendimento da Reforma acerca de questões de Igreja e Estado, veja Paul Wells, "Le Dieu créateur et la politique (Romains 13.1–7)", "L'État et l'Église dans la perspective de la théologie reformée" e "Le calvinisme et la liberté politique". In: *En toute occasion, favorable ou non: Positions et propositions évangéliques*. Aix-en-Provence: Kerygma, 2014, p. 56–66, 247–267, 450–464.

⁴ Robert D. Linder, "Church and State". In: Walter A. Elwell (ed.). *Evangelical Dictionary of Theology*. Grand Rapids: Baker, 1984, p. 233–238.

⁵ John Eidsmoe, *Historical and Theological Foundation of Law*, 3 vols. Powder Springs, GA: Tolle Lege, 2011.

⁶ John Frame, "Toward a Theology of the State", *WTJ* 51, n. 2 (1989): 199–226; Richard John Neuhaus, *The Naked Public Square: Religion and Democracy in America*. Grand Rapids: Eerdmans, 1984.

⁷ Jacques Ellul, *Histoire des institutions*. Paris: Presses Universitaires de France, 1956; Gary Scott Smith (ed.). *God and Politics: Four Views on the Reformation of Civil Government: Theonomy, Principled Pluralism, Christian America, National Confessionalism*. Phillipsburg: Presbyterian and Reformed, 1989; Derek H. Davis (ed.). *The Oxford Handbook of Church and State in the United States*. Nova York: Oxford University Press, 2010.

⁸ Robert L. Cord, *Separation of Church and State: Historical Fact and Current Fiction*. Nova York: Lambeth, 1982; Linder, "Church and State", p. 233–238; John Witte Jr., *The Reformation of Rights: Law, Religion, and Human Rights in Early Modern Calvinism*. Cambridge: Cambridge University Press, 2007.

⁹ Peter J. Leithart, resenha de *The Desire of the Nations: Rediscovering the Roots of Political Theology*, de Oliver O'Donovan, *WTJ* 63, n. 1, 2001, p. 209–211.

¹⁰ P. C. Kemeny (ed.). *Church, State, and Public Justice: Five Views*. Downers Grove: IVP Academic, 2007; Oliver O'Donovan e Joan Lockwood O'Donovan (eds.). *From Irenaeus to Grotius: Sourcebook in Christian Political Thought, p. 100–1625*. Grand Rapids: Eerdmans, 1999; James W. Skillen, "Government". In: Elwell, *Evangelical Dictionary of Theology*, p. 477–479.

As questões tratadas abrangem o espectro de preocupações governamentais, a religião e a fé cristã.[11]

Algumas dentre as perguntas permanentes incluem as seguintes: (1) Qual é a melhor forma de governo? (2) A Igreja segue o Estado, o Estado segue a Igreja ou são corpos separados que devem competir incessantemente por autoridade e controle? (3) De que modo os governantes tirânicos, estejam eles no Estado ou na Igreja, podem ser combatidos? (4) Se a Igreja e o Estado apreciam o reino de Deus, pode haver espaço para hereges, dissidentes ou incrédulos? Este capítulo vai expor de que maneira a Reforma respondeu a essas perguntas.

O LEGADO DA IGREJA E DO ESTADO TRANSMITIDO À REFORMA

Os reformadores beberam das tradições que herdaram.[12] Na igreja primitiva, o cristianismo cresceu apesar das perseguições. Em 313, com o Edito de Milão, a perseguição terminou. Até então, a igreja não tinha um papel direto no governo civil.

QUEM DEVE LIDERAR A IGREJA E O ESTADO? O CESAROPAPISMO E A PRIMAZIA DO PAPA

Com a conversão de Constantino I, a igreja tornou-se a religião oficial de Roma, o que levantou questões de quanto poder a igreja poderia exercer e quanto poder César deveria exercer sobre a igreja. No Oriente, isso introduziu o *cesaropapismo*, significando que César era o papa, ou cabeça da igreja. Esse ponto de vista foi mantido na esfera oriental do império, mas não no Ocidente, onde a igreja tinha maior liberdade e onde a queda de Roma forçou um novo modo de organização social baseado em terras chamado feudalismo.[13] Nesta economia, o arrendatário tornava-se vassalo de seu senhor, que era dono da terra, e essa relação desenvolveu conceitos teológicos, como a palavra *sacramentum*, usada para descrevê-la.[14]

Gradualmente, tornou-se nítida a luta das esferas de poder espiritual e terreno. A ausência da hegemonia romana aumentou o poder da igreja na Europa medieval.[15] Com a ascendência da igreja, "a cristandade" apareceu – uma sociedade única com duas expressões de poder. A coroação de Carlos Magno pelo papa Leão III, em 800, tornou menos clara a questão de quem governava a cristandade.

---

[11] Richard Bauckham, *The Bible in Politics: How to Read the Bible Politically*. Louisville: Westminster John Knox, 1989; John Eidsmoe, *Christianity and the Constitution: The Faith of Our Founding Fathers*. Grand Rapids: Baker, 1987; Eidsmoe, *God and Caesar: Biblical Faith and Political Action*. Westchester: Crossway, 1984.

[12] John N. Figgis, *Studies of Political Thought from Gerson to Grotius, 1414–1625*, 2. ed. Cambridge: Cambridge University Press, 1931; R. W. Carlyle e A. J. Carlyle, *History of Medieval Political Theory in the West*, 6 vols. Edimburgo: William Blackwood and Sons, 1962.

[13] *Encyclopedia Britannica*, 11. ed., 10:297–302, s.v., "Feudalism".

[14] Ibid., s.v., "Sacrament".

[15] Carlyle e Carlyle, *Medieval Political Theory*.

Assim, um conflito irrompeu entre a Igreja e o Estado denominado a controvérsia de investidura. As questões em jogo eram o direito de o papado depor os monarcas e os poderes dos reis seculares para nomear bispos e líderes da igreja a seu gosto. A controvérsia viu a morte de ambos, papas[16] e reis.[17] O ponto mais baixo do poder régio foi o penitente Henrique IV humilhar-se diante do papa Gregório VII em Canossa (1077). Por causa do interdito papal, o reino de Henrique não podia mais celebrar a missa. Gregório perdoou o rei, todavia, mais tarde, o exército de Henrique derrotou as tropas do papa, e a coroa secular balançou outra vez. O governo do papa sobre o poder secular foi chamado de *primazia do papa*, *supremacia papal* e *poder das chaves* (baseado em Mateus 16:19). É uma forma de teocracia: o governo de Deus sobre o Estado mediante seus representantes.

O DESENVOLVIMENTO PRÉ-REFORMA DO PACTO POLÍTICO

Os aspectos políticos do pensamento pactual medieval começaram com Agostinho, que via a sociedade construída sobre um pacto de obediência ao rei, um contrato social.[18] Embora Agostinho nunca tenha definido com precisão sua concepção da cidade de Deus com respeito à ordem política, é evidente que a relação entre as duas era íntima.[19] Além disso, esse pacto entre os homens e o rei, trazido em parte pelos sacramentos, carregava responsabilidades mútuas,[20] porque ambos estavam sujeitos à igreja.[21] Agostinho proibiu a resistência, ensinando que os tiranos devem ser obedecidos, pois são divinamente instituídos para governar.[22]

A sociedade medieval utilizou ideias de pacto, ou aliança, em muitos contextos.[23] No absolutismo papal do século XI, os pensadores políticos eclesiásticos identificaram uma aliança batismal dos cristãos com o papa. A falta de obediência ao papa resultava em violação da aliança, e esse pensamento deu ao papa o direito de resistir até mesmo aos reis e de exigir que os súditos fizessem o mesmo.

Assim, ruptura de aliança era motivo para resistir à autoridade política, uma vez que, quando líderes eram declarados infiéis à aliança batismal, eram vistos

---

[16] Heinrich Geffcken, *Church and State: Their Relations Historically Developed*. Londres: Longmans, 1877, 1:177.
[17] Figgis, *Studies of Political Thought*, p. 6.
[18] Cf. Otto Gierke, *Political Theories of the Middle Ages*. Cambridge: Cambridge University Press, 1958, 187n306.
[19] Cf. Agostinho, *Reply to Faustus* 19.11, NPNF, 1. ser., v. 4, editado por Philip Schaff. Grand Rapids: Eerdmans, 1979, p. 243; *PL* 42:355.
[20] Cf. Agostinho, "Letter 138 (AD 412): To Marcellinus", 2.15, NPNF, 1. ser., v. 1, p. 486; *PL* 33:531,532; e Agostinho, *De civitate Dei* 2.19, NPNF, 1. ser., v. 2, 33,34 [*A cidade de Deus*, partes I e II. Coleção Vozes de Bolso. São Paulo: Editora Vozes, 2012]; *PL* 41:64,65.
[21] Norman Hepburn Baynes, *The Political Ideas of St. Augustine's "De civitate Dei"* (Londres: Bell, 1936), p. 12,13.
[22] Cf. Fritz Kern, *Gottesgnadentum und Widerstandsrecht im früheren Mittelalter*, editado por Rudolf Buchner. Darmstadt: Wissenschaftliche Gesellschaft, 1967, 334n399.
[23] Derk Visser, "Discourse and Doctrine: The Covenant Concept in the Middle Ages". In: *Calvin and the State: Papers and Responses Presented at the Seventh and Eighth Colloquia on Calvin and Calvin Studies*, patrocinado pela Calvin Studies Society, editado por Peter De Klerk. Grand Rapids: Calvin Studies Society, 1993, p. 1–14.

como violadores da aliança e pecadores excomungados. Consequentemente, eles poderiam ser resistidos ou depostos. O caráter de aliança da teoria medieval de resistência é ilustrado em Carlos, o Calvo, da Itália, em 876,[24] e no choque entre o papa Gregório VII e o rei Henrique IV, de 1075 a 1077.[25] Assim, a tirania foi uma base para dissolver a aliança feudal entre reis e seus vassalos, permitindo resistência e deposição.

A ASCENSÃO DO CONCILIARISMO

O aumento do nacionalismo, em parte por causa das Cruzadas, causou a diminuição do poder papal, e isso foi exacerbado pelo "cativeiro babilônico da igreja" em Avignon, de 1309 a 1377, e pelo Grande Cisma Ocidental, de 1378 a 1417. Durante esse tempo, três papas estavam reivindicando legitimidade e excomungando-se mutuamente, o que evocou o movimento conciliar, em que os líderes unidos da igreja determinaram que detinham o poder para depor papas para o bem da igreja.[26]

O movimento conciliar foi recomendado por canonistas, ou advogados eclesiásticos, que discutiram o problema de um papa se tornar tirano e se ele poderia ser resistido.[27] Os conciliaristas concluíram que um concílio poderia tirar um papa herético do poder pela resistência. O conciliarismo contrastava com o curialismo, que defendia o poder absoluto e o primado do papa, e que mais tarde iria prevalecer. Os conciliaristas afirmaram que o maior poder na terra, o papa, poderia ser julgado por aqueles que normalmente eram vistos como inferiores em poder. Estes, por meio da força coletiva, diante de circunstâncias terríveis, poderiam então assumir autoridade sobre o ocupante do trono terrestre de Cristo, forçando um papa recalcitrante e herético a renunciar. Assim, os concílios reformadores acabaram com o cisma.

Após a resolução, o esforço para criar um papado constitucional sob um concílio geral falhou, e o decreto do Concílio de Constança (1414–1418) declarou que um concílio deveria ser realizado a cada dez anos, mas isso foi derrotado pela

---

[24] Carlyle e Carlyle, *Medieval Political Theory*, 1:242,243. Cf. Figgis, *Studies of Political Thought*, 197n12.
[25] Carlyle e Carlyle, *Medieval Political Theory*, 3:164–167; 4:188–210, 232,233; 5:99–101.
[26] A. J. Black, "The Political Ideas of Conciliarism and Papalism, 1430-1450", *JEH* 20, n. 1, 1969, p. 45–65; John T. McNeill, "The Emergence of Conciliarism". In: James L. Cate e Eugene N. Anderson (eds.). *Medieval and Historiographical Essays in Honor of James Westfall Thompson*. Chicago: University of Chicago Press, 1938, p. 269–301; Brian Tierney, "A Conciliar Theory of the Thirteenth Century", *CHR* 36, n. 4, 1951, p. 415–440; Michael J. Wilks, *The Problem of Sovereignty in the Later Middle Ages: The Papal Monarchy with Augustus Triumphus and the Publicists*, Cambridge Studies in Medieval Life and Thought, n.s., 9. Cambridge: Cambridge University Press, 1963.
[27] Cf. Brian Tierney, *Origins of Papal Infallibility, 1150–1350: A Study on the Concepts of Infallibility, Sovereignty, and Tradition in the Middle Ages*, Studies in the History of Christian Thought 6. Leiden: Brill, 1972, p. 50. Veja também Tierney, "Pope and Council: Some New Decretist Texts", *Mediaeval Studies* 19, 1957, p. 204; cf. Carlyle e Carlyle, *Medieval Political Theory*, 4:352; e Wilks, *Sovereignty*, p. 499–506.

intriga papal e refutado pela bula do papa Pio II intitulada *Execrabilis*, de 1459, que condenou todo e qualquer apelo a um futuro concílio geral.[28]

As consequências do fracasso do conciliarismo foram profundas. Em essência, não havia mais nenhuma possibilidade de reforma na igreja sem a aprovação do papa, a menos que alguém assumisse o ponto de vista de um herege.[29] Isso garantiu que um movimento de reforma bem-sucedido teria de ocorrer fora da igreja com o apoio dos leigos e dos magistrados temporais. Quando um papa legítimo finalmente chegou ao poder, ele não tinha interesse em convocar os concílios da igreja para avaliar seu governo, de modo que o conciliarismo esmoreceu. Todavia, os apelos por um concílio reformador seriam novamente ouvidos por Lutero e os primeiros protestantes.[30]

Experiência medieval de soberania popular

Os publicistas

Outro entendimento de resistência ao papa veio de pensadores políticos chamados *publicistas*, assim chamados porque entendiam que todo o poder, incluindo o da igreja, devia ser derivado do povo. O mais famoso foi Marsílio de Pádua, o qual afirmou que não só um papa herético deveria ser resistido e deposto, mas que *todo* papa deve ser resistido e deposto, porque o papado usurpou o papel legítimo do governo temporal. O papa era um usurpador que ocupava o ofício de um tirano. Consequentemente, tanto o papa como o papado tinham de ser abolidos.[31] Se o poder tinha uma origem divina e, portanto, uma teoria de direito divino de governo, esse direito divino residia no povo, não no papado.

Movimentos sociais de aliança

A ideia de aliança também apareceu no período medieval e deu força às ideias de governo popular. As cidades imperiais no sul da Alemanha desenvolveram o conceito de uma "sociedade sacra".[32] Assim, a vida comunitária foi permeada por uma

---

[28] Oliver J. Thatcher e Edgar H. McNeal, *A Source Book for Mediaeval History: Selected Documents Illustrating the History of Europe in the Middle Ages* (Nova York: Scribner, 1905), p. 331,332.

[29] Oliver J. Thatcher e Edgar H. McNeal, *A Source Book for Mediaeval History: Selected Documents Illustrating the History of Europe in the Middle Ages*. Nova York: Scribner, 1905, p. 331,332.

[30] Hans Margull (ed.) *The Councils of the Church: History and Analysis*. Filadélfia: Fortress, 1966; John Dillenberger (ed.). *Martin Luther*. Nova York: Anchor, 1961, p. 43,44.

[31] Marsílio de Pádua, *The Defender of Peace*, v. 2, *The Defensor Pacis* editado e traduzido por Alan Gewirth, Records of Civilization, Sources, and Studies 46. Nova York: Columbia University Press, 1951–1956, 2:27,28, 87–89, 113–152 [*O defensor da paz*, Coleção Clássicos do Pensamento Político. São Paulo: Editora Vozes, 1995]; Thatcher e McNeal, *Source Book for Medieval History*, p. 318–324.

[32] Bernd Moeller, *Imperial Cities and the Reformation: Three Essays*, editado e traduzido por H. C. Erik Midelfort e Mark U. Edwards Jr. Filadélfia: Fortress, 1972, p. 90–103.

ligação religiosa comum, o que pode explicar por que o sul da Alemanha preferiu a reforma de Zuínglio à de Lutero. A teologia suíça enfatizava a dimensão social da fé, ao passo que Lutero enfatizava a justificação individual. A aliança apareceu em movimentos políticos radicais alemães medievais,[33] como o apocaliptismo, de Tomás Müntzer.[34] A luta conciliarista,[35] as práticas de agrupamentos escoceses[36] e a recuperação dos contratos no direito romano[37] parecem ter influenciado as concepções sobre o papel do povo no governo. Os movimentos sociais medievais afetaram o pensamento reformado em termos de resistência política.[38] Outros exemplos de alianças sociais medievais incluem o *Gemeinde* suíço,[39] o *Bundshuh* e o *Bundesgenossen* alemães[40] e ordens religiosas, como os franciscanos.[41]

Precursores do Renascimento com relação à questão da Igreja e o Estado

Um subproduto do renovado interesse pelos estudos bíblicos durante o Renascimento foi uma reavaliação das realidades políticas medievais. Assim, precursores reformacionais trataram de textos bíblicos, destacando questões políticas enquanto pediam reformas eclesiásticas. Isso era evidente em Wycliffe,[42] Huss[43] e Savonarola,[44] no entanto,

---

[33] George Huntston Williams, *The Radical Reformation, Sixteenth Century Essays and Studies* 15. Kirksville: Sixteenth Century Journal Publishers, 1992, p. 50–77.

[34] Jürgen Moltmann, "Föderaltheologie". In: *Lexikon für Theologie und Kirche*. Freiburg: Herder, 1995, 4:190.

[35] Leonard J. Trinterud, "The Origins of Puritanism", *CH* 20, n. 1, 1951, p. 41.

[36] S. A. Burrell, "The Covenant Idea as a Revolutionary Symbol: Scotland, 1596–1637", *CH* 29, 1958, p. 338–350; J. F. Maclear, "Samuel Rutherford: The Law and the King". In: Hunt, *Calvinism and the Political Order*, p. 69,70.

[37] Gottlob Schrenk, *Gottesreich und Bund im älteren Protestantismus vornehmlich bei Johannes Cocceius*. Gutersloh: Bertelsmann, 1923, 49n1, 62n4, 78n2.

[38] Lowell H. Zuck, "Anabaptist Revolution through the Covenant in Sixteenth-Century Continental Protestantism". Dissertação (PhD), Universidade de Yale, 1954.

[39] George R. Potter, *Zwingli*. Cambridge: Cambridge University Press, 1976, p. 58.

[40] Williams, *Radical Reformation*, p. 60–63, 74, 77.

[41] Martin Greschat, "Der Bundesgedanke in der Theologie des späten Mittelalters", *Zeitschrift für Kirchengeschichte* 81, 1970, p. 46–48.

[42] Takashi Shogimen, "Wyclif's Ecclesiology and Political Thought". In: Ian Christopher Levy (ed.). *A Companion to John Wyclif: Late Medieval Theologian*, Brill's Companions to the Christian Tradition 4. Leiden: Brill, 2006, p. 199–240; Lowrie John Daly, *The Political Theory of John Wyclif*. Chicago: Loyola University Press, 1962.

[43] João Huss, *The Church* (1915). Westport: Greenwood, 1974; original em latim em Harrison S. Thomson (ed.). *Tractatus de ecclesia, Studies and Texts in Medieval Thought*. Boulder: University of Colorado Press, 1956. Veja também H. B. Workman e R. M. Pope (eds.). *The Letters of John Hus*. Londres: Hodder and Stoughton, 1904; Thomas A. Fudge, "Hussite Theology and the Law of God". In: David Bagchi e David C. Steinmetz (eds.). *The Cambridge Companion to Reformation Theology*. Nova York: Cambridge University Press, 2004, p. 22–27; Fudge, *Jan Hus: Religious and Social Revolution in Bohemia*, International Library of Historical Studies 73. Nova York: I. B. Tauris, 2010.

[44] Girolamo Savonarola, *Liberty and Tyranny in the Goverment* [sic] *of Men*. Albuquerque: American Classical College Press, 1982; Savonarola, *Selected Writings of Girolamo Savonarola: Religion and Politics, 1490–1498*, traduzido e editado por Anne Borelli e Maria Pastore Passaro. New Haven: Yale University Press, 2006; Stefano Dall'Aglio, *Savonarola and Savonarolism,*. Toronto: Center for Reformation and Renaissance Studies, 2010; Donald Weinstein, *Savonarola: The Rise and Fall of a Renaissance Prophet*. New Haven: Yale University Press, 2011.

o Renascimento deu expressão também à teoria política de que os fins justificam os meios.⁴⁵ Para Maquiavel, a vitória por si só justificava a política.⁴⁶ McNeill explica:

> Maquiavel exonera e aplaude os fundadores e os defensores de Estados que asseguram seu poder por fratricídio ou massacre. Um conquistador deveria "acariciar ou extinguir" um povo conquistado. O objetivo positivo de Maquiavel era a unificação da Itália. Nenhuma ação que buscasse esse fim, por mais básica ou cruel que fosse, deveria ser condenada.⁴⁷

A Reforma testemunhou tanto um compromisso com bons princípios quanto uma força desenfreada. Além disso, os poderes católicos foram implacáveis em seus esforços para preservar o poder, empregando perseguição, guerra e até mesmo massacres.

AS TENSÕES NO LEGADO MEDIEVAL DA IGREJA E DO ESTADO

Ao se empenharem em sua tarefa de reformar a cristandade, os reformadores tiveram um milênio medieval de estadismo a sua disposição. Como reformadores "magistrais", eles se baseavam em conceitos como o relacionamento de aliança no feudalismo e o poder legítimo dos reis, contudo, os reformadores herdaram teorias políticas que favoreciam a monarquia. A época medieval acreditava que o poder absoluto governamental era essencial, fosse ele exercido pelo Estado ou pela Igreja. Figgis explica:

> A partir de 1450, pareceu aos estadistas mais práticos e a todos os soberanos que "a tendência da civilização que progride é a monarquia pura"; e os movimentos populares em cada nação foram considerados [...] não apenas errados, mas estúpidos – ineficientes obstáculos nas rodas do governo, o que retardaria o progresso da inteligência e do iluminismo. A monarquia pura era a única forma cavalheiresca de governo.⁴⁸

O IMPACTO DA REFORMA DE LUTERO SOBRE A AUTORIDADE DA IGREJA⁴⁹

A reforma de Lutero começou com um retorno à visão agostiniana da natureza caída do homem, deixando para trás a percepção mais otimista do tomismo. A

---

⁴⁵ F. J. C. Hearnshaw, *The Social and Political Ideas of Some Great Thinkers of the Renaissance and the Reformation*. Nova York: Barnes & Noble, 1942; Paul Oskar Kristeller, *Renaissance Thought: The Classic, Scholastic, and Humanistic Strains*. Nova York: Harper & Row, 1961.
⁴⁶ Nicolau Maquiavel, *O príncipe*. São Paulo: Companhia das Letras, Selo Penguin Companhia, 2010.
⁴⁷ McNeill, "Calvinism and European Politics", p. 12.
⁴⁸ Figgis, *Studies of Political Thought*, 46. Cf. Carlyle e Carlyle, *Medieval Political Theory*; J. H. Burns (ed.). *The Cambridge History of Medieval Political Thought, c. 350–c. 1450*. Nova York: Cambridge University Press, 1988, p. 46.
⁴⁹ Para estudos a respeito dos pontos de vista de Lutero e do luteranismo sobre Igreja e Estado, veja Jonathon David Beeke, "Martin Luther's Two Kingdoms, Law and Gospel, and the Created Order: Was There a Time When the Two Kingdoms Were Not?", *WTJ* 73, n. 2, 2011, p. 191–214; Frédéric Hartweg, "Autorité temporelle et droit de résistance: permanence et évolution chez Martin Luther", e Luise Schorne-Schütte, "Luther et la politique".

graça de Deus tinha de vencer a servidão da humanidade ao pecado se o pecador fosse salvo.⁵⁰

A TEOLOGIA DE LUTERO REDUZIU O PODER DA IGREJA VISÍVEL

A salvação só é possível mediante a justificação somente pela fé, e essa crença alterou radicalmente a visão de Lutero sobre a igreja. Em vez de ser a autoridade mediadora entre Deus e o cristão, a igreja se tornou a comunidade dos cristãos. O sacerdócio de todos os cristãos – isto é, o fato de que todos os cristãos, não só os membros do clero, têm acesso direto a Deus – significava que a autoridade sacerdotal fora diminuída e a autoridade absoluta da igreja fora rejeitada.⁵¹ Isso reduziu o poder eclesiástico em relação ao Estado. Skinner argumenta que Lutero

> continua a falar dos Dois Reinos (*Zwei Reiche*) pelos quais Deus exerce seu domínio completo sobre o mundo. [...] É claro, no entanto, que o que ele tem em mente ao tratar do governo do reino espiritual é uma forma puramente interior de governo, "um governo da alma", que não tem nenhuma relação com os assuntos temporais, e é inteiramente dedicado a ajudar os fiéis a alcançar a salvação.⁵²

Assim, Lutero defendeu um sistema em que os governantes seculares supervisionavam a igreja, refletindo a tradição primitiva da igreja sob Constantino. Isso também permitia a reforma da igreja romana, que não tinha nenhum desejo de reforma ou de convocar um concílio para considerar as queixas sobre abusos papais.

Desse modo, Lutero foi influenciado por ideias políticas que brotavam da Europa medieval. Ele era simpático a um princípio de conciliarismo, em que ele chamava o papa a submeter-se a uma análise por parte do concílio. Ao mesmo tempo, a rejeição de Lutero à aliança do papado com todos os cristãos foi tão decisiva que alguns opositores procuraram refutar Marsílio, pensando que eles, por meio disso, refutavam Lutero.⁵³

In: Jean-Paul Cahn e Gérard Schneilin (ed.). *Luther et la Réforme, 1525–1555: Le temps de la consolidation religieuse et politique*. Paris: Éditions du temps, 2001, p. 133–150, 162–170; Nicolaus von Amsdorff, *Bekentnis Unterricht vnd vermanung der Pfarrhern vnd Prediger der Christlichen Kirchen zu Magdeburgk: Anno 1550. Den 13. Aprilis*. Magdeburgk: Lotther, [1550]; John W. Allen, *A History of Political Thought in the Sixteenth Century* (1928). Londres: Methuen, 1977, p. 15–34; James M. Estes, "The Role of Godly Magistrates in the Church: Melanchthon as Luther's Interpreter and Collaborator", *CH* 67, n. 3, 1998, p. 463–483; Lewis W. Spitz e Wenzel Lohff (eds.). *Discord, Dialogue, and Concord: Studies in the Lutheran Reformation's Formula of Concord*. Filadélfia: Fortress, 1977.

⁵⁰ Skinner, *Foundations*, 2:3,4.
⁵¹ Ibid., 2:10,11.
⁵² Ibid., 2:14.
⁵³ Gewirth, *The Defender of Peace*, v. 1, *Marsilius of Padua and Medieval Political Philosophy*, p. 303.

Com relação à resistência, Lutero, até 1530, estava comprometido com a proibição agostiniana de qualquer resistência ao rei. Ele aceitava um juramento condicional a um líder secular, mas sem resistência pessoal legal, assim, Lutero absorveu a tradição de aliança medieval em termos da relação entre reis e súditos cristãos. A Guerra dos Camponeses, na Alemanha (1524–1525), manifestou os potentes impactos sociais da Reforma Protestante desencadeada pelas reformas de Lutero. A ênfase de Lutero na liberdade, presente especialmente em seus primeiros escritos de 1520 (*À nobreza cristã da nação alemã, acerca da melhoria do estamento cristão*, *Do cativeiro babilônico da Igreja* e *Tratado de Martinho Lutero sobre a liberdade cristã*), foi mal aplicada pelos camponeses à ordem política e social, para o horror de Lutero.[54] Ele condenou o levante e apoiou sua supressão pelo exército da Liga [da] Suábia, o que galvanizou ainda mais sua postura conservadora com relação à resistência aos magistrados civis.[55] Lutero mais tarde concluiu que os poderes menores que resistem ao poder superior estavam em consonância com o evangelho se o príncipe estivesse errado.[56]

Novos pontos de vista da Reforma sobre a relação entre Igreja e Estado

As distinções frequentemente usadas entre as Reformas radical, magistral e Contra ou católica[57] sugerem que as questões de Igreja e Estado eram preocupações especialmente das Reformas magistral e católica.[58] A tradição reformada tem sido chamada, de modo geral, de "Reforma magistral", uma vez que seus líderes trabalharam com o Estado para reformar a Igreja.

As nações reformadoras muitas vezes declararam sua fé pelo uso de confissões que incluíam artigos sobre a Igreja e o Estado.[59] Por exemplo, o primeiro documento oficial das reformas genebrinas foi escrito por Farel e Calvino em novembro de 1536 e tinha um artigo sobre "Magistrados".[60]

---

[54] Cf. Martinho Lutero, *À nobreza cristã da nação alemã, acerca da melhoria do estamento cristão*. In: *Obras selecionadas, Volume 2: O Programa da Reforma. Escritos em 1520*, p. 277–340; *Do cativeiro babilônico da igreja*, p. 341–424; *Tratado de Martinho Lutero sobre a liberdade cristã*, p. 435–460. Comissão Interluterana de Literatura. São Leopoldo: Editora Sinodal; Porto Alegre: Editora Concórdia, s/d.

[55] Veja Skinner, *Foundations*, 2:9–18, e Witte, *Reformation of Rights*, p. 218. Após a Guerra dos Camponeses, Lutero escreveu uma obra com o significativo título de *Contra as hordas salteadoras e assassinas dos camponeses* (1525), em *Obras selecionadas, Volume 6: Ética: Fundamentação da ética política: governo – guerra dos camponeses – guerra contra os turcos – paz social*, p. 330–336.

[56] Cf. Carlyle e Carlyle, *Medieval Political Theory*, 6:272–287; Ernst Troeltsch, *The Social Teaching of the Christian Churches*. Londres: Allen and Unwin, 1961, 2:352n252.

[57] Williams, *Radical Reformation*; Allen, *History of Political Thought*.

[58] Allen, *History of Political Thought*; William A. Mueller, *Church and State in Luther and Calvin: A Comparative Study*. Nashville: Broadman, 1954.

[59] Philip Schaff, *The Creeds of Christendom: With a History and Critical Notes*, 3 vols (1877). Grand Rapids: Baker, 1990.

[60] John T. McNeill, "John Calvin on Civil Government". In: Hunt, *Calvinism and the Political Order*, p. 31.

A reforma radical tem esse nome porque abandonou a história e as tradições do cristianismo e voltou às Escrituras para um novo começo do cristianismo.[61] Também foi radical porque rejeitou qualquer atuação do Estado para restaurar a igreja apostólica. O entendimento anabatista da separação total não desempenhou um papel dominante na Reforma, mas teria grande impacto no desenvolvimento da liberdade religiosa no Novo Mundo.[62]

A IDENTIFICAÇÃO DA IGREJA E DO ESTADO, OU A SEPARAÇÃO ENTRE ELES, NA EUROPA DA REFORMA

Assim, a visão predominante da Reforma sobre Igreja e Estado compõe-se daqueles que procuraram identificar a Igreja com o Estado e dos que procuraram separá--los.[63] A posição de Lutero rejeitava a primazia do papa sobre a Igreja e o Estado. Em vez disso, ele defendeu que o Estado governa a Igreja, o que mais tarde foi chamado de *erastianismo* e foi especialmente identificado com as reformas de Zuínglio em Zurique.[64] A Inglaterra seguiu o caminho erastiano, segundo o qual o rei Henrique VIII se tornou o "papa" da Igreja da Inglaterra.

João Calvino, em Genebra,[65] no entanto, defendeu a independência das duas instituições. Isso foi chamado de *soberania de esfera*. Embora separasse Igreja e Estado, Calvino insistia na cooperação recíproca e apoio mútuo de ambos.[66] As opiniões de Calvino sobre a igreja foram influenciadas por Martin Bucer durante a estada de três anos de Calvino em Estrasburgo, e Bucer também teria, mais tarde,

---

[61] Allen, *History of Political Thought*, p. 49–72; "The Schleitheim Confession (1527)"; e "The Dordrecht Confession (1632)". In: John Christian Wenger (ed.). *The Doctrines of the Mennonites*. Scottdale: Mennonite Publishing House, 1950, p. 69–74, 75–85; Arnold Snyder, *Anabaptist History and Theology: An Introduction*. Kitchener: Pandora, 1995); James M. Stayer, *Anabaptists and the Sword*. Lawrence: Coronado, 1972; John D. Roth e James M. Stayer (eds.). *A Companion to Anabaptism and Spiritualism, 1521–1700*, Brill's Companions to the Christian Tradition 6. Leiden: Brill, 2007.

[62] William R. Estep, *Revolution within the Revolution: The First Amendment in Historical Context, 1612–1789*. Grand Rapids: Eerdmans, 1990.

[63] Allen, *History of Political Thought*, p. 11.

[64] William Cunningham, *Discussions on Church Principles: Popish, Erastian, and Presbyterian*. Edimburgo: T. & T. Clark, 1863; Robert C. Walton, *Zwingli's Theocracy*. Toronto: Toronto University Press, 1967.

[65] André Biéler, *The Social Humanism of Calvin*. Richmond: John Knox, 1964; Quirinus Breen, *John Calvin: A Study in French Humanism*. Grand Rapids: Eerdmans, 1931; David W. Hall, "Calvin on Human Government and the State". In: David W. Hall e Peter A. Lillback (ed.). *A Theological Guide to Calvin's Institutes: Essays and Analysis*. Calvin 500 Series. Phillipsburg: P&R, 2008, p. 411–440; Peter A. Lillback, *The Binding of God: Calvin's Role in the Development of Covenant Theology*, Texts and Studies in Reformation and Post-Reformation Thought. Grand Rapids: Baker, 2001; John T. McNeill, *John Calvin on God and Political Duty*, 2. ed. The Library of Liberal Arts 23. Nova York: Liberal Arts Press, 1956; Willem Nijenhuis, "The Limits of Civil Disobedience in Calvin's Last--Known Sermons: Development of His Ideas on the Right of Civil Resistance". In: *Ecclesia Reformata: Studies on the Reformation*. Nova York: Brill, 1994, 2:73–97; W. Stanford Reid (ed.). *John Calvin: His Influence in the Western World*. Grand Rapids: Zondervan, 1982; Sheldon S. Wolin, "Calvin and the Reformation: The Political Education of Protestantism", *APSR* 51, n. 2, 1957, p. 428–453.

[66] McNeill, "John Calvin on Civil Government", p. 41,42.

um impacto substancial no pensamento puritano inglês.[67] Em 1538, durante a primeira estada de Calvino em Genebra, o conselho municipal exigiu que os ministros da cidade seguissem suas diretrizes para a Ceia do Senhor, mas, em reação à intromissão do Estado nos assuntos da igreja, Calvino e Guilherme Farel optaram pela recusa em celebrar a Ceia do Senhor na Páscoa, o que levou o conselho a expulsá-los de Genebra. Já naquela ocasião, a preocupação de Calvino era preservar a igreja da interferência do Estado. Quando foi convocado para Genebra após sua estada em Estrasburgo (1541), Calvino estava ansioso não só para estabelecer um programa de instrução cristã com seu *Catecismo de Genebra* (1542), mas também para estabelecer corretamente a ordem da igreja mediante suas *Ordenações eclesiásticas* (1541). Esse documento procurava ajustar a Igreja e o Estado, preservando a independência da Igreja e defendendo que os ministros religiosos não deveriam estar envolvidos em política.[68]

Os anabatistas e outros na Inglaterra promoveram uma *separação total* entre Igreja e Estado, acreditando que a liberdade religiosa exigia essa separação. O compromisso anabatista com a separação total foi solidificado após a tentativa militar fracassada de conquistar Münster, na Alemanha, e torná-la a Nova Jerusalém anabatista na Terra.[69] Uma expressão menos violenta da teologia anabatista é encontrada na *Confissão de Schleitheim* (1527), escrita por Miguel Sattler.[70] O sexto artigo trata do governo e do uso da espada, fazendo uma distinção nítida entre a punição civil, instituída para os que não são cristãos, e a disciplina administrada na igreja. Além disso, os cristãos não devem ser magistrados, seguindo o exemplo de Cristo (por exemplo, João 6:15), nem soldados. Essa dicotomia baseava-se no seguinte princípio: "O governo das autoridades é segundo a carne, mas o do cristão é de acordo com o espírito. [...] Sua cidadania é deste mundo, mas a do cristão está nos céus".[71] A distinção entre guerra carnal e espiritual (cf. Efésios 6:12) foi usada para argumentar contra o serviço militar para os cristãos, e o sétimo artigo, baseado no Sermão da Montanha (Mateus 5:34-

---

[67] *Melanchthon and Bucer*, editado por Wilhelm Pauck, LCC 19. Filadélfia: Westminster, 1969; Willem van 't Spijker, "The Kingdom of Christ according to Bucer and Calvin". In: De Klerk, *Calvin and the State*, p. 109–132; Martin Greschat, "The Relation between Church and Civil Community in Bucer's Reforming Work" e Willem van 't Spijker, "Bucer's Influence on Calvin: Church and Community". In: David F. Wright (ed.). *Martin Bucer: Reforming Church and Community*. Nova York: Cambridge University Press, 1970, p. 17–31, 32–44; Hans Baron, "Calvinist Republicanism and Its Historical Roots", *CH* 8, n. 1, 1939, p. 30–42.

[68] Para esses aspectos do ministério e da vida de Calvino com relação a Genebra, veja, por exemplo, T. H. L. Parker, *John Calvin: A Biography* (1975). Louisville: Westminster John Knox, 2006, p. 90, 108–111.

[69] Williams, *Radical Reformation*, p. 553–574.

[70] Ibid., p. 288–313. Essa confissão gerou respostas de Zuínglio e de Calvino. Para o texto da confissão, veja Michael G. Baylor (ed.). *The Radical Reformation*, Cambridge Texts in the History of Political Thought. Nova York: Cambridge University Press, 1991, p. 172–180.

[71] Baylor, *The Radical Reformation*, p. 178.

35), proibia os cristãos de fazerem juramentos; Williams, no entanto, observa que, sob Martin Bucer, em Estrasburgo, os anabatistas foram persuadidos a "fazer juramento cívico".[72] Assim, os anabatistas tinham pontos de vista diversos e anteciparam conceitos modernos de resistência não violenta e de separação entre Igreja e Estado, e isso foi feito, no entanto, por um dualismo que teria pouca aceitação por cristãos hoje.

O USO QUE OS REFORMADORES FIZERAM DA FILOSOFIA POLÍTICA CLÁSSICA

Os reformadores tinham contato com antigas fontes políticas. A filosofia política grega antiga,[73] a compreensão agostiniana do direito romano[74] e fontes bíblicas do Antigo e do Novo Testamento[75] estavam à mão dos eruditos da Reforma. Erasmo, o primeiro reformador humanista, escreveu em parte para proporcionar a educação adequada do príncipe.[76]

Teoria política em Zurique: Zuínglio e Bullinger

O interesse de Zuínglio na ideia de pacto, ou aliança, era muito mais forte do que o de Lutero ou de Erasmo.[77] A estrutura social da Suíça e sua confederação serviram de exemplo para a concepção de Zuínglio a respeito do juramento batismal do cristão.[78] No entanto, o início do que se tornaria um elemento básico na compreensão reformada da teoria da resistência aparece no sermão de Zuínglio *Der Hir*, o qual, referindo-se ao mal político na igreja, declarou que, assim como os espartanos tinham seus éforos, os romanos, seus tribunos e as cidades alemãs, seus mestres das guildas, com autoridade para controlar os governantes superiores, Deus providenciou pastores como oficiais para estar em guarda pelo povo.[79] Isso era coerente com

---

[72] Williams, *Radical Reformation*, p. 294.
[73] Aristóteles, *Politics* 4.6.3 [*A política*. Coleção Saraiva de Bolso. São Paulo: Editora Saraiva, 2011]; Platão, *Republic* 8.2 [*A república*. 2. ed. São Paulo: Edipro, 2012]; cf. Calvino, *Institutas*, 4.20.8; McNeill, "John Calvin on Civil Government", p. 37.
[74] F. Edward Cranz, "The Development of Augustine's Ideas on Society before the Donatist Controversy", *HTR* 47, n. 4, 1954, p. 255–316; Thomas M. Garrett, "St. Augustine and the Nature of Society", *The New Scholasticism* 30, n. 1, 1956, p. 16–36; Baynes, *Political Ideas of St. Augustine*.
[75] F. F. Bruce, "Render to Caesar". In: Ernst Bammel e C. F. D. Moule (eds.). *Jesus and the Politics of His Day*. Cambridge: Cambridge University Press, 1984, p. 249–263; C. E. B. Cranfield, "The Christian's Political Responsibility according to the New Testament", *SJT* 15, n. 2, 1962, p. 176–192; Oscar Cullmann, *The State in the New Testament*. Nova York: Scribner, 1956.
[76] Erasmo Desidério, *The Education of a Christian Prince*. Nova York: Columbia University Press, 1936.
[77] Veja Lillback, *Binding of God*, p. 81–109.
[78] Ulrico Zuínglio, "Of Baptism". In: G. W. Bromiley (ed.). *Zwingli and Bullinger: Selected Translations with Introductions and Notes*, LCC 24. Filadélfia: Westminster, 1953, p. 131; ZSW 4:218.
[79] Ulrico Zuínglio, "The Shepherd", em Zuínglio, *Writings*, v. 2, *In Search of True Religion*. Allison Park, PA: Pickwick, 1984, p. 102; *Der Hirt*. In: *ZSW* 3:36.

a conclusão alcançada pelos conciliaristas a respeito dos papas heréticos. Zuínglio, porém, não aplicou esse raciocínio à política civil. Ele morreu prematuramente na batalha de Kappel (1531) defendendo as reformas em Zurique contra os cantões católicos vizinhos, no entanto, seu apelo aos éforos seria aplicado por Vermigli e Calvino na resistência à tirania magistral.

O ponto de vista de Bullinger sobre o magistrado era baseado no Antigo Testamento, em que os reis são magistrados e os profetas, pastores;[80] assim, isso produziu tensão no pensamento de Bullinger: embora ele preferisse o republicanismo, o fundamento veterotestamentário de seu pensamento o compeliu a aceitar tendências autoritárias, já que Israel tinha uma monarquia.[81] Baker explica: "O elogio de Bullinger ao republicanismo tem um som oco. [...] Embora elogiasse o republicanismo e escrevesse sobre os limites divinos ao poder político, sua remoção de verificações efetivas do poder magistral e sua negação a um direito de resistência tendiam a reforçar certo autoritarismo".[82]

Pedro Mártir Vermigli e a filosofia política grega clássica

Peter Martyr Vermigli,[83] antigo reformador italiano que influenciou tanto Calvino como a Reforma inglesa, era bem versado no pensamento político clássico. Robert Kingdon escreve:

> Outro conjunto óbvio de fontes para as ideias políticas de Vermigli é encontrado nos escritos da antiguidade clássica. Ele depende particularmente, tanto quanto se poderia esperar, de *Política*, de Aristóteles. Seu uso mais marcante desse trabalho é a adoção da análise aristotélica dos tipos de governo em seis categorias, de acordo com o *locus* da soberania em cada um: três tipos bons – monarquia, aristocracia e governo constitucional – e seus desvios correspondentes, que tendem a degenerar: tirania, oligarquia e democracia.[84]

Vermigli aplicou essas ideias ao discutir sobre a igreja, a qual idealmente deve refletir o valor clássico do governo misto:

---

[80] J. Wayne Baker, "Covenant and Community in the Thought of Heinrich Bullinger". In: Daniel J. Elazar e John Kincaid (eds.). *The Covenant Connection: From Federal Theology to Modern Federalism*. Lanham, MD: Lexington Books, 2000, p. 18–20.

[81] Baker, "Covenant and Community", p. 22,23.

[82] Ibid., p. 23.

[83] John Patrick Donnelly, "Peter Martyr Vermigli's Political Ethics", Robert M. Kingdon, "Peter Martyr Vermigli on Church Discipline" e Giulio Orazio Bravi, "Über Die Intellektuellen Wurzeln Des Republikanismus von Petrus Martyr Vermigli". In: Emidio Campi, Frank A. James III e Peter Opitz (ed.). *Peter Martyr Vermigli: Humanism, Republicanism, Reformation*. Travaux d'humanisme et Renaissance 365. Genebra: Droz, 2002, p. 60–65, 67–76, 119–141. Esses ensaios trazem valiosas percepções sobre as ideias de Vermigli a respeito de guerra, da disciplina na igreja e do pensamento republicano.

[84] Robert M. Kingdon, *The Political Thought of Peter Martyr Vermigli: Selected Texts and Commentary*, Travaux d'humanisme et Renaissance 178. Genebra: Droz, 1980, p. VII.

É monárquica, porque Cristo é seu Rei e continua a ser seu supremo legislador, mesmo que esteja no céu. É aristocrática, pois é governada por "bispos, anciãos, mestres" e outros, escolhidos por mérito, e não por riqueza, favor ou nascimento. É popular, pois algumas de suas decisões mais importantes, por exemplo, sobre a excomunhão de um pecador notório, deve ser "encaminhada ao povo".[85]

Vermigli também mediu forças com seus opositores usando ensinamentos bíblicos, como o relato de Gideão em Juízes 8, para estabelecer qual seria a melhor forma de governo político e para criticar o abuso papal do poder político.[86]

O REPUBLICANISMO DE CALVINO

A erudição bíblica de Calvino e os deveres pastorais não eliminaram sua preocupação com questões políticas,[87] como mostram "seus escritos [...] cheios de comentários perspicazes sobre as políticas dos governantes e de passagens esclarecedoras sobre os princípios de governo".[88]

Calvino conhecia o pensamento de aliança da dimensão social da Europa da Idade Média, como a história jurídica e seus diversos exemplos de aliança políticas mútuas.[89] Ele estudou em Paris, a fortaleza conciliarista,[90] e apresentou seu entendimento dos propósitos gerais do governo nas *Institutas*.[91] Depois de distinguir o governo espiritual do civil, Calvino explicou que o bom governo civil também tem deveres religiosos.

Seu trabalho foi aceito na República de Genebra[92], como evidenciado por uma observação que apareceu pela primeira vez na edição de 1543 das *Institutas*:

---

[85] Ibid., VII.
[86] Torrance Kirby, "Political Theology: The Godly Prince". In: Torrance Kirby, Emidio Campi e Frank A. James III (eds.). *A Companion to Peter Martyr Vermigli*. Brill's Companions to the Christian Tradition 16. Leiden: Brill, 2009, p. 409,410.
[87] Hunt, *Calvinism and Political Order*; David W. Hall, *The Genevan Reformation and the American Founding*. Lanham: Lexington Books, 2003; Douglas F. Kelly, *The Emergence of Liberty in the Modern World: The Influence of Calvin on Five Governments from the 16th through 18th Centuries*. Phillipsburg: P&R, 1992; Dominique A. Troilo, "L'œuvre de Pierre Viret: Le problème des sources", *BSHPF* 144, 1998, p. 759–790.
[88] McNeill, "John Calvin on Civil Government", p. 24.
[89] Cf. Calvino sobre Ezequiel 17:9. In: *Calvin's Commentaries* (1844–1856). Grand Rapids: Baker, 1979, p. 12:202,203; *CO* 40:413.
[90] Cf. John Major, "A Disputation of the Authority of a Council: Is the Pope Subject to Brotherly Correction by a General Council? (1529)". In: Matthew Spinka (ed.). *Advocates of Reform: From Wyclif to Erasmus*. LCC 14. Londres: SCM, 1953, p. 175. Nessa passagem, Major assevera que a Universidade de Paris mantivera a posição conciliarista desde o Concílio de Constança.
[91] "O governo civil tem como fim último, enquanto vivermos entre os homens, manter e proteger o culto divino externo, defender a sã doutrina da piedade e a posição da Igreja, ajustar nossa vida à sociedade dos homens, formar nosso comportamento social para a justiça civil, reconciliar-nos uns com os outros e fomentar a paz e tranquilidade comuns". Calvino, *Institutas*, 4.20.2.
[92] Jeong Koo Jeon, "Calvin and the Two Kingdoms: Calvin's Political Philosophy in Light of Contemporary Discussion", *WTJ* 72, n. 2, 2010, p. 299–320; John T. McNeill, *The History and Character of Calvinism*. Nova York:

Pois, se as três formas de governo sobre as quais os filósofos discutem forem consideradas, não vou negar que a aristocracia, ou um sistema composto de aristocracia e democracia [*vel aristocratian vel temperatum ex ipsa et politia statum*] supera todos os outros.[93]

O programa republicano de Calvino em Genebra foi auxiliado por Pierre Viret, que acreditava que o governo divino preservava a humanidade e impedia a descendência do homem de viver como "bestas brutas". "A manutenção do Estado é tão necessária para uma forma pública de religião e uma sociedade humana ordenada como são o alimento, a água e o ar."[94]

DISCIPLINA DA IGREJA: UM INDICADOR DA TEORIA POLÍTICA NA REFORMA

Pontos de vista políticos influenciaram as práticas de disciplina da Reforma. Especificamente, os reformadores desenvolveram visões variadas das palavras de disciplina de Jesus em Mateus 18:17: "Conte à igreja".[95] Por exemplo, o erastianismo de Zuínglio moldou a disciplina da igreja em Zurique,[96] ao insistir em que Jesus disse que deveríamos denunciar o pecador a uma comunidade, não a um indivíduo, como por exemplo um bispo. Ele pensou que, uma vez que o cristianismo foi estabelecido, "Conte à igreja" significava "Conte ao governo cristão". Em Zurique, o governo poderia excomungar, mas os ministros, não.

Após a morte de Zuínglio, Heinrich Bullinger o substituiu como líder da igreja de Zurique e assegurou a exigência de que os pastores tivessem um juramento anual de lealdade a Zurique e a seu conselho. A relação entre a igreja de Zurique e o governo era clara: o Estado tinha todos os poderes de coerção, e os pastores

---

Oxford University Press, 1954; Reid, *John Calvin: His Influence*; McNeill, *John Calvin on God and Political Duty*; Jean-Marc Berthoud, *Pierre Viret: A Forgotten Giant of the Reformation: The Apologetics, Ethics, and Economics of the Bible*. Tallahassee: Zurich, 2010; Robert D. Linder, "John Calvin, Pierre Viret, and the State". In: *De Klerk, Calvin and the State*, p. 171–185; Menna Prestwich (ed.). *International Calvinism: 1541–1715*. Oxford: Clarendon, 1985.

[93] Citado em McNeill, "John Calvin on Civil Government", 37. Cf. McNeill, "The Democratic Element in Calvin's Thought", *CH* 18, n. 3, 1949, p. 153–171.

[94] Robert Dean Linder, *The Political Ideas of Pierre Viret*, Travaux d'humanisme et Renaissance 64. Genebra: Droz, 1964, p. 83,84.

[95] Robert M. Kingdon, "Ecclesiology: Exegesis and Discipline". In: Kirby, Campi e James, *A Companion to Peter Martyr Vermigli*, p. 382–385.

[96] Ulrico Zuínglio, *An Exposition of the Faith*, em. In: *Zwingli and Bullinger*, p. 239–279; Pamela Biel, *Doorkeepers at the House of Righteousness: Heinrich Bullinger and the Zurich Clergy, 1535–1575*, Zürcher Beiträge zur Reformationsgeschichte 15. Bern: Peter Lang, 1991; Charles S. McCoy e J. Wayne Baker, *Fountainhead of Federalism: Heinrich Bullinger and the Covenantal Tradition*. Louisville: Westminster John Knox, 1991; Jan Rohls, *Reformed Confessions: Theology from Zurich to Barmen*, trad. John Hoffmeyer. Columbia Series in Reformed Theology. Louisville: Westminster John Knox, 1998, p. 254–264; Andries Raath e Shaun de Freitas, "Theologico-Political Federalism: The Office of Magistracy and the Legacy of Heinrich Bullinger (1504–1575)", *WTJ* 63, n. 2, 2001, p. 285–304; Heinrich Bullinger, *The Decades of Henry Bullinger*, editado por Thomas Harding (1849–1852); reimpressão, Grand Rapids, MI: Reformation Heritage Books, 2004; Baker, "Covenant and Community", p. 15–29.

estavam sob o controle final do conselho da cidade.[97] Para Bullinger, então, a excomunhão não pertencia à igreja, mas aos magistrados; logo, as circunstâncias encontradas no Novo Testamento eram temporárias.[98] Bullinger argumentou que se Jesus, na última ceia, ofereceu os elementos a Judas, o discípulo que o trairia, então como um clérigo poderia recusar servir a alguém, por mais pecaminoso que fosse?

Mas muitos, como Ecolampádio, o reformador de Basileia, discordaram da interpretação de Zurique. Ele disse que em Mateus 18 Jesus não estava pensando em um governo secular, mas em uma organização da igreja. Para os anabatistas, as palavras de Jesus significavam colocar alguém sob um "banimento" e exortar todos na comunidade a "fugir" desse indivíduo, mesmo dentro de uma família. Para os católicos, "Conte à igreja" significava "Conte a um bispo".

Calvino explicou que não existia nenhuma igreja cristã quando Jesus disse essas palavras. Assim, como judeu, ele se referia a uma instituição judaica, provavelmente o Sinédrio, um corpo que ele chamou de "o consistório judaico".[99] Ele interpretou a frase como sendo: "Conte ao consistório". Desse modo, Bullinger discordou de Calvino sobre a natureza da comunidade cristã, insistindo em que a comunidade cristã estava sob a magistratura cristã, e sua ênfase em o magistrado ter a palavra final sobre a disciplina da igreja era distinta da separação que Calvino fazia das responsabilidades das duas esferas.[100] Beza não queria que Genebra imitasse o governo erastiano de Zurique e se esforçava para manter um equilíbrio entre as autoridades eclesiásticas e cívicas.[101]

Mas Bullinger e Calvino concordavam que os hereges deviam enfrentar a disciplina da igreja e do Estado. Bullinger declarou que o magistrado deveria punir e, se necessário, executar heréticos incorrigíveis, como anabatistas e falsos mestres. Ele apoiou a execução de Miguel Serveto em Genebra, em 1553, e a oposição de Calvino a Sebastião Castellio, um defensor da liberdade religiosa.[102] Esse trágico acontecimento deve ser brevemente comentado em relação à disciplina da igreja e à relação entre Igreja e Estado. Quando chegou a Genebra, Serveto estava fugindo da França católica, onde já estava condenado à morte por negar a Trindade. Seu julgamento foi conduzido pelas autoridades civis, que, naquele tempo, estavam em discordância com Calvino, cujo papel no julgamento foi como perito em questões

---

[97] J. Wayne Baker, "Bullinger, Heinrich", *OER* 1:228.
[98] Baker, "Covenant and Community", p. 20.
[99] Calvino, *Institutas*, 4.8.15. A versão em francês traz: "Au consistoire qui estoit establi entre les Iuifs" (*CO* 4:740).
[100] Baker, "Bullinger", OER 1:229.
[101] Jill Raitt, "Bèze, Théodore de", *OER* 1:149,150.
[102] Baker, "Bullinger", *OER* 1:229. Teodoro Beza, não Calvino, respondeu por escrito a Castellio. Enquanto Castellio defendia a liberdade religiosa, Beza, em *Tratados sobre a autoridade dos magistrados na punição de hereges* (1554) antecipava seu entendimento posterior sobre a resistência aos magistrados; veja Robert M. Kingdon, "Les idées politiques de Bèze d'après son Traitté de l'authorité du magistrat en la punition des hérétiques", Bibliothèque d'Humanisme et Renaissance 22, n. 3, 1960, p. 566–569.

teológicas, mas sem ter a palavra final. Na verdade, Calvino se opôs à execução de Serveto na fogueira, propondo uma forma mais humana de pena capital, contudo, o conselho rejeitou sua recomendação. Além disso, a contenda sobre Serveto era parte de um conflito maior entre os reformadores e os libertinos em Genebra. Embora os herdeiros de Calvino condenem a execução de Serveto, a maioria rejeita a teologia heterodoxa do espanhol. Esse evento ilustra tanto os papéis distintos da Igreja e do Estado em Genebra quanto, ao mesmo tempo, a noção então dominante de que o Estado devia combater a heresia.[103]

PENSAMENTO DO INÍCIO DA REFORMA SOBRE A RESISTÊNCIA POLÍTICA À TIRANIA

À medida que a liderança da Reforma enfrentava oposição dos líderes católicos, surgiram questões sobre desobediência civil e resistência, levantando um dilema ético. Jesus não havia defendido a resistência militar, e o ensino apostólico insistia na submissão à autoridade, mesmo que os magistrados tratassem duramente os cristãos. Desse modo, os primeiros reformadores, seguindo a instrução de Agostinho, eram reticentes na defesa da resistência.

ULRICO ZUÍNGLIO

No sermão *Der Hirt*, Zuínglio aplicou a referência aos éforos somente aos pastores, mas, como líder da reforma de Zurique, ele participou da resistência ao catolicismo lutando e morrendo em batalha contra os cantões católicos em Kappel, em 1531.

HEINRICH BULLINGER

Bullinger afirmou que o magistrado era obrigado a governar de modo justo em fidelidade a Deus, mas não era responsável perante o povo e não podia ser controlado por seus súditos. Bullinger ensinou que a tirania era muitas vezes o castigo de Deus sobre seu povo infiel, e a única resposta justa a um tirano era retornar à aliança de Deus por meio do arrependimento e esperar na providência divina que ele, Deus, levantasse juízes para libertar o povo, como Israel fizera. Deus permitia apenas oposição passiva a governantes injustos.[104]

PEDRO MÁRTIR VERMIGLI

Em um estudo bíblico, Vermigli perguntou: "É lícito que os súditos se levantem contra seu príncipe?" Sua resposta negou a resistência privada, mas usou o exemplo

---

[103] Para Calvino, essa função do Estado não implicava que o Estado era responsável pela disciplina da igreja. Para um relato mais detalhado dos eventos que cercam a morte de Serveto, veja Parker, *John Calvin*, p. 146–157.
[104] Baker, "Covenant and Community", p. 23.

dos *ephoroi* e outros como base para a resistência a um tirano por aqueles que são poderes "inferiores". Ele estava preocupado com a segurança de todos os reis, dada a dificuldade de satisfazer os súditos,[105] e quer tenha sido influenciado por Zuínglio, quer não, Vermigli aplicou sua confiança eclesiástica nos éforos ao contexto magistral, como fez Calvino.

João Calvino

Calvino escreveu pela primeira vez sobre a ética da política em seu comentário de 1532 sobre *De Clementia*, de Sêneca, que foi considerado "uma mordaça para o maquiavelismo".[106] Cada versão das *Institutas* começou com sua defesa da Reforma dirigida ao rei Francisco I, a fim de impedir que seu movimento fosse chamado de anarquista, como os anabatistas.

Calvino sabia que o direito romano permitia que até cidadãos particulares resistissem à força com força e estava ciente dos argumentos pactuais dos teólogos escolásticos desenvolvidos durante a crise conciliar para limitar os poderes reivindicados por reis e papas.[107] Assim, sua concepção de resistência era coerente com a abordagem conciliarista de um pontífice tirânico: o magistrado menor corrige o tirano que rompe a aliança.[108] Todavia, a ampliação que seus seguidores fizeram da desobediência passiva à resistência *popular* justificada à tirania não foi abraçada por Calvino.[109]

Ao emitir opinião sobre a resistência ao clero católico, no entanto, Calvino lançou as bases para teorias posteriores de resistência política. Elenotou que Malaquias 2:1–9 ensinava que a aliança de Deus com Levi exigia que o sacerdote falasse como intérprete de Deus, e, quando os descendentes de Levi falharam em falar a Palavra de Deus, violaram a aliança e perderam o direito de serem respeitados como servos de Deus. Da mesma forma, os sacerdotes romanos haviam quebrado a aliança,[110] e essa ruptura era o aval para a resistência reformacional.

O caráter revolucionário das reformas de Calvino tornou-se explícito no cenário eclesiástico. Ele insistia em que a quebra da aliança do sacerdócio permite que o cristão "resista" aos sacerdotes e "subverta todo o papado", o que é garantido

---

[105] Kingdon, *Political Thought of Vermigli*, p. 99,100.
[106] McNeill, "Calvinism and European Politics", p. 13.
[107] Veja Lillback, *Binding of God*, 27, 28, 34, 35.
[108] Cf. Calvino, *Institutas*, 4.20.31; *CO* 2:1116. McNeill aponta a similaridade do posicionamento de Calvino com o comentário de Zuínglio em *Der Hirt* e sugere a ligação de Calvino a ele ("Democratic Element", p. 163).
[109] Robert M. Kingdon, "Resistance Theory", *OER* 3:423-325.
[110] Calvino, *Institutes*, 4.2.3; cf. *CO* 2:770. Veja também o debate de Calvino sobre a aliança e o sacerdote nas seguintes referências: Deuteronômio 33:9 (*Calvin's Commentaries*, v. 3, livro 4, 389; *CO* 25:388,389); Hebreus 7:11 (*Calvin's Commentaries*, 22:166; *CO* 40:88,89); Hebreus 7:20 (*Calvin's Commentaries*, 22:173; *CO* 40:93) e Hebreus 8:6 (*Calvin's Commentaries*, 22:184,185; *CO* 40:99,100) [Série Comentários Bíblicos: *Hebreus*. São José dos Campos: Editora Fiel, 2012].

pelas exigências da aliança de Deus para um clero puro.[111] Calvino não aplicou essa doutrina à resistência popular na esfera política.[112] Seguindo os passos de Agostinho, Calvino rejeitou a ação revolucionária, no entanto, quase sugeriu resistência popular em vez de representativa ao afirmar que se deveria cuspir em um tirano em lugar de obedecer-lhe![113]

Calvino estendeu a referência de Zuínglio aos éforos de Esparta do contexto eclesiástico para os magistrados, e, assim como Vermigli, reconheceu o apelo a magistrados menores para resistência ao governo tirânico:

> Estou falando todo o tempo de pessoas individualmente, mas, se agora alguns são magistrados do povo, designados para restringir a obstinação dos reis (como nos tempos antigos os éforos eram colocados contra os reis espartanos, ou os tribunos do povo contra os cônsules romanos, ou os demarcos contra o senado dos atenienses; e, como as coisas agora são, talvez também do poder que as três ordens exercem em todos os domínios quando realizam suas principais assembleias), estou tão longe de proibi-los de, em função de seu dever, resistir à licenciosidade feroz dos reis, que, se eles se fizerem coniventes aos reis que violentamente oprimem e assaltam o populacho humilde, eu declaro que sua dissimulação envolve perfídia infame, porque traem desonestamente a liberdade do povo, do qual, eles sabem, foram nomeados protetores pela ordenança de Deus.[114]

Aqui Calvino autorizou a resistência à tirania pelo "magistrado menor". Sua disjunção entre indivíduos e magistrados do povo seria reconsiderada nas Guerras de Religião.

JOHN KNOX E O PRESBITERIANISMO ESCOCÊS[115]

John Knox foi aluno de Calvino. As noções de resistência e do magistrado menor[116] aparecem nos esforços de reforma de Knox na Escócia. A reforma escocesa aconteceu precisamente por causa de sua "ousada desobediência de nobres, ministros e pessoas a Maria de Guisa e a Maria Stuart".[117] George Buchanan, autor de *The Law*

---

[111] Calvino sobre Malaquias 2:4, em *Calvin's Commentaries*, 15:520,521; CO 44:433.
[112] Calvino, *Institutas*, 4.20.31.
[113] Calvino sobre Daniel 6:22. In: *Calvin's Commentaries*, 12:382; CO 41:26; cf. Calvino, *Institutas*, 1519n54.
[114] Calvino, *Institutas*, 4.20.31.
[115] J. H. Burns, "John Knox and Revolution, 1558", *History Today* 8, n. 8, 1958, p. 565–573; Burrell, "Covenant Idea as a Revolutionary Symbol", p. 338–350; Richard C. Gamble, "The Clash of King and Kirk: The 1690 Revolution Settlement in Presbyterian Scotland". In: Peter A. Lillback (ed.). *The Practical Calvinist: An Introduction to the Presbyterian and Reformed Heritage in Honor of Dr. D. Clair Davis*. Fearn, Ross-shire, Escócia: Christian Focus, 2002, p. 215–231; Richard L. Greaves, *Theology and Revolution in the Scottish Reformation: Studies in the Thought of John Knox*. Grand Rapids: Christian University Press, 1980; W. Stanford Reid, "John Knox: The First of the Monarchomachs?". In: Elazar e Kincaid, *The Covenant Connection*, p. 119–141.
[116] McNeill, "Calvinism and European Politics", p. 14,15.
[117] Ibid., p. 15.

of Scottish Kingship [A lei da realeza escocesa] (1579), procurou limitar o poder real empregando o uso que Calvino fez dos antigos éforos.[118]

Knox desempenhou um papel inicial na expressão da visão reformada da resistência popular à tirania e era um elo com os princípios luteranos da resistência popular à tirania. Indo além de Calvino, ele desenvolveu uma doutrina de resistência em *On the Monstrous Regiment of Women* [Sobre o monstruoso governo de mulheres] (1558). Elizabeth I, da Inglaterra, ascendeu ao trono quando esse panfleto incendiário apareceu, causando uma crise inglesa com Genebra e, assim, angustiando Calvino.[119] Knox também relatou em *History of the Reformation in Scotland* [História da Reforma na Escócia] que, em um debate em 1564, apelou à Confissão Luterana de Magdeburgo, a qual "afirma o dever da resistência armada contra um governante que viola a lei de Deus".[120]

APOIO PROTESTANTE EXPLÍCITO PARA A RESISTÊNCIA POPULAR À TIRANIA

A maturação da teoria da resistência magistral ocorreu nos conflitos inflamados da Reforma da Europa que provocaram tumultos, guerras, assassinatos e massacres. Essas crises evocaram a resistência política popular à multiforme tirania da perseguição religiosa.[121]

MAGDEBURGO

Os luteranos resistiram a decretos que diziam que seus cultos eram ilegais desde o momento da excomunhão de Lutero pelo Sacro Império Romano, em 1521, até a Paz de Augsburgo, em 1555.[122] Em 1550, apareceu o primeiro manifesto para legitimar a resistência popular cristã, intitulado *Confissão de Magdeburgo*, assinado por Nikolaus von Amsdorf e oito clérigos.[123] A confissão "parece ser a primeira enunciação formal de uma teoria da correta resistência violenta por qualquer protestante que possa ser chamada ortodoxa".[124]

Os clérigos argumentavam que "a resistência passiva a um governante que procura destruir a verdadeira religião não é suficiente para satisfazer a Deus. Nesse

---

[118] Ibid.
[119] Calvino, *Institutas*, 4.20.31.
[120] Ibid.
[121] Kingdon, "Resistance Theory", *OER* 3:423–425.
[122] Ibid., p. 424.
[123] Allen, *History of Political Thought*, p. 103–106; David M. Whitford, *Tyranny and Resistance: The Magdeburg Confession and the Lutheran Tradition*. St. Louis: Concordia, 2001; Amsdorff, *Bekentnis Unterricht*; Ludwig Cardauns, *Die Lehre vom Widerstandsrecht des Volks gegen die rechtmässige Obrigkeit im Luthertum und Calvinismus des 16. Jahrhunderts* (1903). Darmstadt: Wissenschaftliche Buchgesellschaft, 1973.
[124] Allen, *History of Political Thought*, p. 104.

caso, o sujeito é obrigado a defendê-la '*mit Leib und Leben*' [de corpo e alma]. Um governante que tenta tal coisa não representa Deus, mas o diabo"; logo, é impossível, eles argumentaram, acreditar que Deus ordene a não resistência em todos os casos. Crer assim seria idêntico a crer que, em alguns casos, Deus deseja a manutenção do mal e ordene desobediência a si. Portanto, só pode ser o Diabo quem inspira os homens a crer desse modo.[125]

Os protestantes da Liga de Esmalcalda argumentavam que o imperador poderia ser resistido por causa da constituição do Sacro Império Romano. Ao imperador não foi dado poder absoluto, uma vez que ele foi verificado por sete outros eleitores régios que o escolheram para o ofício, e havia também outros "magistrados inferiores" que detinham os direitos sobre outros poderes localmente, incluindo a provisão de "verdadeiro" culto religioso. Se o imperador quisesse mudar isso pelo poder da espada, esses outros líderes tinham o direito de resistir-lhe pela força – essas noções foram postas em prática nas Guerras de Esmalcalda. Depois de uma decisiva vitória católica na primeira guerra, de 1546 a 1547, o imperador fez esforços para impor o culto católico romano, no entanto, os luteranos comprometidos com Magdeburgo se recusaram a cooperar, catalisando a segunda guerra, de 1552 a 1555. Como resultado, a Paz de Augsburgo foi assinada em 1555, permitindo que príncipes católicos e luteranos estabelecessem a forma de culto que preferissem para seus domínios. Assim, a teoria da resistência não era mais uma preocupação primária para os luteranos.[126]

Os huguenotes na França

A notícia sobre a bem-sucedida teoria luterana da resistência logo se espalhou para as terras calvinistas. A opinião de Vermigli e de Calvino, que justificava a resistência se a oposição ao magistrado fosse conduzida por "magistrados inferiores" legalmente autorizados, foi amplamente aceita. Contudo, como observado, John Knox tinha começado seus próprios pontos de vista sobre a resistência popular e citava abertamente a confissão de Magdeburgo. De modo geral, o entendimento conservador mais brando de Calvino prevaleceu.[127]

Os protestantes franceses, conhecidos popularmente por huguenotes, eram seguidores da teologia de Calvino.[128] Em 1562, as Guerras de Religião entre católicos

---

[125] Ibid., p. 104,105.
[126] Kingdon, "Resistance Theory", *OER* 3:424.
[127] Myriam Yardeni, "French Calvinist Political Thought, 1534–1715". In: Prestwich, *International Calvinism, 1541–1715*, p. 315.
[128] Philip Benedict, "Prophets in Arms? Ministers in War, Ministers on War: France, 1562–1574", *Past and Present* 214, suplemento 7, 2012, p. 163–196; Guy Howard Dodge, *The Political Theory of the Huguenots of the Dispersion with Special Reference to the Thought and Influence of Pierre Jurieu*. Nova York: Columbia University Press, 1947; William Farr Church, *Constitutional Thought in Sixteenth-Century France: A Study in the Evolution of Ideas*, Harvard Historical Studies 47 (1941). Nova York: Octagon Books, 1969; Julian H. Franklin (ed.-trad.).

romanos e huguenotes explodiram na França. Os líderes huguenotes justificavam sua resistência, explicando que estavam realmente procurando libertar a família real de conselheiros políticos malévolos. No entanto, tais justificativas não podiam ser feitas "depois do massacre do Dia de São Bartolomeu [...] (1572), cuja responsabilidade foi abertamente reivindicada pela família real".[129] Nesse contexto, as teorias da resistência huguenote vieram à tona, inspiradas em parte pela Confissão de Magdeburgo, conforme eles se reagrupavam para se defender do ataque do poder régio que objetivava a aniquilação do calvinismo na França.[130]

Pouco depois da morte de Calvino, autores franceses e outros seguidores de Calvino ampliaram sua perspectiva aliancista a seu fim lógico de resistência popular organizada à tirania. Calvino havia ensinado que o papado, um poder político de imensa força, devia ser resistido, subvertido até, em virtude da ruptura da aliança. Como poderia essa noção eclesiástica falhar na tentativa de entrar na esfera do Estado no meio da tirania política, especialmente porque esta legitimava o apelo aos régios magistrados inferiores? Após o massacre do Dia de São Bartolomeu, essa lógica era irresistível.[131]

Os principais monarcômacos

Os teóricos da resistência francesa da época foram chamados de "monarcômacos", termo que significa "inimigos do monarca" ou "combatentes contra o rei". Eles uniram a concepção medieval de que os magistrados foram criados para o povo e não para seus governantes e produziram três grandes clássicos do monarcômacos. O primeiro, *Franco-Gallia*, apareceu em 1573 e foi escrito por Francois Hotman. No ano seguinte, foi publicado *Du droit des magistrats sur ses sujets*. Por fim, em 1579, *Vindicae contra Tyrannos* foi escrito por Philippe Du Plessis-Mornay.[132]

Francois Hotman

Hotman baseou sua teoria exposta em *Franco-Gallia* em uma história da constituição francesa e afirmou que o poder real na França tinha dependido de um

---

Constitutionalism and Resistance in the Sixteenth Century: Three Treatises by Hotman, Beza, and Mornay. Nova York: Pegasus, 1969; Paul F.-M. Mealy, *Les Publicistes de la Réforme sous François II et Charles IX: Origines des idées politiques libérales en France*. Paris: Librairie Fischbacher, 1903; J. H. M. Salmon, *The French Religious Wars in English Political Thought*. Oxford: Clarendon, 1959; Salmon, *Society in Crisis: France in the Sixteenth Century*. Nova York: St. Martin's, 1975; Salmon, "Wars of Religion", *OER* 4:258–263; Georges Weill, *Les théories sur le pouvoir royal em France pendant les guerres de religion* (1892). Genebra: Slatkine Reprint, 1971.

[129] Kingdon, "Resistance Theory", *OER* 3:424.
[130] McNeill, "Calvinism and European Politics", p. 14.
[131] Veja os comentários de Calvino sobre 1Pedro 2:15 em *Calvin's Commentaries*, 22:83; *CO* 55:246; e sobre Ezequiel 17:19 em *Calvin's Commentaries*, 12:203; *CO* 40:414.
[132] Yardeni, "French Calvinist Political Thought, 1534–1715", p. 320–324.

grupo de conselheiros de elite, precursores dos Estados Gerais, que investiu poder no rei e, portanto, tinha a autoridade para removê-lo no caso do rei se tornar um tirano.

Teodoro Beza[133]

Beza, o sucessor de Calvino, estava comprometido com a teologia deste, mas desenvolveu-a de maneiras distintas. Diferenças sutis de exegese são evidentes no entendimento de cada um deles a respeito de Romanos 13:1–7, o *locus classicus* da relação entre Igreja e Estado no Novo Testamento.[134] Mas suas opiniões divergentes tornaram-se óbvias em *Du droit des Magistrats sur leurs sujets*, de Beza. Sob a pressão do massacre do Dia de São Bartolomeu, a posição de Beza ultrapassou a de Calvino sobre resistência passiva e relutância em apelar ao magistrado.

Du droit des Magistrats foi originalmente um curso que Beza ministrou em Genebra. Ele afirmou que toda a autoridade de cada rei é dada por Deus, mas é transmitida mediante a eleição do povo, portanto, os magistrados só podiam requerer a submissão de seus súditos na medida em que guardassem a lei de Deus. Assim, a realeza é sempre responsável diante de Deus pelo povo, e, no caso de os reis se tornarem tiranos, o povo tem o direito de resistir a eles, sob a liderança de seus magistrados eleitos. Ele argumentou que os tiranos declarados deveriam ser punidos e que os Estados Gerais tinham o direito de depor um tirano.

Beza declarou que a resistência não exigia um líder de sangue real;[135] um legítimo magistrado do povo poderia organizar resistência.[136] Ele diferenciou dois tipos de "magistrados inferiores": os que tinham direito a aconselhar o rei por causa de sua posição social e os responsáveis pela administração dos governos locais – ambos

---

[133] Teodoro Beza, *Du droit des Magistrats*, editado por Robert M. Kingdon, Les Classiques de la pensée politique 7. Genebra: Droz, 1970; Alfred Cartier, *Les idées politiques de Théodore de Bèze d'après le traité Du droit des Magistrats sur leurs sujets*. Genebra: Jullien, 1900; Robert M. Kingdon, "Calvinism and Resistance Theory, 1550–1580", em Burns, *Cambridge History of Political Thought, 1450–1700*, p. 193–218; Paul-Alexis Mellet (ed.). *Et de sa bouche sortait un glaive: Les Monarchomaques au XVIe siècle: Actes de la Journée d'étude tenue à Tours en mai 2003*. Genebra: Droz, 2006; Richard C. Gamble, "The Christian and the Tyrant: Beza and Knox on Political Resistance Theory", *WTJ* 46, n. 1, 1984, p. 125–139; Robert M. Kingdon, "The First Expression of Theodore Beza's Political Ideas", *Archiv für Reformationsgeschichte* 46, n. 1, 1955, p. 88-100; Kingdon, "Les idées politiques de Bèze", p. 566–569; John F. Southworth Jr., "Theodore Beza, Covenantalism, and Resistance to Political Authority in the Sixteenth Century". Dissertação (PhD), Seminário Teológico de Westminster, 2003.

[134] Richard A. Muller, "Calvin, Beza, and the Exegetical History of Romans 13:1–7". In: John B. Roney, Martin I. Klauber (ed.). *The Identity of Geneva: The Christian Commonwealth, 1564–1864*. Contributions to the Study of World History 59. Westport: Greenwood, 1998, p. 39–56.

[135] Raitt, "Bèze", *OER* 1:149,150.

[136] Beza tratou da questão: "Si, estant persecuté pour la Religion, on se peut defendre par armes en bonne conscience", em *Du droit des Magistrats*, p. 63–68. Sua resposta permitia a resistencia a um tirano. Cf. também, du Plessis-Mornay ou Hubert Languet, *A Defence of Liberty against Tyrants: A Translation of the* "Vindiciae contra Tyrannos", editado por Harold J. Laski (1924). Gloucester: Peter Smith, 1963.

tinham o direito de desobedecer e de resistir a um monarca que se tornasse tirano.[137] Assim, Beza negou o ponto de vista aceito de que uma revolta legítima devia ser liderada por príncipes com *pedigree* real.[138]

Du Plessis-Mornay [139]

Mornay escreveu *Vindiciae contra Tyrannos*, a qual, entre suas três obras, é aquela que dá tratamento mais completo ao assunto. Ele respondeu a quatro questões críticas da época:

1. Os súditos são obrigados a obedecer a um príncipe que lhes ordena que transgridam a lei de Deus?
2. De que maneira os súditos podem resistir a ele?
3. Eles podem resistir a um príncipe que violou as leis do Estado?
4. Nesses dois últimos casos, os príncipes vizinhos têm o direito ou o dever de intervir?

As duas primeiras perguntas foram respondidas na afirmação de que Deus é superior ao rei e tem de ser obedecido antes de qualquer outro. Além disso, o direito de resistir provém de considerações terrenas, tais como as constituições, mas pertence apenas a comunidades, não a indivíduos. As comunidades e seus magistrados têm direito de autodefesa, especialmente contra o rei, uma vez que ele deveria proteger seus súditos.

Às duas últimas perguntas ele respondeu em termos de uma aliança dupla entre Deus, o rei, os magistrados menores e o povo. Deus estava em aliança com o rei, mas também estava em aliança com os magistrados menores e com o povo. À luz disso, o rei estava em aliança com seus súditos. Era obrigação da aliança dos magistrados, em sua aliança compartilhada com Deus, cuidar para que o rei cumprisse seus deveres de aliança com os súditos. "Visto no contexto das realidades das Guerras de Religião, trata-se de um sistema político coerente e novo que liga o passado feudal a uma democracia que nasceria alguns séculos depois".[140]

---

[137] Kingdon, "Resistance Theory", *OER* 3:424.
[138] Raitt, "Bèze", *OER* 1:149-150. Paul T. Fuhrmann, "Philip Mornay and the Huguenot Challenge to Absolutism". In: Hunt, *Calvinism and the Political Order*, p. 47,48.
[139] Philippe Du Plessis-Mornay ou Hubert Languet, *A Defence of Liberty against Tyrants*; Du Plessis-Mornay ou Languet, *Vindiciae contra Tyrannos: Traduction française de 1581*, Les classiques de la pensée politique 11. Genebra: Droz, 1979; Joachim Ambert, *Duplessis Mornay ou Études historiques et politiques sur la situation de la France de 1549 a 1623*, 2. ed. Paris: Comptoir des Imprimeurs-Unis, 1848; Raoul Patry, *Philippe du Plessis-Mornay: Un Huguenot homme d'État (1549–1623)*. Paris: Fischbacher, 1933.
[140] Yardeni, "French Calvinist Political Thought, 1534–1715", p. 324.

Os principais argumentos das teorias dos monarcômacos sobre a resistência popular à tirania

As teorias huguenotes de resistência popular a um príncipe tirânico foram apoiadas por vários argumentos fundamentais. Apresentamos a seguir os principais exemplos.

O argumento constitucional[141]

Os escritores procuravam operar dentro dos termos expressos e da estrutura da constituição que os governava.

Teoria da soberania: o povo cria o rei[142]

A soberania política emerge do povo, e mesmo nas monarquias hereditárias, os magistrados são criados pelo povo. O *Vindiciae* declara: "Nunca um homem nasceu com uma coroa na cabeça e o cetro na mão".[143]

Apelo aos magistrados inferiores[144]

A resistência não era fruto da anarquia, mas de uma estrutura governamental ordenada. Parte do dever dos magistrados inferiores era corrigir o rei: "Somente os magistrados subalternos podiam agir em nome do povo e até mesmo apelar a poderes estrangeiros a fim de ajudar contra um tirano".[145]

Visão da aliança dupla

McNeill declara: "O princípio de aliança da monarquia limitada foi desenvolvido por *Vindiciae contra tyrannos* (1579), escrito em parte por Philip Du Plessis-Mornay. Mais explicitamente do que nos tratados anteriores, a aliança sagrada entre governante e povo aqui envolve uma aliança de ambos com Deus".[146] A delegação do poder do povo para o monarca por meio de seu consentimento é condicional, pois é uma aliança ou contrato. "Magistrados inferiores", se necessário, poderiam liderar a resistência. Isso porque todo o governo envolve duas alianças: uma entre Deus e a população em geral, incluindo o rei e seus súditos, e a segunda entre o monarca e seus súditos. Um rei que tenha quebrado esses contratos perdeu o apoio de Deus e a expectativa legítima de obediência humana.[147]

---

[141] Kingdon, "Resistance Theory", *OER* 3:423-25.
[142] Fuhrmann, "Mornay and the Huguenot Challenge", p. 48,49.
[143] Ibid., p. 48.
[144] Kingdon, "Resistance Theory", *OER* 3:423–425.
[145] Yardeni, "French Calvinist Political Thought, 1534–1715", p. 323.
[146] McNeill, "Calvinism and European Politics", p. 16,17.
[147] Kingdon, "Resistance Theory", *OER* 3:423–425; Fuhrmann, "Mornay and the Huguenot Challenge", p. 47–49.

Ponto de vista da resistência corporativa

Embora o rei fosse um universo menor do que o povo, ele ainda era um indivíduo maior do que qualquer pessoa. Assim, a resistência a um monarca tinha de ser ação do povo, não de um mero indivíduo, que seria, assim, uma pessoa sediciosa.[148] Nesse ponto de vista, a resistência não era anárquica porque não legitimava a resistência de indivíduos ao rei nem permitia assassinato ou tiranicídio. Isso decorre do consentimento popular, o qual traz um governo à existência. A formação de um governo é realizada pelas pessoas consideradas coletivamente. Mornay argumentava que o governante é um *minor universis* (universo menor) quando comparado a todas as pessoas que criaram a monarquia, mas o rei é um *maior singulis* (indivíduo maior), pois qualquer outro indivíduo, inclusive os magistrados, é menor do que o rei como indivíduo. Assim, nenhum cidadão tem, por si só, o direito de resistir a um monarca legitimamente entronizado. Desse modo, "o povo 'cria o príncipe, não como indivíduos, mas como todos [e] seus direitos contra ele são os direitos de uma corporação, não os direitos" de um só membro. Consequentemente, "os indivíduos que por sua conta 'puxam a espada' contra os seus reis são, portanto, 'sediciosos, por mais justos que sejam os motivos'".[149]

Dignidade humana universal

Como resultado do massacre do Dia de São Bartolomeu,[150] uma obra menos conhecida, *Reveille-matin*, pediu que "todos os nossos católicos, nossos patriotas, nossos bons vizinhos e todo o resto dos franceses, que são tratados de modo pior que as bestas, acordem nessa ocasião para perceber sua miséria e se aconselharem juntos sobre como remediar seus infortúnios".[151] Era um clamor para todos buscarem limites necessários à autoridade do rei, e, pela negação feita pelo rei da humanidade de seus súditos, ele já não era mais uma pessoa pública. Portanto, já não era uma pessoa digna de respeito e de proteção contra a revolta, mas um tirano que usurpava os atributos de Deus, o único que podia tirar a vida.

Separação de poderes

Paul Fuhrmann nos oferece um resumo conciso dos pontos de vista de Mornay e dos monarcômacos sobre a separação de poderes:

---

[148] Skinner, *Foundations*, 2:334.
[149] Ibid.
[150] O massacre do Dia de São Bartolomeu é um evento-chave na história da França, que influenciou as opiniões políticas dos huguenotes. Na véspera do Dia de São Bartolomeu, 24 de agosto de 1572, o líder huguenote Gaspar de Coligny foi assassinado em Paris, e milhares de outros huguenotes foram mortos em toda a França. Yardeni afirma: "O que caracterizou o pensamento político calvinista francês entre a Conspiração de Amboise e o massacre de São Bartolomeu foi um deslocamento do *direito* de resistir para o *dever* de resistir" (Yardeni, "French Calvinist Political Thought, 1534–1715", p. 319).
[151] Ibid., p. 321.

Mornay percebeu que, se o poder legislativo é o mesmo que o executivo, não há limites para o poder executivo. A única salvaguarda da liberdade e da segurança das pessoas é encontrada na separação dos poderes políticos. Com imponente seriedade, Mornay e os monarcômacos estabeleceram os quatro grandes princípios – soberania da nação, contrato político, governo representativo e a separação de poderes – que realmente compõem todas as constituições modernas.[152]

Essa avaliação ressalta a contribuição substancialmente negligenciada dos pensadores huguenotes para o desenvolvimento das teorias políticas modernas.

A GUERRA CIVIL INGLESA: ALIANCISTAS ESCOCESES E PURITANOS INGLESES RESISTEM AO REI ANGLICANO

Os aliancistas[153] têm sido identificados com a resistência presbiteriana à coroa britânica na Escócia.[154] O rei do Reino Unido não era rei na Igreja da Escócia, mas um mero membro:

> Os partidários presbiterianos adotaram a teoria dos dois reinos sobre as relações entre a Igreja e o Estado. [...] Embora essa doutrina também ensinasse a liberdade do magistrado cristão em relação aos preceitos clericais, seu efeito prático na Escócia era promover a exclusão do rei como rei da decisão eclesiástica. "Há dois reis e dois reinos na Escócia", foi a famosa repreensão de Melville. "Há Cristo Jesus, o Rei, e seu reino, a igreja, cujo súdito, o rei James VI [Tiago I, da Inglaterra], é, desse reino, não um rei, nem um senhor, nem um cabeça, mas um membro!"[155]

O contexto inglês também produziu a independência puritana[156] e os Padrões de Westminster[157] em meio a uma guerra civil contra o rei britânico que era o chefe da Igreja da Inglaterra. Carlos I tinha continuado a política de seu pai, James [Tiago]

---

[152] Fuhrmann, "Mornay and the Huguenot Challenge", p. 64.
[153] Burns, "John Knox and Revolution, 1558", p. 565–573; Greaves, *Theology and Revolution in the Scottish Reformation*; John R. Gray, "The Political Theory of John Knox", *CH* 8, n. 2, 1939, p. 132–147; Richard L. Greaves, "John Knox and the Covenant Tradition", *JEH* 24, n. 1, 1973, p. 23–32.
[154] Burrell, "Covenant Idea as a Revolutionary Symbol", p. 338–350.
[155] Maclear, "Samuel Rutherford", p. 72,73.
[156] Allen, *History of Political Thought*, p. 210-230; Patrick Collinson, *The Elizabethan Puritan Movement*. Berkeley: University of California Press, 1967; William Haller, *Liberty and Reformation in the Puritan Revolution*. Nova York: Columbia University Press, 1955; Perry Miller e Thomas H. Johnson (eds.). *The Puritans*. Nova York: American Book Company, 1938; Richard Schlatter (ed.). *Richard Baxter and Puritan Politics*. New Brunswick: Rutgers University Press, 1957; A. Craig Troxel e Peter J. Wallace, "Men in Combat over the Civil Law: 'General Equity' in WCF 19.2", *WTJ* 64, n. 2, 2002, p. 307–318; L. John Van Til, *Liberty of Conscience: The History of a Puritan Idea*. Nutley: Craig, 1972.
[157] John W. Allen, *English Political Thought, 1603–1660*, 2 vols. Londres: Methuen, 1938; Robley J. Johnston, "A Study in the Westminster Doctrine of the Relation of the Civil Magistrate to the Church", *WTJ* 12, n. 1, 1949, p. 13–29; Johnston, "A Study in the Westminster Doctrine of the Relation of the Civil Magistrate to the Church (Continued)", *WTJ* 12, n. 2, 1950, p. 121–135.

I, de perseguir os puritanos na Inglaterra e os presbiterianos na Escócia. Mas, quando a Igreja da Inglaterra tentou impor seu culto aos calvinistas escoceses, eles responderam assinando, em 1637, a Aliança Nacional Escocesa, que aboliu a forma episcopal anglicana de governo da igreja. Carlos encontrou oposição tão forte na Escócia de Knox que teve de pedir a eleição de um Parlamento para levantar homens e recursos para continuar a guerra.

Mas, para surpresa e ira do rei, o povo elegeu um Parlamento de maioria puritana, que o rei então dissolveu, pedindo uma nova eleição. O segundo Parlamento, no entanto, tinha um número ainda maior de puritanos. Quando Carlos ordenou sua dissolução, o Parlamento recusou, forçando Carlos a colocar um exército para forçar a obediência dos membros. Rapidamente, o Parlamento convidou os presbiterianos escoceses a se juntarem a ele, e seu exército, liderado por Oliver Cromwell, derrotou Carlos, que seria decapitado em 1649. A comunidade britânica foi estabelecida, e por fim, Cromwell se tornou o Senhor Protetor de Inglaterra e Escócia. Ele governou de 1653 até 1658, mas, com sua morte, não havia ninguém de sua estatura para liderar o Parlamento, e, em 1660, Carlos II foi restaurado ao trono de seu pai.

Durante os mais de cinco anos de guerra civil, a Assembleia de Westminster procurou reformar a Igreja da Inglaterra. Os delegados à Assembleia incluíam 121 ministros do evangelho; todos, exceto dois, haviam sido ordenados por um bispo na Igreja da Inglaterra. Eles começaram seu trabalho na Abadia de Westminster, em Londres, em 1 de julho de 1643, e , depois de abandonar a tentativa de revisar os *39 Artigos de religião*, produziram uma nova confissão, a *Confissão de Fé de Westminster*, concluída em 1646, que reconhece o direito dos magistrados cristãos de convocar uma assembleia religiosa, como a de Westminster: "Os magistrados podem legalmente convocar um sínodo de ministros e outras pessoas aptas para consultar e aconselhar sobre a religião".[158] A revisão americana da Confissão de Westminster, no entanto, especifica que os líderes da igreja deveriam "nomear tais assembleias".

Com relação à separação entre Igreja e Estado, a revisão americana da Confissão de Westminster adotou uma separação maior do que a originalmente proposta, contudo, a confissão original afirmava que "o Senhor Jesus, como rei e cabeça de sua Igreja, tem ali nomeado um governo na mão de oficiais da Igreja, distinto do magistrado civil".[159] Assim, o governo da Igreja é separado do governo do Estado. Além disso, a disciplina da igreja pertence aos ministros: "A esses oficiais são confiadas as chaves do reino dos céus",[160] no entanto, o texto original da confissão afirmava que "o magistrado civil" tinha de assegurar "que a unidade e a paz fossem preservadas na

---

[158] WCF 31.2.
[159] WCF 30.1.
[160] WCF 30.2. Cf. WCF 23.3: "Os magistrados civis não podem assumir a administração da Palavra e dos sacramentos, ou o poder das chaves do reino dos céus".

Igreja, a fim de que a verdade de Deus fosse mantida pura e íntegra, para que todas as blasfêmias e heresias sejam suprimidas".[161] Os presbiterianos americanos revisaram a confissão nesse ponto para a seguinte redação: "É dever dos magistrados civis proteger a Igreja de nosso Senhor comum, sem dar preferência a qualquer denominação de cristãos acima das demais". A *Confissão de Westminster* foi composta no contexto da Reforma magistral, enquanto as revisões americanas refletem o contexto de uma jovem nação que tinha separado a religião no nível federal.

Resistência reformacional nos Países Baixos e em outros países europeus

Muitos esforços de resistência religiosa na era da Reforma ocorreram em toda a Europa na Inglaterra,[162] no Palatinado e nas igrejas reformadas alemãs,[163] na Hungria e na Polônia.[164] O calvinismo holandês travou uma longa luta contra a dominação espanhola e a perseguição católica romana,[165] e o legado de Calvino ressoou na Apologia de Guilherme de Orange, em 1581, durante a revolta dos Países Baixos contra o domínio espanhol.[166]

Teorias católicas romanas sobre a resistência

A tradição católica romana está profundamente comprometida com uma estrutura autoritária.[167] Contudo, quando os príncipes católicos perceberam que estariam

---

[161] WCF 23.3.
[162] Allen, *English Political Thought, 1603–1660*; Allen, *History of Political Thought*, p. 121–133; J. Wayne Baker, "John Owen, John Locke, and Calvin's Heirs in England". In: De Klerk, *Calvin and the State*, p. 83–102.
[163] Zacarias Ursino, *The Commentary of Dr. Zacharias Ursinus on the Heidelberg Catechism* (1852). Phillipsburg: Presbyterian and Reformed, s/d, p. 285–303, 440–463; Charles D. Gunnoe, *Thomas Erastus and the Palatinate: A Renaissance Physician in the Second Reformation*, Brill's Series in Church History 48. Leiden: Brill, 2011; Ruth Wesel-Roth, *Thomas Erastus: Ein Beitrag zur Geschichte der reformierten Kirche und zur Lehre von der Staatssouveränität*. Lahr: Schauenburg, 1954; Bard Thompson, "Historical Background of the Catechism". In: *Essays on the Heidelberg Catechism*. Filadélfia: United Church Press, 1963, p. 8–30.
[164] Thomas Rees (ed.-trad.). *The Racovian Catechism: With Notes and Illustrations, Translated from the Latin; to Which Is Prefixed a Sketch of the History of Unitarianism in Poland and the Adjacent Countries*. Londres: Longman, Hurst, Orme, and Brown, 1818; Dariusz M. Bryćko, *The Irenic Calvinism of Daniel Kalaj (d. 1681): A Study in the History and Theology of the PolishLithuanian Reformation*, Refo500 Academic Studies 4. Göttingen: Vandenhoeck & Ruprecht, 2012.
[165] P. S. Gerbrandy, *National and International Stability: Althusius, Grotius, van Vollenhoven*. Londres: Oxford University Press, 1944; W. Robert Godfrey, "Church and State in Dutch Calvinism". In: W. Robert Godfrey e Jesse L. Boyd III (eds.). *Through Christ's Word: A Festschrift for Dr. Philip E. Hughes*. Phillipsburg: Presbyterian and Reformed, 1985, p. 223–243; Nicolaas H. Gootjes, *The Belgic Confession: Its History and Sources*, Texts and Studies in Reformation and Post-Reformation Thought. Grand Rapids: Baker, 2007, p. 127–131, 185–187; James W. Skillen, "From Covenant of Grace to Tolerant Public Pluralism: The Dutch Calvinist Contribution". In: Elazar e Kincaid, *The Covenant Connection*, p. 71–99; John Christian Laursen e Cary J. Nederman (eds.). *Beyond the Persecuting Society: Religious Toleration before the Enlightenment*. Filadélfia: University of Pennsylvania Press, 1988.
[166] McNeill, "Calvinism and European Politics", p. 17.
[167] Allen, *History of Political Thought*, p. 199–209, 445–501; Frederic J. Baumgartner, *Radical Reactionaries: The Political Thought of the French Catholic League*, Étude de philologie et d'histoire 29. Genebra: Droz, 1975; A. Lynn Martin, *Henry III and the Jesuit Politicians*, Travaux d'humanisme et Renaissance 134. Genebra: Droz, 1973;

sob a liderança de reis protestantes, como na Inglaterra huguenote e na Inglaterra protestante, eles também lutaram com argumentos a favor da resistência. Os católicos repetiram as teorias dos huguenotes quando os papéis se inverteram.[168]

Mas os argumentos apresentados tinham um caráter distintamente católico, ao lidarem com o papel do papa na resistência legítima à realeza, o qual poderia ser um árbitro supranacional e neutro em conflitos internacionais.[169] Além disso, com que base o papa poderia depor um governante? O cardeal Belarmino argumentou que, como o papa era um líder religioso, e não um magistrado, ele teria de usar o poder indireto para remover um líder, licenciando "magistrados inferiores" católicos ou fazendo fronteira com os governantes católicos para derrubar um tirano.[170] Outros argumentos incluíam a violação de monarcas a seu juramento de coroação para proteger a fé católica[171] ou a violação de promessas juramentadas.[172]

A LEI DA NATUREZA E A LEI DE DEUS NA TEORIA POLÍTICA REFORMACIONAL

Vários escritores da era da Reforma compuseram tratados substanciais sobre temas políticos que surgiram do calor das controvérsias da Reforma. Essas obras elevaram e integraram noções da lei da natureza em conjunto com a lei de Deus. Assim, lançaram as bases para o pensamento político ocidental, fornecendo um plano para o governo que moldou as colônias protestantes no Novo Mundo.

SAMUEL RUTHERFORD: O ESTADO DE DIREITO

O tema principal de *Lex, Rex* é que toda autoridade legítima está na lei,[173] portanto, o rei só é verdadeiramente rei quando se identifica com a lei. "*Rex est lex viva, animata, loquens lex*: o rei é uma lei viva, respirante e falante." Ele é necessário porque

---

Victor Martin, *Le Gallicanisme et la Réforme catholique: Essai historique sur l'introduction en France des décrets du Concile de Trente (1563–1615)* (1919). Genebra: Slatkine-Megariotis Reprints, 1975; J. H. M. Salmon, "Catholic Resistance Theory, Ultramontanism, and the Royalist Response, 1580–1620". In: Burns, *Cambridge History of Political Thought, 1450–1700*, p. 219–253.

[168] Salmon, "Catholic Resistance Theory", p. 219,220.
[169] Kingdon, "Resistance Theory", *OER* 3:424.
[170] Ibid.
[171] Ibid.
[172] Ironicamente, os argumentos católicos de resistência começam a encontrar paralelos em aspectos da opinião de Calvino; compare Calvino, *Institutas*, 4.20.31.
[173] Samuel Rutherford, *A Free Disputation against Pretended Liberty of Conscience* (Londres: R. I. for Andrew Crook, 1649); Rutherford, *Lex, Rex, or the Law and the Prince* (1644; reimpressão, Harrisonburg, VA: Sprinkle Publications, 1982); Crawford Gribben, "Samuel Rutherford and Liberty of Conscience", *WTJ* 71, n. 2 (2009): 355–373; John L. Marshall, "Natural Law and the Covenant: The Place of Natural Law in the Covenantal Framework of Samuel Rutherford's Lex, Rex" (dissertação de PhD, Seminário Teológico de Westminster, 1995); Andries Raath e Shaun de Freitas, "Theologically United and Divided: The Political Covenantalism of Samuel Rutherford and John Milton", *WTJ* 67, n. 2 (2005): 301–321; John Coffey, *Politics, Religion and the British Revolutions: The*

a natureza humana esquiva-se da submissão à lei, e quanto mais o rei personifica a lei, mais rei ele é; "quando estiver mais distante da lei e da razão, ele é um tirano".[174]

Rutherford entendia que a origem do governo está em Deus e na iniciação de sistemas políticos por parte do povo, independentemente da forma. Ele aceitou o esquema de dupla aliança de Mornay em *Vindiciae*: três partidos nas alianças – Deus, o governante e o povo – e dois acordos: um entre Deus e todos e o outro entre o governante e o povo.[175] Rutherford escreveu:

> O Senhor e o povo dão uma coroa por meio de uma mesma e única ação [...] vendo que o povo o faz rei de acordo com a aliança, e condicionalmente assim ele governa de acordo com a lei de Deus, e o povo entrega seu poder a ele para sua segurança. [...] É certo que Deus dá um rei da mesma maneira por meio desse mesmo ato do povo.[176]

Se o rei quebra a aliança com Deus, a aliança política é quebrada, e o governante não é mais legalmente rei. Então, o povo "está como se não tivesse rei [...] e [...] tem o poder em si, como se não tivessem designado nenhum rei".[177] De acordo com Rutherford, a aliança escrita da Bíblia rege a lei natural, se não houver uma aliança escrita formal para o rei e o povo:

> Onde não houver aliança oral ou escrita [...] entende-se que as coisas que são justas e corretas de acordo com a lei de Deus, e a regra de Deus na moldagem do primeiro rei, regulam tanto o rei quanto o povo, como se tivessem sido escritas; e aqui produzimos nossa aliança escrita, Deuteronômio 17:15; Josué 1:8,9; 2Crônicas 32:32 [*sic*; 2Crônicas 31:21].[178]

Rutherford reconheceu a resistência popular legítima, desde que, por injustiça, o magistrado abandona seu ofício e perde o direito à obediência de homens religiosos. Ele rejeitava a ideia de que as pessoas se revoltariam por infrações menores, argumentando que a tirania é óbvia: "O povo tem um trono natural de política em sua consciência que o alerta [...] contra o rei que é tirano. [...] Onde a tirania é mais obscura [...] o rei guarda possessão; mas nego que a tirania possa ser obscura por muito tempo". Ainda assim, tanto o povo quanto o rei estão ligados em aliança, e o dever do rei é obrigar o povo a observar os termos da aliança: "Cada um pode obrigar o outro a um desempenho mútuo".[179]

Mind of Samuel Rutherford, Cambridge Studies in Early Modern British History (Nova York: Cambridge University Press, 1997); Christopher Hill, *Intellectual Origins of the English Revolution* (Oxford: Clarendon, 1965).
[174] Maclear, "Samuel Rutherford", p. 77,78.
[175] Ibid., p. 75.
[176] Rutherford, *Lex, Rex*, p. 57; cf. Maclear, "Samuel Rutherford", p. 75.
[177] Rutherford, *Lex, Rex*, p. 56; cf. Maclear, "Samuel Rutherford", p. 76.
[178] Rutherford, *Lex, Rex*, p. 59; cf. Maclear, "Samuel Rutherford", p. 76, 202n26.
[179] Rutherford, *Lex, Rex*, p. 117, 190; cf. Maclear, "Samuel Rutherford", p. 77.

O CONSENTIMENTO MÚTUO NO PACTO POLÍTICO ENTRE POVO E MAGISTRADO: JOÃO ALTÚSIO

João Altúsio, um alemão treinado em Genebra e autor de *Política metodicamente estabelecida* (*Politica methodice digesta*, 1603), viveu na Holanda.[180] Seu estudo propôs um plano de governo no qual haveria a mais completa cooperação entre magistrados e povo.[181] Foi chamada de "a primeira teoria política completa da era moderna".[182] Altúsio começou com uma comunidade em aliança entre seus membros:

> A política é a arte de *consociar* homens com o propósito de estabelecer, cultivar e conservar a vida social entre eles, por isso é chamada "simbiótica". O tema da política é, portanto, a consociação, na qual os simbiontes se comprometem uns com os outros, por um pacto explícito ou tácito, à *comunicação mútua* de tudo o que é útil e necessário para o exercício harmonioso da vida social.[183]

A lei que devia governar essa comunidade era a Escritura. Na Introdução à segunda edição, ele escreveu:

> Eu uso mais frequentemente exemplos da Escritura Sagrada porque ela tem Deus ou homens piedosos como seu autor, e porque eu considero que nenhuma política desde o início do mundo foi mais sábia e perfeitamente construída do que a dos judeus. Erramos, eu creio, sempre que, em circunstâncias semelhantes, nos afastamos dela.[184]

Altúsio levou adiante a preocupação dos reformadores com o fato de que a lei do Estado é fundamentada na lei de Deus:

> Essa regra, que é unicamente a vontade de Deus para os homens manifestada em sua lei, é chamada de lei no sentido geral de que é um preceito para fazer as coisas que pertencem a viver uma vida piedosa, santa, justa e adequada. Isto é, diz respeito às ordenanças que devem ser realizados com relação a Deus e ao próximo, e ao amor a Deus e ao próximo.[185]

---

[180] João Altúsio, *Politica Methodice Digesta of Johannes Althusius*, editado por Carl J. Friedrich, 3. ed. (1614). Cambridge: Harvard University Press, 1932; Carl J. Friedrich, *Johannes Althusius und sein Werk im Rahmen der Entwicklung der Theorie von der Politik*. Berlim: Duncker und Humblot, 1975; Otto von Gierke, *The Development of Political Theory*. Nova York: Fertig, 1966; Thomas O. Hueglin, *Early Modern Concepts for a Late Modern World: Althusius on Community and Federalism*. Waterloo: Wilfrid Laurier University Press, 1999; Hueglin, "Covenant and Federalism in the Politics of Althusius". In: Elazar e Kincaid, *The Covenant Connection*, p. 31–54; James Skillen, "The Political Theory of Johannes Althusius", *Philosophia Reformata* 39, ns. 3-4, 1974, p. 170–190.

[181] McNeill, "Calvinism and European Politics", p. 17,18.

[182] Hueglin, "Covenant and Federalism", p. 31.

[183] Citado em ibid., p. 31,32.

[184] Citado em ibid., p. 34.

[185] Citado em Skillen, "From Covenant of Grace to Tolerant Public Pluralism", p. 77.

Autoridade e direitos da lei da natureza: João [Jean] Bodin, Hugo Grócio, John Ponet

Outros teóricos políticos importantes incluem João Bodin,[186] Hugo Grócio[187] e John Ponet.[188] João Bodin escreveu *De la république* (1576). Tendo vivido em Genebra e na França, seu pensamento se voltou na direção do absolutismo, insistindo na importância fundamental da lei da natureza e da lei de Deus. Ele acreditava que as várias formas de governo refletiam o caráter e as circunstâncias de várias populações em diferentes nações.[189]

A principal obra de Hugo Grócio foi *Direito de guerra e de paz* (*De jure belli et pacis*, 1625). Grócio é considerado por muitos como o fundador do direito internacional moderno. Geralmente arminiano em teologia, em vez de calvinista, sua concepção básica era que a lei natural é essencialmente a lei de Deus e tão divinamente estabelecida que nem mesmo Deus pode mudá-la. Ela é inata à natureza humana e dela inseparável. A violação magisterial da lei da natureza requer desobediência e pode levar à deposição ou à execução do governante.[190]

John Ponet, bispo de Winchester, foi o mais radical. Seu *Curto tratado sobre o poder político* (1556) procurou estabelecer o direito para o tiranicídio. Ele escreveu no contexto de sua fuga para safar-se de Maria Sanguinária –, Maria Tudor, da Inglaterra.[191] Ele argumentou, a partir da lei da natureza e da Escritura, que os povos perseguidos têm autoridade para remover e julgar seus perseguidores.[192]

Teologia e política americanas nas consequências da Reforma

Ao concluir nossa pesquisa sobre a relação entre a Igreja e o Estado na era da Reforma, devemos reconhecer que os conceitos teológicos dessa era continuam a ser

---

[186] Jean Bodin, *The Six Bookes of a Commonweale. A Facsimile Reprint of the English Translation of 1606, Corrected and Supplemented in the Light of a New Comparison with the French and Latin Texts*, ed. Kenneth Douglas McRae, Harvard Political Classics. Cambridge: Harvard University Press, 1962; Allen, *History of Political Thought*, p. 394–444; Julian H. Franklin, *Jean Bodin and the Sixteenth-Century Revolution in the Methodology of Law and History*. Nova York: Columbia University Press, 1963; Beatrice Reynolds, *Proponents of Limited Monarchy in Sixteenth-Century France: Francis Hotman and Jean Bodin*. Nova York: Columbia University Press, 1931; Henri Chevreul, *Étude sur le XVIe siècle: Hubert Languet, 1518–1581*. Paris: L. Potier, 1852.

[187] Hugo Grócio, *The Rights of War and Peace*, editado por Richard Tuck da edição de Jean Barbeyrac, 3 vols. Indianapolis: Liberty Fund, 2005, originalmente publicado como *De jure belli ac pacis libri tres* (1625); E. Dumbauld, *The Life and Legal Writings of Hugo Grotius*. Norman: University of Oklahoma Press, 1969; W. S. M. Knight, *The Life and Works of Hugo Grotius* (1925). Nova York: Oceana Publications, 1962.

[188] John Ponet, *A Short Treatise of Politic Power* (1556). Menston, Yorkshire: Scolar, 1970; Allen, *History of Political Thought*, p. 118–120; Winthrop S. Hudson, *John Ponet (1516?–1556): Advocate of Limited Monarchy*. Chicago: University of Chicago Press, 1942.

[189] McNeill, "Calvinism and European Politics", p. 15,16.

[190] Ibid., p. 18.

[191] Kingdon, "Resistance Theory", *OER* 3:423–425.

[192] McNeill, "Calvinism and European Politics", p. 14.

parte de nosso discurso teológico. Ouvem-se ecos da Reforma nas discussões sobre a soberania de esfera,[193] dois reinos[194] e o equilíbrio adequado entre ativismos político e social na igreja.[195]

Após a Reforma, e construindo sobre suas contribuições e lutas, teóricos políticos, filósofos e teólogos fizeram avanços nas áreas importantes de liberdade religiosa e de consciência.[196] Tem sido debatido se a liberdade americana é o fruto da Reforma,[197] e isso tem gerado discussões sobre o pluralismo de princípios,[198] a teonomia,[199] o

---

[193] William Edgar, revisão de *Creating a Christian Worldview: Abraham Kuyper's Lectures on Calvinism*, de Peter S. Heslam, *WTJ* 60, n. 2, 1998, p. 355–358; McKendree R. Langley, "Emancipation and Apologetics: The Formation of Abraham Kuyper's Anti-Revolutionary Party in the Netherlands, 1872–1880". Dissertação (PhD), Seminário Teológico de Westminster, 1995; Paul Woolley, *Family, State, and Church: God's Institutions*. Grand Rapids: Baker, 1965.

[194] Robert G. Clouse, Richard V. Pierard e Edwin M. Yamauchi, *Two Kingdoms: The Church and Culture through the Ages*. Chicago: Moody Press, 1993; Edmund P. Clowney, "The Politics of the Kingdom", *WTJ* 41, n. 2, 1979, p. 291–310; Charles W. Colson, *Kingdoms in Conflict*. Grand Rapids: Zondervan, 1987; Jacques Ellul, *The False Presence of the Kingdom*. Nova York: Seabury, 1972; John H. Frame, *The Escondido Theology: A Reformed Response to Two Kingdom Theology*. Lakeland: Whitefield Media Productions, 2011; Ryan C. McIlhenny (ed.). *Kingdoms Apart: Engaging the Two Kingdoms Perspective*. Phillipsburg: P&R, 2012; J. Marcellus Kik, *Church and State: The Story of Two Kingdoms*. Nova York: Nelson, 1963; David VanDrunen, "The Two Kingdoms and the Ordo Salutis: Life Beyond Judgment and the Question of a Dual Ethic", *WTJ* 70, n. 2, 2008, p. 207–224; VanDrunen, *Living in God's Two Kingdoms: A Biblical Vision for Christianity and Culture*. Wheaton: Crossway, 2010); VanDrunen, "The Two Kingdoms Doctrine and the Relationship of Church and State in Early Reformed Tradition", *JChSt* 49, n. 4, 2007, p. 743–763.

[195] D. A. Carson, Christ and Culture Revisited. Grand Rapids: Eerdmans, 2008.

[196] Charles James Butler, "Covenant Theology and the Development of Religious Liberty". In: Elazar e Kincaid, *The Covenant Connection*, p. 101–117; Estep, *Revolution within the Revolution*; Paul T. Fuhrmann, *Extraordinary Christianity: The Life and Thought of Alexander Vinet*. Filadélfia: Westminster, 1964; Peter Lillback, *Proclaim Liberty: A Broken Bell Rings Freedom to the World*. Bryn Mawr: Providence Forum, 2001; Perry Miller, Robert L. Calhoun, Nathan M. Pusey e Reinhold Niebuhr, *Religion and Freedom of Thought*. Nova York: Doubleday, 1954; Otto Erich Strasser, *Alexandre Vinet: Sein Kampf um ein Leben der Freiheit*. Erlenbach-Zurique: Rotapfel, 1946.

[197] Eidsmoe, *Christianity and the Constitution*; Hall, *Genevan Reformation*; H. Wayne House (ed.). *The Christian and American Law: Christianity's Impact on America's Founding Documents and Future Direction*. Grand Rapids, MI: Kregel, 1998; Martyn P. Thompson, "The History of Fundamental Law in Political Thought from the French Wars of Religion to the American Revolution", *AHR* 91, n. 5, 1986, p. 1103–1128.

[198] Phillip E. Hammond, "Pluralism and Law in the Formation of American Civil Religion". In: Jerry S. Herbert (ed.). *America, Christian or Secular? Readings in American Christian History and Civil Religion*. Portland: Multnomah, 1984, p. 205–229; Robert T. Handy (ed.). *Religion in the American Experience: The Pluralistic Style*. Columbia: University of South Carolina Press, 1972; Franklin H. Littell, *From State Church to Pluralism: A Protestant Interpretation of Religion in American History*. Nova York: Macmillan, 1971; James W. Skillen e Rockne M. McCarthy (eds.). *Political Order and the Plural Structure of Society*, Emory University Studies in Law and Religion 2. Atlanta: Scholars Press, 1991; James W. Skillen, *Recharging the American Experiment: Principled Pluralism for Genuine Civic Community*. Grand Rapids: Baker, 1994; Kathryn J. Pulley, "The Constitution and Religious Pluralism Today". In: Ronald A. Wells e Thomas A. Askew (eds.). *Liberty and Law: Reflections on the Constitution in American Life and Thought*. Grand Rapids: Eerdmans, 1987, p. 143–155.

[199] Greg L. Bahnsen, *Theonomy in Christian Ethics*. Nutley: Craig, 1977; T. David Gordon, "Critique of Theonomy: A Taxonomy", *WTJ* 56, n. 1, 1994, p. 23–43; John H. Frame, "The Institutes of Biblical Law: A Review Article", *WTJ* 38, n. 2, 1976, p. 195–217; Meredith G. Kline, "Comments on an Old-New Error", *WTJ* 41, n. 1, 1978, p. 172–189; William S. Barker e W. Robert Godfrey (eds.). *Theonomy: A Reformed Critique*. Grand Rapids: Academie Books, 1990; Douglas A. Oss, "The Influence of Hermeneutical Frameworks in the Theonomy

confessionalismo nacional[200] e a tese da "América cristã".[201] O historiador católico E. Jarry enfatiza que, "no âmbito *político*, as ideias calvinistas estão na origem da revolução que, entre os séculos XVIII e XIX, deu origem e crescimento às democracias parlamentares de tipo anglo-saxão".[202] Kingdon observa:

> As teorias de resistência constitucional do período da Reforma persistiram por séculos e foram adaptadas para uso importante na Alemanha do século XVII (por exemplo, Altúsio) e na Inglaterra (por exemplo, John Locke). Versões delas ajudaram a apoiar as revoluções americana e francesa do século XVIII. Traços delas permanecem até o presente.[203]

Independentemente de concordarmos com eles ou não, como observou J. Marcellus Kik, estudiosos eminentes atribuíram a fundação da América ao Reformador de Genebra:

> O historiador alemão Leopold von Ranke: "João Calvino foi o fundador virtual da América".
> O historiador americano George Bancroft: "Aquele que não honra a memória e não respeita a influência de Calvino sabe muito pouco da origem da liberdade americana. [...] O gênio de Calvino infundiu elementos duradouros nas instituições de Genebra e fez para o mundo moderno a fortaleza inexpugnável da liberdade popular, a fértil semente da democracia".
> O historiador da igreja Philip Schaff: "Os princípios da República dos Estados Unidos podem ser delineados pela conexão intermediária do puritanismo ao calvinismo, que, com todo seu rigor teológico, foi o principal educador do caráter viril e promotor da liberdade constitucional em tempos modernos".[204]

Mais recentemente, John Witte Jr. mostrou como o embate da Reforma calvinista pelos direitos humanos em termos de lei e religião influenciou a Europa e, por fim, a América.[205] Não é insignificante que o único clérigo a assinar a Declara-

---

Debate", *WTJ* 51, n. 2, 1989, p. 227–258; Vern S. Poythress, *The Shadow of Christ in the Law of Moses*. Phillipsburg: P&R, 1991; Rousas John Rushdoony, *The Institutes of Biblical Law*, v. 1. Nutley: Craig, 1973.
[200] Smith, *God and Politics*.
[201] Richard John Neuhaus e Michael Cromartie (eds.). *Piety and Politics: Evangelicals and Fundamentalists Confront the World*. Washington: Ethics and Public Policy Center, 1987; Gary S. Smith, "Tracing the Roots of Modern Morality: Calvinists and Ethical Foundations", *WTJ* 44, n. 2, 1982, p. 327–351.
[202] Fuhrmann, "Mornay and the Huguenot Challenge", p. 50.
[203] Kingdon, "Resistance Theory", *OER* 3:425.
[204] Kik, *Church and State*, p. 71. D. G. Hart, em seu livro sobre o calvinismo, é mais reservado quanto à influência do movimento. Ele reconhece que modernas teorias políticas foram afetadas pelo calvinismo de Genebra, mas também deixa espaço para outras influências. Ele assevera também que o "calvinismo foi mais um agente de autoritarismo e intolerância do que foi de liberdade e de soberania popular". D. G. Hart, *Calvinism: A History*. New Haven: Yale University Press, 2013, p. 304.
[205] Witte, *Reformation of Rights*.

ção de Independência dos Estados Unidos, John Witherspoon, fosse presbiteriano e descendente direto de John Knox.[206]

CONCLUSÃO

A Reforma moldou profunda e permanentemente o debate sobre a relação entre Igreja e Estado. Ao edificar sobre um antigo legado cristão de como ocorre a interação entre as duas instituições, em uma volátil época de mudança, a Reforma legou ideias e teorias para as gerações subsequentes no Ocidente que continuam em todo o mundo até hoje.

Além disso, há um valor duradouro nas ideias políticas de Calvino.[207] Um importante exemplo de pensador reformacional que influenciou governos europeus e na América foi o teólogo-estadista calvinista Abraham Kuyper.[208] Contudo, pode-se lamentar a contemporânea falta de apreço pelos fundamentos históricos dos direitos humanos, incluindo as contribuições feitas pela tradição protestante:

> Hoje, o pensamento moderno dos direitos humanos [...] está em grande medida desprovido de fundamentação crítica. [...] As grandes narrativas teológicas da Reforma Protestante também estão invisíveis nas declarações e convenções de direitos humanos das últimas décadas. [...] Uma nova fundamentação crítica para os direitos humanos é necessária se toda a tradição não for explodir em dezenas de desejos subjetivos conflitantes que não têm autoridade real e, na realidade, nunca poderão ser implementados.[209]

Na verdade, Witte faz a alegação controversa:

> As normas de direitos humanos precisam de narrativas religiosas para fundamentá-las criticamente. [...] A religião é uma condição inerradicável de vidas e de comunidades humanas. [...] Portanto, as religiões devem ser vistas como aliados indispensáveis na luta moderna pelos direitos humanos. Excluí-las da luta é impossível, de fato, é catastrófico.[210]

Com os subsídios históricos apropriados, os reformadores concordariam.

---

[206] Sobre Witherspoon, veja Martha L. L. Stohlman, *John Witherspoon: Parson, Politician, Patriot*. Filadélfia: Westminster, 1976; e James Hastings Nichols, "John Witherspoon on Church and State". In: Hunt, *Calvinism and the Political Order*, p. 130–139.

[207] McNeill, *John Calvin on God and Political Duty*.

[208] Abraham Kuyper, *Christianity and the Class Struggle*. Grand Rapids: Piet Hein, 1950; Kuyper, *Lectures on Calvinism*. Grand Rapids: Eerdmans, 1953; Edgar, resenha de *Creating a Christian Worldview*, p. 355–358; e Mark J. Larson, *Abraham Kuyper, Conservatism and Church and State*. Eugene: Wipf & Stock, 2015.

[209] Don S. Browning, "The United Nations Convention on the Rights of the Child: Should It Be Ratified and Why?", *EILR* 20, n. 1, 2006, p. 172,173.

[210] Witte, *Reformation of Rights*, p. 334–336.

FONTES PARA ESTUDO ADICIONAL

Fontes primárias

ALTÚSIO, João. *Politica Methodice Digesta of Johannes Althusius*. Editado por Carl J. Friedrich. 3. ed., 1614. Cambridge: Harvard University Press, 1932.

BAYLOR, Michael G. (ed.). *The Radical Reformation* [A Reforma radical]. Cambridge Texts in the History of Political Thought. Nova York: Cambridge University Press, 1991.

BROMILEY, G. W. (ed.). *Zwingli and Bullinger: Selected Translations with Introductions and Notes* [Zuínglio e Bullinger: Traduções selecionadas, com introduções e notas]. Library of Christian Classics 24. Filadélfia: Westminster, 1953.

BULLINGER, Heinrich. "Of the One and Eternal Testament or Covenant of God: A Brief Exposition" [Sobre o único e eterno testamento ou aliança de Deus: uma breve exposição]. Em *Thy Word Is Still Truth: Essential Writings on the Doctrine of Scripture from the Reformation to Today* [Tua Palavra ainda é a verdade: Escritos essenciais sobre a doutrina da Escritura, da Reforma aos dias de hoje]. Editado por Peter A. Lillback e Richard B. Gaffin Jr. Phillipsburg: P&R, 2013.

CALVINO, João. *Calvin's Commentary on Seneca's "De Clementia"* [Comentário de Calvino sobre *De Clementia*, de Sêneca]. Traduzido e editado por Ford Lewis Battles e André Malan Hugo. Renaissance Text Series 3. Leiden: Brill, 1969.

——. *As institutas – Edição clássica* (1985). *As institutas – Edição especial* (2006). 4. vols. São Paulo: Editora Cultura Cristã.

DU PLESSIS–MORNAY, Philippe, ou Hubert Languet. *A Defence of Liberty against Tyrants: A Translation of the "Vindiciae contra Tyrannos"* [Uma defesa da liberdade contra os tiranos: uma tradução de "*Vindiciae contra Tyrannos*"]. Editado por Harold J. Laski. 1924. Gloucester: Peter Smith, 1963.

GRÓCIO, Hugo. *The Rights of War and Peace* [Os direitos de guerra e de paz]. Editado por Richard Tuck da edição feita por Jean Barbeyrac. 3 vols. Indianapolis: Liberty Fund, 2005. Originalmente publicado como *De jure belli ac pacis libri tres* (1625).

KINGDON, Robert M. *The Political Thought of Peter Martyr Vermigli: Selected Texts and Commentary* [O pensamento político de Pedro Mártir Vermigli: Textos selecionados e comentário]. Travaux d'humanisme et Renaissance 178. Genebra: Droz, 1980.

O'DONOVAN, Oliver e O'DONOVAN, Joan Lockwood, (eds.). *From Irenaeus to Grotius: Sourcebook in Christian Political Thought, 100–1625* [De Irineu a Grócio: Livro de referência sobre o pensamento político cristão, 100–1625]. Grand Rapids: Eerdmans, 1999.

PAUCK, Wilhelm (ed.). *Melanchthon and Bucer* [Melanchthon e Bucer]. Library of Christian Classics 19. Philadelphia: Westminster, 1969.

RUTHERFORD, Samuel. Lex, Rex, *or the Law and the Prince* [*Lex, Rex* ou A lei e o príncipe]. 1644. Harrisonburg: Sprinkle Publications, 1982.

SCHAFF, Philip (ed.). *The Creeds of Christendom* [Os credos do cristianismo]. Revisado por David S. Schaff. 3 vols. 1931. Grand Rapids: Baker, 1990.

SPINKA, Matthew (ed.). *Advocates of Reform: From Wyclif to Erasmus* [Defensores da Reforma: de Wyclif a Erasmo]. Library of Christian Classics 14. Londres: SCM, 1953.

ZUÍNGLIO, Ulrico. "The Shepherd" [O pastor]. Em Ulrico Zuínglio. *Writings* [Escritos]. Vol. 2, *In Search of True Religion* [Em busca da verdadeira religião]. Allison Park, PA: Pickwick, 1984.

Fontes secundárias

ALLEN, John William. *A History of Political Thought in the Sixteenth Century* [Uma história do pensamento político no século XVI]. 1928. Londresn: Methuen, 1977.

BURNS, J. H. (ed.). *The Cambridge History of Political Thought, 1450–1700* [A história Cambridge do pensamento político, 1450–1700]. Com a assistência de Mark Goldie. Cambridge: Cambridge University Press, 1991.

CARLYLE, R. W. e CARLYLE, A. J. *History of Medieval Political Theory in the West* [História da teoria política medieval no Ocidente]. 6 vols. Edimburgo: William Blackwood and Sons, 1962.

ELAZAR, Daniel J. e KINCAID, John (eds.). *The Covenant Connection: From Federal Theology to Modern Federalism* [A conexão de aliança: da teologia federal ao federalismo moderno]. Lanham: Lexington Books, 2000.

FIGGIS, John N. *Studies of Political Thought from Gerson to Grotius, 1414–1625* [Estudos sobre pensamento político, de Gérson a Grócio, 1414–1625]. 2. ed. Cambridge: Cambridge University Press, 1931.

HUNT, George L. (ed.). *Calvinism and the Political Order* [Calvinismo e a ordem política]. Filadélfia: Westminster, 1965.

KIK, J. Marcellus. *Church and State: The Story of Two Kingdoms* [Igreja e Estado: a história de dois reinos]. Nova York: Nelson, 1963.

KINGDON, Robert M. "Resistance Theory" [Teoria da resistência]. In: *The Oxford Encyclopedia of the Reformation* [Enciclopédia Oxford da Reforma], editado por Hans J. Hillerbrand, 3:423–425. Oxford: Oxford University Press, 1996.

MCNEILL, John T. "Calvinism and European Politics in Historical Perspective" [Calvinismo e política europeia em perspectiva histórica]. In: *Calvinism and the Political Order* [Calvinismo e a ordem política], editado por George L. Hunt, p. 11–22. Filadélfia: Westminster, 1965.

RAITT, Jill. "Bèze, Théodore de" [Beza, Teodoro]. In: *The Oxford Encyclopedia of the Reformation* [Enciclopédia Oxford da Reforma], editado por Hans J. Hillerbrand, 1:149–151. Oxford: Oxford University Press, 1996.

SKINNER, Quentin. *The Foundations of Modern Political Thought* [Os fundamentos do moderno pensamento político]. 2 vols. Cambridge: Cambridge University Press, 1978.

WILLIAMS, George Huntston. *The Radical Reformation* [A Reforma radical]. Sixteenth Century Essays and Studies 15. Kirksville: Sixteenth Century Journal Publishers, 1992.

WITTE, John, Jr. *The Reformation of Rights: Law, Religion, and Human Rights in Early Modern Calvinism* [A Reforma dos direitos: Lei, religião e direitos humanos no início do calvinismo moderno]. Cambridge: Cambridge University Press, 2007.

——. *Religion and the American Constitutional Experiment: Essential Rights and Liberties* [Religião e o experimento constitucional americano: Direitos e liberdades essenciais]. Boulder: Westview, 2000.

Capítulo 20
ESCATOLOGIA

Kim Riddlebarger

RESUMO

Martinho Lutero e João Calvino afirmavam o ensinamento tradicional da igreja com relação aos últimos acontecimentos: Jesus Cristo subiu ao céu e prometeu retornar fisicamente no último dia, a fim de ressuscitar os mortos, julgar o mundo e, então, criar um novo céu e nova terra. Focalizando o desvendar dramático da história redentora, ambos eram completamente escatológicos em seu pensamento. Embora nem Lutero nem Calvino procurassem fazer grandes ajustes às categorias escatológicas recebidas da igreja cristã, ambos acreditavam que a morte e a ressurreição de Jesus eram os eventos centrais da revelação bíblica e proporcionavam a grande estrutura para entender o curso da história humana até a volta do Senhor. Isso lhes permitiu discutir a segunda vinda de Jesus Cristo em termos não apocalípticos de uma escatologia semirrealizada (já/ainda não). Os dois reformadores opuseram-se veementemente aos anabatistas radicais e a todas as formas de fixação de datas especulativas e ao milenarismo associadas a eles. Ambos também estavam convencidos de que o papado se tornara o anticristo – um claro sinal bíblico do fim – e ambos criam que Deus teria misericórdia de seu povo e apressaria o retorno de Cristo para preservar seus eleitos que estavam sendo perseguidos na terra.

INTRODUÇÃO

Quando consideramos o alcance da Reforma Protestante em termos de debate teológico, rapidamente vêm à mente seus princípios formais e materiais: a autoridade da Escritura e a doutrina da justificação *sola fide* (isto é, a maneira pela qual os pecadores são considerados justos diante do Deus santo). Pode-se acrescentar aos princípios formais e materiais os importantes debates sobre o governo e a autoridade da igreja, bem como o extenso debate sobre a natureza e a eficácia dos sacramentos. Mas, como observa Richard Muller: "Vale a pena reconhecer desde o início que a Reforma alterou comparativamente poucos dos principais *loci* da teologia".[1]

---

[1] Richard A. Muller, *The Unaccommodated Calvin: Studies in the Foundation of a Theological Tradition*, Oxford Studies in Historical Theology (Nova York: Oxford University Press, 2000), p. 39.

Os reformadores mantinham muito em comum com a igreja romana, e a escatologia é um dos *loci* relativamente inalterados a que se refere Muller.

À primeira vista, a escatologia não era um ponto de disputa significativo entre o florescente movimento protestante e a igreja romana, porque as opiniões dos reformadores sobre os assuntos centrais referidos pela escatologia são substancialmente os do cristianismo católico: doutrinas como o segundo advento de Jesus Cristo, a ressurreição dos mortos e o juízo final. Dito isso, os reformadores discordaram de Roma sobre certos aspectos do estado intermediário (especialmente a doutrina sobre o purgatório) e rejeitaram a ênfase de Roma em Cristo retornando como um juiz severo e ameaçador, não como o gracioso Salvador dos eleitos de Deus.[2] Tanto Lutero quanto Calvino identificaram o papado com o anticristo, e Lutero chegou inclusive a identificar sua própria era como "o fim dos tempos". Embora os reformadores deixassem o *locus* da escatologia em grande parte intacto, seria um erro supor que ela tenha sido completamente negligenciada, especialmente no contexto do desejo dos reformadores de retornar o ensino da igreja a uma base mais bíblica.

Os historiadores sugerem uma série de razões pelas quais os reformadores não se preocuparam muito com a escatologia, e uma delas é que nenhum reformador magistral produziu um comentário sobre o livro de Apocalipse ou pregou extensivamente sobre ele.[3] No entanto, Martinho Lutero escreveu dois prefácios para o Apocalipse de São João (1522, 1542), questionando, no primeiro, a canonicidade do livro, e, no segundo, afirmando-a.[4] Lutero também aplicou imagens apocalípticas deste livro – da besta e do dragão – ao papado.[5] Em 1534, João Calvino recorreu duas vezes à visão de João em pontos críticos de sua polêmica contra o "sono da alma", *Psychopannychia*,[6] e citou Apocalipse mais de vinte vezes nas *Institutas da religião cristã*, inclusive em seu estudo ressurreição.[7] Embora nenhuma fonte seja citada para a informação, frequentemente se afirma que Calvino disse não ter produzido um comentário sobre Apocalipse porque ele não entendia o livro o

---

[2] Heinrich Quistorp, *Calvin's Doctrine of the Last Things*. Traduzido por Harold Knight (1955; reimpressão, Eugene, OR: Wipf & Stock, 2009), p. 12.

[3] T. H. L. Parker, *Calvin's New Testament Commentaries*, 2. ed. Louisville: Westminster John Knox, 1993, p. 116–119.

[4] Martinho Lutero, "Preface to the Revelation of Saint John". In: *Works of Martin Luther with Introductions e Notes*, editado por Adolph Spaeth, Filadélfia ed. (1932). Grand Rapids: Baker, 1982, 6:479–491 [*Prefácio ao Apocalipse de S. João* (1546). In: *Obras selecionadas, Volume 8: Interpretação bíblica. Princípios*. Comissão Interluterana de Literatura. São Leopoldo: Editora Sinodal; Porto Alegre: Editora Concórdia, s/d, p. 155–163]. No primeiro prefácio, Lutero descartou Apocalipse de João como canônico porque entendia que o livro estava preocupado com a profecia, ao contrário dos escritos canônicos de Pedro e de Paulo e das palavras de Jesus. Lutero moderou bastante suas opiniões no segundo prefácio, de 1546.

[5] Martinho Lutero, *Lectures on Galatians* (1535), *LW* 26:219–226.

[6] João Calvino, *Psychopannychia*. In: *Selected Works of John Calvin: Tracts e Letters*, editado por Henry Beveridge e Jules Bonnet (1851). Grand Rapids: Baker, 1983, 3:413–490.

[7] Calvino, *Institutas*, 3.25.5.

suficiente para comentá-lo. A razão mais provável pela qual Calvino não escreveu esse comentário ou não pregou sobre ele pode ser que não viveu tempo suficiente para estudá-lo, algo que ele pode ter pretendido fazer depois de concluir os estudos de dois livros proféticos/apocalípticos do Antigo Testamento, Daniel e Ezequiel.[8]

APOCALIPTICISMO TARDO-MEDIEVAL E OS REFORMADORES RADICAIS

Outra razão dada para explicar por que os reformadores não trataram extensivamente de escatologia é que eles estavam tão desanimados com o extremismo da apocalíptica do período tardo-medieval,[9] bem como o encontrado entre os seus contemporâneos anabatistas, que evitaram o assunto.[10] Embora os pontos de vista escatológicos dos anabatistas radicais fossem de fato altamente especulativos, os reformadores não os ignoraram. De fato, Lutero foi influenciado por ideias e suposições proféticas do fim do período medieval, incluindo a percepção de que o julgamento final estava próximo, como o ponto culminante da luta de eras entre Deus e o Diabo. Conforme Lutero aprofundava essa expectativa ao longo de sua carreira, ele veio a entender que a redescoberta do evangelho era o ponto de virada crítico nessa guerra cósmica abrangente.[11]

A concepção de que a história estava entrando numa terceira e última fase, a era do Espírito Santo, também se difundiu na Alta Idade Média, na qual as expectativas escatológicas foram aumentadas e os cálculos proféticos especulativos eram comuns. A "busca do milênio" (típico de apocalipticismo) brotou na Era da Reforma, mas especialmente entre os chamados "reformadores radicais", que foram influenciados em diferentes graus por Joaquim de Fiore (c. 1135–1202) e os Franciscanos Espirituais[12]. Embora cada vez mais convencido de que o fim estava perto, Lutero rejeitou os elementos especulativos desses movimentos, incluindo a "terceira dispensação", de Joaquim.[13] No entanto, em 1541, Lutero publicou *Suppatio*

---

[8] Para um estudo desse assunto, veja Cornelis P. Venema, "Calvin's Doctrine of the Last Things: The Resurrection of the Bodyand the Life Everlasting". In: *A Theological Guide to Calvin's Institutes: Essays and Analysis*, editado por David W. Hall e Peter A. Lillback, Calvin 500 Series. Phillipsburg: P&R, 2008, p. 454,455.

[9] *Apocalipticismo* é definido como a crença de que Deus revelou que o fim da história humana é iminente, envolvendo um número de eventos catastróficos preditos na Escritura, todos conduzindo ao retorno do Senhor. Veja Bernard J. McGinn, John J. Collins e Stephen J. Stein (eds.). *The Continuum History of Apocalypticism*. Nova York: Continuum, 2003, p. ix.

[10] Parker, *Calvin's New Testament Commentaries*, p. 119. Como observa Oberman, essa suposição pode ser incorreta: "Jaroslav Pelikan traçou 'alguns usos do Apocalipse nos reformadores magisteriais'. Bernd Moeller reuniu mais evidências da orientação escatológica na pregação inicial da Reforma". Veja Heiko A. Oberman, *The Impact of the Reformation: Essays*. Grand Rapids: Eerdmans, 1994, p. 57.

[11] Robin Barnes, "Images of Hope e Despair: Western Apocalypticism c. 1500–1800". In: McGinn, Collins, e Stein, *The Continuum History of Apocalypticism*, p. 329.

[12] Timothy George, *Theology of the Reformers*. Nashville: Broadman, 1988, p. 38.

[13] Barnes, "Images of Hope e Despair", p. 330.

annorum mundi [Cronologia do mundo], na qual argumentou que o ano de 1540 era o 5.500º ano após a criação e, embora tenha calculado que faltassem outros quinhentos anos até que o sábado eterno começasse, marcando o 6.000º ano de criação, concluiu que o Senhor prometera encurtar os dias por causa dos eleitos e poderia voltar em breve.[14]

Embora rejeitasse os elementos radicais da apocalíptica medieval, Lutero era completamente escatológico em sua perspectiva teológica, vendo a escatologia como entrelaçada com a revelação da história humana. O foco de Lutero em *solus Christus* na doutrina da justificação pela fé deu a orientação para toda sua teologia, incluindo seu entendimento dos tempos do fim.[15] Como o pecador justificado é libertado da ira de Deus e da punição eterna, a doutrina da justificação, que era o coração do recém-recuperado evangelho, dirige toda a história em direção a seu objetivo final. É a pregação contínua da lei e do evangelho – hostil aos cegos à verdade – que provoca grande parte da convulsão e do conflito que o povo de Deus enfrentará até o fim da história por parte do Diabo e daqueles a quem este cegou. Somente então a vitória de Jesus Cristo sobre o pecado, a morte, o Diabo, a lei e a ira de Deus será gloriosamente manifesta.[16]

OS "ÚLTIMOS DIAS" E A REFORMA DA IGREJA

Em contraste, portanto, à suposição generalizada de que os reformadores não se preocupavam com a escatologia, seu trabalho de reforma era profundamente influenciado pela compreensão da era em que viviam. De acordo com Timothy George:

> Apesar de todo o seu esforço em retornar à igreja primitiva do Novo Testamento e da idade patrística, a Reforma foi essencialmente um movimento voltado para o futuro. Foi um movimento dos "últimos dias" que viveu uma intensa tensão escatológica entre o "não mais" da antiga dispensação e o "ainda não" do reino de Deus por se consumar. Nenhum dos reformadores [...] abraçou muito as escatologias apocalípticas radicais que floresceram no século XVI. [...] Cada um deles estava convencido de que o reino de Deus estava irrompendo na história nos eventos dos quais ele [Deus] foi levado a fazer parte. Imbuído desse senso de urgência escatológica, em 1543 Calvino escreveu o seguinte a Carlos V, imperador do Sacro Império Romano: "A Reforma da Igreja é obra de Deus e é tão independente da vida e do pensamento humanos como o é a ressurreição dos mortos ou qualquer outra obra".[17]

---

[14] T. F. Torrance, "The Eschatology of the Reformation". In: *Eschatology: Four Papers Read to the Society for the Study of Theology*, editado por T. F. Torrance e J. K. S. Reid, Scottish Journal of Theology Occasional Papers 2. Edimburgo: Oliver and Boyd, 1957, p. 43.

[15] Jane E. Strohl, "Luther's Eschatology: The Last Timesand the Last Things". Dissertação (PhD), University of Chicago Divinity School, 1989, p. 9,10.

[16] Philip S. Watson, *Let God Be God! An Interpretation of the Theology of Martin Luther*. Londres: Epworth, 1947, p. 116,117.

[17] George, *Theology of the Reformers*, p. 323.

Os reformadores viram-se como partícipes de uma obra vital de Deus: a reforma da igreja. Pelo fato de acreditarem ser meros instrumentos nos propósitos soberanos de Deus, eles entenderam os tempos do fim na perspectiva presente, o "agora" revelando-se diante de seus próprios olhos. Lutero reclamou que a igreja romana e seus líderes estavam contentes em esperar pelo juízo final para a reforma da igreja e colocou o assunto como só ele poderia: "Em Roma, são necessários dois homens para uma reforma, 'um para ordenar o bode e o outro, para segurar a peneira'".[18]

Em um comentário sobre Gálatas 4:6, Lutero descreveu seu foco no trabalho que Deus lhe dera: "Começamos a demolir o reino do anticristo, mas eles provocarão Cristo para apressar o dia de sua vinda gloriosa, quando ele abolirá todos os principados, potestades e forças, e colocará todos os seus inimigos debaixo de seus pés".[19] Na estimativa de Lutero: "Estes últimos dias já começaram, e [...] portanto, as 'últimas coisas' começaram *em* nosso tempo histórico, de modo que o relógio escatológico começou a marcar".[20] A escatologia não é algo a ser relegado para o futuro distante, conforme testifica a contínua obra de redenção de Deus nos direciona ao fim dos tempos, que se desdobram até o retorno do Senhor.

Se os reformadores não reescreverem o dogma estabelecido da igreja com respeito aos tempos finais – em que Jesus há de retornar no fim da era para julgar o mundo, ressuscitar os mortos e estabelecer novo céu e nova terra –, eles certamente o modificaram um pouco e incorporaram seu entendimento escatológico em suas polêmicas e teologia pastoral, bem como em seus escritos dogmáticos.

LUTERO E CALVINO COMO FIGURAS-CHAVE

Antes de considerar as respectivas visões escatológicas de Martinho Lutero e de João Calvino, é importante explicar por que limitamos o escopo deste capítulo a Lutero e Calvino como representantes da "escatologia dos reformadores".[21] Há três razões para fazer isso. A primeira é que Martinho Lutero (nascido em 10 de novembro de 1483) e João Calvino (nascido em 10 de julho de 1509) são representativos das duas primeiras gerações de reformadores. Lutero era 26 anos mais velho que Calvino e representa a primeira geração dos envolvidos no trabalho de reforma (incluindo Philip Melanchthon, Ulrico Zuínglio e Martin Bucer), enquanto a vida e o trabalho de Calvino foram conduzidos sob a enorme sombra do marco evangélico de Lutero de outubro de 1517.

---

[18] Martinho Lutero, "Borrede, Rachwort, und Marginalglossen", WA 50:362.7, citado por Heiko A. Oberman, *Luther: Man between God and the Devil*. Nova York: Image Books, 1992, p. 64.
[19] Lutero, *Lectures on Galatians* (1535), *LW* 26:383.
[20] Citado por Oberman, *Impact of the Reformation*, p. 196.
[21] Este capítulo não deixará de interagir com os pontos de vista de Roma e dos reformadores radicais, mas o fará através da lente polêmica de Lutero e de Calvino.

A segunda razão é que os dois homens tinham temperamentos completamente diferentes e trabalhavam em circunstâncias diferentes. Lutero era um reformador no verdadeiro sentido do termo, dedicando sua vida à pregação, ao ensino e à escrita.[22] É bem conhecida a luta de Lutero com um profundo conflito interior (*Anfechtungen*) em uma vida presa entre o medo existencial da ira eterna de Deus e a bem-aventurada boa-nova do evangelho pela qual o Espírito Santo uniu os cristãos a Jesus Cristo, cuja vitória sobre o pecado e a sepultura em sua cruz e na ressurreição era a única verdadeira esperança, tanto nesta vida como na vindoura.[23] Lutero escreveu:

> Quanto mais tempo o mundo permanece, pior fica. [...] Quanto mais pregamos, menos atenção as pessoas dão, [...] empenhadas em aumentar a maldade e a miséria a uma velocidade esmagadora. Nós clamamos e pregamos contra isso. [...] Mas de que serve? No entanto, faz o bem de podermos esperar que o último dia chegue em breve. Então, os ímpios serão lançados no inferno, mas obteremos a salvação eterna nesse dia. [...] Assim, podemos esperar confiantemente que o último dia não está longe.[24]

Calvino, o pastor, também lutou com um profundo sentimento de desespero, expresso em uma notável seção das *Institutas* dedicada à "meditação sobre a vida futura".[25] Ele exortou os cristãos a desistirem de todos os acréscimos indevidos às coisas deste mundo, que empalideciam à luz do vindouro. Ao mesmo tempo, as lutas associadas à vida em um mundo caído também devem ser consideradas à luz da esperança inabalável dada por Deus, por meio da ressurreição de Jesus Cristo dentre os mortos e sua ascensão à destra do Pai, aos cristãos que estão nesse conflito.[26] Calvino disse: "Quando, pois, com nossos olhos fixos em Cristo esperamos pelo céu, e nada na terra os impede de nos levar à bem-aventurança prometida, a declaração é verdadeiramente cumprida, de que 'onde está nosso tesouro, aí nosso coração está' [Mateus 6:21]".[27] Calvino escreveu que os cristãos devem esperar pacientemente a restauração final de todas as coisas no retorno de Cristo, assim como uma sentinela fielmente guarda seu posto até ser chamada de volta por seu comandante.[28] Ele descreveu essa luta como viver no exílio, longe de sua pátria amada:

---

[22] Como Oberman assinala, "Lutero nunca se intitulou 'reformador'; no entanto, não se recusou a ser visto como um profeta; ele queria difundir o Evangelho como um 'evangelista' e se chamava pregador, doutor ou professor, e era tudo isso. Todavia, nunca presumiu ser um reformador, nem jamais reivindicou que seu movimento fosse a 'Reforma'". In: Oberman, *Luther: Man between God and the Devil*, p. 79.
[23] Fred P. Hall, "Martin Luther's Theology of Last Things". In: *Looking into the Future: Evangelical Studies in Eschatology*, editado por David W. Baker. Grand Rapids: Baker Academic, 2001, p. 141.
[24] Do sermão de Lutero, de 1532, sobre Lucas 21:25–33, em WA 47:623, citado em Ewald M. Plass, *What Luther Says: An Anthology*. St. Louis, MO: Concordia, 1959, p. 689.
[25] Calvino, *Institutas*, 3.9.1–6.
[26] Ibid., 3.25.1–12.
[27] Ibid., 3.25.1.
[28] Ibid., 3.9.4.

Que o objetivo dos cristãos em julgar a vida mortal seja que, embora compreendam que ela não é nada mais do que miséria, entreguem-se, com maior zelo e prontidão, inteiramente a meditar na vida eterna que está por vir. Quando se chega a essa comparação com a vida futura, a vida presente não só pode ser seguramente negligenciada, mas, em comparação com a primeira, deve ser totalmente desprezada e detestada. Pois, se o céu é nossa pátria, o que mais é a terra senão nosso lugar de exílio?[29]

Em seu comentário sobre a Primeira Carta de Paulo a Timóteo, Calvino acrescentou: "O único remédio para todas essas dificuldades é olhar para a manifestação de Cristo e sempre confiar nela".[30] Os exilados perseveraram em sua peregrinação por manter sempre em vista a alegria de voltar para casa.

A terceira razão é que esses dois reformadores são as figuras seminais nas duas maiores tradições da Reforma: a luterana e a reformada. Embora certamente tenha havido desenvolvimentos teológicos em ambas as tradições, como o fato de a tradição luterana ter modificado para um "sono"[31] o entendimento de Lutero sobre o estado intermediário, ambos os reformadores estão no nascedouro (ou no caso específico de Calvino, próximo deste) de tradições dogmáticas confessionais e eclesiásticas de quase quinhentos anos que estão identificadas com eles. Lutero e Calvino servem como representantes aptos da escatologia dos reformadores.

ESCATOLOGIA DE ACORDO COM ULRICO ZUÍNGLIO E MARTIN BUCER

Embora Ulrico Zuínglio, de Zurique (1484–1531), e Martin Bucer, de Estrasburgo (1491-1551), da primeira geração de reformadores, tenham sido ofuscados dentro da tradição reformada por Calvino, eles merecem uma breve menção. À semelhança do que fez Lutero nos anos iniciais de sua carreira, Zuínglio também questionava a canonicidade de Apocalipse,[32] e, seguindo Lutero e Calvino, rejeitava inflexivelmente a doutrina romana do purgatório, chamando-a de "invenção sem fundamento".[33] Assim como Calvino, Zuínglio afirmava que a doutrina anabatista do sono da alma era contrária à Escritura e que ela "contradiz toda a razão".[34] E, no artigo 12 de *Ratio Fidei* (1530), afirmou a existência do inferno como um lugar de castigo eterno, tanto

---

[29] Ibid.
[30] Calvino sobre 1Timóteo 6:14, em *CNTC* 10:279 [Série Comentários Bíblicos: *Pastorais*. São José dos Campos: Editora Fiel, 2009].
[31] Francis Pieper, *Christian Dogmatics*. St. Louis: Concordia, 1953, 3:511–515; Paul Althaus, *The Theology of Martin Luther*. Filadélfia: Fortress, 1966, p. 417 [*A teologia de Martinho Lutero*. São Leopoldo: Editora Ulbra, 2008].
[32] W. P. Stephens, *The Theology of Huldrych Zwingli*. Oxford: Clarendon, 1986, p. 56, citando *ZSW* 2:208.33–209.5.
[33] Zuínglio, *Fides Expositio* (1531). In: James T. Dennison Jr. (ed.). *Reformed Confessions of the 16th and 17th Centuries in English Translation*, v. 1, *1523–1552*. Grand Rapids: Reformation Heritage Books, 2008, p. 185–186.
[34] Zuínglio, *Fides Expositio*, p. 205–207.

contra a visão romana do purgatório como sobre o ensino de vários grupos anabatistas de que Deus concederia o perdão universal no tempo do fim.[35]

Martin Bucer publicou o texto mais importante da era da Reforma sobre a teologia política, mas com importantes implicações escatológicas: *De Regno Christi* [O reino de Cristo], em 1550. Neste volume, Bucer definiu o reino de Cristo da seguinte maneira:

> O reino de nosso Salvador Jesus Cristo é aquela administração e cuidado da vida eterna dos eleitos de Deus, à qual esse mesmo Senhor e Rei dos Céus, por sua doutrina e disciplina, administrada por ministros adequados escolhidos para esse exato propósito, reúne a si seus eleitos, aqueles dispersos pelo mundo que são seus, mas que ele, ainda assim, quis que estivessem sujeitos aos poderes deste mundo. Ele os incorpora a si e à sua igreja, e assim os governa nela, os quais, purgados mais plenamente, dia a dia, de pecados, vivam bem e felizes tanto aqui como no tempo vindouro.[36]

A distinção que Bucer faz entre o reino de Cristo e os poderes do mundo tem uma forte semelhança formal com a distinção de "dois reinos" feita por Lutero entre o reino de graça (reino de Cristo) e o reino de poder (o reino civil). No entanto, segundo Bucer, esses dois reinos estão unidos como o corpo de Cristo mediante a Palavra e o Espírito. Como tal, o reino de Cristo é "visível e efetivamente realizado na Igreja na Terra, e, pela obediência ao testemunho da igreja, também no Estado".[37] A maneira pela qual os eleitos de Deus são incorporados ao corpo de Cristo, sua eleição para a salvação será evidente no desenrolar contínuo da história no meio das potências mundanas conforme eles "vivem bem e felizes" até aquele tempo em que Jesus Cristo retorna para consumar seu reino que está sempre se revelando. Para Lutero, por outro lado, esse reino vem pelo ato de proclamar o evangelho, não por seus efeitos.[38]

Em exílio na Inglaterra à época – Bucer havia se tornado Régio Professor de Divindade em Cambridge, em 1549, a convite de Thomas Cranmer (1489–1556), quando este fora exilado de Estrasburgo – e sua obra *De Regno* foi concebida como um modelo para a reforma na Inglaterra. O livro foi apresentado ao jovem rei Eduardo VI quando de sua publicação, em 1551, mas ambos morreram pouco depois: Bucer no mesmo ano e Eduardo em 1553. Sem dúvida, a morte precoce de Eduardo afetou negativamente a intenção anterior de Bucer de prover uma base teológica para o trabalho em andamento de reforma cívica na Inglaterra.

---

[35] Zuínglio, *Fides Ratio* (1530). In: Dennison, *Reformed Confessions of the 16th and 17th Centuries*, p. 133–136.
[36] Martin Bucer, *De Regno Christi*, em *Melanchthon and Bucer*, editado por Wilhelm Pauck, LCC 19. Filadélfia: Westminster, 1969, p. 225.
[37] Torrance, "Eschatology of the Reformation", p. 54.
[38] Ibid.

Embora não seja uma obra de escatologia *per se*, *De Regno*, ilustra o pensamento antiapocalíptico de grande parte da antiga tradição reformada, que considerava que o futuro reino de Jesus Cristo se realiza na contínua atividade de Deus por meio da igreja e de sua missão divinamente designada de pregar, administrar os sacramentos e disciplinar seus membros. Essa fidelidade, por sua vez, leva à consequente transformação da sociedade na qual a igreja é fiel a sua missão. Quando o reino de Cristo é definido nesses termos (ou similares), a escatologia se torna uma preocupação atual, além de uma esperança futura.[39] Esse sentimento foi ecoado por Calvino, que observou: "O primeiro efeito do reino de Deus é domar os desejos de nossa carne. E agora, conforme esse reino aumenta, passo a passo, até o fim do mundo, devemos orar cada dia por sua vinda".[40]

Ao nos voltarmos para as opiniões escatológicas distintivas de Lutero e Calvino, não devemos perder de vista o fato de que as opiniões desses reformadores sobre tais assuntos são substancialmente as mesmas. Ambos se enquadram na designação moderna de *amilenistas* (isto é, que os mil anos de Apocalipse 20 são uma descrição da era atual até o retorno do Senhor, não uma esperança escatológica futura, como no *pré* e no *pós-milenismo*), e ambos viam o segundo advento de Jesus Cristo, a ressurreição corporal no fim dos tempos e a libertação dos cristãos do julgamento escatológico final de Deus como a única segura e certa esperança do cristão no meio das lutas desta vida. É à luz de tão grande medida de concordância que podemos discutir seus distintivos escatológicos.

Ao mesmo tempo em que reconhece que a "linha [que os separa] não deve ser desenhada de forma muito acentuada", Torrance observa que suas diferenças surgem em parte por conta das circunstâncias históricas e porque recorreram a fontes diferentes dentro da tradição cristã. O foco escatológico de Lutero, diz Torrance, centrou-se no julgamento final, ao se basear em certos pais da igreja latina, como Cipriano, que estavam preocupados com "a decadência e o colapso do mundo". A ênfase de Calvino estava mais na ressurreição do corpo e no reordenamento do mundo, recorrendo à ênfase dos pais gregos sobre a encarnação como a base para a

---

[39] De acordo com Oberman, a diferença entre Calvino e "Lutero pode ser notada em muitos pontos, mas não tão fundamentalmente como na visão de Calvino de Deus como '*leislatuer et roy*', ao passo que um dos contrarreformadores mais perspicazes, Ambrósio Catarino Polito O.P., havia indicado que a essência do 'erro luterano' era a negação de que Cristo é 'redentor' *et* 'legislador'. O tema de Calvino [em seus sermões de 1564 sobre 2Samuel] é o governo de Deus que nomeou Cristo como Rei, seu fiel Vice-rei. A Reforma é a reordenação da vida dos fiéis. Confusão e dispersão, produzidos por Satanás e seus instrumentos malignos, é o enfraquecimento da ordem dada por Deus. Pela graça e pelo poder de Deus, essa nova ordem é restaurada aqui e ali nas igrejas locais, bem como na vida pública de algumas cidades e regiões. A verdadeira restauração, reagrupamento e estabelecimento final da lei e da ordem, no entanto, deve ser aguardada com paciência pelos fiéis como o ato escatológico de Deus". Esse tema é desenvolvido por Bucer em *De Regno Christi*. Heiko A. Oberman, *The Dawn of the Reformation: Essays in Late Medieval e Early Reformation Thought*. Edinburgh: T&T Clark, 1986, p. 237.

[40] Calvino sobre Mateus 6:10, em *CNTC* 1:208.

renovação de todas as coisas.⁴¹ Embora a afirmação de Torrance acerca dos discerníveis *pedigrees* intelectuais latino-gregos de Lutero e Calvino seja discutível, considero correta em sua maior parte a percepção de Torrance sobre a diferença de ênfase entre os dois reformadores.

DISTINTIVOS ESCATOLÓGICOS DE LUTERO
História redentora, justificação e um fim iminente

A igreja que Lutero procurava reformar era, em muitos aspectos, dominada pela visão medieval de que a graça aperfeiçoa a natureza e de que o reino de Deus se manifestava essencialmente nas instituições da igreja romana. A manifestação do reino de Deus, de fato, devia ser encontrada no dogma da igreja e na obra contínua de Deus nos ofícios e concílios da igreja. Tal igreja necessariamente estava acima e além de toda necessidade de uma reforma radical. Se a igreja e seu infalível *magisterium* possuíssem o exclusivo poder de amarrar e soltar, então, qualquer desenvolvimento histórico da igreja no futuro teria de estar ligado ao dogma e às decisões conciliares do passado. Nesse entendimento, a escatologia se preocupava principalmente com o futuro do relacionamento de Cristo com sua igreja, e a própria ideia de que a escatologia estava ligada à história era "totalmente estranha".⁴²

A concepção de que o reino de Deus é manifesto em sua igreja explica a reação negativa àqueles que, à semelhança de Joaquim de Fiore, procuraram se concentrar nas últimas coisas à luz da história, e não da eclesiologia. Para combater essas aberrações problemáticas, Tomás de Aquino (1225–1274) não só criticou a escatologia especulativa de Joaquim, mas chegou até a afirmar que, quando a graça aperfeiçoar a natureza no tempo do fim, aquelas plantas e animais incapazes de tal perfeição deixarão de existir.⁴³ Até a natureza humana será radicalmente transformada.⁴⁴ Na avaliação de Torrance, "em última instância, a natureza se transforma em sobrenatureza, e a realidade terrena em realidade celestial".⁴⁵

Em grande medida, então, o pensamento escatológico dos reformadores deve ser encontrado em seu retorno à ênfase na história redentora lida através da lente da suficiência da Escritura como a última corte de apelação em todos os assuntos de doutrina. A revelação da obra redentora de Cristo na Palavra é essencialmente

---

⁴¹ Torrance, "Eschatology of the Reformation", p. 40. Quistorp discorda: "A escatologia de Lutero é governada mais intensamente do que a de Calvino pelo pensamento da ressurreição dos mortos" (Quistorp, *Calvin's Doctrine of the Last Things*, p. 97).
⁴² Ernest Lee Tuveson, *Millennium and Utopia: A Study in the Background of the Idea of Progress*. Nova York: Harper Torchbooks, 1964, p. 19.
⁴³ Aquino, *Summa Theologiae Supplementum* 91.5.
⁴⁴ Aquino, *Scriptum super Sententiis* 4.48.11.1.
⁴⁵ Torrance, "Eschatology of the Reformation", p. 38.

de natureza histórica, e esse renovado interesse pela história redentora levou os reformadores a olhar para além da síntese de Tomás de Aquino para antecedentes teológicos anteriores da igreja primitiva que os ajudassem a recuperar e a delinear seu entendimento do mandato missionário da igreja. Em contraste com a visão de Roma, os reformadores criam que o reino de Deus se manifestava pela pregação do evangelho, com os ministros enfocando a morte de Jesus como seu centro e a ressurreição do corpo como a esperança cristã. Esse entendimento também se opôs àqueles enfoques especulativos da escatologia de sua época que estavam preocupados com os sinais do fim e com interpretações fantásticas de textos bíblicos proféticos e apocalípticos.

Tanto Lutero quanto Calvino afirmaram que, na pessoa e na obra de Cristo, a nova criação já havia raiado e seria progressivamente revelada até o último dia, quando novo céu e nova terra se tornariam o lar eterno da justiça. Nas palavras de Torrance, em oposição a Roma e sua "interpretação docetista com respeito à redenção e à escatologia, os reformadores encontravam-se completamente indignados".[46] A implicação dessa concepção "reformada" da missão da igreja e de sua mensagem evangélica era que Deus trabalha na história e por meio dela no presente até Cristo voltar. A Palavra corretamente pregada e os sacramentos adequadamente administrados eram instrumentos do Espírito Santo para gerar a nova criação, que agora irrompe no presente. Em consequência, o reino de Deus era visto de forma dinâmica e tendo sido trazido pelo Espírito por intermédio da Palavra, em vez de estático e vinculado a concílios, tradições e instituições da igreja romana.

À medida que o pensamento de Lutero se desenvolvia nesse contexto, vemos uma cristalização de sua distinção entre o céu e a terra, juntamente com a antítese correspondente entre dois reinos divinamente ordenados – o da "graça" (reino de Cristo) e o do "poder" (o reino civil) – sobre os quais Jesus governa. A antítese de Lutero entre lei e evangelho, bem como entre pecado e graça, eram completamente escatológicas. A graça não transforma a natureza nesta vida, algo que Lutero conhecia bem de suas próprias lutas com as paixões pecaminosas da carne. A necessária transformação de sua alma não aconteceria muito em breve – Lutero compreendeu que morreria antes de ela ser concluída – e, mesmo assim, qualquer transformação que fosse realizada não poderia ajudá-lo a se tornar suficientemente justo diante de Deus para resistir ao juízo divino – algo que Luteria temia muito.

A solução para esse último problema é revelada por Deus no evangelho quando o pecador é declarado justo diante de Deus por meio da fé nos méritos de Cristo, para que seja libertado da ira escatológica de Deus no último dia. Justificação equivale a um veredito de "não culpado" no tribunal celestial, proclamado ao pecador

---
[46] Ibid., p. 39.

pela Palavra muito antes da volta de Jesus Cristo no dia do julgamento (supondo que o retorno do Senhor ocorra muito tempo após a morte do pecador), quando o veredito de "não culpado" será finalmente completado na ressurreição do corpo e na vida eterna dos justificados. Isso não é uma mera ficção judicial, como Roma havia acusado Lutero de fabricar, pois a justiça que justifica os pecadores no presente é a do próprio Jesus, imputada ao pecador por meio do instrumento da fé, mas feita em antecipação ao veredito final de "não culpado" dado no dia do julgamento.

O dito de Lutero de que um pecador é simultaneamente um pecador e alguém considerado justo por meio da fé em Jesus Cristo, é inseparável de uma compreensão adequada da história redentora. A antítese entre lei e evangelho significa que o pecador justificado vive em dois "tempos" ou em duas "eras":

> Portanto, o cristão está, dessa maneira, dividido entre dois tempos. Na medida em que é carne, ele está debaixo da lei; na medida em que é espírito, ele está sob o Evangelho. Sua carne sempre se apega à luxúria, à ganância, à ambição, ao orgulho etc. Assim, a ignorância acerca de Deus, a impaciência, os resmungos e a ira contra Deus são porque Deus obstrui nossos planos e esforços, e porque ele não castiga imediatamente os ímpios que o desprezam. Esses pecados se apegam à carne dos santos, portanto, se você não olhar para algo além da carne, permanecerá permanentemente sob o tempo da Lei. Mas esses dias foram abreviados, pois, caso contrário, nenhum ser humano seria salvo (Mateus 24:22). Um fim tem de ser estabelecido para a lei, onde ela vai parar, portanto, o tempo da lei não é para sempre, mas tem um fim, que é Cristo. Contudo, o tempo da graça é para sempre, pois Cristo, morto uma vez por todas, nunca mais morrerá (Romanos 6:9,10). Ele é eterno; portanto, o tempo da graça também é eterno.[47]

Por um lado, Lutero apontava que a vinda de Jesus Cristo marca uma ruptura fundamental com a antiga aliança. Por outro, o cristão ainda permanece na carne, sujeito às constantes exigências da lei, expondo o fato de que, mesmo aqueles que acolhem Cristo e são presentemente justificados, ainda permanecem pecadores. Lutero acreditava que, pelo fato de os justificados permanecerem "carne", que Deus graciosamente encurtará os dias de luta até que Jesus Cristo volte para pôr fim à existência humana carnal, introduzindo a eterna era da graça. É nesse sentido, então, que a compreensão de Lutero sobre a salvação era completamente escatológica e era a base de sua expectativa de que o retorno de Cristo estivesse próximo.

O enquadramento escatológico de Lutero da doutrina da justificação também militou contra o apocalipticismo popular de sua época. Embora tenha previsto que o retorno de Jesus Cristo estava próximo, Lutero estava bem consciente do estabelecimento de datas por parte de seus contemporâneos anabatistas, muitos dos

---

[47] Lutero, *Lectures on Galatians* (1535), *LW* 26:342.

quais o rejeitaram por crerem que ele não fosse radical o suficiente. Ele não estava interessado em exterminar os ímpios da terra para fazer reformas. Muitos dos que ficaram desencantados com Lutero se voltaram para o mais radical Tomás Müntzer (1489–1525), que, juntamente com sua companhia de "profetas", foi banido de Zwickau e acabou preso por denunciar a aristocracia proprietária de terras e liderar seus seguidores na batalha para a conclusão da assim chamada Revolta Camponesa. Müntzer foi posteriormente decapitado.[48]

Hans Hut, um ex-discípulo de Müntzer, previu que Jesus voltaria à terra no domingo de Pentecostes de 1528. Ele procurou reunir 144 mil santos eleitos "a quem ele 'selou' marcando-os na testa com o sinal da cruz". Hut morreu em 1528 e seu "corpo carbonizado (ele tinha incendiado sua cela em um esforço fútil para escapar) foi condenado postumamente". De modo similar, Melquior Hoffmann estabeleceu local e data para o retorno do Senhor (Estrasburgo, em 1534), e isso também não aconteceu.[49]

Aceitando a interpretação que Agostinho fizera de Apocalipse 20, Lutero cria que, pouco antes do tempo do fim, Satanás seria solto por um breve período antes que o Senhor voltasse para destruir suas obras e lançá-lo no lago de fogo (v. 7–10). Quando, em 1523, soube que os dois primeiros mártires da Reforma foram queimados em Bruxelas, Lutero não se surpreendeu e compreendeu isso como uma manifestação da derrota final de Satanás. Lutero até expressou tristeza por tal martírio não lhe ter sido concedido, pois ele se opunha ao Diabo com grande paixão.[50]

ANTICRISTO, SONO DA ALMA E RESSURREIÇÃO

À luz do entendimento geral de Lutero sobre a história da redenção, a restauração do evangelho e a percepção de que o fim está próximo, podemos notar três pontos adicionais de ênfase em seu pensamento escatológico. Primeiro, vamos considerar a identificação que Lutero fazia do papado com o anticristo, e, em segundo lugar, examinaremos sua opinião de que, após a morte, a alma "dorme" até a ressurreição. Em terceiro lugar, discutiremos o entendimento singular de Lutero acerca da ressurreição e do segundo advento de Jesus Cristo como a esperança do cristão de escapar da ira escatológica de Deus no dia do juízo.

Embora no período medieval muitos tenham identificado papas individuais como sendo o anticristo, uma das contribuições mais significativas de Lutero para o pensamento escatológico protestante subsequente foi a identificação do *ofício* do papado como o trono do anticristo, assegurando que o papa é o fiel escudeiro do

---

[48] Oberman, *Luther: Man between God and the Devil*, p. 61.
[49] George, *Theology of the Reformers*, p. 256.
[50] Oberman, *Impact of the Reformation*, p. 196.

Diabo e a fonte de muitos dos incontáveis males que assolam os fiéis. Ao fazer essa identificação, Lutero afirmou que o que estava oculto no conflito secular entre Deus e o Diabo fora agora trazido à tona com o surgimento do anticristo, cuja derrota final marcaria o estágio derradeiro da história humana. Nos Artigos de Esmalcalde, de 1537, Lutero deixou sua opinião clara:

> O papa não é a cabeça de toda a cristandade por direito divino ou de acordo com a Palavra de Deus. [...] [Ao contrário], o papa é o verdadeiro anticristo que se levantou para se colocar no lugar de Cristo e fazer oposição a ele, pois o papa não permitirá que pessoas sejam salvas, exceto por seu próprio poder, o que não equivale a nada, uma vez que isso não é estabelecido nem ordenado por Deus. Esse é realmente aquele de quem o apóstolo Paulo diz que se exalta sobre e contra Deus.[51]

E Lutero acrescentou: "Por que o papa está tão cheio de heresias e as introduziu uma após a outra no mundo? [...] Ele é e continua a ser o maior inimigo de Cristo. Ele é e continua a ser o verdadeiro Anticristo".[52] Novamente, ele declarou: "Cristo diz sim, mas o papa diz não. Uma vez que eles são tão opostos um ao outro, um deles certamente deve estar mentindo. Mas Cristo não mente, portanto, concluo que o papa é um mentiroso e, além disso, o verdadeiro anticristo".[53] Como Paul Althaus assinala, para Lutero, "os acontecimentos escatológicos estão ocorrendo no meio do presente. Porque o anticristo já está presente, Lutero espera e deseja que o fim venha num futuro próximo". Além disso, Lutero "deseja isso", porque a vinda de Jesus "trará fim ao anticristo e trará a redenção. Lutero chamava-o 'o dia mais feliz'".[54]

Sem dúvida, a ênfase escatológica mais inovadora de Lutero foi o "sono da morte". Incontáveis pessoas de sua época estavam preocupadas com a morte e com questões relacionadas à natureza do estado intermediário e do paraíso – questões levantadas pela doutrina romana do purgatório. Quem vai para o purgatório e não para o inferno? Por quanto tempo as pessoas permanecerão lá antes de se tornarem suficientemente purificadas? Como os fiéis vivos poderiam encurtar o tempo que seus entes queridos passarão no purgatório? Havia até mesmo mapas topográficos disponíveis para dar respostas, e Lutero os conhecia.[55]

A resposta de Lutero a esse temor e às dúvidas inquietantes foi contrapor com a certeza de que aqueles que morrem em Cristo estão seguros da vida eterna e da

---

[51] Theodore G. Tappert (ed-trad.). *The Book of Concord: The Confessions of the Evangelical Lutheran Church*. Filadélfia: Fortress, 1959, p. 298–301.
[52] Citado por Plass, *What Luther Says*, p. 631.
[53] Ibid., p. 1071.
[54] Althaus, *Theology of Martin Luther*, p. 420–421. Althaus faz referência a uma carta que Lutero escreveu para a esposa, em 1540, em WABr 9:175.
[55] Althaus, *A teologia de Martinho Lutero*, p. 412.

libertação futura da ira de Deus. Mas, se um cristão morrer antes do regresso do Senhor, Lutero ensinou que ele "descansa no seio de Cristo", não em um estado de limbo.[56] Usando a morte de Abraão como ilustração, Lutero escreveu:

> A morte dos santos é muito pacífica e preciosa aos olhos de Deus (Salmos 116:15) e [...] os santos não provam a morte, mas, mais agradavelmente, dormem (Isaías 57:1,2; 26:20). [...] Aos olhos do mundo, os justos são desprezados, repelidos e empurrados para o lado. Sua morte parece extremamente triste, mas eles estão dormindo um sono mais agradável. Quando deitam na cama e respiram pela última vez, eles morrem como se o sono estivesse caindo gradualmente sobre seus membros e sentidos.[57]

De acordo com Köstlin, "a questão de importância principal é e permanece sempre para [Lutero] que a alma dos piedosos certamente ainda vive, está livre de toda angústia e tentação, e tem, na presença de Deus e na mão de Cristo, descanso seguro e abençoado".[58]

Mas o que ocorre com aqueles que dormem em Cristo? O que acontecerá com eles no último dia? Isso leva ao terceiro distintivo escatológico em Lutero: seu ensino sobre a ressurreição e o segundo advento de Jesus Cristo como a esperança do cristão de escapar da ira de Deus no dia do juízo.

Dos que dormem em Cristo, Lutero disse: "Assim como um homem que adormece e dorme profundamente até a manhã não sabe, quando acorda, o que aconteceu com ele, assim nós subitamente ressuscitaremos no último dia; e não saberemos como foi a morte ou como passamos por ela".[59] O último dia, como Lutero entendia, tinha de vir logo, pois o anticristo havia sido revelado e o evangelho tinha sido pregado na maior parte da terra. Entretanto, a iniquidade também aumentaria, a despeito do fato de que a "dissolução do mundo está à porta".[60] Aqueles que estão em Cristo despertarão quando o corpo deles for ressuscitado e entrarão na vida eterna e na bem-aventurança que o Senhor lhes preparou, enquanto homens maus, juntamente com o Diabo e seus anjos, entrarão na morte eterna.[61]

A base para o cristão despertar do sono quando Jesus retornar é para ser encontrada no batismo: "O nascimento espiritual é iniciado no batismo, prossegue e aumenta, mas somente nos últimos dias seu significado pleno ocorre. Somente na morte somos levados corretamente do batismo pelos anjos para a vida eterna".[62]

---

[56] Martinho Lutero, *Lectures on Genesis 21–25*, *LW* 4:314.
[57] Ibid., *LW* 4:309.
[58] Julius Köstlin, *The Theology of Luther*. Filadélfia: Lutheran Publication Society, 1897, 2:578.
[59] Martinho Lutero, "Luthers Faftenpoftille: Begonnen von G. Theile, vollendet von G. Buchwald", WA 17:11.235.
[60] Plass, *What Luther Says*, p. 696,697.
[61] Althaus, *Theology of Martin Luther*, p. 417.
[62] Martinho Lutero, "Sermon on the Sacrament of Baptism" (1518), citado por Torrance, "Eschatology of the Reformation", p. 49.

Lutero compreendeu o batismo na água como um batismo na morte de Jesus e no sepultamento com Jesus; assim, o ato de nova criação dado no batismo é, portanto, progressivamente realizado até o retorno do Senhor. A nova criação alvoreceu no túmulo de Cristo e, pela fé, na pia batismal, e será consumada no último dia. Estar unidos a Cristo em sua morte e ressurreição implica a participação plena em Cristo e na vida eterna na forma de ressurreição do corpo no último dia. "Cristo nos espera na morte e no fim do mundo".[63]

Para Lutero, então, o dia do juízo era aquele em que "haverá uma grande destruição. Então, os elementos serão reduzidos a cinzas, e o mundo inteiro retornará a seu caos primordial. Em seguida, novo céu e nova terra serão formados e seremos transformados".[64] Por Lutero compreender que um céu e uma terra recriados estão ligados ao retorno de Cristo, isso não deixou lugar para um futuro reino milenar de Cristo na Terra, em algum momento depois de ele retornar, e sim antes do dia de juízo final, quando o chamado reino milenar terminaria (ou seja, pré-milenismo).

No último dia, "Cristo aparecerá e se revelará de tal maneira que todas as criaturas saberão e verão que ele tinha poder sobre seus inimigos. [...] Mas ele pretendia se ocultar dessa maneira para se revelar no tempo de sua escolha". É por isso que nós, os cristãos, devemos "agarrar-nos à Palavra e nos fortalecer na fé, na paciência e na esperança até a hora de sua glória, de seu poder e de nossa redenção chegar".[65] Então, citando Apocalipse 22:20, Lutero afirmou: "Possa nosso Senhor Jesus Cristo vir para aperfeiçoar a obra que ele começou em nós, e apresse o dia de nossa redenção para a qual, pela graça de Deus, ansiamos com mãos erguidas e pela qual suspiramos e esperamos com fé pura e com boa consciência".[66]

Enquanto os cristãos lutam sob os *Anfechtungen* desta vida e temem os horrores da ira vindoura de Deus no dia do juízo, o evangelho nos lembra de que somos simultaneamente justificados mesmo enquanto permanecemos na condição de pecadores. Fomos unidos à morte e à ressurreição de Cristo em nosso batismo e por nossa fé em sua promessa de que ele já derrotou o mundo, a carne e o Diabo. Se Cristo é nosso Juiz, então, vivemos com o conhecimento de que ele tomou nosso julgamento sobre si.

DISTINTIVOS ESCATOLÓGICOS DE CALVINO

De acordo com David Holwerda, Calvino nunca se tornou muito conhecido por seus pontos de vista escatológicos, mas ele atraiu interesse significativo de

---

[63] Citado por Althaus, *Theology of Martin Luther*, p. 413.
[64] Lutero no sermão sobre Tito 2:13, de 1531, citado por Plass, *What Luther Says*, p. 700.
[65] Citado por Plass, *What Luther Says*, p. 700,701.
[66] Ibid., p. 701.

historiadores políticos e econômicos. Por exemplo, certo historiador considera Calvino e Karl Marx os dois revolucionários mais influentes do mundo moderno![67] Estou certo de que Calvino se surpreenderia ao ser considerado um "revolucionário" da estatura de Marx. A observação perspicaz de Holwerda é que um teólogo cristão da estatura de Calvino possivelmente não possa ter uma visão tão robusta (senão revolucionária) da história sem, ao mesmo tempo, ter uma estrutura escatológica significativa subjacente a ela.[68]

O ETERNO DECRETO DE DEUS: A ESTRUTURA PARA A HISTÓRIA REDENTORA

Muitos dos intérpretes de Calvino localizam o centro de seu pensamento nos pontos de vista que tinha sobre a providência divina e a predestinação. Embora haja alguma justificativa para fazê-lo, a ênfase de Calvino sobre a soberania de Deus não elimina a escatologia de seu pensamento, nem a torna incidental. Pelo contrário, essa ênfase garante que a escatologia desempenha um papel significativo em sua teologia.

À semelhança do que pensava Lutero, a teologia de Calvino é completamente escatológica por causa da maneira como concebeu a redenção dos pecadores realizada por Deus. Enquanto Lutero enfatizava a dialética do Deus oculto *versus* a vontade revelada dentro do contexto da justificação do pecador (que é declarado justo antes do juízo final), Calvino enfatizou o decreto eterno de Deus e sua execução no tempo. Em seu *Comentário sobre a harmonia dos Evangelhos de Mateus, Marcos e Lucas*, Calvino afirmou que "a vontade de Deus, no que diz respeito a si, é única e simples, mas é apresentada nas Escrituras como sendo dupla. Diz-se que o prazer de Deus é atendido quando ele executa os decretos ocultos de sua providência".[69] O decreto de Deus é simples e, portanto, único, mas os cristãos devem distinguir entre esse decreto (que permanece oculto) e sua execução no tempo (em que a vontade de Deus é revelada). Essa é a lente teológica através da qual devemos interpretar o ensinamento de Calvino sobre o retorno de Jesus Cristo, a ressurreição, o julgamento final e a restauração de todas as coisas.

Calvino considerava a história redentora como o desdobramento progressivo do decreto eterno de Deus; portanto, a história redentora tem um *telos* divinamente ordenado. É precisamente por haver um resultado ordenado por Deus para a história humana que a revelação bíblica é escatológica, tanto em sua orientação próxima quanto na final. Visto sob essa luz, a escatologia semirrealizada de Calvino torna-se evidente. Para ele, a encarnação e o primeiro advento de Jesus Cristo

---

[67] David E. Holwerda, "Eschatology and History: A Look at Calvin's Eschatological Vision". In: David E. Holwerda (ed.). *Exploring the Heritage of John Calvin: Essays in Honor of John Bratt*. Grand Rapids: Baker, 1976, p. 110.
[68] Ibid., p. 110.
[69] Calvino sobre Mateus 6:10, em *CNTC* 1:208.

devem culminar na restauração final de todas as coisas e na ressurreição dos mortos no dia do retorno de nosso Senhor, porque esse é o *telos* divinamente decretado. Refletindo sobre a soberania de Deus em Romanos 8, Calvino ligou o decreto de Deus ao resultado final, a ressurreição:

> O decreto eterno de Deus teria sido nulo a menos que a ressurreição prometida, que é o efeito desse decreto, também fosse certa. Por esse decreto, Deus nos escolheu como seus filhos antes da fundação do mundo, nos dá testemunho a respeito do decreto pelo evangelho e sela a fé do decreto em nosso coração pelo Espírito Santo.[70]

O decreto de Deus não só garante uma ressurreição final, mas também assegura que a obra salvífica de Jesus é aplicada para eleger os cristãos pelo Espírito Santo.

ESCATOLOGIA TENSIONAL "JÁ, MAS AINDA NÃO" NOS ESCRITOS DE CALVINO

Podemos ver essa tensão entre o "já" e o "ainda não" (para usar uma expressão contemporânea), pela qual Calvino traçou o amplo curso da história redentora, nas *Institutas*:

> Pois, assim como Cristo, nosso Redentor, apareceu uma vez, em sua vinda final ele mostrará o fruto da salvação trazida por ele. Dessa forma, ele dispersa todas as seduções que nos encobrem e nos impedem de aspirar como devemos à glória celestial. Não somente isso, mas ele nos ensina a viajar como peregrinos neste mundo para que nossa herança celestial não pereça ou desapareça.[71]

Calvino fundamentou essa jornada de peregrinação na assegurada esperança do retorno do Senhor, pois ele, o Senhor, já realizou nossa salvação e garantiu-nos nossa herança celestial. À luz do definitivo *telos* (a restauração de todas as coisas e a ressurreição corporal no final dos tempos), Calvino afirmou que a restauração de todas as coisas começou quando Jesus morreu na cruz, triunfando sobre o pecado e assegurando a salvação de seu povo. Em seu comentário sobre o Evangelho de João, Calvino afirmou:

> Pois na cruz de Cristo, como num esplêndido teatro, a incomparável bondade de Deus é apresentada diante do mundo inteiro. A glória de Deus resplandece, de fato, em todas as criaturas, da maior à menor, mas nunca mais vivamente do que na cruz, na qual há uma maravilhosa mudança de coisas: a condenação de todos os homens foi manifestada, o pecado, apagado, e a salvação, restaurada ao homem; em suma, o mundo inteiro foi renovado e todas as coisas, restauradas à ordem.[72]

---

[70] Calvino sobre Romanos 8:23, em *CNTC* 8:175 [*Romanos*. 2. ed. São Paulo: Edições Parakletos, 2001].
[71] Calvino, *Institutas*, 3.7.3.
[72] Calvino sobre João 13:31, em *CNTC* 5:68.

Nesse mesmo comentário, Calvino havia escrito: "Embora Cristo já tivesse começado a estabelecer o reino de Deus, sua morte é que foi o verdadeiro começo de um estado corretamente ordenado e a restauração completa do mundo".[73] Quando Jesus Cristo prenuncia seu reino e derrota o pecado e a sepultura, ele está, por meio disso, iniciando o processo de restauração que será concluído em seu retorno.

No *Comentário da Epístola de Paulo aos Hebreus*, Calvino também ligou o avanço progressivo do reino de Deus à renovação final de todas as coisas:

> Aquilo a que o apóstolo se refere expressamente como "o mundo vindouro" tem relevância aqui, pois ele incorpora o sentido de mundo renovado. Para tornar isso mais claro, imaginemos um mundo duplo: primeiro o velho, corrompido pelo pecado de Adão; em segundo lugar, o posterior no tempo, renovado por meio de Cristo. O estado da primeira criação desintegrou-se e caiu com o homem, tanto quanto o próprio homem. Até que haja uma nova restauração por meio de Cristo, este salmo [110] não tem lugar. Por isso, é agora evidente que o mundo vindouro seja assim descrito, não apenas como o que esperamos depois da ressurreição, mas como aquele que começa com o surgimento do reino de Cristo, e encontrará seu cumprimento na redenção final.[74]

Na condição de peregrinos que vivem entre o tempo da morte, da ressurreição e da ascensão de Cristo e o tempo de seu segundo advento, os cristãos devem esforçar-se, Calvino acreditava, para manter uma perspectiva adequada sobre coisas terrenas e celestiais. Assim como mencionado anteriormente, em sua "meditação sobre a vida futura"[75] Calvino escreveu sobre a miséria desta vida (no velho mundo), ao mesmo tempo que exortou o leitor a viver na esperança do retorno do Senhor (quando o mundo será renovado). Em seu estudo sobre a ressurreição de Jesus nas *Institutas*, Calvino encorajou os cristãos a manterem os olhos fixos no resultado final do decreto secreto de Deus, porque o fim, a ressurreição, é o *telos*.[76]

> À enorme massa de misérias que quase nos esmagam são acrescentadas as zombarias de homens profanos, que atacam nossa inocência quando nós, voluntariamente renunciando aos atrativos dos benefícios atuais, parecemos lutar por uma bem-aventurança escondida de nós, como se fosse uma sombra fugaz. Por fim, acima e abaixo de nós, diante e atrás de nós, violentas tentações nos cercam, às quais nossa mente seria incapaz de suportar se não fosse libertada das coisas terrenas e ligada à vida celestial, que parece estar distante. Por conseguinte, apenas se beneficiou de modo pleno do evangelho aquele que se acostumou a meditar continuamente sobre a bendita ressurreição.[77]

---

[73] Calvino sobre João 12:31, em *CNTC* 5:42.
[74] Calvino sobre Hebreus 2:5, em *CNTC* 12:22 [Série Comentários Bíblicos: *Hebreus*. São José dos Campos: Editora Fiel, 2012)].
[75] Calvino, *Institutas*, 3.9.1–6.
[76] Ibid., 3.25.
[77] Ibid., 3.25.1.

O objetivo final pode parecer muito distante aos peregrinos, e é por isso que eles devem perceber que o objetivo é parcialmente realizado no presente por meio da expansão contínua do reino de Deus. A compreensão de Calvino sobre a natureza da história redentora então se tornou a base para sua aversão ao apocalipticismo e à escatologia especulativa típicos de sua época. O que agora está oculto será revelado no tempo perfeito de Deus, não antes. O que é revelado, no entanto, é certo. Não há nada a se ganhar com a tentativa de discernir o decreto oculto de Deus. Concentrar-se no *telos* da história, em vez de estar preocupado com "sinais do fim", impedirá o povo de Deus de ser esmagado pelas lutas da vida em um mundo caído.

Mantendo esse grande quadro em mente, os cristãos devem se esforçar para viver à luz da cruz e da tumba vazia, enquanto tateiam seu caminho pela escuridão da época presente. Para os peregrinos cristãos que lutam nesta vida, Calvino apresentou esta promessa: "[Jesus] reina, eu digo, mesmo agora, quando oramos para que seu reino venha. Ele reina, de fato, enquanto faz milagres em seus servos, e dá a lei. [...] Mas seu reino virá quando for completado". O reino "será completado quando ele [Cristo] visivelmente manifestar a glória de sua majestade, a seus eleitos, para a salvação, e ao réprobo, para confusão".[78] A consumação final só ocorre quando o decreto eterno de Deus para salvar seus eleitos for realizado no tempo. Basta, disse Calvino, que saibamos *que* o Senhor voltará, não *quando* ele voltará.

Portanto, o entendimento de Calvino sobre o curso da era entre os adventos derivou de sua crença de que o soberano e gracioso decreto de Deus para salvar seus eleitos não pode ser divorciado dos fins para os quais Deus predestinou aqueles a quem pretende salvar. Se a predestinação trata do primeiro (decreto de Deus), então a escatologia lida com o último (o fim para o qual os eleitos foram predestinados, a ressurreição dos mortos). Nesse sentido, a predestinação e a escatologia funcionam como promessa e cumprimento.[79] Em virtude de seu conceito de redenção como um drama que se desenrola com um objetivo divinamente designado, Calvino foi inflexível em sua crença de que Cristo retornaria para ressuscitar os mortos e restaurar esse mundo caído.

Calvino foi firme acerca de os cristãos não especularem quanto ao fim dos tempos. Ao comentar as palavras de Jesus no discurso do Monte das Oliveiras, ele escreveu: "A glória e a majestade do reino de Cristo só aparecerão em sua vinda final, [...] a conclusão das coisas que começaram na ressurreição, das quais Deus deu a seu povo apenas uma prova, a fim de conduzi-lo ainda mais longe no caminho da esperança e da paciência".[80] Calvino disse: "[O Senhor] quer que seus discípulos andem na luz da fé e, sem conhecer os tempos com certeza, esperar a revelação

---

[78] Calvino, *Psychopannychia*, p. 465.
[79] Torrance, "Eschatology of the Reformation", p. 49.
[80] Calvino sobre Mateus 24:29, em *CNTC* 3:93.

com paciência. E que cuidem para não se preocupar mais do que permite o Senhor sobre os detalhes do tempo",[81] pois Deus não quer que saibamos quando Cristo voltará para que andemos por fé.

Podemos ver que, ao enfatizar esse ponto, Calvino discutiu a esperança escatológica com um tom que diferia do usado por Lutero em sua ênfase sobre a iminência do retorno do Senhor. A divergência entre os dois homens se dá provavelmente em virtude da diferença de temperamento. A avaliação de Holwerda sobre a recusa de Calvino em especular é, sem dúvida, correta:

> Não há nada especulativo na escatologia de Calvino. "Ele não era um conjurador em cálculos numéricos". Números específicos em Daniel e Apocalipse tinham de ser interpretados figurativamente. Por meio deles, Deus promete a seus eleitos alguma moderação, algum encurtamento dos dias; mas o ponto preciso do fim permanece escondido no conselho secreto de Deus.[82]

Enquanto Lutero falava abertamente sobre viver nos tempos finais e estava bastante disposto a afirmar a proximidade do fim, Calvino se recusava a fazê-lo, pois o decreto oculto de Deus não pode ser conhecido até que Deus o revele.

A REJEIÇÃO DE CALVINO AO SONO DA ALMA

Há duas ênfases adicionais na escatologia de Calvino que merecem ser discutidas. A primeira é a oposição dele à doutrina do "sono da alma", defendida por anabatistas radicais de seu tempo, que criam que a alma não tinha consciência à parte do corpo. Eles afirmavam que, na morte, a alma "dorme" até a ressurreição geral no final dos tempos, quando a pessoa desperta para a vida eterna. Calvino discordava veementemente da doutrina romana do purgatório e tratou dela de forma severa,[83] mas dedicou esforços consideráveis ao longo de sua carreira a refutar o sono da alma, resumindo inclusive seus argumentos contra ela no capítulo sobre a ressurreição nas *Institutas*.[84]

A primeira obra de teologia publicada por Calvino foi *Psychopannychia* [Sobre o sono da alma], em 1542, embora o primeiro rascunho do manuscrito tenha sido escrito em 1534, e Calvino o tenha revisado várias vezes antes da publicação.[85] Ironicamente, ao discordar dos anabatistas que diziam que a alma era privada da

---

[81] Calvino sobre Mateus 24:36, em *CNTC* 3:98.
[82] Holwerda, "Eschatology and History", p. 133, citação de *Calvin's commentary on Daniel 7:25*.
[83] Calvino, *Institutas*, 3.5.6–10.
[84] Ibid., 3.25.
[85] Para um estudo sobre o contato inicial de Calvino com os anabatistas e uma história literária de *Psychopannychia*, veja Willem Balke, *Calvin and the Anabaptist Radicals*. Grand Rapids: Eerdmans, 1981, p. 17–38; ver também Quistorp, *Calvin's Doctrine of the Last Things*, p. 55–107.

consciência depois da morte, o entendimento de Calvino era bastante parecido com o "sono da alma" de Lutero. Calvino nunca mencionou a opinião de Lutero, e tanto Martin Bucer quanto Wolfgang Capito (1478–1541) instaram com Calvino para que não publicasse *Psychopannychia*, de modo a evitar expor quaisquer diferenças entre reformados e luteranos, e, assim, evitar o ataque dos críticos romanos ou anabatistas.[86]

Calvino começou sua crítica à doutrina do sono da alma com filologia. Ele salientou que a Escritura usa as palavras "espírito" e "alma" de diferentes maneiras, enquanto o relato da criação em Gênesis 1 afirma claramente que a imagem de Deus no homem deve ser identificada com o espírito humano. Além disso, se alguém seguir o caminho estabelecido pelos pais da igreja, Calvino argumentou, o intérprete da Escritura deve distinguir entre a alma e o corpo, algo que os escritores anabatistas estavam prontos a confundir.[87] Calvino argumentou: "Seguindo toda a doutrina de Deus, nós sustentaremos como certo que o homem é composto e constituído por duas partes, isto é, corpo e alma". E ele continuou, acrescentando o seguinte: "Qual é o estado da alma após a separação de seu corpo? Os anabatistas pensam que ela dorme como um morto, mas nós dizemos que ela tem vida e sentimento".[88]

A grande ironia é que a doutrina do sono da alma afirma exatamente aquilo que Paulo menospreza: "Pois o próprio apóstolo [Paulo] diz que somos miseráveis se tivermos Cristo somente nesta vida". Calvino acrescentou: "É verdade, há a declaração de Paulo de que somos mais miseráveis do que todos os homens se não houver ressurreição; e não há nessas palavras repugnância ao dogma de que o espírito dos justos é abençoado antes da ressurreição, uma vez que isso ocorre por causa da ressurreição".[89] A alma é criada imortal e vive após a morte, mas o corpo é mortal e deve ser levantado imperecível para que as consequências da maldição sejam desfeitas.

Para Calvino, a própria ideia de que a alma "dorme" até a ressurreição não fazia sentido, dadas as propriedades únicas da alma humana. Sendo ele mesmo um criacionista, Calvino afirmou que a alma humana não é eterna [não tem existência anterior à concepção], mas é criada exclusivamente por Deus no momento da concepção e possui existência independente e imortal à parte do corpo. Embora a alma seja a principal localização da imagem divina na humanidade, "o estado do homem não foi aperfeiçoado na pessoa de Adão; mas é um benefício peculiar conferido por Cristo o fato de podermos ser renovados para uma vida que é celestial,

---

[86] Balke, *Calvin and the Anabaptist Radicals*, p. 31.
[87] Ibid., p. 304.
[88] João Calvino, *A Short Instruction for to Arm All Good Christian People against the Pestiferous Errors of the Common Sect of Anabaptists*. Londres, 1549, p. 113,114, citado por Balke, *Calvin and the Anabaptist Radicals*, p. 305.
[89] Calvino, *Psychopannychia*, 471,472.

enquanto, antes da queda de Adão, a vida do homem era apenas terrena".[90] Embora tenha sido criada inocente, a natureza humana deve ser aperfeiçoada. Isso fez sentido à luz do fato de que a história redentora culmina na ressurreição do corpo e na renovação dos céus e da terra, pois foi isso que Deus havia decretado e, então, revelado na pessoa e na obra de Cristo.

A redenção do pecado e o desfazer da consequência da queda sobre a natureza humana (morte) são, portanto, necessariamente escatológicas em sua orientação. A alma redimida recebeu a vida eterna por meio da obra de Cristo pelo Espírito Santo, que é o "penhor de nossa herança, isto é, da vida eterna, para a redenção, ou seja, até que venha o dia dessa redenção. [...] E nós, que recebemos as primícias do Espírito, [...] desfrutaremos dela em realidade quando Cristo aparecer no julgamento".[91] A natureza da alma e o propósito divino na ressurreição significam que "a vida terrena está destinada desde o início à eternidade [e que] a alma libertada que está consciente após a morte aguarda sua consumação no dia do juízo".[92] De acordo com Balke, em contraste com os anabatistas,

> Calvino sustentava que a alma é, em sua essência, imortal. O descanso após a morte consiste em comunhão completa com Deus. [...] A Bíblia nos assegura que já temos a vida eterna aqui na Terra e que ela não pode ser interrompida. Dizer que a alma dorme equivale a dizer que Deus abandona sua obra.[93]

Enquanto consolava os cristãos com a lembrança de que "qualquer que seja a dificuldade que nos aflija, deixemos esta 'redenção' nos sustentar até a sua conclusão",[94] Calvino também advertiu seus leitores, na conclusão de *Psychopannychia*, sobre o fato de que os anabatistas radicais de sua época haviam construído "uma forja que já fabricou, e está fabricando diariamente, muitos monstros".[95]

A REJEIÇÃO DE CALVINO AO QUILIASMO (MILENISMO)

Também é necessário considerar a veemente rejeição de Calvino ao quiliasmo (milenismo), uma doutrina associada ao apocalipticismo da época, que ele considerava "infantil" e "horrível". Calvino se identificou com Lutero na rejeição em termos inequívocos do "sonho" milenar anabatista

---

[90] Calvino sobre Gênesis 2:7. In: Calvino, *Commentary on the First Book of Moses Called Genesis*. Edinburgo: Banner of Truth, 1984, p. 112,113.
[91] Calvino sobre Efésios 1:14, em *CNTC* 11:132 [Série Comentários Bíblicos: *Gálatas – Efésios – Filipenses – Colossenses*. Traduzido por Valter Graciano Martins. (2010)].
[92] Quistorp, *Calvin's Doctrine of the Last Things*, p. 67, 87.
[93] Balke, *Calvin and the Anabaptist Radicals*, p. 307.
[94] Calvino, *Institutas*, 3.25.2.
[95] Calvino, *Psychopannychia*, p. 490.

que antes do último dia todos os inimigos da Igreja serão fisicamente exterminados e uma Igreja reunida que será composta apenas de cristãos piedosos; eles governarão em paz, sem qualquer oposição ou ataque. Mas este texto [Salmos 110] clara e poderosamente diz que haverá inimigos continuamente enquanto este Cristo reinar na terra. E é certo que também a morte não será abolida até o último dia, quando todos os seus inimigos serão exterminados com um golpe.[96]

Calvino também ficou horrorizado com os radicais anabatistas que declararam que a cidade de Münster seria a nova Sião, especialmente em conexão com o reavivamento do quiliasmo ligado às expectativas messiânicas e à reforma social radical.[97] O pastor genebrino considerou essa doutrina altamente problemática em vários relatos, uma vez que secularizava o reinado de Cristo e justificou todo tipo de especulação fantasiosa. As pessoas abraçam esse erro, Calvino afirmou: "Quando aplicamos ao [reino de Deus] a medida de nosso próprio entendimento, o que podemos conceber que não seja grosseiro e terreno? Assim acontece que, como as bestas, nossos sentidos nos atraem para o que atrai nossa carne". Ele concluiu: "Vemos que os quiliastas [isto é, aqueles que creem que Cristo reinará na terra por mil anos] caíram em erro e, assim, tomaram figurativamente todas as profecias que descrevem o reino de Cristo segundo o padrão dos reinos terrestres".[98]

Originadas de uma hermenêutica equivocada que visava interpretar as coisas celestiais por intermédio de olhos carnais, Calvino concluiu que tais formas de quiliasmo eram ficção infantil:

> Mas Satanás não só confundiu os sentidos dos homens para fazê-los enterrar com os cadáveres a memória da ressurreição; ele também tentou corromper essa parte da doutrina com várias falsificações para que pudesse destruí-la. Sem falar do fato de que, nos dias de Paulo, essa subversão já começara [1Coríntios 15:12ss.]. Mas um pouco mais tarde seguiram os quiliastas, os quais limitaram o reino de Cristo a mil anos. No entanto, sua ficção é muito infantil, para necessitar ou para merecer uma refutação, e o Apocalipse, do qual indubitavelmente tiraram um pretexto para seu erro, não os apoia. Pois o número "mil" [Apocalipse 20:4] não se aplica à bem-aventurança eterna da igreja, mas apenas aos vários distúrbios que aguardavam a igreja enquanto ainda estava trabalhando na terra. Pelo contrário, toda a Escritura proclama que não haverá fim para a bem-aventurança dos eleitos ou para o castigo dos ímpios [Mateus 25:41,46].[99]

Além disso, ao comentar as palavras de Paulo em 1Tessalonicenses 4:17 ("E assim estaremos com o Senhor para sempre"), Calvino descreveu a consequência

---

[96] Martinho Lutero, "Sermon on Psalm 110" (1535), *LW* 13:263,264.
[97] Balke, *Calvin and the Anabaptist Radicals*, p. 295.
[98] Calvino sobre Atos 1:7, em *CNTC* 6:32.
[99] Calvino, *Institutas*, 3.25.5.

do milenismo – o reino de Cristo limitado a mil anos – como algo horrível demais para proferir:

> Essas palavras [de Paulo] mais do que suficientemente refutam as aberrações dos [...] quiliastas. Quando os cristãos forem, enfim, reunidos em um reino, sua vida não terá fim mais do que a de Cristo tem. Atribuir a Cristo mil anos, para que depois deixasse de reinar, é algo horrível demais para falar.[100]

Tomando a opinião de Agostinho de que os mil anos de Apocalipse 20 se referem à era da igreja, não a um período de tempo após o retorno do Senhor, Calvino acrescentou:

> Assim, no mesmo livro, João descreveu uma dupla ressurreição, bem como uma dupla morte, a saber: uma da alma antes do julgamento e outra quando o corpo for ressuscitado, e quando a alma também será ressuscitada para a glória. "Felizes e santos", diz ele, "os que participam da primeira ressurreição!" (Apocalipse 20:6). Bem, então, tema quem se recusar a reconhecer aquela primeira ressurreição, que, entretanto, é a única entrada para a beatífica glória.[101]

Assim como fez Lutero, Calvino permaneceu firme na tradição agostiniana. Ele se mostrou completamente familiarizado com os escritos de milenistas contemporâneos como Müntzer e Hofmann, com os quais "não queria ter parte".[102]

O PAPADO COMO ANTICRISTO E OS ÚLTIMOS DIAS

Em conexão com o desprezo de Calvino pelo quiliasmo de seu tempo e pelas especulações escatológicas que o acompanhavam, é importante considerar que, quando Lutero identificou o papado como a sede do anticristo, ele considerou a presença desse inimigo como um sinal de que os cristãos estavam vivendo nos últimos dias. Como vimos, Lutero cria que Deus poderia encurtar o tempo até o retorno do Senhor para poupar seu povo de sofrimentos nas mãos do anticristo. Isso significava dizer que a vinda do Senhor era iminente.

Calvino seguiu uma linha diferente. Ele também identificou o papado com o anticristo quando afirmou: "Daniel [Daniel 9:27] e Paulo [2Tessalonicenses 2:4] predisseram que o anticristo sentar-se-ia no templo de Deus. De nossa parte, é ao pontífice romano que fazemos o líder e portador do estandarte desse reino perverso e abominável".[103] Calvino também concordou com Lutero que "o nome anticristo

---

[100] Calvino sobre 1Tessalonicenses 4:17, em *CNTC* 8:366.
[101] Calvino, *Psychopannychia*, p. 446.
[102] Balke, *Calvin and the Anabaptist Radicals*, p. 295.
[103] Calvino, *Institutas*, 4.2.12.

não designa um único indivíduo, mas um único reino que se estende ao longo de muitas gerações".[104]

Entretanto, na discussão mais detalhada sobre o anticristo em seu comentário sobre 2Tessalonicenses, ficou evidente que Calvino era muito mais reticente do que Lutero para afirmar que a presença do anticristo era uma indicação de que o retorno de Cristo era iminente. De acordo com Calvino, os últimos dias de Cristo não podem acontecer até que uma grande apostasia ocorra e o anticristo, que é diametralmente oposto ao reino de Cristo e toma para si as coisas que por direito pertencem a nosso Senhor, seja revelado. O anticristo já apareceu na forma do papado, no entanto, Calvino observou, o reinado do anticristo será temporário, e o tempo de seu fim será determinado por Deus. O anticristo será destruído pela palavra de Cristo no aparecimento de nosso Senhor quando ocorrer a restauração final de todas as coisas.

Calvino concordava em grande medida com Lutero, mas se contentava em interpretar as palavras de Paulo sem nada dizer sobre quando isso aconteceria.[105] Ao fazê-lo, ele tentava seguir sua própria metodologia teológica exposta em outro trecho: "Em toda a doutrina religiosa [...] devemos manter a regra da modéstia e da sobriedade; não falar ou adivinhar, nem mesmo procurar saber, sobre assuntos obscuros, exceto o que nos foi comunicado pela Palavra de Deus".[106] Todos os teólogos e pastores cristãos deveriam procurar seguir o sábio dito de Calvino, especialmente aqueles que escrevem sobre escatologia.

CONCLUSÃO

Com uma boa dose de justificativa histórica, podemos dizer que nem Martinho Lutero nem João Calvino foram inovadores escatológicos. Ambos os reformadores criam que o ensino tradicional da igreja sobre as últimas coisas – a promessa que Jesus Cristo fez em sua ascensão, de retornar fisicamente no último dia, a fim de ressuscitar os mortos, julgar o mundo e, então, criar novo céu e nova terra – era bíblico. Ambos se encaixam facilmente na designação moderna de *amilenistas* porque ambos se alinhavam com Agostinho, crendo que os eventos descritos em Apocalipse 20 são simbólicos da era da igreja, não um período de tempo *após* o retorno de Cristo.

Contudo, é um erro concluir que, por não serem Lutero e Calvino inovadores, eles não estivessem interessados em escatologia. Pelo contrário: ao colocarem no centro de sua teologia a pessoa e a obra de Jesus Cristo, ambos os reformadores

---

[104] Calvino sobre 2Tessalonicenses 2:7. In: *CNTC* 8:404.
[105] Calvino sobre 2Tessalonicenses 2:2-12, em *CNTC* 8:397–408.
[106] Calvino, *Institutas*, 1.14.4.

se concentraram no desdobramento do drama da história redentora, ao contrário dos teólogos católicos romanos, que tendiam a ver o progresso da redenção através da lente da eclesiologia.

A consequência desse movimento intelectual foi que, embora nem Lutero nem Calvino procurassem fazer grandes ajustes nas categorias escatológicas recebidas da igreja cristã, eles foram completamente escatológicos em seu pensamento. Heinrich Quistorp enquadra o assunto corretamente quando escreve:

> A teologia dos reformadores não é primariamente voltada para as questões da escatologia (aqui pensamos especialmente em Lutero e Calvino). Sua principal preocupação é com o problema da justificação e os assuntos imediatamente relevantes a ela. [...] No entanto, toda a sua teologia é escatologicamente orientada, visto que é, no sentido bíblico-paulino, uma *theologia crucis* que exige fé absoluta na glória oculta de Cristo e de seu reino e, ao mesmo tempo, uma esperança viva em sua futura manifestação.[107]

Tanto Lutero quanto Calvino criam que a morte e a ressurreição de Jesus eram os eventos centrais da revelação bíblica, preditos em todo o Antigo Testamento e, por sua vez, forneciam a estrutura para entender o curso da história humana até que o Senhor retornasse. Isso lhes permitiu discutir a segunda vinda de Jesus Cristo em termos não apocalípticos de uma escatologia semirrealizada (já/ainda não).

Porque os méritos de Cristo foram suficientes para salvar os pecadores (quando recebidos somente pela fé), ele mesmo deu aos cristãos a esperança segura e certa da ressurreição do corpo no último dia, quando então retornará. Embora Lutero e Calvino discordassem sobre a natureza do estado intermediário, ambos ancoraram a esperança e a garantia do cristão na vitória de uma vez por todas de Jesus Cristo sobre o pecado, a morte e a sepultura. Esta vida pode ser uma luta constante, como ambos descreveram, mas não há razão para o povo de Deus viver em desespero. Tão certo quanto Jesus morreu por nossos pecados e foi ressuscitado para nossa justificação (Romanos 4:25), assim também virá outra vez no tempo a ele designado para levar a juízo os inimigos do evangelho e assegurar que o povo de Deus ficará seguro no dia do julgamento. O dia do julgamento é um dia de terror para aqueles que não conhecem Cristo, mas boas-novas para aqueles que morrem no Senhor e aguardam com fé seu retorno.

Embora rejeitassem a noção de Roma de que a escatologia devia ser entendida à luz da perfeição final da igreja romana, nenhum deles estava disposto a abraçar o apocalipticismo radical da época. De fato, Lutero e Calvino se opuseram veementemente aos anabatistas radicais e a todas as formas de definição especulativa

---

[107] Quistorp, *Calvin's Doctrine of the Last Things*, p. 11.

de datas e de milenismo e também à doutrina romana do purgatório. Eles estavam convencidos de que o papado se tornara o anticristo – um claro sinal bíblico do fim –, e ambos criam que Deus teria misericórdia de seu povo e apressaria o retorno de Cristo para preservar seus eleitos perseguidos na Terra. Lutero falou abertamente sobre sua crença de que o retorno do Senhor estava próximo, enquanto Calvino se contentou em citar as Escrituras e não dizer mais nada. É aqui, talvez, que percebemos mais claramente as diferenças de temperamento entre ambos.

Tanto Lutero quanto Calvino, se fossem nos aconselhar hoje, repreenderiam aqueles que usam a escatologia como um trampolim para predições fantasiosas e que apresentam interpretações infundadas da linguagem escatológica nas Escrituras. Ambos nos exortariam a procurar conforto na segunda vinda de Jesus Cristo, como Paulo insiste em nos lembrar:

> Pois quantas forem as promessas feitas por Deus, tantas têm em Cristo o "sim". Por isso, por meio dele, o "Amém" é pronunciado por nós para a glória de Deus. Ora, é Deus que faz que nós e vocês permaneçamos firmes em Cristo. Ele nos ungiu, nos selou como sua propriedade e pôs o seu Espírito em nossos corações como garantia do que está por vir (2Coríntios 1:20–22).

FONTES PARA ESTUDO ADICIONAL

FONTES PRIMÁRIAS

BUCER, Martin. *De Regno Christi*. In: Wilhelm Pauck (ed.). *Melanchthon and Bucer* [Melanchthon e Bucer], p. 174–394. Library of Christian Classics 19. Filadélfia: Westminster, 1969.

CALVINO, João. *As institutas – edição clássica* (1985). *As institutas – edição especial* (2006). 4. vols. São Paulo: Editora Cultura Cristã.

──. *Psychopannychia. Selected Works of John Calvin: Tracts and Letters* [Obras selecionadas de João Calvino: Tratados e cartas], editado por Henry Beveridge e Jules Bonnet, 3:413–490 (1851). Grand Rapids: Baker, 1983.

──. *A Short Instruction for to Arm All Good Christian People against the Pestiferous Errors of the Common Sect of Anabaptists* [Uma breve instrução para armar todos os bons cristãos contra os erros pestíferos da seita comum dos anabatistas]. Londres, 1549.

LUTERO, Martinho. *Prefácio ao Apocalipse de S. João* (1546). Em *Obras selecionadas, Volume 8: Interpretação bíblica. Princípios*. Comissão Interluterana de Literatura. São Leopoldo: Editora Sinodal; Porto Alegre: Editora Concórdia, s/d.

──. "Sermon on Psalm 110" [Sermão sobre o salmo 110] (1535). In: Jaroslav Pelikan (ed.). *Luther's Works* [Obras de Lutero] v. 13, *Selected Psalms II* [Salmos selecionados II], p. 263,264. Filadélfia: Fortress, 1972.

ZUÍNGLIO, Ulrico. *Fides Expositio* (1531). In: James T. Dennison Jr. (ed.). *Reformed Confessions of the 16th e 17th Centuries in English Translation*. v. 1, *1523–1552* [Confissões reformadas dos séculos XVI e XVII traduzidas para o inglês], p. 176–225. Grand Rapids: Reformation Heritage Books, 2008.

——. *Fides Ratio* (1530). In: James T. Dennison Jr. (ed.). *Reformed Confessions of the 16th e 17th Centuries in English Translation.* v. 1, *1523–1552* [Confissões reformadas dos séculos XVI e XVII traduzidas para o inglês], p. 112–136. Grand Rapids: Reformation Heritage Books, 2008.

Fontes secundárias

BALKE, Willem. *Calvin and the Anabaptist Radicals* [Calvino e os radicais anabatistas]. Grand Rapids: Eerdmans, 1981.

HALL, Fred P. "Martin Luther's Theology of Last Things" [A teologia de Martinho Lutero sobre as últimas coisas]. In: David W. Baker (ed.). *Looking into the Future: Evangelical Studies in Eschatology* [Olhando para o futuro: estudos evangélicos sobre escatologia], p. 124–143. Grand Rapids: Baker Academic, 2001.

HOLWERDA, David E. "Eschatology and History: A Look at Calvin's Eschatological Vision" [Escatologia e história: um exame do ponto de vista escatológico de Calvino]. In: David E. Holwerda (ed.). *Exploring the Heritage of John Calvin: Essays in Honor of John Bratt* [Explorando a herança de João Calvino: Ensaios em honra de John Bratt], p. 110–139. Grand Rapids: Baker, 1976.

QUISTORP, Heinrich. *Calvin's Doctrine of the Last Things* [A doutrina de Calvino sobre as últimas coisas] (1955). Eugene: Wipf & Stock, 2009.

STROHL, Jane E. "Luther's Eschatology: The Last Times and the Last Things" [Escatologia de Lutero: os últimos tempos e as últimas coisas]. Dissertação (PhD), Faculdade de Teologia da Universidade de Chicago, 1989.

TORRANCE, T. F. "The Eschatology of the Reformation" [A escatologia da Reforma]. In: T. F. Torrance e J. K. S. Reid (eds.). *Eschatology: Four Papers Read to the Society for the Study of Theology* [Escatologia: quatro ensaios lidos para a Sociedade para o Estudo da Teologia], p. 36–62. Scottish Journal of Theology Occasional Papers 2. Edimburgo: Oliver and Boyd, 1957.

ÍNDICE ONOMÁSTICO

Agostinho 65, 199, 391–392, 422–423
   cristologia de 291
   interpretação do Apocalipse 639, 651, 652
   leitura de Paulo 473–474
   sobre ação revolucionária 605–606
   sobre Ceia do Senhor 561–562
   sobre conversão 219
   sobre criação 247–248
   sobre Escritura 130–132
   sobre igreja e Escritura 131, 159–160
   sobre imagem de Deus 253–256
   sobre justiça de Deus 451–452
   sobre justificação 78–79, 497
   sobre livre-arbítrio 422–423, 427–428, 429–430, 432, 438, 439
   sobre Pelágio 264–265, 404–405
   sobre predestinação 211–212, 229–230, 239–240
   sobre purgatório 77–78
   sobre sacramentos 532–533
   sobre Trindade 167–169, 254
   sobre união com Cristo 370–371
Alberto, o Grande 75, 76, 80
Alexandre de Hales 73–74, 80, 263–264
Alsted, João Henrique 15–16, 344
Althaus, Paul 165–166, 273–274, 335, 640–641
Altúsio, João 587, 619, 622
Ambrósio 65, 281, 291
Amsdorf, Nikolaus von 509, 608–609
Amyraut, Moïse 325
Andraeus, Jacob 237, 292–293, 293–294
Anselmo 167–169, 327, 330–334
Aristóteles 199, 412, 563–564
Armínio, Jacó 367, 368–369, 382–383, 386–387
Atanásio 246–247, 266–267, 281, 348–349
Atkinson, James 272–273, 278
Aulén, Gustaf 301, 330
Aus der Au, Christina 9
Averróis 199

Baker, J. Wayne 226, 600–601
Balduíno de Ford 64–65
Balke, Willem 349–350
Bancroft, George 622
Baro, Peter 120
Barth, Karl 139, 198
Basílio de Cesareia 135
Bavinck, Herman 307
Beaton, David 120
Beckwith, Carl L. 343
Beda, Noel 111–112
Bellah, Robert 23
Bellarmine, Robert 271–272, 617
Berengário de Tours 563
Berkhof, Louis 307
Bernardino de Siena 46
Bernardo de Clairvaux 71, 167–169, 367, 369–370, 372, 383
Beza, Teodoro 114–116, 236–237, 237–238, 293, 293–294, 325, 326, 377–378, 383, 522, 610–611
Bibliander, Theodor 110
Biel, Gabriel 83–85, 96–97, 135, 264–265, 392, 408, 447–448
Blaurock, George 541–542
Boaventura 75, 80
Bodin, João (Jean) 620
Boécio 199, 394
Boice, James Montgomery 56–57
Bollinger, Dennis 524–525
Bolsec, Jerome 114–115, 226, 228, 231, 420–421, 435–436
Bonhoeffer, Dietrich 13–14
Bonifácio, São 71
Bonifácio VIII, papa 91
Bora, Katharina von (esposa de Lutero) 104
Bownde, Nicholas 119
Bradwardine, Tomás 211, 392
Bray, Gerald 167, 177, 355
Brenz, Johannes 279, 281–282, 291, 455–456
Bromiley, Geoffrey 278, 359, 360
Bruce, A. B. 281–283, 284
Brunner, Emil 307
Bruno de Colônia 79
Bucer, Martin 113, 170, 199, 232, 434, 490, 575–576, 597–598, 648
    escatologia de 633–636
    influência sobre Calvino 546, 580–581
    sobre a igreja 512–513
    sobre batismo 546–547
    sobre Ceia do Senhor 561, 572–573, 575–576, 579–582, 584–585

Buchanan, George 122
Bullinger 129, 130
Bullinger, Henrique 51, 53, 108, 110–111, 115, 160–161, 171, 212, 333, 368
    sobre a autoridade bíblica 148–152, 156–157
    sobre a igreja 515–516
    sobre batismo 531, 544–545, 555
    sobre batismo infantil 544–545, 550–551
    sobre Ceia do Senhor 582–583, 584
    sobre conhecimento de Deus 196–197
    sobre criação e redenção 247–248
    sobre Igreja e Estado 599–601, 602–603
    sobre imagem de Deus 257–258, 263, 267
    sobre incompreensibilidade de Deus 193
    sobre nomes de Deus 202–203, 204–205, 249
    sobre ofício triplo (ou tríplice) de Cristo 306
    sobre predestinação 225–230, 231, 232–233
    sobre resistência à tirania 604
    sobre vida após a morte 265

Caetano, cardeal Tommaso 136, 564
Calvino, João 41, 111–116, 292
    comentário sobre Gênesis 251–253
    como nestoriano 285–286, 286–287
    como reformador de segunda geração 631–633
    e o Espírito 349–355
    escatologia de 627, 627–629, 651–652
    perspectiva teocêntrica de 192
    preocupação com o culto puro 48
    sobre a autoridade bíblica 152–158
    sobre acomodação 155–157, 195–196, 302–303, 316–317, 320, 322–323
    sobre a igreja 516–521
    sobre a Reforma 629–631
    sobre as duas naturezas de Cristo 307–309, 313–314
    sobre batismo 531, 546–553, 557
    sobre batismo infantil 548–549, 550–551
    sobre Ceia do Senhor 561–562, 579–585
    sobre criação 249
    sobre criação, queda e redenção 246–249
    sobre Cristo como Profeta 314–317, 318–319
    sobre descida ao inferno 323–325
    sobre disciplina da igreja 603–604
    sobre Espírito Santo 341–342
    sobre expiação 325–329
    sobre extra-Calvinisticum 284–289
    sobre Igreja e Estado 596–598, 601–602

sobre imagem de Deus 255–257, 261–263, 266–267
   sobre justificação 445–446, 456–463, 475
   sobre livre-arbítrio 418–436
   sobre meditação a respeito da vida futura 631–633, 645–646
   sobre munus triplex 301, 305–308
   sobre nome de Deus 203–204, 250
   sobre obra mediadora de Cristo 302–304
   sobre Palavra como princípio controlador do culto 55
   sobre Palavra e sacramento 381–382
   sobre poder de Deus 189–190, 191–192, 206
   sobre predestinação 209, 221–225, 226, 241, 432–433
   sobre pregação 48, 51, 54, 320
   sobre reinado de Cristo 332
   sobre resistência à tirania 605–606
   sobre sacerdócio de Cristo 321–323
   sobre sacramentos 350–352
   sobre santificação 497–498
   sobre Trindade 174–182, 248
   sobre união com Cristo 368–369, 369–370, 376–382, 580–581
Cameron, Euan 41, 433, 435
Cameron, John 325
Cameron, Nigel 251–252
Capito, Wolfgang 252, 576, 648
Carlos I, rei 614–615
Carlos Magno 88–89, 95, 589–590
Carlos, o Calvo 591
Carlos V, imperador 97, 278, 406, 436–437, 510–511, 514, 576
Caroli, Pierre 112
Carson, D. A. 11
Cartwright, Thomas 119, 522–523
Castellio, Sebastian 114–115
Catarina de Aragão 117
Cervini, Marcelo 420
Chandieu, Antoine de 261
Charles-Emmanuel I, duque 116
Chemnitz, Martinho 279–282, 293–294, 368–369, 375, 467–468, 508, 512
Cícero 197–198
Cíncio, Bernardo 420
Cipriano 635–636
Cirilo de Alexandria 278, 281, 291, 562
Clemente de Alexandria 542
Clemente VII, papa, 97 97
Clemente V, papa, 91 91
Cochlaeus, Johann 151–152
Collinson, Patrick 480–481

Colombo, Cristóvão 96–97
Comestor, Pedro 72, 79
Constantino 95, 589–590, 595
Cop, Nicholas 111–112
Cordier, Mathurin 111–112
Craig, John 315–316
Cranmer, Thomas 47, 117–118, 129–130, 364, 436–441, 500, 634–635
 sobre a autoridade bíblica 158–162
 sobre o Espírito Santo 341–342, 355–360
 sobre os apócrifos 361
Crisóstomo, João 305, 413, 417, 422–423, 432
Cromwell, Oliver 615
Cunningham, William 325

d'Ailly, Pierre 94, 392
Daniell, David 254
Darwin, Charles 251–252
Dean, Jonathan 355
de Bure, Idelette (esposa de Calvino) 113
de Coligny, Gaspar 613
Demócrito 250–251
Donnelly, John Patrick 232, 234
Dragas, George 266–267
Drechsel, Tomás 484
Drickamer, John M. 401
Dulles, Avery 16–17, 445–446, 468–470
Duns Escoto, João 82–83, 232, 449, 532–533

Eck, Johann 103, 142–143
Ecolampádio, João 109, 110, 463, 561, 568, 571–572, 575, 577, 578, 603
Eduardo VI, rei 117–118, 437, 521, 634–635
Einstein, Albert 251
Elert, Werner 214
Elizabeth I, rainha 118–119, 121, 158, 522, 607
Entfelder, Christian 183–184
Erasmo Desidério 95, 104, 106, 109, 141, 214–215, 391–402, 454
Erasto, Thomas 514–515
Eugênio IV, papa 94–95
Eusébio 281
Eutiques 290
Evans, Gillian 130–131

Farel, Guilherme 111–113, 517, 580, 596–598
Ferguson, Sinclair 179–180
Figgis, John 594
Filipe II, rei 118–119

Filipe, Landgrave de Hesse 104, 278
Finney, Charles G. 14
Forde, Gerhard 194, 499
Fowler, Stanley K. 556
Foxe, John 118
Francisco, papa 9
Francis I, rei da França 112, 514
Franck, Sebastião 484
Frederico III, eleitor palatino 110, 122
Fuhrmann, Paul 613–614

Gansfort, Wessel 565, 567–568
Gentile, Valentino, 271-272 271–272
George, Timothy 42, 54, 55, 343, 348–349, 630–631
Gerrish, B. A. 584–585
Gerson, Jean 94, 370–372, 383
Göbel, Max 362
Godfrey, W. Robert 56, 435–436
Gordon, Bruce 111, 580
Graciano 71, 90
Graybill, Gregory B. 418–419
Grebel, Conrado 108, 541–542
Gregório de Nazianzo 177, 324–325
Gregório de Nissa 330, 562
Gregório de Rimini 211, 232, 392, 438
Gregório II, papa 71
Gregório Palamas 280
Gregório VII, papa 89–90, 590–591
Gregory, Brad 200
Grenz, Stanley 25–27
Grisar, Hartmann 450–451
Grócio, Hugo 587, 620
Grudem, Wayne 307
Guilherme de Auvergne 72–73
Guilherme de Auxerre 79–80
Guilherme de Ockham 82, 85, 92–93, 96, 169, 392, 447–449
Guilherme de Orange 616

Haimo de Auxerre 79
Hall, Christopher 343–344
Hamilton, Patrick 120
Harding, Thomas 257
Hart, D. G. 622
Hatzer, Ludwig 183–184
Hazlett, Ian 577
Helm, Paul 322–323, 423–424

Hendrix, Scott 509
Henrique de Gand 134
Henrique IV, rei 93-94, 590-591
Henrique VIII, rei 117-118, 521, 597-598
Henrique VII, rei 117
Hervé de Bourg-Dieu 79
Hesselink, I. John 435-436
Hess, John 143
Hildeberto de Tours 64
Hildebrando. *Ver* Gregório VII, papa
Hodge, Charles 307, 582
Hoen, Cornélio 565, 567-570, 572-573
Hofmann, Melquior 295-297, 639, 651
Holcot, Robert 392
Holwerda, David 642-647
Hooker, Ricardo 129-130, 524
Hooper, John 118
Horton, Michael 426-427
Hotman, Francois 609-610
Hubmaier, Baltazar 108, 191-192, 295-296, 525-526, 541-542, 543
Hughes, Philip E. 47
Hugo de São Víctor 64, 71, 132, 160-161
Hugolino de Orvieto 392
Huss, João 42, 83, 94, 504-505, 564, 593
Hutchinson, Roger 186-187
Hut, Hans 639

Ilírico, Matias Flácio 105
Inácio de Loyola 122-123, 186-187
Inocêncio III, papa 91
Irineu 178, 255, 312, 317
Ivo de Chartres 74

James III, Frank A. 232, 436-437
James VI, rei da Escócia 121-122
James V, rei 120
Jansen, John Frederick 307, 314-316, 332
Jarry, E. 622
Jenson, Robert 472-474
Jerônimo 65-66, 131, 136, 422-423
João da Cruz 186-187
João Damasceno 190
João de Antioquia 291
Joaquim de Fiore 629-630, 636
Jud, Leo 108

Kant, Immanuel 23, 24
Karlstadt, André 142–143, 295–296, 540–541, 561, 565–573
Keller, Tim 11
Kelly, J. N. D. 562
Kendall, R. T. 325–326
Kik, J. Marcellus 622
Kim, Nam-Joon 14
Kingdon, Robert 600–601, 622
Knox, John 120–121, 124, 234, 260, 333, 606–607, 608–609, 623
Kolb, Robert 396, 406, 409–410, 412–413, 414–415
Koop, Karl 295
Köstlin, Julius 641
Küng, Hans 445–446
Kuyper, Abraham 623

Lane, Anthony N. S. 177, 422, 425, 427–430
Latimer, Hugh 53, 118
Laud, William 524
Leão III, papa 589–590
Leão I, papa 281, 291
Leão IX, papa 89
Leão X, papa 136–137
Le Goff, Jacques 72, 75
Letham, Robert 177
Lever, Thomas 53
Lidgett, J. S. 178
Lindbeck, George 19–20
Lindberg, Carter 41, 43, 45, 102
Locke, John 622
Lombardo, Pedro 63, 71, 73, 80, 83, 90, 133, 190, 200, 265, 370, 401, 424, 448–449, 532–533, 563–564
   sobre graça 429–430
   sobre imagem de Deus 245
   sobre justificação 371–372
   sobre sacramentos 64–67
   sobre Trindade 167–169
Lucrécio 250–251
Lutero, Martinho 102–105, 450–475, 479–481
   antiespeculativo 195
   comentário de Gênesis 251–252
   como eutiquiano 278
   como reformador de primeira geração 631
   debate com Zwínglio 123–124, 136–137
   escatologia de 627–629, 636–642
   sobre acomodação 194
   sobre a igreja 503–508

sobre a lei 494, 498–500

sobre as duas naturezas de Cristo 308–309

sobre batismo 531, 536–539, 641

sobre batismo infantil 542–543

sobre cativeiro da vontade 391–401

sobre Ceia do Senhor 561, 565–567, 570–576, 579, 582–584

sobre comunicação de atributos 271–276

sobre corrupção do evangelho 43–44

sobre culto 510–511

sobre Deus como "vestido em sua Palavra" 194–195

sobre dois reinos 594–596

sobre doutrina de Deus 189–190

sobre Escritura 52, 129–130, 135

sobre Espírito Santo 173–174, 341–342, 344–347

sobre expiação 301

sobre graça 85

sobre Igreja e Estado 596–598

sobre imagem de Deus 253–254, 262–263, 267–268

sobre incompreensibilidade de Deus 193

sobre judeus 105

sobre justificação 43–44, 446, 450–456, 475

sobre lei e evangelho 317–318, 399–401, 637

sobre livre-arbítrio 414–415

sobre Melanchthon 401

sobre nomes de Deus 202–205

sobre o Diabo 330–334, 396–397, 629–630, 639–640

sobre pelagianismo 43

sobre política da igreja 509

sobre precursores da Reforma 42

sobre pregação 50–51, 103–104, 139, 320

sobre purgatório 49–50, 76

sobre reforma papal 97

sobre resistência à tirania 595–596

sobre sacramentos 345–346, 534–536

sobre santificação 481–486

sobre sola Scriptura 498–499

sobre teologia da cruz 169–173, 301, 335–337, 512–513

sobre união com Cristo 368–372

temperamento de 632

MacCulloch, Diarmaid 360
MacGregor, Kirk R. 295–296
Machen, J. Gresham 12–13
Manes 131
Manetsch, Scott 45, 48, 48–49, 52

Mannermaa, Tuomo 471
Mantz, Félix 541–542
Maquiavel 594
Maria de Guise 120, 121
Maria I, rainha 53, 117–121, 620
Maria, rainha da Escócia 121
Marpeck, Pilgram 296–297
Marsílio de Pádua 92–93, 98, 592, 595–596
Martinho V, papa 94–95
Marx, Karl 643
Masson, Robert 232
Matheson, Peter 345
Mattes, Mark 499
McGrath, Alister 42, 43, 166, 445–448, 463
McLoughlin, William 24
McNeill, John T. 587–588, 594, 612
Melanchthon, Filipe 45, 58, 105, 120, 292, 326, 379–380
   cristologia de 308–311, 312
   influência sobre Calvino 580
   influência sobre Lutero 452–456
   sobre a igreja 505–507, 508
   sobre as duas naturezas de Cristo 308–309
   sobre Ceia do Senhor 567, 576–577, 583–584
   sobre communicatio idiomatum 283
   sobre criação 247–248
   sobre Cristo como Profeta 317–318
   sobre Escritura 136–137, 142–145
   sobre especulação filosófica 170–171, 190
   sobre expiação 330
   sobre imagem de Deus 265, 268
   sobre justiça imputada 471–472
   sobre justificação 446, 474
   sobre livre-arbítrio 391, 401–419, 441
   sobre ofício triplo (ou tríplice) de Cristo 306
   sobre pecado original 404–405
   sobre predestinação 217–220, 402–403, 496
   sobre terceiro uso da lei 493–494
   sobre Trindade 170–171
   sobre união com Cristo 368–369, 372–375
Mergel, Angel 363–364
Molnar, Paul 18
Moltmann, Jürgen 335
Morély, Jean 520
Mornay, Philippe de 609–610, 611, 612–614, 618
Muller, Richard 166, 185, 224, 227, 230, 233, 236, 238, 239–240, 431, 433–434, 627–628

Müntzer, Tomás 21, 345–346, 484, 540–541, 593, 639, 651
Musculus, Wolfgang 110, 193, 202, 230, 236, 368–369, 380–381
Myconius, Oswald 110

Neill, Stephen 356
Nestório 278
Nevin, John Williamson 582
Newman, cardeal John Henry 15, 307
Newton, Isaac 251
Null, Ashley 358

Oberman, Heiko 84, 632, 635
O'Carroll, Michael 175–176
Olevian, Caspar 183, 292–293
Olson, Roger 342, 343–344, 362–363
Orígenes 562
Orombi, Henry Luke 14
Osiandro, André 306, 321, 368–369, 373–374, 379–380, 489
Othobon 90–91
Owen, John 304

Parker, T. H. L. 429–430
Pascásio, Radberto 562–563
Paulo III, papa 123
Paulson, Stephen 499
Pelágio 421, 473–474
Pelikan, Jaroslav 480–481, 500
Perkins, William 117–118, 236–237, 307, 309–311, 316–317, 330
Philips, Dietrich (ou Dirk) 296–297
Pio, Alberto 418–420, 423, 423–424, 426, 428–430, 434, 438
Pio II, papa 592
Placher, William 22
Platão 199
Pole, Reginald 118–119
Polito, Ambrógio Catarino 635
Ponet, John 620
Prenter, Regin 344
Preus, J. A. O. 402
Prierias, Sylvestro 135

Quistorp, Heinrich 636

Raitt, Jill 293
Ranke, Leopold von 622
Rankin, Duncan 581
Ratramo 562–563

Reardon, Bernard 24
Reid, W. Stanford 457
Reinhart, Anna (esposa de Zwínglio) 107–108
Ricardo de São Víctor 132–133
Ricardo II, rei 93
Ridley, Nicholas 118
Riedemann, Pedro 526
Ritschl, Albrecht 391–392
Rode, Hinne 568
Rutherford, Samuel 587, 617–618

Sadoleto, cardeal Jacó 113–114, 153–154, 175–176, 459, 518–519
Sanders, E. P. 472–474
Sattler, Miguel 524–525, 598–599
Savonarola, Girolamo 46, 593
Schaff, Philip 622
Schleiermacher, Friedrich 26, 307
Schmidt, Charles 437
Schwenkfeld, Gaspar 296–297, 364, 543
Selderhuis, Herman 192
Serveto, Miguel 114–115, 176, 183–186, 364, 542, 603–604
Simons, Menno 296–297, 341–342, 343, 360–364
Simpliciano 439
Skinner, Quentin 595
Smalley, Beryl 130–131
Smeeton, Donald Dean 254
Socino, Fausto 183–186, 191–192, 367, 369, 385
Staupitz, Johann von 370–371, 372
Steinmetz, David 216, 434
Stendahl, Krister 472–474
Storch, Nícolas 484
Stott, John 14–15
Sulzer, Simon 110
Swarup, Paul 14

Teodoreto 281, 291
Teresa de Ávila 186–187
Tetzel, John 49–50, 102–103
Thiselton, Anthony 341
Thomas de Chobham 72, 75
Thompson, Nicholas 578
Tillich, Paul 26
Tocqueville, Alexis de 23–24
Tomás de Aquino 170, 172, 232, 383, 636
    comentários de 130–131
    sobre Escritura 133–134

    sobre graça infundida 80–81
    sobre imagem de Deus 263–264
    sobre justificação 371–372, 447–449
    sobre ofício triplo (ou tríplice) de Cristo 306
    sobre predestinação 227–228
    sobre purgatório 75–77
    sobre sacramentos 532–534
    sobre transubstanciação 563–564
    sobre Trindade 167–169, 176
    sobre união com Cristo 369–370
Tomás de Kempis 369–370, 383
Tomé, Marcos 484
Tong, Stephen 14
Torrance, T. F. 177, 251, 256, 267, 635–637
Travers, Walter 522–523
Trolliet, John 436
Turretin, Francis 310–311
Twisse, William 325
Tyndale, William 174, 249, 254–255

Urbano II, papa 89–90
Ursino, Zacarias 307–312, 324, 326, 330
Ussher, James 307

Valla, Lorenzo 95, 96
Vermigli, Pedro Mártir 110, 196, 321, 323–324, 326–328, 330, 433, 581
    cristologia de 289–294, 309–310
    sobre Igreja e Estado 600–601
    sobre o cativeiro da vontade 436–441
    sobre predestinação 231–234
    sobre resistência à tirania 604–605, 606
    sobre revelação geral 197–198
    sobre simplicidade divina 199–200
    sobre união com Cristo 368–369, 377–378
Viret, Pierre 258–260, 602

Walton, Robert 515
Warfield, B. B. 12, 14, 203, 213, 316, 349–355
Webster, John 167
Weinandy, Thomas 286
Wenger, Thomas L. 377
Westphal, Joachim 287, 550–551, 552–553, 561–562, 583–584
Whitford, David M. 42
Whitgift, John 119, 257, 522
Wilbur, E. M. 184–185
Williams, George Huntston 184–185, 296–297, 363–364, 541, 599

Willis, David 289, 293
Wishart, George 120
Witherspoon, John 623
Witte, John 622, 623
Wright, N. T. 472–474
Wyclif [ou Wicliffe], John 42, 83, 93–94, 97, 117, 254, 564–565, 593

Younan, Munib 9

Zanchi, Girolamo 183, 231, 236, 368–369, 378–382, 437–438
Zeigler, Clemente 297
Zwínglio, Ulrico 54, 104, 106–109, 457
    arianismo 112–113
    batismo 345–346
    como nestoriano 278
    cristologia de 295–296, 310–312, 313
    diferenças com Lutero 123–124
    eclesiologia de 489–490
    erastianismo de 597
    escatologia de 633–634
    imagem de Deus
        restauração da 266–268
    morte de 577, 602
    sobre a igreja 513–515
    sobre alloiosis 275, 276–278
    sobre autoridade bíblica 146–148
    sobre batismo 531
    sobre batismo infantil 543
    sobre Ceia do Senhor 348–349, 561, 568–577, 582, 584–585
    sobre Igreja e Estado 599–600
    sobre imagem de Deus 254, 267
    sobre impassibilidade divina 200–201
    sobre o Espírito Santo 341–342, 347–349
    sobre predestinação 230–231
    sobre resistência à tirania 604–606
    sobre veneração a santos 198–199

Índice Remissivo

39 Artigos da Religião 11, 118–119, 158, 159, 160, 261–262, 343, 615–616
42 Artigosde Religião 158, 355–360, 521
"67 Artigos" (Zwínglio) 107, 489–490, 492
95 Teses (Lutero) 76, 97, 102–103, 135, 136, 170, 371, 503–504, 509

Academia de Genebra 114–116
acomodação
    Calvino sobre 156–157, 195–196, 302–303, 316–317, 320, 322–323
    Lutero sobre 194
Adão, pecado de 252–253, 407, 421–422
adesão à aliança, justiça como 183
ad fontes 44, 45
adiáfora 510–511
adoção 179–182
Aliança Nacional Escocesa 614–615
aliança (ou pacto) 601
    Calvino sobre 587, 590–591, 611
    e resistência à tirania 599–600
    unidade de 543–545
    Zwínglio sobre 474
aliancistas 473–474, 614–616
alloiosis 275, 276–278
alma 258, 648–649
"América cristã", tese da 621–622
amilenismo 635–636, 652
anabatistas 20, 108, 109, 138, 154, 184–185, 342, 343, 345–346, 360, 406, 481, 605
    apocalipticismo de 629–630
    cristologia de 294–297
    escatologia de 627, 634, 638, 649–650, 653–654
    martirológico 518
    rejeição de sola scriptura e sola fide 556
    sobre a Ceia do Senhor 577
    sobre a igreja 503, 508, 512, 514, 524–526
    sobre banimento 363–364, 603
    sobre batismo 531, 535, 539–543, 544, 553, 557
    sobre separação entre Igreja e Estado 596–599
    sobre sono da alma 647–650
analogia da Escritura 140–141

anarquia 605, 612, 613
anciãos [ou presbíteros] 113–114, 492, 518–520, 524, 601
Anfechtungen 632, 642
anglicanismo 10, 359, 521–524
anhypostasia 234–235, 273, 278
anticristo 162, 510, 627–628, 631, 639–640, 641, 651–652, 654
antinomianismo 176, 214, 462–463, 485–486
antitrinitarianismo 165–169, 174–175, 177, 183–186
antropomorfismo 196, 323
antropomorfistas 195–196
Apocalipse, canonicidade de 629–630, 633–634
apocalipticismo 593, 629–630, 638–639, 646, 649–650, 653
apolinarianismo 324
Apologia da Confissão de Augsburgo 303–304, 402–403, 408–409, 455–456, 557
argumento constitucional (resistência popular) 393–397, 402–403, 409, 409–411
arianismo 87, 112–113, 165, 175, 185, 186
arianos 169
aristotelismo 168, 169, 189–190, 231, 563–564, 600
arminianismo 120, 386–387, 427
arquitetura da igreja 45
Artigos de Esmalcalde 262–263, 344–345, 505, 557, 585, 640
Artigos de Lambeth 120
Artigos de Schleitheim 294–295, 524–525, 598–599
Assembleia de Westminster 236–237, 615–616
    escoceses delegados à 122
atividade missionária da igreja 115, 519–520
Atos e monumentos (Foxe) 118
autonomia 22–23, 27
autopistos 152
autotheos 177, 271–272

banimento, prática anabatista de 363–364, 603
batalha carnal versus espiritual 598–599
batismo 64, 349, 354, 531–558
    como morte e ressurreição 537
    como palavra divina de promessa 531–533, 544–548
    como palavra humana de testemunho 531, 541–542, 546–548
    e Trindade 181
batismo de criança 108, 360, 363, 364, 531, 539, 540–541, 542–545, 549–551
    rejeição do 360–362, 556
Bíblia. *Ver* Escritura
biblicismo, do antitrinitarianismo 184–185
bispo de Roma 504
boas obras 83, 85, 103, 211, 232, 337, 357, 358, 371, 372, 374, 383, 384, 417, 428, 469, 487, 491–495, 498, 507–508

e fé 15, 17, 497
e justificação 457, 462–463, 467–468
bondade divina 200–201

calvinismo holandês 616–617
"Calvino contra os calvinistas" 238–239
Cânones de Dort 237–239
Capadócios 177, 280
carne 638–639
"carne" e "Espírito" 405
casamento
  como um sacramento 64, 67, 533–535
  Lutero sobre 485
Caso das Salsichas 107–108
Caso dos Cartazes 111–112
castigo dos pecados 19, 82–83, 333
Catecismo de Genebra 306–307, 315, 517, 597–598
Catecismo de Heidelberg 122–124, 182, 234–235, 261–262, 266, 307, 315–316, 318, 324, 326, 463, 491, 493, 494, 497
Catecismo do Concílio de Trento 305
Catecismo Maior de Westminster 307, 315–316
Catecismo maior (Lutero) 331, 346–347, 557, 575
Catecismo Menor de Westminster 307, 315–316, 493–494
Catecismo menor (Lutero) 173–174, 330–331, 346–347, 457, 575
Catecismo Racoviano 185–186, 369, 385–386
"cativeiro babilônico" do papado 91, 591
cativeiro da vontade 391–441
catolicidade reformada 479–500
Ceia do Senhor 64, 123–124, 348–349, 354, 561–585
  administrada "sob ambas espécies" 564
  e união com Cristo 380–382
  frequência da 113–114
celibato clerical 93, 107, 519
cesaropapismo 587, 589–590
chamado, fidelidade ao 337
chamado geral do evangelho 209, 222, 227, 419, 440
chamamento eficaz 419, 427–435, 440
chaves do reino 66, 507–508, 511–512, 518, 615
ciência moderna 251
cientistas da criação 198–201, 353–354
cisma Oriente-Ocidente (1054) 89–90
Clericis laicos 91
Coalizão do Evangelho 11
Código Justiniano 506–507, 541–542
coerção 224–225, 241, 394, 406, 492, 526, 602–603

Colóquio de Malbronn 272, 292–293
Colóquio de Marburgo 104, 109, 272, 276, 277, 278, 540, 546–548, 575–576
Colóquio de Montbéliard 272, 293, 293–294
communicatio idiomatum (comunicação de atributos) 273, 278, 296
    Beza sobre 293–294
    Calvino sobre 285–286
    Cranmer sobre 360
    no luteranimso 279–284
    Zwínglio sobre 276–277
como israelitas modernos 496
como visível e invisível 191, 354, 509, 514–515, 517–519, 524, 525–526, 595–596
Companhia de Pastores (Genebra) 114, 116
compulsão 394–395
comunhão 12
comunhão com Cristo 173, 217–218, 228–231, 287, 367–388, 375, 487–489
comunhão dos santos, como "igreja oculta" 509
comunidade 25, 26, 27
Conceito de Colônia 294, 295
conciliarismo 98, 504, 587, 591–592, 595
Concílio de Basileia 95
Concílio de Calcedônia 87, 278, 311–312
Concílio de Constança 94, 504, 504–505, 564–565, 591
Concílio de Constantinopla, Primeiro (381) 87, 88
Concílio de Constantinopla, Segundo (553) 273, 278, 285
Concílio de Constantinopla, Terceiro (680-681) 281
Concílio de Niceia 87
Concílio de Trento 14, 17, 20, 43, 97, 101–102, 111, 123, 135, 157–158, 169, 186, 210, 225, 265, 301–302, 305, 328, 369, 383, 437, 447, 464–467, 469–470, 475, 508, 533–534, 553–554, 561, 564, 584
concílios da igreja 63, 88, 136, 592, 636
"concisão lúcida" de Calvino 113
Concórdia de Wittenberg 546, 552, 561, 579–580, 583
concupiscência 263, 265, 407
condenação 213
confessionalismo nacional 621–622
confiança 454
confirmação 64, 65
Confissão Belga 234–235, 261–262, 463, 490, 492–493, 554
Confissão de Augsburgo 104–105, 115, 190–191, 218–219, 264–265, 292–293, 303–304, 372, 402–403, 406–409, 414, 464, 505–506, 511–512, 557, 576–578, 584–585
Confissão de Fé de Westminster 121, 307, 322–323, 555–556, 615–616
Confissão de fé usada na congregação inglesa em Genebra 493
Confissão de Genebra 303, 492
Confissão de Kampen 294–295
Confissão de Schweinfurt 577
Confissão de Waterlander 295

Confissão Escocesa 121, 191–192, 234–235, 260, 266, 492, 554, 584
Confissão Francesa 191, 234–235, 261, 463, 554, 584
Confissão Luterana de Magdeburgo 607–610
confissão oral 66
Confissão Suíça dos Irmãos de Hesse 294–295
Confissão Tetrapolitana 199, 490, 512–513, 576–577
confissões e catecismos 13, 15, 27
confissões reformadas
    sobre a Ceia do Senhor 584–585
    sobre batismo 553–557
    sobre imagem de Deus 260–261
    sobre justificação 462–463
    sobre predestinação 234–235
    sobre união com Cristo 382
    unidade e diversidade de 123–124
conforto, da eleição 225, 241, 357
Confutação da Confissão de Augsburgo 464
conhecimento de Deus 153, 155, 156, 172–173, 193–194, 196–198, 335, 353, 549
    sem mediação na visão beatífica 196
Conselho Mundial de Igrejas 9
Conselho para a Promoção da Unidade dos Cristãos 17
Consenso de Zurique. *Ver* Consensus Tigurinus
Consensus Tigurinus 110, 115
consilia 74
consistório 114, 491, 520, 603
Constantinopla 87–88, 95
contingência 391, 393–396, 403, 409, 410–411, 414
Contrarreforma 15, 42, 101, 165, 186–187, 342, 510. *Ver também* Reforma católica
contrato social 590–591
conversão 402
Credo de Atanásio 174–175, 584–585
Credo dos Apóstolos 55, 176, 321, 323–324, 346–347, 376, 500, 505–506, 508, 584–585
Credo Niceno 190–191, 343, 506–507, 584–585
Credo Niceno-Constantinopolitano 177
credos, apelo de Lutero aos 138
criação 245–246
    bondade da 247–248
    e atributos de Deus 247–248
    e redenção 246–250
    restauração da 645
criação absoluta 248
criação secundária 248
criacionismo (alma) 648–649
cristandade 16, 96, 184, 480, 503, 589, 594, 640
cristandade ocidental 89, 94, 504

cristologia 111, 184, 227, 230, 239, 240, 271–273, 272, 273, 276, 278, 279, 283, 284, 289, 292, 294, 295, 296, 345, 368, 371, 380, 382
    e santidade 487–489
cruz 335–337
Cruzadas 74, 93, 591
cuidado pastoral 206, 396
culto
    centralidade da Palavra no 54–56
    Lutero sobre 510–511
    na Reforma escocesa 121
    na Reforma inglesa 119
curialismo 591
curiosidade excessiva, com relação à doutrina da eleição 222

Debate de Heidelberg 103, 195, 335
Décadas (Bullinger) 110, 148, 152, 257, 516, 582
Decálogo 44, 479, 483, 494, 499–500
Declaração Conjunta sobre a Doutrina da Justificação 16–18, 468–470
"declarações de fé" 13
decreto oculto 195, 210, 646–647
    e história redentora 643–644
    ordem dos elementos distintos do 236–237, 239–240
deificação batismal 542
deísmo 250–251
depravação
    Calvino sobre 421–427
    Melanchthon sobre 404–406
descida ao inferno 323–325, 332
desejo 394–396
determinismo 409–410, 419–420
Deus
    acomodação de 194–196, 201–202
    asseidade de 206, 248–250
    como gracioso 50, 104, 173, 205, 441, 483
    essência de 177–178, 185, 279–280
    incompreensibilidade de 193–196
    misericórdia gratuita na eleição eterna 222–223
    não a causa do pecado 410
    não um tirano 223–224
    paternidade de 177–180
    pessoas de 177–179
    presciência de 393–394
    soberania de 107, 209–210, 357
Deus absconditus 216–217
Deus oculto/escondido 643

Deus revelatus 216–217
Diabo 330–334, 396–397, 425, 639–640
diáconos 113–114, 520
dia do julgamento 638, 653
dialética lei-evangelho 103, 144
dicta probantia 137
Dieta de Augsburgo (1518) 103, 136
Dieta de Augsburgo (1530) 148, 512–514, 576
Dieta de Worms 103, 137–138
dignidade humana universal (resistência política) 613
direitos humanos 622, 623
disciplina da igreja 90, 112–113, 114, 119, 186, 355, 480, 500, 507, 514, 516, 518, 520–521, 523, 598–599, 602–604, 615
discipulado 362, 479
disposição. *Ver* habitus
Disputa de Leipzig 130, 142–143
distinção entre Criador e criatura 198–201
docetismo 573, 637
"dogma central", tese do 221, 239–241
dois reinos 509, 520, 614, 621, 634, 637
dois tipos de justiça 461–462
"dom acrescentado" 263–265
"dom da salvação", o 16–17
domesticação da transcendência 22
donatismo 86, 131, 506–507, 533
duas eras 638–639
dupla graça. *Ver* duplo benefício da união com Cristo
"dupla justificação" 463
dupla predestinação 110, 213, 221, 239–240, 241, 414
duplo benefício da união com Cristo 376, 378, 387, 461–462, 487–489
"duplo comer" (Ceia do Senhor) 578–579

ecclesia reformata, semper reformanda 45
Ecclesiastical Ordinances (Calvino, 1541) 113–114
eclesiologia
   e santidade 489–491
   e santificação 494
Edito de Milão 589–590
educação teológica, Calvino sobre 114–115
eleição 180–181, 210–213, 222–223, 432–433
   conforto da 224–225, 241
   e pessoa e obra de Cristo 228–229
eleição e reprovação, assimetria entre 223–224, 224, 235, 241
eleição individual 238, 490
Elohim 183, 248, 249

El Shaddai 202–205
"em Cristo" 367–368
emocionalismo 24
encarnação 375–377
enhypostasia 273–274, 278
entusiasmo 21–25, 484, 500
erastianismo 122, 123–124, 514–515, 587, 597–598, 602
escatologia 627–654
escatologia semirrealizada 627, 643–644
"escola finlandesa" de interpretação de Lutero 468, 470–472
escolasticismo, de Vermigli 232–233
escritos apócrifos 361
Escritura. *Ver também* sola Scriptura
   autoautenticação da 147, 151–152, 156–158, 350–351
   autoridade da 26, 129–163, 350
   clareza da 141–142, 143, 146, 147, 152, 153
   como centro e conteúdo do culto 54–56
   como lentes 51
   como Palavra de Deus 139–140, 146–150, 159–163
   como própria intérprete 141, 159
   e tradição 26–27, 97, 98
   suficiência da 14, 25, 150–151
Espírito, aplicação da redenção 179–181
Espírito Santo 341–364
   como Doador da vida 173
   como o amor de Deus 167–169
   e a igreja 346–347
   e a Palavra 344–345, 347, 349–351, 356–357, 360–361
   e a salvação 345–346, 348, 352–353, 357–359, 362
   e os sacramentos 345, 348–349, 351–352, 354–355, 359–360, 361–362
   habitar do 489
   iluminação do 434–435
   pessoa e deidade de 364
   testemunho do 156–158, 350–351
espiritualidade, a partir de dentro 25–26
espiritualidade dualista (chamamentos sagrado e secular) 484–485
espiritualistas 361, 364, 512, 524–526
esquema de dupla aliança (resistência política) 611, 612, 618
Estabelecimento Elisabetano 480–481
estado intermediário 71, 628, 633, 640, 653
Estados Pontifícios 88–89
estoicismo 409–411, 414–415, 419
Estrasburgo 112–113, 512–513
eucaristia 49, 67–69. *Ver também* Ceia do Senhor
eutiquianismo 278

evangelho
  como tesouro da igreja 44
  no centro da Reforma 41–45
  versus outros evangelhos 18
evangelicalismo, minimalismo do 10–13, 14, 26
"evangélicos e católicos juntos" (ECT) 16–17
evolução 250–253
evolução teísta 251–253
excomunhão 360, 362–364, 514, 516, 522, 601, 603
exegese quádrupla 134–135
ex opere operantis 82, 533
ex opere operato 82, 383, 385, 533, 535, 539, 553–554
expiação 14, 19, 20, 241, 285, 301, 302, 312, 321–323, 330, 332, 333, 460
  como intercâmbio "afortunado"/"feliz" 334, 534–535
  como vitória 330–333
  extensão da 237–239, 325–329
  necessidade da 327–328
  suficiência da expiação 328–329
expiação limitada 325, 326
expiação substitutiva 14, 333
extra Calvinisticum 284–289, 293, 313–314
extrema unção 64, 65, 68, 533–535

fatalismo 232, 409–410
fé
  de crianças 543, 546–550
  e batismo 537–538, 548–549, 554–555
  e justificação 460–463, 534–535. *Ver também* sola fide
  e sacramento 533–535
  e santificação 497
Federação Luterana Mundial 9, 16
"fé formada pelo amor" 78–79, 371–372, 454, 464–465, 482–483
fé histórica 319, 349
"fé que opera pelo amor" 371, 457
fé salvadora 349, 539, 548
Filho
  como "Deus verdadeiro de Deus verdadeiro" 177
  esvaziar do 284
  realiza redenção 178–179
filiação 178–180
filioque 343–344, 355
filipistas 105, 122, 292, 414–415
First Blast of the Trumpet Against the Monstrous Regiment of Women [O primeiro ressoar da trombeta contra o monstruoso governo de mulheres] (Knox) 120–121
Fórmula de Concórdia 105, 217–220, 260–261, 282–284, 374–375, 383, 402, 413–418, 452, 467, 471–472, 474–475, 553, 556–557, 585

franciscanos 593
Franciscanos 629–630
fundamentalismo 10–11, 13, 22

Genebra 111–116
  como centro da fé reformada 116
  governo da igreja de 519–520
genus majestaticum 274
genus tapeinoticon 274
glória de Deus 493–494
glorificação 488–489
gnésio-luteranos 105, 292, 414–415
gnósticos 21
governo civil 589
  anabatistas sobre 526
  Bullinger sobre 516
  Calvino sobre 601
  Zwínglio sobre 515
governo da igreja 519–521
graça 452–454, 459, 465–466, 469, 470
  como sacramentalmente dispensada 104
  "operando" e "cooperando" 429–430
graça comum 353–354
graça preveniente 427–435
Grande Cisma do Ocidente 94–95, 504, 504–505, 591
Grande Despertamento 24
"graus de eleição" 222–223
"Great Commonplaces" (Cramner) 162
Guerra Civil Inglesa 614–616
Guerra de Esmalcalda 510
Guerra dos Camponeses 103–104, 596
Guerras de Religião 606, 608–609, 611

habitus 81, 83–84, 374–375
Habsburgos 97, 117
hemisfério sul do globo 10, 14–15
heresia 15, 93–94, 114, 143, 165, 176, 297, 303, 509, 571, 604
história redentora 627, 636–639, 643–644
"história Whig" 480–481
huguenotes 46, 587, 608–609, 612, 614, 617
Hungria 616
huteritas 526

iconoclastia 46, 108, 480
idolatria 48, 49, 109, 121, 426, 519, 557
ignis purgatorius 72

igreja
　　autoridade da 104, 130, 132, 627
　　catolicidade da 479
　　como comunidade de fé 346
　　como comunidade dos crentes 346–347
　　como corpo misto 362–364
　　como guardiã da Escritura 159–160
　　como israelitas modernos 496
　　como visível e invisível 354
　　e Espírito Santo 346–347
　　e Trindade 181
　　sem salvação fora da 515
　　unidade da 505, 506, 513
Igreja Católica Romana
　　sobre autoridade da igreja 69
　　sobre governo da igreja 503–504, 509–510
　　sobre justificação 372–374, 384–385, 463–468
　　sobre união com Cristo 382–385
　　teorias de resistência 616–617
Igreja da Inglaterra 10, 119, 158, 161, 257, 261, 520, 522, 523, 597, 614–615
Igreja e Estado 98, 121, 159, 364, 587–623
igreja invisível 509, 514–515, 517, 524, 525–526
igreja militante 96, 515
Igreja Presbiteriana Nacional do México 10
Igreja Presbiteriana na Nigéria 10
Igreja Presbiteriana nos Estados Unidos 10
igreja primitiva. *Ver* pais da Igreja
Igrejas Batistas Particulares 556
Igrejas de Cristo Evangélicas Reformadas (Nigéria) 10
igrejas estatais 95–96, 98
igrejas reformadas alemãs 616
igreja triunfante 515
igreja universal 318, 514, 515, 521
igreja visível 354, 514–518, 524, 525–526, 595–596
Iluminismo 9, 21, 24, 250–252, 594
imagem de Deus 253–261
　　deformação da 261–265
　　e a imortalidade 265–266
imagem e semelhança 258, 260, 261
imagens e relíquias da igreja 108
imortalidade da alma 265–266
imortalidade humana 265–266
impassibilidade divina 189–190, 192, 201, 311, 337
imperativos de Deus 399–401
Império do Oriente 88

imprensa 109
indiferença doutrinária 9, 10–13
individualismo 138
indulgências 63, 74–78, 102–103, 481–482, 503–504
indulgentiae 74
inferno 323–325
infralapsarianismo 213, 227, 233–234, 235, 236–237, 681
Institutas da religião cristã (Calvino) 58, 152–153, 332, 350, 351, 352, 353, 380, 433, 459, 460, 518, 601, 605, 628, 632, 644, 645, 647
   edição de 1536 (primeira) 112, 175–176, 306, 329, 331, 376, 420, 457, 549–550, 580
   edição de 1539 (segunda) 113, 306, 376, 420, 426
   edição de 1559 (final) 115, 155, 156–158, 176–182, 221–222, 306–307, 329, 331, 376, 378–379, 420–421, 426, 458, 489
interpretação alegórica 252–253
interpretação histórico-literal da Escritura 252–253, 253
interpretação literal 134–135
ira de Deus 112, 263, 309, 310, 322–323, 334, 336, 421, 630, 641
Islã 87–88
Israel, eleição geral de 222–223
"Isto é meu corpo" 137, 348–349, 561–562, 568, 569–575, 581

já, mas ainda não 627, 644–647
jesuítas 116, 118, 122–123
Jesus Cristo
   ascensão de 271, 277, 279, 281–282, 283, 284, 288–289, 292, 360
   como Mediador 302–305, 308–314
   como Mestre 316–319
   como o Cabeça da igreja 514–515
   como o segundo Adão 252–253
   como pregador 320
   como Profeta 314–320
   como Rei 330–334
   como Sacerdote 305, 321–329
   deidade de 10–11
   descida ao inferno 323–325, 331
   duas naturezas 308–314
   humilhação de 280–281
   morte e ressurreição de 19
   obediência de 321, 328, 352, 374, 386
   volta de 11, 638
judaísmo do primeiro século 473–474
juízo final 628, 631, 642, 643
juramentos 118, 599
justiça alheia 371–372, 374–375, 471–472, 482–483, 489
justiça apropriada 482–483

justiça, como adesão à aliança 473–474

justiça de Deus 44, 73, 78, 82, 85, 213, 218–219, 223, 327–328, 408, 423, 425, 451–452. *Ver também* justiça alheia; *Ver também* justiça imputada

justiça imputada 14, 17, 124, 367, 372, 373, 374–375, 379, 386, 445, 453–457, 459–460, 466, 470–472, 474

justiça inerente 451, 460, 467, 472

justiça infundida 78–81, 374–375

justiça intrínseca 460, 471–472

justificação 445–475
    Armínio sobre 387
    como forense 455–457, 471–472
    como "o ponto principal sobre o qual a religião se sustém" 446
    consenso entre reformadores sobre 445–446
    diálogo entre protestantes e católicos romanos sobre 16–18
    dirige a história ao objetivo final 630
    distinto de santificação 367, 372, 450, 461–462, 486–487, 497
    e eclesiologia 473–474
    e história redentora 636–639
    e mérito da graça 81–82
    e união com Cristo 371–372
    faltando na declaração doutrinária da National Association of Evangelicals [Associação Nacional de Evangélicos] (NAE) 12–13
    Finney sobre 14
    fundamento ou de queda da igreja 16, 209–210, 342, 446
    pelo amor expresso por meio de fé (Agostinho) 78

justificação final (Catolicismo Romano) 384

justificação inicial (Catolicismo Romano) 384

justificação pela fé 11–12, 78–79, 167, 180–181, 254, 301, 334, 342, 349, 458–462, 506, 630
    não é uma doutrina peculiarmente luterana 457–458

kenosis 312, 313

lectio continua 49, 54

legalismo 462–463

lei
    e santificação 498–499
    primeiro uso da 494
    terceiro uso da 486, 494

lei canônica 90–91, 96

lei e evangelho 317–318, 399–400, 499, 637–638

lei natural 617–620

"letra" versus "espírito" 21–22

liberdade libertária 397, 422–423

Liga [da] Suábia 596

Liga de Esmalcalda 105, 577, 608

limbo 75, 324, 641

limbus patrum 324

livre-arbítrio
   Calvino sobre 418–436
   debate de Lutero e Erasmo sobre 392–401
   em Fórmula de Concórdia 413–418
   Melanchthon sobre 401–413
Livro de Concórdia 11, 111, 343, 584–585
Livro de oração comum 117–119, 121, 124, 158, 161, 355–356, 522, 523–524
Livros de Homilias 47, 118–119, 158
locus purgatorius 72
lolardos 254
Lugares-comuns (Melanchthon) 120, 144, 401–402
   edição de 1521. . . . . . . 170–171, 217–218, 283, 402–406, 408, 409–410, 453–454, 567
   edição de 1543. . . . . . . 171, 409–413, 418–419, 506–507
   edição de 1555. 283–284
luteranos
   cristologia de 279–284
   sobre batismo 556–557
   sobre justificação 462–463
   sobre predestinação 214–220
   sobre santificação 481–486
   sobre união com Cristo 371–375
   teoria da resistência dos 607–609

magistrados inferiores. *Ver* magistrados menores
magistrados menores 587, 605–607, 610–611, 612
maniqueístas 131, 353, 409–410, 414–415
marcas da igreja 490–492, 503, 505–508, 517–519
martirológios 517–518
massacre do Dia de São Bartolomeu 122, 609, 610, 613
Mediador 70, 178, 181, 228, 240, 284–285, 288, 302–305, 308–314, 318, 327, 374
meditação sobre a vida futura 632–633, 645–646
meios de graça 25, 217, 490, 519, 537
menonitas 526
mérito condigno (merecido) 81–82
mérito congruente (adequado) 81, 84–85
mérito e justificação 81–82
mestres (ofício na igreja) 113–114, 519–521
método de correlação (Tilich) 26
missa 45–46, 68, 328, 504
   como sacrifício propiciatório 328–329, 564, 564–565
missas privadas 68
missa votiva 68
místicos 21
modernismo 10–11
monarcômacos 609–614

monasticismo 118, 122–123
monergismo 213, 220, 227, 391, 410, 412, 414, 417, 431, 434–435, 441
  de Lutero 397–399
  de Vermigli 441
movimento conciliar 95, 591
movimentos de avivamento 10, 650
movimentos sociais de aliança 592–593
muçulmanos 22, 87, 88, 89, 91, 144
Münster 525, 598, 650
munus duplex 306, 315
munus triplex 301–302, 305–308, 309–310, 315, 316, 317

nacionalismo 591
National Association of Evangelicals [Associação Nacional de Evangélicos] (NAE), declaração doutrinária da 12–13
naturalismo 250
necessidade 393–396, 409, 410–411, 423–426, 449
necessidade absoluta 327, 396, 409, 410, 413
necessidade hipotética consequente (expiação) 327
necessidade violenta 425
necessidade voluntária 425
nestorianismo 278, 282–283, 285
  de Beza 293
  de Calvino 285–286, 286
no evento em Lausanne (Cidade do Cabo, 2010) 14–15
nomes divinos 197, 201–205
nominalistas 264–265
nomismo de aliança (ou pactual) 474
norma normans 356–357, 360–361
norma normata 356–357
nova criação 25, 267, 430–431, 537, 637, 642
Nova perspectiva sobre Paulo 468–469, 472–474
novo céu e nova terra 627, 631, 637, 642, 652
Novo Mundo 597, 617
novo nascimento 11, 13, 14, 255, 308, 359, 362, 396, 399, 400, 402–403, 405, 408, 409, 413–418

obras de justiça 467, 473–474
obras de supererrogação 77
ofícios na igreja 113–114, 519–521
ofício triplo. *Ver* munus triplex
oração
  aos santos 69–70, 198, 303–304
  por mortos 68
Oração do Senhor 376, 479, 500, 508
oralidade da Palavra 139
ordenação como sacramento 64, 67, 514, 533, 535

ordens sacras. *Ver* ordenação como sacramento
ortodoxia oriental 348, 468

pacto de redenção 183, 246, 305
Padrões de Westminster 11, 237, 614
pais da Igreja 109, 247–248, 249, 343
    apelo de Lutero aos 137–138
    Cranmer sobre 162
    Melanchthon sobre 143
    sobre a Ceia do Senhor 533
    sobre autoridade da igreja 493
Palatinado 292, 491, 616
Palavra
    como centro da vida da igreja 526–527
    como viva e ativa 498–499
    encarnada 140
    escrita 140
    interna versus externa 364
    proclamada 140
Palavra e Espírito 49, 153–154, 344–345, 347, 349–351, 356–357, 360–361, 634–635
Palavra e sacramento 381
palavra e sinal 566–567
papado
    como o anticristo 627–628, 639–640, 651–652
    desafios medievais ao 91–94
    em necessidade de reforma 97
    infalibilidade 98
    primazia do 587, 589–590
    surgimento do 87–91
"participantes da natureza divina" 380–381, 489–490
pastores 113–114, 511–512, 519–520
patriarcados 88–89
Paz de Augsburgo 105, 122, 292, 607–608
pecado. *Ver também* depravação
    culpa e castigo 82
    morte e venial 68, 73, 74–75
pecado original 23, 44, 69, 260–263, 404–405, 407–408, 409, 415, 421, 482
pelagianismo 14, 43, 209–212, 218–219, 240, 264–265, 358, 404–405, 408, 412, 414, 415, 416, 421, 473
penitência 45–46, 49–50, 63, 64, 65–69, 71–75, 77, 79, 80–84, 358–359, 386, 490, 533–535, 537, 554
penitência exterior 66, 83
penitência interior 66, 83
pentecostalismo, sobre revelações contínuas 27
período final da Idade Média, autoridade bíblica 130–135
perseguição 507–508, 517–518, 541, 587, 589, 594, 607, 616
piedade 48, 102, 118, 122, 150–152, 257, 383, 385, 417, 426, 479, 481, 494, 498, 500, 503, 516, 521

pietismo 10, 19, 21, 24, 26
pluralismo de princípios 621–622
poder absoluto 190, 192, 591, 594
poder franco 88–89
poder ordenado 190, 192
política 587, 588, 590, 593–594, 598, 599–607, 609, 612, 617–623
política da igreja 123, 514, 665, 686
política episcopal 509, 524
Polônia 123, 124, 616
ponto de vista da resistência corporativa (resistência política) 613
pós-milenismo 635–636
potentia absoluta 190
potentia ordinata 190
praecepta 74
precursores, sobre a Igreja e o Estado 593–594
predestinação 110, 114–115, 209–241, 357, 437, 496
   e escatologia 646
   em confissões reformadas 234–235
   entre os reformados 220–240
   não uma doutrina peculiarmente reformada 209–210, 239, 240–241
   no luteranismo 214, 220
pregação 45–46
   Calvino sobre 48, 51, 54, 320
   como marca da igreja 505–506, 507–508
   como meio de graça 49–51
   declínio na Inglaterra 47
   Lutero sobre 50–51, 103–104, 139, 320
pré-milenismo 642
presbiterianos 10, 11, 121–122, 614–616
preterição 213
Primeira Confissão Helvética 109, 120, 191, 492, 578–579
Primeiro Catecismo de Calvino (1538) 425, 431
Primeiro Livro de Disciplina (Igreja da Escócia, 1560) 121
principais linhas do protestantismo 10–11
princípio formal da Reforma 45, 129, 162–163, 210, 627–628
princípio material da Reforma 162–163, 627–628
princípio regulador do culto 55–56, 121
Profetas de Zwickau 484, 540–541, 639, 687
promessa e cumprimento 646
Prophezei (escola dos profetas) 148
propiciação 72, 323, 326, 333
"Proposta de Leipzig" 510
"protestantismo sem a Reforma" 13–15
providência 107, 178, 191, 212, 215, 221, 224, 227–228, 230–231, 259, 266, 420, 604, 643
providência especial, predestinação como 212, 227–228

publicistas 592
purgatório 49, 63, 69-78, 81, 93, 96-97, 102, 481, 628, 633-634, 640, 647, 654
puritanos 56, 119, 121, 521-524, 614-616

Quadriga 134-135
quadrilátero wesleyano 26
Quarto Concílio de Latrão 65, 72, 74-75, 563-564
queda da humanidade 246-248
"questões curiosas" 228
quiliasmo 649-651
quiliastas 650-651

racionalismo dos antitrinitarianos 184-186
racionalistas evangélicos 361, 364
razão 172-173
reconciliação 46, 90, 109, 201, 285, 321, 378, 458, 461, 488, 534, 572, 584
redenção 183, 246-250
Redentor 301-303, 308, 315-316, 321, 325, 353, 387, 644
Reforma
   como movimento teológico 41-42
   como "rebeldes obedientes" 480-481, 500
   como redescoberta 41-45
   como renascimento do paulinismo 367-368
   nas igrejas 27-28
   oposição à especulação 170-171
   resgate do sermão 45-51
   variedade interna 41, 101-102, 123-124
Reforma católica 42, 43, 101, 101-102, 102, 118, 122, 122-123, 186, 186-187, 342, 596-597
reformadores de Cluny 89
Reformados
   cristologia dos 284-294
   sobre predestinação e eleição 220-240
   sobre santificação 486-495
   sobre união com Cristo 376-382
Reforma escocesa 120-122
Reforma inglesa 117-120
Reforma luterana 102-105
Reforma magisterial 123-124, 364, 596-597
Reforma radical 153-154, 345, 364, 406, 597
   e doutrina de Deus 191-192
   escatologia da 629-630
   sobre a Trindade 184-186
Reforma suíça 105-111
regeneração 376, 460-463
regeneração batismal 537-538, 542, 547-548

Regensburgo   464–466, 470
reino de Deus   550, 552, 589, 630, 635, 636, 637, 645, 646, 650
reinos vertical e horizontal (Lutero)   509
renascimento agostiniano   392
reprovação   213, 228, 237, 241
   Bullinger sobre   228–229
   e justiça de Deus   223–224
   em confissões reformadas   235
   Vermigli sobre   232–234
republicanismo   600, 601–602
resistência à tirania   587, 590–591, 596, 599, 600, 604–617
ressurreição   627–628, 641, 643–644, 645–646
revelação geral   197–198
romantismo   24, 26

sabatismo   119
sabelianismo   165, 175
sacerdócio de todos os cristãos   511–512, 512, 595
sacramentos   490
   Calvino sobre   181
   como marca da igreja   505–508
   discordância protestante sobre   531–532
   e Espírito Santo   345, 348–349, 351–352, 354–355, 359–360, 361–362
   faltando na declaração doutrinária da National Association of Evangelicals [Associação Nacional de Evangélicos] (NAE)   12–13
   na teologia do final da Idade Média   63
   totalizando sete   63, 64–67
sacra pagina   130–131
Sacro Império Romano   88–89, 97, 104, 122, 576, 607, 608, 630
Saint Pierre (Genebra)   48–49
Salmos, cânticos   49
salsichas. *Ver* Caso das Salsichas
salvação, e Espírito Santo   345–346, 348, 352–353, 357–359, 362
santidade   14, 69, 103, 175, 176, 257, 258, 262, 263, 267, 417, 450, 456, 461, 479, 481, 481–482, 482, 485–486, 486, 487, 489, 491, 493, 493–496, 494, 495, 496, 499, 500, 505, 514, 517, 676, 677, 689
   e cristologia   487–489
   e disciplina da igreja   500
   e eclesiologia   489–491
"santidade evangélica"   494
santificação   376, 479–500
santos, orações aos   69, 173, 303
Satanás, libertação de   639
schola Augustiniana moderna   392
secularismo   18, 250
Segunda Confissão Batista de Londres   556
Segunda Confissão Helvética   51, 110, 226–230, 234, 368, 463, 515, 516, 555, 584

segunda criação. *Ver* nova criação
Segundo Livro de Disciplina (Igreja da Escócia, 1578) 121
segurança 85, 225
   e batismo 554–555
   e eleição 241
   e penitência 83
"semente de religião" 155
semiagostinianismo 399, 427
semipelagianismo 43, 209, 211–212, 240, 399, 414, 415, 416, 427, 428–430
separação religiosa 615–616
sermão, como centro do culto 511
simplicidade divina 198–201
simul justus et peccator 454–455, 469
sinal de sua vontade 195
sinal e coisa significada 539, 540, 545, 566, 582
sinergismo 213, 392, 397–399, 414, 415, 416, 429, 430, 432, 435–436
   de Melanchthon 218–220, 401–413
Sínodo de Dort 130, 236
Sínodo de Missouri da Igreja Luterana 10
Sínodo de Wisconsin da Igreja Luterana 10
sistema sacramental 64, 68, 80
soberania de esfera 587, 597–598, 621
soberania política 612
socinianismo 185–186, 385–386
socinianos 368–369, 382–383
sofrimento 69, 70, 71, 73, 74–78, 96, 189, 192, 274, 312, 327, 328, 329, 335–337, 346, 507–508, 525, 569, 651
sola fide 19–20, 22, 43–44, 45, 50, 52, 162–163, 301–302, 358, 407, 457, 461, 466, 627–628
   e batismo 556
   e santificação 486, 496–497
   e união com Cristo 383–384
sola gratia 22, 43–44, 45, 50, 52, 210–212, 407, 416, 435–436, 441
   e santificação 496
sola Scriptura 20–21, 22, 26, 27, 45, 51–52, 54, 63, 94, 103, 107–108, 129–163, 185, 556
   Cranmer sobre 159
   e cativeiro da vontade 391–401
   e doutrina de Deus 170–171
   e santificação 498–499
   Lutero sobre 136–142
   Zuínglio sobre 148
solas da Reforma 15
Soli Deo Gloria 435–436
solus Christus 10–11, 18, 22, 26, 27, 45, 50, 52, 301–302, 407, 630
   e santificação 486, 495–496
sono da alma 628–629, 633–634, 639–642, 647–649

spirituali 186–187
substância e acidentes 563–564
supralapsarianismo 213, 236–237, 325

telos, da história redentora 643–644
Templo de Paradis (pintura) 47–48
teocracia 590
teologia da cruz 50, 103, 195, 301, 335–337, 512–513
teologia da glória 50, 103, 195, 335–337
teologia liberal 26
teologia medieval 15, 98, 200, 450, 508
    semipelagianismo da 211–212
    sobre a Ceia do Senhor 562–564
    sobre autoridade da Escritura 130–135
    sobre igreja 526–527
    sobre justificação 447–450
    sobre sacramentos 532–533, 534–536
    sobre Trindade 167–169
    sobre união com Cristo 369–371
teologia política 588–589
teologias sistemáticas dos reformadores 58
teonomia 621–622
terceiro uso da lei 486
textos de prova 137
theodidacti (ensinado por Deus) 147–148
tiranicídio 613, 620. *Ver também* resistência à tirania
tradição e Escritura 26–27, 97, 98
tradição humana 491–492
tradição oral 150–152
transcendência, domesticação da 22
transubstanciação 64–66, 108, 143, 186, 282–283, 328, 360, 561, 563–566, 584
"Tratados de Marprelate" 523
Três Formas de Unidade 11
Trindade 11–12, 165–187, 343, 364
    Calvino sobre 174–182, 248
    Contrarreforma sobre 186–187
    Lutero sobre 169–170
    na tradição reformada 182–183
    negação sociniana da 183–186, 385–386
    Tyndale sobre 174

ubiquidade da humanidade de Cristo 277, 281, 291–293, 314, 345, 360, 573
últimos dias 630–631
Unam sanctam 91
ungir o enfermo 64, 65

união com Cristo 172-173, 287-288, 344, 353, 355, 367-388, 581
    e a Ceia do Senhor 380-382
    e a proclamação da Palavra de Deus 50-51
    escola finlandesa sobre 473-474
união encarnacional 377, 581
união espiritual 377-378, 380, 581-582
união hipostática 271, 273-274, 278, 279, 281, 291, 293-294, 297, 369, 371
    no luteranismo 279-282
    reformadores sobre 284-289
união mística 377-378, 379, 472, 581
união natural 377-378
união sacramental 547-548, 550, 551, 554, 556, 574-575, 578-579
universo, como teatro deslumbrante da glória de Deus 155-156

valdensianos 76
Variata da Confissão de Augsburgo 104-105, 115, 124
Vaticano II 16
veneração de santos 198-199
verdade 483-484
vestes 119
vestes clericais 119
via antiqua 447-448, 451-452
via moderna 392, 447-451, 465-466
vida cristã 25, 56, 103, 166, 168, 172, 173, 267, 358, 362, 479, 480, 481, 484, 486, 487, 494, 495, 496, 498, 499, 500, 511, 522, 526, 527, 537
    como peregrinação 633, 644-646
    disciplina na 490-491
visão beatífica 196
vitorinos 132-133, 167-169
vocação 427-435, 438-440, 485
voluntas beneplaciti 195
voluntas signi 195
Vontade cativa (Lutero) 104, 141, 214-217, 219, 401, 415, 485
vontade do beneplácito 195
vontade permissiva de Deus 232-234
votos monásticos 519

Yahweh (Iavé ou Jeová) 201-205, 249-250

zuinglianos 115, 406, 584
Zurique 106-107, 148, 226, 257, 513-514, 602

ÍNDICE DE CITAÇÕES

Gênesis
  1 648
  1:1 245–246
  1:9 569
  1—11 .... 249, 251–252
  1:26 .... 248, 255, 256, 258
  1:28 67
  2:7 .... 258, 649
  3 246–247
  3:7 262
  3:15 246
  6 196
  6:3 404–405
  6:5 405
  6:5-6 193
  6:6 196
  8:21 416
  14:18 329
  15:16 403
  17:1 202
  19 140
  27:27 181
  livro de 139, 245–246, 252, 252–253, 264, 396

Êxodo
  3:14 202–204
  3:15 204
  6:3 204
  7:3 410
  12:11 572
  29:7 307
  31:2,6 354
  33:3 262
  33:19 439
  35:30 354

Números
  6:24-26 55

Deuteronômio
- 5:5 302
- 17:15 618
- 18:18 314
- 29:29 317
- 30   400
- 30:15 400
- 30:19 400
- 33:9 605

Josué
- 1:8,9 618

Juízes
- 8   601

1Samuel
- 2:25,26 403
- 3:9 253
- 10:1 307
- 16:13 307

1Reis
- 12:15 403

2Crônicas
- 31:21 618
- 32:32 618

Jó
- 4:19 265
- 10:8a 260
- livro de. 252

Salmos
- 2:1-6 331
- 2:7 304
- 5:11 337
- 8   245
- 21:5 194
- 23   202, 205
- 45   138
- 48:15 265
- 51:5 .... 262, 405
- 89:3 304
- 94:9 198
- 95:8 416

100:3 430
102:18 144
110 . . . . 645, 650
111:4 205
116:15 641
119 . . . . 486, 494
124:8 55
139 . . . . 259, 274
livro de. 161, 192, 205, 252

Provérbios
   14:12 403
   14:27 403
   16:4 403
   16:9 403
   16:11,12 403
   16:33 403
   20:24 403

Eclesiastes
   9:1 403

Isaías
   6:9 439
   7:14 285
   26:20 . . . . 641, 695
   42:1 313
   46:10 395
   52:13-15 332
   53:12 332
   53:13 319
   54:13 433
   57:1,2 641
   61:1 307
   63:17 431
   livro de. 433–434

Jeremias
   10:23 403
   17:9 404
   32:39,40 431

Ezequiel
   11:19,20 432
   17:9 601
   17:19 609

36 430
36:26 431
36:27 432
livro de 629

Daniel
6:22 606
7:25 647
9:27 651
livro de 629, 647

Amós
livro de 433

Jonas
livro de 322–323

Habacuque
2:4 85
2:20 395

Zacarias
10:6 406

Malaquias
2:1-9 605
2:7 139

Mateus
1:23 285
5—7 316
5:9,10 179
5:14 508
5:34-35 598
6:10 .... 588, 635, 643
6:21 632
7:18 409
8:19 316
10:29 403
11:25-27 439
11:27 316
12:28 313
13:11 439
15:6,9 492
16:18b 28
16:19 .... 66, 590
17 132

18 . . . . 525, 603
18:10 542
18:11 321
18:15-17 . . . . 514, 518
18:15-18 363
18:17 602
19:14 550
21:11 316
22:14 . . . . 394, 433
22:21 588
23:8 316
23:37 440
24:22 638
24:29 646
24:36 647
25:1-13 69
25:41 650
25:46 650
26:26 . . . . 137, 562, 582
26:28 . . . . 305, 575
27:46 311
28:19 . . . . 536, 542
livro de 255

Marcos
2:3-12 538
4:38 316
9:35 274
10:38-40 69
13:32 317
14:36 313
16:16 557

Lucas
1:15 550
2:1 87
4:18 . . . . 308, 316
4:18,19 308
10:16 320
11:18-21 396
12:7 403
12:32 27
13:24 229
21:25-33 632
22:19 575

22:20 309
23:34 311
24:27 .... 140, 431
24:45 431

João

1:1 52
1:1-3 246
1:29 286
3   440
3:2 316
3:5 .... 439, 550
3:6 405
3:8 440
3:16 487
3:27 440
4:23 49
4:23,24 49
4:25 314
5:21-23 286
5:39 140
5:46 141
6   276, 375, 570–571, 573
6:14 316
6:15 598
6:37 .... 439, 440
6:44 .... 406, 431, 432, 434, 438, 439, 440
6:44,45 431
6:45 .... 432, 434, 439
6:56 372
6:63 .... 277, 571
8:12 .... 286, 698
8:36 406
9:5 .... 286, 698
10   439
10:3 505
10:11 .... 286, 698
10:14 508
10:28 508
10:28-29 .... 215, 439
11:28 316
12:31 645
13:13 .... 316, 698
13—17 316
13:18 394

13:31 644
14:8 335
14:9 . . . . 197, 336
15:1 . . . . 286, 383
15:1-11 383
15:5 . . . . 416, 423
15:13 327
16:13 431
16:33 28
17:4 305
17:21 267
19:30 329
20:30,31 150
livro de. 405, 432

Atos
1:7 650
2:22 313
3:22 316
5:29 588
10   548–549
10:38 . . . . 69, 313
11:18 431
15   86
16:14 . . . . 381, 416, 440
17:2 137
20:28 310

Romanos
1:3,4 308
1:16 416
1:17 85
1:19 . . . . 197, 198, 335
1:20 335
1:21 170
3:10,11 435
3:20 399
3:24 . . . . 79, 180
3:31 79
4   206
4:5 455
4:11,12 543
4:17 206
4:25 . . . . 312, 653
5   245, 405, 421

5:5 168
5:11 262
5:12 262
5:20 79
6:9 .... 312, 638
6:9,10 638
6:12 268
7:7,23 407
8   405, 644
8:5,7 404
8:6 421
8:7 .... 416, 421
8:11 312
8:15 179
8:17 .... 180, 181
8:23 644
8:29 352
8:34 303
9   210, 403, 438
9—11 223
9:15 439
9:16 .... 416, 441
9:18-22 394
10:17 .... 22, 348
11   403
11:17 352
11:34 431
11:36 403
12:1 512
13:1-7 .... 588, 610
13:3,4 588
livro de. 136, 180, 252, 405

1Coríntios

1:9 .... 487, 488
1:20 335
1:21 170
1:23 337
1:30 .... 175, 461, 488, 495
2:10-16 431
2:12,13 147
2:14 .... 219, 408, 415
3:7 416
3:11-15 70
7:1—2:6 67

9:16 416
10   496
10:3 571
10:31 493
11:23 318
15   245
15:3-8 318
15:12ss. 650
15:22 405
15:25-28 86
15:27 286
livro de. 70

2Coríntios
1:20 . . . . 488, 654
1:20-22 654
2:16 433
3   21
3:5 . . . . 416, 430
3:17 423
3:18 . . . . 257, 266–267, 482
7:10 431

Gálatas
1:11,12 318
2:20 325
3:2ss. 412
3:13 . . . . 309, 331, 333
3:27 352
4:6 . . . . 179, 318, 631
5:6 78
6:14 336
livro de. 405, 446, 471–472

Efésios
1   216
1:4 180
1:5-6 180
1:11 403
1:14 649
2   430–431
2:3 . . . . 322, 404, 405
2:5 416
2:10 431
4:3-6 . . . . 525, 558
4:15 . . . . 352, 378

4:15,16 378
4:22-28 267
4:24 . . . . 256, 263
5:30 380
5:31 67
6:12 598

Filipenses
1:12 12
2:5,6 482
2:6 . . . . 273, 274, 312
2:6,7 274
2:7 312

Colossenses
2:11,12 543
2:15 332
3:10 . . . . 256, 263
3:16 144

1Tessalonicenses
4:17 . . . . 650, 651
5.21 145

2Tessalonicenses
2:2-12 652
2:4 651
2:7 652
livro de 652

1Timóteo
2   326
2:4 326
2:5 303
4:13 144
6:4 15
6:14 633
6:15,16a 266

2Timóteo
2:25 440
2:25,26 431
2:26 396
3:16,17 150

Tito
2:13 642

3:5 182

Hebreus
1:2 316
2:5 645
2:14 .... 334, 377
2:14-18 334
3:1,2 315
3:2 .... 304, 305
4:12 498
4:14 306
4:15 311
5:4 304
6:4-6 431
7:11 605
7:20 605
8:6 .... 303, 605
9,10 329
9:15 303
10:10 329
11   454
11:1 454
11:3 246
11:6 409
12:24 303
13:15,16 512

Tiago
5:14,15 65
5:16 66

1Pedro
2:5 512
2:9 512
2:13-25 588
2:15 609
2:21 482
3:19 .... 323, 324
5:5 397

2Pedro
1:4 .... 368, 375, 380, 489

1João
2   326
2:2 .... 238, 326

2:27 147
3:2 181

Apocalipse
5:6 311
11:15 588
20   360, 635, 639, 651, 652
20:4 650
20:6 651
20:7-10 639
21:4 71
22:20 642
livro do 628–629, 633

Este livro foi impresso em 2023, pela Geográfica, para a Thomas Nelson Brasil.
O papel do miolo é pólen natural 70g/m², e o da capa é cartão 250 g/m².